DER LITERARISCHE BAROCKBEGRIFF

WEGE DER FORSCHUNG

BAND CCCLVIII

1975

WISSENSCHAFTLICHE BUCHGESELLSCHAFT

DARMSTADT

DER LITERARISCHE
BAROCKBEGRIFF

Herausgegeben von
WILFRIED BARNER

1975

WISSENSCHAFTLICHE BUCHGESELLSCHAFT

DARMSTADT

⚅ Bestellnummer 5740

© 1975 by Wissenschaftliche Buchgesellschaft, Darmstadt
Satz: Maschinensetzerei Janß, Pfungstadt
Druck und Einband: Wissenschaftliche Buchgesellschaft, Darmstadt
Printed in Germany
Schrift: Linotype Garamond, 9/11

ISBN 3-534-05740-6

INHALT

Inhalt

EINLEITUNG *

Von Wilfried Barner

„Wir fassen zusammen: Der durch verschiedene Auslegungen in
Kunst und Literatur diffus gewordene Begriff ‚Barock' als Gesamt-
bezeichnung für die Literatur des 17. Jahrhunderts ist nicht geeignet, um methodisch sauber und von einem wissenschaftlich-mate-
rialistischen Standpunkt die Darstellung der Literaturentwicklung
dieses Zeitraumes durchzuführen." Als im Jahr 1962 der fünfte,
dem Barockjahrhundert gewidmete Band der großen DDR-Literaturgeschichte erschien, war die Diskussion um den literarischen
Barockbegriff schon nahezu fünf Jahrzehnte alt. 1915 hatte *Heinrich Wölfflin*, an seine frühe Barockskizze von 1888 anknüpfend,
die ›Kunstgeschichtlichen Grundbegriffe‹ veröffentlicht, 1916 *Fritz
Strich* den vieldiskutierten Aufsatz über ›Den lyrischen Stil des
siebzehnten Jahrhunderts‹. Was im Zeichen der geistesgeschichtlichen
Typologie und eines germanisierenden Expressionismus begonnen
hatte, sollte — dahin ging die Absicht des DDR-Autorenkollektivs
— im Zeichen des historischen Materialismus sein längst fälliges
Ende finden.

Es geschah nicht zum erstenmal in der Geschichte der Barockforschung, daß sich ein Protest gegen terminologischen Mißbrauch
und methodologische Verwirrung erhob. Und nicht zum erstenmal
wurde die radikale Eliminierung des Barockbegriffs als einzig konsequenter Ausweg gefordert. *Benedetto Croce* hatte sich, aus italienischer Perspektive, von Anfang an gegen die neue, in Deutschland und der Schweiz propagierte ‚Barock'-Mode zur Wehr
gesetzt; mit neuidealistischer Emphase hatte er auf dem minder-

* Bei Beiträgen, die im vorliegenden Band enthalten sind, werden die
Namen der Verfasser *kursiv* gesetzt. Die Einleitung wurde im Frühjahr
1971 verfaßt. Seither erschienene Literatur konnte nicht mehr berücksichtigt werden.

wertigen, unkünstlerischen, ‚nichtpoetischen' Charakter der Barockliteratur bestanden (1925). Hans Pyritz sprach schon 1932 in seiner
Fleming-Monographie von der allgemeinen „Wirrnis" der Barockdiskussion, und Richard Newald empfand 1949 den Barockbegriff
als vollends „zerredet". *Ernst Robert Curtius,* der noch zu Beginn
der 40er Jahre den Begriff ‚barocker Dichtungsstil' im Titel eines
Aufsatzes verwendet hatte (1940/41), konstatierte 1948 energisch:
„Mit diesem Wort [sc. Barock] ist . . . so viel Verwirrung angerichtet worden, daß man es besser ausschaltet."

Doch das einmal Eingeführte vermochte sich zu behaupten, auch
innerhalb des sozialistischen Lagers. Mit überraschender Entschiedenheit wurde auf dem Budapester Kongreß für osteuropäische
Literatur 1962 der Barockbegriff von mehreren Teilnehmern gegen den Vorwurf der ‚Verschleierung' und der ‚bürgerlichen Ideologie' verteidigt. In Polen und Ungarn vor allem gehört ‚Barock'
noch immer zum Grundbestand der literaturwissenschaftlichen
Terminologie. Autoren wie *Marian Szyrocki* (vgl. 1965), *Andreas
Angyal* (vgl. 1956/57) und Elida Maria Szarota haben in zahlreichen Untersuchungen mit dem Begriff gearbeitet und seine Legitimität zu erweisen versucht. In den westlichen Ländern aber ist er
nicht nur fester etabliert denn je; namentlich in der Romania scheint
die Phase der literarischen Barockbegeisterung erst eigentlich während der letzten Jahre erreicht zu sein. ‚Barock' ist, häufig kombiniert mit dem Problem des ‚Manierismus', zu einem Lieblingsthema
von Vortragsreihen und Kongressen geworden. Allein zwischen
1950 und 1965 konnte man nicht weniger als acht derartiger Veranstaltungen zählen.

Also immer noch ‚Barock' — und kein Ende? Wer heute auf die
extensive Barockdiskussion der 20er Jahre zurückblickt oder sie gar
selbst erlebt hat, ist leicht versucht, die Barockwelle der Nachkriegs-
zeit nur noch als ewige Wiederkehr des gleichen zu interpretieren.
Viele Barockforscher haben längst darauf verzichtet, sich an der
Erörterung des terminologischen Für und Wider zu beteiligen. Mit
kaum verhohlener Skepsis oder gar Resignation setzen sie den
Barockbegriff in beziehungsvolle Anführungszeichen und verwenden
ihn lediglich als ‚Verständigungsbegriff' oder ‚Übereinkunfts-
bezeichnung'.

Das ist in der gegenwärtigen Situation verständlich, aber nichtsdestoweniger unbefriedigend. Denn hinter einer so geübten reservatio mentalis verbergen sich oft unartikulierte Einwände verschiedenster, ja widersprüchlichster Art. Ein Großteil der jahrzehntelangen Barockdiskussion — das zeigt auch die vorliegende Auswahl — krankte daran, daß man jeweils nur Partialaspekte behandelte, ohne sich dessen hinreichend bewußt zu sein, und daß man die Kategorien der eigenen Kritik nicht offenlegte. Man redete aneinander vorbei.

Fünf methodologische bzw. terminologische Hauptaspekte des Barockproblems sind zunächst zu unterscheiden, wobei als selbstverständlich vorausgesetzt wird, daß die fünf Punkte weder in systematischer noch in wissenschaftsgeschichtlicher Hinsicht ganz voneinander isoliert werden können:

1. der kunstvergleichende Aspekt;
2. der stiltypologische Aspekt;
3. der epochale Aspekt;
4. der nationalliterarische Aspekt;
5. der sozialgeschichtliche Aspekt.

Daß der Begriff des ,Barock' aus der Kunstkritik hervorgegangen ist (vgl. *Bruno Migliorini* 1962) und daß die frühe literarische und musikalische Barockforschung ohne den Anstoß von seiten der Kunstwissenschaft nicht gedacht werden kann, ist oft dargestellt und nicht selten beklagt worden. Die Überzeugung von der wesenhaften Einheit und Vergleichbarkeit der Einzelkünste gehörte zu den Grundlagen, auf die sich Begeisterung und methodischer Elan des geisteswissenschaftlichen Antipositivismus und Antihistorismus stützten. Schon in Nietzsches Skizze ›Vom Barockstile‹ aus dem Jahr 1879 (vgl. *Wilfried Barner* 1970) war die kunstvergleichende Methode der Barockforschung antizipiert. Und *Heinrich Wölfflin* selbst wies bereits in seiner frühen Studie ›Renaissance und Barock‹ (1888) auf die Möglichkeit hin, „den neuen Stil auch in der Poesie zu beobachten". Er exemplifizierte dies durch einen knappen Vergleich der Anfänge von Ariosts ›Orlando furioso‹ (1516) und von Tassos ›Gerusalemme liberata‹ (1584).

Erst die ›Kunstgeschichtlichen Grundbegriffe‹ freilich (1915) machten die neue Methodik einem breiteren Publikum bekannt und veranlaßten die sogenannte ‚Übertragung' des Barockbegriffs auch auf andere Künste, wobei für den Bereich der Musik Curt Sachs (1918/19), für den Bereich der Literatur *Fritz Strich* (1916) und Oskar Walzel (1916/17) an vorderster Stelle zu nennen sind. Doch die Propagierung eines neuen Oberbegriffs war nicht einmal das Wesentlichste. Oskar Walzel versuchte schon 1917 mit seinem Buch ›Wechselseitige Erhellung der Künste‹ auch eine systematische Grundlegung der kunstvergleichenden Methode, und namentlich Curt Sachs hat zeitlebens mit Entschiedenheit die Einheit und Gleichzeitigkeit der Künste vertreten (vgl. *Friedrich Blume* 1962).

Das mußte, zum Prinzip erhoben und von sehr unterschiedlichen Talenten gehandhabt, geradezu zwangsläufig in die analogistische Hypertrophie führen, und immer wieder hatten dabei die Barockkünste als Paradebeispiel herzuhalten. Man ließ ‚Tiefendimension' und ‚Terrassendynamik', ‚Farbigkeit' und ‚Variation', ‚Schwellung' und ‚Steigerung' einander wechselseitig erhellen, ohne jeweils genauer nach dem geschichtlichen Ort der Vergleichsobjekte zu fragen. Was dabei an interpretatorischer Erkenntnis zutage kam, hat die beiden großen Wellen der Ernüchterung um 1930 und nach 1945 nur in stark reduzierter Form überlebt. Wenn *Fritz Strich* noch 1956 die Legitimität des literarischen Barockbegriffs wesentlich von der ‚Einheit der Künste' abhängig macht, so ist es verständlich, daß *Horst Hartmann* (1961) dieses problematische Junktim aus marxistischer Sicht gerade *gegen* den Barockbegriff wendet. Obwohl in den letzten Jahren die Tendenz zu einer reflektierten Synopse der Einzelkünste wieder zunimmt — man vergleiche etwa den Beitrag von *Jean Rousset* (1963) —, wird speziell der Barockbegriff erst allmählich die Hypothek seiner analogistischen Frühgeschichte ablösen können.

Vom kunstwissenschaftlichen Impuls her ist zunächst auch der stiltypologische Aspekt des Barockbegriffs zu interpretieren. Die Wiederentdeckung und Neubewertung der verfemten Barockkunst bei Burckhardt und Wölfflin, bei Gurlitt, Schmarsow und Riegl hatte sich unter der synthetisierenden Idee des ‚Stils' vollzogen. Die Rückbeziehung der Stilphänomene auf psychologische, anthropologische Grundtypen bildete dabei schon früh die Brücke zu einer generalisierenden Stilphysiognomik. ‚Barock' wurde, gekoppelt mit

dem polaren Typus ‚Renaissance' oder ‚Klassik', zu ihrem eindrucks-
vollsten Exempel.

Die literarische Barockforschung hat davon nicht wenig profi-
tiert. Seit *Fritz Strichs* Lyrik-Aufsatz von 1916 verstand sie sich in
ihrem Kernbereich als Stilforschung, und was hier durch zahlreiche
detaillierte Stiluntersuchungen erarbeitet wurde, gehört zu den
besten und am wenigsten überholten Ergebnissen der Barockforschung. Jenseits aller geistesgeschichtlichen Spekulationen machte
sich auf dem Gebiet der literarischen Stilanalyse der positive Einfluß jenes Handwerklich-Konkreten, jenes aufmerksamen und sen-
siblen Beobachtens bemerkbar, das Wölfflin innerhalb der Kunstwissenschaft neu belebt hatte. Zwar ist die Vorliebe der frühen
Barockforschung für eine rauschhafte, mystisch-ekstatische, erleb-
nishafte Stildeutung (vgl. *Fritz Strich* 1916, *Herbert Cysarz* 1923)
längst fragwürdig geworden. Aber die führende Rolle der Kategorie ‚Stil' ist geblieben (neuerdings ergänzt und präzisiert vor
allem durch die Kategorie ‚Rhetorik'). Unter den grundlegenden
Barockarbeiten der letzten Jahre befinden sich gleich mehrere, die
ihrem Wesen nach Stiluntersuchungen darstellen, etwa die Monographie von Manfred Windfuhr über ›Die barocke Bildlichkeit‹
(1966) oder die Arbeit von *Carl Otto Conrady* über die ›Lateinische Dichtungstradition‹ (1962). Auch die neuesten Diskussions-
beiträge zum Barockbegriff, von *Marian Szyrocki* (1966) und
Blake Lee Spahr (1967), setzen beim Problem des Stils und der
Stilebenen an.

Hat sich in dieser Hinsicht eine bemerkenswerte Kontinuität der
Forschung erhalten, so ist der rein typologische Aspekt, die Konzeption eines ‚zeitlosen' oder ‚ewigen' Barock, nur von relativ
kurzer Dauer gewesen. Ein Beispiel aus dem Bereich der Literaturwissenschaft ist *Oskar Walzels* Versuch (1928), mit Hilfe der Wölfflinschen Kategorien Klopstock als den eigentlichen, den größten
deutschen Barockdichter zu erweisen (auf ‚neubarocke' Tendenzen
im 18. Jahrhundert hat neuerdings wieder Heinz Otto Burger aufmerksam gemacht). Zur Kompromittierung des typologischen
Barockbegriffs trugen vor allem die ins Weltgeschichtliche ausgrei-
fenden Barockspekulationen bei, so Oswald Spenglers ›Untergang
des Abendlandes‹ (1918—22) mit seinen vielen ‚barocken' Spät-

phasen oder das Barockbuch von Eugenio d'Ors (1935) mit seinen 22 ‚Barockstilen'.

Die terminologische Lücke wurde mittlerweile durch den Begriff des ‚Manierismus' ausgefüllt, den Ernst Robert Curtius (1948) und sein Schüler Gustav René Hocke (1959) als typologisches Komplement zu ‚Klassik' bzw. ‚Klassizismus' in die Literaturwissenschaft eingeführt haben. Viele Probleme der alten Barockdiskussion begegnen jetzt unter neuen Vorzeichen, wenngleich nicht so, daß die beiden Termini schlechthin austauschbar wären. Gerade ihre Koexistenz hat für den Barockbegriff und seine Präzision positive Folgen gehabt. Sie hat eine Tendenz verstärkt, die schon früh in der Barockforschung erkennbar wird: die Tendenz, ‚Barock' primär als Epochenbegriff zu verwenden und lediglich einzelne stilphysiognomische Konnotationen gelten zu lassen.

Als *Heinrich Lützeler* 1933 eine erste Bilanz der kunstwissenschaftlichen Barockforschung zog und seinen Gegenstand zugleich als Beispiel spezifisch geisteswissenschaftlicher ‚Exaktheit' präsentierte, entschied er sich klar für den epochalen Aspekt des Barockbegriffs. Führende literarische Barockforscher wie Günther Müller oder Karl Viëtor waren seit 1925 ähnlich verfahren — ohne bestimmte stilistische Implikationen dabei auszuschließen. Der Gegensatz zu primär weltanschaulich-politisch geprägten Epochenbegriffen wie ‚Reformation' oder ‚Aufklärung' wurde durchaus empfunden. Das bedeutete Chance und Gefahr zugleich. Während das lange geleugnete künstlerische Moment der Barockliteratur glücklich zur Geltung zu kommen schien, wurde allzu leicht eine epochale ‚Einheit' suggeriert, die den inneren Gegensätzen und Widersprüchen des Barockjahrhunderts nicht gerecht werden konnte.

Arthur Hübschers vieldiskutierter Versuch, das Antithetische zum epochalen ‚Lebensgefühl' des Barock zu erheben (1922), war unter diesem Gesichtspunkt eher eine Flucht nach vorn als eine adäquate Wesensbestimmung. Gerade die kritisch geübte Stilanalyse mußte den epochalen Barockbegriff immer wieder in Frage stellen. Schon *Fritz Strich* sah sich am Schluß seiner Untersuchung von 1916 gezwungen, die zunächst postulierte ‚Einheit' des lyrischen Stils zu relativieren und Opitz, Gryphius und Hofmannswaldau als Repräsentanten dreier ‚Stufen' einzuführen. Seit den frühen Arbeiten von *Herbert Cysarz* (1923) und Richard Alewyn (1926) hat man wiederholt zwischen ‚weiterem' und ‚engerem' Barock oder zwischen ‚Barock' und ‚vorbarockem Klassizismus' (Alewyn) zu differenzieren versucht.

Die in den letzten Jahren intensivierte Erforschung der verschiedenen ‚Traditionen' hat zu ähnlichen Ergebnissen geführt. So hat etwa *Karl Otto Conrady* (1962), aufgrund seiner Untersuchungen der lateinischen Dichtungstradition, vorgeschlagen, die ‚barocke' Kernzone im eigentlichen Sinn (symbolisiert durch Gryphius) von einer nichtbarocken ‚Opitz-Ebene' abzuheben. *Marian Szyrocki* wiederum (1966) interpretiert diese ‚mittlere Ebene' von der Literaturtheorie des 17. Jahrhunderts her und versteht nicht die Sprengung der Form, sondern ihre ‚maximale Belastung' als das charakteristisch ‚Barocke'.

Die Problematik des literarischen Barockbegriffs, die bisher weitgehend am Beispiel der deutschen Literatur und der Germanistik erörtert wurde, komplizierte sich schon früh durch die Einbeziehung mehrerer europäischer Nationalliteraturen in die neue Barockperspektive. *Wölfflins* erster Hinweis (1888) bezog sich ja bereits auf die italienische Literatur, auf Ariost und Tasso. Wenn trotzdem die Barockbegeisterung zunächst in der Germanistik am stärksten war, so erklärt sich dies aus der Dominanz der deutschsprachigen Autoren unter den Anhängern der neuen Methodik — und aus der Tatsache, daß zugleich eine vernachlässigte und deklassierte Epoche der deutschen Literaturgeschichte dem interpretatorischen Verständnis wiedergewonnen schien.

Bei den großen Nachbarliteraturen (namentlich der französischen, englischen und spanischen) bestand, was das 17. Jahrhundert betraf, ein solcher Nachholbedarf viel weniger. Als Oskar Walzel in einem Aufsatz von 1916 Shakespeares ‚atektonischen' Dramenstil als literarischen Barockstil deutete, fand dies im anglistischen Bereich kaum positive Resonanz. Ähnlich erging es dem Versuch von Theophil Spoerri, den von Wölfflin angeregten Vergleich zwischen Ariosts ‚Renaissancestil' und Tassos ‚Barockstil' im einzelnen auszuführen (1922). Vor allem der Barockbegriff selbst konnte sich außerhalb des deutschen Sprachbereichs nur allmählich, gegen große Widerstände (vgl. *Benedetto Croce* 1925), von seinem pejorativen Beigeschmack befreien.

In Frankreich beispielsweise ist erst während des letzten Jahrzehnts, insbesondere durch die zweibändige Barock-Anthologie (1961) und die große Barock-Monographie von *Jean Rousset* (1963, vgl. den im selben Jahr publizierten Vortrag), der entscheidende Durchbruch des literarischen Barockbegriffs gelungen. Dabei hatten Friedrich Schürr (1928) und vor allem *Helmut Hatzfeld* (1929) schon vor über vierzig Jahren erste Vorstöße unternommen. Wieder anders liegen die Verhältnisse in der anglistischen Forschung. Zunächst, während der expressionistischen Phase der Barockbegeisterung, schien das Terrain — der germanischen ‚Artverwandtschaft' wegen — besonders günstig zu sein. In den 30er Jahren wurden von *Walter F. Schirmer* (1931) und Paul Meissner (1934) bereits große geistesgeschichtliche Überblicke gegeben. Seit Kriegsende dominiert eine eher skeptisch abwägende, relativierende Position, wie sie etwa der Vortrag von *Mario Praz* (1962) spiegelt. Hier, wie in der romanistischen Forschung, ist auch jeweils die Herkunft des Autors mit zu berücksichtigen.

Daß es unmöglich sein würde, auf die verschiedenen Nationalliteraturen einen einheitlichen Barockbegriff anzuwenden, war von vornherein abzusehen. Schon die starken zeitlichen Verschiebungen stellten vor unlösbare Schwierigkeiten. Wenn z. B. Shakespeare ‚barock' war, hatte dann das gesamte elisabethanische Zeitalter als ‚Barock' zu gelten? Selbst wer den Barockbegriff rein typologisch verstand, konnte schwerlich an ein völlig spontanes, gleichgerichtetes Hervorwachsen des ‚Barockstils' in den einzelnen Ländern glauben. Wie etwa wäre das Verhältnis von Corneille und Racine zu bestimmen, oder auch das von Hofmannswaldau und Marino?

Solche Fragen haben die Barockforschung bis heute immer wieder beschäftigt, und wo man sich auf detaillierte Stilanalysen einließ, war der interpretatorische Gewinn oft beträchtlich. So konnte etwa Leo Spitzer in einer berühmt gewordenen Untersuchung (1928) nachweisen, daß Racine zwar als Basis ständig ‚barocke' Elemente verwendet, sie aber auf spezifisch ‚klassische' Weise abdämpft. Gerade bei *Spitzer* wird, auch in seiner Darstellung des spanischen Barock (1943/44), die anregende Wirkung der komparatistischen

Perspektive immer wieder erkennbar. Ähnliches gilt für den Teil der neueren Manierismusforschung, der sich mit dem 17. Jahrhundert beschäftigt. Ein Vergleich der verschiedenen nationalen Extremstile wie Gongorismus, Concettismus, Euphuismus, Schwulststil oder préciosité, zunächst begonnen mit dem Blick auf ‚manieristische' Gemeinsamkeiten, führte bald zu der Erkenntnis, daß viel eher die stilphysiognomischen Differenzen und ihre jeweiligen geschichtlichen Voraussetzungen zu untersuchen seien. Zu diesen Voraussetzungen gehören, im europäischen Kontext, vor allem die einzelnen rhetorischen Theorien der ‚Scharfsinnigkeit' (argutia, agudeza, acutezza), die während der letzten Jahre mehr und mehr in den Gesichtskreis der Barockforschung gerückt sind.

Das Zusammentreffen von komparatistischer Perspektive und Manierismusdiskussion ist auch für den Barockbegriff als solchen nicht ohne Konsequenzen geblieben. Bei aller Differenzierung im einzelnen (vgl. *E. B. O. Borgerhoff* 1953, *August Buck* 1965, *Blake Lee Spahr* 1967) hat sich als communis opinio herausgebildet, was *Spahr* thesenhaft so formuliert: „Manierismus ist ein Stil, Barock ist eine Epoche." Lediglich Wylie Syphers Theorie von den ‚vier Stufen des Renaissancestils' (1955) hält an den Epochenbegriffen Manierismus und Barock nach dem Muster der Kunstgeschichte fest. Die kunstwissenschaftliche Barockforschung hat, bedingt durch die Eigenart ihres Gegenstandes und ihrer Methodengeschichte, früher und gezielter als die Literaturwissenschaft auch nach Herkunft und Entstehung des ‚Barock' gefragt. Schon zu Beginn der 20er Jahre stand es für Autoren wie Werner Weisbach fest, daß Barock ein wesenhaft katholisch-gegenreformatorisches Phänomen darstelle; die Dominanz Spaniens und Italiens bei der Ausbildung der barocken Stilformen schien diesen Schluß zu fordern. Zwar hat Nikolaus Pevsner von der italienischen Kunstgeschichte her nachdrücklich gegen eine Gleichsetzung von Barock und Gegenreformation opponiert (1928). Aber auch innerhalb der Literaturwissenschaft fand die These vom katholischen Wesen des Barock rasch Anklang (verschiedene Abstufungen bei Josef Nadler, Günther Müller, Paul Hankamer u. a.). Sie erhielt zusätzliche Argumente, als die romanischen Literaturen auf breiterer Grundlage in die Barockperspektive einbezogen wurden.

Jetzt verengte sich die These bei einzelnen Autoren sogar auf spanisch-katholische Herkunft des Barock, so vor allem bei *Helmut Hatzfeld*. Sein früher Aufsatz über die religiöse klassische Lyrik in Frankreich (1929) setzt in bezeichnender Weise beim Vergleichspunkt der spanischen Mystik an und entwickelt von dorther die Züge des Barockstils in Frankreich (ähnlich noch in seinem grundsätzlichen Beitrag von 1949). Im Bereich der Germanistik hat die ‚spanische These' eine vergleichsweise geringe Rolle gespielt. Hier ist, vor allem aufgrund von Arbeiten Günther Müllers (seit 1926), ein anderer Aspekt des Barockbegriffs in den Vordergrund getreten und hat bis heute einen wesentlichen Teil der Forschung bestimmt: die These von der ‚höfischen' Orientierung der Barockliteratur.

Diese sozialgeschichtliche Präzisierung des Barockbegriffs hatte zunächst den Vorteil, daß sie von den Spekulationen über ‚germanisch-barocke Wiedergeburt' und dergleichen auf nachweisbare geschichtliche Größen zurücklenkte. Die entscheidende Bedeutung des Adels und der Höfe im Zeitalter des Absolutismus, auch im Hinblick auf die Literatur, war unbestreitbar. Auf der anderen Seite bestand die Gefahr, daß nun vom Aristokratisch-Großzügigen, Höfisch-Festlichen her eine neue ‚Einheit' der Barockepoche postuliert wurde, die den Anteil der nichthöfischen Schichten entschieden vernachlässigte. Erika Vogt hat durch die Herausarbeitung einer ‚gegenhöfischen Strömung' in der deutschen Barockliteratur (1932) dieses Bild zu korrigieren versucht, freilich ohne durchschlagenden Erfolg. Die Gründe für diese Entwicklung sind vielschichtig. Wie Theodor W. Adorno in seinem Vortrag ›Der mißbrauchte Barock‹ (1966) gezeigt hat, spielten auch die Interessen und Praktiken der Kulturindustrie eine nicht unbeträchtliche Rolle. Das Ergebnis jedenfalls war, daß für viele der Barockbegriff an das Höfisch-Feudale und Katholisch-Klerikale gebunden blieb.

Bei diesem Punkt setzt die eingangs zitierte marxistische Kritik des Barockbegriffs an, wie sie vor allem *Horst Hartmann* (1961) formuliert hat. Seine Wahl des Untertitels könnte zunächst vermuten lassen, es gehe um die Problematik der kunstvergleichenden Methode. Der entscheidende Punkt aber liegt darin, daß bereits

der kunstgeschichtliche Begriff ‚Barock' stark höfisch-klerikal bestimmt ist und die unteren Schichten wie Bürgertum und Bauern-
stand in den Hintergrund drängt. So gesehen wird auch die von
verschiedenen Seiten gegen *Andreas Angyal* vorgebrachte Kritik
verständlicher. Denn seine Transposition des Barockbegriffs in die
slawische Welt (vgl. den Beitrag von 1956/57) findet ihre überzeugendsten Beispiele immer wieder in den Ländern mit besonders
starker katholischer Tradition. Vom Standpunkt des historischen
Materialismus aus jedoch, so erläutert Ulf Lehmann in einem Aufsatz über ›Barock und Aufklärung‹ (1968), beginnt die Zeit der
‚fortschrittlichen' Literatur bei den Slawen erst mit der Aufklärung;
was Angyal betreibe, sei ‚Fetischisierung' des Barock.

Die vor allem in der DDR beheimateten Gegner des literarischen
Barockbegriffs haben sich damit abgefunden, daß die Dominanz
des Höfisch-Klerikalen unabänderlich sei. Die jüngste Entwicklung
der Barockforschung gibt ihnen nicht recht. Zwar beginnt die
Sozialgeschichte der deutschen Barockliteratur erst in Umrissen
erkennbar zu werden; es fehlen noch wichtige Vorarbeiten. Aber
schon Albrecht Schönes große Barock-Anthologie etwa (1963) bietet ein Gesamtbild, in dem der höfische und klerikale Bereich auf
seine realen geschichtlichen Größenverhältnisse reduziert ist. Mehr
und mehr tritt, auch von der Untersuchung der Literaturtheorie
her, der Gelehrtenstand als der spezifische Träger der Barockliteratur in den Vordergrund. Die bei manchen marxistischen
Barockforschern zu beobachtende Tendenz zur einseitigen, kom-
pensatorischen Aufwertung der sogenannten ‚volkstümlichen' und
‚bürgerlichen' Literatur wird hier an ihre Grenze stoßen.

Als Konsequenz der marxistisch-sozialgeschichtlichen Barockkri-
tik ergab sich bisher fast stets die ersatzlose Streichung des Barockbegriffs. Wenn *Walther Hubatsch* (1958) im Hinblick auf die politische, konstitutionelle Geschichtsschreibung vor einer Dominanz
der kunstgeschichtlichen Perspektive warnt, so ist dies vor allem
deshalb plausibel, weil er mit ‚Gegenreformation' und ‚Absolutismus' zwei eingeführte und vergleichsweise präzise Oberbegriffe als
Alternativen anzubieten hat. Der resignative Rückzug auf das an-
nalistische Prinzip hingegen, wie ihn die DDR-Literaturgeschichte
praktiziert (‚1600—1700'), bedeutet im Grunde ein Ausweichen

vor der beständigen und zielbewußten Revision des Barockbildes selbst.

Wozu überhaupt dienen Begriffe wie ‚Barock'? Die Frage ist so allgemein formuliert, und sie ist so oft schon in abstracto diskutiert worden, daß ihre Erörterung nachgerade als müßig erscheint. Trotzdem sind solche Begriffe Realitäten der wissenschaftlichen Kommunikation, mit denen nicht sorgsam genug umgegangen werden kann. In der zu Anfang erwähnten Budapester Barockdiskussion vom Jahr 1962 wies Werner Krauss nicht zu Unrecht darauf hin, daß „durch diese Begriffe ein Vorgriff auf die Sache selbst gelegt" wird.

Es ist der Hauptzweck des vorliegenden Bandes, die Geschichte dieser ‚Vorgriffe', von den Anfängen bis in die unmittelbare Gegenwart hinein, kritisch bewußt zu machen. Das Schwergewicht liegt also auf dem terminologischen Aspekt, wie er sich in der internationalen und interdisziplinären Diskussion seit Wölfflin dargestellt hat. Durch diese Zielsetzung unterscheidet sich der Band auch prinzipiell von der verdienstvollen Dokumentation materialer germanistischer Barockarbeiten (1916—1936), die Richard Alewyn 1965 unter dem Titel ›Deutsche Barockforschung‹ vorgelegt hat. Unterscheidung bedeutet hier Ergänzung.

Über die Schwierigkeiten und Grenzen solcher Auswahlen ist das meiste bereits von anderen Editoren — besonders in der Reihe ›Wege der Forschung‹ — gesagt worden. „Kein Kenner wird nicht Charakteristisches vermissen" (Alewyn), dies gilt auch für den Band ›Der literarische Barockbegriff‹. Zu den Grundsätzen der Reihe gehören die chronologische Anordnung der Beiträge und der weitgehende Verzicht auf Buchauszüge. Daß dadurch Verzerrungen entstehen können, bedarf keiner Erläuterung. Unter den Barockbeiträgen Jean Roussets etwa haben die Anthologie (1961) und die große Monographie (1963) den Gang der Forschung nachhaltiger beeinflußt als der hier aufgenommene Vortrag (1963). Der materialreiche Überblick ›Zur Gewinnung unserer Barockbegriffe‹ (1956) von Hans Tintelnot erschien von vornherein als zu umfangreich. Der ursprünglich vorgesehene frühe Shakespeare-Aufsatz (1916) von Oskar Walzel war bereits für den Shakespeare-Band der ›Wege der Forschung‹ eingeplant. Beschränkungen solcher

Art waren unvermeidbar. Auf eine gesonderte Bibliographie wurde nach eingehender Überlegung verzichtet. Weiterführende Hinweise finden sich in dem Nietzsche-Beitrag am Schluß des Bandes sowie in meinem Aufsatz: Stilbegriffe und ihre Grenzen. Am Beispiel ›Barock‹, DVjs 45, 1971, S. 302 ff.

Heinrich Wölfflin, Renaissance und Barock. Eine Untersuchung über Wesen und Entstehung des Barockstils in Italien. München: Theodor Ackermann 1888, S. 58—74 (7. Auflage 1968: Schwabe & Co., Basel).

DIE GRÜNDE
DER STILWANDLUNG

Von Heinrich Wölfflin

1. Wo liegen die Wurzeln des Barockstils? Angesichts dieser gewaltigen Erscheinung, die sich darstellt wie eine Naturmacht, unwiderstehlich, Alles vor sich niederwerfend, fragt man erstaunt nach Ursache und Grund. Warum hat die Renaissance aufgehört? Warum folgt eben dieser Barockstil?

Die Wandlung erscheint als eine durchaus nothwendige: ferne bleibt jeder Gedanke, als hätte die Willkür eines Einzelnen, die sich einmal im Nie-dagewesenen befriedigen wollte, dem Stil seinen Ursprung gegeben. Wir haben es nicht mit Experimenten einzelner Architecten zu thun, von denen der Eine es auf diese, der Andere auf jene Art probirte, sondern mit einem *Stil,* dessen wesentlichstes Merkmal die Allgemeinheit des Formgefühles ist. Von vielen Punkten aus sehen wir die Bewegung entstehen; hier und dort wandelt sich das Alte, die Veränderung greift um sich und schliesslich kann nichts mehr dem Strome widerstehen: der neue Stil ist geworden. Warum musste es so kommen?

Man kann mit dem Hinweis auf das Gesetz der *Abstumpfung* antworten und diese Antwort ist in der That oft gegeben worden. Die Formen der Renaissance haben ihren Reiz verloren, das Zu-oft-gesehene wirkt nicht mehr, das erschlaffte Formgefühl verlangt nach einer Verstärkung des Eindruckes. Die Architectur giebt diese Verstärkung und wird damit barock.

Dieser Theorie der Abstumpfung stellt sich eine andere entgegen, die in der Stilgeschichte ein Abbild der Veränderungen im menschlichen Dasein erblicken will.

Der Stil ist für sie *Ausdruck* seiner Zeit, er ändert sich, wenn die Empfindungen der Menschen sich ändern. Die Renaissance musste absterben, weil sie den Pulsschlag der Zeit nicht mehr wiedergab, nicht mehr das aussprach, was die Zeit bewegte, was als das Wesentliche empfunden wurde.

Für die erstere Auffassung ergiebt sich eine vom Zeitinhalt vollständig unabhängige Formenentwickelung. Der Fortgang vom Harten zum Weichen, vom Geraden zum Rundlichen ist ein Prozess rein mechanischer Natur (man gestatte den Ausdruck): dem Künstler erweichen sich die scharfen und eckigen Formen unter den Händen, gleichsam von selbst. Der Stil wickelt sich ab, lebt sich aus oder wie man immer sagen will. Das Bild vom Aufblühen und Welken einer Pflanze stellt sich dieser Theorie vorzugsweise als leitender Gesichtspunkt ein. So wenig die Blume ewig blühen kann, sondern das Welken unaufhaltsam herankommt, so wenig konnte die Renaissance immer sich selbst gleich bleiben: sie welkt, sie verliert ihre Form, und diesen Zustand nennen wir Barock. Der Boden ist nicht schuld, dass die Pflanze abstirbt, sie trägt ihre Lebensgesetze in sich selbst. Und so der Stil: die Nothwendigkeit des Wandels kommt ihm nicht von aussen, sondern von innen: das Formgefühl wickelt sich ab nach eigenen Gesetzen.

2. Was ist zu dieser Betrachtungsweise zu sagen? Die Thatsache, die sie voraussetzt, ist richtig: gegen einen zu oft wiederholten, gleichen Reiz stumpft sich das percipirende Organ ab, d. h. das Miterleben des Gebotenen wird immer weniger intensiv; die Formen verlieren ihre Eindrucksfähigkeit, weil sie nicht mehr mitgefühlt, miterlebt werden; sie nutzen sich ab, werden ausdruckslos.

Diese Abnahme in der Intensität des Nachfühlens kann man wohl eine „Ermüdung des Formgefühls" [1] nennen. Ob „das Schärferwerden des Gedächtnissbildes" an dieser Ermüdung allein schuld sei, wie Göller will, möchte ich bezweifeln; jedenfalls aber scheint es verständlich, dass sie zu einer Steigerung der wirksamen Momente nöthigt.

Was gewinnen wir aber hieraus für die Erklärung des Barockstiles? — Wenig.

Es fehlt auf zwei Punkten. Für's Erste ist das Princip einseitig. Es betrachtet den Menschen nicht nach seiner ganzen Lebendigkeit

---

[1] Göller, Zur Aesthetik der Architectur, 1887, und Entstehung der architectonischen Stilformen, 1888.

und Wirklichkeit, sondern nur als formfühlendes Wesen, geniessend, müde werdend, nach neuem Reiz verlangend. Und doch ist nirgends in der menschlichen Natur ein Thun oder Leiden denkbar, das nicht bedingt wäre durch unser allgemeines Lebensgefühl, durch das, was wir sind, nach unserer gesammten Wirklichkeit. Wenn der Barock hie und da zu unerhört starken Ausdrucksmitteln greift, so ist daran viel weniger die Ermüdung des Formgefühls, als eine allgemeine Abstumpfung der Nerven schuld. Die Architectur musste das, was sie zu sagen hatte, mit jener Derbheit vortragen, nicht weil man an den Formen des Bramante sich stumpf gesehen, sondern weil der Zeit überhaupt die Feinfühligkeit verloren gegangen war, weil sie durch raffinirten Lebensgenuss, durch das Schwelgen in Zuständen des äussersten Affects für leisere Reize unempfänglich geworden war.[2] — Dann aber, wie kann die Abstumpfung überhaupt stilbildend wirken? Was ist denn diese Steigerung der wirksamen Momente, die sie verlangt? Man kann das Bewegte bewegter, das Grosse grösser, das Schlanke schlanker machen, die Theile immer künstlicher kombiniren — etwas wirklich Neues wird dadurch nie entstehen. Die Gothik kann immer schlanker und schärfer bis zum übertriebensten Ausdruck gebildet werden, es kann das komplizirteste System der Proportionen, die allerkünstlichste Kombination von Formen zur Anwendung kommen, wie ein neuer Stil sich entwickeln soll, bleibt unersichtlich.[3]

[2] Auch scheint es mir irreführend zu sein, wenn Göller als Analogon anführt, dass eine Melodie, zu oft wiederholt, sich ausspiele. Die Thatsache ist ja richtig, aber ein architectonischer Stil lässt sich nicht so ohne Weiteres mit einer Melodie zusammenstellen, sondern doch auch nur wieder mit einem musikalischen Stil, der innerhalb seines Bezirkes unendlich viele Bildungen zulässt.

[3] Die einzige Lösung — die aber kaum Jemand versuchen möchte — läge darin, den neuen Stil als nothwendige Reaction gegen den alten zu erklären. Man käme damit in Hegelscher Weise zu einer Entwicklung, wo der Gegensatz das treibende Moment ist. Allein die Kunstgeschichte möchte dieser Konstruction sich kaum fügen und den Thatsachen müsste in ähnlicher Art Gewalt geschehen, wie damals, als die Geschichte der Philosophie aus den Beziehungen der Begriffe zu einander im abstracten Denken begreiflich gemacht werden sollte.

Der Barock ist aber ein wesentlich Neues, das sich aus dem Vorhergehenden nicht ableiten lässt. Die einzelnen Motive der „Abstumpfung", wie eben z. B. das schwerer fassbare System der Proportionalität, machen das *Wesen* des Stils nicht aus. Warum wird die Kunst schwer und massig, warum nicht leicht und spielend? Hier muss nothwendig eine andere Betrachtungsweise Aufschluss geben, die Theorie der Abstumpfung ist nicht zureichend.

Der Standpunkt, den neuerdings der Architect Prof. *Göller* vertritt, erscheint mir ganz unhaltbar. Göller erkennt in der „Ermüdung des Formgefühles" allein „die treibende Kraft, der wir den Fortschritt seit den primitiven Schmuckformen der ältesten Völker verdanken". (Aesthetik der Architectur S. 32.) Der Grund der Ermüdung liege „in dem Schärferwerden des Gedächtnissbildes" (S. 23) und da nun „die geistige Arbeit, die wir im Gestalten des Gedächtnissbildes einer schönen Form leisten, die unbewusste seelische Freude an dieser Form" sein soll (S. 16), so ist allerdings für diese Theorie sehr klar, dass eine beständige Veränderung nöthig ist: sobald wir die Formen auswendig können, hat jeglicher Reiz aufgehört. Die Aufgabe der Architecten besteht nun eben darin, in der Gruppirung der Massen, in der Bildung und Combination der Einzelformen immer etwas Neues zu ersinnen. Wie entsteht aber ein gleichmässiges Formgefühl, ein Stil? Warum probirte es z. B. am Ende der Renaissance nicht Jeder mit etwas Anderem? Weil nur das Eine gefiel. Aber warum gefiel nur das Eine?

3. Die Betrachtungsweise, die das neue Formgefühl des Barock erklären soll, ist die psychologische. Sie fasst den architectonischen Stil als Ausdruck seiner Zeit; der Gesichtspunkt ist nicht neu, aber niemals systematisch begründet worden. Von Seiten der Techniker hat er von jeher Anfeindung erfahren und allerdings nicht immer mit Unrecht. Man findet recht viel Lächerliches in den sogenannten kulturhistorischen Einleitungen, die jeweilen einem Stil in den Handbüchern vorausgeschickt zu werden pflegen. Sie fassen den Inhalt grosser Zeiträume unter sehr allgemeinen Begriffen zusammen, die dann ein Bild der öffentlichen und privaten Zustände, des intellectuellen und gemüthlichen Lebens geben sollen. Gewinnt das Ganze dadurch schon einen blassen Charakter, so fühlt man sich vollends verlassen, wenn man nach den vermittelnden Fäden sucht,

die diese allgemeinen Thatsachen mit der fraglichen Stilform verbinden sollen. Man bekommt keinen Einblick in die Beziehungen, die zwischen der Phantasie des Künstlers und diesen Zeitverhältnissen bestehen. Was hat die Gothik mit der Feudalität oder der Scholastik zu thun? Welche Brücke leitet vom Jesuitismus zum Barockstil hinüber? Kann man sich befriedigen bei der Vergleichung der hier und dort bemerkbaren Richtung, die um die Mittel unbekümmert nur auf das grosse Ziel hinstrebt? Kann es für die ästhetische Phantasie von Bedeutung gewesen sein, dass der Jesuitismus seinen Geist dem Einzelnen aufzwingt und das Recht des Individuums der Idee des Ganzen opfert?

Bevor man in solchen Vergleichen sich ergeht, sollte man sich doch immer fragen: was sich tectonisch überhaupt ausdrücken lasse und was für die Formphantasie bestimmend sein könne.[4]

Ich darf hier in keine systematische Auseinandersetzung mich einlassen,[5] einige Andeutungen müssen genügen.

Was ist für die Formphantasie des Künstlers das Bestimmende? Man sagt: Das, was den Inhalt der Zeit ausmacht. Für die gothischen Jahrhunderte nennt man den Feudalismus, die Scholastik, den Spiritualismus u. s. w. Aber welches soll der Weg sein, der von der Zelle des scholastischen Philosophen in die Bauhütte des Architecten führt? Es ist in der That sehr wenig gesagt mit der Aufzählung derartiger Kulturpotenzen, wenn man auch mit anerkennenswerther Feinheit nachträglich einige Aehnlichkeiten mit dem Stil der Zeit herausfindet. Nicht auf die einzelnen Producte, sondern auf das Allgemeine kommt es an, auf die Grundstimmung der Zeit, die diese Producte hervorbringt. Diese Grundstimmung aber kann nicht ein bestimmter Gedanke sein oder ein System von Sätzen, sonst wäre sie gar keine Stimmung. Gedanken lassen sich nur aussprechen, Stimmungen können auch einen tectonischen Ausdruck gewinnen, wenigstens bringt uns jeder Stil eine Stimmung in mehr oder weni-

---

[4] Vgl. die treffenden Bemerkungen bei Springer, Bilder zur neueren Kunstgesch. II² 400.

[5] Vorläufig habe ich darüber gehandelt in meiner Dissertation: Prolegomena zu einer Psychologie der Architectur. München 1886 (als Manuscript gedruckt).

ger bestimmter Weise entgegen. Es fragt sich, welcher Art das Ausdrucksvermögen der Stilformen sei.

Die Antwort muss ausgehen von einer bekannten und leicht kontrollirbaren psychologischen Thatsache. Jeden Gegenstand beurtheilen wir nach Analogie unseres Körpers. Nicht nur verwandelt er sich für uns — auch bei ganz unähnlichen Formen — sofort in ein Wesen, das Kopf und Fuss, Vorder- und Hinterseite hat; nicht nur sind wir überzeugt, es könne ihm nicht wohl zu Muthe sein, wenn es schief dasteht und zu fallen droht, sondern mit einer unglaublichen Feinfühligkeit empfinden wir auch die Lust und Unlust im Dasein jeder beliebigen Konfiguration, jedes uns noch so fernstehenden Gebildes. Das dumpf befangene Leben des Klumpiggeballten, das keine freien Organe besitzt und schwer und unbeweglich daliegt, ist uns so verständlich, wie der helle feine Sinn dessen, was zart und leicht gegliedert ist.

Ueberall legen wir ein körperliches Dasein unter, das dem unsrigen conform ist; nach den Ausdrucksprincipien, die wir von unserm Körper her kennen, deuten wir die gesammte Aussenwelt. Was wir an uns als Ausdruck kraftvollen Ernstes, strammen Sich-Zusammennehmens oder als haltloses, schweres Daliegen erfahren haben, übertragen wir auf alles andere Körperliche.[6]

Und die Architectur sollte an dieser unbewussten Beseelung nicht Theil haben?

Im allerhöchsten Maasse hat sie daran Theil. Und nun ist klar, dass sie als Kunst körperlicher Massen nur auf den Menschen als *körperliches* Wesen Bezug nehmen kann. Sie ist Ausdruck einer Zeit, insofern sie das körperliche Dasein der Menschen, ihre bestimmte Art sich zu tragen und zu bewegen, die spielend-leichte oder gravitätisch-ernste Haltung, das aufgeregte oder das ruhige Sein, mit einem Wort, *das Lebensgefühl einer Epoche* in ihren monumentalen Körperverhältnissen zur Erscheinung bringt. Als Kunst aber wird die Architectur dieses Lebensgefühl ideal erhöhen, sie wird das zu geben suchen, *was der Mensch sein möchte.*

---

[6] Vgl. Lotze, Geschichte der Aesthetik in Deutschland. 1868. a. v. O. — Lotze, Microcosmos II³ 198 ff. — R. Vischer, das optische Formengefühl. 1872. — Volkelt, der Symbolbegriff in der neuern Aesthetik. 1876.

Selbstverständlich kann ein Stil nur da entstehen, wo ein starkes
Gefühl lebendig ist für eine bestimmte Art körperlichen Daseins.
Unserer Zeit fehlt dieses Gefühl gänzlich. Dagegen giebt es z. B.
eine gothische Haltung: jeder Muskel gespannt, die Bewegungen
präcis, scharf, auf's Exacteste zugespitzt, nirgends ein Gehenlassen,
nichts Schwammiges, überall bestimmtester Ausdruck eines Willens.
Der Nasenrücken wird fein und schmal. Alle Masse, alle ruhige
Breite schwindet; der Körper wird ganz aufgelöst in Kraft. Die
Figuren, hoch aufgeschossen und schlank, scheinen den Boden gleichsam nur tippend zu berühren. Im Gegensatz zur Gothik entwickelt
dann die Renaissance den Ausdruck jenes wohligen Daseins, das
Harte und Starre wird frei und gelöst, ruhige Kraft der Bewegung,
kräftige Ruhe des Bleibens.

Den nächsten Ausdruck findet die Art, wie man sich halten und
bewegen will, im Kostüm.

Man vergleiche etwa den Schuh der Gothik mit dem der Renaissance. Es ist ein ganz anderes Gefühl des Auftretens: dort schmal,
spitz, in langem Schnabel auslaufend, hier breit, bequem, mit ruhi-
ger Sicherheit am Boden haftend u. s. w. —

Eine technische Entstehung einzelner Formen zu leugnen, liegt
mir natürlich durchaus fern. Die Natur des Materials, die Art seiner
Bearbeitung, die Construction werden nie ohne Einfluss sein. Was
ich aber aufrechterhalten möchte — namentlich gegenüber einigen
neuern Bestrebungen — ist das, dass die *Technik niemals einen Stil
schafft,* sondern wo man von Kunst spricht, ein bestimmtes Formgefühl immer das Primäre ist. Die technisch erzeugten Formen dürfen diesem Formgefühl nicht widersprechen; sie können nur da
Bestand haben, wo sie sich dem Formgeschmack, der schon da ist,
fügen.

Weiterhin ist es aber auch nicht meine Meinung, dass der Stil
während seines Verlaufes stets der gleichmässig reine Ausdruck
seiner Zeit sei. Ich denke dabei nicht an die aufsteigende Geschichte,
wo der Stil noch mit dem Ausdruck ringt und stufenweise lernen
muss, das, was er sagen will, deutlich und bestimmt zu sagen, ich
habe vielmehr jene Perioden im Auge, wo ein fertig ausgebildetes
Formsystem von einem Geschlecht an das andere übergeht, wo die
innere Beziehung aufhört, wo der Stil, erstarrt und unverstanden

fortgebraucht, immer mehr zum leblosen Schema wird. Den Pulsschlag des Volksgemüths muss man dann anderswo beobachten:
nicht in den grossen, schwerbeweglichen Formen der Baukunst, sondern in den kleinern decorativen Künsten.

Hier befriedigt sich das Formgefühl ungehemmt und unmittelbar und von hier aus findet dann auch die Erneuerung statt: die
Geburtsstätte eines neuen Stils liegt stets in der Decoration.[7]

4. Einen Stil *erklären* kann nichts Anderes heissen, als ihn nach
seinem Ausdruck in die allgemeine Zeitgeschichte einreihen, nachweisen, dass seine Formen in ihrer Sprache nichts Anderes sagen,
als die übrigen Organe der Zeit. Indem ich nun für den Barock den
Nachweis versuche, gehe ich wiederum nicht aus von einer allgemeinen kulturhistorischen Skizze der Nachrenaissance, sondern
halte mich an's Nächstliegende, der Vergleichung sich unmittelbar
Darbietende: an die Körperbildung und die Körperhaltung in der
darstellenden Kunst, wobei es natürlich nicht um einzelne Motive
sich handelt, sondern um den allgemeinen Habitus. Ob der Stil
hiedurch vollständig charakterisirt werden kann, ist eine andere
Frage. Ich lasse sie vorläufig bei Seite. Die principielle Bedeutung
aber dieser Reduction der Stilformen auf die *menschliche* Gestalt
beruht darin, dass hier der unmittelbare Ausdruck eines Seelischen
vorliegt.

Das römische barocke Ideal von Körperlichkeit lässt sich etwa so
beschreiben: An die Stelle der schlanken und gelenkigen Gestalten
der Renaissance treten vollmassige Körper, gross, schwerbeweglich,
von schwellender Muskelbildung und rauschender Gewandung.
(Das Herkulische.)

Die fröhliche Leichtigkeit und Elasticität ist verschwunden. Alles
wird lastender, drückt mit grösserer Schwere zu Boden. Das Liegen
wird ein dumpf unbewegliches, ohne alle Spannkraft.

Während die Renaissance den Körper ganz durchfühlte und in
enganliegender Kleidung seinen Umriss sich beständig gegenwärtig
hielt, wälzt sich der Barock mit Wonne in undurchdrungener Masse.
Man fühlt mehr den Stoff, als die innere Structur und Gliederung.

---

[7] Meine Psychol. der Arch. S. 50. Vgl. G. Semper, Stil II. 5.

Das Fleisch ist von geringerer Konsistenz, weich, haltlos, nicht die straffe Musculatur der Renaissance.

Die Glieder sind nicht gelöst, nicht frei und beweglich in den Gelenken, sondern befangen in der Masse; die Gestalt bleibt dumpf-geballt.

Allein dies ist nur die eine Seite: zu der Massenhaftigkeit tritt überall eine in's Ungestüme und Gewaltsame gesteigerte Bewegung. Die Kunst hält sich überhaupt nur noch an die Darstellung des Bewegten.

In dieser Bewegung ist eine zunehmende Hastigkeit, eine Verschnellerung der Action zu beobachten. Man vergleiche etwa die Darstellung der Himmelfahrten. Bei Tizian ist es ein sachtes Emporgehobenwerden, bei Correggio schon ein Aufrauschen, bei Agostino Caracci fast ein Aufsausen.

Das Ideal ist nicht mehr das befriedigte Sein, sondern ein Zustand der Erregung. Man verlangt überall ein affectvolles Thun; was früher die einfache und leichte Aeusserung einer kräftig-lebendigen Natur war, muss nun mit leidenschaftlicher Anstrengung vor sich gehen. Das ruhige Stehen wird schwungvoll-pathetisch oder es erscheint jenes wilde Sich-Aufbäumen, als ob eine gewaltige Kraft eingesetzt werden müsste, um nicht zusammenzusinken.

Wie charakteristisch ist die Umbildung der Sixtinischen ›Sklaven‹ des Michelangelo in die entsprechenden Gestalten der Galeria Farnese durch die Caracci! Welche Unruhe, welche Verrenkungen!

Alle willkürlichen Bewegungen werden mühsamer, schwerfälliger, verlangen einen ausserordentlichen Kraftaufwand.

Dabei agiren die einzelnen Glieder nicht selbstständig und frei, sondern ziehen den übrigen Körper theilweise mit in die Bewegung hinein.

Der bis zum Aeussersten zu Ekstase und wilder Entzückung gesteigerte Affect kann im Körper nicht gleichmässig zum Ausdruck kommen: in gewaltsamer Heftigkeit bricht die Empfindung in einzelnen Organen hervor, während der übrige Körper der Schwere allein unterworfen bleibt.

Der grosse Kraftaufwand deutet aber durchaus auf keine kräftigere Körperlichkeit im Allgemeinen. Im Gegentheil. Die Action der willkürlichen Bewegungsorgane ist eine mangelhafte, die Beherrschung des Körpers durch die Impulse des Geistes eine sehr unvollständige.

Die beiden Momente, Körper und Wille, sind gleichsam auseinander getreten. Es ist, als ob diese Menschen ihren Leib nicht mehr in der Gewalt hätten, nicht mehr ganz mit ihrem Willen durchdringen könnten: es fehlt die gleichmässige Belebung und Durchformung.

Zustände der Auflösung, des Hingegossenseins, formloser Hingebung bei heftiger Bewegung einzelner Theile werden mehr und mehr die ausschliesslichen Ideale der Kunst.

Um ein Beispiel zu haben, vergleiche man die Galatea, wie sie Raffael in der Farnesina und wie sie Agostino Caracci im Pal. Farnese gemalt hat. Das Beispiel ist sehr bescheiden gewählt, genügt aber völlig zur Bezeichnung des Charakteristischen. Beim Caracci ist die Bewegung lebhafter, affectvoller, aber der Körper, wie weit entfernt von dem leichten Dastehn der Raffaelischen Galatea! von vollerer Massigkeit, haltlos sich anschmiegend, willenlos dem Zug der Schwere sich überlassend.[8]

Wo die Schwere im Körper selbst nicht genügend zum Ausdruck kommt, benutzt der Barock seine gewaltigen Gewandmassen, um den Gegensatz aufgeregter Bewegung und dumpfen Niederziehens eindringlich zu machen.

So viel von der Körperlichkeit der Nachrenaissance, wie sie sich in Rom entwickelte.[9]

Es wird nicht schwer sein, die Parallelen zur architectonischen Formgebung zu ziehen: das Massenhafte, die wuchtige Schwere, die Unfähigkeit, sich stramm zusammen zu nehmen, der Mangel an Gelenkigkeit und gleichmässiger Durchformung, die Verstärkung der Bewegung und die Steigerung der Action in's Unruhige, Leidenschaftlich-Aufgeregte, es sind beiderseits die gleichen Symptome.

[8] Man beachte auch wie Raffael den Gegenstand zu einem Hochbild, Caracci zu einem Breitbild verarbeitet.

[9] Den Florentinern bleibt der Affect lange fremd, sie bleiben sauber, gediegen, regelmässig; in Venedig überwiegt das ruhige, geniessende Dasein; die Lombarden haben eine grosse Vorliebe für das Zierliche und Niedliche.

Und wieder bleibt die Entwicklung parallel, als der Druck sich hebt und gegen Mitte des 17. Jahrhunderts die Architectur eine Wendung zum Leichtern nimmt. Wir haben uns damit nicht mehr abzugeben.

5. Die Anfänge dieser Kunst liegen natürlich bei keinem Andern als bei *Michelangelo,* soweit man überhaupt das Weltschicksal der Kunst von Einem Menschen ausgehen lassen kann. Man nennt Michelangelo den Vater des Barock, mit Recht, nicht aber wegen der „Willkürlichkeiten", die er sich in seiner Architectur gestattete — Willkür kann nie ein Stilprincip sein —, sondern wegen seiner gewaltigen Art, die Körper zu behandeln, wegen des fürchterlichen Ernstes, der nur im Formlosen seinen Ausdruck finden konnte. Die Zeitgenossen nannten dies das „terribile".

Ich will bezüglich des Michelangelo'schen Stils, wie er in seinen spätern Werken zu immer schärferer Eigenthümlichkeit sich ausbildet, einige Bemerkungen aus der Charakteristik A. Springer's wiederholen:

„Michelangelo's Gestalten setzen eine viel stärkere Kraft ein, als dieses in der Natur geschieht und während in der Antike alle Actionen als Aeusserungen freier Persönlichkeiten auftreten und in jedem Augenblick in den Schoss des letzteren zurückgenommen werden können, erscheinen die Männer und Frauen Michelangelos als die widerstandslosen Geschöpfe einer inneren Empfindung, welche die einzelnen Glieder nicht harmonisch und gleichmässig belebt, die einen vielmehr mit der ganzen Fülle des Ausdrucks ausstattet, die andern dagegen beinahe nur schwer und leblos bildet." [10] „Es fehlt das gleichmässige Mass der Belebung." „Uebermenschliche Kraft einzelner Theile, lastende Schwere anderer." Massenhafte, theilweise herkulische Bildung seiner Körper. Der Eindruck der Unruhe verstärkt durch die rücksichtslose Entgegensetzung der sich entsprechenden Körpertheile (Kontraposto). Eine heftige Empfindung durchwühlt die Gestalten, aber die Bewegung ist gehemmt: sie bricht nur an einzelnen Punkten durch die Dumpfheit der Masse

---

[10] Raffael und Michelangelo II² 247. Vgl. dazu die Aufsätze Henke's: die Menschen M.'s im Verhältniss zur Antike, und — über die Sixtina — im Jahrb. d. pr. Kunsts. Bd. 6.

hindurch, dort dann aber um so gewaltsamer und leidenschaftlicher. Manche seiner Figuren, sagt J. Burckhardt, geben auf den ersten Eindruck nicht ein erhöhtes Menschliches, sondern ein gedämpftes Ungeheures.[11]

6. Man erkennt in den mediceischen Grabgestalten den Höhepunkt dieser Kunst. Sie sind auch der deutlichste Ausdruck der Stimmung, in deren Dienst jener Stil steht. Man braucht sich bei diesen sogenannten allegorischen Figuren weder zu sehr an die Allegorie noch an den Ort ihrer Aufstellung zu halten. Diese Gestalten der Nacht und des Tages, des Abends und des Morgens, wie sie daliegen, dumpf aufseufzend, dem Schlaf sich entringend, die Glieder krampfhaft angezogen oder leblos herabhängend, sie sind durchwühlt von einer tief innern Unruhe und Unbefriedigung, von einer Stimmung, die bei Michelangelo überall wiederkehrt, in seinen Gedichten und in seinen Figuren[12] und die man manchmal versucht sein könnte Weltschmerz zu nennen, wenn das Wort nicht fad und schwächlich geworden wäre.

Man staunt als über ein Wunder, dass Michelangelo seine Stimmungen in plastische Form zwängen konnte,[13] es ist vielleicht noch wunderbarer, dass er auch die Architectur dem Ausdruck ähnlicher Gedanken dienstbar zu machen vermochte. Seine Bauten tragen überall den allerpersönlichsten Charakter, wie bei keinem andern Künstler. Sie geben die individuelle Stimmung in einer Schärfe und Kraft, die der Architectur stets ferne geblieben war und die auch kein späterer erreicht hat.

7. Michelangelo hat nie ein glückliches Dasein verkörpert; schon

[11] Cicerone II[4] 434.

[12] Vorbereitet, ja stellenweise geradezu antizipirt sind die Motive der Mediceergrabfiguren durch die nackten Figuren über den Zwickelschrägen in der Sixtinischen Kapelle. Vgl. namentlich den Crepuscolo mit der linken Figur zwischen der Cumaea und dem Esaias. — Auch die Louvresklaven geben die gleiche Stimmung wieder. — Michelangelo's „letzter Gedanke" endlich war das vollkommen formlose Zusammensinken eines Körpers, der Zustand gänzlicher Willenlosigkeit (Pietà im Dom zu Florenz und Pietà in Pal. Rondanini zu Rom).

[13] Springer a. a. O. II. 262.

darum greift er über die Renaissance hinaus. Die Zeit der Nachrenaissance ist ernst von Grunde aus.

In allen Sphären macht sich dieser Ernst geltend[14]: religiöse Selbstbesinnung, das Weltliche tritt wieder in Gegensatz zum Kirchlichen und Heiligen, der unbefangene Lebensgenuss hört auf, Tasso wählt für sein christliches Epos einen Helden, der der Welt müde ist;[15] in der Gesellschaft, in den geselligen Umgangsformen ein schwerer gehaltener Ton; nicht mehr die leichte ungebundene Grazie der Renaissance, sondern Ernst und Würde; statt des leicht und heiter Spielenden eine pomphafte rauschende Pracht; überall verlangt man nur noch nach dem Grossen und Bedeutenden.

8. Es ist interessant, den neuen Stil auch in der Poesie zu beobachten. Die Verschiedenheit der Sprache bei *Ariost* und *Tasso* drückt die veränderte Stimmung vollständig aus.[16] Es genügt, die Anfänge des ›Orlando furioso‹ (1516) und der ›Gerusalemme liberata‹ (1584) zu vergleichen.

Wie fängt Ariost einfach und munter-beweglich an:

> Le donne, i cavalier, l'arme, gli amori,
> Le cortesie, l'audaci imprese io canto,
> Che furo al tempo, che passaro i Mori
> D'Africa il mare, e in Francia nocquer tanto; etc.

Wie anders dagegen Tasso.

> Canto l'armi pietose, e il Capitano
> Che il gran sepolcro liberò di Cristo:
> Molto egli oprò col senno e con la mano;
> Molto soffrì nel glorioso acquisto:
> E invan l'Inferno a lui s'oppose, e invano
> S' armò d'Asia e di Libia il popol misto;
> Chè il Ciel gli diè favore etc.

---

[14] Ich verweise für die ganze geistige Wandlung auf die Darstellung bei Ranke, Päbste I.[8] 318 ff.

[15] Gerusalemme liberata I. 9.

[16] Der „Marinismus" hat mit der ersten Periode des Barock nichts zu thun.

Man beachte überall die hebenden Beiworte, die hallenden Endungen, die schweren Wiederholungen (molto —, molto —; e invan — e invano), den gewichtigen Satzbau, den verlangsamten Rhythmus des Ganzen.

Aber nicht nur der Ausdruck, auch die Anschauungen, die Bilder werden grösser. Wie vielsagend ist z. B. die Umgestaltung, die Tasso mit dem Musentypus vornimmt. Er erhebt sie in unbestimmte Himmelsräume und statt dem Lorbeerkranz giebt er ihr „eine goldne Krone von ewigen Sternen" [17].

Mit der Bezeichnung „gran" wird nicht gespart, überall soll die Phantasie zu bedeutenden Vorstellungen veranlasst werden.

Die gleiche Tendenz finden wir schon früher in einem ausserordentlich interessanten Beispiel, in der Umarbeitung, die *Berni* mit dem ›Orlando innamorato‹ des *Bojardo* vornimmt, gegen die Mitte des 16. Jahrhunderts, etwa 50 Jahre nach Erscheinen des Originals.[18]

Wo Bojardo etwa schrieb: „Angelica scheint der Morgenstern, die Lilie des Gartens, die Rose vom Beet", da ändert Berni: „Angelica scheint der leuchtende Stern im Osten, ja um die Wahrheit zu sagen, die Sonne." Das Bild ist grösser, einheitlicher, rauschender geworden. Bojardo geht viel zu sehr in's Einzelne und Besondere, er liebt noch die bunte Mannigfaltigkeit der Frührenaissance, das Kleine und Viele. Die spätere Zeit sehnte sich nach dem Grossen.

Allgemein kann man sagen: während die Renaissance mit Liebe in jedes Detail sich versenkte, und für sein Sonderdasein sich interessirte, also dass die Kunst weder in der Mannigfaltigkeit noch in der intimen Durchgestaltung des Einzelnen sich genug thun konnte, tritt man jetzt überall weiter zurück, man will nicht nur das Grosse

---

[17] O Musa, tu che di caduchi allori,
Non circondi la fronte in Elicona,
Ma su nel Cielo infra i beati cori
Hai di stelle immortali aurea corona etc.   (canto I, 2.)

[18] Vgl. L. v. Ranke, Zur Geschichte der italienischen Poesie (Abhandlungen der Akademie der Wissenschaften zu Berlin 1835). Hieraus ist das folgende Beispiel entnommen. — Bojardos Gedicht erschien 1494, die Umarbeitung 1541.

im Einzelnen, sondern überhaupt nur noch einen Gesammteindruck: *weniger Anschauung, mehr Stimmung.*

9. Es ist offenbar, dass wir hier an einen Punkt gelangt sind, wo wir weiter gehen als die Analyse der barocken Körperlichkeit uns führen konnte. Und eben dass der Barock sich nicht rein in Körpermotive auflösen lässt, ist ein wesentliches Merkmal des Stils. Er hat für Werth und individuelle Bedeutung der einzelnen Form keinen Sinn, sondern nur für die dumpfere Wirkung des Ganzen; das Einzelne und Begrenzte, die plastische Form hört auf bedeutsam zu sein, man komponirt nach Masseneffecten, ja die allerunbestimmtesten Elemente: Licht und Schatten werden die eigentlichen Mittel des Ausdrucks. Mit andern Worten: dem Barock fehlt jene wunderbare Intimität des Nacherlebens jeder Form, die der Renaissance eigen war; er fühlte den architectonischen Körper nicht mehr durch in dem Sinn, dass er jedes Glied in seiner Function (sympathisch-) mitempfindend begleitete, sondern hält sich an das (malerische) Bild des Ganzen. Die Lichtwirkung gewinnt eine grössere Bedeutung als die Form.

Woher kommt diese Abnahme in der Fähigkeit des plastischen Nachfühlens? — Ich verzichte darauf, dieses Phänomen zu erklären. Es scheint durch verschiedene Factoren bedingt zu sein; ein Hauptfactor möchte in dem zunehmenden Interesse für „Stimmung", das Wort im modernen Sinne gebraucht, vorliegen. Der gute Stil war dadurch in doppelter Weise bedroht. Einerseits verdirbt der Stimmungskultus die Feinheit des Körpergefühls, andrerseits drängte das Verlangen nach Stimmung die Architectur in einen unvortheilhaften Wettstreit mit der Malerei, deren Kunstmittel recht eigentlich zum Stimmungsausdruck geschaffen sind. Die Malerei ist eben darum die spezifisch moderne Kunst geworden, sie ist die Kunst, in der die Neuern am vollständigsten und unmittelbarsten sich aussprechen können.

Und doch war für den Barockgeist die Architectur als Ausdrucksmittel unersetzlich: sie besass etwas ganz Einziges: sie war fähig, den Eindruck des *Erhabenen* zu geben. Hier treffen wir auf den Nerv des Barock. Er kann sich eigentlich nur im Grossen offenbaren. Der Kirchenbau ist der Ort, wo er sich allein ganz befriedigt: *Aufgehen im Unendlichen, Sich-Auflösen im Gefühl eines Ueber-*

gewaltigen und Unbegreiflichen, das ist das Pathos der nachklassischen Zeit. Verzicht auf das Fassbare. Man verlangt nach dem Ueberwältigenden[19].

Es ist eine Art von Berauschung, mit der die Barockarchitectur, mit der vor Allem jene ungeheuren Räume der Kirchen den Sinn erfüllen. Eine dumpfe Totalempfindung, man kann das Object nicht fassen, formlos möchte man sich hingeben an das Unendliche.

Die neu entfachte Religiosität des Jesuitismus stimmt sich mit Vorliebe durch die Vorstellung der grenzenlosen Himmelsräume und der unzählbaren Chöre der Heiligen zur Andacht.[20] Man schwelgt in der Vorstellung des Unvorstellbaren, mit Begier stürzt man sich in die Abgründe der Unendlichkeit. Aber die formlose Entzückung gehört nicht der jesuitischen Kirchlichkeit allein an: ohne zu betonen, daß auch von einem Giordano Bruno gleichzeitig die Wonne dieser Gefühle durchgekostet wurde — das Aufgehen im All ist ihm die höchste denkbare Seligkeit[21] —, will ich nur bemerken, dass der Jesuitismus eine bereits lange vorbereitete Sache übernimmt. Wir finden eine Steigerung des Empfindens nach dieser (pathologischen) Seite schon in den letzten Jahren Raffaels. ›Die heil. Cäcilia‹ (1513), die die Arme sinken lässt und überwältigt von der himmlischen Musik stumm aufblickt, nicht um zu sehen, sondern um den Tönen sich entgegenzuöffnen, ist der Anfang zu der ganzen Masse der spätern Bilder, die die gleiche Stimmung, heftiger, leidenschaftlicher, als wollüstiges Hinsinken, als entzückte Ekstase oder als sehnsuchtsvolle Hingabe und überirdische Beseligung wiedergeben. —

Die Sehnsucht der Seele, im Unendlichen sich auszuschwelgen, kann in der begrenzten Form, im Einfachen und Ueversichtlichen keine Befriedigung finden. Das halb geschlossene Auge ist nicht mehr empfänglich für den Reiz der schönen Linie, man verlangt nach dumpferen Wirkungen: die überwältigende Grösse, die un-

---

[19] „Die Schönheit ist für ein glückliches Geschlecht, aber ein unglückliches muss man erhaben zu rühren suchen." — Schiller an Süvern. Vgl. Springer, Raffael und Michelangelo, Vorrede zur zweiten Auflage.

[20] Ignatii Loyolae exercitia spiritualia. 1548 u. o. präludium.

[21] „Liebt ein Weib, wenn ihr wollt, aber vergesst nicht Verehrer des Unendlichen zu sein."

begrenzte Weite des Raumes, der unfassbare Zauber des Lichtes, das sind die Ideale der neuen Kunst.

C. Justi charakterisirt den Piranesi gelegentlich [22] als eine „modern-leidenschaftliche Natur": „die Unendlichkeit, das Mysterium des Erhabenen — des Raumes und der Kraft — ist seine Sphäre". Die Worte haben eine typische Bedeutung.

10. Man wird nicht verkennen, wie sehr gerade unsere Zeit hier dem italienischen Barock verwandt ist. In einzelnen Erscheinungen wenigstens. Es sind die gleichen Affecte, mit denen ein *Richard Wagner* wirkt. „Ertrinken — versinken — unbewusst — höchste Lust!" — Seine Kunstweise deckt sich denn auch vollständig mit der Formgebung des Barock und es ist kein Zufall, dass er gerade auf Palestrina zurückgreift [23]: *Palestrina* ist der Zeitgenosse des Barock.

Man ist nicht gewohnt, die Kunst Palestrina's als Barock zu bezeichnen. Und doch muss eine vergleichende Stilanalyse die Verwandtschaft klarlegen; aber da, wo für die Eine Kunst der Verfall beginnt, findet die Andere eben erst ihr eigentliches Wesen. Was man in der Architectur tadelt und als sachwidrig empfindet, kann in der Musik als durchaus angemessen erscheinen, weil sie ihrer Natur nach auch zum Ausdruck formloser Stimmungen geschaffen ist. Gerade das Zurückdrängen des geschlossen-rhythmischen Satzes, des streng-systematischen Aufbaues und der übersichtlich-klaren Gliederung kann für den Stimmungsausdruck in der Musik wohl entsprechend, ja nothwendig sein, die Architectur überschreitet damit ihre natürlichen Grenzen. Und so wird das „Lebenselement" der Palestrina'schen Musik, was man als „Latenz des Rhythmus" (Ambros), als die Aufnahme eines „A-tactischen" (Seidl) in die Kunst bezeichnet hat,[24] als ein Fortschritt begrüsst, für die Architectur bezeichnet es Auflösung.

Ihre Blüthe ist bedingt durch ein allgemeines und starkes Gefühl für das Glück der Formung und Begrenzung. Die Renaissance hatte

[22] C. Justi, Winckelmann. I. 254.

[23] R. Wagner, Sämmtliche Werke. IX. 98 f.

[24] A. Seidl, Vom Musikalisch-Erhabenen. Leipziger Dissertation. 1887. S. 126. — Ambros, Musikgesch. IV. 57.

dies besessen. Die höchste Schönheit, die „concinnitas", ist nach dem Worte Alberti's, „animi rationisque consors", sie ist der Zustand der Vollkommenheit, das Ziel, das die Natur in allen ihren Bildungen erstrebt.[25] Wo immer uns etwas Vollkommenes begegnet, da fühlen wir sofort dessen Gegenwart, denn unserm Wesen nach verlangen wir danach, „natura enim optima concupiscimus et optimis cum voluptate adhaeremus".

Das Vollkommene ist das genaue Mittel zwischen dem Zuviel und Zuwenig. Für die Kunst des Formlosen giebt es keine Begrenzung, keinen erschöpfenden und abschliessenden Ausdruck.

Die klassische Zeit der Renaissance empfindet wie die hohe Antike. Und um den welthistorischen Gegensatz zum Barock in aller Kraft hervortreten zu lassen, weiss ich nichts Besseres zu thun, als das zu wiederholen, was Justi als die Merkmale von Winckelmann's Kunstgefühl, als einer klassisch gearteten Natur aufführt [26]:

Mass und Form, Einfalt und Linienadel, Stille der Seele und sanfte Empfindung, das waren die grossen Worte seines Kunstevangeliums. Krystallhelles Wasser sein Lieblingssymbol. — Man setze das Gegentheil eines jeden dieser Begriffe und man hat das Wesen der neuen Kunst bezeichnet.

---

[25] Lib. IX: Quidquid enim in medium proferat natura, id omne ex *concinnitatis* lege moderatur, neque studium est majus ullum naturae quam ut quae produxerit *absolute perfecta* sint.

[26] Justi a. a. O. II. 364.

Abhandlungen zur deutschen Literaturgeschichte. Franz Muncker zum 60. Geburtstage dargebracht von Mitgliedern der Gesellschaft Münchener Germanisten. München: C. H. Beck'sche Verlagsbuchhandlung 1916, S. 21—53.

DER LYRISCHE STIL
DES SIEBZEHNTEN JAHRHUNDERTS

Von Fritz Strich

Man pflegt den Stil der deutschen Dichtung im 17. Jahrhundert als Renaissance zu bezeichnen. Wenn man aber unter diesem Namen mehr versteht als die wesenlose Nachahmung des antiken Apparates, so ist er irreführend und zeugt von dem Mangel an stilgeschichtlicher Orientierung in der Literaturwissenschaft, denn von dem klassischen Geist der Renaissance hat dieses Jahrhundert nichts gehabt. Der Stil seiner Dichtung ist vielmehr barock, auch wenn man nicht nur an Schwulst und Überladung denkt, sondern auf die tieferen Prinzipien der Gestaltung zurückgeht.

Eine deutsche Renaissancelyrik hat es überhaupt nur, dem Wesen des deutschen Geistes entsprechend, in ganz geringen Ansätzen gegeben, die im Ausgang des 15. und im 16. Jahrhundert zu finden sind. Der lyrische Stil des Meistergesanges scheint auf seine nur allzu bürgerliche Art solchen Ansatz genommen zu haben, indem er überpersönlich gebundene Motive nach den festbestimmten Gesetzen der Tabulatur gestaltete. Auf diesem Wege ist er aber dazu gekommen, das Urgesetz aller germanischen Dichtung: die natürliche Sprachbetonung zugunsten eines gleichmäßig im Wechsel von Hebung und Senkung fortschreitenden Rhythmus aufzugeben. Die Form hat über den Ausdruck triumphiert, ja ihn vernichtet, was in deutscher Sprache Unform ist.

Opitz hat mit seinem umwälzenden Gesetze, daß ein gleichmäßiger Rhythmus die natürliche Betonung der deutschen Sprache zu wahren habe, dem deutschen Geiste eine Wiedergeburt bereitet, während vor und neben ihm Rudolf Weckherlin, an lyrischer Begabung hoch über Opitz stehend, mit dem frei bewegten und beseelten Rhythmus einer gehobenen und kühnen Sprache dem deutschen Stile noch viel näher kam.

Überhaupt ist der neue Stil in seinem Wesen nationaler gewesen, als man ihm zugestehen will. Dagegen scheint freilich zu sprechen, daß er vom romanischen Ausland entlehnt wurde, wo er sich bereits in der zweiten Hälfte des 16. Jahrhunderts zu voller Blüte entwickelt hatte. Aber das Moment der Entlehnung, dessen Bedeutung in der deutschen Literaturwissenschaft immer maßlos überschätzt wird, kommt hier viel weniger in Betracht als eben die Tatsache, daß der deutsche Geist vom Ausland empfing, was ihm seit je als Eigentum und Eigentümlichkeit gehörte. Man wird sehen, daß die deutsche Barocklyrik eine weitgehende Ähnlichkeit mit der urgermanischen Dichtung hat, gerade was die entscheidenden Gestaltungsprinzipien anlangt. Aber die romanische Lyrik des Barock hatte sich dem germanischen Dichtstil so weit genähert, wie sich die germanische Dichtung in ihren klassischen Epochen dem romanischen Stile näherte, und so konnte der deutsche Geist, zu dessen Eigentümlichkeit auch die unauslöschliche Sehnsucht nach einer Form gehört, zu der er aus sich selbst heraus nicht kommen kann, seine eigene Art in der Form des romanischen Barock zum Ausdruck bringen.

Indessen war doch dieser Geist viel zu bewegt und drangvoll, um sich den Grenzen solcher Form bequemen zu können. Indem er sie mit seinem Ausdruck füllte, zerbrach er sie auch schon. Gleich zu Beginn des Jahrhunderts zeigt sich diese Wandlung der romanischen Form im deutschen Geiste. Ein Sonett Weckherlins hat mit einem von Ronsard, der sein Meister gewesen sein soll, eben doch nur das Motiv gemeinsam, aber durch den freien Rhythmus, die tönende Wucht und Häufung der Worte und die Überbietung der Bilder und Gefühle, den Stil ohne Maß geschwellt und gesteigert, und selbst eine Übersetzung des korrekten Opitz hat den einfachen und ruhigen Stil des französischen Originals von Ronsard nach dieser Richtung hin verwandelt.

Weckherlin

Ihr Augen, die ihr mich mit einem Blick und Blitz
Scharpf oder süß nach Lust könt strafen und belohnen;
O liebliches Gestirn, Stern, deren Liecht und Hitz
Kan, züchtigend den Stoltz, der Züchtigen verschonen:
Und ihr, der Lieb Werkzeug, Kundschafter unsrer Witz,

Augbrauen, ja vielmehr Triumfbogen, nein, Kronen,
Darunter Lieb und Zucht in überschönem Sitz
Mit brauner Klarheit Schmuck erleuchtet leuchtend wohnen!
Wer recht kan eure Form, Farb, Wesen, Würckung, Kraft,
Der kan der Engeln Stand, Schein, Schönheit, Thun und Gehen,
Der kan der wahren Lieb Gewalt und Eigenschaft,
Der Schönheit Schönheit selbs, der Seelen Freud und Flehen,
Und der Glückseligkeit und Tugenden Freundschaft,
In Euch (der Natur Kunst besehend) wol verstehen.

Ronsard

Ces deux yeux bruns, deux flambeaux de ma vie,
Dessus les miens réspondans leur clarté,
Ont aresté ma jeune liberté,
Pour la damner en prison asservie.

De ces yeux bruns ma raison fut ravie,
Si qu' esbloui de leur grande beauté,
Opiniastre à garder loyauté,
Autres yeux voir depuis je n'eus envie.

D'autres espéron mon tyran ne me poind;
Autres pensers en moy ne logent point,
Ni autre idole en mon cœur je n'adore;

Ma main ne sçait cultiver autre nom,
Et mon papier n'est esmaillé si non
De ses beautéx que ma plume colore.

Ein Sonett von Gryphius aber wie dieses hat die romanische
Sonettform schon durch seine Rhythmik vollständig zersprengt:
Ach und weh!
        Mord! Zetter! Jammer! Angst! Kreutz! Marter! Würme! Plagen!
Pech! Folter! Henker! Flamm! Stank! Geister! Kälte! Zagen!
                    Ach vergeh
                    Tief und Höh'!
Meer! Hügel! Berge! Fels! wer kan die Pein ertragen!
Schluck Abgrund! ach schluck ein, die nichts denn ewig klagen!
                    Je und eh!
Schreckliche Geister der dunkelen Hölen, ihr, die ihr martert und Marter
                                                                [erduldet!
Kann denn der ewigen Ewigkeit Feuer nimmermehr büßen dies, was ihr
                                                                [verschuldet?
        O grausam Angst! stets sterben, sonder sterben!

Dies ist Flamme der grimmigen Rache, die der erhitzete Zorn angeblasen!
Hier ist der Fluch der unendlichen Strafen; hier ist das immerdar
[wachsende Rasen;
    O Mensch! verdirb, um hier nicht zu verderben!

Es ist eine höchst charakteristische Tatsache: der deutsche Geist
hat niemals, im Gegensatz zu dem antiken, romanischen und auch
orientalischen, irgendeine lyrische Form von so überpersönlicher,
dauernder Gültigkeit, so in sich lebendigem Daseinsprinzip geschaffen, daß die einzelne Form als selbständige Gattung fortdauern oder einen ganzen Stil repräsentieren konnte, wie die Sapphische Strophe, das Sonett, das Ghasel. So hat denn auch dieser
Geist solche Formen, wenn er sie übernahm, höchst frei und persönlich gerade im Zeitalter des Barock gestaltet.

Das Verhältnis dieser Zeit zur Antike ist also nicht anders. Kein
Hauch des klassischen Geistes ist in den Übersetzungen zu ver-
spüren, in denen die antike Einfachheit vervielfacht, geschwellt und
gesteigert wird.

Quo pinus ingens, albaque populus
Umbram hospitalem consociare amans
    Ramis, et oblique laborat
    Lympha fugax trepidare rivo.
Huc vina, et unguenta, et nimium breves
Flores amoenae ferre jube rosae,
    Dum res, et aetas et sororum
    Fila trium patiuntur atra.

Und zwar bei kühler Luft, wo angenehmer Schatten
Kann vor die Sonnen Glut erwünschten Schutz verstatten,
Wo Ficht und Pappel steht, und ein gekrümter Fluß
Durch rauschendes Gefäll zur Anmut dienen muß.

Hier büße deine Lust, eröffne Bacchi Fässer,
Befeuchte Stirn und Haupt durch Ambra reiche Wässer,
Brich frische Rosen ab, die doch gar bald vergehn,
Die heute prächtig blühn, und morgen dürre stehn.
Gebrauch dich deines Guts; vergnüge Geist und Sinnen,
So lang die Parcen noch am Lebens Faden spinnen,
Bis endlich Atropos nach ihrer Scheere greift,
Und dir den Toten-Marsch aus harten Tone pfeift.

Die horatianischen und anakreontischen Gedichte des Jahrhunderts teilen höchstens ein ganz allgemeines und zu allen Zeiten mögliches Motiv — wie die Flucht auf das Land, den Preis von Wein und Liebe — mit der Lyrik jener, nach denen sie sich bezeichnen. Die pindarischen Oden rechtfertigen ihren Namen lediglich mit der Gliederung ihrer Form in zwei Sätze und einen Abgesang. Die Elegien glauben mit dem Wechsel männlich und weiblich ausgehender Alexandriner die antiken Distichen, die Heroika mit gereimten Alexandrinerpaaren die Hexameter zu ersetzen. Nun spreche man aber einmal solche Rhythmen nebeneinander. Wo man wirklich in Odenformen den lyrischen Rhythmus der Antike wiederzugeben dachte, wurde seine formale Wirkung durch den Reim paralysiert. Darüber später.

Es hat immer ein anderes und neues Gesicht, was Nachahmung und Übersetzung in diesem Jahrhundert hervorbringt, das eine größere Freiheit der lyrischen Bewegung nötig hatte, als ihm antike und romanische Formen gewähren konnten. Wenn es deren Wesen ist, die schöne Eigentümlichkeit aller lyrischen Bewegung durch gerade sehr bestimmte Formgesetze doch wieder über sich selbst hinaus zu objektivieren, so wollte sich der deutsche Geist von den Wogen seiner lyrischen Empfindung tragen lassen, wie seine Erschütterung sie erregte und wohin sie ihn trugen. In der Tat ist denn auch der scheinbar so eng gebundene Stil dieser Lyrik bedeutend freier, als es der Stil des Meistergesanges war, denn die zahllosen Bestimmungen der Poetik betreffen jetzt, auch wo sie übereinkommen, derart gleichgültige Dinge, daß sie nicht als Fesseln zu betrachten sind, oder lassen — wie etwa innerhalb der Sonettform — unendlichen Spielraum bestehen. So entscheidende und bindende Formgesetze wie etwa das des Meistergesanges von der Gliederung des Liedes in zwei Stollen und einen Abgesang gibt es jetzt nicht mehr.

Ebensowenig ließ sich dieser Stil in seiner tönenden Rhythmik fesseln. Das Opitzsche Gesetz des Gleichmaßes, das nur auf einer irrenden Theorie beruhte, wurde denn auch sofort nach seiner Aufstellung umgestoßen, und nicht nur die daktylischen, sondern die wechselnden und tanzenden Rhythmen gehören zu dem Charakter des Jahrhunderts. Eine neue Rhythmik aber ist das untrügliche

Zeichen, daß sich das lyrische Erlebnis gewandelt hat und einen neuen Stil bedingt. Mit einer neuen Rhythmik kündigte sich der Klassizismus und der Sturm und Drang, die Klassik und die Romantik an. Das neue Erlebnis also ist auch in seinem Inhalt freigeworden. Die überpersönlich gebundenen Motive der Meisterlyrik sind verschwunden oder nehmen einen anderen Charakter an. Man will nicht mehr den ewig gültigen Gedanken und Gefühlen, sondern dem werdenden, sich wandelnden, momentanen Erlebnis Ausdruck geben. Das lyrische Gemüt vertieft sich in sich selbst und wird einsiedlerisch. Die persönliche Eigentümlichkeit der lyrischen Bewegung kommt zu ihrem Rechte. Diese neue Art beginnt etwa mit Theobald Hock. Ein Gedicht von Weckherlin, Dach, Fleming, Gryphius ist ein rhythmisches Erlebnis seines Dichters, das sich gleichsam noch nicht von ihm abgelöst hat, sondern in ihm selber tönend wird. Die Lyrik bekommt eine Gegenwärtigkeit und Augenblicklichkeit, die es vorher nicht gegeben hat. Man kann die Oden und Sonette der Liebe von Fleming wohl mit den Liebesliedern des jungen Goethe vergleichen. Hier sei an die Tatsache erinnert, wie sich das Kirchenlied des 16. Jahrhunderts im Zeitalter des Barock verwandelte. Wenn Luther sang: Ein feste Burg ist u n s e r Gott, so singt nun Gerhard: Ist Gott für m i c h , so trete gleich alles wider m i c h . Die religiösen Sonette von Gryphius sind mystische Erschütterungen, visionäre Vergegenwärtigungen einer von Leidenschaften durchglühten und von einem freien Rhythmus getriebenen Persönlichkeit. Die ewigen Dinge selbst verlieren gleichsam ihre Ewigkeit, indem sie zu gegenwärtigen, vorübergehenden Erlebnissen einer lyrischen Empfindung werden. Im Laufe des Jahrhunderts freilich treten die lyrischen Motive immer deutlicher aus der inneren Welt heraus in die Welt der äußeren Erscheinung, ohne jedoch ihren stilistischen Charakter entscheidend zu verwandeln. Die Lyrik wird ganz genrehaft, aber sie behält noch eben jene Stimmung der Gegenwärtigkeit, Gelegenheitlichkeit und Augenblicklichkeit, welche sie zu Anfang des Jahrhunderts hatte, indem sie gern ganz zufällige und vorübergehende Situationen lyrisch festzuhalten versucht. („Als Flavia einsmahls in einem groben Sack arbeitete." „Als sie bei trübem Sturmwetter ihre Wäsche bleichete" usw.) Von hier aus ist es

denn auch zu verstehen, daß der größte Teil der Lyrik das ganze
Jahrhundert hindurch in Gelegenheitsdichtung aufging. Man hatte
kein Gefühl für die Unterscheidung von Gelegenheiten. Sigmund
von Birken gibt in seiner Poetik als Beispiele für Geburts-, Hoch-
zeits- und Begräbnisgedichte, für Lobgedichte und Siegglückwün-
schungen Lieder auf die Geburt und den Tod Christi, auf seine
geistliche Hochzeit mit der Seele, auf seine Herrlichkeit und seinen
Sieg an. Der Sinn für den Reiz der Bewegung, den das 16. Jahrhundert nicht hatte, bringt nun der Lyrik eine Fülle neuer Motive
und Formen. Die Nürnberger Dichter etwa finden immer neue
Worte zur lyrischen Darstellung des fließenden Wassers, wehenden
Windes, und das ganze Jahrhundert treibt ein lyrisches Farbenspiel.

Es ist für die lyrischen Motive des Jahrhunderts von entschei-
dender Bedeutung, daß sie möglichst überraschend und dadurch
möglichst nachdrücklich sein wollen. Diese Lyrik schlägt nicht in
die ewig menschlichen Saiten. Es kommt ihr alles auf einen noch nie
gehörten Ton, eine neue Wendung an. Ein überraschendes Kompliment ist der Stolz der galanten Lyrik, und ein frappierender Vergleich gilt mehr als ein ewiges Symbol. Die objektive Welt wird in
der lyrischen Empfindung vollständig zerbrochen und aufgelöst.
Alles geht in der inneren Bewegung auf. Man sehe einmal, was aus
dem epischen Geschehnis vom Tode Christi bei Fleming geworden
ist, und vergleiche damit die epische Ruhe, Gegenständlichkeit und
Gebundenheit des Hans Sachs bei gleichem Motiv. Man stelle die
Augenblicklichkeit des persönlichen Erlebnisses von Fleming neben
die unpersönliche Abgerücktheit des 16. Jahrhunderts und höre, wie
dadurch die sprachliche Form des 17. Jahrhunderts sich auflösen
mußte. (Nicht nur die Sprüche, auch die Meisterlieder vom Tode
Christi können hier herangezogen werden.)

Aus den geistlichen Gesprächen und Sprüchen des *Hans Sachs*:
>Jesus hing in der Mitt, aus Lieb
>Sprach er: o Vater, ihn vergieb
>Und rechne ihn nit zu die Sünd,
>Denn sie wissen nicht, was sie thünd.
>Und die Kriegsknecht teilten sein Gewand,
>Warfen das Loos darumb zuhand.
>Nach dem sah er sein Mutter schon

Und Johannem am Kreutze stohn,
Sprach er: schau Weib, das ist dein Sohn.
Zum Jünger ward er sprechen thon:
Nimb war, das ist die Mutter dein,
Der nahm sie in die Hute sein.
— — — — — — — — —

Umb die sechs Stund ein Finsternus
Kam, als an dem Kreutz hing Christus.
Da schrie Jesus gar laut ohn Maßen
Mein Gott, warumb hast mich verlassen?
Da spottet sein das Volk gemein:
Du hast gesagt im Leben Dein,
Du wöllest zerbrechen den Tempel
Und wieder bauen zum Exempel
Über drei Tag, pfui, pfui dich nun,
Steig herab, bist du Gottes Sohn,
So wöll wir auch glauben an dich.
Ander die sagten gar spöttlich:
Andern hat er geholfen viel,
Er helf ihm, ob er kann und will.
— — — — — — — — —

Alsbald die Krieges Knechte nahmen
Dunkten in Essig einen Schwamen
Und steckten den auf ein Rohr
Und recketen den auf empor
Dem Herren Jesum an sein Mund.
Sobald des Essigs er empfund,
Da schrie der Herr am Kreutz mit Macht:
Nun ist es alles sam vollbracht.
Da schrie der Herr mit lauter Stimm:
Da rang der Tod kräftig mit ihm,
Vater ich befilch in dein Händ
Mein Geist, und nach dem er elend
Sein Geist aufgabe und verschied,
Neiget sein Haupt, den Tod erlied.
Da verlor die Sonn ihren Schein
Und zerspilten sich auch die Stein.
Die Totengräber täten sich auf,
Viel erstunden aus den Totenhauf.
Auch zerriß der Fürhang im Tempel
Dem unschuldigen Tod zum Exempel.

Fleming:
Ist das der Wunderbaum? Ist dies das werte Holz,
Darauf wir Christen sein so prächtig und so stolz?
Der Even erster Wunsch, des Abrahams Verlangen,
Die Hoffnung Isaacs, den Jacob hat umbfangen,
   Die Himmelsleiter, die der Trost der Könige,
   Hängt hier in Schmach, in Angst, in Schmerz, in Ach, in Weh.
Es kunte niemand nicht ein Beileid mit ihm haben,
Das war die doppelt' Angst. Maria sampt den Knaben
   Beweinten Freund und Sohn. Da ist kein Jünger nicht,
   Kein Petrus ist nicht da mit seiner hohen Pflicht,
Der für ihn sterben will. Ach wie ist dir zu Herzen,
Du nie erkantes Weib, wenn du in solchen Schmerzen
   Hörst winseln deinen Sohn? Wie ofte zeuchstu hin
   In Ohnmacht, Stimme-los, erstarret, ohne Sinn.
Hier hängt dein Wunderkind, in so viel hundert Wunden,
In Ängsten über Angst, gebissen von den Hunden,
   Die ärger sind als Hund'. O Weib, o armes Weib,
   Jetzt dringet Dir das Schwert durch deine Seel und Leib?
Du niemand gleiche Frau, du mußt von fernen heulen;
Ach dürftestu doch nur verbinden seine Beulen!
   Ach werde dir vergunnt, daß du zu guter letzt
   Ihm küßtest seinen Mund mit Tränen eingenetzt.
Was hilfts, es kan nicht sein. Du mußt in Jammer stehen
Und zusehn, wie man spielt. Jetzt mußtu gar vergehen,
   Weil dir dein Trost vergeht. Weil er wird sinnenlos,
   Weil ihm die Todesangst gibt manchen harten Stoß.
O alles schaue zu: Jehova muß jetzt sterben,
Der uns durch seinen Tod das Leben kann erwerben.
   Gott röchelt, Gott erblaßt. Der Herr der Herrlichkeit
   Muß so elendiglich jetzt enden seine Zeit.
Und nun, nun ist er hin. Das Firmament erzittert,
Der Felsen Stärke springt, der große Punct erschüttert.
   Nord, Osten, Süd und West die rissen aus der Kluft,
   Bestürmbten See und Land. Dreimal mehr in die Luft
Spieh Etna Feuer aus. Die Elementen dachten
Es wär ihr Ende da. Des Tempels Sparren krachten.
   Der Teppich riß entzwei. Die Gräber brachen auf;
   Auf dich o Solyme war vieler Toten Lauf.
Ach Leben, bistu tot? je kan denn Gott sich enden,
Der Anfang anfangsloß, das End' ohn' End' und wenden?

> Wie? mangelt der ihm selbst, der nichts als alles hieß?
> Ist denn die Seele hin, der uns die Seel einbließ?
> O Höchster, neigst du dich? die krausen Locken hangen,
> Der Rosenliebe Mund, die Wollust volle Wangen
>   Verlieren ihren Glantz. Die Augen brechen ein,
>   Die Augen, die der Welt sind mehr als Sonnenschein.
> Die Hände werden welk, der Beine Mark erkaltet,
> Blutrünstig ist die Haut, geliefert und veraltet.
>   Hier hängst du ausgespannt, geädert, abgefleischt,
>   Zerstochen, Striemen voll, entleibet, ausgekreischt.

Das Maß der Dinge ist nicht mehr entscheidend, und ihre maßlose Vergrößerung spricht für den Charakter eines Stiles, dem die seiende Welt ein Nichts und die lyrische Bewegung alles ist.

> Wie darfst du schwarze Nacht doch nur so kühne sein
> und treten ins Gemach, wo Adelmund sich findet,
> die Blühte dieser Zeit, wo Sie mit vollem Schein
> sich niederließ zu Ruh und güldne Kräntze windet?
> Ihr Lichter in der Luft, ihr Himmelsäugelein,
> wie daß ihr euch dan so je mehr und mehr entzündet
> und brennet in der Luft? wie daß ihr nicht verbleicht
> vor diesem Glantz und Licht, dem selbst die Sonne weicht?

Kein Bild ist zu hoch und kein Wort zu stark, um dem Ausdruck Wucht und Nachdruck zu geben. Nur der Sturm und Drang hat die zentnerschweren Worte und Wortsynthesen, die auf die Spitze getriebenen Bilder und Vergleiche so geliebt, wie dieses Jahrhundert. Es wird nun alles über sich selbst hinaus gesteigert. Gryphius erhebt noch den übertriebensten Ausdruck durch ein „mehr als" über alle Grenzen. Die unendliche Verflüchtigung der Worte, wie des Geistes Geist, des Endes Ende, des Wesens Wesen, des Goldes Gold, ruft die Erinnerung an den gleichen Brauch der deutschen Romantik wach. Der Sprachstil wird komparativ, superlativ, plural und nähert sich so dem Charakter der altgermanischen Dichtung.

Ein Ding an sich ist für das unplastische Erlebnis dieser Zeit ohne Sinn und Gestalt. Seine Höhe wird nach dem gemessen, was am tiefsten zu ihm liegt, und sein Ton und seine Farbe nach dem bestimmt, was die grellste Dissonanz zu ihm ist. Die Empfindung springt von Pol zu Pol, um sich genug zu tun. Damit sie eines faßt, muß sie alles fassen, und sie faßt nicht Formen, sondern Beziehungen. Wie sie den Ton nur in der Disharmonie zu hören vermag, so versteht sie den Gedanken nur im Widerspruch. Der Stil aber wird auf solche Weise ganz antithetisch.

Es ist unmöglich, dieses Erlebnis in so engem Rahmen deutlich zu umschreiben. Entscheidend ist jedenfalls, daß dieses Jahrhundert die Dissonanzen und Widersprüche sucht. Das vielleicht häufigste Motiv seiner Lyrik von Weckherlin und Opitz an über Fleming, Gryphius und die Nürnberger bis zu Lohenstein und Hoffmannswaldau ist die Klage um den jähen Wechsel aller Dinge. Es ist das Leitmotiv des ganzen Jahrhunderts: daß alles auf Erden eitel ist, ein Schatten, ein Wind, ein Rauch, ein verklingender Ton, eine Welle. Man ist ein Ball, den das Verhängnis schlägt, ein Kahn auf dem empörten Meer, ein Rohr, das jeder Wind bewegt. Was heute hoch, ist morgen niedrig, was arm ist, reich, und was lebendig, tot. Schönheit wird häßlich und Majestät zu Staub in einem Augenblick. Es gibt wenige Zeiten, welche sich von dem Wechsel und Sturz der Dinge so bewegen ließen. Mit gleicher Bewegtheit versenkte sie sich in den Abgrund all jener mystischen Widersprüche, welche in alle Ewigkeit unauflöslich sind. Ein immer wiederkehrendes Motiv der Lyrik ist das Wunder, daß Gott ein Mensch ist und der Tod das Leben, und daß man nichts und alles ist. Der Gedanke an Himmel und Erde, Seele und Körper und Zeit und Ewigkeit erschütterte dieses Jahrhundert schon rein als eine grelle Dissonanz. Das Gefühl selbst fühlt sich zwiespältig, verwirrt, unklar und zerrissen. Wie oft heißt es nicht in den Gedichten, daß die Freude bitter und der Schmerz sehr süß ist, daß man liebt, was man haßt, und haßt, was man liebt, daß man vor Hitze kalt und vor Kälte heiß ist. Der feuerspeiende Ätna, dessen Gipfel von Schnee und Eis bedeckt ist, gehört zu den beliebtesten Bildern des ganzen Jahrhunderts. Wie immer in romantischen Zeiten geht Spiritualismus mit Sinnenkultus und Üppigkeit mit Askese zusammen. Die lyrische Phantasie vergleicht die Dinge so gern und oft mit Perlen, Ambra, Bisam, Zibeth, Jasmin, wie mit Rauch und Schatten und Wind. Derselbe Poet dichtet galante Lyrik und Gedichte von Tod und Verwesung. Wie der Geist sich in das Geheimnis jener Dinge versenkt, die sich gegenseitig auszuschließen scheinen, so schwelgen die Sinne im Kontrast der Töne und der Farben. Denn das eben macht erst den eigentümlichen Charakter des Jahrhunderts aus: daß es die Mystik ästhetisch erlebt, indem es im Kontraste schwelgt und die Dissonanz, deren Auflösung nur in der Unendlichkeit liegt, ihm zum höchsten Genusse wird. Wie harmonisch, besonnen und klar war dagegen das 16. Jahrhundert und ist es dann das 18. bis zum Sturm und Drang. Dieses Erlebnis des jähen Wechsels, des unauflöslichen Widerspruchs und aller grellen Gegensätzlichkeit ist denn auch nicht bloß Motiv der Lyrik, sondern bestimmt ebenso die lyrische Form und Bewegung. Der lyrische Stil des 17. Jahrhunderts ist durch und durch antithetisch. Seine innere Bewegung ist eine von Pol zu Pol springende Empfindung. Alles empfängt erst von seinem Gegenteil seine Wucht und Wirkung. Der antithetische Alexandriner gibt den tönenden Rhythmus dieser innerlich antithetischen Form an, die jetzt gewiß in der romanischen Dichtung gefunden wurde, aber ihrem Ursprung nach doch schon eine auffallende Eigentümlichkeit der altgermanischen Dichtung war, wo sie auch im Kontraste der Kurzverse hörbar wurde.

Der Zusammenhang eines solchen Stiles mit dem mystischen Erlebnis der Zeit erhellt besonders klar aus den Epigrammen des Angelus Silesius, wo er seine schärfste und sinnvollste Gestalt empfing. Ist es doch das Wesen der Mystik, nur was sich auszuschließen scheint als Wahrheit zu erleben, und das Wesen der epigrammatischen Form, antithetisch zu sein.

> Ich weiß nicht, was ich bin, ich bin nicht, was ich weiß:
> Ein Ding und nicht ein Ding: ein Tüpfchen und ein Kreis.
> Gott selber, wenn er dir will leben, muß er sterben:
> Wie denkst du ohne Tod sein Leben zu erwerben?
> Der was er hat, nicht hat und alles schätzet gleich,
> Der ist im Reichtum arm, in Armut ist er reich.
> Der Himmel senket sich, er kommt und wird zur Erden:
> Wann steigt die Erd empor und wird zum Himmel werden?
> Gott hat sich nie bemüht, auch nie geruht, das merk',
> Sein Wirken ist sein Ruhm und seine Ruh sein Werk.
> Mensch allererst bist du für Gott geschickt und recht,
> Wenn du zugleiche bist ein König und ein Knecht.

Die Liebe des 17. Jahrhunderts für das Epigramm, dessen anti-thetische Zuspitzung in dieser Zeit ganz besonders scharf ist, scheint von hier aus schon sehr verständlich. Aber der antithetische Stil hat sich aller Formen bemächtigt.

Er setzt in den Gedichten von Weckherlin, Opitz, Zinkgref, Dach ein, steht bei den lyrischen Genien Fleming und Gryphius in seiner Blüte und hat noch am Ende des Jahrhunderts in Lohenstein und Hoffmannswaldau ungeschwächte Kraft. Er beginnt mit der Ge-staltung des einzelnen Wortes, indem es für schön befunden wird, „wann zwei Antitheta schicklich zusammentreten", wie der drei-geeinte Gott, das eisenweiche Herz, setzt sich in die Antithese der Vershälften und der Verse zueinander fort und bringt endlich die Glieder eines Sonettes und die Sätze einer Ode in ein antithetisches Verhältnis, so daß überall das grelle Licht neben dem tiefen Schat-ten steht. Wieviel milder und übergänglicher ist dann ein an sich antithetisches Motiv von einem Gegner der zweiten Schlesier be-handelt worden.

Als Beispiel für das Motiv des mystischen Widerspruchs diene Fleming, des jähen Wechsels Gryphius.

Fleming:

Ists möglich, daß der Haß auch kann geliebet sein?
Ja, Liebe, sonst war nichts, an dem du könntest weisen,
Wie stark dein Feuer sei, als an dem kalten Eisen
Der ausgestählten Welt. Du, höchster Sonnenschein,
Wirfst deiner Strahlen Glut in unser Eis hinein,
Machst Tag aus unsrer Nacht. Und was noch mehr zu preisen:
Du wirst der Armut Schatz, des Hungers süße Speisen,
Liebst Himmel für die Welt. O Pein der Höllenpein!
O Todesgift und Tod! O wahrer Freund der Feinde!
O Meister, der du auch dein Werk dir machst zum Freunde,
Wirst deiner Diener Knecht; wirst deiner Tochter Kind.
Was tu ich, daß ich doch den Abgrund will ergründen?
Ich weiß so wenig mich in dieses Tun zu finden,
So viel du höher bist als alle Menschen sind.

Gryphius:

Du siehst, wohin du siehst, nur Eitelkeit auf Erden.
Was dieser heute baut, reißt jener morgen ein;

Wo jetzund Städte stehn, wird eine Wiese sein,
Auf der ein Schäferkind wird spielen mit der Herden;
Was jetztund prächtig blüht, soll bald zertreten werden;
Was jetzt so pocht und trotzt, ist morgen Asch und Bein;
Nichts ist, das ewig sei, kein Erz, kein Marmorstein;
Jetzt lacht das Glück uns an, bald donnern die Beschwerden;
Der hohen Taten Ruhm muß wie ein Traum vergehn.
Soll denn das Spiel der Zeit, der leichte Mensch bestehn?
Ach was ist alles dies, was wir vor köstlich achten,
Als schlechte Nichtigkeit, als Schatten, Staub und Wind,
Als eine Wiesenblum, die man nicht wieder find't!
Noch will, was ewig ist, kein einig Mensch betrachten.

Dagegen *Canitz*:
So bleibt auf ewig nun das alte Jahr zurücke.
Wie teilt der Sonnen Lauf so schnell die Zeiten ab!
Wie schleppet uns so bald das Alter in das Grab,
Das heißt wohl schlecht gelebt die wenig Augenblicke,
In welchen viel Verdruß vermischt mit schlechtem Glücke
Und lauter Unverstand sich zu erkennen gab!
Das heißt wohl schlecht gewohnt, wenn uns der Wanderstab
Nie aus den Händen kömmt, wenn wir durch List und Stricke
Hinstraucheln in der Nacht, da wenig Licht zu sehn
Und Licht, dem allemal nicht sicher nachzugehn.
Denn so der Höchste nicht ein eignes Licht will weisen,
Das, wenn wir uns verirrt, uns Sinn und Auge rührt,
Ist alles Licht ein Licht, das zur Verdammnis führt.
O gar zu kurze Zeit! O gar zu schweres Reisen!

Aus den Meistersingerliedern möge man dann die Gedichte zum Vergleich heranziehen, in denen das Geheimnis der Gottheit zerlegt wird, ohne daß es zu antithetischer Darstellung kommt. Die stärkste Leuchtkraft aber, die an Rembrandt mahnt, liegt in jenen Gedichten des 17. Jahrhunderts, in denen gleichsam ein leuchtender Schluß blitzgleich aus dem vorhergehenden Dunkel bricht, das nun in ihm ertrinkt.

Gryphius:
O Gott, was rauhe Not! Wie schaumt die schwarze See
Und sprützt ihr grünes Saltz! Wie reißt der Zorn die Wellen
Durch nebel-volle Luft! Wie heult das wüste Bellen

Der tollen Stürm uns an! Die Klippe kracht von Weh;
Wir fliegen durch die Nacht und stürzten von der Höh
In den getrennten Grund! Die often Stöße fällen
Den halb-zuknickten Mast: die schwache Seiten prellen
Auf die gespitzte Klipp. O Himmel, ich vergeh.
Der dicke Querbaum bricht und schlägt den Umgang ein;
Das Segel flattert fort; der Schiffer steht allein
Und kan noch Boots-mann mehr, noch Seil, noch Ruder zwingen.
Wir missen Glas, Kompaß und Tag und Stern und Nacht;
Tot war ich vor dem Tod. Doch Herr! du hasts gemacht,
Daß ich dir lebend und errettet Lob kan singen.

Es ist denn auch sehr auffallend, daß die Gedichte des 17. Jahrhunderts so häufig in eine unergründliche Antithese auslaufen. Sie ist das eigentliche Motiv, und das Motiv steht in diesem überraschenden Stile lieber am Ende als am Anfang. Das ganze Gedicht scheint nur auf den Schluß hin angelegt, wo die große Überraschung wartet, und wohin denn auch alle Verse und Glieder drängen. Der Schluß ist es dann, der dem Gemüte einen neuen und letzten Schwung in die Ferne gibt.

Dieser Drang zum pointierten Ende hin, der die einzelnen Teile zugunsten des ganzen Gedichtes entwertet, gibt dem lyrischen Stile des Jahrhunderts eine treibende und vereinheitlichende Bewegung, die es vorher und nachher nicht gegeben hat. Die innere Form bekommt eine Aktivität, einen werdenden, nicht seienden Charakter, der für das Wesen des Stiles entscheidend ist. Wieder fällt auf die Beliebtheit des Epigramms ein Licht, denn diese Gattung wurde von Opitz so bestimmt: „daß die Spitzfindigkeit gleichsam seine Seele und Gestalt sei, die sonderlich an dem Ende erscheinet, das allezeit anders, als wir gehoffet hatten, gefallen soll: in welchem auch die Spitzfindigkeit vornehmlich bestehet." Das Sonett war seiner gotischen Architektur nach zu einer solchen Bewegung bestimmt und mußte die Lieblingsform dieses Jahrhunderts sein. Das sehr beliebte Madrigal wurde in Kaspar Zieglers Buch von den Madrigalen als eine Art Epigramm bestimmt, „ein unausgearbeiteter Syllogismus, dessen Hauptkonklusion allezeit aus den letzten zwei Reimen, auch wohl aus der letzten Zeile zu erscheinen habe". Aber auch von dem einfachen Liede verlangte der ›Poetische Trichter‹, daß der Nachdruck in der letzten Reimzeile sein soll. Zu diesem Zwecke wurde es für besonders günstig befunden, wenn „die Endreime wiederholen, was zuvor gesagt worden". Solche Gedichte, in denen alle Motive der einzelnen Verse in den Schluß zusammenströmen und dort sich stauen (eine romanische Erfindung), gehören schon seit Weckherlin und Opitz zu einer höchst charakteristischen Gattung, der nicht nur Lieder, sondern auch Oden, Sonette, Echogedichte und Sechstette angehören. Zesen hat in seine ›Adriatische Rosemund‹ einen ganzen Zyklus solcher Sonette eingerückt.

Opitz:

Ihr, Himmel, Luft und Wind, ihr Hügel voll von Schatten,
Ihr Hainen, ihr Gebüsch, und du, du edler Wein,
Ihr frischen Brunnen, ihr, so reich an Wasser sein,
Ihr Wüsten, die ihr stets müßt an der Sonnen braten,
  Ihr durch den weißen Tau bereiften schönen Saaten,
Ihr Hölen voller Mooß, ihr aufgeritzten Stein',
Ihr Felder, welche ziert der zarten Blumen Schein,
Ihr Felsen, wo die Reim' am besten mir geraten,
  Weil ich ja Flavien, das ich noch nie thun können,
Muß geben guete Nacht, und gleichwol Mund und Sinnen
Sich fürchten allezeit und weichen hinter sich,
  So bitt' ich Himmel, Luft, Wind, Hügel, Hainen, Wälder,
Wein, Brunnen, Wüstenei, Saat', Hölen, Steine, Felder
Und Felsen sagt es ihr, sagt, sagt es ihr vor mich.

In den Liedern gibt der häufige Refrain oder ein an allen Strophenenden wiederkehrender Reim die so stets erneute Bewegung an. Ihr Meister aber ist Gryphius, dessen Sonette eine so atemlose Bewegung haben, daß die einzelnen Verse in ihr untergehen und die Fugen der Sprache, der Rhythmik, der Gliederung sich auflösen. Es gibt Sonette von ihm, wie auch von Fleming und schon von Weckherlin, welche von Anfang bis zum Ende eine gewaltig sich auftürmende Steigerung darstellen und sich am Schlusse in die Unendlichkeit zu verlieren scheinen. Andere, in denen eine erst am Ende überwältigend einsetzende Steigerung alles, was vorherging, hinter sich vernichtet.

Gryphius:

Daß du den Bau gemacht, den Bau der schönen Welt,
Und so viel tausend Heer unendlich heller Lichter
Und Körper, die die Kraft gleich fallender Gewichter
An den gesetzten Ort durch deinen Schluß erhält,
Daß du die Körper selbst mit so viel Schmuck bestellt
Und auf der Erden Haus unzählig Angesichter,
Die ungleich, dennoch gleich als vorgesetzte Richter
Aussprechen, daß nur dir nichts gleich wird hier vermeldt,
Dies rühm ich; doch noch mehr, daß du mir wollen gönnen,
Daß, Herr, dein Wunderwerk ich habe rühmen können;
Daß du die Augen mir zu schauen aufgemacht
Dies rühm ich, doch noch mehr, daß du mir mehr wilt zeigen,
Als diese Welt begreift, und mir versprichst zu eigen
Dein Haus, mehr dich, den nichts satt schaut und satt betracht.

Sonst entsteht der innere Rhythmus seiner Sonette immer so, daß
sich in den beiden Quartetten des Anfangs eine ungeheure Spannung erzeugt, welche sich unaufhaltsam und erlösend als Antwort,
Gebet, Lobpreisung, Triumph oder Prophezeiung im Abgesang ent-
ladet. In der galanten Lyrik ist aus solcher Bewegung schon bei
Opitz und Fleming und besonders dann am Ende des Jahrhunderts
die Zuspitzung des Gedichtes zu einer Schlußpointe geworden, die
ein überraschendes Kompliment, ein funkelnder Vergleich, eine
scharfe Antithese, eine neue und geistreiche Wendung ist.

Der Schluß wird so spitz, daß auch er unendlich zu verlaufen
scheint, nur daß ihm die lyrische Stimmung mangelt. Aber der stilistische Zusammenhang zwischen den scheinbar sich so welten-
fernen Gedichten von Gryphius und den Galanten ist jedenfalls
ganz deutlich.

Gryphius:

Ihr Lichter, die ich nicht auf Erden satt kan schauen,
   Ihr Fackeln, die ihr Nacht und schwarze Wolken trennt,
   Als Diamante spielt und ohn aufhören brennt;
Ihr Blumen, die ihr schmückt des großen Himmels Auen;
Ihr Wächter, die, als Gott die Welt auf wollte bauen,
   Sein Wort, die Weisheit selbst, mit rechten Namen nennt,
   Die Gott allein recht mißt, die Gott allein recht kennt,
(Wir blinden Sterblichen! was wollen wir uns trauen!)

Ihr Bürgen meiner Lust! wie manche schöne Nacht
Hab ich, indem ich euch betrachtete, gewacht?
Herolden dieser Zeit! wenn wird es doch geschehen,
    Daß ich, der eurer nicht allhier vergessen kan,
    Euch, derer Liebe mir steckt Hertz und Geister an,
Von andern Sorgen frei werd unter mir besehen?

Hoffmannswaldau:

Ihr Kinder süßer Nacht, ihr feuer-vollen Brüder,
    Du kleines Heer der Luft, du Himmelsbürgerei,
    Die du durchs braune Feld nach reiner Melodei
Erhebest deinen Tanz, und deine schöne Glieder,
Wenn itzt der faule Schlaf die müden Augen-lider
    Durch einen faulen Sieg den Sinnen leget bei,
    Damit kein Wachen mehr bei uns zu spüren sei,
Ihr Kinder süßer Nacht legt eure Fackeln nieder,
    Was steht ihr wie zuvor und lacht den Welt-kreis an?
Lauft durch das goldne Haus, verlaßt die Fenster-scheiben,
Geht rückwärts, wie ihr solt, ich wil euch rückwärts treiben,
    Geht rückwärts wieder hin die alte finstre Bahn.
Geht Kinder, wie ihr solt, flieht Lichter, flieht von mir,
Mein Licht, mein Augenstern, mein Lieb ist nicht allhier.

Die natürliche Gliederung der Form verschiebt sich durch einen
solchen Rhythmus des lyrischen Gefühlsablaufes sehr häufig so, daß
erst das letzte Ende des Abgesanges die überraschende Schlußwen-
dung bringt. Auch flutet die Sprache häufig über die natürlichen
Grenzen zwischen den Quartetten und in den Abgesang hinüber,
wie es auch Zesen in seinem Helikon verteidigt, ja fast gefordert
hatte, so daß die natürliche Gliederung der Form verschwimmt und
der innere Rhythmus der lyrischen Bewegung gegen ihre äußere
Rhythmik verschoben klingt. Jene klassische Klarheit, welche aus
der völligen Deckung der inneren und äußeren Form entsteht,
konnte diesem Stile keine Befriedigung gewähren.

Oft genug auch, um für den auf große Synthesen zielenden Charakter des Stiles zu sprechen, zieht sich eine einzige Periode durch
viele Glieder der Form, ob es nun die Quartette und Terzette des
Sonettes oder die Sätze der Pindarischen Ode oder auch die Strophen eines Liedes sind. Ganze Gedichte entstehen so, daß auf eine

parallele Fülle von Vordergliedern erst die letzten Verse das schlie-
ßende Glied bringen, welche sie alle erst zu einer faßbaren Einheit
zusammenbindet, wodurch eben jene bewegende Spannung auf das
Ende hin erfolgt. (Man denke an die frühdeutsche Form der
Priameln.)

Gryphius:	*Hoffmannswaldau:*
Wie wenn nach langer Angst	Wenn so viel Zucker wär als Schnee,
und überstand'nem Brausen	Und so viel Bienen als der Fliegen;
Der Port die Segel streicht,	Wenn alle Berge Hyblens Klee,
Wenn nach der Wellen Nacht	Und des Hymettus Kräuter trügen,
und ungestümen Sausen	Aus allen Eichen trief' ein Honig von
Ein Schiff das Land erreicht;	Athen,
Wie die aus Weh entrückten	Und man auf Dörnern nichts als Fei-
Herzen	gen sähe stehn;
In Lust vergessen ihrer Schmer-	Wenn Milch in allen Strömen fließ',
zen;	Und Reben-safft aus allen Quellen;
Wie sich die Welt verneuet,	Wenn alle Schleen wären süß,
Wenn sie den Frühling findt;	Im Meere lauter Nectar-wellen;
Wie sich der Schnitter freuet,	Wenn nur Jasminen-öl der Wolken
Wenn er die Garben bindt;	Nässe wäre,
Wie Feld und Städte springen,	Der Monde nichts als Tau von Zimmet
Wenn nun der Krieg aufhört:	flößte her;
So muß voll Wonne singen,	Wenn die Gestirne schwitzten Saft,
Mein Geist, Herr! der dich ehrt.	Der Würz und Balsam überstiege,
	Und dieser Süßigkeiten Kraft
	In einen Geist und Kern gediege.
	So würde dieser doch bei Liebe Wermut
	sein:
	Denn diese zuckert auch das bittre
	Sterben ein.

Eine solche Spannung der lyrischen Bewegung wird nun durch
eigentümliche Windungen, Hemmungen und Belastungen aufgehal-
ten, wodurch erst der echt barocke Charakter dieses Stiles entsteht,
der schwer an seinem eigenen Gewichte zu tragen hat und nicht —
wie die Gotik — ungehemmt emporzustreben vermag, sondern sich
ringend gleichsam emporwinden muß.

Schon die merkwürdigen Windungen der lyrischen Sprache legen von einem Geiste Zeugnis ab, der durch immer neue Beziehungen, in welche Gedanken, Empfindungen und Dinge zueinander treten, von dem geraden Ablauf des lyrischen Gefühles abgezogen wird. In dieser Sprache spiegelt sich der gewundene Gang der inneren Empfindung. Auch die so häufigen Satzeinschiebungen (Parenthesen) in den Gedichten von Gryphius und die Dunkelheit erzeugenden Zusammenballungen seiner Sprache legen von diesem barocken Geiste Zeugnis ab.

Entscheidend aber ist erst für eine so sich selbst aufhaltende Bewegung eine Eigenschaft, die schon der urgermanischen Dichtung ihren Charakter gab. Der germanische Geist kannte seit jeher das klassische Gleichmaß der Bewegung nicht. Wovon er einmal erfüllt und erschüttert ist, das taucht immer wieder rhythmisch in ihm auf und unter und auf, immer neu verwandelt. So ist denn der Stil der altgermanischen Dichtung dadurch bestimmt, daß die den Ton tragenden Worte und Satzglieder in synonymen Gestalten immer bewegt und verwandelt wiederkehren, wodurch dieser Stil seine ungeheuer wuchtige Nachdrücklichkeit empfängt. Seine immer neu ansetzende Bewegung ist Verwandlung und immer neue Namengebung dessen, was in der Empfindung immer von neuem auftaucht. Diese Bewegung ist eine unendliche. Der drängende Rhythmus aber wird schwer und verlangsamt, weil die Empfindung nicht loskommt von dem, was sie ergriff. So ringt der germanische Geist mit seinem Gegenstande, um ihn ganz sich zu erobern.

Diese verwandelnde und anhäufende Bewegung gehört nun auch zu den auffallendsten Erscheinungen in der Lyrik des 17. Jahrhunderts. Sie gibt den Gedichten von Weckherlin gleich zu Anfang des Jahrhunderts ihr Gepräge, begegnet auf Schritt und Tritt bei Gryphius, Fleming, den Nürnbergern und charakterisiert noch die Lyrik am Ende des Jahrhunderts. Bei Weckherlin also sind Verse über Verse mit Worten von verwandter und verwandelter Bedeutung vollgepfropft, Worten von solcher Wucht, daß sie, rücksichtslos in Hebungen und Senkungen gestellt, den Rhythmus schwer und schleppend machen. Ihre innere Verwandtschaft kommt, wie in der urgermanischen Dichtung, durch gleichgestimmten Klang, Bindung von Vokalen und Konsonanten mit Stabreim und Assonanz zu einem höchst intensiven Ausdruck, so daß die immer neue Wiederholung des tönenden Lautes dem Gefühl einen immer neuen Nachdruck gibt. Wie klar und maßvoll ist dagegen die Vereinfachung, Sonderung und Verteilung der Dinge in den Gedichten des 18. Jahrhunderts. Man vergleiche das Motiv der Schlacht bei Weckherlin und Ewald von Kleist.

Weckherlin:

Vor dir und hinder dir der Tod
Mit Toben, Wüten, Schrecken, Schreien,
Mit Forcht', Graus, Grimm, Greuel und Not
Bracht' den Kühnsten ein Abscheuen:
Gespalten Köpf, Schenkel, Händ, Wehr,
Helm, Schild, Spieß, Fahnen, Pfeil und Bogen
Mit Kugeln in dem Rauch umbflogen,
Das Blut machte gleichsam ein Meer.
Allda Freind und Feind, Herr und Knecht,
Pferd und Man, all auf einem Haufen,
Blutdürstig, bös, fromm, hoch und schlecht,
Mußten sich satt (zwar ungern) saufen.

Kleist:

Wie wenn ein Heer Kometen aus der Kluft,
Die bodenlos, ins Chaos niederfiele:
So zieht die Last der Bomben durch die Luft,
Mit Feur beschweift. Vom reißenden Gewühle
Fließt hier Gehirn, liegt dort ein Rumpf gestreckt;
Hier raucht Gedärm; so ist der Grund bedeckt.
Der Erden Bauch wirft oft, vom Pulver wild,
Nebst Maur und Heer sein felsicht Eingeweide
Den Wolken zu. Die ferne Klippe brüllt;
Des Himmels Raum erbebt und schallt vor Leide.
Er wird mit Schutt und Leichen überschneit,
Als wenn Vesuv und Hektor Steine speit.

Eine kleine Gattung von Gedichten hat dieses Prinzip, wie es noch jedem im 17. Jahrhundert geschah, nach romanischem Vorgang spielerisch gewendet. Es sind die „Verführungsgedichte" (man denke an die Vexiergärten der Zeit) oder „Wechselsätze", in denen die gehäuften und verwandelten Worte so durcheinandergeworfen sind, daß man sie selbst erst in die richtige Folge bringen muß, um ihren Zusammenhang zu fassen. Der Sinn des Hörers wird so zu einer selbsttätig verbindenden Bewegung aufgestachelt.

Opitz:
Die Sonn, der Pfeil, der Wind, verbrennt, verwundt, weht hin,
Mit Feuer, Schärfe, Sturm, mein Augen, Herze, Sinn.

In den Gedichten von Weckherlin aber ist auch dieses kein Spiel, sondern eine ernste und höchst bezeichnende Eigentümlichkeit des erregten und bewegten Stiles.

Weckherlin:
Des Feindes Zorn, Hochmut, Haß, durch Macht, Betrug, Untreu,
Hat schier in Dienstbarkeit, Unrecht, Abgötterei,
Des Teutschlands Freiheit, Recht und Gottesdienst verkehrt;
Als euer Haupt, Herz, Hand, ganz weis, gerecht, bewehret,
Die Feind bald ihren Wohn und Pracht in Hohn und Reu,
Die Freind ihr Leid in Freud zu verkehren gelehret.

Ebenso ist die Pflege von Wortspielen in diesem Jahrhundert bei den großen Lyrikern mehr als ein Spiel und erinnert auch ihrerseits an urdeutschen Gebrauch. Wenn durch jene Verwandlungen das gleiche Ding mannigfach gestaltet wurde, so gibt hier nun die Sprache den entferntesten Dingen Gleichklang. Es entspricht durchaus dem Wesen eines Stiles, „der überall Beziehungen findet und eine bewegliche Empfänglichkeit des Gefühls auch für die entferntesten Verwandtschaften zeigt". War eine solch sprachliche Gestaltung noch bei Fischart burlesk, so wird sie nun ernst und in unendliche Fernen führend.

Indessen bleibt man bei einzelnen Häufungen, Verwandlungen, Gleichstimmungen nicht stehen. Der lyrische Trieb, der ihnen zugrunde liegt, erschafft eine Fülle von Gedichten, deren Wesen es ist, daß sie ein lyrisches Motiv nach all seinen inneren Möglichkeiten hin verwandeln und die durchgehende Gleichheit in der Verwandlung durch parallele Gestaltung zum Ausdruck bringen. Sie gleichen in ihrer Bewegung musikalischen Variationen und haben mit Gedichten der Romantik eine weitgehende Ähnlichkeit. Wie die Romantik hat auch das 17. Jahrhundert für diesen unendlichen Trieb in der spanischen Glosse eine begrenzende Form gefunden, aber er

lebte sich in allen Formen aus. In diesen Gedichten also ist keine
fortschreitende Bewegung, sondern eine Anschwellung von innen
her. Die Dinge tauchen immer neu verwandelt in der Empfindung
auf, und die Empfindung kehrt immer neu bereichert und vertieft in
sich selbst zurück. Es gibt mannigfache Typen dieser lyrischen Bewegung: Gedichte, in denen jeder Vers das bewegende und erschüt-
ternde Wort wiederholt und dann verwandelt, andere, in denen ein
immer wiederholter Ruf jenes Wort mit immer neuem Namen ruft.

Hoffmannswaldau:
Mund! der die Seelen kan durch Lust zusammen hetzen,
Mund! der viel süßer ist als starker Himmels-wein,
Mund! der du Alikant des Lebens schenckest ein,
Mund! den ich vorziehn muß der Juden reichen Schätzen,
Mund! dessen Balsam uns kan stärken und verletzen,
Mund! der vergnügter blüht, als aller Rosen Schein,
Mund! welchem kein Rubin kan gleich und ähnlich sein,
Mund! den die Gratien mit ihren Quellen netzen;
Mund! Ach Corallen-mund, mein einziges Ergetzen!
Mund! laß mich einen Kuß auf deinen Purpur setzen.

Gryphius:
Komm, König! komm! den oft dein Zion hat begehret!
    Komm Davids Kind und Herr! Gott! Helfer in der Not
    Und zarter Menschen Sohn! Reiß aus dem Sünden-kot
Die Seelen, die Gesetz und Sünden-last beschweret!
Erfrische, was die Glut der Höllen hart verheeret!
    O leichter Lebens-tau! erquicke, was der Tod
    Mit harten Füßen tritt! Komm süßes Himmel-brot
Und labe die, die Durst und Hunger ganz verzehret!
    Komm unverfälschte Lust, wenn uns der Teufel schreckt!
    Komm Licht und scheine dem, den Nacht und Grauen deckt!
Komm Friede! komm zu den, die Angst und Pein bekriegen!
    O Held und Helfer komm! den aller Völker Schaar
    Zum Haupt und Fürsten wünscht, und zeig uns offenbar,
Daß, wer dir widersteht, mit Spott muß unten liegen!

In den meisten Liedern Friedrichs von Spee ist jede Strophe die
neue Verwandlung eines und desselben Motives nach einer neuen
Seite hin, und dieses Motiv kehrt denn auch häufig als Refrain in

jeder Strophe wieder. Es ist das gleiche Gestaltungsprinzip, das auch den vielen Gedichtzyklen des Jahrhunderts (Tageszeiten, Jahreszeiten) und den unendlich vielen Wettgesängen zugrunde liegt, in denen ein und das gleiche Motiv von verschiedenen Sängern auf verschiedene Weise besungen wird. Sie sind in der Trutznachtigall und in den Schäferdichtungen der Nürnberger Schule besonders zahlreich zu finden.

Diese Eigentümlichkeit der inneren Bewegung bestimmt auch die äußere Form, deren Wesen durch Wiederkehr und Parallelismus bezeichnet ist. Die ewige Rückkehr der lyrischen Empfindung in sich selbst führt zu immer wiederholten Ausdrucksformen. Den sehr beliebten Ringeloden, in denen das Ende in den Anfang mündet, schließen sich die Lieder mit gleichem Anfang und Ende, mit immer wiederkehrenden Strophen oder Reimen, mit gleichem oder leicht verwandeltem Refrain oder gleichen Vers- und Strophenanfängen an. Die Glieder der sprachlichen Periode, die Perioden unter sich, die Verse, die Strophen entsprechen sich so gern in ihrem sprachlichen Bau. Die Antithesen drängten zu solcher Wiederholung hin. Ein überall hörbarer Parallelismus, wie er ja auch das Gestaltungsprinzip der urgermanischen Dichtung war, gibt die lyrische Bewegung an, welche die Empfindung immer von neuem aus sich heraus und verwandelt und bereichert wieder in sich zurückführt. Sie ist von Weckherlin und Opitz an bis Hoffmannswaldau gleich geblieben.

Eine besonders häufige Art dieser nachdrücklichen und schwellenden Bewegung war schon seit Weckherlin die Anhäufung von Gleichnissen und Bildern für ein und dasselbe Ding. Man sucht immer neue Namen für etwas, wovon man ergriffen ist. Diese Art ist bei den Nürnbergern, Zesen und Hoffmannswaldau zu einer spielerischen Übung in geistiger Grazie, Erfindung und Beweglichkeit, zu einem Gesellschaftsspiele ausgeartet, wo einer den anderen zu überbieten suchte. Aber bei Gryphius war eine solche Bewegung alles, nur kein Spiel, wie es denn auch bei ihm nur die höchsten Dinge waren, von denen er so tief erschüttert wurde, daß er ihre Unerreichbarkeit mit immer neuen Namen zu erreichen und ihre Unerschöpflichkeit mit immer neuen Bildern ringend zu erschöpfen trachtete.

Gryphius:

O Feuer wahrer Lieb! O Brunn der guten Gaben!
  O Meister aller Kunst! O höchste Heiligkeit!
  O dreimal großer Gott! O Lust, die alles Leid
Vertreibt! O keusche Taub! O Furcht der Höllenraben!
Die, eh das wüste Meer mit Bergen rings umgraben,
  Eh Luft und Erden ward, eh das gestirnte Kleid
  Dem Himmel angelegt, vor Anbeginn der Zeit,
Die zwei, die ganz dir gleich, von sich gelassen haben!
  O Weisheit ohne Maß! O reiner Seelen Gast!
  O teure Gnaden-quell! O Trost in herber Last!
O Regen, der in Angst mit Segen uns befeuchtet!
  Ach laß ein Tröpflein nur von deinem Lebens-tau
  Erfrischen meinen Geist! Hilff, daß ich doch nur schau'
Ein Fünklein deiner Glut! so bin ich ganz erleuchtet.

Hoffmannswaldau:

Was ist der Tod der Frommen?
  Ein Schlüssel zu dem Leben,
  Ein Gränzstein böser Zeit,
  Ein Schlaftrunk alter Reben,
  Ein Fried auf Krieg und Streit.
  Ein Führer zu der Sonne,
  Ein Steg ins Vaterland,
  Ein Aufgang aller Wonne,
  Ein Trieb von großer Hand.
  Ein Zunder zu dem Lichte,
  Ein Flug in jene Welt,
  Ein Paradiesgerichte,
  Ein Schlag, der alles fällt.
  Ein Abtritt aller Plagen,
  Ein Baum vor alle Not,
  Was soll ich ferner sagen?
  Dies alles ist der Tod.

Auch die Häufung von schmückenden Beiworten in dem lyrischen Stile des Jahrhunderts ist von hier aus am besten zu verstehen. Die lyrische Empfindung erlebt die immer wieder in ihr auftauchenden Dinge von immer neuen Seiten und legt ihnen so immer
neue Eigenschaften bei.

Durch diese Eigentümlichkeit der lyrischen Bewegung nimmt nun also der Stil des 17. Jahrhunderts jenen prächtigen, farbigen, überladenen, nachdrückenden Charakter an, den man nicht eben gut mit Schwulst bezeichnet hat. Wie in der bildenden Kunst der Zeit wird auch in der Dichtung die reine Form von der Pracht des Ornamentes überschwemmt. Der Rhythmus aber hat an solcher Fülle und wachsenden Wucht der Worte schwer zu schleppen. Das gibt diesem Stile seinen unerlösten und ringenden Charakter.

Man wird finden, daß die Häufung von Gleichnissen, Bildern, Namen und Beiworten in den Poetiken des 17. Jahrhunderts mit der Verwandtschaft von Dichtung und Malerei gerechtfertigt wird. Die schon antike Lehre, daß Dichtung eine sprechende Malerei sei, wurde noch von keinem Jahrhundert in Deutschland wenigstens so wörtlich genommen und damit auch so mißverstanden wie von diesem. Das Mißverständnis erzeugte jene berüchtigten Bildergedichte, welche in ihrem äußeren Druckbild etwa einen Turm, einen Amboß, ein Kreuz, eine Leier darstellen, wobei der Gedanke zugrunde gelegen haben mag, daß die wechselnde Länge der Verse, wenn sie eine organische Form nachbildet, auch einen organisch an- und abschwellenden Rhythmus ergeben muß. Auf diesem Mißverständnis beruht es auch, daß ein sehr großer Teil der gesamten Lyrik in diesem Jahrhundert schon seit Zinkgref nichts als eine mehr oder minder geistreiche Darstellung und Ausdeutung malerischer und gemalter Sinnbilder und Embleme war. Die Andachtsgemälde von Harsdörfer, denen die Bilder beigegeben sind, mögen als Typen einer solch sinnbildlichen Lyrik gelten. Auch die höchst auffällige und häufige Beschreibung der Farben, wobei entweder grelle Kontrastierungen oder in sich differenzierte Mischungen dem sonstigen Wesen des Stiles ganz entsprechen, sollte die Lyrik malerisch machen.

Es ist höchst belehrend, etwa eine Darstellung weiblicher Schönheit aus dem 16. Jahrhundert mit solchen Darstellungen der barokken Zeit zu vergleichen. Man wird sehen, wie der Unterschied nicht nur durch den viel grelleren Auftrag der Farben und die sinnliche Pracht in dem malerischen Jahrhundert bedingt ist, sondern durch die alleinige Herrschaft der Farbe als Darstellungsmittel. Man beachte in dem hier abgedruckten Meisterliede, wie nicht die wenigen Grundfarben, sondern wie es die plastischen Formen und die Linien sind, welche das Schönheitsideal bezeichnen, und wie daher auch in der Folge der Darstellung eine möglichst sprunglose Führung vom Scheitel bis zum Fuße geht.

Wie ist dagegen in den angeführten Stellen des 17. Jahrhunderts alles auf Licht und Farbe angelegt und (in der Darstellung des Gewandes) auf den Eindruck der fließenden Bewegung. Erst der Sturm und Drang (Heinse) und dann die Romantik (Tieck) haben wieder diese Farbigkeit der Darstellung.

Ein Meisterlied:
Der Jungfrau Schöne:
Gott grüß Euch Jungfrau hochgeboren;
Darum hab ich Euch auserkoren
   Für alle Ding auf Erden.

Ihr seid ganz aller Freuden Spiel,
Eur hohes Lied ich singen will
   Aus meines Herzens Gerden.

Sam Gold gesponnen ist ihr Haar,
Getollen und geteilet
   Und leuchtet in der Sunnen klar,
Gleich als das Laub im Nebel
Wenn es der Wind durchweht in Waldes Auen.
   Gestrichen seind ihr Brauen
   Zu beiden Seiten ab,
   Darunter sie schön hab

Zwei Äuglein braun
Nach Falkes Art,
Darin das Weiß ist schön und klar,

Die lat sie lieblich schießen;
Wen sie mit Züchten aneblickt,
Vor Freuden ihm sein Herz erschrickt,

Tut er sie freundlich grüßen.
Sie hat zwei feine Öhrla krumm,
Geziert nach altem Adel,
   Und sind ein wenig bogen um.
Ihr Wänglein ohne Tadel,

Rot und weiß untereinander gemenget;
Noch hat ohne alles Mail
Die Röt den meisten Teil.

Ein Näslein fein ohn arge List
Ein klein wenig bogen ist;
Darunter tut sie haben
Ein Mündlein rot als der Rubein
Und wenn sie lacht, daraus geht Schein,
Ihr Zähnla weiß ergraben,

Gezieret als der Marbelstein
Aus ihrem Mündlein gleißen.
Noch hat die zarte Jungfrau rein
Ein Kinn nach ganzem Fleiße;
Ein kleines Grüblein ist darin gedrucket,
Ihr Kehl, das da schlucket,
Weiß als ein Hermelein;
Ihr Hälslein hübsch und fein,

Schön ausgeschweift nach allem Lust;
Wen sie erblickt, sein Leid verdust,
Sein Trauren wird geschwechet.
Zwei Brüstla an ihr Herz geschmückt,
In rechter Höh empor gerückt,
Also seind sie gemachet,

Sein nit zu klein und nit zu groß,
Und nit zu hoch und nit zu nieder,
Und hend also die rechte Maß
Ganz alle ihre Glieder.
Ihr Leib der ist do mitten ausgewollen,
Ihr Ärmelein getrollen;
Zwei Händla blank,
Ihr Finger zart und lang.

Ihr Bein geschickt nach Wünsche Wahl,
Daran zwei kleine Füßla schmal,
Geziert ohn Missehandel.

Und wenn sie auf der Gasse gat
Weis in der Berd, ihr wohl anstat,
Fast züchtig ist ihr Wandel.

Sie ziert viel baß in schlechter Wat,
Dann manche die da pranget,
Von Seiden ein Gewand an hat.
Viel Tugend an ihr hanget,
Zucht und Scham, und mit bescheiden Worten
    Ist sie an allen Orten,
    Ganz aller Tugend mild,
    Ist engelisch Gebild.

Zesen:

Der Mund war roter Samt, die Lippen ausgeetzt
Mit Röslein und Rubin, mit Lilien untersetzet,
Narzissenweiß der Hals, die Finger waren Schnee,
Die Nägel perlengleich, das Haar wie Gold und Klee,
    Wenn er am gelbsten ist.

Pegnesisches Schäfergedicht:

Wie göttlich ist geschmückt der Seele Haus,
Die Liebe plitzt aus beiden Fenstern aus.
Wie zieret doch des Himmels teure Waare,
Des Hauptes Kleid, die goldgemengten Haare,
Der Sinnen Schloß, das wachende Gehirn.
Wie flinkt und blinkt das doppelte Gestirn.
Die Wangen sind von Marmor aufgeführet
Und durch und durch mit Purpurrot schattiret.
Des Herzens Tür verpfählet Helfenbein,
Von außen leucht der Rosen hoher Schein.

Zweite Schlesische Schule:

Ihr Kleid war Silberstück mit Seide durchgewebet
Von Farben als die See, wan sie sich nicht erhebet.
Des Gürtels hohes Blau strich selbst der Himmel an,
Der auf der Hüfte war geknüpft mit Demantspangen.
Den Schleier ließ sie um die zarten Schultern hangen,
Dadurch er die Gestalt bewegter Flut gewann.
Den Alabasterhals hielt eine Schnur umfasset
Von Perln aus Morgenland, vor deren Glanz erblasset
Die größte Pracht der Welt. Ihr braungelocktes Haar
Schwamm auf dem Anmutssee der reinen Lilienbrüste.

— — — — — — — — — — — — —

Indessen kam es diesem Stile nicht etwa darauf an, im Sinne der beschreibenden Lyrik aus dem 18. Jahrhundert zu „malen", das heißt: ein möglichst lebenstreues Bild vor die Phantasie zu zaubern. Man kann in den angeführten Gedichten bemerken, wie nichts an sich, sondern alles durch einen Vergleich gegeben wird. Indem diese Lyrik vielmehr alles „durch die Blume" sagte, blieb sie nur ihrem alles verwandelnden Wesen, dem die seiende Welt ein Nichts und die lyrische Bewegung alles war, bis in die letzte Konsequenz getreu. Wenn der altgermanische Dichtstil (besonders in der Edda) ganz barock umschreibend war, so ist nun der Stil des 17. Jahrhunderts durch und durch metaphorisch. Die Bildwelt aber, zu der die seiende Welt sich in der poetischen Empfindung bricht, erzählt von einem neuen Erlebnis. Sie entsteht, indem auch das geistigste Gefühl, der abgezogenste Gedanke als eine Weichheit, eine Farbe, ein Ton, eine Süßigkeit, ein Parfüm empfunden wird.

Aber diese farbige, duftende, klingende, süße, weiche Welt wird doch eben nur als ein schöner Schein erlebt und dargestellt, und wie in diesem Jahrhundert die Todeslyrik eine ganz so große Rolle spielt wie die galante, so werden auch die Farben und Düfte und Töne als in das Jenseits hinüber verblassend, verduftend, verklingend gegeben. Diese Welt von sinnlichen Bildern ist oft ganz merkwürdig spiritualistisch, transparent und löst sich auf in Schatten und Rauch und Dunst.

Der Versuch, die Grenzen zwischen den Gattungen der Kunst aufzuheben, ist immer romantischen Zeiten eigen. Der klassische Geist geht auf die klare Sonderung ungleichartiger Elemente aus, während ihre Vermischung romantisch unendliche Tendenz andeutet. Ist es doch dem 17. Jahrhundert mit der Romantik gemeinsam, daß hier wie dort ein großer Teil der Lyrik als Einlage in Prosadichtungen zu finden ist. So hat denn auch das 17. Jahrhundert gleich der Romantik versucht, wie Dichtung in Malerei, so auch in Musik zu verwandeln, indem es die Poesie für eine redende Musik erklärte. Man muß hier aber einen Unterschied machen. Die musikalische Tönung der rhythmischen Sprache ist bei Genien wie Weckherlin, Fleming, Gryphius der tönende Ausdruck ihrer seelischen Bewegung und Erschütterung. Die Wiederholung und Kontrastierung der Töne bringt hier Klangmischungen hervor, welche

wie Rembrandts Farben wirken. Seit der germanischen Heldendichtung ist eine solche Bewegung des Tones in deutscher Sprache
nicht mehr gehört worden. Bei Weckherlin besonders ist es wie in
dieser urdeutschen Dichtung der wiederkehrende Ton der Worte,
der den freibewegten Rhythmus des Verses bedingt.

In der Nürnberger Dichterschule aber wurde ein solch tönender
Ausdruck zu spielerischer Tonmalerei. Wenn Opitz schon in seiner
Poeterei empfohlen hatte, den Klang der Buchstaben zur Darstellung zu nutzen („als wie Virgilius von dem Berge Etna redet, brau-
chet er alles harte und gleichsam knallende Buchstaben", „so weil
das L und R fließende Buchstaben sein, kann ich mir sie in Beschreibung der Bäche und Wässer wol nütze machen als: Der klare Brunnen quillt mit lieblichem Geräusche"), so kam Harsdörfer in seinen
Gesprächspielen zu dem Schluß: daß die Natur in allen Dingen,
welche ein Getön von sich geben, unsere deutsche Sprache redet,
und leitete daraus die Aufgabe der deutschen Lyrik her: diese
Sprache der Natur gleichsam in Worten und Rhythmen aufzu-
fangen. Für ihn wie auch für Birken war eine solche Lyrik sogar
eine religiöse Forderung, weil Gott es ist, der sich im Rauschen der
Wälder und im Singen der Vögel und im Brausen des Sturmes offenbart. So entstanden denn all jene Gedichte, in denen dieses Rauschen
und Singen und Brausen der Natur mit dem Instrumente der deutschen Sprache nachgeahmt wurde, und oft genug ist das Motiv solch
tonmalender Gedichte die Lobpreisung Gottes aus seinen Werken
und Geschöpfen. Wie in der Lyrik der Romantik also ist auch hier
die spielende Form der eigentümliche Ausdruck eines religiösen Erlebnisses. Aber in noch weiterem Umfange bemühte sich die Lyrik
des 17. Jahrhunderts, den „Ton eines Falles, Schlages, Schusses,
Sprunges, Stoßes oder anders was einen Laut oder Stimme von sich
gibet auf das vernehmlichste auszudrücken". Die lyrische Sprache
wurde zu solchem Zwecke mit einer Fülle von neuen Worten bereichert. Eine wie reine Form der lyrischen Sprache hat dagegen
die „malende" Lyrik des 18. Jahrhunderts, die nicht dem Ohre,
sondern der Phantasie zu malen dachte. Erst die Romantik hat die
Tonmalerei ähnlich dem 17. Jahrhundert wieder gepflegt. So vergleiche man also einerseits ein Nürnberger Gedicht mit dem Frühling von Kleist, anderseits mit Brentano.

Es schlürfen die Pfeifen, es wirblen die Trummeln,
Die Reuter und Beuter zu Pferde sich tummeln,
   Die Donnerkartaunen durchblitzen die Luft,
   Es schüttern die Täler, es splittert die Gruft,
Es knirschen die Räder, es rollen die Wägen,
Es rasselt und prasselt der eiserne Regen.
   Ein jeder den Nächsten zu würgen begehrt.
   Es flinkert und blinkert das rasende Schwert.

— — — — — — — — — — — — — — —

Da werden beschönet, bekrönet die Heiden,
Da werden die Rangen und Anger bemalt,
Mit Matten und Schatten geht schwanger der Wald.
Die Bäume belauben, behauben sich dicke,
Man hört nicht Nord- brummend- und brausende Tücke.
Die Auen bewasen, begrasen sich fett,
Der Föbus beglänzet, bekränzet die Stätt.
Da spielet und kühlt sich das Wildbret in Klüften,
Die Echo erschallet und hallet in Grüften.
Da wispelt und lispelt das Stuten-Gelall.
Es klatschert und platschert mit süßlichem Schall.
Die Hummeln beginnen zu summen und brummen,
Der Balsam-Wind gehet und wehet durch Blumen,
Der Zefyrus säuselt und bräuselt gelind.
Da zitschert und zwitschert das Luftegesind,
Da binken die Finken; die Nachtigall kehlet,
Die Freuden in Heiden mit Wunder erzehlet,
Da plärret und blöcket das Lämmlein und Kalb.
Da girret und kirret umirrend die Schwalb.
Da tireti tiretiliret die Lerche,
Da klappern und plappern und pappern die Störche,
Man singet, man ringet und springet im Tal.
Schalmeien am Reien erfreuen zumal,
Die Myrten mit Myrten die Hirten bewürden,
Wan Heerden und Hirten bewirten die Hürden.
Es rauschen und zischen und mischen die Büsch,
Und zwischen Strom wischen die Fische zum Tisch.

1. Brentano
Es brauset und sauset
Das Tambourin,

Es prasseln und rasseln
Die Schellen darin;
Die Becken hell flimmern
Von tönendem Schimmern,
Um Kling und um Klang,
Um Sing und um Sang
Schweifen die Pfeifen, und greifen
Ans Herz mit Freud' und mit Schmerz.

2. Ewald v. Kleist

Die Luft ward sanfter; ein Teppich mit wilder Kühnheit aus Stauden
Und Blumen und Saaten geweht, bekleidet Thäler und Hügel.
Nun fielen Schatten vom Buchbaum herab: harmonische Lieder
Erfüllten den dämmernden Hain. Die Sonn beschaute die Bäche,
Die Bäche führeten Funken, Gerüche flossen im Luftraum;
Und jeden schlafenden Nachhall erweckte die Flöte der Hirten.

— — — — — — — — — — — — — — — — — — — —

Die ganze Gegend wird Schall. Der Fink, der röthliche Hänfling
Pfeift hell aus Wipfeln der Erlen. Ein Heer von bunten Stieglitzen
Hüpft hin und wieder auf Strauch, beschaut die blühende Diestel,
Ihr Lied hüpft fröhlich wie sie. Der Zeisig klaget der Schönen
Sein Leiden aus Hallen von Laub. Vom Ulmbaum flötet die Amsel
In hohlen Tönen den Baß. Nur die geflügelte Stimme,
Die kleine Nachtigall, weicht aus Ruhmsucht in eigene Gründe
. . . .
Und macht die schreckbare Wüste zum Lustgefilde des Waldes.
Dort tränkt ein finsterer Teich rings um sich Weidengebüsche;
Auf Ästen wiegt sie sich da, lockt laut und schmettert und wirbelt,
Daß Grund und Einöde klingt. . . .
. . . .
                                                        zerstreute Heere
     von Bienen
Durchsäuseln die Lüfte, sie fallen auf Klee und blühende Stauden,
Und hängen glänzend daran wie Thau vom Mondschein vergüldet.
. . . .

Mehr innerlich romantisch war freilich jene Lyrik, die ohne solch
naturalistisch spielende Tonmalerei die lyrische Bewegung des Gemütes in Klängen und Rhythmen fast ohne einen greifbaren Inhalt
wiedergab. Sie erinnert an die lyrische Wortmusik von Ludwig Tieck.

Löbliche Hirten,
Grünend von Myrten!
Singet nun wieder,
　Stimmet die Pfeifen:
　Künstlich zu schleifen
Liebliche Lieder.

Bannt das Verweilen!
Venus will heilen
Doppeltes Lieben;
　Doppelte Flammen
　Schlagen zusammen
Sonder Betrüben.

Eh sich verschließen,
Herbstlich verfließen
Blumichte Felder:
　Machet erschallen,
　Danzen und hallen
Laubichte Wälder.

Freudige Hirten,
Grünend von Myrten!
Euere Lieder,
　Echo die Nymfe
　Um das Gesümfe
Klinget herwieder.

Man hört in diesen Gedichten schon, wie der lyrische Stil des Jahrhunderts alle Möglichkeiten klanglicher Wort- und Versbindungen aufgeboten hat, worin sich wiederum der zusammenfassende Geist der Romantik kundgibt. Der Reim, dem sondernden und rein formalen Prinzip des antiken Rhythmus entgegengesetzt, wird zum sprechenden Ausdruck des deutschen Geistes, dem die romanischen Reimbindungen dabei die wohltätigen Grenzen einer bestimmten Form geben. Die Fragen und Antworten der besonders beliebten Echogedichte geben das Wesen des reimenden Stiles vielleicht am besten wieder. Wie dann auch in der Lyrik der Romantiker geben sie mit ihren ahnungsvoll verklingenden Wiederklängen dem Trieb in die Unendlichkeit den klanglichen Ausdruck. Das Gemüt tritt mit den fernsten Fernen in Verbindung. Diese Gedichte waren denn auch oft religiösen Inhalts, und das Echo war Antwort des Himmels. Die Verse der musikalischen Lyrik werden durch Innenreime, Assonanzen und Stabreime mannigfach in sich gebunden. Wie die Dinge und Formen durch Parallelismus, so tauchen auf solche Weise die Töne immer wieder auf und bestimmen den Rhythmus des Verses. Seit den Tagen der urgermanischen Dichtung, welche ja ganz auf diesem Gestaltungsprinzip beruhte, sind nicht mehr so viel Formeln und Bindungen durch Stabreim und Assonanz entstanden wie bei Weckherlin, Gryphius, den Nürnbergern und zweiten Schlesiern. Die entferntesten Dinge verbinden sich so in einem allumfassenden Erlebnis. Die Strophen fügen sich durch weite Reimspannungen in sich und durch gleiche Reimung oft miteinander zu kühnen Synthesen zusammen. Es ist alles ein Suchen und Finden, gespannte und gelöste Erwartung, ein Fragen und Antworten, ein Hinüber- und Herüberziehen, ein Vorahnen und Sicherinnern.

Aber die ganze Eigentümlichkeit dieses Stiles, die ihn etwa von dem Minnesang so deutlich unterscheidet, ist doch erst dadurch entstanden, daß zusammen und gleichzeitig mit dem Reim auch der Rhythmus zum sprechenden Gestaltungsprinzip wurde. Es waren bisher immer zwei getrennte Kunstwelten, in denen der Rhythmus oder der Reim regierte. A. W. Schlegel hat in ihrem entgegengesetzten Wesen den Unterschied des plastischen und malerischen, des melodischen und harmonischen, des klassischen und romantischen Stiles aufgedeckt. Wenn der Reim mit seinem Drang zum Ende hin die Glieder zugunsten des ganzen Verses entwertet, so werden sie von dem Rhythmus alle mit gleicher Würde ausgestattet, und nicht Erwartung, sondern Gegenwart ist das Wesen rhythmischer Gestaltung. Wenn der Reim auf Zusammenklang und Verschmelzung unzusammenhängender Elemente ausgeht und so ein reizvoll dunkles Spiel der Form über den Inhalt hin ist, so ist klare Sonderung das Ziel des Rhythmus. Der Reim geht mit der Akzentuierung Hand in Hand, während der Rhythmus die Form der Zeit und die Dauer im Wechsel ist. (Hier ist natürlich von dem gesetzmäßigen Rhythmus des klassischen Stiles die Rede.)

Aber das 17. Jahrhundert hat, wie dann auch die Romantik, den kühnen Versuch gemacht, für ein allumfassendes Erlebnis auch die allumfassende Form zu finden, indem es Reim und Rhythmus zusammen sprechen ließ. Für diesen Zweck mußte es erst die Ausdruckskraft des Rhythmus für sich entdecken, den sie als reine Form zunächst nicht verstehen konnte. Der jambische oder steigende Rhythmus wurde als langsam und männlich dem heroischen Gedichte zuerkannt, der trochäische oder fallende als geschwind und weiblich den lieblichen Liedern und Gesängen, der daktylische oder springende als hurtig und flüchtig den lustigen Liedern und Klinggedichten. Auch geistliche Psalmen und Lieder, welche über Gottes Herrlichkeit frohlockten, tanzten in so beschwingtem Rhythmus dahin. Indessen sind Zesen und Gryphius auch von diesem häufigen Gebrauche des daktylischen Rhythmus abgewichen, indem sie eine zitternde und bebende Bewegung in ihm rhythmisierten. Von dem epischen Wesen dieses Rhythmus ahnte man noch nichts.

Aber ein gleichmäßiger Rhythmus vermochte überhaupt nicht mehr in diesem Jahrhundert die lyrische Bewegung auszudrücken. Ihre springende, wechselnde, tanzende Art verlangte nach rhythmischen Sprüngen, Wechseln und Tänzen, welche in der Mitte des Jahrhunderts den Höhepunkt an Kühnheit und Beweglichkeit erreichten. Zesen, der den Zusammenhang von Lyrik und Tanz erkannte und seine Gedichte, wie er selbst berichtet, tatsächlich auch in der Gesellschaft tanzen ließ, hat Pindarische Oden und Lieder verfaßt, in denen der Wechsel von steigendem und fallendem und springendem Rhythmus die Bewegung des Tanzes angab. So aber lösten sich nicht nur die Tanzlieder, sondern alle lyrischen Formen in springende Rhythmik auf. Besonders durch die Madrigale gewöhnte man sich an die Bindung ungleich langer und rhythmisch wechselnder Verse.

Zesen:
Rubinenmund, du Zierde der Jugend,
    Sonne, Mond und Stern,
Welche mit lieblichen Strahlen der Tugend
    Blicket her von fern,
Dich Fürstin der schönsten unter den Frauen
    Muß ich zwar meiden,
    Dennoch nicht neiden
    Dein schönes Gesicht.

Man wundert sich fast, in den rhythmisch so aufgelösten Oden von Gryphius noch nicht den freien Rhythmus des Sturms und Drangs zu finden. Solche Formen nun, in denen nicht der Reim durch seine vorausbestimmte Stellung das entscheidende Wort zu sprechen hatte, vertrugen den sprechenden Rhythmus wohl.

Wenn aber gerade die ganz auf den Reim gestellten Sonette in allen nur erdenkbaren Rhythmen, besonders gern in Daktylen und Anapästen klangen und sprangen, so wurde diese Form, in der schon der alexandrinische Rhythmus mit seinem Einschnitt viel zu sehr vom Reime abzog, schwer geschädigt. Gryphius aber hat sie mit den wilden Wechseln seiner Rhythmik vollständig zersprengt. Man sieht hier deutlich, was es mit der Entlehnung des Stiles auf sich hat: der deutsche Geist ließ sich eben doch nicht immer in fremde Formen pressen.

Diese Gedichte also drückten mit ihrer von Vers zu Vers springenden Rhythmik die lyrische Bewegtheit des Gemütes aus. Der lyrische Rhythmus der klassischen Antike war anderer Art, indem er, wie jede Form der Klassik, nicht einen ganz individuellen, sondern den Charakter der Gattung trug. Die schöne Eigentümlichkeit der Gemütsbewegung, die der Inhalt aller Lyrik ist, fügte sich der zwar im Unterschied von den anderen Gattungen im Vers und in der Strophe mannigfaltig zusammengesetzten, aber doch nach ganz bestimmter Folge gesetzmäßig ablaufenden Rhythmik. Der Rhythmus mit anderen Worten war auch in der Lyrik nicht Ausdruck, sondern reine Form. Das 17. Jahrhundert hat nun den höchst interessanten Versuch gemacht, sich auch den lyrischen Rhythmus des antiken Melos anzueignen. Stand doch Harsdörfer „in dem Wahn, man könne solcher Gestalt den griechischen, lateinischen und aller anderen Sprachen Reimmaßen oder Versarten im Deutschen nachkommen." Man hat denn auch nicht nur Hexameter und Distichen, sondern auch sapphische und phaleukische Oden gedichtet. Aber eine so reine Form war für diesen überall um Ausdruck ringenden Stil letzten Endes doch eine Unmöglichkeit, und so hat er denn auch das klassische Prinzip des Rhythmus durch den romantischen Reim tatsächlich paralysiert. Hier aber, wo der Rhythmus durch seine formale Bestimmtheit das sprechende Gestaltungsprinzip war, ist der Reim ebenso formauflösend, wie es der Rhythmus im Sonette ist. Auch all jene anderen Bindungen, wie Innenreim, Stabreim und Assonanz wirkten dem Rhythmus entgegen. Man vergleiche ein so sich selbst zerstörendes Gedicht des 17. Jahrhunderts mit der reinen Form der Klassik aus dem 18ten.

Birken (nach Horaz):
Menschen nichtes vermeiden nicht,
Oft aus törichtem Stolz steigen gen Himmel hin.
Unsre Laster die leiden nicht,
Daß der Donnergott leg Grimm und Getümmel hin.

J. H. Voß:
Nichts ragt Sterblichen allzu steil!
Selbst den Himmel bedrohn Törichte wir; und nicht
    Duldet unsere Missetat,
Daß den zornigen Strahl lege der Donnerer.

Wenn man nun den lyrischen Stil des 17. Jahrhunderts als eine
Einheit verstanden hat, welche Anfang und Ende dieses Zeitraumes,
die ersten wie die zweiten Schlesier umfaßt, so ist es doch auch gut,
sich über die Verschiedenheit der Stufen klarzuwerden, welche der
Stil durchlaufen hat. Der Vorredner zu Herrn von Hoffmannswaldau und anderer Deutschen auserlesenen Gedichten, der die
deutschen Poeten „fürnehmlich wegen des styli" las, nannte den
Stil von Opitz heroisch, den von Gryphius beweglich und durchdringend, den von Hoffmannswaldau lieblich und zierlich. Er hat
mit diesen markanten Persönlichkeitsstilen auch etwa den Anfang,
die Mitte und das Ende des Jahrhunderts bezeichnet. Denn wenn
der Eindruck der ersten Schlesier durch hohe Gedanken und Bilder
und eine gehaltene Form Erhabenheit, Gediegenheit und Würde
war, so ist er bei den zweiten Schlesiern durch sinnreiche Erfindungen und eine geschmückte Form mehr Zier und Geist. Dazwischen steht die ekstatische Erschütterung eines Gryphius und die
nervöse Beweglichkeit der Nürnberger. Indessen ist diese Linie gewiß nicht gerade verlaufen. Denn schon bei Opitz zeigt sich mit
aller Deutlichkeit der Ansatz zu jenen „sinnreichen Erfindungen,
zierlichen Beiwörtern, artigen Beschreibungen und anmutigen Verknüpfungen", welche Hoffmannswaldau erst von den romanischen
und englischen Poeten gelernt zu haben glaubte. Vor Gryphius und
neben Opitz hatte schon Weckherlin den „beweglichen" und „durch-
dringenden" Stil, vor Hoffmannswaldau neben Gryphius schon Zesen den lieblichen und zierlichen. Es ist gewiß nicht schwer zu sehen,
daß der ruhige und besonnene Opitz gegen Zesen oder Hoffmannswaldau gehalten fast wie ein Dichter des klassischen Stiles wirkt.
Aber entscheidend ist, daß die Gestaltungsprinzipien durch das
ganze Jahrhundert die gleichen geblieben sind. Man mag die Probe
machen, indem man nicht nur Weckherlin, bei dem der barocke Stil
gleich zu Beginn des Jahrhunderts völlig ausgebildet erscheint, mit
den zweiten Schlesiern vergleicht, sondern auch etwa Opitz mit

Hoffmannswaldau (z. B.: die „Beschlußelegie" von Opitz mit den „Bußgedanken" von Hoffmannswaldau). Bei aller deutlichen Verschiedenheit der Charaktere gehören sie doch beide dem barocken Zeitalter an, pflegten die Lyrik der Galanterie wie des Vergänglichkeitsgedankens in dem maßlos schwellenden, verwandelnden, bewegten, zusammenfassenden Stil. Erst mit dem Anfang des neuen Jahrhunderts beginnt sich ein neuer Stil durchzusetzen, dessen Wesen man als Gleichmaß, Klarheit, Sachlichkeit, Ruhe und Begrenzung charakterisieren kann. Die siegende Aufklärung bedingt den neuen Stil, der ganz auf Maß und Meßbarkeit angelegt ist.

Das Erlebnis ist nicht mehr so bewegt, daß es nur Werden und vorübergehende Augenblicklichkeit erlebt und alle Gegenständlichkeit in unendliche Empfindung auflöst. Der Blick vielmehr ist wieder auf Dauer und Sein gerichtet, und man sucht den ruhenden Pol in der Flucht der Erscheinungen. Die polare Spannung von Geist und Sinnlichkeit löst sich zu der Harmonie einer maßvollen und immer bewußt bleibenden Lebenskunst. Die antithetische Beziehung der Dinge, Gedanken und Gefühle weicht einem plastisch sondernden und begrenzenden Erlebnis. Damit hat die Herrschaft der romanischen Formen und überhaupt des Reimes als sprechenden Gestaltungsprinzips ihr Ende erreicht. Die Rhythmik wandelt nun in gleichmäßigem Schritt. Die Klangmalerei wird zu der für die Anschauung „malenden" Lyrik. Die Farbigkeit wird durch reine und klare Zeichnung ersetzt. Der Stil schwillt ab. In der Anakreontik nimmt dieser neue Stil einen rokokoähnlichen Charakter an, dessen Grazie, Anmut und Heiterkeit in scharfem Gegensatz zu der Schwere, Erhabenheit und ringenden Nachdrücklichkeit des Barock steht.

Man vergleiche zum Schluß ein Anakreontisches Gedicht von Gleim mit einem ebensolchen des 17. Jahrhunderts und erfasse es ganz, wie das gleiche Motiv hier aus schmerzlich gesteigerter Empfindung anschwillt und in einer Form gegeben ist, die mit ihrer wuchtigen, nachdrückenden Häufung und Wiederholung von Worten und Klängen und dem Kampf von Licht und Dunkel noch einmal das ganze Wesen des Barock enthüllt, und wie es dort von einem ruhigen und heiteren Geiste in seiner natürlichen Einfachheit ohne Schwellung und ganz ohne Licht- und Schattenwirkung in

einer Form dargestellt ist, deren Rhythmus, von allen schweren
Bindungen des Klanges gelöst, gleichmäßig und anmutig dahin-
fließt. Aber schon in den 50er Jahren des 18. Jahrhunderts begann
wiederum eine in ihrem Wachstum ganz deutlich zu verfolgende
Bewegung von Inhalt und Form der Lyrik, die ihren Höhepunkt
in Klopstock und dem Sturm und Drang erreichte, dessen durchaus
malerisch freier und bewegter Stil, wie später dann der Stil der
Romantik, einen dem Barock verwandten Geist bekundet.

17. Jahrhundert:	*Gleim:*
Karfunkeln sind im Dunkeln	Des Abends funkeln Sterne,
Viel lichter, viel erpichter	Und ist der Himmel helle,
Und dichte Glut Anrichter,	So seh ich gern ihr Funkeln.
Weil sie noch klärer funkeln:	Doch seh ich meines Mädchens
So sind auch deine Sterne,	Recht feuervolle Augen
Die Sterne, die von ferne	Zugleich im Fenster funkeln,
Mein krankes Herz bestrahlen,	So lenk ich schnell mein Auge
In's Dunkle meiner Seelen	Vom Himmel nach dem Fenster.
Zumal hinunterstrahlen	Da seh ich bessre Sterne,
Und meine Geister quälen	Da schimmert meinen Augen
Mit tausend-tausend Schmerzen.	Die allerschönste Venus.
O Brand in meinem Herzen!	

Deutsche Vierteljahrsschrift für Literaturwissenschaft und Geistesgeschichte, 1, 1923,
S. 243—268.

VOM GEIST DES DEUTSCHEN LITERATUR-BAROCKS

Von Herbert Cysarz

Vorbemerkung

Der Begriff des Barocken ist unserer Literaturwissenschaft noch
nicht verbindlich einverleibt. Die Stilkategorie ist lang auf die
Architektur beschränkt geblieben und hier von ihrem Verächter
Jacob Burckhardt — dank dem das Wort „barock" bei vielen Zeitgenossen, vorzüglich bei Nietzsche, die Geltung fast eines Ekel-
namens angenommen hat — durch die Spanne von 1580—1780
abgegrenzt worden. Die Übertragung des Ausdrucks in die Litera-
turbetrachtung hat sich indessen erst in einer Zeit vollzogen, da
nach den Darstellungen Gurlitts, dann Wölfflins und Jüngerer
bereits eine bejahende, oft leidenschaftlich bejahende Wertung solcher Kunst sich durchgerungen hatte. Zur Erhellung des Epochen-
Charakters ist nach den vortrefflichen Vorarbeiten Waldbergs und
Borinskis bis in die letzte Zeit fast nichts geschehen. Zäh wirkte der
Bann, den Scherers Karikatur des 17. Jahrhunderts verbreitet hatte.
Verdienste um die Läuterung des Stilbegriffs gebühren dem viel-
genannten Aufsatz Fritz Strichs in der Muncker-Festschrift 1916;
ich muß freilich der anregenden Analyse in zwei Hauptpunkten
widersprechen: einmal bezüglich der (jüngst auch von Paul Merker
angezweifelten) Verwandtschaft der barocken mit altgermanischen
Formelementen; diese Frage soll an anderer Stelle, bei Gelegenheit
Zesens, Erörterung finden; zweitens in Hinsicht des barocken Ver-
hältnisses zum Jenseits; hier sucht der Schluß meines 3. Abschnitts
klarer zu sehen. (Das Schriftchen von R. v. Delius, Die deutsche
Barocklyrik, Stuttgart 1921, ist geistesgeschichtlich belanglos; ein
Brockes-Kapitel bildet das einzige lesbare Stück.) Soweit sich heute
sehen läßt, wird der Begriff „Barock" von der Literaturgeschichte
in historischer Beziehung mit weiterem Einverständnis angewendet

als in ästhetischer Rücksicht, während im Bereich der bildenden
Künste — dies lehren noch die jüngsten Werke Hausensteins und
Weisbachs — eher die historische Geltung des Ausdrucks umstritten
ist ... Ich versuche im folgenden nur eine geisteswissenschaftliche
Raumbestimmung zu geben, eine Würdigung der Sprachformung,
des stilistischen Kernproblems, des Naturbegriffs. Die historischen
Vorbemerkungen des ersten Abschnitts dienen ausschließlich einer
vorläufigen Absteckung des Betrachtungsfelds. Einläßliche Grenz-
bestimmungen der in Rede stehenden Entfaltungen wie insbesondere ihrer einzelnen Typen bietet an Hand des notwendigen Materials meine im Erscheinen begriffene Habilitationsschrift über das
deutsche Literatur-Barock.

1.

Dem Jahrhundert der prophetischen Lebenslehrer und Eroberer
menschlicher Horizonte, der heldischen Entdecker einer inneren
Welt, folgt in der deutschen Literatur eine Epoche des Formtriebs
und der Glücksbegier, ein Zeitalter der suchenden Rezeptionen und
der ordnenden Konventionen. Die künstlerische Renaissance, unter
den Zeitgenossen Huttens und Frischlins und Fischarts nur in küm-
merlichen Keimen rege, seit der Jahrhundertwende im Westen, vornehmlich in Straßburg, markiger aufstrebend, dann von einsamen
Wegbereitern gleich Theobald Höck und Georg Rudolf Weckherlin
und ein paar anderen verkündigt, erhebt sich jetzt als Ziel und
Pflicht und öffentlicher Ehrgeiz aller erwachenden Geistigkeit. Sie
schwillt zum fortreißenden Strom: Von Opitzens ersten Alexan-
driner-Elegien und jugendlichen Oden und Zinkgrefs — noch der
früheren Metrik gehorchenden — ›auserlesenen Gedichten deutscher
Poeten‹ bis hinab zu Christian Weise: dem stärksten Widersacher,
zu Benjamin Neukirch: dem ältesten Überläufer, zu Günther: dem
ersten Überwinder des barocken Jahrhunderts entrollt sich nun eine
zusammenhängende Entfaltung, die durch eine machtvolle äußere
und innere Parteibildung, durch pünktliche Befolgung theoretischer
Anweisungen, nicht zuletzt durch einen energischen Entwicklungs-
zug in vielfacher Hinsicht als gleichbürtiges Erscheinungsgebiet
gekennzeichnet ist. Außerhalb dieses Organismus bleiben nur vorab

jene Vordermänner Opitzens, die noch der Überlieferung des abgelaufenen Jahrhunderts zugehören, und ferner eine Gilde vorwiegend satirisch angeregter Köpfe, die sich als Renaissancefeinde, mitunter vollends Musenfeinde, aller artistischen Verfeinerung der Formen fernhalten, teils unbekümmert-gerade wie Lauremberg, teils giftig und gallig wie Schupp oder Sacer, teils sprachlich vergangenheitstreu und künstlerisch zeitfremd wie Moscherosch, teils orthodox-eifernd wie Gockel und Roth und verwandte. Alles übrige trägt irgendwie die Male des neuen Ausdrucksdrangs und Formbedürfnisses: Die Advokatenberedsamkeit eines Opitzischen Gelegenheitsgedichts und eine Hirtenklage Homburgs, ein männliches Bekenntnis Flemings und eine Schmähstrophe Greflingers, ein Lautenlied Zesens und ein kunstreich-naiver Reitersang Stielers, ein blut- und salbenschwüles Sonett Lohensteins und eine marinistisch verschnörkelte Werbung Hofmannswaldaus und ein „theatralisches Gedicht" Hunolds, ein Wiener Prunkspektakel oder Jesuitendrama, ja selbst die abseitigen Früchte Speescher Süße und Gryphiusscher Wucht, das alles ist in mannigfachem Bezug Verkörperung *eines* Lebens- und Kunstwillens. Es ist „*barock*" *im weiteren Sinn* des Ausdrucks. Das Barock ist ein erstes Ringen unserer neuzeitlichen Literatur mit der Antike, historisch eingebettet zwischen der über-literarischem Seelenkampf hingegebenen Reformation und der gleichfalls vorzüglich außerästhetisch eingestellten Aufklärung. Es ist ein geistig und geschichtlich verhältnismäßig in sich abgeschlossenes Gebilde, gestützt durch eine einsinnige Häufung von Motiven und Stoffen und eine stetige Vervollkommnung der Kunstformen trotz allen Krisen und Konflikten. Bei Opitz und seinen Aposteln und Jüngern, die dann in der „Fruchtbringenden Gesellschaft" Anhang und Rückhalt finden, beginnt die Entwicklung mit einem fast ausschließlich dem Altertum und seinen gelehrten Kopisten verschriebenen Klassizismus, der, im Grund wenig mehr als angewandte klassische Philologie, stolz auf Exzerpte, Kontrafakten und Centonen, aus seinen Lesefrüchten Mosaiken legt, voll engstirnigen Buchstabenwahns und Autoritätsglaubens. Verwickelter wird das Kräftespiel, als später, zuerst zu Beginn der 40er Jahre, ein bunteres und heißeres Erleben nach farbigeren, kühneren, persönlicheren Ausdrucksmitteln ruft.

Schon in den frühesten Renaissance-Gärungen begegnet antiker Stoff und antike Form christlichem Gefühl und christlichem Ethos. Jetzt wird der Widerstreit härter und hitziger; er wird bewußtes Problem oder zum wenigsten gestaltheischende Kraft. Regungen einer fast romantischen Empfindsamkeit, eines feinnervigen Individualismus, im Gefüge eines innigeren religiösen Bewußtseins, sprengen die starren Prägungen des Opitzianismus. Eine dekorative Fassadenkunst südlichen Stamms und eine jäh aufschießende Gefühlsentfesselung aus nordischer Tiefe treten in Gegenwirkung und Wechselwirkung. Das getreue Antikisieren lockert sich. Die Steifheit der ersten Sprachgesellschaft und die Herbheit Opitzens ist angesichts eines Natur- und Frömmigkeitsgefühls, wie es die Nürnberger durchbebt, stumpf und lahm: Eine neue Dynamik des Konturs ist der naturgemäße Fortschritt. Die Vergilisch-Horazische Topik faßt nicht die seelische Feinheit und gesellschaftliche Kultur Zesens: Hier sproßt eine junge Problemkunst. Das naive Heidentum römischer Weltbetrachtung gerät bei Rist und vielen anderen in Widerspruch zu einer wurzelhaften protestantischen Frömmigkeit. Desgleichen suchen Zesen, Bucholtz, Lohenstein antike Symbole mit christlicher Weltanschauung zu füllen und durch die nationale Ideologie und Geschichtsmythologie umzubilden. Das philologische Gehaben der ersten Renaissance-Herolde wird hier erweitert, zurechtgerückt, vermischt; in metrischer und in motivischer Beziehung; nach dem Verhältnis zur Kunstlehre, Musik und Malerei, nach Vorbildern, nach äußeren Voraussetzungen. Solche Merkmale kennzeichnen die Hervorbringungen von Zesen bis zur Zeitwende in Günthers Tagen: *das Barock im engeren Sinn,* das Hochbarock. Kein polemischer Umschwung, keine wilde Umwälzung; eine vermittlungsfrohe neue Strecke der eingeleiteten Entwicklung: Stoffe und Formen werden fortschreitend bereichert, Vorbilder weiter verehrt, Geleistetes gelehrig genutzt. Antikisches und Christliches befehden, vergleichen, verknüpfen sich in lässigen und schillernden Kompromissen. Zu Anfang, in Opitzens Jahren, führt der ästhetische Komplex: das Antikisierende eine so gut wie unangefochtene Alleinherrschaft. Seit den kritischen 40er Jahren, seit Zesen und Klaj und Gryphius und Gefährten, hat es den vielfach noch außer- und überästhetischen Energien der neuentflammten christlichen Seele einen Teil seines Throns zu räumen. Gewiß erstarkt diese Woge durch die Gegenreformation, wie sie denn auch gerade in den österreichischen Ländern, ebenso wie im angehörigen Schlesien und im benachbarten Nürnberg, besonders glutvolle Erschütterungen zeitigt. Doch auch im niederländischen Bereich Zesens und im Hamburger Kreis, dieser späteren Hauptpflegestätte der barocken Oper, tritt Verwandtes zutage. Solche Haltung entspringt eben nicht allein einer bestimmten historischen Konstellation, sondern ergibt sich auch als organische Wirkung im Wettstreit des deutschen Geistes mit der Antike, einem Kampf, der ja nicht etwa auf eine unbedingte Durchsetzung gotischer Wesenheit gerichtet ist, vielmehr gerade auf wechselseitige Befruchtung und Durchdringung. In glücklichen Augenblicken erfüllt sich dieses Ringen, so im Edelsten bei Fleming oder Schirmer oder in der ›Geharnschten Venus‹ Kaspar Stielers, diesem Gipfel der deutschen Barocklyrik, oder zuweilen in der geistlichen Dichtung des Zeitalters. Hier wächst barocker Geist über sich selbst hinaus. Indes empfängt die weitere Entwicklung von solchen Höhepunkten keinen Schwung und keinen Anstoß. Die Eloquenz und Grandezza der zweiten Schlesier vollendet sich nur zu stofflicher Breite und motivischer Fülle; Formelbottiche und Kostümspeicher werden eingerichtet, allen Elementen und Naturreichen, allen Völkern und Zeiten Kulissen, Attrappen, Prospekte entlehnt; die Klaviatur umfaßt Hunderte von Tasten, auf denen — ähnlich wie so häufig in heutiger Kunst — nur noch Stufungen erfunden und Kunstgriffe geübt, keine runden Melodien gestaltet werden können. Und das nachmals aus solcher Not geborene Verlangen nach Vereinfachung, Verstraffung, Vernatürlichung mündet schließlich in eine realistisch-moralisierende, aller Formkultur abholde Schulmeisterei, die bei Weise erwacht und dann über Neukirch und die sogenannten Hofdichter zu Gottsched emporsteigt. Die machttrunkene Quiritengeste, der fürstliche Ornat, die adelige Konvention, diese Folie aller hohen Werke barocker Malerei, Bildhauerei und Baukunst, dringt nur in bescheidenem Abglanz in die deutsche Literatur ein: in die Dresdener Ballette Schirmers, italienisch nach Tönung und Ausstattung, oder die weltgeschichtlichen Greuelorgien des patrizischen Diplomaten Lohenstein, römisch-stoisch und spanisch-sachlich zwischen

Blutlachen und Fieberschauern, in die Serenaden und Kantaten
Neumeisters und die melodramatischen Bescherungen bei Hunold
und den Seinen; die Festzüge und Festspiele am Wiener Hof, die an
sich am stärksten vom imperatorischen Zug durchwaltet sind, können nicht ohne weiteres als Zeugnisse deutscher Literatur gewertet
werden, und gleiches gilt von der verwandten internationalen Dramatik der Jesuiten. Die Wiener Barockkunst ist Hofkunst. Die
übrige deutsche Barock-*Literatur*, so exklusiv-gelehrt sie zumeist auftritt und so eng sie sich — die religiöse Dichtung ausgenommen — den kleinen Höfen anschmiegt, wird vorzüglich von
bürgerlichen Geistern getragen.

Formkunst und Ausdruck ist das erste Streben auch alles literarischen Barocks. Und doch liegen die lautersten Güter hier zumeist jenseits aller bloß antikisierenden Gebärde. Das Letzte und
Höchste ist in dieser Epoche der tastenden Rezeptionen noch ein
Esoterisches: Es schwebt als magische Sphäre über den Gesten und
Gestalten, es strahlt zuweilen abgerissen und unnahbar in das Treiben der Leiber und der Formen hinein; wir empfangen es in mehr
oder weniger ausdrücklicher Prägung, wir lesen es nicht unmittelbar aus dem Kunstwerk heraus. So rein und groß mancher barocke
Mensch dem Einen, Ewigen sich zugeschworen fühlt, sein künstle-
rischer Stil ist nicht Gestalt- und Fleischwerdung metaphysischer
Mächte. Das Sinnliche ist Spiel und Rausch und das Übersinnliche
Glaube. Das barocke Weltbild ist durchaus dualistisch.

Versichern wir uns noch einmal unserer historischen Bestimmungen: Barock im weiteren Sinn ist, allgemein betrachtet, nichts anderes als eine Nachahmung der Antike, die nicht aus kongenialer
Lebensform erblüht und die sich deshalb äußerlicher Mittel bedient,
um durch gelehrte, eklektische, mikrologische Übertragung von
Motiven und Formen zu den entsprechenden Schönheitswerten und
-wirkungen emporzudringen. Also eine *Pseudo*-Renaissance:
Eben das vornehm Typische, harmonisch Wesenhafte des antiken,
auch noch des römischen Stils, wird durch das gerade Gegenteil der
scharfsinnig erklügelten, spitzfindig erbosselten, geschmäcklerisch
zusammengetragenen „barocken" Metaphorik überdeckt. — Barock
im engeren Sinn oder Hochbarock bezeichnet dann einen Bezirk im
Rahmen dieses weiteren: jenes *Stück* Pseudo-Renaissance, wo

die Erneuerung antiker Kunstform, die im Bannkreis Opitzens und
der „Fruchtbringenden" ziemlich reibungslos sich vollzogen hatte,
durch eine teils unbotmäßige, teils widerstrebende christliche Geistigkeit an vielen Stellen umgebogen, abgelenkt, verwandelt wird;
der Opitzianismus muß hier neuen Affekten und abweichenden Einstellungen Raum geben, ohne daß indes die eingeleitete Verfeinerung der Technik und Bereicherung des Stoffs eine Unterbrechung
erlitte. — Unter dem weiteren Barock ist also die gesamte Rezeption schlechthin zu verstehen, die wohl von Anbeginn mit mancher
inneren Unstimmigkeit erfüllt ist, doch erst seit den 40er Jahren in
einen mehr oder weniger bewußten, gefühlten Konflikt zwischen
Antikem und Christlichem sich begibt. Erst innerhalb dieser Pseudo-
Renaissance läuft die engere barocke Welle ab, der Zesen und die
Nürnberger, die beiden vielseitigen Stämme der Sachsen, die späteren Schlesier, die österreichischen Jesuiten und Hofdichter und eine
Reihe religiöser Sänger angehören. Diese Kräfte sind es, die das
antike Material umbilden und ergänzen, die mit ihm experimen-
tieren, ringen, spielen, um ihm neue Symbole abzugewinnen, be-
hend oder pathetisch, bald planlos bauend, bald schmerzvoll-grü-
belnd, beweglich und verträglich. Der geistige Raum, den diese
mannigfaltigen Gebilde erfüllen, darf präzise umrissen werden.
Abschließend soll dann noch die weite Antithese von Pseudo-Renaissance und Renaissance erhellt werden. Barock ist ja in deutscher
Neuzeit der erste, nicht zur Synthese vordringende Kampf zwischen
Altertum und Christentum. Der nächste, siegreiche Kampf: die
wahre, vollkommene Renaissance bricht sich erst im Verlauf des
18. Jahrhunderts Bahn. Die Klassik ist unsere Hochrenaissance, das
Barock nur das erste Ringen um den Lorbeer, den nachmals jene
erwirbt.

Die folgende Betrachtung ist in erster Linie dem Hochbarock
gewidmet; doch hat — dies liegt in der Natur unserer Fragestellungen — vieles auch für Opitz und die Seinen Geltung. Nähere Unterscheidungen sind jedesmal betont. Wir haben uns barocken Menschen, barocken Formen, barocken Problemen genähert: Da sind
die gelehrten Klubs der Sprachgesellschaften, der melancholische
Verein der Königsberger, die Leipziger Zechrunden, die schön-
seligen Kränzchen Zesens, die im „Irrgarten" versammelten Nürn-

berger Honoratioren, die macht- und ehrenreichen Breslauer Groß-
bürger, die religiösen Konventikel, die schaufreudigen Massen in
München und Wien. Wir fühlen einen Willen, der irgendwie in
jedem brennt, wir vernehmen ein Flügelrauschen, das über alle hin-
fließt. Wir überblicken das Schauspiel des Planens und Träg-
werdens, Forderns und Weichwerdens, Suchens und Schwachwer-
dens, Hoffens und Altwerdens, Sammelns und Stumpfwerdens.
Jubelnde Aufbruchsignale, tolle Attacken, trunkene Tänze, schwüle
Schäferstunden, keuchende Bacchanalien und würgende Reue und
genüßlich betäubender Schlendrian. *Ein* Verhängnis schlägt die
Scharen in Bann, ein Schicksal unter vielen für den Einzelnen, der
an ihm trägt, *das* Schicksal des Wesens Barock. Es gilt nun, diesem
Geist ausdrückliche Prägung zu finden. Welche Töne und Weiten
sind seiner sprachlichen Schöpferkraft zu Gebot? Welche begrifflichen Varianten eignen seinen Gebilden und Gesichten? Was ist
seine Bedeutung für die nationale Lebensform? Wir fragen also
nach dem Sprachlichen, nach dem Begrifflichen und nach dem Morphologischen. In diesen Elementen ist die Einheit darzustellen, aber
in jedem einzelnen die ganze Einheit. Es sind drei Wirkensformen,
oder auch Erkenntnisformen, in denen jenes Wesen existiert, und
dieses nicht für den dogmatisch Messenden und nicht für den impressionistisch Genießenden, vielmehr für jenen, der Erfahrung und
Erlebnis durch die Einsicht in den umfassenden Struktur- und Funktionszusammenhang des Gebildes zu prüfen und zu läutern sucht:
also die geisteswissenschaftlichen Kategorien.

2.

Barocker Ausdruck, barocke Sprache bedeutet eine Norm — die
Zeitgenossen glauben ja, dies lasse sich lernen und lehren —, wie
klassischer Stil ein fernes Ziel, romantischer Charakter ein hohes
Postulat bedeutet. Natürlich wächst, was rein und ragend ist in
dieser Zeit, über solches Gehege hinaus. Doch ist es eben darum
weniger barock, selbst in technischer Beziehung. Mehr als irgend
anderswo ist hier der Durchschnitt das Wesentliche.

Barocke Dichtung hat selten den Ehrgeiz, ein persönliches Inneres

zu öffnen. Die sichtbare Gebärde soll die geistige Handschrift erschöpfen. Solche Figurenzeichnung besteht in gattungsmäßiger Um-
reißung von Temperamenten, mechanisch hinsichtlich des menschlichen Charakters, individuell vorzüglich in der Gewandung. Die
schmückende Theaterrede steht zumeist in keinerlei Verhältnis zur
Person, die sie zu halten hat. (Schon Wernicke tadelt, daß in Lohensteins ›Ibrahim Sultan‹ ein zwölfjähriges Kind geistreich in
brünstiger Suada plätschert.) Die Sprache ist eben nicht Ausdruck,
nur Behang, Prunk unter Prunkstücken; nicht Charakteristik eines
Einzelnen, der sich ihrer bedient, sondern einer Umwelt (historischer, stilistischer, gelehrter Eigenart), in die der Einzelne eintritt
und deren Uniform und Konvention er sich zu fügen hat. Bisweilen
ist das Wort so arm, daß ihm Geste und Ausstattung zu Hilfe kommen müssen. Die Kunst, durch Mimik oder szenische List oder allegorische Andeutung Winke und Aufschlüsse zu geben, gewinnt hier
virtuose Ausbildung. Von vornherein liegt ja der Akzent nicht so
sehr auf der ringenden Einzelseele als solcher als vielmehr auf ihrer
Bindung an die Klasse, an die Schichte, an die physische Ordnung.
Doch selbst in diesem Rahmen vertritt nicht selten Reichhaltigkeit
die Verhältnis-Fülle und die Maß-Klarheit. Noch in solcher Beschränkung gehorcht die Bewegung nicht nur keiner unbedingten
inneren, sondern auch häufig nicht einmal einer bedingten äußeren
Gesetzmäßigkeit: Nicht durchlaufende Aktionsbestimmungen len-
ken Gebärde und Spiel, oft werden bestimmte Posen, Bilder, Figuren liebhabermäßig angebracht, goldene Äpfel am Baum, ohne in
tiefere Wechselwirkungen zu treten. Hier ist nicht alles von allem
abhängig wie im Herderisch-romantischen Organismus: Wirft einer
in klassischer Darstellung voll Leidenschaft die Arme empor, dann
geschieht es nur aus der Notwendigkeit der Lage, des Charakters,
der Verfassung, und das Pathos ist auch in der Gestalt, dem Tempo,
der Umgebung ausgeprägt und abgespiegelt. In barocken Szenen
vollzieht sich grausamer Mord vor sachlicher, gleichgültiger Kom-
parserie, bebt sturmgepeitschtes Gewand in heiterer Sommerstille,
umrahmt tosender Wettersturz die beschaulichste Gelassenheit des
Leibes und der Seele; und überall viel Fleisch mit wenig Knochen.
Der Leib hat sich verselbständigt und führt dem isolierten Geist
Spektakel vor. Diese Schaustellung ist nichts allgemein Bedeut-

sames, vielmehr Zufall und Augenblick in jeglicher Hinsicht; Ekstase, Rausch, Vergoldung einer Stunde, nicht Erleuchtung eines Wegs, Schmückung eines Winkels, nicht Abglanz einer Welt, gelegentlicher Zeitvertreib, nicht Wesen über Zeit und Schein hinaus.

Worte sind Farben, Gedichte schmückende Gemälde, Reime hineingepinselte Zieraten, und gern wird anagrammatisch oder akrostichisch auf den Besteller oder Empfänger angespielt. Die Anzahl der Tinten ist durch Regelbücher bestimmt. Der Kreis des Darstellbaren ist nicht die Weite aller menschlichen Natur, nur das überlieferte Repertorium der Gattungen. Der menschliche Empfindungs-Horizont ist eng. Die Kunst ist vorbehaltene Angelegenheit von Liebhabern und Kennern, nicht die Erquickungsstätte jedes Guten und Gesunden. Nicht frische, warme Regungen, sondern Feinheiten und Schattierungen werden dargeboten. Hier ist kein Tisch, wo jeder seinen Hunger stillen kann; vielmehr eine Tafel, wo satte Feinschmecker neuen Kitzel suchen. Demgemäß wird dem Leser Erudition und Spürsinn zugemutet, nicht einfach freie Stirn und blankes Auge. In einer klassischen Metapher geht Inneres und Äußeres, Idee und Leib in ein Gebilde ein. Wer trennt in einem Hölderlinschen Abendlied Meer, Sonne, Sehnsucht, Phöbus, fernes Saitenspiel? Das alles ist *ein* Wesen von unvergleichbarer Beseeltheit. Ganz anders im barocken Gleichnis. Z. B. in Klajs ›Herodes‹ vergleicht sich der wütende König einem gepeitschten Kreisel: „Ich hab nirgends keine Ruh, wie der Kinder runder Kreusel Von der Peitschen Krafft bekömt, sich verdrehet mit Geseusel." Solches Vorstellungsspiel erlaubt Beziehung und Analogie, keine Durchdringung zur Einform. Die Sonne ist der „wachsbegilbte Ball", das Meer das „erboste Saltz", der Nordwind „der Gärten scharffer Richter", der Blitz ein „liechter Wetterboltz", die Engel „deß Blauen Bürgerschafft", die Teufel „die berauchten Geisterlein", die Fische „die kleine Schuppenrott", die Seide „die bunte Würmermüh" u. a. m. Beim Klassiker ist alles Geistige und Ideelle im Kunstwerk als solchem beschlossen; wie der Meister die Kunst herausgreift aus der Natur, so kann man umgekehrt aus dem sprachlichen Kunstwerk die Natur schöpfen; man braucht nur gerade und treu den Sinnen zu vertrauen. Der subtile Barockpoet stellt höhere Ansprüche: Es bedarf des geschulten Witzes und gespannten Scharfsinns, um über die Brücken seiner Vergleiche zu wandeln. Belesenheit und Kennerschaft und Findigkeit tut not, um alle schlau verborgenen Pointen zu entdecken und alle arabeskenhaft umsponnenen Gleichungen aufzulösen. Was stellt sich ein naives Gemüt unter „bunter Würmermüh" vor? Es ist noch ein glücklicher Fall, wenn die Umschreibung den Vorgang in die sinnlichen Varianten zerlegt, immer ausschöpfend, nicht andeutend; so heißt „es wird Tag" auf Harsdörfferisch:

> Die guldne Morgenröt mit Purpur hellen Stralen,
> beginnt die hohen Berg und Hügel zu bemahlen.
> Der schnelle Wiederhall reimt mit der Nachtigall.
> Der Perlen silber Tau besafftet unsre Felder,
> man hört die holde Lerch begrüssen alle Wälder,
> es flieht die schwarze Nacht mit ihrer Sternen Wacht.
> Es hat der frühe Han den Ackersmann erwecket.

Der ›Poetische Trichter‹ führt in der 2. Abteilung seines III. Teils auf fast 400 Seiten im ganzen 539 Begriffe vor, zu denen er allegorische Umschreibungen entwirft, die in ihrer krampfhaften Verstiegenheit und Herbeigerenktheit uns schlechterdings wie Rätsel anmuten. Aber gerade die Entwirrung solcher Knoten, die Enthüllung solcher Andeutungen, die Durchschauung solcher Verkleidungen, für uns ein Verstandesspiel ohne weitere Bedeutung, gilt dem barocken Publikum als eine Hauptanziehung aller Poesie, als eigentliche Quelle des Vergnügens auch bei jedem anderen Kunstgenuß. Die ›Frauenzimmergesprächspiele‹ ziehen aus solcher Auslegung „curiöser" Analogien und Allegorien unermüdlich Unterhaltung und Anregung. „Überschriften" — in engerer Bedeutung des Namens, freilich meist epigrammatischer Prägung — und „Vexierfragen" sind diesem Zweck gewidmet. In den Blumenspielen heißt es einmal, man solle beim Salat des Sündenfalls des ersten Menschenpaars gedenken, das ja verurteilt worden ist, das Gras des Feldes zu essen. Die Schamhaftigkeit wird verkörpert als eine Jungfrau mit niedergeschlagenen Augen, auf dem Kopf einen Elefanten (das vermeintlich asketische Tier), auf der linken Hand einen Falken (den Vogel, der angeblich nie Aas frißt). Harsdörffer, der auch aus Gründen der Belehrung die witzige Parabel liebt,

beruft sich hier einmal auf einen Ausspruch des Alonzo Perez, daß
Wörter die Einkleidung unserer Gedanken seien: nicht so sehr
Erscheinung als Schlupfwinkel, nicht der naive, sondern der kunstvoll gedrechselte Ausdruck der Seele. Er rechtfertigt die Schäfer-
dichtung vor dem religiösen Richter, indem er mit dem Gleichnis
tändelt, daß die Schäferinnen personifizierte Tugenden, die Hirten
Dichter, die Schafe Bücher, ihre Wolle Gedichte, die Hürden Muße-
stunden zu bedeuten hätten.

Natürliches und Übernatürliches wird in den Gesichtswinkel
zweckstrebigen Menschenwitzes gerückt. Der Lenz ist ein Tapezie-
rer der Wiesen; soll Gott gepriesen werden, dann heißt er bei Opitz
ein mächtiger „Kaiser" und erfahrener „Kapitän", sein Erzengel
bei Klaj ein gepanzerter „Feldmarschall" oder ein strammer „Ober-
feldmarschall", die Cherubim „Obristen" und die rangniedrigeren
Engel „Fändriche". Rist, in seinem ›Poetischen Schauplatz‹, „preiset
die wahre Tugend unter dem entlehnten Nahmen der Schäfferin
Adelheit":

> Diese Schäfferinn ist mein Himmels Saal
> und der Tugenden rechter General,
> Ja von Liebligkeit gahr die güldne Zahl
> Tausend mahl.

Alles wird personifiziert und theatralisch eingekleidet, um dem
Wink des Ballettmeisters zu gehorchen, der blutgerötete Bosporus
und der umkämpfte Berg Sion und das von den Türken unterjochte
Asien. Das Wiener Hofszenakel ist eine Musterung aller Stände
und Reiche der Erde und des Himmels, die nach Bühnengebärden
gedrillt sind, und das ältere österreichische Volksstück lebt schlechterdings von mimisch-allegorischen Requisiten. Noch das Singspiel
und die Posse des 18. Jahrhunderts ist ihrer voll, und auch die späteren parodischen Gattungen geben Zeugnis von ihrer ehemaligen
Weltherrschaft. Vielfach sind solche Vorstellungen eben durch die
Sprache angeregt: das Allegorische erwächst aus beflissener Übertrumpfung antiker Gleichnisse, aus der gesuchten Übersteigerung
der theatralischen Rede. Ein Bedürfnis nach Aufhöhung und Auf-
schmückung treibt überall zum tief Erbohrten und von fern Herbei-
geholten ... Allein die Namen weisen oft auf übersinnliche Bedeu-

tung hin: Seelewig, Sinnigunde, Künsteling, Hertzigild, Trugewald, Ehrelob. Die allegorische Erklärung dient auch als Kunstgriff, um Rationalisten mit einer phantastischen Zauberwelt zu versöhnen oder Orthodoxe mit der antiken Götterwelt.

Die mächtigsten Pfeiler solcher barocken Parabolik sind einmal die religiöse Esoterik, wie sie vorzüglich die Nürnberger Dichtung erfüllt, und dann die galante Doppelsinnigkeit, die insonderheit unter den zweiten Schlesiern in Blüte steht. Wie in einem mittelalterlichen Physiologus ist Jesus dort einem Mäuschen gleich, das reinigend im Rachen eines Krokodils (d. i. die Lasterhaftigkeit der Menschheit) umherschlüpft. In Henricis ›Ernst-Schertzhafften und Satyrischen Gedichten‹ überwiegen Titel der Art: ›Das Orgel-Werck der Liebe‹, ›Tax-Ordnung, Wie nunmehr die Sportuln und Gebühren Von denen Liebenden beständig abzuführen‹, ›Die wohl-bestellte Haus-Apotheke der Liebe‹, ›Das Quartier-Reglement des Cupido‹ und Schlimmeres. Auch in den ›Überflüssigen Gedanken‹ des nachmals so barockfeindlichen Christian Weise ist z. B. ›Fantasey‹ „ein umgekehrtes Kartenspiel“; ›Die verliebte Jägerey‹ vergleicht die Liebeswerbung mit dem Weidwerk, wo der Spürhund Ungeduld die Fährte sucht, wo die Netze der Eitelkeit ausgelegt sind, wo der Hasenschrot der verliebten Mienen Ehre und Tugend ereilt, worauf ihnen die Leidenschaft den Fang gibt; ebenda urbarocke Prägungen wie diese:

> Die Mädgen sind wie Post-Papyr,
> Subtil und zart im Lieben,
> Denn wer in ihre Zier
> Sich nur zu erst hat eingeschrieben,
> Der stehet oben an
> Da man die schrifft wohl lesen kann.

Mancher Poetiker verweist hier auf die Antike, als ein Vorbild auch für scharfsinnige Gleichnisse in solchem Stil. Noch Winckelmanns großer ›Versuch einer Allegorie‹ (1766) schleppt Hekatomben von durchaus „barocken“ Sinnbildern gerade aus dem Altertum heran, allerdings weniger aus literarischen Quellen als aus der Plastik, Baukunst, Münzkunde: Gebieten, die ja auch dem Kenner- und Sammlertum des polyhistorischen Zeitalters vertraut sind. Auch in der italienischen Renaissance kann Winckelmann, in dessen Kunstanschauung überhaupt barocke Allegorik und klassische Symbolik sich durchkreuzen, eine Reihe von Belegen und Beispielen aufweisen. In unserer Darstellung freilich muß die Vorgeschichte ausgeschaltet bleiben ... Die Allegorik schafft sich vielfach eine eigentümlich parallelistische Syntax, wie sie zum Beispiel das auffälligste Merkmal des Euphuismus bildet, wie sie im übrigen selbst in der geistlichen Lyrik gedeiht, in edelster Form bei Paul Gerhardt. Grammatisch gleichwertige Satzteile werden nebeneinandergesetzt, Vergleiche in korrespondierende Reihen geordnet, Reflexionen antithetisch gegliedert. Einer höchst ungelenken inneren Form leiht ein derartiges schematisches Gefüge willkommenes Rückgrat.

Insonderheit bei Hofmannswaldau und den Seinen ist eine Beredsamkeit entfaltet, die ohne Auswahl allemal alles sagt und dadurch ödet; ein Stil, der eben durch die Fülle Charakteristisches und Eigengesetzliches fernhält, der nie mit seinem Gegenstand ringt, ihn vielmehr vorweg alles Bezeichnenden und Wesenhaften entkleidet, um ihn nach Laune zurechtzukneten. Formen ist da ein Plätschern in widerstandslosem Gallert, Gestalten ein Vermeiden alles Harten, Ernsten, Spröden. Die Metaphorik ist nicht bildlich individualisierend, sie zerrt im Gegenteil ein im Verhältnis immer noch Eigentümliches und Gefühlsbeseeltes ganz in den Bann des Gattungs- und Gewohnheitsmäßigen hinein; auch die Personifikationen dienen nicht sosehr der Beseelung als der Entseelung, bindend, nicht befreiend. Was da vor sich geht, ist in eigentlichem Sinn ein Klassifizieren, ein Unterordnen unter zwangläufige Vorstellungsketten. Steigerung und Kontrast ergibt sich je nach der Eingliederung in die höhere oder niedrigere Phraseologie ... Den Ausgangspunkt bildet gewöhnlich ein barockes Gleichnis. Dieses wird antithetisch pointiert, indem die Schenkel des Vergleichs parallelen Bilderreihen eingefügt, oder hyperbolisch gesteigert, indem auf einer Seite die Superlative gehäuft werden. Das tertium comparationis rückt immer weiter hinaus, indem die Einzelglieder ohne Rücksicht auf die Einbildbarkeit des Ganzen in die gesuchtesten und curiösesten, an sich freilich oft in hohem Grad einprägsamen Beziehungen treten. Kommt dann ein Verbum oder ein gemeinsames Bestimmungswort hinzu, so paßt es häufig nur zu *einer* der durch-

einanderschwirrenden Vorstellungen. Das schnell dahingleitende
Auge wird durch anregendes Schillern erfreut, organischer Zusammenhang aber vielfach vermißt und naiver, natürlicher Assozia-
tionsablauf schlechterdings ausgeschlossen. Alle syntaktische Bewegung wird schwerfällig, eintönig, träg, da ja die Prunkgewänder
der Substantivketten und Adjektivknäuel nur die behutsamsten,
kürzesten Schritte gestatten.

Auch hier geht der Gehalt nicht harmonisch und organisch in der
Kunstform auf und umgekehrt. Auch hier genügt es nicht, die ästhetische Formensprache klar und treu zu entziffern. Wieder bedarf es
eines komplizierteren Organs, des Scharfsinns, der argutia, der
„Sagazität", der in allen Griffen und Kniffen bewanderten „Curio-
sität", um die Vergleichsglieder zusammenzufügen. Das ist nicht nur
ein Abschnitt in der Rezeption der antiken Kunstform, sondern
entspringt auch einem praktischen Einfluß seitens der französischen
Preziösen und insbesondere auch der italienischen Barockliteratur,
die übrigens bereits die theoretischen Folgerungen zu ziehen weiß:
So hatte zuerst Matteo Pellegrini eine Apologie der concetti oder
acutezze geschrieben. Auch Emanuele Tesauro, in seinem ›Canoc-
chiale aristotelico‹, widmet den Spitzfindigkeiten des Marinismus
und Gongorismus und seinen sinnbildlichen Hilfsmitteln methodische Untersuchung. Am einflußreichsten werden die Anweisungen
Gracians: ›Agudeza y arte de ingenio‹. Mehr auf die engere Emblematik beschränkt sich die spätere Abhandlung des auch als Jesuiten-
Dramaturgen bewährten Jakob Masenius: ›Ars nova argutiarum‹.
Die tüftelnde, spürsinnige Verknüpfungstüchtigkeit wird das Maß
aller künstlerischen Kultur.

Analogien zu solchen Gebilden findet man nicht nur im kirchlich
bevormundeten Mittelalter, an dessen poetische Stile mit ihrer über-
wachen Vielbedeutsamkeit über und hinter den Dingen, der
platonisierenden hyponoia: dem Untersinn, der esoterischen Symbolik, der Formelsprache für die Eingeweihten, barocke Prägung
auf Schritt und Tritt gemahnt; auch in der Renaissance bietet sich
manche Parallelerscheinung dar. Petrarca setzt den Zweck der
Poesie in die Moral und ihr Wesen in die Allegorie; er deutet selbst
die Äneis als Spiegel der verbannten, in der Welt umherirrenden,
mit niedrigen Begierden hadernden Seele. Jagd, Reise, Krankheit

liefern allegorische Motive, die bis ins 16. Jahrhundert als Kompositionsbehelfe beliebt sind. Seit den Tagen des Augustinus, Basilius, Prudentius ist die ästhetische Hermeneutik im Schoß der Kirche nie erloschen. Freimaurerartige Zeichen erben sich fort. Geometrischen Maßen des menschlichen Körpers wird ein genauer Bedeutungskanon beigelegt. Alle Naturgebilde werden magisch nachgeformt und allegorisch ausgedeutet; so wird der Spirale, der Säule, dem Tempel eine tiefsinnige Zeichendialektik untergeschoben. Im Mittelalter waltet der ehrfürchtig geliebte eine, göttliche Geist als höchstes Maß *aller* Werte, auf das alle Wahrheit und Wirklichkeit bezogen werden muß; ein jedes Ding hat hier zwei Antlitze — eines in die Zeit und eines in die Ewigkeit gerichtet —, aber auch *einen* Wesensgrund. Das 17. Jahrhundert, sammelnd und wählerisch auf ein exoterisch umfassendes, ein allgemeines Gestaltungsprinzip bedacht, entbehrt vielfach noch dieser mittelbaren, das heißt vom Standpunkt des Formen schaffenden, Formen deutenden Künstlers sekundären Einheit. So spielen sich in Nürnberg oder in Schlesien vor einem mittelalterlich-religiösen Kolossalhintergrund sanftarkadische und profan-abenteuerliche Szenen ab. Und was bei Zesen, Fleming, Stieler, Gryphius und einigen anderen die Zeitgenossen überragt, ist meist noch auf der Suche nach seinem künstlerischen Bewußtsein und poetischen Ausdruck.

Der Okkasionalismus der Epoche schwelgt in witzigen Einfällen und spitzen Grübeleien, dogmatisch und überwiegend passiv hinsichtlich aller weiter organisierenden Einsicht. Überall herrscht ein reges Interesse für fremde Völker und Sitten, für seltene Tiere und Pflanzen, für medizinische Quisquilien und geographische Absonderlichkeiten. Das 17. Jahrhundert ist überreich an Formen; was seiner Kunst mangelt, ist die morphe, die natürliche Einheit von Besonderem und Allgemeinem. Es ist ungemein findig in überraschenden Verknüpfungen und weit herbeigetragenen Bezügen; gleichwohl fehlt ihm das übergelegentliche, überzufällige, überaugenblickliche Gestaltmoment, der große Naturaspekt, kurz jeder Grundstein einer Weltanschauung außerhalb des physikalischen Mechanismus auf der einen Seite und des religiösen Dogmatismus auf der anderen. Wo Harsdörffers Frage erörtert wird: „Ob man nicht alle Wissenschaften lehrartig in eine Verfassung bringen könne?", da denkt man nur an ein einprägsames Verfahren der Enzyklopädik, nicht eine systematische Durchdringung. Man ist zwar äußerst scharfäugig in Sittenunterweisungen und Höflichkeitslehren, doch kurzsichtig in Sachen weiterer Lebensgestaltung und -zielsetzung — wofern eben persönliche Werte erstrebt werden und nicht die religiöse Regel alle Zweifel löst. Es gibt mehr fleißige Polyhistorie als ringende Theorie. Tausend und abertausend Bücher und Daten und Experimente ohne geistiges Band! Man besitzt ein Wachsfigurenkabinett voll internationaler Typen in phantastischen Renaissance-Gewändern, mit ausladenden Gebärden, doch man begegnet hier keinen Persönlichkeiten. Alle Masken sind einander zum Verwechseln ähnlich, wie die wehklagenden Corydone, die hämischen Neider, die eisenfressenden Bramarbasse, oder die Bave und Staxe und Mendaxe epigrammatischer Herkunft. Ein starrer Vereinzelungswille beherrscht alle Kulturgebiete. Viel Programm und wenig Stil; viel fesselndes Detail und schmuckstrotzende Oberfläche, wenig innerlich gliederndes Prinzip und keine wachstümliche Mitte. Nur strenge Konventionen wirken zusammenhaltend. Gesellschaftliche Satzungen gatten Runden und Zirkel, liturgische Metaphysik kittet die Splitter der Naturerkenntnis, curiöse Vorschriften gängeln die persönliche Lebensführung. Zerreißen diese Bande, dann erübrigt namenlose Verwirrung und Vereinsamung. Der frostige Morgen des 18. Jahrhunderts liegt unter solchen Nebeln.

3.

Im Altertum wird die Einfalt und Größe der Griechen von der Bildungskunst und der schallenden Machtverklärung der Lateiner abgelöst. Diese erringen die Franzosen in ihrem Klassizismus des 17. Jahrhunderts, jene die Deutschen in der Klassik des 18. Eine organische Durchdringung zwischen deutschem Geist und Römertum ist nie geglückt. Dem wahrhaft schöpferischen Deutschen ist Form nur da ein positiver Wert, wo sie Lebendiges umschließt und Innerliches ausprägt. Reine Form ist ihm Unkunst! Das ist ein grundlegendes Stilgesetz unserer gesamten neueren Nationalliteratur. Auch während des barocken Zeitalters wurzeln die höchsten

Leistungen, Fleming und Gryphius und Grimmelshausen und die Religiösen, am tiefsten im nationalen, freilich auch von der Renaissance geformten und bereicherten Charakter. Die durchschnittlichen Ausdruckswerte sind als solche zumeist irgendwie aus zweiter Hand: Nachahmung der von gelehrter Autorität mit gelehrten Argumenten empfohlenen Vorbilder, Übernahme feiner Praktiken, schauspielerisches Nachzeichnen fremder Erlebnisse.

Einer der Ansatzpunkte des Barocks liegt offenbar an jener Stelle, wo die ersten fleißschnaubenden Nachtreter der Antike aus ihrer Not, sich doch nicht bloß mit Zitaten und Exzerpten begnügen, nicht bloß aus Formelverzeichnissen die Sprache lernen zu können, eine Tugend zu machen beginnen. So wird die Reihe der Stilmuster verlängert, die Nachahmung von Einzelheiten einer ferner blickenden Nacheiferung, die Handwerksregel dem Prinzip geopfert. Als Lebensnerv der neuen Form enthüllt sich da, wie eingangs angedeutet, vornehmlich der Konflikt zwischen der eingebürgerten, gefestigten, kanonisierten Altertumsjüngerschaft und den auf allen Seiten emporzüngelnden Flammen einer verjüngten, innigeren, rauschhafteren Religiosität, einer Frömmigkeit, die den transzendentalen Linien der reformatorischen Geistigkeit wieder die sinnlichen, glühenden, ekstatischen Sehnsüchte entgegensetzt, die seit der mittelalterlichen Mystik andauernd in heimlicher und offener Wallung begriffen sind. Mittelalterliche Grandezza, mittelalterliche Allegorik, mittelalterliches Tugendpathos, Elemente, die auch Vielem in der Renaissance kongenial und nicht schlechthin mit bodenständig-germanischen Stilgebilden gleichzusetzen sind, das alles lebt nunmehr, ohne bestimmte Einflußquellen, durch Vermittlung teils kirchlicher Liturgie, teils der von Minnesang und Minnedienst immer eng abhängig gebliebenen katholisch-romanischen Literaturen, in breiter Fülle wieder auf, durch gewisse Analogien der gesellschaftlichen Sitte und des künstlerischen Betriebs gefördert. Die fortschreitende Übernahme der antiken Bildung wird dadurch allerdings nicht gehemmt noch durchkreuzt; wohl aber empfangen die jüngeren Formen Spuren eines abgründigen Widerstreits, der erst mehr als ein Jahrhundert später zur Lösung kommt. Diesem entspringen auch die wesentlichen Merkmale des Hochbarocks: Sprung und Tanz, nervöse Mimik und wilde Gestikulation, schillerndes

Widerspiel von Masse und Schnörkel, moderne Gedanken in antiken Gefäßen. Überall Glut und Aufgewühltheit, religiöse, moralische, metaphysische. An der italienischen Spätrenaissance gemessen: Letzte Steigerung zur Überdynamik. Am französischen Klassizismus gemessen: Auflösung stoisch beherrschter Statik zu orgiastischer Bewegung. An der deutschen Reformation gemessen: Aufleben gotisch-mystischer Geistigkeit hinter dem ökonomisch-realistischen Prinzip. Wandel und Gegensatz ist alles. Wirkungsvoll werden die äußersten Amplituden einer Schwingung festgehalten, antithetisch und gleichsam dialektisch ein bestimmter Ablauf aus doppeltem Standort verfolgt. Dank sorgfältiger Umrißzeichnung und Strukturverfeinerung werden scharf ausgeprägte Einheiten der Form und Organisation herausgehoben, um dann in dekorative Wechselwirkung und kontrastierende Beleuchtung gerückt zu werden. Jede Empfindung schnellt zwischen Extremen des Ausdrucks hin und her, in spürsinniger Behendigkeit der Einzelassoziation und Verschwommenheit der Gesamtlinie. Peinliche Technik und straffe Form kämpft, wetteifert, buhlt mit zügelloser Affektentfesselung. Man denke an ein Gebild wie des Gryphius ›Hölle‹, das dritte von vier wuchtigen Sonetten am Schluß des zweiten Buchs, die die vier letzten Dinge zum Gegenstand haben. Das Stück ist ein Sonett, ein Gedicht mit gleichen Verszeiten. Und man stelle sich Tempounterschiede innerhalb 14 Zeilen vor, wo dreisilbige Verse, Alexandriner, katalektische daktylische Tetrameter, jambische Fünftakter auf die annähernd gleiche Zeitdauer gebracht werden, in geschlossenem Parallelismus des Aufbaus.

Das alles ist nicht nur Triumph des Sinnlichen. Die künstlerische Wirkung ist vielmehr ein ausgesprochener Dualismus zwischen einem Unendlichen, dem man sich gläubig zugehören fühlt, und einem Endlichen, das mit sämtlichen Fasern nach der Erde strebt. Jenes Transzendente ist einmal Gegenwirkung und Ergänzung des Cartesianismus — wie nachmals die Romantik gegenüber dem Rationalismus; dann auch Bewegung in einer Welt der Starre und Steifheit — wie die Romantik gegenüber dem Rokoko; und wie die späte Romantik neigt das Barock dazu, dieses Transzendente in religiöser Gestalt zu suchen. Einzelheiten, bis zum Possenhaften, und spirituelle Züge, bis zum Esoterischen, treten unmittelbar nebeneinander, zum Beispiel in der so beliebten farbenschreienden Darstellung der Passion, die den Reformator von Luthers Schlag seicht diesseitig, den echten Renaissancemenschen gelehrt-zeremoniell angemutet haben würde. Das Verlangen, Moralisches und Musisches in ein Gebilde zu verschmelzen, ist hier noch nicht bewußt, mag auch aus eben solchem ungewollten Zwiespalt eine neue Anregung dazu hervorgehen. Im gestalteten Ausdruck überwiegt die Virtuosität. All das andere, als fertiger Bildungsinhalt hinzugedacht, also Ideologie, nicht Idee, liegt zwar in der Wirkung auf eine gleichgestimmte Zeit und einen in der nämlichen Ideologie unterrichteten Beschauer, ohne indes im Kunstwerk als solchem organisch enthalten zu sein.

Wie häufig noch im 18. Jahrhundert verträgt sich Rationalismus mit überspanntem Geisterglauben. Nachher, in der Romantik, die sich eben hierin von der naiveren, lässigeren Pseudo- oder Trivialromantik *streng* unterscheidet, wird eines durch das andere korrigiert, zu einer über-dualistischen Weltanschauung geläutert. Hier wuchert vorläufig noch beides. Man kennt keine Herrschaft eines Stilprinzips im engeren Sinn. Das Barock läßt sich in der Formenfreude ebenso gehen wie in der rhetorischen Raserei und überprüft noch nicht den spielenden und aufbauenden Trieb durch Ordnung und Beobachtung. Antikisierende und gotische Motive treffen einen Ausgleich. Gotisch wird das Gefüge emporgetürmt, doch ist es — dem künstlerischen Können, nicht menschlichem Wollen nach — kein reines Symbol eines Transzendenten, auch spiegelt es — als Gestalt — kein erschautes oder erahntes Unendlich-Eines ab. Es bleibt vielmehr gewissermaßen immer wieder an der Horizontalen haften, um hier, mannigfach abgeschnürt und in die Breite verästelt, in üppige Ornamentik und lockenden Schnörkelprunk sich zu verstricken. In alledem ist die festeste Geschlossenheit der Einzelform gewahrt, ohne jeglichen Harmonietrieb, ohne Einschränkung des ekstatischen Erlebens in die Grenzen unmittelbarer Ausdrucksfähigkeit... Es ist ein Charakterzug aller klassischen Stile, ein gerades Verhältnis von Form und Gehalt herzustellen: Tragisches tragisch, Komisches im Lustspiel zu verkörpern. Ganz anders beispielshalber die Romantik, die Tragisches mit Lächeln, Komisches mit Pathos kontrastiert, subjektivistisch, ironisch. Ähnliches gilt auch vom Barock, nur

daß hier vor-klassisches Unvermögen waltet, nicht nach-klassisches
So-und-anders-Können. Die Form ist hier überhaupt nicht organisch
angelegt, das heißt: Geistiges und Erscheinung sind nicht symbolisch eins geworden, nicht zum einheitlichen Typus, zur Idee gestaltet; sie sprossen auch nicht aus gemeinsamer Wurzel hervor, sondern
verharren in paralleler Gegenüberstellung, erst durch scharfsinnige
Verknüpfung aller Art, anagrammatische Scharniere, Rätsel-
glieder, Andeutungen: durch lauter unorganische, nämlich von
außen hinzuzutragende Spitzfindigkeiten verbrückt. Der Stil bleibt
somit dualistisch, unklassisch, unidealistisch. Bernineske Affekt-
gewalt und Brunellescische Präzisionsmechanik stehen in Nachbarschaft, nicht Durchdringung. Der Idealist (im genauen Sinn des
Namens) potenziert das Leben, indem er der Linie der Synthese
folgt, jeweils die Punkte aufsucht, wo sich die einzelnen Seelen-
vermögen zu einer Kraft der Freiheit und der Harmonie vermäh-
len. Die Steigerungen im Barock hingegen gehen so vor sich, daß die
zwei Hauptreihen, die esoterische und die konkrete, jede für sich
zum schlechthin höchsten erreichbaren Wirkungswert gespannt
werden. Daher ergibt sich hier keine schöpferische Mitte zwischen
Spontaneität und Rezeptivität; kein Ineinander, nur ein Nebeneinander; kein Bestwert, höchstens ein Grenzwert wird erreicht.
Der idealistische Stil sucht das Symbolische, den typischen Fall, der
barocke die verkleidete Seltsamkeit; nicht sosehr die Kunst des
Symbols als die Technik der Allegorie. Sein Rückgrat ist nicht sosehr das Problem der Idealität als vielmehr das der Effektivität.
Hier ist keine Verleiblichung des Geistes und keine Vergeistigung
des Leibes. Der Stil rafft einerseits ein paar gotische Konstruktions-
elemente zusammen, die er indes gewissermaßen entspiritualisiert,
da er der Renaissance zwar die festliche Fülle der Formen, nicht
aber den Hintergrund der umfassenden Lebenseinheit abgewonnen
hat. Das Körperhafte und das Seelische schwingen nach zwei Seiten
hin aus, ohne Verknüpfung in einem transzendentalen Einklang,
ja ohne Bezug auf einen gemeinsamen Wesensgrund; statt dessen
erscheinen die beiderlei Glieder in scharfe konkrete Antithesen
gerückt: Fleisch und Nicht-Fleisch! Alles Außer- und Überirdische
ist zunächst nur in einer religiös-dogmatischen Sphäre gegenwärtig,
noch nicht zur ästhetischen Erscheinung vergegenständlicht, meist

ausdrücklich aufgesetzt. Nirgends Idealität, Humor, großzügige Antinomie. Nur Witz und Ironie, Parallelen und Kontraste. Historisch ausgedeutet: Das Barock hat, wie dargetan, keine „morphe"; keine „species interna", wie Augustinus, keine „forma substantialis", wie die Scholastik sagt. Seine Schönheit ist ein Ciceronisches „aptum", keine Augustinische „confessio" . . . Der zweifellos wirksame Drang nach einem ultra posse gelangt zu einer letzten Steigerung im Technischen, zu einem Superlativ im Räumlichen, zu keinem künstlerischen Ausdruck eines Metaphysisch-Absoluten. Das jähe Abbrechen der Arabesken bei den Pointen zeugt von *gescheiterter* Unendlichkeitsgestaltung. Die verrenkte, verkrampfte Gebärde bleibt in der äußersten Verzerrung stecken, doch dies nicht etwa, weil ihre Sehnsucht nach unendlich Fernem hier Gebild geworden wäre, sondern weil eine Übertrumpfung dieser Gebärde den formalen Fähigkeiten und physischen Kräften dieser Menschen nicht mehr möglich ist: Superlativik, keine Erfassung des Unendlich-Einen.

4.

Wir haben das barocke Stilgesetz auf den Typus des Idealitätsproblems visiert, dieser künstlerischen Kernfrage der neueren deutschen Literatur, einer metaphysischen Kernfrage des deutschen Geistes überhaupt. Dadurch ist das barocke Zeitalter sowohl zu der vorangehenden als auch zu der folgenden Epoche in bestimmte Beziehung gesetzt; in eine Beziehung, die hier nicht bloß in die Erscheinungen hineingetragen wird, die vielmehr auch in praktischem Belang als Hauptquelle von Einflüssen und Wechselwirkungen sich bewährt. Der erste, der erste Siegreiche, der diesen Komplex in grandiosen Visionen durchdacht hatte, war Platon gewesen, und sein Geist schenkt dem Christentum unermeßliche Kräfte der Erneuerung und Verjüngung, wie er dann auch, um und bei Shaftesbury, an der Schwelle unseres großen Jahrhunderts emporsteigt. In allerlei sagenhaften und abergläubischen Gewändern lebt er selbst in den Zeiten des gröbsten Dogmatismus fort, ein unermüdlicher Mittler zwischen Antikem und Christlichem. Auch was im 16. und 17. Jahrhundert an freierer Naturauffassung, künstlerischer Wirklichkeitsdurchdringung und harmonischer Vergeistigung sich regt, entspringt jenem eigentümlich deutschen Genius, der ganz allein inmitten so vielseitiger Nachahmung des Altertums, wie sie das Renaissance-Europa in buntester Musterkarte darbietet, sich geistverwandt der Platonischen, neuplatonischen Weltansicht ergibt und die Ineinsbildung des Musischen und Theoretischen auf sich nimmt. In diesem hohen Wollen sammeln sich hier insbesondere alle Mächte, die zum Kosmos des Leibniz empordrängen, diesem ersten Vollklang einer neuen Epoche, dieser endlichen Loslösung von der Baconisch-Cartesianischen Betrachtung: von einer Natur, die man auswendig lernen, von einer Seele, die man ausrechnen kann. Freilich ist auch dieser Organismus vom Edelwuchs des Herder-Goethe-Hegelschen, der durchaus seines Stamms ist, noch weit entfernt und trägt beredte Spuren der wissenschaftlich-religiösen Bildungskämpfe seiner Zeit an sich; aber gerade sein musivischer und fragmentarischer Charakter vermag das inbrünstige Suchen und Spähen nach Welteinheit und Weltbeseelung zu veranschaulichen, insonderheit jene Entwicklungsströme aufzuhellen, die aus der Naturphilosophie der Renaissance über das eigentlich Barocke hinweg zum klassisch-romantischen Idealismus hinfließen.

Gerade hier, wo letzte Möglichkeiten des barocken Weltbilds zu ergreifen sind, muß freilich noch einmal betont werden, daß in der vielfach so abseitig-hehren religiösen Dichtung edlere Kräfte walten als in der Durchschnittsentfaltung des Zeitalters, die unserer Darstellung füglich im Vordergrund steht. In weit geringerem Maß als die bildende Kunst ist die barocke Literatur Spiegel und Frucht der religiösen Gärungen. Mit reinster Form vermählt sich tiefste Frömmigkeit höchstens bei Spee und Gryphius. Im allgemeinen bewahrt die letzte religiöse Innigkeit immer ein bißchen Mißtrauen und Sprödigkeit gegen die Renaissanceformen. So bleibt denn auch die Mystik, in den bildenden Künsten alles beherrschend und durchdringend, im literarischen Bereich verhältnismäßig selbständig und eigenwüchsig — wie stark auch ihre Anstöße und Anregungen wirken mögen, ohne die noch ein Fleming, Zesen, Dach, Lohenstein, Hofmannswaldau nicht zu denken sind. Die hohen Schöpfungen der Mystik liegen außerhalb des barocken Horizonts. Der gotische Grübelsinn Böhmes ist widerspruchslos jenseitig, nicht dualistisch

und im Grund an der Erde haftend, unendlichen Seelenzusammen-
hängen hingegeben, nicht den wohlbegrenzten Antithesen sinnfäl-
liger Theatralik. Und wo hat sich die heilige Fernstenliebe und
zugleich der fromme Enthusiasmus für Grashalm und Blütenblatt
jubelnder niedergeschlagen als in der frei und herrlich wuchtenden
Naturhymnik Czepkos im dritten Buch der ›Consolatio ad Baronis-
sam Cziganeam‹? Wo finden die Sphärenharmonien Meister Ekke-
harts kühnere Nachfolge als in den Sinngedichten des cherubini-
schen Wandersmanns? Hier überall sind, echt und umfassend und
fernblickend, die Idealitätswerte bewahrt, die das 16. Jahrhundert
in ungefügen Massen hervorgebracht hatte und die nachmals das
18. vollendend formt. Scheint das 17., das große Jahrhundert der
Kunstformen, hinsichtlich höherer Lebensform und Weltanschauung im allgemeinen Lücke und Versumpfung, im besten Fall Episode zu bleiben, so offenbart sich in gelegentlichen Blitzen Scheffler-
schen Geistes der gigantische Bogen, der aus der Welt Giovanni
Picos und Brunos, Sebastian Francks, Weigels und Böhmes hinüber
zum Gipfelweg des klassischen Denkens von Shaftesbury bis Hegel
sich spannt. Wir wollen das Typische solcher Entfaltung an ihren
theoretischen Zeugnissen in kurzem Umriß verfolgen.

Schon die medizinischen Lehren des Paracelsus, deren natur-
wissenschaftliche Grundlagen das Buch ›Paragranum‹ lehrreich
zusammenfaßt, leiten aus einer Einform der biologisch-psychologi-
schen Gesetzlichkeit, die Mikrokosmos und Makrokosmos und weiter jedes Einzelwesen mit jedem anderen verkettet, eine weitschich-
tige grundsätzliche Deutung der organischen Vorgänge ab. Auch
hier ist die Wechselbeziehung der zwei Welten ziemlich locker und
bietet allerhand ästhetischen Deutungen Raum; doch schon ist alles
eingebettet in einen natürlich durchbluteten Gemeinkörper von um-
fassendem Funktionszusammenhang. (So können auch nach Paracelsus, ähnlich wie dann bei Novalis und verwandten, die Krank-
heiten bloß sinnvolle Veränderungszustände bedeuten, die nicht nur
kausal bestimmt, sondern auch teleologisch begründet sind.) „Natura non facit saltus", hier: Die Natur tut nicht nur nichts ohne
Ursache, sondern auch nichts ohne Ziel. In allen physischen Vorgängen verzweigteste Strukturen verfolgt und durch die angedeutete Einstellung das organische Geschehen in seiner Eigentümlichkeit

ausgewertet und von der Tyrannei der mechanistischen Prinzipien befreit zu haben, ist das Verdienst schon dieses ersten engeren Ahnen des Leibniz, in dessen Kopf Intuition und Abstraktion, Hohes und Häßliches sich mischt. Auch bei Johann Baptist von Helmont ist die Natur nicht mehr die Masse, die in Bewegung versetzt wird, vielmehr wachstümlich lebende Substanz, die sich nach immanenten Zielen organisiert ... In Leibnizens Naturanschauung vollends, die zwar das psychophysische Problem noch durch eine „prästabilierte Harmonie" vergewaltigt und einer obersten Monade göttliche Wesenheit beilegt, ist durch den Entwurf eines universal-organischen Gefüges, in dem die „lex continui" gebietet, die im Barockzeitalter künstlerisch und theoretisch meist entbehrte Einheit leuchtend und mächtig offenbart, wenn auch nicht ohne Bruch und Lücke dargetan. Gehaltlich und symbolisch, nicht immer auch ausdrücklich, ist hier bereits das meiste erzeugt und erschaut, was das 18. Jahrhundert in unvergängliche Lichtgestalten fassen soll: Die Idee einer Allnatur, die nicht nur Körper gebärt und Leben erschafft, sondern auch schöne Formen und edle Verhältnisse bildet; das künstlerische Verstehen einer Wirklichkeit, die in Sein und Werden von geistigen Kräften durchbebt wird, die nicht als magische Beweger tote Lasten schieben, vielmehr in den Erscheinungen sich ausleben, auswirken, verkörpern: alle Materie ist Offenbarung und Leib des Göttlichen; die Anerkennung eines Höchstwerts an Lebensfülle und -intensität, der nicht auf einer einseitigen Steigerung des nur-Gedanklichen oder des nur-Phantastischen beruht, sondern auf einer, ihrem Ergebnis nach möglichst wirklichkeitsgetreuen, Sättigung der Welt mit beseelenden und idealisierenden Energien. Dieser ästhetische Monismus kann naturgemäß nur von der Wucht reinen Erlebnisses getragen, nie aus der bloßen Überlieferung von Formen abgeleitet werden. — Dem 17. Jahrhundert ist Antike und Natur ein Was der Belehrung und ein Wieweit der Möglichkeiten, dem 18. ein Wie und ein Wohin, seit Herder auch ein Woher. Dort eine „substanzielle" Theorie, Rezeptpoetiken und Machanweisungen; hier „funktionelle" Normen, Schönheitserleben, Wirklichkeitsdurchdringung. Dort ist alle Kunstlehre Technik des Handwerks und Mitteilung zünftiger Vorschriften; hier ist sie Wissenschaft vom All. Dort drängt sie zu akademischer oder gruppenmäßiger Absonderung und gelehrsamer Rechtfertigung; hier zu kühnster Weltformung und harmonischer Vergeistigung *alles* Blühens. Im 18. Jahrhundert spielen sich, auf weitestem Schauplatz, die Kämpfe ab, die von der Nachahmung und Nachempfindung zur kongenialen Schöpfung emporsteigen, aus den kopistischen Praktiken der Pseudo-Renaissance zur gleichgestimmten Lebensform der Hochrenaissance.

Alle Renaissance ist ein Ringen nach Einform und Einwelt, nach Allnatur und Allbeseeltheit, mögen nun religiöse, künstlerische oder theoretische Äußerungen in Frage stehen. Sie ist Durchdringung von Antikem und Christlichem, Auflösung des Widerstreits von mathematisch-vernünftiger und organisch-übervernünftiger: von kausaler und teleologischer Gesetzlichkeit, von rationell erarbeiteter und religiös geoffenbarter Kosmologie. Sämtlichen vielspältigen Renaissancewellen des Mittelalters, von der byzantinischen und irischen und karolingischen über die staufische, die französische des 12. Jahrhunderts und die jüngere Kreuzzugepoche zur Raffaelzeit, liegt *ein* solches Wollen zugrunde; sie alle weisen in die nämliche Richtung. Jenes Widerspiel entspinnt sich freilich unter den mannigfaltigsten Umständen in den buntesten Formen. Es ist aber gerade der deutsche Kulturkreis, wo diese Entfaltung besonders tief im Metaphysischen verankert ist: wo die Ineinsbildung von Antikem und Christlichem weit innerlichere und zugleich umfassendere Geltung hat als zum Beispiel vorerst in Italien, wo lange die nationale oder die Vaterlandsidee mit ihren politischen oder praktisch-religiösen Auswirkungen im Vordergrund steht. Immer mächtiger drängt dort das Problem seiner universalen Bedeutung zu: Das antike Moment vertritt da schlechterdings den Pluralismus der Erscheinungswertung, die Liebe zur Erde, zum Körper, zur Form, das *ästhetische* Weltbild überhaupt; das christliche bedingt ganz allgemein eine Zurücksetzung alles Erfahrungsmäßigen, Konkreten zugunsten spontaner Gestaltung, es schafft ein Urbild *sittlicher* Menschlichkeit. Aus dieser Doppelbestimmtheit ergibt sich eine eigentümliche Anknüpfung des Geistigen ans Wirkliche, neben der die bloße Formkunst etwa romanisch-südlichen Gepräges oberflächlich, der reine Intellektualismus zum Beispiel asiatischer Kulturen peripher und arm erscheint. In der Commedia dell'arte ist die besondere Geste alles, im Veda ist jede besondere Erscheinung und Erfahrung nur die Verunreinigung eines Allgedankens. Die Lebensbildner und Lebensdenker der deutschen Hochrenaissance erforschen die Wechselwirkung solcher zweierlei Werte. Im Barokken stehen die beiden Elemente nebeneinander, als äußere Form und esoterische Beziehungsmannigfaltigkeit; hier gibt es keinen sittlich-künstlerischen Einklang. Das klassische Stilgesetz kennt weder eine bloß äußere Form noch eine abgelöst schwebende Geistigkeit. Damit ist das göttliche Erbe Plotins und Eriugenas und mancher Mystiker und ihrer Ahnen und Genossen zu heißem Leben und lichtestem Glanz erweckt.

Von neuplatonischen Köpfen war seit den Tagen Lionardos wieder mit Leidenschaft über die Frage „Begriff oder Gestalt (Idee)" gegrübelt worden. Die Cartesianer und die Baconianer des 17. Jahrhunderts, mit ihnen unsere barocken und galanten Köpfe, drängen das alte Verhältnis von eidos und hyle, das als Gott-Mensch-Problem in tausend Platonisierenden, Aristotelischen, allegorischen, mystischen Deutungen das ganze Mittelalter beschäftigt hatte, in die Oberflächenscheidung Stoff-Form zurück. Das ist der Rahmen der barocken Anschauung von künstlerischer Form, die wir zergliedert haben. Erst seit dem Wirken Hamanns, Herders, Winckelmanns wird dieser Komplex wieder in höchstem Sinn ästhetisch aufgefaßt: Nicht eine Quantität wird durch die andere bemessen und begrenzt, vielmehr eine Wesenheit, eine Platonische Idee verkörpert; Wirklichkeit wird hier problematisch, Erfahrung nach Schein und Erscheinung gesondert. In jenem Rationalismus wird Kompliziertes aus Einfachem gewonnen, aus Bruchteilen aufgebaut und organisiert, Atome werden zusammengesetzt und Besonderheiten angehäuft. Im Idealismus wird das Nahe, Runde, Äußere aus dem Fernwirkenden, Verzweigten, Grenzenlosen, Unauflösbaren hergeleitet. Der Urgrund stellt sich verschieden dar: Er ist jeweils das Edelste, zuhöchst Geliebte und zuletzt Bezweifelte, im Auge des religiösen Menschen stets ein Göttliches. Ein solches Weltbild ist Wille und Glaube, ist Freude an der Gestalt nicht als Kunststück und Zufall, sondern als wesenhafter Entfaltungsphase; nicht als einem Einzelergebnis, sondern als einem Ton der Schöpfer-Harmonie . . .

Naturbegriff, Weltbild und Kunstanschauung der curiösen Zeit ist hier, schon nach dem theoretischen Fortschritt des aufgeklärten Denkens und Forschens, versunken und zertrümmert für immer. Was aber unverwelklich, unverderblich, unverlierbar fortgedeiht, das sind einmal die stofflichen Entdeckungen, und dann noch mehr die technischen Erfindungen des 17. Jahrhunderts: Flatternde Liedchen von Liebe und Tanz, zart gefügte und zierlich geschmückte Arien und Serenaden, lind schaukelnde sapphische Oden und im Dreisatz wuchtende pindarische, grell ornamentierte hohe Minne und schrill herausplatzende niedere, sattelsicherer Reitersang und empfindsam verströmendes Lautenlied, mythologischer Pomp und dialektischer Drill, zu schweigen von Balletten, Festzügen, lebenden Bildern. Auch wer, wie die kritischesten Dunse der Aufklärung, nur nach Silben zählte und auf Regelmäßigkeit prüfte, nur Praktiken klaubte und Inventarien schätzte, konnte dieser Reichtümer nie gänzlich entraten. Und also wird, was hiervon mit den Dogmen der moralischen Nutzbarkeit, der wirklichkeitstreuen Wahrscheinlichkeit, der inhaltlichen Vernünftigkeit verträglich ist — die Richter sind nicht allzu mild und nachgiebig — sogar im Bannkreis Gottscheds nicht verschmäht. Schon im Singspiel und im Schäferspiel sammelt sich eine Fülle barocken Gutes, um hier sorgfältig aufbewahrt und klug behütet die Zeiten Wolffianischer Verarmung und Entblätterung zu überdauern, bis große Erben diesen Massen frisches Mark und neue Seele einflößen. So wird in anspruchslosen, mitunter vielschichtig zusammengewürfelten Gebilden kostbare Überlieferung gehegt, damit sie endlich schöpferischen Händen zum vollendenden Kuppelbau diene. Vorerst noch überwiegend Sammelsurium, ja in mancher Hinsicht Dekadenzerzeugnis, bereitet das barocke Vermächtnis seit den Tagen Gleims und Wielands einer stolzen Entfaltung des nationalen Stils den Weg. Die gealterte arkadisch-idyllische Motivik wird anakreontisch verjüngt und verpersönlicht, später mit härterem, vorab gräzistischem Kontur umgeben, um dann als wesentliches Glied in den klassischen Einklang Aufnahme zu finden. Wieland, der Liebhaber und Virtuos der orientalischen Farbenreize, der Epigone des griechischen Romans, der unübertroffene Anempfinder, Nachahmer, Bearbeiter der deutschen Literatur, ist zugleich der Erwecker und Meister des barocken

Formenschatzes in der nach-Gottschedischen Zeit; er ist der mächtigste Vermittler zwischen Barock und Klassik in Sachen der Kunstform, wie Klopstock in bezug auf das titanische Lebensgefühl, Lessing hinsichtlich der moralischen Charakterbildung. Wielands zärtlich flutende Verse, seine sprudelnden Rhythmen, seine lässige Grazie, seine lächelnd dahingleitende und doch so blank gefeilte und straff gestufte Erzählung, sein schalkhafter Witz, sein flackerndes Beleuchten, sein tändelndes Kräuseln des Unbewegten und sein treffsicheres Beherrschen des Bewegten, das alles ist eine Kultur des Ausdrucks, ohne die niemals die Sonne Homers in jene dumpfe, scheue, spröde Kleinstadtatmosphäre, in der Hermann und Dorothea atmen, so hell und so vertraut hineingeschienen hätte. Auch in der ›Iphigenie‹ und im ›Tasso‹ rinnt das Blut nicht nur Prometheus-Goethes, sondern auch Oberon-Wielands fort. So werden die Kunstformen des 17. Jahrhunderts den neuen Lebensformen entgegengetragen. Auf dieser Bahn ist das Barock in die Unsterblichkeit eingegangen.

Benedetto Croce, Der Begriff des Barock. Die Gegenreformation. Zwei Essays. (= Europäische Bibliothek 3, 12.) Zürich, Leipzig, Stuttgart: Rascher & Cie. 1925, S. 5—37. Aus dem Italienischen übersetzt von B. Fenigstein.

DER BEGRIFF DES „BAROCK" *

Von BENEDETTO CROCE

Einen methodologischen, der Geschichte der Kunst und Literatur angehörenden Begriff mit allen nötigen Unterscheidungen und Widerlegungen durchzuarbeiten, mag vielleicht für einen Vortrag nicht als sehr geeignetes Thema erscheinen. Da jedoch den Leitern dieses Zirkels das Thema, das mir zuerst in den Sinn kam, gefiel und ich somit dazu verpflichtet war und nun auch Sie verpflichtet sind, mich anzuhören, will ich mich nicht auf Ihre Geduld und Höflichkeit berufen. Das lebhafte Interesse, das man in Zürich stets den Studien entgegenbrachte, der Ernst, mit dem Sie jede wissenschaftliche Forschung aufnehmen, werden, dessen glaube ich sicher zu sein, meine notwendigerweise bisweilen trockenen Ausführungen ergänzen.

Heute spricht man von einem „Zeitalter des Barock", von der „Barock-Malerei" und ähnlichem; unter dem gleichen Namen werden verschiedenartigste Dinge zusammengefaßt, und ebenso echte Maler und falsche, nur für den Schein arbeitende Maler, Dichter und solche, die es keineswegs sind, usw. Und infolgedessen spricht man auch von „einem schönen Barock", oder man führt ähnliche Formeln an, mit denen man seine Zustimmung und Bewunderung ausdrückt, d. h. man gibt dem Begriff des Barock leicht einen positiven Sinn oder man wechselt den positiven Sinn mit dem negativen ab. Es wäre einfältig, gegen diese Sprachgebräuche zu protestieren; aber um so notwendiger ist es, die Begriffe selbst deutlich aufzuklären.

Sowohl das Wort als der Begriff „Barock" entstanden mit der

---

* Benedetto Croce hielt den hier im Druck vorliegenden Vortrag am 2. Februar 1925 in der Eidgenössischen Technischen Hochschule als Gast des Lesezirkels Hottingen. Anm. d. Übers.

Idee der Mißbilligung und nicht etwa, um eine Epoche der Geistesgeschichte oder eine Kunstform zu bezeichnen, sondern vielmehr
eine Art künstlerischer Häßlichkeit, und meines Erachtens kann es
nur von Nutzen sein, wenn Wort und Begriff im strengen wissenschaftlichen Gebrauch diese Bedeutung beibehalten, die ausgedehnt
oder, noch eher, logisch umgrenzt werden kann.

Was die Geschichte des Wortes anbetrifft, so hängt dieses zweifellos eng mit einer jener künstlich zusammengesetzten, mnemoni-
schen Vokabeln zusammen, mit denen man in der Logik des Mittelalters die Figuren des Syllogismus zu bezeichnen pflegte. Von diesen
Vokabeln (*Barbara, Celarent* usw.) waren es, wenigstens in Italien,
namentlich zwei, die starken Eindruck hinterließen und die, eher
als die übrigen, sozusagen sprichwörtlich wurden; erstens *Barbara*,
eben als erste Vokabel, und dann — wer weiß, weshalb? — *Baroco*,
welches Wort den vierten Modus der zweiten Figur bezeichnete.
Das Weshalb kenne ich, wie gesagt, nicht; denn das Wort ist nicht
gar viel fremdartiger als die andern, und der Syllogismen-Modus,
den es bezeichnete, auch nicht gewundener als mehrere andere. Vielleicht trug die Allitteration mit *Barbara* zum Erfolge des Wortes
bei. So schrieb Caro in seiner ›Apologia‹: „Wenn diese Syllogismen
zutreffen, so sind dagegen baroco, barbara und alle ihresgleichen
dummes Zeug." Die bekannte Abneigung gegen solche Schul- und
Disputantenausdrücke und dazu noch die Entwicklung der gegen
den Skolastizismus und Aristotelismus gerichteten Tendenzen führten dann zur Verachtung der pedantischen oder plump trügerischen
Erörterungen sowie der beiden darin vertretenen Vokabeln, die
nunmehr nicht nur seltsam klangen, sondern überhaupt gar keinen
bestimmten Sinn zu haben schienen. Deshalb bezeichnete man eine
schlechte Erörterung als eine „Barock-Abhandlung". Im Reisebuch
›Viaggio in Colonia‹ von Antonio Abbondanti, aus dem Jahre
1627, steht über den bekannten Trugschluß vom gesalzenen Fleisch,
das den Durst löscht, folgendes geschrieben:

> Egli in Baroco un argomento fino
> formò dicendo: — Per cavar la sete
> convien bere e ribere del buon vino.
> Carne salata non dà mai la meta

nel bere e nel ribere; onde — ecco l'ergo —
ch'avvien che la salciccia pur dissete.[1]

Das Wörterbuch der Crusca führt ein anderes, weniger deutliches,
späteres Beispiel an; es ist von Magalotti, d. h. vom Ende jenes
Jahrhunderts: „Pass' auf, bevor drei Tage vorbeigehen, so werden
wir die neuesten Abmachungen der Mönche hören, von ihren barocken Darlegungen, von dem, was Bruder Soundso sagte und was
ihm Bruder Soundso antwortete."[2] Diese Anwendung des Wortes
kann in den folgenden Jahrhunderten („ragioni barocche" von
Casti, „idee barocche" von Pananti[3]) bis zum heutigen Tag verfolgt
werden; noch jetzt wird das Wort in diesem Sinne gebraucht. Sobald man einmal die plumpen, gewundenen, schwerfälligen und
falschen Äußerungen als „barock" bezeichnete, so kam man auch
ganz natürlich dazu, die oder doch wenigstens gewisse Erscheinungen der Kunst des 17. Jahrhunderts gleich zu bezeichnen. Diese
Übertragung vollzog sich wohl um die Mitte des 18. Jahrhunderts,
als die neoklassischen Strömungen wiederauflebten, und in Frankreich vielleicht früher als in Italien. Auf jeden Fall hat die ›Encyclopédie‹ das Wort schon aufgenommen und seine Verwendung erkannt; doch beschränkt sie sich auf die Architektur: « Baroque,
adjectif en architecture, est une nuance du bizarre. Il en est, si l'on

---

[1] „Er formulierte in Barock eine feine Schlußfolgerung: Um den Durst
zu löschen, muß man immer und immer wieder guten Wein trinken.
Gesalzenes Fleisch bereitet dem Trinken nie ein Ende; also — das ist das
Fazit — folgt daraus, daß gesalzene Wurst den Durst löscht." ›Viaggio
di Colonia‹. Lustige Kapitel von Antonio Abbondante da Imola (Venedig,
Baba, 1627), Fol. 21. Aus lauter Gewissenhaftigkeit sei bemerkt, daß die
angeführte, so entwickelte Schlußfolgerung nicht in *Barock* war; denn im
Modus *baroco* ist der erste Vordersatz allgemein bejahend, der zweite
partikular verneinend, und die Schlußfolgerung partikular verneinend.
Jedes P ist M; einige S sind nicht M; also sind einige S nicht P. Um ein
für den Fall würdiges Beispiel zu wählen: „Jeder Dummkopf ist hartnäckig; aber einige Menschen sind nicht hartnäckig; also sind einige
Menschen keine Dummköpfe."
[2] Aus den Lettere familiari (Florenz, 1769), I, 74.
[3] Beispiele aus Wörterbüchern. Littré zitiert eine Stelle aus Saint-
Simon: « il était bien baroque de faire succéder, etc. »

veut, le raffinement, ou, s'il était possible de le dire, l'abus, il en
est le superlatif. L'idée du baroque entraîne avec soi celle du ridi-
cule poussé à l'excès. Borromini a donné les plus grands modèles
de bizarrerie et Guarini peut passer pour le maître du baroque. » [4]
Und nicht viel anders drückt sich in Italien Francesco Milizia in
seinem ›Dizionario delle belle arti del disegno‹ aus [5]: „Barock ist
der Superlativ des Schrullenhaften, die Übertreibung des Lächerlichen. Barromini verfiel in Phantastereien, aber Guarini, Pozzi,
Marchione verfielen in der Sakristei des S. Peter usw. ins B a -
r o c k e.“ [6]

Wie man sich auch zur Etymologie des Wortes verhalten vermag,
sicher ist, daß sich in der Kunstkritik der Begriff „Barock" bildete,
um damit jene Form des schlechten künstlerischen Geschmackes zu
kennzeichnen, die der Architektur, aber auch der Bildhauerei und
der Malerei des 17. Jahrhunderts eigen war; das Wort paart sich
mit den Begriffen „schlechter Geschmack", „literarische Pest" oder
„Phantasterei", womit die vorherrschende Poesie und Prosa des
genannten Jahrhunderts verurteilt wurde; im 19. Jahrhundert (und
auch heute noch) pflegte man dafür die Bezeichnung „Secentismo"
zu gebrauchen. Und die genannten Begriffe passen so gut zuein-

---

[4] Zitiert nach Wölfflin, Renaissance und Barock (München, 1888), S. 10.
Wölfflin sagt, Milizia sei das Wort unbekannt gewesen, was nicht richtig
ist.

[5] Bassano, 1797, I, 90. Das Wörterbuch Baldinuccis (aus dem vorangegangenen Jahrhundert) enthält diesen Ausdruck nicht.

[6] Dieser zugänglichsten und am besten dokumentierten Herleitung
stellen die Etymologen eine andere gegenüber: das spanische *barrueco* oder
berrueco = eine Perle, die nicht ganz rund, von unregelmäßiger Form ist.
Aber im Italienischen heißt eine solche Perle « scaramazza », und im
Spanischen heißt der Barockstil *barroco* und nicht *barrueco*. Auch für die
Perle angewandt, führt Littré dieses Wort auf den scholastischen Ausdruck
zurück, während Diez es mit dem Italienischen *verruca* (Warze) zusam-
menbringt. Koerting vergnügt sich daran, ein *bis-rocca* zu konstruieren.
Tommaseo-Bellini weist zwar auch auf den richtigen Ursprung, gibt sich
aber dann nicht damit zufrieden, sondern sucht ein griechisches βάρος
und das vulgärlateinische *barridus* und παραχόντω = delirieren usw.
hervor.

ander, daß sie sich geradezu identifizieren; und, da man seit einiger Zeit begann, von literarischem „Barock" und „Barockismus" zu sprechen und Marino, Achillini, Battista und Artale als „Barockleute" anzureden, so wäre es gut, diesen Fachausdruck weiter einzuführen, einerseits um die Übereinstimmung jener künstlerischen Verderbtheit in der Poesie und in den andern Künsten wieder richtig zu bestätigen, und andrerseits um aus der Unschicklichkeit sprachlich paradoxer Verbindungen herauszukommen. So spricht man von einem „Secentismo des 15. Jahrhunderts", von einem „Secentismo der lateinischen Schriftsteller aus der Zeit des Verfalls", ja sogar von einem „Secentismo der Kirchenväter".

Der Barock ist also eine Art des künstlerisch Häßlichen, und deshalb ist er überhaupt nicht künstlerisch, steht zur Kunst vielmehr im direkten Gegensatz. Von der Kunst verfälschte der Barock das Aussehen und den Namen; er führte sich statt ihrer ein, verdrängte sie. Ohne dem Gesetze der künstlerischen Übereinstimmung zu gehorchen, sich im Gegenteil dagegen auflehnend und dieses Gesetz hintergehend, entspricht der Barock selbstverständlich einem andern Gesetze; es ist kein anderes Gesetz als das der individuellen Laune, der Bequemlichkeit, der Grille und deshalb utilitaristisch oder hedonistisch, wenn man es lieber so bezeichnen will. Also hat der Barock, wie jede Art des künstlerisch Häßlichen, seine Grundlage in einem praktischen Bedürfnis, das verschieden sein und sich verschieden gebildet haben mag, aber das in jedem Fall sich nur als reine Forderung und als Genuß dessen rechtfertigen läßt, was ergötzt, obwohl es gegen alles und vor allem gegen die Kunst selbst verstößt.

Um den „Barock" von den andern Arten des Häßlichen und Unpoetischen zu unterscheiden, muß man deshalb zu erforschen suchen, welchem Bedürfnis er entspricht; doch muß darauf aufmerksam gemacht werden, daß die Forschung auf diesem Gebiete nur auf eine empirische Einordnung hinzielen kann, und zwar wegen der unendlichen Verschiedenheit, wegen der unendlichen Tonarten und Schattierungen der Genußarten. Natürlich schließen sich die verschiedenen Klassen oder Typen des unpoetischen Genießens nicht aus; im Gegenteil vermischen sie sich oft miteinander, oder der eine

Typus zieht den andern nach sich. So sagt Manzoni von seinem
Anonimus, daß es diesem möglich war, in seiner Prosa „gleichzeitig
ungehobelt und geziert" zu sein.

Es ist wirklich keineswegs schwer, auf das Merkmal des Barocks
hinzuweisen, auf jenes Merkmal, das ihn z. B. vom „Akademischen", von dem „Sentimentalen" oder vom „Süßlichen" unterscheidet, und welches darin besteht, die poetische Wahrheit und den
von ihr ausgehenden Zauber durch den Effekt des Unerwarteten,
Verblüffenden zu ersetzen, das aufregt, neugierig macht, betäubt
und, dank der besonderen Form von Erregung, die es hervorruft,
auch Freude bereitet. Es ist nicht schwer, auf dieses Merkmal hinzuweisen; denn bekanntlich wurde es von den Literaten jener
Schule und von deren Hauptvertreter, Marino, als Programm verkündet. Marino bestimmte als „Zweck" der Dichter, „in Erstaunen
zu setzen". „Diejenigen, die nicht imstande sind, zu verblüffen",
ermahnte er, vom Dichterberuf abzulassen, „sich mit dem Pferde-
striegel zu befassen", Stallknecht zu werden. Zahlreiche derartige
Zitate könnten angeführt werden, aber es wäre überflüssig. Schon
damals gab es Leute, die die reine, ideale, seelische Erschütterung,
die von der Poesie verlangt wird, der äußerlichen Erregung gegen-
überstellten, indem sie die „modernen Poeten" anklagten, in der
Behandlung „pathetischer Stoffe schwer zu irren"; „indem sie gesuchte Begriffe und Spitzfindigkeiten seelenlos und ohne Leidenschaft gebrauchten, sei es kein Wunder, daß sie nicht fesseln und den
andern keine Leidenschaft übermitteln können" wie Tasso, „der
einige Male hineinfiel" und Marino, der „mit Schimpf und Schande
hineingefallen" sei.[7]

Auf diesem Wege des Verblüffenden, dieses mit logischer Folgerichtigkeit bis aufs Äußerste treibend, befinden sich die tollsten
Werke des 17. Jahrhunderts, wie z. B. die Sonette Artales oder die
›Leporeambi‹ und die ›merkwürdige Reimprosa‹ Lodovico Lepo-
reos, der unter anderm alle Worte seiner Verse (wie wunderbar!)
nach folgendem Typus zum Reimen brachte:

---

[7] Considerazioni di messer Faggiano (N. Villani) sopra la seconda
parte del' l'Occhial del cav. Stigliani (Venedig, 1631), pp. 20—21.

Cinthia, se mài, con gli occhi gài, sincèri
tuoi lusinghièri, e dolci mi rimìri,
gioie m'inspìri, e gli egri mièi pensièri
ergi ai sentièri degli Empirei gìri . . .[8]

und nach dem gleichen Typus lobte er in Prosa die Architekturen
Borrominis: «tutti edificij construtti a benificij de' Regi dagli
artefici de' Pontefici egregi, tra' quali più principali io celèbro sul
Tebro, tra quanti io conosca modellanti con novità e soprafino
ingegno e pellegrino disegno, e all' età nostra, nell' Alma Città
Tosca tiene la palma del migliore inventore il signor Francesco
Borromino conforme le norme del pensiero Vitruviesco e vicino
all' eccellenza della di lui intelligenza nella costruzione e ristau-
razione di . . .» usw.[9]

Dieselbe Art, die aufrichtige künstlerische Erregtheit und die
beschauliche Verzückung durch ein praktisch verwendbares Verblüffen zu ersetzen, beobachten die Kunstschriftsteller auch in der
Barockmalerei, -bildhauerei und -architektur. Als der alte Ci-
cognara die wellenartigen Linien in der Skulptur beschrieb, die
ausgeklügelten Gesichter, die zur Schau getragenen Muskeln, die
von der fortwährenden Aufregung verdrängte Ruhe, die anmutig
gedrehten Hälse, die sich an der eigenen Lieblichkeit freuenden
Gesten, die affektiert bewegten Arme, die gekrümmten Finger, die
eine übermäßig hervorragende Hüfte, wodurch notwendigerweise
ein Bein runzelig zusammenschrumpft, das einschmeichelnd ge-
schmeidig verarbeitete Fleisch, die mit unerreichbarer Sorgfalt
gepflegten Nägel und Haare, und, neben diesen Einzelheiten des
menschlichen Körpers, zierlich ausgehauene Bäume und Blätter, da
bemerkte er: „Kein Bildhauer des 17. Jahrhunderts drückte Gemüt
aus, während doch die Meißelarbeiten des 14. und 15. Jahrhunderts
so voller Gemüt sind." [10] Burckhardt spricht vom „falschen dramatischen Leben", das damals in die Bildhauerei und Malerei ein-

[8] Leporeambi nominali di Lodovico Leporeo alle Dame et Accademie
italiane.

[9] Prosa rimata curiosa ritrovata da Lodovico Leporeo amico corporeo
dei prosatori primari verseggiatori volgari scrittori singolari (Rom,
Druckerei der R. C. Apostolica, 1652).

[10] Storia della scultura, 2. Aufl. VI, 69—72.

geführt wurde. Je oberflächlicher und äußerlicher das Gefühl ist,
um so reichhaltiger wird die Drapierung, in deren Falten das falsche
Drama bis zur Absurdität übertragen wird;[11] und Burckhardt
spricht auch von den Architekten, die in einem fortwährenden
Fortissimo komponieren, die Säulen, Halbsäulen und Pfeiler auf
jeder Seite mit halben, viertels- und drittels-Pfeilern begleiten und
das gesamte Fries und bisweilen sogar die Sockelpartie ebensooft
unterbrechen und hervortreten lassen, durch den Pomp das Auge
anziehen wollen, durch welchen Prunk sogar die architektonischen
Einzelteile Bewegung erhalten, die Giebel zu brechen, sich zu beugen, nach allen Richtungen zu vibrieren beginnen.[12] Riegl drückt
aus, wie ratlos heute sich ein jeder fühlt, der vom Standpunkt der
Kunst aus jene Werke betrachtet. „Eine Figur, die betet und sich
dabei in konvulsivischen Bewegungen krümmt. Wir fragen, warum
diese Bewegungen? Sie erscheinen uns unmotiviert, wir verstehen
sie nicht. Ihr Gewand ist aufgebauscht, wild bewegt, wie von einem
Sturmwind, wir fragen wieder warum? ... Daneben ein Baum,
dessen Blätter ganz ruhig sind ... Warum bewegt der Sturm gerade das Gewand und nicht auch das Baumlaub daneben?"[13]
    Die wirkliche Übereinstimmung der poetischen, künstlerischen
Bilder wurde durch eine übereinstimmende Zusammenhanglosigkeit ersetzt, d. h. durch eine Übereinstimmung, die als einzigen
Zweck kennt, die Menschen durch das Unerwartete, Verblüffende
zu überraschen, wobei es kaum darauf ankommt, wie es erreicht
wird. Als eines Tages der berühmte Sopransänger Farinello, der
noch ganz in den Gewohnheiten der musikalischen Erziehung des
Secentismo steckte, dem ihn auf dem Cembalo begleitenden Kaiser
Karl VI. mit „Bravour" vorsang, hielt der Kaiser plötzlich inne
und sagte ihm in väterlichem Tone: „Ihre riesigen Tonzüge, Ihre
endlos langen Verzierungen, alle Ihre Kühnheiten berauschen und
fordern Bewunderung heraus, aber sie gehen nicht zu Herzen. Es
wäre Ihnen gewiß leicht, auch innerlich zu ergreifen, wenn Sie bis-

---

[11] Cicerone, 6. Aufl. II, 483.
[12] Op. cit., II, 280—81.
[13] A. Riegl, Die Entstehung der Barockkunst in Rom. (Wien, 1923),
pp. 2—3.

weilen einfacher und ausdrucksvoller sein wollten." Kurz, der fein empfindende Kaiser wiederholte ihm die Kritik, die der oben erwähnte Kritiker ein Jahrhundert vorher gegen die Poesie Marinos richtete.

Die wenigen, sporadisch angeführten Zitate zeigen, daß es nicht nötig ist, offene Türen einzurennen und zu beweisen, daß der „Barock" eben ein solches Spiel ist, ein Haschen nach Mitteln, um die Verblüffung zu erzeugen. Infolge seines Charakters erscheint der „Barock" (— verschieden von andern Formen des Häßlichen, die bisweilen erschüttern, aufregen, verwirren —) letzten Endes, trotz seiner oberflächlichen Bewegtheit und Wärme, eben doch kalt; trotz seines Reichtums an Bildern und deren Kombinationen hinterläßt er das Gefühl der Leere. Aber so erklärt sich auch, wie der „Barock" bisweilen vom raffiniertesten Intellektualismus in seinen Darstellungen zum gröbsten Realismus und Naturalismus übergeht. Da es dem „Barock" unmöglich ist, ein wahrhaft poetisches Bild zu schaffen, das stets gleichzeitig Geist und Natur, Gefühl und Gestalt, Wahrheit und Empfindung ist, so bleibt ihm, dem es nicht um die Poesie, sondern nur ums Verblüffen zu tun ist, nichts anderes übrig, als sich in Antithesen und in den andern Zutaten der leeren Einfälle zu verbreiten, gleichsam wie um seine Geistigkeit und seine Idealität zu beweisen; oder die Zeichen der Dinge in ihrer Körperlichkeit und Äußerlichkeit zu notieren und zu reproduzieren, gleichsam auch wie um für seine außergewöhnliche plastische Kraft und für seinen Mut, die Wirklichkeit darzustellen, Beweis abzulegen. Aber das ist ein intellektualistischer Realismus, wie auch eine solche Geistigkeit rein materialistisch ist; und jedermann fühlt vor gewissen Barock-Skulpturen, -Malereien und -Gedichten, daß die Darstellung des Niedrigen, des Gräßlichen, des Bluttriefenden oder sogar auch einfach des gewöhnlichen, pöbelhaften Lebens das einzige Ziel hat, Bewunderung hervorzurufen, weil man es wagte und verstand, das zu reproduzieren, was einem andern niemals als ein Gegenstand für die Kunst in den Sinn gekommen wäre. Die Darstellung wird zur Schilderung, zur „Bravour"-schilderung. Man erinnere sich an die oft zitierte Stelle des Pater Orchi, der, nachdem er die Beichte mit einer Wäscherin verglichen hat, sich dabei aufhält, von der Arbeit der Wäscherin jede Einzelheit aufzuzählen:

„ . . . sie entblößt sich den Ellbogen, schürzt ihr Kleid um die Hüften, nimmt die schmutzige Wäsche und begibt sich auf den Knien an einen Fluß" usw. usw.; so geht es viele Linien weiter, bis sie endlich „die Wäsche viermal ausreibt, dreimal schüttelt, zweimal ausschwenkt, einmal windet und sie dann weißer als vorher und weich bekommt". Auch die Komik und das Lachen haben im Barock diesen Charakter des Erzwungenen, um eine Komik und ein Lachen zu erzielen, die die wirkliche Komik und das wirkliche Lachen übertreffen. Und so geraten die Komik und das Lachen nicht weniger starr als das Heroische und das Leidenschaftliche. Das reine, spontane Lachen vereinigt sich recht gut mit dem Ernst des Empfindens und mit der Freiheit der Seele, die sich zur Heiterkeit erhebt.

Wenn man ein vereinzeltes Barockgedicht oder -gemälde prüft, kann man leicht in den einzelnen Teilen oder Formen die dichterische und künstlerische Zusammenhanglosigkeit nachweisen und ebenso den Zusammenhang mit dem auf die praktische Nutzanwendung gerichteten Zweck. Aber man muß sich vor dem Irrtum hüten, zu glauben, daß gewisse Formtypen, die aus den einzelnen Kunstwerken herausgeholt werden, ausschließlich dem Barock eigentümlich seien, so daß man jedesmal, wo man ihnen begegnet, auf einen bestehenden Barock schließen müßte. In diesen formalistischen Fehler verfällt man, wenn man als Fälle von Barock die Ausdrücke der Mystiker, z. B. folgende Worte der Catarina von Siena bezeichnet: „Wo lehrte er uns diese Lehre, dieses süße, liebevolle Wort? Von der Kanzel des heiligen Kreuzes. Und schließlich wusch er uns mit seinem kostbaren Blute das Antlitz unserer Seele." Trotz dem Auftreten ähnlicher Metaphern ist das wahrhaft ein Stil, welcher im Gegensatz steht zu demjenigen des Barock-Predigers und seiner Beschreibung der Beichte-Wäscherin. Auch in einem fremden Schriftsteller, den man zu zitieren pflegte, um die Italiener von ihrem Ruf als Barockisten par excellence zu erlösen, in Du Bartas, ist Aufrichtigkeit und Begeisterung; in seinen Versen, Metaphern und schmückenden Beiwörtern findet man nicht das Ergebnis eines leeren Innern und rhetorischer Absicht, sondern einer unkultivierten Kraft, ungezügelter Überfülle, eines ungebändigten, nicht zur Harmonie gereiften Ungestüms. Und auch Góngora, der in der

ersten Periode seines Lebens und zum großen Teil auch in seinem
Werke so frisch und volkstümlich war, wurde nicht vom gleichen
Geist wie Marino zu jenen Formen geführt, sondern vielmehr von
der Freude an künstlerischer Verfeinerung und vom Ideal einer
Poesie, die nur für Kenner bestimmt ist. Da sich die Kritiker besonders an die äußern Formen hielten, kam man dazu, enge Beziehungen
zwischen Barock und Romantizismus festzustellen. Die künstlerische Tendenz ist aber durchaus verschieden; denn der Romantizismus erheuchelt keine seelische Erschütterung, sie ist vorhanden;
er sammelt und kombiniert nicht absichtlich die Bilder und Worte,
um Erstaunen wachzurufen, sondern will, daß das künstlerische
Bild und Wort der unmittelbare Erguß des Gefühles sei: worin
sein ästhetischer Mangel besteht. Es scheint mir, daß die Lieblings-
these Faguets über den französischen Romantizismus des Jahres
1630 (nicht des Jahres 1830) sich ebenfalls nur auf die Beobachtung
äußerlicher Charakterzüge stützt. In der Tat geht er von der Voraussetzung aus, romantische Literaturen seien solche, «où la sensibilité, l'imagination, le caprice et la phantaisie prédominent sur
le goût de la vérité et de la mesure ... où le culte de l'antiquité et
de la tradition disparaît ... où l'inspiration des littératures étran-
gères est plus complaisamment accueillie que celles des littératures
antiques »;[14] d. h. er definiert den Romantizismus ganz äußerlich
und, indem er diese äußerlichen Definitionen mit den äußerlichen
Bestimmungen vergleicht, die sich aus den Werken vieler französischer Schriftsteller zwischen den Jahren 1610—1660 herleiten lassen, tauft er sie alle in gleicher Weise als Romantiker. Nach diesem
Schema wäre kein Geringerer als Corneille « essentiellement un
poète romantique » und sogar « le plus grand des poètes roman-
tiques de France »; denn: « il était exagéreur et avait le sens du
grand et la passion de peindre en bien et en mal plus grand que
nature »; er liebte « l'invraisemblance » und zog « l'imagination »
der « vérité » vor.[15] Aber daß jener angebliche Romantizismus, der
so schlecht definiert ist, daß er sogar den ganzen großen Corneille,
den unromantischsten aller Geister, den Dichter des entscheidenden,

---

[14] Petite histoire de la littérature française, pp. 100—01.
[15] Op. cit. p. 157.

ordnenden Willens umfaßt, dagegen nichts anderes als Barockismus
ist, konnte Faguet bei einem andern seiner angeblichen Romantiker erfahren, der auch einzig « à l'extraordinaire, à l'inattendu et
à la pointe » zugewandt ist, nämlich von Cyrano de Bergerac, der
sich über die *Pointe* oder Spitzfindigkeit folgendermaßen äußerte:
« La pointe est l'agréable jeu de l'esprit et merveilleux en ce point
qu'il réduit tout sur le pied nécessaire à ses agréments sans avoir
égard à leur propre substance ... Toujours on a bien fait, pourvu
qu'on a bien dit. On ne pèse les choses pourvu qu'elles brillent. » [16]
Der Barock bedeutet diese barocke Seele und nicht die abstrakt
erfaßten und deshalb unbestimmten Formen, welche je nach ihrer
verschiedenen Bestimmung und ihrer festen Bestandteile ebensogut
Formen des Barock als von irgend etwas Verschiedenem, gänzlich
Verschiedenem und sogar Gegenteiligem sein können.

In den allgemeinen Zügen, in denen wir den Begriff des Barock
bisher hielten, findet er an jedem Ort und zu jeder Zeit seine Anwendung; in mehr oder weniger vereinzelten, mehr oder weniger
betonten Formen können wir täglich Fällen von Barock begegnen.
Er stellt eine ästhetische, aber auch eine menschliche Sünde dar; er
findet sich überall und zu allen Zeiten, wie alle menschlichen Sünden, wenigstens als eine Gefahr, in die man hineingeraten kann.
Ebenso konnte man auch vom Romantizismus einen allgemein
menschlichen, oder wenn man lieber will: psychologischen Begriff
aufstellen und somit in allen Epochen und bei allen Völkern einen
Romantizismus entdecken. Bekanntlich wurde der Barock besonders an den Künstlern und Dichtern der sogenannten Dekadenz-
zeit und namentlich an den Dichtern der römischen Literatur stu-
diert (Lucanus, Statius, Persius, Martial, Juvenal), die Nisard [17]
Stoff für ein sehr schönes, aber auch recht tendenziöses Buch liefer-
ten oder, um es richtig auszudrücken: für ein Buch, in dem Nisard
gegen die französische Literatur seiner eigenen Zeit zu polemisieren
beabsichtigte. Ein analoger Vergleich und eine leidenschaftliche
Polemik wurden dann wieder wegen der letzten, ausländischen und
italienischen, Literatur zur Mode; sie waren insbesondere gegen die

---

[16] Op. cit. p. 17.
[17] Études sur les poètes latins de la décadence (Paris, 1834).

Kunst D'Annunzios gerichtet. Ich möchte keineswegs sagen, daß solche vergleichende Anwendungen unerlaubt oder unnütz seien; im Gegenteil, die Tatsache, daß man sich ihrer ganz spontan bedient, beweist, daß sie in mancher Beziehung nützlich sind. Aber wie für den Romantizismus, so scheint es mir auch für den Barock noch nützlicher, den betreffenden Begriff nicht in seiner einfach psychologischen, sondern in der historischen Bedeutung zu verwenden, die seinen Ursprung genau bestimmte. Es ist nützlicher, unter Barock jene künstlerische Verunstaltung zu verstehen, die vom Bedürfnis zu verblüffen beherrscht wird und die man in Europa ungefähr von den letzten Jahrzehnten des 16. bis ans Ende des 17. Jahrhunderts beobachtet.

Eine weitergehende Definition des historischen Begriffs „Barock", eine bestimmte Abgrenzung seines Charakters oder seiner Charakterzüge ist deshalb nicht möglich, weil der Charakter oder die Charakterzüge gleichbedeutend sind mit den Werken im Barocktypus selbst, mit den Werken, die damals geschaffen wurden und mit denen man durch direkte Anschauung bekannt werden muß: wie wir ja schon oben die Absonderung und Klassifikation der äußerlich gewordenen Formen als trügerisch ausgeschlossen haben, obwohl man es versuchte, indem man z. B. die Metaphern, Vergleiche und die übrigen stilistischen Verfahren Marinos studierte. Durch eine solche Kenntnis und die direkte Anschauung verbinden sich mit dem historischen Begriff des Barock verschiedene ihm eigentümliche Bilder, und der Begriff wird zu einem lebendigen Besitz des kritisch denkenden Geistes.

Es ist wichtig, die Begriffe Barock und Romantizismus als historische Begriffe aufzufassen, gerade um zu vermeiden, daß man in Generalisationen verfällt, und vom Generellen ins Nichtssagende und endlich in falsche Begriffe, indem man den Eindruck und den eigentümlichen, individuellen Charakter der Werke, die man in Betracht ziehen will, aus dem Auge verliert. Wenn man auch zugibt, daß sich in der französischen, italienischen und spanischen Literatur, im genannten generellen Sinne, einige romantische Momente vorfinden, so waren die betreffenden Werke doch von Grund aus verschieden von den romantischen Werken des 19. Jahrhunderts, und zwar schon rein deswegen, weil jene im siebzehnten, diese

aber im neunzehnten Jahrhundert entstanden, d. h. nachdem der
Mensch zwei weitere Jahrhunderte gelebt und geistige Kämpfe
durchgeführt hatte. Und ebenso können (wie ich an anderer Stelle
zu zeigen Gelegenheit hatte) [18] der ganze Barockismus, den man in
D'Annunzio entdecken will, und alle seine, mit Marino und andern
Secentisten gemeinsamen Züge nicht die Tatsache verwischen, daß
ein D'Annunzio erst nach dem Romantizismus, Naturalismus, nach
den Parnassiens, Nietzsche und andern geistigen Ereignissen möglich war, während diese, da sie erst Erscheinungen des 19. Jahrhunderts waren, einem Marino nicht vorangingen.

Hier angelangt, müssen wir wieder denen ein Mißvergnügen bereiten, die stets nach der „Ursache" der Tatsachen fragen und sich
nicht für befriedigt erklären können, wenn man ihnen nicht diese
kausale Angabe liefert; d. h. sie können nie befriedigt werden. Ihr
Mißvergnügen muß durch die Antwort hervorgerufen werden, daß
es für den Barock überhaupt keine „Ursache" gibt. Für den in psy-
chologischem und allgemein menschlichem Sinn aufgefaßten Barock
gibt es keine Ursache, weil es keine Ursache für das menschliche
Irren gibt, außer der *virtus dormitiva,* der sündhaften Natur des
Menschen selbst. Aber auch für den als historischen Begriff aufgefaßten Barock gibt es keine Ursache; denn die Ursache ist einfach
die Tatsache selbst, daß er besteht. Das kann leicht durch die Über-
prüfung aller bisher für den Barock angenommener Ursachen bestätigt werden, von denen keine auch nur die einfachste kritische Prüfung verträgt. Die am genauesten abwägenden Leute führen als
Ursache den Humanismus und die Nachahmung der Antike an;
aber sie schulden uns den Beweis, daß der Humanismus und die
Nachahmung der Antike aus logischer Notwendigkeit den Barock
hervorbringen mußten. Andere nennen als Ursache den Jesuitismus;
ja, der „Secentismo" oder „Barockismus" wäre überhaupt nichts
anderes als „der Jesuitismus auf die Kunst übertragen"; [19] aber
man sieht nicht ein, weshalb die Jesuiten, um die katholische Kirche
zu verteidigen, um mit frommen Übungen zu erziehen, um die See-

[18] Saggi sulla letteratura italiana del seicento, 2. Aufl. pp. 405—08.
[19] Man vergleiche die Storia della letteratura italiana des Settembrini,
II, 235 ff.

len mit der weit entgegenkommenden Kasuistik zu regieren, um
mit den Bildern von den Höllenqualen den Leuten Schrecken ein-
zujagen oder um bei ihnen mit Schilderungen der Paradiesesfreuden
Lustgefühle zu erwecken, sich nicht anders als auf barocke Weise
hätten ausdrücken können und nicht vielmehr in ganz einfacher,
glatter Weise, wie es viele von ihnen in Wirklichkeit stets taten
und wie sie es dann allgemein taten, als die Barockmode im Untergehen begriffen war.[20] Andere sagen: die Ursache war das begierige
Suchen nach etwas Neuem; aber dabei vergißt man entweder, daß
der Mensch immer das Neue, das neue Leben, sucht, oder wenn man
dem „Suchen nach Neuem" den speziellen Sinn des Suchens nach
einer falschen Neuheit gibt, so verfällt man einfach in eine unnötige
Wiederholung des bereits mit andern Worten Gesagten. Etwas anders wird als Ursache für den Barock die „Ermüdung des Formgefühls" bezeichnet, das abgestumpft geworden war und neue Anregung, neue Reizmittel brauchte,[21] womit wieder schon Gesagtes
unnötig wiederholt wird; denn damit beschreibt man ganz einfach
den Zustand jener Trockenheit und künstlerischen Leere, der dem
Wesen des Barock wie jeder andern falschen Kunst innewohnt.
Übergehen wir alle andern Ursachen, die angeführt wurden und
unter denen sich sogar jene Krankheit befindet, der Fracastoro
den Namen gab, indem er sie in seinem Gedicht besang, und welche,
im 16. Jahrhundert in ganz Europa verbreitet, schließlich eine geistige, seelische Schwächung hervorgerufen haben soll, die sich dann
(wer weiß: warum?) gerade im Barockismus geäußert hätte. Mit

[20] Weisbach will in seinem vor kurzem erschienenen Buche Der Barock
als Kunst der Gegenreformation (Berlin, Cassirer, 1921) beweisen, daß
sich in der Kunst der Barockzeit die Ideen der Gegenreformation und der
Jesuiten (was etwas anderes ist) mehr oder weniger reichlich wiederfinden
lassen. In der Vorrede erinnert er selbst an das Resultat der von Braun
gemachten Forschungen über die Jesuitenkirchen von Belgien, Spanien
und Deutschland: daß nämlich nie ein eigentlicher Jesuitenstil existiert
hat. Etwas anderes ist auch die These Wölfflins (op. cit., pp. 61—73), der
beweisen will, daß in der Barockkunst der Ernst und die Schwerfällig-
keiten wiederzufinden seien, wie sie für die Lebenshaltung der Gesellschaft jener Zeit als Ideal gegolten habe.

[21] Es ist die These von Göller. Man vergleiche Wölfflin, op. cit. p. 61.

diesen kritischen Hinweisen will nur gesagt werden, daß die Leute, die nach der Ursache fragen, bisher noch nicht befriedigt wurden; und was mich anbetrifft, so will ich nicht einmal versuchen, sie zu befriedigen; auf die Frage, weshalb sich denn zwischen dem Ende des 16. und dem Ende des 17. Jahrhunderts Europa so ausgedehnt am guten Geschmacke versündigte und soviel Barock produzierte, würde ich gerne, gemäß der Freiheit des menschlichen Geistes, antworten, daß Europa so handelte, weil es so handeln wollte, daß es das, was es machte, eben deshalb machte, weil es ihm so gefiel.

Ganz anders ist die Frage, von welchem Zentrum der Barock sich ausbreitete, von welchem Volk die Mode ausging. Diese Frage ist vernünftig, sofern sie sich von den ethnologischen Phantastereien über die unveränderlichen Eigenschaften der einzelnen Völker und Rassen und von der naiven Auffassung vom Vorhandensein verführerischer und anderer, unschuldiger und verführter Völker fernhält. Der Barockismus war in der genannten Zeit eine Kundgebung des europäischen Geistes; in gewissem Sinne gehörte er ganz Europa an, was nicht die Möglichkeit nimmt, daß eines oder mehrere Völker beim Anfang und bei der Entwicklung jener Kundgebung die erste und führende Stellung innehatten. Über diesen Punkt stritten im 18. Jahrhundert die italienischen Gelehrten, um die empfindliche Ehre des Vaterlandes zu schützen, gegen die Spanier, die vom gleichen Gefühl bewegt wurden; und gegenseitig werfen sie sich vor, mit dem schlechten Geschmack begonnen zu haben. Und weil damals Gelehrte anderer Länder sich in die Diskussion einmischten, erinnerten die Italiener die Franzosen an Du Bartas und die Engländer an Lyly; und diese Art Nationalismus oder richtiger: schlecht verstandene Vaterlandsliebe hat bis in unsere Tage hinein noch nicht ganz aufgehört. In Wirklichkeit hätten die gelehrten Polemiker gerade aus nationalem Eifer die entgegengesetzte These annehmen können, nämlich: Aus welchem Lande konnte dem übrigen Europa die Mode des Barock zukommen? Welches Land konnte das Beispiel geben? Welches Land konnte die Mode durchsetzen? Natürlich: Das Land der höchsten Kultur und Zivilisation. Wie Europa von diesem Lande die Maschinenarbeit, die Industrie, den Handel, wirtschaftliche Anordnungen, geographische Entdeckungen und technische Erfindungen übernahm, so übernahm es auch die

Künste und Wissenschaften, Literatur und Poesie, Unterhaltungs-
formen, Feste und die Etikette. Und dieses Land war, im sechzehn-
ten und zum großen Teil auch im folgenden Jahrhundert, Italien;
und in einigen Erscheinungen der Sitte und Kultur stand neben
Italien Spanien; Spanien war es, das dank seiner politischen Kraft
auch die Kraft erlangte, durchzudringen. So würden also die spanischen Gegner der italienischen Polemiker vernünftiger gehandelt
haben, wenn sie sich mit diesen versöhnt und verbrüdert hätten.
Aber, ob der Barock uns nun Ehre verschafft oder uns beschämt, in
seinem Wesen war er eine italienische Ausdrucksweise; als italienisch wurde der Barock in der Literatur von den ersten, die sich
dagegen erhoben, von den rationalistischen französischen Kritikern
angeklagt; und als italienisch wurde er stillschweigend von allen
Liebhabern und Auftraggebern künstlerischer Arbeiten anerkannt,
die bis ans Ende des 17. Jahrhunderts, ja sogar fast bis ans Ende
des 18. Jahrhunderts Italien als dasjenige Land betrachteten, das
die meisten Hofmaler, -bildhauer und -dichter lieferte.

Da der Barockismus sowohl in der Erstellung eines einzelnen
Werkes und noch mehr in seiner gesamten Produktionsströmung,
die man Schule oder Mode nennt (was schon an und für sich eine
praktische Tat ist), weder einen künstlerischen noch poetischen,
sondern einen praktischen Charakter hat, so kann ihn der Litera-
tur- und Kunsthistoriker nicht positiv, sondern nur negativ werten, d. h. als eine Verneinung oder Grenze dessen, was eigentlich
Kunst und Poesie ist. Man spreche nur ruhig vom „Barock-Zeit-
alter" und von „Barock-Kunst"; aber dabei darf man nie aus dem
Bewußtsein verlieren, daß, wenn man sich an den strengen Wort-
laut hält, Kunst niemals barock und das Barocke niemals Kunst ist.
Mir scheint, daß neuerliche Versuche, der sogenannten Barockkunst
durch spezielle Ausstellungen Wert und hervorragende Bedeutung
zu verleihen, im Gegenteil das besagte Bewußtsein wieder wach-
riefen und bestätigten, indem sie die Trugbilder von der Größe
und der Solidität einer solchen Art von Werken verstreuten. Aus
der Barockzeit wird also der Literatur- und Kunsthistoriker die
reine (und nicht Barock-)Kunst und Dichtung hervorsuchen und er
wird sie erkennen können, wenn sie auch an der Oberfläche und in
einzelnen Zügen Zeichen der herrschenden Mode aufweisen. Darin

besteht der Unterschied zwischen den Werken der italienischen
Dichtung nach Tasso und bis Alfieri, in der der Barockismus durchweg üblich, das Übel bis ins Mark gedrungen, jede ernsthafte,
tiefe Inspiration abhanden gekommen ist, und in der nur noch ein
gewisser sinnlicher Impressionismus und ein Spielen, Scherzen, Iro-
nisieren lebendig geblieben sind, und der englischen und französischen Dichtung, in der der Barock mehr oder weniger äußerlich,
episodenhaft auftritt, und sogar der spanischen Dichtung, die am
Anfang des 17. Jahrhunderts immerhin noch eine gewisse frische
Ader durchfließt, welche die Blüten der Rhetorik wohl überdecken,
aber nicht ersticken. Bei aller Beständigkeit jenes Geistes geschah in
der Poesie doch das, was Voltaire von der lächerlichen Beredsamkeit des Kardinals Richelieu sagte, von seinem « faux goût » im
Ausdruck, welcher immerhin « n'ôtait rien au génie du ministre ».[22]
Nur in Deutschland (— das von der Anstrengung, die Reformation,
den Beginn der Auflösung des katholischen und kirchlichen Denkens, hervorgebracht zu haben, erschöpfter schien als Italien, das
der Welt die Grundzüge der modernen Zivilisation und die Renaissance gegeben hatte —) war die Dichtung noch kraftloser als in
Italien und zudem viel unerfahrener, ungehobelter. Ebenso wird
der Historiker in der Malerei und in den andern Künsten, im Laufe
jener anderthalb Jahrhunderte, inmitten der zahlreichen Verfer-
tiger leichter, ausschweifender, überreicher, schwindelerregender
Werke jene Persönlichkeiten, Seelen, oder wenigstens die Ansätze
von Persönlichkeiten oder künstlerischen Seelen hervorsuchen, die
den wahren Gegenstand seiner Betrachtung bilden; freilich wird er
nur wenige, und nur wenig tief eindringende finden.

Andrerseits wäre es ungerecht, in der von Italien aus verbreiteten Barockmode nur den schlechten Geschmack zu bemerken und
nicht auch jene stilistische Schulung, jenen rhetorischen *cursus*, jenes
Eindringen in die Geheimnisse der Kunst, jene Verfeinerung, die
damals ein großer Teil Europas brauchte, um aus gewissen, noch
mittelalterlichen Gewohnheiten herauszukommen und um die Poesie, die Prosa, die moderne Kunst in allen ihren Formen weiterzu-
bringen; kurz, jene literarische Erziehung, die Italien in reichem

---

[22] Essai sur les mœurs, Kap. CLXXVII.

Maße Frankreich und England, Spanien und Deutschland durch seine Sprachlehrer, seine Hofpoeten, seine Maler, Architekten und Kapellmeister, durch seine Sänger und Schauspieler verschaffte. Es war sozusagen die letzte Wohltat, die Italien der europäischen Kultur in jenen Jahrhunderten erwies, die man als die Zeit zu betrachten pflegt, in der Italien verfiel oder schon verfallen war; eine Wohltat, deren Geschichte noch nicht, wie sie es verdiente, untersucht worden ist oder die, was noch schlimmer ist, unter ein falsches Licht gerückt oder mit einer Art Verachtung behandelt wurde, die durchaus nicht am Platze ist. Die Fremden, die jene Wohltat vergaßen, betrachteten die Italiener als „Sonettfabrikanten", Abenteurer, Marktschreier und Possenreißer; und die eigenen Landsleute glaubten, sich ihrer schämen zu müssen, weil sie nicht, wie es die neuen Zeiten erforderten, Helden des Vaterlandes waren.

Als eine Wohltat betrachte ich in anderm Sinne den begeisterten Kultus, dessen sich der Barockismus in jener Zeit, in der er den Namen annahm, in ganz Europa, und in Italien mehr als anderswo, erfreute. Wie es im Leben des Einzelnen Irrtümer und Verfehlungen gibt, die, sobald sie zur Tat werden, den Geist von sich selbst wahrhaft befreien und deshalb denkwürdig und Warner bleiben, so auch im Leben der Völker und der ganzen Menschheit. Wenn die späteren Generationen, wenn wir noch heute jene aufgebauschten Formen, jene erfindungsreichen Vermischungen, die eine Verblüffung wachrufen sollten, die übermäßigen Metaphern und Antithesen, die Spitzfindigkeiten und ähnliches als unerträglich und widrig empfinden; wenn wir imstande sind, die Dinge, die da sind „Secentismo", „Barockismus", „Grillenhaftigkeit" usw. zu erkennen, als solche zu erklären und lächerlich zu finden, wem verdanken wir diese Klarheit im Urteil und die Sicherheit in unsern Vorsätzen außer gerade jener Zeit, welche alle Sünden, die man auf diesem Gebiete begehen konnte, auf sich nahm und sie alle sühnte? Auch die Zeit des Barocks, soweit sie barock war, hat also nicht umsonst bestanden.

Festschrift, Max H. Jellinek zum 29. Mai 1928 dargebracht. Wien, Leipzig: Österreichischer Bundesverlag für Unterricht, Wissenschaft und Kunst 1928, S. 167—190.

BAROCKSTIL BEI KLOPSTOCK

Von Oskar Walzel

Lieber Freund!

Deine ›Bemerkungen über Klopstocks Dichtersprache‹ [1] erwähnen, daß ich vor etwas mehr als zehn Jahren versucht habe, wichtige Eigenheiten von Klopstocks Kunststil im Sinne von Wölfflins kunstgeschichtlichen Grundbegriffen zu deuten und in ihnen Merkmale des Barocks festzustellen. Daß Klopstock barocke Züge weist, haben seitdem manche näher dargelegt. Ich nenne besonders Ferdinand Josef Schneider. Seine ›Deutsche Dichtung vom Ausgang des Barocks bis zum Beginn des Klassizismus‹ (Stuttgart 1924, S. 131 ff.) nennt eine ganze Reihe von künstlerischen Tatsachen aus Klopstocks Dichtung, die mit der Barockkunst des 17. Jahrhunderts beträchtliche Verwandtschaft haben. Wesentliches aus dem Gebiet der Malerei des Barocks findet Schneider wieder in Bildern, die in Klopstocks Messias sich entfalten. Adams Gesicht vom Weltgericht (Gottvater thront mit dem Sohne und den vierundzwanzig Gerechten auf Hügeln über Donnerwolken in einem strahlenden Lichte, das sich auch noch über die dem Throne zunächst stehenden Kreise von Heiligen, harfenden und Posaune blasenden Engeln ergießt) wird von Schneider mit Recht mit den Gloriendarstellungen der Barockzeit zusammengehalten. Allein wenn Schneider und andere gleich mir diesen Zusammenhang Klopstocks mit dem Barock immer wieder behaupten, so kehren sich manche ebenso energisch gegen solche Verknüpfung. So spottet einer über die „allgemeinen Redensarten", nach denen Klopstocks ›Messias‹ das größte dichterische Gesamtkunstwerk des deutschen Barocks sein solle. Er möchte den Gegensatz zwischen Klopstock und der Barockdichtung Deutschlands gegen unsere Annahme ausspielen. Einer der Beweis-

---

[1] Vom Geist neuer Literaturforschung, Wildpark-Potsdam, o. J., S. 47.

gründe ist ihm, daß Klopstock nicht mit dem Atem seiner Generation wie etwa eine Orgelpfeife spreche, sondern mit dem Atem nur seiner Seele, u. zw. seiner ganzen Seele. Die Barocklyrik hingegen gebe gerade das Gefühl, die Persönlichkeit nicht ganz. Soll hier entschieden werden, wieweit schon die Barocklyrik etwas ausgesprochen Persönliches hat? Das ist ja seit langem erkannt, daß die geistliche Dichtung des 17. Jahrhunderts viel persönlicher ist als die des Reformationszeitalters. Luther läßt noch das „Wir" im geistlichen Lied sich äußern. Die Paul Gerhardt, Spee, Angelus Silesius lassen ihr „Ich" seine Gefühle vortragen. Auch der Gelehrte, dessen Einwände gegen meine Annahme ich im Auge habe, weiß sehr wohl, daß schon seit der Reformation eine zunehmende Individualisierung sich durchsetzt. Es kann sich mithin nur um Gradunterschiede handeln. Auch er meint wohl lediglich, daß Klopstock bloß noch persönlicher ist und noch persönlicher sich äußert als deutsche Dichter der Barockzeit. Doch auch Klopstock wird auf seinem Entwicklungswege von andern überholt. So stark und unbedingt er sein Ich in den Vordergrund schiebt, Goethe geht noch weiter; ihn übertrifft wieder Heine. Ich glaube übrigens, daß es uns heute nicht leicht wird, diese Abstufung so genau zu fühlen, wie sie von den Zeitgenossen empfunden wurde. War ihnen Klopstocks Persönlichkeitsgefühl etwas überwältigend Neues, wir haben Zeugnisse, daß nach ihm Goethe und Heine wie unerhörte Kundgeber ihres Ichs empfunden worden sind. Seitdem ist solcher Subjektivismus noch derart gesteigert worden, daß ich mich nicht wundern würde, wenn heute jemand das Subjektive sogar von Heine noch als recht eingeschränkt empfände.

Vielleicht übersehe ich feinere Unterschiede, wenn ich behaupte, daß etwa Paul Fleming schon Wesentliches und Entscheidendes von Klopstocks stolzem Persönlichkeitsgefühl vorwegnimmt. Erinnert sei an die Grabschrift, die er sich selbst gemacht hat:

Ich war an Kunst und Gut und Stande groß und reich,
des Glückes lieber Sohn, von Eltern guter Ehren,
frei, meine, kunte mich aus meinen Mitteln nähren,
von Reisen hochgepreist, für keiner Mühe bleich,
mein Schall floh über weit, kein Landsman sang mir gleich,
jung, wachsam, unbesorgt. Man wird mich nennen hören,

bis daß die letzte Glut diß Alles wird verstören.
Diß, deutsche Klarien, diß Ganze dank' ich euch.

Verzeiht mir, bin ichs wert, Gott, Vater, Liebste, Freunde,
ich,sag' euch gute Nacht und trete willig ab.
Sonst Alles ist getan bis an das schwarze Grab.

Was frei dem Tode steht, das tu er seinem Feinde.
Was bin ich viel besorgt, den Othem aufzugeben?
An mir ist minder Nichts, das lebet, als mein Leben.

Gern sei zugegeben, daß Klopstock für solche Stimmungen noch
andere Ausdrucksmöglichkeiten hat, daß er für das Große und
Überragende seiner eigenen Persönlichkeit noch andere Voraussetzungen auszuführen vermag. Allein unbedingter als Fleming hat
auch er nicht den Wert seiner Persönlichkeit und seines Schaffens
ausgesprochen.

Bliebe trotzdem an dieser Stelle noch ein Unterschied zwischen
Klopstock und der Barockdichtung des 17. Jahrhunderts bestehen,
er käme wohl kaum als Grund gegen die Annahme einer Stil-
verwandtschaft in Betracht. Das ist ja nicht zu leugnen, für das
Gefühl bleibt noch viel Gegensatz. Vollends besteht ein Gegensatz
in der Stellung zur Welt. Allein kommt all das in Betracht neben
der Beobachtung, daß wesentliche Züge des Stils den beiden Parteien gemeinsam sind? Und nur solche Stilübereinstimmung haben
die im Sinn, die von der Verwandtschaft Klopstocks mit dem Barock sprechen. Mir war ja die Kategorienlehre Wölfflins Ausgangspunkt gewesen. Wölfflin versucht mit gutem Recht ausschließlich
Stileigenheiten zu berücksichtigen. Er nimmt dabei an, daß der
Gegensatz des Renaissancestils und des Barockstils nicht bloß am
16. und am 17. Jahrhundert sich beobachten läßt, er ist vielmehr
überzeugt, daß es sich um einen grundlegenden, immer wiederkehrenden, überzeitlichen Unterschied handle. Er selbst deutet
mehrfach an, daß die beiden Pole künstlerischen Gestaltens, die er
bestimmt, auch außerhalb des 16. und 17. Jahrhunderts notwendigerweise immer wieder sich feststellen lassen.

Wer nach solchen Voraussetzungen von dem Barockhaften der
Kunst Klopstocks spricht, denkt dabei zunächst an das Wuchtige,
Gedrängte, Jähe, nicht bloß an das Gelockerte und Unebenmäßige,

nur relativ Klare in Klopstocks Dichten. Er schränkt damit Wölfflins Barockbegriff schon einigermaßen ein; denn für Wölfflin ist,
gerade weil er seinen Barockbegriff überzeitlich gestalten möchte,
nicht bloß die Kunst des 17. Jahrhunderts, auch der neuere Impressionismus seinen Barockkategorien unterworfen. Daran aber
kann kein Zweifel sein, daß der Impressionismus weit eher etwas
Beruhigtes und Gedämpftes in sich trägt, als ein Bedürfnis nach
überspannter Wucht.

Längst habe ich mich über diese Dinge ausgesprochen und festgestellt, daß doch wohl Wilhelm Worringers Gegenüberstellung von
Klassik und Gotik hier sich vordrängt. Zwischen Worringers Klassik und dem Renaissancebegriff Wölfflins bestehen leichtgreifbare
Zusammenhänge. Worringer selbst findet in dem Barock des
17. Jahrhunderts Wesentliches aus seiner „Gotik" wieder. Dennoch
wäre es falsch, alles, was von Wölfflin dem Barock zugewiesen
wird, in Worringers Kategorie „Gotik" einzuordnen. Der Impressionismus widerstrebt solchem Vorgehen. Worringer selbst hat den
Expressionismus zu „Gotik" gestempelt. Eine junge Vergangenheit
empfand das, was er über Gotik gesagt hat, wie ein erlösendes
Wort; der Expressionismus fühlte sich von Worringer im Wesen
erkannt. Wenn aber Impressionismus wie Expressionismus trotz
ihren gewaltigen Unterschieden beide in Wölfflins Kategorie des
Barocks Unterkunft finden, so ergibt sich nur das eine, daß dieser
Barockbegriff Wölfflins seinerseits zwei weit voneinanderliegende
Pole umfaßt, daß, wenn Mißverständnisse ausgeschaltet sein sollen,
hier abermals eine schärfere Scheidung notwendig ist. Auf der einen
Seite eine Kunst, die im Gegensatz zum Additiven der Renaissance
multipliziert und potenziert, sich nicht im Endlichen bescheidet,
sondern nach dem Unendlichen langt. Auf der andern Seite eine
Kunst, die, mit Wölfflin zu reden, atektonisch ist, die scharfen Umrisse meidet, nicht auf Vielheit, sondern auf Einheit ausgeht, nicht
die Fläche, sondern die Tiefe darstellt, aber wuchtige Gebärde
ebenso ausschaltet wie den Zug ins Unendliche.

Fritz Strich möchte schlechthin die beiden Kategorienreihen
Wölfflins auf den Gegensatz „Vollendung" und „Unendlichkeit"
zurückführen. In diesem Gegensatz findet die beruhigte Kunst des
Impressionismus kein Unterkommen. Strich verrät damit, daß er

tatsächlich nicht Wölfflins Antithese, sondern die Worringers im Sinne hat. Wer sich einmal bewußt geworden ist, daß Wölfflins Barockbegriff einen weiteren Umfang hat als Worringers Begriff der Gotik, kann sich durch Strichs Annahme nur beengt fühlen.

Strich möchte vollends die deutsche Klassik im Sinne der Renaissancekategorien sehen, die deutsche Romantik dem Barocktypus oder vielmehr dem Typus des Gotischen zuweisen. Allein auch der deutsche Hochklassizismus Goethes und Schillers ist nur innerhalb eines engen Umkreises von Werken ausgesprochener Vertreter von Wölfflins Renaissance- oder von Worringers Klassiktypus. Die deutsche Romantik ist ebenso nicht bloß gotisch. Allerdings ist Goethe, ist die deutsche Romantik auch nicht schlechthin impressionistisch, mögen auch da und dort gewisse impressionistische Eigenheiten bei Goethe und bei den deutschen Romantikern anzutreffen sein. Ich wiederhole oft von mir Gesagtes, wenn ich behaupte, daß Goethe und die deutsche Romantik in der Mehrzahl ihrer Schöpfungen Innerliches unmittelbar in Ausdruck umsetzen. Im Gegensatz zu der Klassik und der Renaissance, die den Gedanken- und Gefühlsgehalt in eine ein für allemal bestehende, überindividuelle Form einordnen, möchten Goethe und die deutschen Romantiker mit Plotin das Gesetz der künstlerischen Gestaltung ausschließlich von dem Gehalt bestimmt sehen. Impressionistisch ist das nicht gedacht. Denn Impressionismus hält sich an die äußere Schale der Welt, möchte die Welt nur mit den Sinnen erfassen. Plotin, Goethe und die Romantiker stehen — mit Wilhelm Dilthey zu reden — auf dem Standpunkt des objektiven Idealismus und erblicken in der Erscheinungswelt etwas göttlich Durchgeistigtes. Der Impressionismus hingegen entspricht dem materialistisch-positivistischen Typus Diltheys.

Abermals tut sich eine neue Scheidung auf. Im Rahmen einer Kunst, die den Gegensatz zu klassisch-renaissancemäßiger Darstellungsweise bedeutet, stellt sich neben die Wucht und den Unendlichkeitsdrang der Gotik und neben den Impressionismus noch eine dritte Möglichkeit: ein künstlerisches Schaffen, das plotinisch sich auf das Göttlich-Geistige stützt, wie es sich in der Welt auswirkt, aus ihm organisch das Kunstwerk sich entwickeln läßt.

Man hat eingewendet, durch solche Scheidungen zwischen Im-

pressionismus und goethisch-romantischer Kunst verfalle Stillehre
einer «metabasis es allo genos». Ich kann diesen Einwand nicht
anerkennen. Es handelt sich immer noch um Gegensätze im Sehen,
nicht nur in der Weltanschauung. Sieht der Gotiker die Welt anders
als der Klassiker, so sieht die Welt auch anders, wer sich nur an die
Sinneseindrücke hält, anders, wer in der Sinnenwelt die Auswirkung eines göttlich-geistigen Innern zu erkennen meint. Wenn
Johannes Schlaf den Frühling impressionistisch in Worte umsetzt,
rückt er weit ab von plotinischer Schau des Göttlichen, wie sie in
Goethes ›Ganymed‹ waltet.

Mit gutem Recht bemerkte vor kurzem Günther Müller,[2] daß
Entscheidendes von den Kunstgebräuchen des Impressionismus
schon weit früher sich beobachten läßt. Der Nominalismus der
Scholastik nimmt, wenn auch in beschränktem Sinne, etwas der
Impressionslehre Humes vorweg. Wilhelm von Occam gilt ja als
„Hume des Mittelalters". Baut Hume nur auf den Eindrücken Wissenschaft auf, kämpft der Impressionismus gegen Begrifflichkeit und
will auch er nur dem Eindruck entscheidenden Erkenntniswert zubilligen, so wehrt sich der Nominalismus Occams gegen die Annahme, daß universale Begriffe vor den Dingen da seien. Mit leichter Abwandlung darf dem Impressionismus zugesprochen werden,
daß er den Standpunkt „universalia post res" oder „in rebus" vertritt und ganz wie der Nominalismus des Mittelalters „universalia
ante res" nicht anerkennen will. Günther Müller beobachtet mit
Erfolg solche nominalistische Richtung an der Dichtkunst des ausgehenden Mittelalters und der beginnenden Neuzeit. Es ist notwendig, diesen Begriff des künstlerischen Nominalismus dem uns
geläufigen, auch von Wölfflin verwerteten Begriff des Impressionismus an- und einzugliedern, wenn anders taugliche Kategorien zur
Bestimmung des Wesens von Kunstwerken für alle Zeiten gewonnen werden sollen.

Ich fasse zusammen: Wölfflins weitschichtiger Barockbegriff zerfällt in zwei große Gruppen. Die eine umfaßt das Jähe und Wuchtige, das Überspannte; sie wird von einem Zug nach Unendlichkeit

[2] Handbuch der Literaturwissenschaft, Deutsche Dichtung von der
Renaissance bis zum Ausgang des Barock, S. 62.

getragen. Die zweite ist beruhigter, sie scheidet sich abermals in zwei Gegensätze: Erfassung der Sinnenwelt als etwas Göttlich-Durchgeistigten (Plotin, Goethe, deutsche Romantik) einerseits, anderseits nominalistische und impressionistische Wiedergabe der Sinnenwelt.

Der wuchtige Typus läßt sich abermals in zwei Unterbegriffe aufteilen. Auf der einen Seite wortsparende Knappheit, auf der andern Seite bauschige Breite, Überfülle an Worten. Eduard Norden spricht von dem Barock des Tacitus. Er denkt dabei natürlich nur an das Wortkarge der „breviloquentia" des Tacitus. Den deutschen Dichtern des 17. Jahrhunderts liegt es im allgemeinen näher, den Leser mit breithinströmenden Worten zu überfluten. Allein Dir brauche ich es nicht zu sagen, wie auch das 17. Jahrhundert in Deutschland das feierlich Lakonische und Monumentale erstrebte, die „Kurzbündigkeit" des Tacitus sich zum Gesetz machte. Herbert Cysarz [3] sagt Wertvolles über diese bewußte Neigung der deutschen Barockzeit.

Notgedrungen mußte ich hier manches wiederholen, was ich an anderer Stelle schon vielfach dargelegt habe. Allein es ist mir vielleicht geglückt, dies und jenes noch genauer zu fassen. Vor allem aber glaube ich, die fünf Typen, die sich ergeben haben, nicht nur schärfer umgrenzt, auch ihren übergeschichtlichen Wert gekennzeichnet zu haben. Solange diese Typen nur dazu dienen, einen Zeitstil zu bezeichnen, wecken sie die Einwände, die einer Synthese gern und mitunter nicht mit Unrecht entgegengestellt werden. Keine Zeit ist in ihrem künstlerischen Schaffen völlig nur dem einen oder dem andern Typus zugewandt. Hier liegt auch die Gefahr, der sich Wölfflin ausgesetzt hat. Er möchte an den Werken des 16. Jahrhunderts zeigen, wieweit sie seinen Renaissancekategorien entsprechen, an den Werken des 17. Jahrhunderts, wieweit sie im Sinne seiner Kategorien barock sind. Sein Material ist nicht so einseitig und voreingenommen ausgewählt, daß er nur schlagende Belege brächte. Viel häufiger erscheinen Grenzfälle, in denen sich Züge der Renaissance mit Zügen des Barocks verknüpfen. Mit großem Feinsinn möchte er da nachweisen, wieweit die entscheidende Stelle in

[3] Deutsche Barockdichtung, Leipzig 1924, S. 92 ff.

den Merkmalen eines Kunstwerkes dem Renaissancemäßigen oder dem Barockhaften zugehört. Hier kann Kritik einsetzen und hat es getan. Wo Wölfflin etwa trotz allen Merkmalen der Renaissance in etwas Barockhaftem die wesenhafte Gestaltungsweise eines Kunstwerks erkennen will, erblickt ein andrer nur Züge der Renaissancekunst, die ein wenig und nicht in überwiegendem Maße ins Barockhafte hinüberstilisiert sind. Solchen Einwänden entzieht man sich am besten, wenn man von vornherein nicht auf einen Zeitstil losgeht, sondern zeigt, welche Kategorien sich, mögen sie auch der Gesamtrichtung der Zeit widersprechen, in einem Kunstwerk oder einem Künstler zusammenfinden. Der Unterschied ist nicht beträchtlich. Gerade Wölfflin erörtert ja diese Grenzfälle in so vorzüglicher Weise, daß sich die Mischung der Kategorienreihen im einzelnen Werk immer unverkennbar kennzeichnet. Nur das eine kann störend wirken, daß er etwas wie eine letzte Wertung vornimmt und erweisen möchte, wieweit in solcher Mischung die Kategorie, die dem Zeitalter entspricht, die Führung hat.

Sobald erkannt ist, daß die Kategorienreihen nicht unbedingt an eine bestimmte Zeit gebunden sind, enthüllt sich, was mir persönlich der eigentliche Gewinn solchen Arbeitens mit Stilkategorien bedeutet. Sind sie überzeitlich, so kann man sie auf Kunstwerke verschiedenster Zeiten anwenden. Nicht Synthese, sondern Analyse wird dann mit ihnen erreicht. Sie bezeichnen entscheidende Züge, sie lehren diese Züge an Kunstwerken beobachten, sie lehren „sehen". Was sich nur dem Gefühl erschlossen hat, gewinnt begriffliche Bestimmtheit. Eindeutige Ausdrücke für immer wiederkehrende Abschattungen des Kunstgestaltens sind dann in ihnen gegeben. Es ist nicht weiter nötig, von Fall zu Fall Bezeichnungen zu suchen, die das Wesentliche eines Kunstwerkes umschreiben, nicht nötig, impressionistisch durch eine Fülle von mehr oder minder treffenden, im Augenblick gefundenen Worten dies Wesentliche auszusprechen.

Angesichts solcher Einengung im Benutzen der Kategorien ist es vielleicht schon zu gewagt, den ersten meiner fünf Typen als einen nichtdeutschen den vier andern gegenüberzustellen. Der zweite, dritte, vierte und fünfte Typus, das Knapp- und das Weitwuchtige, das Goethische und das Impressionistische, neigen zu einer Lockerung der künstlerischen Gestalt, die deutschem Wesen entspricht. Soll ich wiederholen, was ich im Anschluß an viele andere oft gesagt habe über deutsche Abneigung gegen überindividuelle Form? Wenn deutsche Künstler dem ersten Typus, dem Typus des Klassisch-Renaissancehaften, huldigen, so gehen sie immer wieder mehr oder minder bewußt von heimischer Artung weiter zu dem Versuch, ihr Werk der Antike oder dem Romanischen anzupassen. Darum sei noch lange nicht geleugnet, daß auch die Antike und das Romanische den andern vier Typen gelegentlich zuneigen können. Das ist selbstverständlich und war auch oben vorausgesetzt, als z. B. Tacitus für knappe Barockweise in Anspruch genommen wurde.

Hier ist mir indes nur das eine wichtig: Ich glaube, eindringlicher als sonst dargetan zu haben, daß die Typen, die hier in Frage stehen, ohne jede Einschränkung auf verschiedenste Zeiten angewandt werden können. Das ist Voraussetzung aller, die sich im Sinne Wölfflins mit diesen Typen beschäftigen. Er selbst hat es nie anders gemeint.

Wird Klopstock mithin von andern und von mir als Barockkünstler gefaßt, so soll ihn das gewiß nicht auf die Stufe der deutschen Dichtung des 17. Jahrhunderts zurückschieben. Es soll nur sagen, daß wesentliche Merkmale seines Stils sich mit den Barockkategorien Wölfflins bezeichnen lassen. Er neigt zu offener Form, die Umrisse seiner Schöpfungen verschwimmen, er ist nur relativ klar, seine Kunst ist nicht flächenhaft, sie schreitet in der Darstellung nicht gleichmäßig von einem Gegenstand zum andern fort, sondern legt an eine Stelle einen starken Akzent, während andere Stellen zurücktreten müssen. Natürlich gilt auch für Klopstock alles, was Worringer mit dem Begriff „Gotik" umfaßt, das Multiplizieren und Potenzieren, der Zug zur Unendlichkeit, das Drängen nach einem Letzten und Höchsten, die übersteigerte Dynamik. Klopstock ist dabei sowenig wie irgendein anderer Künstler mit einem einzigen Stilbegriff allein auszuschöpfen. Er hat Augenblicke des Leisen und Gedämpften. Allein sein Wesen neigt mehr zu Barockhaftem und innerhalb dieses Umkreises ist er (das weiß jeder, der ihn nur von fern kennt) dem Knappen ebenso geneigt wie dem Breiten.

Daß Klopstocks Wortmassen in gewaltiger Fülle hinströmen, ist bekannt. Wie sehr er daneben zum Wortsparer werden kann, zeigt etwa die Ode ›Wir und Sie‹ vom Jahre 1766. Nur der Anfang sei wiedergegeben:

> Was tat dir, Tor, dein Vaterland?
> Dein spott' ich, glüht dein Herz dir nicht
> Bei seines Namens Schall!
>
> Sie sind sehr reich! und sind sehr stolz!
> Wir sind nicht reich! und sind nicht stolz!
> Das hebt uns über Sie!
>
> Wir sind gerecht! das sind Sie nicht!
> Hoch stehn Sie! träumen's höher noch!
> Wir ehren fremd Verdienst!

Etwa ein Vierteljahrhundert später dichtete Klopstock das Gegenstück ›Sie und nicht wir‹. Diesmal erlegen sich Distichen keine Wortsparsamkeit auf. Der Stilgegensatz ist unverkennbar. Die Wucht des Lakonismus der Ode ›Wir und Sie‹ rückt Klopstock neben Tacitus.

Dynamische Wucht herrscht da wie dort, nur selten weicht sie einer schlichteren Wortkunst. Klopstock donnert nicht immer, er kann auch lispeln und säuseln. Lieber aber nutzt er den Gegensatz des Lispelns und Säuselns zum Donner, um durch starke Antithese die Wucht seiner Worte zu steigern. All das ist angedeutet in meiner Darstellung der ›Deutschen Dichtung von Gottsched bis zur Gegenwart‹.[4] Das Dynamische von Klopstocks Wortausdruck belege ich an gleicher Stelle[5] in aller Kürze. Überzeugt wie ich bin, daß an Werken der Dichtkunst die Art der Wortgebung vor anderm das Wesen des Stils ausmacht, erblicke ich in Klopstocks Wortwahl den stärksten Beweis für das Barockhafte seines Schaffens, für sein Multiplizieren und Potenzieren, für sein rastloses Drängen nach einem Letzten und Höchsten.

Die sogenannte Barockdichtung des 17. Jahrhunderts verrät Verwandtes. Ohne Zweifel walten zwischen ihr und Klopstock auch

---

[4] Im Handbuch der Literaturwissenschaft, Wildpark-Potsdam, o. J., 1, 45 ff.

[5] S. 50 ff.

beträchtliche Gegensätze. Um gleich Allerwichtigstes zu nennen, so fällt bei Klopstock ein fast durchgehendes und oft beobachtetes Merkmal der Barockdichtung des 17. Jahrhunderts fort: die übersteigerte und zugleich mechanisch gewordene Bildlichkeit. Klopstock entbehrt auch all das ausgetüftelt-preziös Witzige, das den Dichtern des 17. Jahrhunderts eignet und Dir, lieber Freund, so wohlbekannt ist. Trotz allem, was in neuerer Zeit zugunsten der Barockdichtung des 17. Jahrhunderts gesagt wird, können wir angesichts dieser ihrer Lieblingsneigungen nur lächeln. Klopstocks Kunst mag manchem wenig genehm sein, aber sie wirkt doch von vornherein ganz anders. Man mag aus der Ferne über diesen und jenen Vers Klopstocks spotten (das hat schon Lessing getan). Das Skurrile einer großen Anzahl von Dichtungen des 17. Jahrhunderts ist ihm völlig fremd.

Wer aber ist im Sinne Wölfflins und auch Worringers echter barockhaft, Klopstock oder sie? Ich bin kühn genug zu behaupten, daß Klopstock im echteren Sinn des Wortes Barock verwirklicht als die deutsche Dichtung des sogenannten Barockzeitalters.

Zu viele Hemmungen standen im 17. Jahrhundert einer freien barockhaften Entfaltung deutscher Dichtung im Wege. Als Opitz in die Geschicke deutschen Dichtens eingriff, wollte er auch die Deutschen der Renaissance zuleiten. Er setzte sich zum Ziel, die sogenannte Formlosigkeit deutscher Dichtung in die strengen Bande der Renaissance zu legen. Er tat das in einem Augenblick, der schon von Renaissance zu Barock weitergeschritten war. Lockerung war Zug der Zeit. Lockerung entsprach von vornherein deutschem Wesen. Allein während jetzt der rechte Augenblick gekommen gewesen wäre, deutscher Dichtung zu freier deutschester Ausprägung zu verhelfen, schrieben Opitz und die um ihn den deutschen Dichtern Gesetze vor von einer Strenge, wie sie kaum je vorher auf dem Boden deutscher Wortkunst gewaltet hatten. Ich brauche die wenigen Fälle aus dem Mittelalter nicht zu nennen, die eine Ausnahme darstellen. Immer waren diese Ausnahmen begründet in dem Wunsch, die Bräuche des Auslands zu übernehmen. Das erhärtet der Minnesang ebenso wie der ›Ackermann aus Böhmen‹, dies in seiner Art völlig vereinzelte Werk aus der Zeit um 1400. Soll ich noch Belege anführen für die Tatsache, daß auf deutschem Boden schon vor und im 16. Jahrhundert die Dichtung von dem „nominalistischen" Stil übergegangen war zu barockhafter Gestaltung? Wichtig ist anderes. Deutsche hatten in neulateinischer Dichtung längst gewonnen, was Opitz vorschwebte. Sie paßten sich der Antike nach Kräften an und taten das um so leichter, als sie die Wortgebung der römischen Antike nutzten. Doch selbst die neulateinische Dichtung des 16. Jahrhunderts, nicht bloß die deutsche, am stärksten der Dichter der ›Basia‹, Johannes Secundus, war schon zu unzweifelhaft barockem Ausdruck weitergeschritten. Cysarz [6] zeigt das in treffender Weise. So ergibt sich für deutsche Dichtung des 17. Jahrhunderts, daß sie von Anfang an zwei ganz gegensätzliche Strömungen in sich hat: Die Welt geht aus Renaissancemäßigem in Barockhaftes über, dem Deutschen ist das Barockhafte von vornherein genehmer; doch die Aufgabe, die Opitz und nicht nur er stellt, deutet auf die Strenge der Renaissance. Etwas Halbschüriges mußte notwendigerweise entstehen. Wer in der deutschen Dichtung des 17. Jahrhunderts Barockhaftes erblickt, behält ebenso recht wie ein andrer, dem sich hier vor allem Renaissancekunst weist. Strich und Cysarz beleuchten ein und dieselbe Tatsache, nur von verschiedenen Standpunkten. Günther Müller legt feinsinnig dar, wieweit durch Opitz und die Seinen zunächst Verengung und erst nachher Erweiterung und Lockerung der Stilmöglichkeiten zustande gekommen ist.

Dem Barockhaften kam das Ausland entgegen, war es doch schon zu Barock übergegangen. Opitz sprach von Wiedergeburt antiker Kunst und wies tatsächlich auf die Dichtung des Auslands hin, in der sich einst diese Wiedergeburt vollzogen hatte, die aber nun schon auf dem Wege zum Barock war. Dabei war er mächtig genug, den Deutschen einen Vers von einer Strenge vorzuschreiben, von einer überindividuellen, ein für allemal geltenden, den geistigen Gehalt schier mechanisch in eine und dieselbe Gestalt drängenden Prägung, wie sie bisher in deutscher Dichtung noch nicht bestanden hatte: den Alexandriner. Dieser Vers konnte bald der Kunst des französischen Klassizismus dienen, die dem Barock widersagte. Nur ganz selten glückt es deutschen Dichtern des 17. Jahrhunderts, dem

---

[6] A. a. O. S. 10. Vgl. auch Georg Ellinger im Reallexikon der deutschen Literaturgeschichte 2, 481 ff. (Berlin 1927).

Alexandriner das Trockne zu nehmen und dafür die bezwingende
Dynamik zu schenken, die dem Wesen des Barockhaften genehm
ist. Darum erscheinen uns selbst die Tragödien von Gryphius, verglichen mit den Schöpfungen von Shakespeare, leicht wie Kunst der
Renaissance (immer im Sinne der oben entwickelten Typen). Etwas
besser Geordnetes ist schwer zu erdenken. Anders ist es in der Lyrik. Das Sonett, die Lieblingsform der Deutschen des 17. Jahrhunderts, verharrt zunächst immer noch im Umkreis der wohlgeord-
neten überindividuellen Gestaltung. Freilich wehrt sich der Zug der
Zeit kräftig gegen die strenge Ordnung des Sonetts. In seinem wertvollen Aufsatz ›Der lyrische Stil des 17. Jahrhunderts‹ [7] weist Fritz
Strich, wie Sonette von Gryphius schon durch die Rhythmik die
geheiligte romanische Sonettform zersprengen. Noch merklicher
kommt in der Lyrik des 17. Jahrhunderts, die auf das Sonett verzichtet, das Lockernde und Auflösende des Barocks heraus. Doch
deutschem Formwillen eröffnet sich hier um so weniger eine freie
Bahn, als die Grundlage solcher Lyrik das romanische Ausland und
dessen Melodien blieben. Wirkt sich nicht im Aufbau von Gryphius'
Tragödien und nur bedingterweise im Bau seiner Sonette Barockhaftes aus, desto mehr gewinnt die Wortwahl alle Züge einer Dynamik von drängender Wucht. Gerade an dieser Stelle zeigt sich
eine überraschende Verwandtschaft mit Klopstock. Eigenheiten
seines Wortausdrucks, wie ich sie im ›Handbuch‹ skizziere, melden
sich schon bei den Dichtern des 17. Jahrhunderts an. Zielstrebige
Dynamik herrscht hier wie dort. Die Partikeln, die bei Klopstock
gern vor das Zeitwort treten, tun Gleiches schon im 17. Jahrhundert. Im Vordergrund stehen die Vorsilben *aus-, be-, ent-, er-* und
ver-.

Christoph Otto von Schönaichs ›Ganze Ästhetik in einer Nuß
oder neologisches Wörterbuch‹ von 1754 nagelt in dem Artikel
›Aus‹ einen Lieblingsbrauch derer um Klopstock fest: *Wir lernen
alle Tage je mehr und mehr, daß auch eine einzige Sylbe einen
Vers v e r e n g e l n kann. Denn wer hätte vor jenen dreyßig
Jahren geglaubt, wir würden noch Dinge a u s s c h a f f e n,*

---

[7] In den Abhandlungen zur deutschen Literaturgeschichte, München
1916, S. 23.

*a u s b i l d e n , a u s f o r m e n: da doch seit viel Jahrhunderten
genug war g e s c h a f f e n , gebildet, geformet worden?* Aus-
graben, Ausguß, Aushauch werden hier der Reihe nach verhöhnt,
dann auch Klopstocks ›Ausfluß der Leichen‹. Klopstock nutzt diese
Vorsilbe sehr stark: *ausarten, ausbellen, ausblasen, ausbreiten, ausdrücken, ausdulden, ausfliegen, ausforschen, ausgehen, ausgießen,
ausgreifen, auskrähen, ausnennen, ausprüfen, Ausruf, ausschaffen,
ausschauern, aussehen, Aussicht, aussinnen, aussöhnen, aussprechen,
ausstrecken, ausstreuen, ausweinen.*

Seltsam, daß Schönaich diesmal nicht von lohensteinischem
Schwulst spricht. Sonst tut er es doch gern; er wird dadurch zu
einem der wichtigsten Gewährsmänner für die Verwandtschaft im
Wortausdruck Klopstocks und der Dichter des deutschen Barock.
Das dynamisch Zielstrebige, das da wie dort herrscht, das Bedürfnis, Letztes und Tiefstes aus den Dingen herauszuholen, setzt sich
in den Verbindungen mit der Vorsilbe *aus* fühlbar durch. Ein paar
Belege, die im Wörterbuch der Grimm der Reihe nach leicht nach-
geprüft werden können, seien angeführt: *ausädern* bei Gryphius
und Lohenstein, *ausarbeiten* schon bei Opitz, *ausätzen* bei Dietrich
von dem Werder und bei Lohenstein, *ausbannen* bei Opitz, *aus-
beben* bei Fleming, *ausbitten* bei Opitz, *ausblasen* bei Gryphius und
Lohenstein, *ausbrummen* bei Weckherlin, *ausbücken* bei Lohenstein,
ausbüßen bei Weckherlin und bei Logau, *auserpressen* und *ausfah-
ren* bei Fleming, *ausfertigen* bei Opitz und Gryphius, *ausfinden*
bei Weckherlin, *sich ausflechten* bei Lohenstein, *ausfleischen* bei Fleming und Logau, *ausförscheln* bei Moscherosch, *ausgecken* bei
Grimmelshausen.

Ich erstrebe keine Vollständigkeit, meide nur nach Kräften Verbindungen mit *aus*, die schon aus dem 16. Jahrhundert zu belegen
sind. Daß sie bei Fischart sich schon sehr breit machen, erweist mir
nur, wie sehr Fischart den Barockausdruck des nächsten Jahrhunderts vorwegnimmt.

Gewiß birgt nicht jede Verbindung mit *aus* starke dynamische
Kraft. Wenn Abschatz sagt: *Fette Schüsseln, steten Schmauß
Schweifft zuletzt die Armutt aus,* so ist nur für *abspülen* ein Wort
gesetzt, das dem uns geläufigern *ausspülen* entspricht. Andere und
wuchtigere Dynamik waltet in Flemings Vers: *Die Tränen schwem-*

men aus die Dinte vom Papier. Gleichwohl ist bezeichnend, daß Abschatz nicht *abspülen,* sondern *ausschweifen* gebraucht.

Die Dynamik der Vorsilbe *be-* ist längst erkannt. Sie verstärkt, drückt allseitige Einwirkung, volle Bewältigung, tätig einwirkendes Nahesein aus. Sie gibt dem Verbum die Gebärde des allseitigen Umfassens. „Der einen Baum *beschneidende* Gärtner, einen Marmor *behauende* Künstler schneidet, haut nicht nur an, sondern ringsum, überall." So deutet das Wörterbuch der Grimm. In Klopstocks Sprache wirkt sich das aus. Angeführt seien nur Fälle, die dem Sprachgefühl von heute ungewöhnlich erscheinen können: *beängsten, beäugen, beblüten, beduften, beeicheln, beekeln, beflammen, beglänzen, begürten, bekrönen, bemelden, benachten, beschimmern, beschleiern, besieen, besternen, beströmen, betrümmern, bewachsen* (intr.), *bewehen, bewinden.* Daß *beseelen* bei Klopstock erscheint, braucht kaum ausdrücklich versichert zu werden.

Lohenstein bringt: *bekleiben, benelkt, bepfälen, bepurpert, besalben.* Abschatz kennt *bestänken.* Schon Fleming hat *beherzen, sich beschönend.* Köster hob in den Anmerkungen zu seiner Ausgabe von Schönaichs ›Neologischem Wörterbuch‹ (S. 416 f. zu 43, 25) diese Neigung der Dichter des 17. Jahrhunderts hervor; er setzte hinzu, daß unter den Anhängern Hagedorns und der Schweizer die Vorliebe für solche Zusammensetzungen gelegentlich überhand nehme. Klopstock nennt er gar nicht. Er übersieht daher, daß Hagedorn und seine Nachfolge weit weniger ins Gewicht fallen als die Schweizer und Klopstock, muß aber immerhin zugeben, daß Gleim, der von Hagedorn herkommt, hier sehr zurückhaltend sei. Schönaich selbst hat allerdings aus Klopstock nur wenig Belege, desto mehr aus Bodmer und Haller anzuführen. Wie mächtig sich bei Klopstock die Zahl und die Bedeutung dieser Komposita mit *be-* steigert, ist schon ihm entgangen.

Zeitwörter mit *ent-* verbunden sind bei Klopstock: *entblühen, enterden, entfleischen, entglühen, entklingen, entküssen, entnebeln, entrieseln, entrufen, entscheuchen, entschimmern, entschöpfen, sich entsenken, entstalten, entsteinen, entstürzen, enttönen, entwallen, entwälzen, entweben, entwehen, entwinken.* (Abermals ist weggelassen, was uns ganz geläufig geworden ist.) Lohenstein hat: *sich entbrechen, enthangen, enträumen, entröten, entsteinern;* Abschatz kennt *entmarkt*, Haugwitz *entschütten*. Bei Fleming erscheint *entfreien*. Diese Vorsilbe wird von Schönaich ausdrücklich in einem besonderen Artikel gegeißelt: *Endlich, meine Freunde! komme ich auf ein Syllbchen, welches recht, wie die Zauberruthe der Circe, die schlechtesten und oft nie gedachten Wörter, gleichsam auf einen Schlag, vergöttert, und verengelt.* Diesmal verweist Köster besonders auf Klopstock. Für die Vorsilbe *er-* nimmt er indes abermals nur die Schweizer und ihre Nachfolger in Anspruch. Klopstock bietet an Ungewöhnlichem: *erbeten, ergraben, erluften, erpochen, erquellen, erschweben, ersinken, ersterben, erweinen;* daneben die uns ganz geläufig gewordenen Verba: *erbitten, erdulden, ereilen, erfinden, ergießen, ergreifen, ergrimmen, erheben, erheitern, erhöhen, erkalten, erklingen, sich erlaben, erliegen, erlöschen, erlustigen, ermannen, ermüden, eröffnen, erretten, erschaffen, erstehen, ertönen, ertragen, erwachen, erweichen, erzählen, erziehen, erzittern.* Fleming dichtet: *Sophia, Schäferin an Tugend, Zier und Adel Und aller Trefflichkeit erboren ohne Tadel.* Ferner hat er transitives *erröten.* Bei Logau erscheint *erlesen;* bei Hofmannswaldau: *erfordern, erfrischen, erkiesen, erstecken* (im Sinne von „hemmen"), *ersuchen, sich erwegen* (wagen); bei Lohenstein: *erfrischen, erherben, erröten* (transitiv), *erschellen* (für „zerschellen"), *ersitzen, ersterben.*

Verbindungen mit *ver-* bei Lohenstein: *verblenden (Sonnen verbländen der Sternen ihr Licht), sich verdienen, verdringen* (für „verdrängen"), *vergällt sein, vergeringern, verschneiden, verschränken, verschützen* (für „verschließen"), *versehen* (für „ausersehen"), *vertagen, verzuckern;* bei Mühlpfort: *verschleichen, verwundern* (mit Akkusativ); bei Fleming: *verbrechen* (für „aufhören"), *verbühren* (für „verdienen"), *verdringen, verglichen* (für „versöhnt"), *verfreien, sich verneuen, verreden, versäumen, verschmähen, versehen sein, versetzen, sich verstellen, versterben, verwachen, verweinen, sich verzeihen* (für „verzichten"), *das verzihne Schiff* (für „begnadigt"). Logau hat: *verbringen* (für „zustande bringen"), *verhöhlen* (verstecken), *sich vermummen, verneuern.* Klopstocks Verba und Substantiva mit der Vorsilbe *ver-* seien hier auch nicht in Auswahl angeführt. Es sind ihrer zu viele. Schönaich scheint diesen Zusammenhang nicht bemerkt zu haben; er eifert nur in dem Artikel ›knorricht‹ gegen Bodmers *verheulen*, und zwar in der Wendung *langsame Tage verheulen.* Er bringt das in Verbindung mit Flemings *verweinen* und *verwachen.* Köster wendet in der Anmerkung ein, daß Fleming nur von *verweinten Alten,* von einer *verwachten Rose* spricht, nicht aber die Verbindung eines Verbums mit *ver-* transitiv macht und einen Akkusativ der Zeit anfügt. Köster übersieht, daß Flemings Sonett ›Er hat Alles wohl gemacht‹ die Wendung bietet: *was den Tod verwacht.* Der *Tod* ist hier ganz so ein Zeitbegriff wie in der Wendung Bodmers, die von Schönaich angekreidet wird, die *langsamen Tage.* Oder in der Wendung Chr. A. von Kleists, die Köster anführt: die *finstern Stunden,* die *verseufzt* werden. Klopstocks Verse (Messias 10, 889 f.):

> *Daß der Wanderer nicht an dem Quell, und unter den Schatten*
> *Jene Krone, die Gott von fern ihm zeigte, verschlummere!*

geben dem Verbum *verschlummern* ein Objekt, das von einem Zeitbegriff immer noch etwas in sich birgt. Das Wesentliche bleibt hier wie sonst die Aktivierung eines intransitiven Verbs, dieser Lieblingsbrauch derer um Klopstock.

Ich möchte nicht mit gleicher Ausführlichkeit hier alle andern Vorsilben erörtern, die eine machtvolle Bewegtheit, etwas Andringendes, Jähes oder — wie es zur Zeit des Expressionismus hieß — Steiles ausdrücken: *an, auf, durch, empor, entgegen,*[8] *herauf, herab, herbei, herüber, herunter, hervor* oder auch bloß *her,* dann *hin, hinab, hinauf, hinüber, hinunter, hoch, nieder, tief, vorüber, weg, weit, zu.* So stehen neben Lohensteins: *angewehren, anhalsen, anschlingen, ansuchen, ansüßen, anzielen* die Verba Klopstocks: *anbeten, andringen, sich anfeuern, angeißeln, anhalten, annahen, anschaffen, anvertrauen.*

Hier sei nur noch neben Klopstocks *sich überdenken, überfallen,*

---

[8] Hans Sperber untersucht jetzt (Zeitschr. f. deutsche Philologie, 52, 331 ff.) mit großem Feinsinn an einer Fülle von Belegen die ›Verbalen Zusammensetzungen mit *entgegen*‹. Gerade an ihnen ist weit weniger Verwandtschaft zwischen dem 17. und 18. Jahrhundert zu beobachten als das Neue, das sich im 18. Jahrhundert, vor allem bei Klopstock, einstellt. *Entgegen* gewinnt in dieser Zeit einen Sinn, der zu tief im Lebensgefühl des 18. Jahrhunderts wurzelt, als daß er schon früher anzutreffen wäre.

überfließen, überhüllen, überhüpfen, überkleiden, überleben, über-
mannen, überreden, überrufen, überschatten, überschleiern, über-
strömen, übertreffen, überwallen gestellt: *überfahren* (die Grenzen),
übermeistern bei Hofmannswaldau; *überweißen* (Mohren) bei
Lohenstein; *überweit* bei Fleming; *übersichtig* bei Logau. Und
neben dies *über*, das dem potenzierenden Stil eingeboren ist, trete
die Verneinungsilbe *un-*, die zugleich steigert und die scharfen
Umrisse aufhebt. Bei Klopstock: *unabhörbar, unablassend, unange-*
feindet, unangemerkt, unauszuforschend, unausgänglich, unaus-
geartet, unausgeschaffen, unausgesöhnt, unaushaltbar, unaussprech-
lich, unaussterblich, unberufen, unbeseelt, unbestürmt, unbetrachtet,
unbetränt, unbiegsam, unbildsam, Unding, undurstig, uneinsam,
unempfunden, Unendlichkeit, unentheiligt, unentweiht, unerforscht,
unermeßlich, unermüdend, unerreicht, unerschüttert, unerwecklich,
Unfühlbarkeit, ungebildet, Ungeheuer, ungemerkt, Ungesetz,
ungestüm, ungeweiht, unheilig, unkünstlich, Unmenschlichkeit,
unnachahmbar, unnachlassend, unsklavisch, unsterblich, unteilneh-
mend, unüberdenkbar, unüberwindlich, ununternehmend, unver-
blendet, unverblüht, unvergeltbar, unvermerkt, unverratend, un-
versiegend, unverwendet, unweinbar, unzärtlich, unzuvertilgend.
Bei Hofmannswaldau: *Unvergnüglichkeit;* bei Lohenstein: *unsäum-*
bar; bei Fleming: *unbeleibt, unerhört, unerleidlich, ungelehrt, Un-*
gemeintes, ungesund, unglückhaft, unnachgezogen, unverglichen,
unverwandt, unvonnöten.

Schönaich hat gegen die Verbindungen mit der Vorsilbe *un-* sehr
viel einzuwenden. Klopstock aber erscheint in diesen Artikeln selten; um so häufiger sind Schweizer genannt. Beim Stichwort „un-
wirtbar" wird Bodmer ausdrücklich des Diebstahls an Lohenstein
angeklagt und der Prolog zu Lohensteins Ibrahim Sultan als Beleg
genannt. Köster sagt in der Anmerkung (S. 543 f.) Wichtiges über
die Adjektiva auf *-bar* mit der Vorsilbe *un-* und über ihr Vordringen im Zeitalter Schönaichs, zumal in der Schweiz; Klopstock
ist nicht erwähnt. Seitdem hat K. Euling in der dritten Abteilung
des 11. Bandes von Grimms Wörterbuch Außerordentliches im
Dienst dieses *un-* geleistet, die Geschichte dieser Vorsilbe indes
(Sp. 8) nur ganz kurz angedeutet, die Dichter des 17. Jahrhunderts
dabei gar nicht genannt. Desto besser ist ihre Bedeutung für die

Entwicklung der Verbindungen mit *un-* aus den einzelnen Artikeln
zu erkennen. Verwiesen sei etwa auf *„unaussprechlich"* (Sp. 233 ff.).
Noch greifbarer als an den hier angeführten Vorsilben läßt sich
Klopstocks Verwandtschaft mit der Barockdichtung des 17. Jahrhunderts an anderer Stelle fassen. In den Wendungen der Barockzeit dröhnt der Schlachtenlärm des Dreißigjährigen Krieges nach.
Ernst Gottlieb von Berge übersetzt 1682 die sicherlich schon recht
barockhaft kräftig instrumentierte Stelle Miltons:

> He shall hear
> Infernal thunder, and, for lightning, see
> Black fire and horror shot with equal rage
> Among His angels; and His throne itself
> Mixed with Tartarean sulphur and strange fire,
> His own invented torments.

Berge übersteigert das ins Wilddröhnende:

> Laßt uns zugleich
> mit Höllenblitz | und Donner-Fewer-Pech-
> und Schwefel-Nebl- und Dampf-Geschütz | behertzt
> den Sturm anfallen | alles eines mahls
> loßbrennend | alles trennend | niederrennend;
> biß hin | da unser Leyd und Schmach kam her.

Einen schlagenden Beleg aus Zesens Assenat bringt Cysarz
(S. 89 f.). Ergrimmte Rede zu bezeichnen, wird in wenigen Zeilen
aufgeboten: *donnern, Donnerschlag, Donnerkeul, knastern, prasseln, greuliches Gekrache, Donnerwetter.*
Und Klopstock? Er bietet: *Donnergeräusch, donnergesplittert,
Donnerposaune, Donnerrede, Donnersturm, Donnerwort.* Und wie
die Barockdichter im Blut wühlen, so nutzt er: *blutatmend, blut-
begierig, Blutgewand, Blutring, Blutruf, Blutritt, blutvoll,* Gersten-
berg und Kretschmann folgen ihm auf solchem Weg. Sie treiben
weiter, was im 17. Jahrhundert Brauch ist: *Blutaussauger* (Gryphius), *Blutbad* (Weckherlin), *Blutbürge* (Fleming), *Blutdurst*
(Weckherlin), *blutdürstig* (Gryphius), *blutgefärbt* (Opitz), *blut-
geizig* und *Blutgerüst* (Gryphius), *blutgetränkt* (Opitz), *Blutgurgel*
(Weckherlin), *Bluthexe* (Grimmelshausen), *Bluthund* (Opitz u. a.),

Blutrat (Lohenstein), *blutrünstig* (Fleming), *Blutsee* (Weckherlin), *Blutstürzung* (Moscherosch und Lohenstein).

Nur andeuten kann ich hier; die nähere Darlegung sei andern überlassen. Und so begnüge ich mich auch nur mit dem Hinweis, wie nahe die Wortbildungen Quirin Kuhlmanns, die von J. H. Scholte (Vom Geiste neuer Literaturforschung S. 40) als stärkste Wagnisse des Hochbarocks bezeichnet werden, mit Klopstocks Ausdrücken zusammentreffen. Neben Kuhlmanns *Grimmsturm* und *Zornsündflut* treten Klopstocks *grimmvoll, Zornkelch, Zornlaut, zornvoll.* Auch die Verbindung mit *weh* als Vorsilbe ist beiden lieb. Kuhlmann bietet: *Wehland, Wehzeit, Wehbecher;* Klopstock: *wehdrohen, wehmütig, wehmuttönend.*

Ganz kurz sei nur noch gesagt, wieweit Eigenheiten der Wortkunst, die über den engen Rahmen der Wortwahl hinausgreifen, sich bei Klopstock ebenso wie in der Dichtung des 17. Jahrhunderts zeigen. Auf Nachweise, die längst erfolgt sind, kann ich mich da beziehen.

›Gehalt und Gestalt‹ mustert [9] im Anschluß an meinen Aufsatz in den ›Wegen der Wortkunst‹, der Festschrift für Karl Vossler, Dichtungen Klopstocks, Goethes, Schillers, Hölderlins, die auf Spannung zielen, indem sie umfangreiche Perioden bauen und das entscheidende Wort an das Ende der Periode rücken. Hemmungen also werden aufgebaut. Und nur das späte, längst erwartete Zusammenbrechen dieser Hemmungen löst die erweckte Spannung. Meine kleine Schrift ›Der Dichter und das Wort‹ von 1926 hält diesen Brauch, der sich gern auf Pindar beruft, mit der Tatsache zusammen, die an Gedichten des deutschen Barocks Strich in der Analyse des ›Lyrischen Stils des 17. Jahrhunderts‹ (a. a. O. S. 36 f.) beobachtet: Hemmungen werden hier geschaffen, indem Vordersätze sich durch eine beträchtliche Zahl von Versen hinziehen, um dann erst im Nachsatz das Eigentliche und Entscheidende sich aussprechen zu lassen. Strich vergleicht das mit bekannten Neigungen der bildenden Kunst des Barocks und deutet auch auf die Kategorie Wölfflins hin, die solche Neigungen bezeichnet.

---

[9] Gehalt und Gestalt im Kunstwerk des Dichters (Handbuch der Literaturwissenschaft), S. 241 ff.

Wichtigstes nicht bloß des Formwillens wirkt sich da aus. Wer derart künstlerisch gestaltet, erlebt selbst in Hemmungen. Das gibt den Barockkünstlern (nicht nur den Barockdichtern) etwas krampfhaft Geballtes. Genau das gleiche herrscht bei Klopstock. Goethe nähert sich dieser Haltung nur ganz ausnahmsweise. Hölderlin, aber auch Heinrich von Kleist neigen ihr zu. Solche Menschen sehen die Welt in Gegensätzen. Wirklich ist Gegensatz die Erlebensform der Barockzeit und auch ihrer deutschen Dichter.

Ist es nötig, diesen Gegensatz auf den Widerspruch zwischen Lust am Dasein und Einsicht in die Vergänglichkeit des Irdischen einzuschränken, die Menschen und die Künstler des Barocks zu Trägern des Zwiespalts zwischen Sensualismus und Spiritualismus, zwischen Hellenismus und Nazarenismus (nach Heines Ausdrucksweise) zu stempeln? Sicherlich kündet sich solcher Zusammenprall von Weltlust und Askese im 17. Jahrhundert mehrfach an. Allein noch deutlicher kennzeichnet sich der Unterschied zwischen reformatorischer Abkehr von dem Schönen der Sinnenwelt und katholischer Freude an diesem Schönen. Auch das trennt Gryphius von Calderon, nicht minder von Spee oder von Scheffler. Viel zuwenig Gewicht hat die Forschung innerhalb des 17. Jahrhunderts wie auch an anderer Stelle auf diesen Unterschied katholischen und reformatorischen Lebensgefühls gelegt. Gern hat man angenommen, daß der Katholizismus eher noch naturfremder sei. Nicht hier kann diese schwerwiegende Tatsache näher erörtert werden. Sie diene jetzt nur zum Nachweis, daß im 17. Jahrhundert Weltbejahung und Weltverneinung sich durchaus nicht immer in einer einzelnen Persönlichkeit vereinen, vielmehr ganze Gruppen voneinander scheiden. Gnostische Entwertung der Sinnenwelt und ihrer Freuden waltet bei Gryphius. Angelus Silesius bejaht das Diesseits, soweit der Neuplatonismus, zugleich Führer von der Erscheinungswelt zu Gott hin und Verklärer dieser göttlich durchgeistigten Welt, dem Diesseits Weihe schenkt. Als rechter Neuplatoniker sondert sich auch Jakob Böhme an dieser Stelle fühlbar vom Luthertum. Antithetiker bleiben sie trotzdem alle, Gryphius wie Scheffler oder Böhme. Der grelle Gegensatz der Farben oder vielmehr des Lichts und des Schattens beherrscht die ganze Barockwelt. Als Widerstreit beseligender Helle der Welt Gottes und des finstern Grauens der Ver-

dammnis wirkt sich dieser Gegensatz in der bildenden Kunst der
Zeit wie in ihrer Dichtung aus. Klopstock gestaltet immer noch im
Sinn dieses Gegensatzes seinen Messias. Ja gerade dank solcher
Antithetik von Helligkeit und Finsternis wird der Messias im
strengsten Sinn künstlerisch ein Werk des Barocks.

Wieweit Klopstock in seinen Oden neben dem Spiritualismus des
Messias auch Diesseitsfreude vertritt, kann hier nicht näher erwogen werden. Als Widerspruch scheint er dies nicht empfunden zu
haben. Durchgeistigung des Diesseits, wie sie etwa in den Eislauf-
oden waltet, hat ihm das Bewußtsein geschenkt, daß sein Lebensgefühl eindeutig und einheitlich gewesen sei.

Barockhafte Antithetik ist auch das Wesen seiner Wortkunst.
Er mag nicht die ganze Spitzfindigkeit der deutschen Dichter des
17. Jahrhunderts weisen, wo er im Zickzack der Gegensätze vor-
wärtsschreitet, doch gleich die obenangeführten Verse aus der Ode
›Wir und Sie‹ bezeugen wie die ganze Ode, daß Klopstock das
Spielen mit rasch wechselnden Gegensätzen nicht viel anders, nur
für unser Gefühl erträglicher treibt als etwa Gryphius.

Er ist der größere Könner, der zwingendere Schöpfer von Wortausdruck. Man übersehe nur nicht, wie sehr auch Klopstock, so
mächtig seine Wortgebung auf die Nachwelt eingewirkt hat und
ihr dank Goethe und Schiller geläufig geworden ist, uns heute immer noch etwas Befremdendes in seinen künstlerischen Gebärden
zeigt. Es sind da meist Züge des Barocks aus dem 17. Jahrhundert
im Spiel.

Weil er aber ein größerer Könner und echterer Schöpfer war als
die Poeten des 17. Jahrhunderts, ist ihm auch geglückt, der künstlerischen Gestalt deutschen Dichtens die Prägung zu erobern, die
ebenso deutschem Formwillen wie dem Wesen des Barocks am besten entspricht, vom 17. Jahrhundert indes noch nicht gewonnen
wird. Es sind die freien Rhythmen. Über sie haben andere, habe
auch ich in jüngster Zeit genug gesagt, so daß hier wenige Worte
genügen. Die freien Rhythmen entsprechen dem deutschen Bedürfnis nach einer Ausdrucksweise, die sich keiner überindividuellen
Maßberechnung unterwirft. Sie sind ungebrochenster Ausdruck
eines innern Gehalts. Sie können daher auch dem Dichten des organischen Goethe-Typus vorzüglich taugen. Sie dienen zugleich in

der Hand eines Pathetikers am unbedingtesten den Absichten der
Gotik (oder des Barocks im engern Sinn des Worts). Sie lockern das
Gefüge, sie öffnen starker Wucht die rechte Bahn.

Das deutsche 17. Jahrhundert ist auf dem Weg zu diesem Ziel
beim Madrigal steckengeblieben. Auch das war ein Vorstoß, hinaus-
getan über das Beengende, gar nicht barockhaft Gelöste des Alexan-
driners und gerichtet auf die Lockerung, die dem Wesen des Barocks
entspricht. Auch das aber kam nur zustande, indem das ausländische Vorbild leitete, das, selbst schon barockhaft, zu geringer
Formstrenge übergegangen war. Immerhin glückte da manches, was
die festere lyrische Formung des 17. Jahrhunderts überholt und
Wesenhaftes der Lyrik des 18. Jahrhunderts vorwegnimmt. Günther Müller bringt in seiner Geschichte des deutschen Liedes (S. 103)
einen sehr guten Beleg aus Hofmannswaldau.

Doch steht, was hier zu sagen ist, wesentlich schon in der ›Neu-
hochdeutschen Metrik‹ unseres Lehrers Minor (2. Aufl., S. 474 ff.).
Auf ihn darf ich mich berufen, wenn ich behaupte, Klopstock habe
erreicht, was der deutschen Barockdichtung des 17. Jahrhunderts als
Ziel dunkel vorschwebte. Heute braucht nur noch hinzugefügt zu
werden, daß der Schritt von den freigebauten Madrigalen Hof-
mannswaldaus zu Klopstocks freien Rhythmen mehr als bloß
Weiterentwicklung gewesen ist. Dieser Schritt schenkt endlich den
Deutschen, was dem Wesen barockhaften und zugleich deutschen
Formwillens eigentlich entspricht.

Und so darf wohl die Ansicht für gerechtfertigt gelten, daß
Klopstock im echtern Sinn des Worts Barock verwirklicht hat als
die deutschen Barockdichter des 17. Jahrhunderts. Selbst die Annahme, der ›Messias‹ sei das größte Kunstwerk des deutschen Barocks, verliert mithin etwas von ihrem scheinbar Überkühnen und
Unberechtigten.

Literaturwissenschaftliches Jahrbuch der Görres-Gesellschaft, 4, 1929, S. 30—60.

DER BAROCKSTIL
DER RELIGIÖSEN KLASSISCHEN LYRIK
IN FRANKREICH

Von HELMUT HATZFELD

In der Atmosphäre der germanistischen und kunstgeschichtlichen Barockforschung Deutschlands war es unausbleiblich, daß auch die Romanistik das literarische 17. Jahrhundert in den romanischen Ländern in einem größeren abendländischen Zusammenhang als „barock" sehen und erkennen wollte. Für Spanien und Italien erscheint diese Sehweise ohne weiteres überzeugend, wie die neuesten Darstellungen von Ludwig Pfandl [1] und Benedetto Croce [2] beweisen. Für Frankreich aber macht diese Art die Dinge zu schauen keine geringen Schwierigkeiten. In seiner Darstellung der französischen Literaturgeschichte des 17. Jahrhunderts (in Walzels Handbuch) spricht Fritz Neubert zwar viel und nachdrücklich von barocken Zügen — und er hat das Verdienst, dies zum erstenmal getan zu haben —, aber er glaubt an ein Barock *neben* der Klassik, er meint, daß sich „mit der klassischen Klarheit und ebenmäßigen Harmonie Barockkunst überschneidet" (S. 312). Ganz auf Neuberts Spuren bewegt sich die Auffassung eines durch den Klassizismus angeblich verdeckten Barocks, welche Friedrich Schürr in seiner Broschüre ›Barock, Klassizismus und Rokoko in der französischen Literatur‹ (Leipzig 1928) vertritt. Vergleicht man nun mit den Darlegungen dieser beiden Gelehrten die neueste bedeutsame Studie

[1] Geschichte der spanischen Nationalliteratur in ihrer Blütezeit (Freiburg i. Br. 1929); darin: Das Jahrhundert des spanischen Barock (1600 bis 1700) 211 ff., besonders Die Bestandteile des Barockempfindens 215 ff. u. Der Sprachbarock 245 ff.

[2] Storia della Età Barocca in Italia (Bari 1929), darin besonders die zum Teil ablehnende Auseinandersetzung mit der deutschen Forschung in den Kapiteln Controriforma 3 ff., Barocco 20 ff., Postilla 491 ff.

Leo Spitzers ›Die klassische Dämpfung in Racines Stil‹,[3] so erhält man mit Notwendigkeit den Eindruck, daß die Klassik Frankreichs in Richtung und Art ihrer Kunst, die sich sowohl von der Antike selbst wie von der französischen Renaissance wie von Klassizismen anderer Völker und Zeiten unterscheidet, eben durch diese Unterscheidungsmerkmale nichts anderes ist als französischer Sonderbarock. Das heißt, diese Klassik ist Barock *in sich selbst,* und nur durch die beruhigende Verwertung der antiken Rhetorikformen *formal* geschwächt, „gedämpft", ist aber keineswegs von einem Stil neben oder über ihr „überschnitten" oder „verdeckt", noch *wesens*-verschieden von außerfranzösischem Barock.

Diese Erkenntnis hat schon, bevor die Literaturwissenschaft mit dem Begriff „barock" arbeitete, in Frankreich Fidao-Justiniani gehabt. Sein Buch ›L'Esprit Classique et la Préciosité au XVIIe siècle‹, Paris 1914, gilt letztlich dem Nachweis, daß der französische Klassizismus nichts anderes ist als die französische Art der Auseinandersetzung mit dem abendländischen Barock.[4] Die folgenden Ausführungen wollen nun zur Klärung dieser Frage stilistisches Material beisteuern. Freilich muß da das Gebiet begrenzt

[3] Archivum Romanicum 1928, 361—472.

[4] Heißt bei ihm Barock auch noch Préciosité, so sagt er doch ganz Entscheidendes: « Entre le classicisme et la préciosité proprement dite, il n'y a jamais eu le moindre différend ...; c'est à cette collaboration des précieux, que le classicisme français doit de se distinguer du classicisme ancien, et d'être mieux qu'une copie: c'est à savoir un œuvre original et national » (S. 4); Ferner für diejenigen, die in den Unterschieden zwischen Corneille und Racine nicht individuelle Mächte, sondern eine „Entwicklung" sehen: « On ne peut dire absolument ni qu'il y eut deux générations de précieux ni que la préciosité eut deux époques bien distinctes. Le siècle de Louis Le Grand fut précieux d'un bout à l'autre » (S. 100); ähnlich S. 106. Aus kulturpsychologischen Gründen sei hier auch angeführt, daß Werner Weisbach das französische 17. Jahrhundert vom kunsthistorischen Standpunkt aus genauso wertet: „Barock ist der Lebensstil des Hofes und seiner Kreise, barock sind die festlichen Veranstaltungen und Aufzüge, die Trauerzeremonien und pomphaften Trauergerüste ... Die Klassik des 17. ist eine andere als die des 16. Jahrhunderts und wird von einem barocken Zeitgeist getragen, so daß man sie geradezu als barocke Klassik bezeichnen darf" (Propyläenkunstgeschichte XI 55).

werden. Ich werde mich daher gattungsmäßig auf die Lyrik beschränken. Von der Lyrik des 17. Jahrhunderts ist aber die bewußt preziöse im manieristischen Sinne wie die burlesk-gesellschaftliche ästhetisch ebenso bedeutungslos wie der strengen Klassik unverdächtig; also bleibt nur die hochklassisch-religiöse Lyrik übrig. Diese bietet allerdings methodisch einerseits den Vorteil der exakten Kontrolle ihrer Sprachformen, weil sie in der Hauptsache eine übersetzende und paraphrasierende Lyrik ist und an den lateinischen Originalen (Psalmen, Hoheslied, Neues Testament, Imitatio Christi, kirchliche Hymnen) gemessen werden kann; anderseits ist sie eine so typische Gesellschaftsdichtung der société dévote, daß man es hier auch bei den größten Namen wie Corneille, Racine, Bossuet ausnahmsweise wagen darf, die individuellen Stilmomente zugunsten der gruppenmäßigen und epochalen methodisch zu vernachlässigen. Endlich aber scheint es, ohne die Gefahr, konstruktiv zu werden, gerade von der *religiösen* Lyrik aus möglich, Linien zu ziehen zu dem dahinterstehenden Geist der Gegenreformation (die bekanntlich in Frankreich aus Gründen gallikanischer Renitenz gegen die Tridentiner Beschlüsse u. dgl. etwas *später* wirksam wird als in der übrigen Romania [5]). Diese Linien sind aber erforderlich. Denn den Stil jener französischen Lyrik (hauptsächlich der *zweiten Hälfte*) des 17. Jahrhunderts *nur* von den sprachlichen Ausdrucksformen aus mit ihren Ambivalenzen zu bestimmen, ist unmöglich, weil hier das gleiche Stilphänomen ohne Berücksichtigung seines geistigen Hintergrundes natürlich oft ebensogut als „klassisch" wie als „barock" gedeutet werden könnte — und so wäre aus dem zur Diskussion stehenden Dilemma nicht herauszukommen. Bei der Verknüpfung von Gestalt mit Gehalt scheint jedoch die Lösung möglich. Also wird es sich im Folgenden um ein kürzlich von Karl Viëtor empfohlenes, in allen Fällen, wo es nötig scheint, vom rein Formalen abrückendes Verfahren handeln, „das zwischen den beiden Polen der Gehalt- und der Formprobleme sich frei bewegt", zielend auf „existentielle Stilforschung" (Pongs).[6]

---

[5] Vgl. V. Martin, Le Gallicanisme et la Réforme catholique (Paris 1919).

[6] K. Viëtor, Probleme der deutschen Barockliteratur (Leipzig 1928) 77

Als Ausgangspunkt unserer Betrachtungen kann nunmehr, da es sich um *religiöse* Lyrik handelt, die Tatsache dienen, daß die allgemeine Religiosität des 17. Jahrhunderts in Frankreich infolge der Überflutung des Landes mit spanischer theologischer, aszetischer und mystischer Literatur [7] in hohem Maße eine hispanisierte, mithin eine „barocke" gewesen ist. Lanson bei seiner inzuchtartigen französischen Literaturauffassung behauptet sogar, das génie français habe sich damals wehren müssen « contre le génie espagnol qui subtilise et matérialise à la fois la religion, et fait une dévotion extravagante et sensuelle, toute de fantaisie raffinée ».[8] Diese Barockreligiosität, die Lanson zu erfassen suchte, kann heute Ludwig Pfandl in Anlehnung an Rudolf Ottos Begriff des numinosen Fascinans weit besser umreißen, wenn er sagt, solche Religiosität schlage sich „in kühnem Schwung eine Jakobsleiter..., auf der ein emsiges Hin und Her zwischen oben und unten ist, auf der sich Diesseits und Jenseits, Mensch und Gott halben Weges liebevoll entgegenkommen, und die nicht zuletzt einen sättigenden Blick in den Glanz der himmlischen Herrlichkeiten hinein tun läßt, ohne daß einer gerade ein Aszet oder Mystiker zu sein braucht".[9]

I. Bei Betrachtung der französischen klassischen religiösen Lyrik, die in ihren Wurzeln auf den « humanisme dévot » zurückgeht, fällt tatsächlich zunächst jener « faszinante », die Erde mit dem Himmel verbindende Zug auf, den Pfandl so treffend „Jakobsleiter" nennt, und der ja auch die kirchlichen barocken Innenräume beherrscht, wo der Blick, der vom dreidimensional-irdischen Architektonischen und Skulpturalen ausgeht, sich gleitend in der zweidimensionalen Malerei des Decken*himmels* verliert. Wir versuchen zu zeigen, wie diese thematische „Jakobsleiter" im engsten Sinne des Wortes in dieser Lyrik um sich greift, zur *irdisch-himmlischen Verschmelzung* überhaupt wird und zugleich formal eine Verschmelzung getrennter Aussagen und Sätze, eine Einheitsaussage

---

[7] Gustave Lanson in seinen Aufsätzen ›Rapports de la littérature française et de la littérature espagnole‹ in der Revue d'histoire littéraire 1896 u. 1897 weist auf diese in ihrem Umfang gar nicht beachtete Literatur hin und zitiert vor allem S. Teresa, Luis de Granada und Ribadeneira.

[8] Revue d'histoire littéraire 1896, 56.

[9] Span. Nationallit. 241.

korrelativer Bezüge in geschlossener Satzeinheit veranlaßt.[10] Der
Traum Jakobs von der Himmelsleiter selbst erscheint bei St. Bonaventura, Laus beatae Virginis, in folgender Form: „Angelorum des-
cendentem Coetum vidit; promissio Terrae sanctae per potentem
Datur, et benedictio." Daraus gestaltet Corneille [11]:

> Les anges, dont soudain un luisant escadron
> De célestes clartés couvre chaque échelon,
> S'en servent sans relâche à monter et descendre,
> Et d'un songe si beau les claires visions
> L'assurent de la terre où son sang doit prétendre,
> Et de ce qu'a le ciel de bénédictions.   (IX 18.)

Hier ist das barocke Hin- und Herwogen zwischen Himmel und
Erde bis in die Form hinein mit Händen zu greifen. In dem glei-
chen Gedicht ist beim lateinischen Original nur von einer Bitte um
Gnade die Rede: „Mater solis iustitiae, Perpetuae claritatis Confer
lumen et gloriae." Corneilles Paraphrase fügt zur Bitte, welche
Gnade vom Himmel auf die Erde erfleht, das Dankgelöbnis der
Erde an den Himmel, und versinnlicht [12] die geistigen Licht- und
Glanzelemente (von letzteren soll später noch die Rede sein):

> Mère du soleil de justice,
> Fais-en jusque sur nous descendre les rayons,
> Porte-lui jusqu'au ciel nos voeux en sacrifice.   (IX 32.)

[10] Ich bin weit davon entfernt, etwa über meine Beobachtungen hinaus
auf eine Analogie zu Wölfflins Grundbegriff „Einheit" aus der Vielheit
barocker Komponenten loszusteuern. Immerhin sagt Bossuet von der
schönen Seele im Sinne dieser Einheit: « Vous êtes toute belle: une grâce
admirable Relève chaque trait, Mais on admire, plus du tout incomparable,
L'assemblage parfait » (Le Saint Amour VII).

[11] Corneille und Racine zitiere ich, soweit nötig, nach den Ausgaben
der Grands Ecrivains de la France. Die römische Zahl bedeutet den Band,
die arabische die Seitenzahl. Von Bossuet benütze ich Bd. X der Ausgabe
Guillaume (Lyon 1879), Poésies sacrées 484—508.

[12] Die Erkenntnis der relativen Versinnlichungskraft der franz. Klassiker verdanken wir entgegen der bisherigen Meinung vor allem dem Buch
von Roger Crétin, Les Images dans l'Œuvre de Corneille (Paris
[Champion] 1927).

Ein Ausdruck wie „Regnum coelestis curiae" erhält in der Paraphrase seine faszinanten Bestandteile und die Verbindungslinie zur Erde: « Ce royaume de Dieu, si doux et *si propice, Qui réunit la terre aux cieux* » (Corn. IX 49). Zu den meist nur „tremenden" Attributen der liturgischen Texte tritt jeweils ein faszinantes, z. B. das „Tu rex gloriae, Christe" des Tedeums gibt Corneille wieder als « O Jésus, roi de gloire et rédempteur du monde » (IX 127).

Wenn Racine den Vesper-Hymnus des Mittwochs aus dem Brevier übersetzt, zieht er den transzendenten Himmel in das Himmelsfirmament hinein, von dem im Original allein die Rede ist:

Coeli Deus sanctissime,	Grand Dieu, qui fais briller sur la voûte étoilée
Qui lucidum centrum poli	
Candore pingis igneo,	*Ton trône glorieux*
Augens decoro lumine.	Et d'une blancheur vive à la pourpre mêlée
	Peins le centre des cieux. (IV 131.)

Corneille verleiht auch dem absichtlich in seiner hilflosen Menschlichkeit gezeigten Jesuskinde des Passionshymnus göttlichen Nimbus:

Vagit infans inter arcta	Sur une vile crèche il pleure comme enfant
Conditus praesepia.	*Et son corps déjà triomphant* (!)
	Se laisse envelopper à cette vierge mère.
	(IX 513.)

Godeau drückt bei seiner Paraphrase des „lumen ad revelationem gentium" (Luc. 2, 32) mit der glanzvoll gesteigerten Erlösungstatsache auch als Korrelat die Sehnsucht der Welt danach aus:

> Mes yeux ont vu lever ce *glorieux soleil*
> Après qui le monde soupire.   (Cantique de Siméon.)

Racan macht aus dem majestätischen Gott des Psalmisten einen liebenswürdigen, menschheitsnahen Gott des 17. Jahrhunderts, wenn er das indutus est Dominus fortitudinem nicht nur paraphrasiert mit den Worten: Sa force l'a rendu le vainqueur des vainqueurs, sondern ergänzend hinzufügt:

> Mais c'est par son amour plus que par sa puissance
> Qu'il règne dans les cœurs.   (Le XCIIe Psaume.)

Bossuet in seiner freieren Gestaltungsweise läßt wie in einem Echospiel Himmel und Erde in der Liebe zum Heiland sich verschmelzen:

> Le Père dit des cieux: C'est mon fils bien-aimé,
> En qui tout mon amour toujours s'est renfermé;
> Sur la terre répond la divine Marie:
> C'est mon Fils, c'est mon sang, mon bonheur et ma vie.
> (La parfaite amante.)

Es ist begreiflich, daß Bossuet auch die Verbindung von Himmel und Erde beim heiligen Opfer in eine echohafte, pomphafte Entsprechung der feierlichen Kultformen [13] verlegt:

> Dans tes solennités, grande et majestueuse
> Autour de tes autels,
> Sainte Eglise, le ciel répond à ta musique,
> Et l'accompagnement du concert angélique
> Ravit les immortels.   (Réflexion.)

Wie nun das Bedürfnis nach dem religiösen Fascinans zur Einschmelzung des Heiligen ins Irdische und Menschliche treibt, so treibt es aus sich auch die stilistische Verschmelzung, die globale Satzabrundung hervor, die ich, abgesehen von den obigen, noch mit zwei Sonderbeispielen belegen will, bei denen das Thematische im eigentlichen Sinne zurücktritt.

Der hl. Bonaventura hat in seiner ›Laus Beatae Virginis‹ die Glorie Christi in drei lapidaren, grob (durch Relativpronomen einerseits, *et* anderseits) nebeneinandergesetzten Gliedern ausgesprochen. Corneille wird von dem Bedürfnis einer faszinanten Verschmelzung dieser Glorie zu einschränkenden Konzessionen geführt, die unter sich verbunden werden. Der Ausdruck „gloriosus in sanctis" führt zu einer Verschmelzung der Aussage über Christus *und* die Heiligen, und das Ganze wird abgerundet:

---

[13] Das Beschreiben pompöser Kultformen ist an sich etwas typisch Barockes. Vgl. meine Beispiele aus Torquato Tasso in der Deutschen Vierteljahrsschrift für Literaturwissenschaft u. Geistesgeschichte 1923, 240.

Bonaventura:	*Corneille:*
Christus est immutabilis,	Bien qu'il soit Dieu de paix, le foudre est en ses mains,
Qui semper est gloriosus	
In sanctis, et mirabilis.	Et tout bon qu'il veut être, il sait venger l'injure,
	Et qu'on fait à sa gloire et qu'on fait à ses saints. (IX 33.)

Auch das Tedeum stellt Reihen und Gruppen in schroffe Parallele; das gemeinsame Prädikat verbindet sie nicht, sondern charakterisiert nur ihr gemeinsames Anbetungsverhältnis zu Gott. Corneille taucht alles (terre, ciel, apôtres, martyrs, prophètes, confesseurs) mit in die Glorie (gloire) Gottes, was er mit dem verknüpfenden « qu'en revêt un rayon, que ta main *en* couronne » unterstreicht, und er resümiert (wie Calderón) mit nachdrücklichem « *tout* »:

Tedeum:	*Corneille:*
Pleni sunt coeli et terra majestatis gloriae tuae,	Ta gloire *ainsi* sur terre *et* dans le ciel *résonne*,
Te gloriosus apostolorum chorus,	Apôtres et martyrs, qu'*en* revêt un rayon,
Te prophetarum laudabilis numerus,	Prophètes, confesseurs que ta main *en couronne,*
Te martyrum candidatus laudat exercitus.	*Tout* bénit à l'envi, *tout* exalte ton nom. (IX 127.)

II. Das Hin und Her zwischen Himmel und Erde gefällt sich ausdrucksmäßig nicht nur in der Legierung[14] des Göttlichen und Menschlichen, sondern auch in einer Art Echogestaltung. Es ist, worauf ich thematisch gerade bei dem Bossuet-Beispiel S. 149 hingewiesen habe, als ob die Erde nach dem Himmel riefe, und es von dort zurückschalle. Deshalb glaube ich, daß wir auch stilistisch von einer *Echotechnik* sprechen dürfen. Ich meine damit allerdings nichts wesentlich anderes als das, was Spitzer Stammwortwieder-

---

[14] „Legierung" ist wohl auch die Empfindung des Barockzeitalters: Corneille übersetzt das „voluisti per sacramentum tuum habitare in nobis" der Imitatio mit: « Tu veux ... faire un *alliage* Par ce grand sacrement, de notre sang au tien » (VIII, 507).

holung oder Gemination nennt.[15] Die Beispiele, die ich aus der religiösen Lyrik beibringe, veranlassen jedoch schon inhaltlich eine „barocke" Deutung, sie lassen sich mit dem barocken Echoreim in Parallele bringen und hinsichtlich quellenmäßiger Anregung nicht so zwingend auf klassisch-lateinische Beispiele als auf das diesen Dichtern wohlbekannte Hymnenlatein [16] oder auf Barockitaliener wie Luigi Tansillo [17] (Quelle Malherbes!) zurückführen. So überträgt Corneille:

1. Hymnus ... populo appropin-quanti sibi.   (Ps. 148.)

1. Il (Dieu) a *pris soin* de vous, *prenez soin* de sa gloire.
                                    (IX 151).

2. (Deus) seipsum super omnia dare desiderat.   (Imit. Chr. I 7.)

2. (Dieu) Veut encore se *donner* soi-même
   Après même avoir tout *donné*.
                                    (VIII 59.)

3. Qui Dei voluntatem facit et suam relinquit.   (Imit. Chr. I 3.)

3. Celui qui préfère à son propre *vouloir* le *vouloir* de son Dieu.
                                    (VIII 48.)

4. Pio regi pariter canentes
   Cum suis sanctis.   (Sonntags-Matutin: Nocte surgentes.)

4. Joignons aux voix des *saints* une *sainte* harmonie.   (IX 455.)

5. Inclina cor meum in verba oris tui.   (Imit. Chr. III 2.)

5. Et réduis mes *désirs* au seul *désir* d'entendre
   Tes hautes vérités.   (VIII 262.)

6. Corpus dilecti Domini Dei tui, dignantis ad te venire.
                                    (Imit. Chr. IV 12.)

6. Le corps d'un Dieu qui t'*aime* Et que tu dois *aimer* au-delà de toi-même.   (VIII 667.)

7. Flores martyrum Quos ... Christi insecutor sustulit.
   (Vesperhymnus v. d. Unsch. Kindern.)

7. Du troupeau des martyrs prémices innocentes
   Qui *payez* pour un Dieu qui vient *payer* pour tous.
                                    (IX 498).

---

[15] Vgl. L. Spitzer, Die klassische Dämpfung in Racines Stil: Arch. Rom. 1928, 422 f. und Stilstudien II 21 ff.

[16] Z. B. Quo *carne carnis* Conditor Suspensus est patibulo (Vexilla Regis prodeunt).

[17] Z. B. *Crebbe* il dolore, e *crebbe* la vergogna (Le Lagrime di San Pietro V 4).

Genauso verfährt Racine. Er übersetzt und paraphrasiert das Ende
der Hymnendoxologie ›Praesta, Pater piissime‹:

... Regnans per omne saeculum. Qui fais *changer* des temps l'in-
constance durée
Et ne *changes* jamais.
(IV 129 133 134 136.)

Ist die Echotechnik im Original vorgebildet, so wird sie vom „gedämpften" Racine überboten:

Tunc *cognoscam*, sicut et *cognitus* Et ce soleil inaccessible,
sum. (1 Cor. 13, 12.) Comme à ses *yeux* je suis *visible*,
Se rendra *visible* à mes *yeux*.
Igitur ego ipse mente servio *legi* (IV 151.)
Dei, carne autem *legi peccati*. Fais ton *esclave* volontaire
(Rom. 7, 25.) De cet *esclave* de la mort. (IV 157).

Auch in freier Gestaltung behalten die Klassiker diese Echotechnik
bei. So heißt „Knechtschaft und Gnade" bei Racine: « Il nous
donne ses lois, il se *donne* lui-même » (Athalie I 4), „Schöpfer und
Geschöpf" bei Racan: « O non pareil *ouvrier* des *oeuvres* non pa-
reilles » (Sur le bois de la vraie Croix), oder umgekehrt: « Ces
visibles effets d'une cause *invisible* (Ps. 18), „menschliche Ergebung
und göttlicher Wille" bei Bossuet: « *Mourons*, puisque Jésus à
mourir nous convie » (Ceci est mon corps ...), „menschliche und
göttliche Liebe" bei Bossuet: « Et qu'elle (l'âme) *aime* sans borne
un Dieu qui n'est qu'*amour* (Ps. 65), *Tu* ne seras jamais autant
aimé qu'*aimable* (ebd.), Mais quoi! puis-je *l'aimer* autant qu'il est
aimable » (Tibi silentium laus).

Schließlich wird diese Echotechnik formelhaft, d. h. auf alle In-
halte bezogen, aber wir können vielleicht gerade aus der betrachteten gehaltlichen Bindung nunmehr ihre „Grammatikalisierung"
begreifen:

Virgo partum post et ante. *Vierge* devant ta *couche* et *vierge*
(Bonaventura, Laus Mariae Virg.) après ta *couche*. (Corn. IX 8.)
Qui nefas saecli meruit lavantem Et le ciel le choisit pour ... *laver*
Tingere lymphis. qui nous a *lavé*. (Corn. IX 546.)
(Matutin am Feste Joh. d. Täu-
fers.)

Ideo non debemus desperare, cum
tentamur, sed eo ferventius Deum
exorare.   (Imit. Chr. I 13.)

Ainsi ne désespérons pas
Quand la tentation *redouble*;
Mais *redoublons* plutôt nos ferveurs
dans ce *trouble*. (Echoklangspiel.)
(Corn. VIII 85.)

Et ore te canentium
Lauderis in perpetuum.
(Montagsmatutin: Somno
refectis artubus.)

Fais que t'*ayant chanté* dans ce séjour de
larmes,
Nous te *chantions* dans le repos des cieux.
(Racine IV 108.)

III. In dieser barocken Lyrik ist aber nun weiter bemerkenswert,
daß trotz der Verschmelzung von und trotz des echohaften Hin
und Her zwischen Himmel und Erde die Distanz zwischen Gott
und Welt keineswegs aufgehoben erscheint. Im Gegenteil! Wie in
der Barockkirche stärker als in allen andern Stilphasen vorher der
eucharistische Gott im Tabernakel eine unbedingte und zentrale
Erhöhung erfährt — um ihn ist letzten Endes die ganze Kirche,
sind ganze Klosteranlagen herumgebaut, eine wahrhafte Monu-
mentalisierung der Jesuitendevise *Omnia* ad majorem *Dei* gloriam[18]
— so klingt auch aus diesen „klassischen" Dichtern eine (mit der
erörterten, zur Verschmelzung neigenden Technik fast unverträg-
liche) Entschiedenheit der Betonung: Hier Gott *allein* — dort *alles*
andere ihm zu Ehre und Dienst. So bildet sich in dieser Lyrik ein
Stilistikum heraus, das ich, faute de mieux, die *Seul-Tout-Formel*
nennen möchte. Auch sie soll von ihrer ideologischen Bindung bis
zu ihrer formelhaften Erstarrung verfolgt werden. Man achte bei
den folgenden Paraphrasen besonders auf die ungeheure Wucht
gerade dieser seul-tout-Akzente, verglichen mit den lateinischen
Texten:

[18] Man könnte auch Conc. Trid. sess. 13, can. 5 zitieren: „ut ...
adversarii in conspetu *tanti splendoris* ... debilitati et fracti tabescant".
Wer speziell Französisches wünscht, könnte auf Briefwendungen hingewiesen werden, wie sie sich in den « Lettres de la Compagnie secrète
du Saint-Sacrement », publ. par Alfred Rébelliau (Paris 1908), finden,
wie z. B.: « Vous avez de contribuer de votre part à l'honneur que *toute*
créature doit à l'adorable mystère de l'*Eucharistie* » (S. 9); « que la gloire
de Dieu s'aille augmentant de jour à aultre » (S. 18) usw.

Ego sum cui te totum dare debes,
ita ut iam ultra non in te, sed
in me, absque omni sollicitudine
vivas. (Imit. Chr. IV 12 Ende.)

Mais il faut qu'à moi *seul* ton cœur
entier se donne
Pour vivre plus en moi qu'en ta
propre personne,
Sans que *tout* l'univers sous aucunes
couleurs
T'inquiète l'esprit pour ce qui vient
d'ailleurs. (Corn. VIII 659.)

Videte quoniam ego sum Deus: exaltabor in gentibus, et exaltabor
in terra. (Ps. 45.)

Voyez bien qu'il est Dieu, qu'il est
l'*unique* maître,
Et que malgré l'enfer sa gloire va
paraître
Parmi *toutes* les nations.
(Corn. IX 105.)

Racan paraphrasiert bezeichnenderweise im Sinne dieses « seul-
tout » den 92. Psalm:

Etenim firmavit orbem terrae ...
Parata sedes tua ex tunc: a sae-
culo tu es.

L'immensité de Dieu comprenait
tout en soi,
Et de *tout* ce grand *tout* Dieu *seul*
était le trône,
Le royaume et le roi. (Ps. 92.)

Zum 45. Psalm fügt derselbe Racan die Floskel: « Peuple, viens
voir l'effet des couches de Marie, Qui mettent ... *Tous* les sceptres
du monde En une *seule* main comme celui des cieux.»

Es muß als eine typisch barocke Paraphrase des 8. Psalmes bezeichnet werden, wenn Bossuet umschreibt:

Domine, Dominus noster, quam ad-
mirabile est nomen tuum.

Toi qui *seul* en ta main tiens
l'empire du monde,
Que ton nom est fameux
Et que *tout* est soumis à ton sceptre
absolu.

Frei von jeder Vorlage sagt er: « Il (Dieu) veut *seul* occuper ton
esprit, ta mémoire, *Tout* ton coeur, *tous* tes voeux » (Bossuet, Le
Saint Amour, Einl.), oder er läßt die mystische Seele (épouse) zu
Gott sprechen: « Prête à *tous* vos moments, à vous *seul* attentive,

De votre volonté l'éternelle captive, Je ne suis point pour moi »
(Le Saint Amour XIII).

Von unserer Deutung der Seul-tout-Formel aus verstehen wir ihr
Übergreifen auf Gehalte, bei denen ihr Auftreten etwas Gewalt-
sames und Sinnänderndes bekommt, so wenn Corneille in dem
Hymnus der Fastenzeit ›Ex more docti mystico‹ übersetzt:

Effunde nobis desuper,	D'un *seul* de tes regards *tout* peut être
Remissor, indulgentiam.	effacé. (IX 507.)

Umgekehrt bleibt ein tout-seul der innern Formel durchscheinend,
auch wenn das « seul » oder das « tout » formal durch andere gleich
gewichtige und akzentschwere Äquivalente ausgedrückt wird. So
ist beachtenswert, wie Bossuet den Gott Davids in den eucharistischen Heiland umdichtet, auch im seul-tout-Sinne gerade unserer
Deutung verfahrend, und dabei dem *tout* das *tabernacle* gegenüber-
stellt:

Sanctificavit tabernaculum suum	L'Eternel habite au milieu,
Altissimus ... Deus in medio	*Tout* est calme en ce sacré lieu
eius, non commovebitur.	Sanctifié par sa présence,
(Ps. 45. 5 f.)	Son *tabernacle* [19] est notre appui.
	(Bossuet, Deus noster refugium
	et virtus X 503.)

Oder wenn er das dem « Dieu seul » entgegenstehende « tout » als
ein kollektives « faible créature » faßt: « Pourquoi tant rechercher
sa *faible créature? Seul* il en fit l'éclat, la beauté, la parure; Sa
main *seule* y parut » (Le Saint Amour VI). Madame Deshoulières
setzt dem « seul Dieu » als das « tout » den *« vaste univers »* entgegen, wenn sie lediglich das Domine des 12. Psalms umschreibt:
« Vous du *vaste univers* et l'auteur et le maître, Vous *seul* de qui
j'attends un assuré secours » (Paraphrase du Psaume XII).

VI. Aus dem verhältnismäßig gut erforschten Kunstbarock wissen wir nun weiter,[20] wie eine unerhörte Weltfreudigkeit in den

---

[19] Corneille übersetzt (IX 132) in Ps. 92: „mirabilis in altis Dominus"
mit « ce maître de tout dans ses hauts *tabernacles* »!

[20] Vor allem durch Werner Weisbachs in solchem Zusammenhang immer
wieder zu erwähnendes Buch ›Der Barock als Kunst der Gegenreforma-

Kirchenbau dieser Zeit einbricht — man hat diesem «tout» und diesem „omnia" zu Ehre Gottes zuliebe die Grenzen des Heiligen gleichsam niedergelegt. Da dringt nicht nur das strahlende Licht des glanztrunkenen Säkulums in hemmungslosen Wellen herein und sprengt jedes mystische Dunkel, sondern es halten auch Engel und Heilige in heroischer und fleischfreudiger wie in sinnlich-schmachtender Aufmachung ihren Einzug in die Bildwelt des sakralen Raumes. Das ist der Einbruch des Salon- und Hof-Glanzes und der Boudoir-Morbidezza in die Domäne des Heiligen, und er beschränkt sich nicht auf die bildende Kunst. Eine „Wort- und Motiv"-Studie an der klassischen Lyrik Frankreichs kann die gleichen Feststellungen machen. Diese im Gegensatz zur bildenden Kunst hier gänzlich *unbewußt* zum Ausdruck kommenden *Glanz- und Morbidezza-Motive* werden psychologisch nicht überraschen, wenn man bedenkt, daß die großen Klassiker ihre religiöse Lyrik meist in einem Stadium devoter „Retraite" schrieben, die im 17. Jahrhundert symptomatisch auf ein Stadium weltlichen „Divertissements" folgte,[21] und daß die Eindrücke der Hoffeste und der Ruelles in ihnen lebendig geblieben waren, daß ferner das profane Wortgepräge tonangebend war und nicht das religiöse. Hinzu kommt, daß diese weltliche Sprache des pompösen Glanzes und der morbiden Sinnlichkeit durch die oben erwähnten spanischen Mystikerübersetzungen mit der mystischen Licht-Wortkunst und Spracherotik zusammenprallte, daß diese Sprache aber von den französischen Dichtern, die der geistlichen Erfahrung der purgatio entbehrten, durchaus mißverstanden wurde. Wie also, möchte man vergleichsweise sagen, die falsch rezipierte Mystik inhaltlich zum

tion‹, Berlin 1921. Ich möchte übrigens zu meinen kunsthistorischen Hinweisen bemerken, daß sie weniger auf eine „wechselseitige Erhellung" hinauswollen, als auf eine Wegweisung von einer erforschten Bildkunst zu einer nahezu unerforschten und mißverstandenen Wortkunst.

[21] Vgl. D. Mornet, Histoire des Grandes Œuvres de la Littérature française (Paris 1925) 57. — Der Einbruch des Salons in das Kloster ist im Frankreich des 17. Jahrhunderts ein Problem für sich. Diese Dinge sind wohl gesellschaftshistorisch bekannt, aber nicht stilistisch. Beiträge zu letzterem Problem bei H. Bremond, Histoire littéraire du sentiment religieux en France, Paris 1923, bes. VI 347: Une Sévigné cloîtrée etc.

Quietismus führte, so führte die falsche Rezeption ihres sprachlichen Ausdrucks, der mit einer wesensähnlichen Wortkunst aus der weltlichen Domäne zusammenstieß, zu einer Verprunkung ihrer Licht- und zu einer salonhaften Verwollüstigung ihrer Liebesmotive.[22] Ob damit alles an diesen beiden Sprachaspekten erklärt ist, mag dahingestellt bleiben.[23] Der „barocke" Charakter allein erscheint mir außer Frage. Nun mögen die Beispiele wieder sprechen, und zwar zunächst die Repräsentanten der *Glanzmotive.*

Lumière (nebst Synonymen wie splendeur, clarté, soleil, Verben wie briller, eclater) spielt schon inhaltlich in den von Corneille wie Racine bevorzugten Morgen- und Lichthymnen des Breviers (Matutin und Laudes) eine große Rolle. Aber hier wie auch in andern Zusammenhängen werden von den französischen Dichtern die (meist metaphorischen) Glanzeffekte gewaltig übertrieben und dort, wo sie fehlen, neu eingefügt. Man vergleiche:

Bonaventura:	*Corneille:*
Tu lux carens fuligine	*Lumière* que jamais n'offusque *aucun*
Culpae, tu splendor gloriae,	*nuage,*
Mundum decorans lumine.	De tant de *plénitude* épands quelque
(Laus Mariae Virginis.)	ruisseau
	Et de tant de *splendeurs* dont *brille* ton
	visage,
	Laisse jusque sur nous tomber un *jour*
	nouveau. (IX 50.)

[22] Ich denke sprachlich etwa daran, wie die moradas der hl. Teresa zu cabinets des âmes werden. Vgl. H. Heppe, Geschichte der quietistischen Mystik (Berlin 1875) 101.

[23] Hinzu kommen eine bestimmte Licht-Veranlagung der großen Klassiker, die clair-obscur-Technik der damaligen Malerei, die Analogien in der Wortkunst auslöste. Obwohl ich daran nicht glaube, muß diese Bemerkung gemacht werden mit Rücksicht auf den materiell sehr aufschlußreichen Aufsatz von Prosper Dorbec, La sensibilité plastique et picturale dans la littérature du XVIIe siècle, in Revue d'histoire littéraire de la France Bd. 26 (1919), S. 374—395. Die von Dorbec angeführten Racine-Beispiele S. 385 bin ich geneigt im Sinne *meiner* Ausführungen zu deuten. Vgl. auch Viëtor, Barockprobleme S. 33 u. 61.

Man sieht, wie Corneille die Allegorie (fuligine culpae, splendor gloriae) zerstört und die Immaculata in eine strahlende (plénitude, ruisseau, brille) Regina Coeli mit einer Überfülle von Glanzattributen verwandelt (Zeitalter des Roi-Soleil!). So begreifen wir auch Corneilles Übersetzung von

Visum fovendo contegat (ne vanitates hauriat). (Sonntags-Prim: Iam lucis orto sidere.)	Qu'il daigne ouvrir nos yeux à sa sainte lumière. (IX 457.)
Regnans per omne saeculum (häufige Hymnen-Klausel).	Qui régnez au séjour des *lumières*. (IX 472.)

Man sieht, die Wendungen der Hymnen sind mit „lichthaltigen" Ausdrücken wiedergegeben, Negatives (Beispiel 1) wird deshalb positiv ausgedrückt.

Der „gedämpftere" Racine steigert bei Übertragung der gleichen Klausel „Regnans per omne saeculum" noch den im Original nicht einmal angedeuteten Lichtglanz: « Dieu, qui tout *éclatant* de ta propre *lumière* Règnes au ciel sans principe et sans fin » (IV 109 113 116 119 123). Wie Racine im Original angedeutete Glanzwirkungen *über*steigert, möge folgendes Beispiel zeigen:

Haec *lux* serenum conferat	Imitons la *lumière* pure
Purosque nos praestet sibi:	*De l'astre étincelant* qui commence son cours,
Nihil loquamur subdolum,	
Volvamus obscurum nihil.	Ennemi du mensonge et de la fraude obscure,
(Donnerstag Ad laudes: Lux ecce surgit aurea.)	Et que la vérité *brille* en tous nos discours. (IV 120.)

Man beachte, wie Racine die Lichtvorstellung seines Originals lux und serenum hinaufsteigert zu einem « lumière pure De l'astre étincelant », und wie er den Glanz auch in die moralische Domäne mit der Wendung « *que* la vérité *brille* » hineinzieht. Im Sinne der gleichen Glanzsteigerung wäre der typische Lichthymnus ›Splendor paternae gloriae‹ mit der Racineschen Bearbeitung (IV 109 f.) zu vergleichen.

Bei Bossuet ist die Seligkeit nicht das *unaussprechliche* Lichtmeer der Mystiker, sondern: « du ciel *l'éclatante lumière* » (Le Saint

Amour II), bei Boileau « le sein *lumineux* de l'éternel séjour »
(Satire 12).

Ein weiteres Lichtwort: *Clarté*. Man muß im ›Lexique zu Corneille‹ verfolgen, welche Rolle dieses Glanzwort bei dem Dichter
spielt, dem Finder des berühmten Cid-Verses: « Cette obscure
clarté qui tombe des étoiles » (Cid 1273). Dann begreift man, warum er den hl. Bernhard nennt: « Du cloître et de la cour précieuse
clarté » (X 122), und warum er im ›Tantum ergo‹ kühn übersetzt:

Et antiquum documentum	Faisons céder la *nuit* du vieil enseignement
Novo cedat ritui.	Aux *clartés* du nouvel usage. (IX 537.)

In dem Hymnus Somno refectis artubus übersetzt Racine die Anrede Pater spontan mit ô Clarté toujours pure (IV 108). Ähnlich
verfährt Corneille mit *Soleil*. Er übersetzt:

Te Christe, solum novimus	Notre unique *soleil*, c'est toi,
Te mente pura … quae-	Seigneur, toute notre âme adore ta *lu-*
sumus.	*mière*. (IX 473.)
(Mittwoch Ad Laudes:	
Nox et tenebrae.)	

Er übersteigert und versinnlicht:

Tu verae *lumen* patriae,	Adorable *soleil* de la sainte patrie,
Quod omnem sensum sup-	*Lumière* impénétrable aux sens. (IX 558.)
erat.	
(Verklärungs-Hymnus:	
Amor Iesu dulcissime.)	

Racine, dessen Soleil-Trunkenheit besonders aus ›Phèdre‹ bekannt ist, benennt Gott mit im Urtext nicht vorhandenen Ausdrücken: « soleil de justice » (IV 114), « soleil inaccessible »
(IV 151), er übersetzt echt barock-klassisch:

Aeterna coeli gloria.	*Astre* que l'Olympe révère. (IV 123.)

Er paraphrasiert das „caritas non aemulatur" (1 Cor. 13, 4) mit
einem Sonnenvergleich: « Tel que *l'astre du jour* écarte les ténè-
bres … Telle tu chasses … L'Envie aux humains si fatale » (Canti-
ques spirituels I, IV 149).

Briller. Nirgends kommt die barocke Glanztendenz vielleicht deutlicher zum Ausdruck als bei der Übersetzung der schlichten Imitatio Christi durch Corneille. Hier erkennt man deutlich, daß nicht die Paraphrase an sich, sondern ihre Richtung das Entscheidende ist. Und im 4. (eucharistischen) Buch sieht man bei Corneille sozusagen die heilige Hostie nur mehr im Glanze der Monstranz. Hier liegt eine Keimzelle des Wortes briller. Da heißt:

Cum frequentatione mysterii tui. (Imit. Chr. IV 4.)	Par le fréquent et saint usage De ce divin mystère, où *brille* tant d'amour. (VIII 612.)
Ut tanto maior *appareat* gratia, ... quanto latius est sacra communio diffusa per orbem. (Imit. Chr. IV 1.)	Et plus cette ferveur sur la terre est diffuse Plus elle y fait *briller* ta grâce et ton amour. (VIII 591.)
Coelum et terra ... quidquid laudis habent et decoris. (Imit. Chr. IV 3.)	Que la terre et les cieux et ... Tout ce qui *brille* en eux le plus pompeusement. (VIII 605.)

Aber auch sonst bevorzugt Corneille briller:

Dominus dabit benignitatem.	Fait *briller* tout *l'éclat* de sa bénignité. (IX 173.)
In montem Domini.	A la sainte montagne où *brille* son palais. (IX 93.)
Cives coeli.	Les hôtes bienheureux de ces *brillants* palais. (IX 12.)

Racine übersetzt auch mit briller zur Erhöhung des Glanzes seiner Originale (wie oben bei lumière):

Iubarque sancti Spiritus Infunde nostris sensibus. (Splendor paternae gloriae.)	Fais *briller* à nos *yeux* ta *clarté* secourable Et répands dans nos cœurs le *feu* de ton amour. (IX 109.)

Eclat und *éclater* sind die Wortrepräsentanten des moralischen und heroischen „Glanzes". Daher übersetzt Corneille:

Vexilla regis prodeunt, Fulget crucis mysterium.	L'étendard du grand roi des rois, La croix fait *éclater* son mystère suprême. (IX 509.)

Laudate eum in firmamento virtu- tis eius. (Ps. 150.)	Louez l'auguste *éclat* de sa magnifi- cence. (IX 153.)
Qui nobis certandi occasiones pro- curat, ut vincamus. (Imit. Chr. I 11.)	Sa grâce fidèle. ... Ne fait l'occa- sion du plus rude combat Que pour nous faire vaincre avecque plus d'*éclat*. (VIII 72.)

Racine übersetzt in dem Vesperhymnus des Freitags:

Da gaudiorum praemia. (Plasmator hominis, Deus.)	Qu'un saint ravissement *éclate* en notre *zèle*. (IV 136.)

Bossuet läßt die Seele zum Heiland sprechen: « *L'éclat* de ta beauté tout autre *éclat* surpasse » (Le Saint Amour VI), er sagt von der Gottesmutter: C'était... La Reine dont *l'éclat* au dedans renfermé... (La parfaite amante), usw.

Schwerer als von den Glanzmotiven wird indes das Heilige der klassischen Lyrik von den barocken *Morbidezza-Motiven* belastet. *Thematisch* kann man sie (genau wie in der bildenden Kunst) sehr gut an dem damals beliebtesten Vorwurf der schönen Büßerin Magdalena nachweisen. Hier sieht man deutlich, wie die herbe Zurückhaltung der Hymnen durch die Sprache einer wenn auch noch so verhaltenen preziös-klassischen Sinnlichkeit geradezu zerstört wird.

Hymnen:	*Corneille:*
Nardo Maria pistico	Madelaine embauma d'un onguent pré- cieux
Unxit *beatos* Domini Pedes, *rigando lacrymis*	Les pieds du *saint objet* (preziös!) *de* *toute sa tendresse,*
Et detergendo *crinibus.*[24] (Matutin in festo S. Mar. Magd.)	Les baigna d'un ruisseau (!) *qui coulait* *de ses yeux (!)* Et les essuya de sa *tresse* (!). (IX 554.)

Wieviel mehr weltliche Sinnlichkeit liegt in all diesen „dämpfenden" und dennoch superlativen französischen Umschreibungen als

---

[24] Dieser Hymnus hat außer der Doxologie nur diese eine Strophe, hier wollte der Verfasser offenbar aus Gründen des Heiligen gerade *nicht* ausmalen.

jeweils in dem schlichten lateinischen « mot propre »! Ähnlich und
zugleich deutlicher:

Amore currit *saucia*	L'amour qui vient de l'*embraser*,
Pedes beatos ungere,	Sur les pieds du Sauveur verse une *sainte*
Lavare fletu, tergere	*pluie*,
Comis, et *ore* lambere	Les parfume d'odeurs, et de sa *tresse*
(Ad vesp. in festo S. Mar.	essuie
Magd.)	*Ce que* sa *bouche en feu* ne peut assez
	baiser. (IX 553.)

Bei *Bossuet* spielt nun diese klassisch-barocke « tresse » eine bevorzugte Rolle: «Sur ses pieds *ondoyait* la *riche chevelure, Sa plus
noble parure*» (Les trois amantes), « Vos larmes, vos *cheveux épars,
Vos baisers* sont autant de dards, Qui percent un coeur qui vous
aime » (ebd.) und « Pour *assouvir* un chaste amour Triste, interdite
échevelée, Elle les baise tour à tour » (ebd.), und « A la magnificence
elle joint les tendresses, Et de ses longues, tresses Marie en même
temps déployait *les beaux noeuds, L'objet de mille voeux* » (ebd.),
oder ««Essuyant avec ses cheveux, Autrefois *si remplis de charmes,
Le torrent que versent ses yeux* » (ebd.).

Von der Morbidezza-Behandlung des Magdalenen*themas* her
wird nun am besten der Morbidezza-Wortschatz der klassischen
Lyrik [25] begreiflich. Hierher gehört in erster Linie das Wort

Appas. Dieser Plural (= les appâts), ein typisches Wort des
17. Jahrhunderts, heißt 1. « Ce qui tente qqn. » allgemein, 2. « Les
charmes extérieurs d'une femme » speziell (laut Diction. général).
Das Wort, das nach einer monographischen Behandlung verlangt,
ist also ein geistig-sinnliches Grenzerwort im Sinne der Spitzerschen Ausführungen,[26] und wenn es auftritt, ist es sozusagen schwer

---

[25] Er wirkte schon in seiner Salonsphäre auf kaustische Spötter wie
Saint-Evremond irritierend:
Là (im Salon) se font distinguer les fiertés des rigueurs,
Les dédains des mépris, les tourments des *langueurs,*
On y sait démêler la crainte des alarmes,
Discerner les *attraits, les appas et* les *charmes* etc. (Le Cercle, 1656),
zitiert bei A. Noblet, La poésie lyrique en France (London 1924), S. 168.
[26] Arch. Rom. 1928, S. 452, 453 u. bes. S. 384 Anm. u. S. 385 (kontur-
verwischende Plurale).

zu entscheiden, ob man es mit Geist oder Fleisch, Stuck oder Farbe zu tun hat. Dieses « appas » nun wird Lieblingswort der religiösen Lyrik und bedeutet sowohl die sinnliche Verlockung der Welt wie die faszinante Anziehung des Numinosen. So übersetzt Corneille:

Qui adhaeret creaturae.	Qui de la créature embrasse les *appas*.
(Imit. Chr. II 7.)	(VIII 210.)
Absterge sordes mentium.	Bannis-en de la chair les criminels *appas*.
(Vesperhymnus d. Mittw.:	(IX 475.)
Coeli Deus.)	

Racine übersetzt:

Reple tuo nos lumine	Tes lumières célestes
Per quod dierum circulis	Nous détournent toujours de ces pièges
Nullis ruamus actibus.	funestes
(Ad. Matut. Freitags.)	Que le démon couvre de mille *appas*.
	(IV 123.)

Interessanter ist für uns aber nunmehr auf dieser Folie die faszinante-religiöse Verwendung des Wortes, so wenn Corneille übersetzt: Amor vult esse sursum (Imit. III 5), Il va toujours en haut chercher de saints [27] *appas*, oder wenn *Bossuets* minnende Seele erklärt: Dans tes divins *appas* on éprouve une force qui *charme* (!) les douleurs (Le Saint Amour VI), oder Vos embrassements trop doux Vont accabler ma faiblesse. Je ressens trop vos *appas* (L'Amour Insatiable II), oder wenn er den Psalm 44 frei paraphrasiert: Vos blessures vont au coeur, Et vos *appas* invincibles, Vous en rendent le vainqueur (Eructavit cor meum). Ferner: *Langueur, languir, défaillance, se pâmer, se mourir* etc. etc. steigern die Boudoir-Atmosphäre. So übersetzt Corneille:

Debile corpus. (Imit. Chr. IV 1.)	Du corps tout usé la traînante *langueur*. (VIII 590.)
Ut per frequentes orationes et con-	Une nécessité De porter, et souvent,

---

[27] Das saint ist nicht entscheidend und vergeistigend, da auch die irdischen Reize in der Sprache der Klassik « célestes » appas heißen; so Molière, Tartuffe III, 3.

fessiones ... me renovem, ne ...   mes *pleurs* aux pieds d'un prêtre.
defluam.   (Imit. Chr. IV 3.)   ... Je dois ... Combattre ma
                                          vieille *langueur*. (VIII 602.)

Aruit cor meum quia oblitus sum   Ma *languissante* vie à toute heure
comedere panem meum.   m'échappe,
                          (Ps. 101.)   Et faute de manger, je nourris ma
                                          langueur.[28]   (IX 267.)

Racine übersetzt:

Infunde nunc, piissime.   Seigneur, qu'ainsi les eaux de ta
Donum perennis gratiae.   grâce féconde
   (Vesper des Montags: Immense   Réparent nos *langueurs*.   (IV 129.)
coeli conditor.)

Bossuet dichtet: Insatiable Epoux qui, jaloux de votre ombre, Me
causez des *langueurs* et des peines sans nombre (Le Saint Amour
XIII). Corneille übersetzt:

Relictus sum pauper et exul in   Tu sais que je *languis*[29] abandonné
terra hostili.   (Imit. Chr. II 48.)   sur terre.   (VIII 498.)
Ad volandum et *pausandum* in te.   Je vole dans ton sein pour y
            (Imit. Chr. III 21.)   *languir*[30] d'amour.   (VIII 371.)

Bossuets Maria (deuxième amante) gleicht auf ein Haar Berninis
hl. Theresia oder einer Guido-Reni-Heiligen in der gestellten
Barockpose:

            En regardant au ciel (!) mes yeux fondus en pleurs (!)
            De langueur accablés vous disent: *Je me meurs.*
                                          (Les trois amantes IV.)

---

[28] Es wäre reizvoll, onomasiologisch einmal den Begriff der Seelen-
dürre vom mittelalterlichen « acidia » über dieses « langueur » bis zum
romantischen « ennui » zu verfolgen. Betreffs acidia vgl. Voßler in der
Internat. Monatsschrift 1919, Sp. 786.

[29] Um die Bedeutungstragweite von languir im barocken Sinne voll
zu würdigen, vergleiche man etwa das Corneillesche „Guido-Reni"-Bild:
«Sa tête sur un bras *languissamment* penché » (Rod. V 4).

[30] Diese Übersetzung ist fast sinnstörend, weil sie statt Ausruhen
Schmachten evoziert, besonders wegen der Ennui-Elemente in *languir*
(Brunot, Hist. de la langue fr. III 182). Hier ist der Sinn des Augustini-

Ähnlich:

> J'expire sous les traits de l'amour qui me blesse ...
> Accourez, *je me meurs*.[31]   (Le Saint Amour I.)

oder:

> Après vous je *soupire*, Je me *pâme*, *j'expire*.
> (Ceci est mon corps.)

Weiteres Demonstrationsmaterial für die Begriffe *douceur, excès*, (sainte) *volupté* u. dgl., die in der gleichen Art verwandt werden, kann hier aus Raummangel nicht ausgebreitet werden.

V. Aus der Salonsphäre kommt aber ein weiteres barockes Element in diese klassische Lyrik, die Pointe, allerdings eine Pointe, die nicht schlechthin einen Witz oder eine Geistreichelei beabsichtigt, sondern eine solche, die in ihren Kontrastelementen und in ihrer Paradoxie ernst genommen sein will.[32] Diese Art von Pointe hat etwas stark Spanisches[33] und liegt der spanischen Agudeza näher als irgendeiner französischen Esprit-Form.[34] Es handelt sich um eine (im Kerne vielfach heroische) *überraschende Gedankenverschlingung*, wie sie ganz typisch dem spanischen Conceptismo eignet. Man kennt das aus dem ›Cid‹ bekannte Beispiel Corneilles: «Tu t'es, en m'offensant, montré digne de moi.» Diese typisch barocke französierte Agudeza gehört nun offenbar notwendig zum Wesen der französischen Klassik. Lehrreich sind hier einige Übersetzungen. Corneille überträgt:

---

schen „cor ... inquietum dum requiescat in te", oder des „muero porque no muero" der hl. Theresia geradezu auf den Kopf gestellt.

[31] Der barocke Charakter dieses häufigen «Je me meurs» bei Racine, z. B. Esther II, 7, ist sehr deutlich.

[32] Man vergleiche hierzu auch Spitzer a. a. O. 407 ff.

[33] Spanien, das seit dem 16. Jahrhundert eine Schäfer-, Ritter-, Liebesdichtung «a lo divino» kennt, schuf sich sozusagen auch eine Agudeza a lo divino.

[34] Ich sehe einen Umschwung auch in der Beurteilung der Pointe der klassischen Salonlyrik bei M. Roustan, Un Sonnet «précieux» in ›Textes français commentés et expliqués‹ S. 49—60.

(Judith) necans eum (Holofernes)
liberavit cives a mortis iaculo.
(St. Bonaventura, Laus M. V.)

Et de son poignard même Tu lui
perces le cœur qu'avaient percé
tes yeux.   (IX 37.)

Der besonders „gedämpfte" Racine läßt sich zu wortspielerischen
Assoziationen verleiten, wenn er übersetzt:

Et *mane* illud ultimum
Quod praestolamus cernui
In lucem nobis effluat.
(Samstag Ad Laudes: Aurora
iam spargit polum.)

Et qu'en le bénissant notre *aurore*
dernière
Se perde en un *midi* sans *soir* et
sans *matin*.   (IV 127.)

Der als besonders herb geltende Bossuet gestaltet Tatsachen der
Heilsgeschichte in typische Agudezas um:

Gedanke:	*Formgebung:*
Der Heiland läßt sich von der Sünderin Magdalena die Füße mit den Haaren trocknen.	Et jamais de plus belle proie Ne fut prise dans tes cheveux. (Les trois amantes.)
Der Heiland empfiehlt seine Seele in die Hände des himmlischen Vaters.	Et remet en ses mains son âme désolée Qui même en se troublant ne fut jamais troublée.[35] (Les trois amantes.)

„Jesus stirbt freiwillig am Kreuze" heißt in einem anonymen, irrtümlich Corneille zugeschriebenen Sonett:

Mais Jésus, en baissant la tête sur son sein,
Fit signe à l'implacable et sourde Exécutrice (Tod),
Que, *sans avoir égard aux droits du souverain* (!),
Elle achevât sans peur ce sanglant sacrifice.[36]

Wir können uns wohl nicht mehr recht vorstellen, wie gerade solche
Wagnisse der Ästhetik des barocken Menschen konform waren.

[35] Auch hier ist die Folie der Geistreichelei (der Doppelbedeutung von troubler 1. verwirren, 2. trüben), das Echospiel, das *allein*, aber durchaus in der *Richtung* der Agudeza, auch vorliegt, wenn Corneille etwa übersetzt: « Christum natum Maria virgine, mit Ce Dieu, ce *créateur né d'une créature* » (IX 496).

[36] So in Larmand, Les Poètes religieux S. 78.

VI. Wenn es überhaupt etwas gibt, das für die französische Klassik typisch ist, so sind es die fast sprichwörtlichen barocken Überraschungseffekte, von denen auch Spitzer mit umkreisenden Ausdrücken wie ungeahnte Perspektive, Aus-der-Rolle-Fallen, plötzliche Schwenkung, plötzliches Fensterzerbrechen spricht,[37] Überraschungseffekte, wie sie Strich für sein Gebiet reichlichst kennt, und von denen er sagt, sie brächen wie ein leuchtender Schluß blitzgleich aus dem vorhergehenden Dunkel.[38] Diese *Schlußblitze* nun sind in der französischen klassischen *Lyrik* ebenfalls reichlich vorhanden, besonders stark bei Bossuet, wo man versucht ist, sie mit dem „antiropalischen" Numerus des Kanzelredners in Verbindung zu bringen. Etwas „Antiropalisches" liegt ja auch in den seit Malherbe beliebten Sechssilbner-Ausklängen nach Alexandrinern in der Einzelstrophe. Für die religiöse Sphäre haben diese Schlußblitze noch eine Sonderbedeutung. Sie decken sich mit biblischen Bräuchen, deren Wesen schon Chateaubriand sehr „modern" erfaßt, wenn er sagt: « Lorsque, exalté par la pensée, l'esprit s'élance dans les plus hautes régions, soudain l'expression, au lieu de le soutenir, le laisse tomber du ciel en terre ... Cette sorte de sublime, le plus impétueux de tous, convient singulièrement à un Etre immense et formidable, qui touche à la fois aux plus grandes et aux plus petites choses » (Génie du Christianisme IIe Partie, Livre V, chap. 3). Doch sehen wir von bestreitbaren Auffassungen ab und halten wir uns an das Sichere! Den ersten Teil seiner Ausführungen über die Gottesliebe schließt Boileau in der berühmten 12. Epistel mit einigen Fragen, die man zwangsläufig in ihrer anaphorischen Anordnung als rhetorische Fragen auffaßt. Da, zum Schluß, kommt überraschend eine Antwort und deren nüchterne Bestätigung:

> Pardonnez-vous sans peine à tous vos ennemis?
> Combattez-vous vos sens? Domptez-vous vos faiblesses?
> Dieu dans le pauvre est-il l'objet de vos largesses?
> Enfin dans tous ces points pratiquez-vous sa loi?
>
> — — — — — — — — — — — — — —
>
> Oui, dites-vous. — *Allez, vous l'aimez, croyez-moi.*
>   (Boileau, Epître XII.)

[37] A. a. O. 413 ff.
[38] Muncker-Festschrift 1916, S. 32.

Ist dieser antipathetische Kontrast auf eine pathosgeladene Reihe
wohl wesensgleich mit Spitzers „sozusagen negativer Klimax, bei
der das Schlichte die Krönung des Rhetorischen bildet",[39] so kann
der nüchterne Additionsstrich unter pathetischen Ausdrucksreihen
noch stärker als Lichtblitz wirken, wenn die errechnete Summe auch
inhaltlich überrascht. Diese Additionsstrichtechnik ist nahe verwandt mit dem barocken Resümee Calderons,[40] aber auch mit dem,
was Spitzer „Ballung verschiedener Akzidentien oder Ingredien-
tien" nennt.[41] Ein Schulbeispiel dafür sind *Arnauld d'Andillys*
(† 1674) psychologische Himmel- und Höllenskizzen. Von der
Hölle beispielsweise sagt er:

> Maudire du Très-Haut les décrets éternels,
> Sentir ronger son cœur de désirs criminels,
> Avoir perdu du ciel la gloire inestimable,
> Se voir avec justice arrêté dans les fers,
> Et d'un saint repentir se trouver incapable:
> *C'est un faible crayon de l'horreur des enfers.*
>
> (De l'Enfer.)

Das *„Überraschende"* an diesem Fazit liegt darin insbesondere, daß
nach einer *Maximal*schilderung von „horreurs" gesagt wird, es
handle sich bei alledem um einen *minimalen* Schilderungsversuch
(un faible crayon). Die Schlußblitztechnik ist natürlich auch in sub-
tilerer Form festzustellen, so wenn sich Corneille für einen besonders frappierenden, über das Original hinausgehenden Gedanken
bei der Imitatio-Übersetzung eine Cauda zur Strophe erfindet[42]:

| Pro beneficiis ingratitudinem re- | J'ai vu … |
| cepi, pro miraculis blasphemias, | La fureur du blasphème attaquer |

---

[39] A. a. O. S. 438, dazu Beispiele S. 439—441.

[40] Vgl. hierzu H. Hatzfeld, Don Quijote als Wortkunstwerk (Leipzig
1927), S. 108 f.

[41] A. a. O. S. 431.

[42] *Bewußt* tut er dies laut eigener Préface nur deshalb, um die Sprache
Christi von der Sprache des Dichters äußerlich zu scheiden, wofür er
natürlich noch andere Möglichkeiten nützt; vgl. Au Lecteur, Corn.
VIII 16.

pro doctrina reprehensiones.
(Imit. Chr. III 18.)

mes miracles,
Et l'orgueil ignorant condamner les
oracles
Dont j'illuminais les esprits.
(VIII 352.)

Wichtiger ist natürlich die *gedankliche* Cauda, die zur Nüancie-
rung des Originaltextes schreitet, um dort abgeklärter Gesagtes
affektischer auszudrücken, so daß sogar mitten in der Imitatio-
Übersetzung „Donnerkeil"-Wirkungen [43] entstehen. So legt bei der
Stelle, wo Thomas a Kempis das Verhältnis von göttlicher Liebe
und menschlicher Unwürdigkeit bei der Kommunion ausgleicht,
Corneille wider Erwartung (nach dem viel mehr die Liebe Gottes
betonenden Anfang) einen überraschenden und vernichtenden
Schluß-Akzent auf die Unwürdigkeit des Menschen. Man vergleiche:

Sed ex sola pietate et gratia	Ma bonté ... t'invite ...
mea permitteris ad men-	Et comme à cette table elle seule t'appelle,
sam meam accedere, ac si	Lorsque je t'y reçois, te ne regarde qu'elle.
mendicus ad prandium	Viens-y, mais seulement en me remerciant,
vocaretur divitis.	*Tel qu'à celle d'un roi se sied un mendiant.*
(Imit. Chr. IV 12.)	(IV 656.)

Bei Bossuet nun sind alle Spielarten dieser Schlußblitztechnik festzustellen. Er kennt den Additionsstrich mit der nicht erwarteten
Summe, wenn er ein litaneimäßiges Marienlob plötzlich schließt:

Plus claire qu'une eau vive, agréable, adorante,
Plus que dans la moisson la campagne abondante, usw.

Plus blanche que le lis, unique entre les roses:
Le Tout-Puissant en elle a fait de grandes choses.
(La parfaite amante.)

Er kennt aber auch die formale wie inhaltliche Überraschungs-
cauda:

[43] Spitzer a. a. O. 441.

> Cesse de recevoir les indignes caresses
> Du monde qui s'empresse à gagner tes tendresses:
> *Le Verbe est ton époux.* (Le Saint Amour, Einl.)

Er kennt endlich den Ausklang einer Aussage oder Anrede in ein über Gebühr akzentschweres, wahrhaft aufblitzendes *Wort*, z. B.:

> Eternel, je me tais, en ta sainte présence
> Je n'ose respirer, et mon âme en silence
> Admire la hauteur de ton nom *glorieux.*
> (Tibi silentium laus.)

Corneille kennt sogar den Einbau des aufblitzenden Wortes in die Echotechnik, z. B. übersetzt er:

Compediti sunt omnes proprietarii. (Imit. Chr. III 32.)	Ceux qui pensent ici *posséder* quelque chose La *possèdent* bien moins qu'ils n'en sont *possédés.* (VIII 428.)

VII. Das Überraschungsmoment scheint mir im Barockstil über das antithetische schlechthin so sehr zu überwiegen, daß ich das nichtssagende Schlagwort Antithese bisher absichtlich vermieden habe. Ich führe es nun für einen ganz bestimmten Überraschungsfall, den einer immanenten, verblüffenden Gegensatzspannung ein, die ich *Schleierantithese* nennen möchte. Ich lehne diesen Begriff dabei bewußt an das an, was Wilhelm Pinder sehr treffend Schleierraum nennt. Wenn ich ihn recht verstehe, meint er damit den barocken Innenraum, der mit Rund- und Ovalformen, mit Stuck, Farben und Draperien derart geschmückt ist, daß der Betrachter ohne verständliche Störung seiner Illusion niemals die dadurch „verschleierte" Grundform des Raumes erkennen könnte. Genauso werden schon in der preziösen Dichtung im schlechten Sinne Worte mit zugleich sinnlicher und geistiger Bedeutung neben- und gegeneinander gestellt und müssen erst aus der Konsoziation gelöst, entschleiert werden, damit der auf den ersten Blick nicht zu erkennende, jeweils gemeinte sinnliche bzw. geistige Sinn herauskommt. In dem berühmten Sonett des Trissotin, das Molière in seinen ›Précieuses‹ an den Pranger stellt, stehen die Verse, die der

Marquise gelten: «Quoi, sans respecter votre rang, Elle se prend
à votre sang!» Der Leser, der in diesem Rätselsonett noch nicht
weiß, daß von dem Subjekt «La fièvre» die Rede ist, gibt dem
Worte *sang* in Konsoziation mit *rang* zunächst unbedingt die über-
tragene Bedeutung „Rasse", bis ihm der Schleier von den Augen
fällt und er merkt, daß es sich um das *Blut* im wörtlichen Sinne
handelt. Man denkt hier wieder an einen spanischen Typ: «atadas
(wörtlich) las manos y suelta (bildlich) la lengua.» Das barocke
Wesen solchen Scherzes, von dem wir nicht reden wollen, und von
dem Boileau sagt:

> Et souvent, du faux sens d'un proverbe affecté
> Faire de son discours la piquante beauté   (Sat. XII),

ist aber auch in Kunstformen der echt klassischen Lyrik festzustellen, und die religiöse Lyrik [44] speziell scheint in der Verschleierung
ein Analogon zur biblischen Sprache des Mysteriums zu sehen:
«. . . l'on est empêché Par l'amère enveloppe et par la dure en-
ceinte, De recueillir d'abord dans la parole sainte, Le fruit du sens
caché» (Bossuet, La Saint Amour V). Wenn Voßler im klassischen
Stil den Ausdruck findet, „der sich ebensogut denken wie schauen
läßt",[45] so kann genaue Analyse bestätigen, daß sich die *Schau-*
linie, wenn auch durch Konsoziation gedämpft, *über* die *Denk-*
linie legt (wie Stuckraum über Grundrißmauern), oder sich mit ihr
kreuzt. So *sehen* wir in dem folgenden Beispiel das Blut Christi die
Erde durchdringen, zum Himmel steigen, unsere Verbrechen rein-
waschen, aber alle Metaphorik wird von der entgegenstehenden
Metonymik verschleiert; denn viel mächtiger *denken* wir darüber
nach, wie es unsere Fesseln bricht, die Hölle bändigt und den göttlichen Zorn beugt:

---

[44] Es gibt Grenzfälle, die zeigen, wie sich solches Salongetändel in die
religiöse Lyrik einschleicht, so wenn Brébeuf seiner Philis, die ins Kloster
gehen will, sagt: Quoiqu'allègue leur ignorance, Quoique prônent les
insensés, Le *parti* que vous choisissez Est le meilleur parti de France
(Ausg. Ribou 1664, S. 264). Parti, 1. Entschluß, 2. Partie.

[45] Jean Racine S. 185.

> Cet adorable sang peut seul *briser* nos fers;
> Il *pénètre* la terre et *dompte les enfers,*
> Il *monte* jusqu'au ciel et *fléchit* sa colère,
> Son mérite infini vient nos crimes *laver.*
> (Arnauld d'Andilly, Comparaison du déluge au sang
> répandu par J.-Chr.)

Bei Tristan L'Hermite ist man gezwungen, eine der Schaulinien (oeillets, roses) als Denklinie zu fassen, um dem Eindruck einer Katachrese zu entgehen [46]:

> Divin auteur de toutes choses,
> À qui les *ronces* et les *clous,*
> Quand tu voulus mourir pour nous,
> Etaient des *oeillets* et des *roses.*   (Prière à Jésus-Christ.)

Wie aber gerade durch solche Schleierantithese von Schau- und Denkbegriffen echte und beste barocke Lyrik entsteht, kann man ermessen, wenn Corneille etwa bei Übersetzung des Passionshymnus ›Lustris sex qui iam peractis‹ in das reale Holz des Kreuzesbaumes (arbor una nobilis) ein symbolisches Astwerk (branchages) mit Gnadenschatten (douceurs) hineinsieht, und seine süße Last als dessen Frucht (portent) empfindet. Man braucht nur die Übersetzung mit dem Original zu vergleichen, um diesen im Original gar nicht vorhandenen „Schleierraum" zu entdecken:

Dulce lignum dulces clavos,	Qu'a de charmes ton bois! Que
Dulce pondus sustinet.	bénis sont tes clous!
(Tempore Passionis, Ad Laudes.)	Que de *douceurs* ont les *branchages*
	Qui pour notre salut *portent* un
	poids si doux. (IX 515.)

---

[46] Daran, daß die modernen Franzosen zum Teil dieses barocke Procédé nicht mehr vornehmen können, scheitert ihr Verständnis für ihre eigene Klassik. Wer, nach einem Hinweis Thibaudets, den Malherbe-Vers: « Prends ton foudre, Louis, et marche comme un lion », als Katachrese rezipiert, versteht ihn nicht mehr, und verkennt seine klassische Schönheit, richtiger müßte man sagen, barocke Schönheit, wie sie Pfandl so gut definiert: „Dichterische Wirkung durch Anschauung und Empfindung zugleich" (Span. Nat.-Lit. S. 231 ff.).

Interessant ist auch der „Blitz-und-Donner"-Gedanke, mit dem
Corneille das „Tau"-Bild der Imitatio Christi antithetisch verschleiert:

Fluat ut ros eloquium tuum.	Mais désarme d'*éclairs* ta divine
(Imit. Chr. III 2.)	éloquence,
	Fais la *couler* sans *bruit* au milieu
	de mon cœur,
	Qu'elle ait de la *rosée* ... l'aimable
	douceur. (VIII 408.)

In diesem Sinne begreifen wir auch, warum Racine, der Lichttrun-
kene (!), die kontinuierliche Lichtsymbolik des berühmten Splendor paternae gloriae einerseits mit einem Gedankenschleier über-
zieht (Vers 2), anderseits das Lichtsymbol durch Kontrast (ombre)
schaumäßiger macht (Vers 3):

Splendor paternae gloriae,	*Source* ineffable de lumière,
De luce lucem proferens,	*Verbe*, en qui l'Eternel contemple
Lux lucis et fons luminis.	sa beauté,
(Dienstag Ad Laudes.)	*Astre*, dont le soleil n'est que
	l'ombre grossière.[47] (IV 109.)

In dem folgenden Beispiel aus Bossuet muß man das durch die Emblematik durchaus in der *Bild*ebene liegende Agneau (= Agnus
Dei) erst verstandlich seines verschleiernden Anschauungswertes
berauben, um es mit den darauffolgenden eindeutigen Bildversen
in gedanklichen Einklang zu bringen:

> Je te vois, tendre *agneau,* devenu la victime
> De tout le genre humain:
> Un clou perce déjà, pour expier mon crime,
> Ton innocente *main*.   (Le Saint Amour XII.)

Das Problem der Schleierantithese hat aber neben diesem innern
noch einen *äußern* Aspekt. Wie eigentlich nur die parallelistische
Antithese *formal* eine echte, und die chiastische schon eine ver-

---

[47] Source — Verbe — Astre ergibt dabei eine das einheitliche „Licht"-
bild des Originals aufhebende *Gefühls*reihe, wie wir sie aus den Schein-
bilder-Gefühlsreihen Calderons kennen, die im Kerne lyrische Dissonanzen darstellen.

schleierte ist, so erscheint die Antithese besonders verschleiert, wenn ihre notwendige innere Zweigliedrigkeit („Gott-Mensch") von einer deroutierenden äußern Dreigliedrigkeit gekreuzt wird:

> *Vous* n'êtes que pouvoir (I), je ne suis que faiblesse (II),
> Mon Dieu, mon créateur (III),
> Je vous trouve *partout,* éternelle Sagesse (I),
> *Toujours* devant mes yeux (II) et *jamais* dans mon cœur (III).
> (Paul Pelisson, Stances).

Oder man sucht die Antithese in einer sich aufdrängenden Wortspielerei, während sie in Wirklichkeit woanders liegt, so in dem folgenden Beispiel, wo in Wirklichkeit Gnade (Dieu) und Verdammnis (jamais) kontrastieren, das Auge aber auf corps—esclave —âme: âme—esclave—corps gelenkt wird:

> Si *Dieu* ne rend ton corps esclave de ton âme,
> Ton âme est pour *jamais* esclave de ton corps.
> (Gomberville, Sur la solitude.)

Oder Auge und Ohr werden auf den Schleiergegensatz von zwei Reimen abgezogen (Père, frère), während die antithetischen Glieder des Sinnganzen (tremendus Deus — redemptor fascinans) von der globalen Gestaltung aufgesogen werden und resthaft höchstens noch in negativer und positiver Aussage (Je ne te cherche pas—je t'ai baisé) stecken:

> Je ne te cherche pas dans le sein de ton père,
> A mes yeux refusé,
> Sorti de ce secret et devenu mon frère,
> Cent fois je t'ai baisé. (Bossuet, Le Saint Amour XI.)

VIII. Zu den Elementen des Überraschens und Blendens gehört beim Barock vor allem der Pomp, im Sprachlichen vielfach der Prunk. Wer dabei an Schwulst im schlechten Sinne denkt, müßte es allerdings für müßig halten, diese Frage im Zusammenhang mit der französischen Klassik aufzuwerfen. Wer aber ein Pompelement auch darin sieht, daß etwa die gerade Linie in eine wellenförmige oder eine gebrochene aufgelöst wird, und dabei erkennt, daß dieser grandios-affektische Linienbruch nicht eine floskelhafte Spielerei,

sondern eine wesenhafte Paraphrase, eine Floskel mit Eigenwert
ist, die eben mit Zeremoniell und Grandezza, mit barock-heroischer
Geste aussagt, was die Linie mit Schlichtheit erzählt, der wird auch
in der *feierlichen Umschreibung* der Klassik die barocke Linienbrechung, die heroische Pompfreude im besten und wesenhaften
Sinne erkennen. Braucht das Gesagte einen Kommentar, wenn
Corneille übersetzt:

Coeli enarrant gloriam Dei. Des célestes lambris la pompeuse étendue
(Ps. 18.) Fait l'éloge du Souverain (IX 87)?

Daß es sich bei solch feierlicher Umschreibung wirklich um etwas
*Wesen*haftes, nicht um Floskeln handelt, ist z. B. daran kontrollier-
bar, daß die in dem von Corneille übersetzten ›Officium Beatae
Virginis‹ immer wieder vorkommende kleine Doxologie, das Gloria
patri, fast jedesmal neu und andersartig variiert wird, während
eine einmalige und stets gleiche Paraphrase mit ihren fertigen
Reimen das Normale wäre. Das Material hier auszubreiten, ist
unmöglich; aber um einen Begriff zu geben, sei erwähnt, daß allein
das „in principio" erscheint als « avant toutes les choses » (IX 103
u. öfters), als « lorsque tout prit naissance » (IX 107), als « avant
le premier jour » (IX 135), als « avant les premiers jours » (IX 233),
als « quand tout commença d'être » (IX 77), als « avant que tout
fût né » (IX 195), als « avant l'ange rebelle » (IX 117). Das ›Bene-
dicite‹ (Danielis III) heißt bei Corneille bald « Bénissez le Seigneur »
bald «Exaltez sa grandeur » (IX 141 ff.). Ähnlich schafft sich Racine für den immer wiederkehrenden schlichten Hymnenschluß
„Praesta, Pater piissime, Patrique compar unice, Cum Spiritu Pa-
raclito Regnans per omne saeculum" Umschreibungen, die sich
gegenseitig an barocker Feierlichkeit überbieten, wie:

Père des anges et des hommes,
Sacré Verbe, Esprit Saint, profonde Trinité,
Sauve-nous ici-bas des périls où nous sommes,
Et qu'on loue à jamais ton immense bonté (IV 126);

oder:

Exauce, Père saint, notre ardente prière,
Verbe, son fils, Esprit, leur noeud divin („Legierung"),

Dieu qui, tout éclatant de ta propre lumière (barocker Lichteinbruch),
Règnes au ciel sans principe et sans fin   (IV 123);

oder:

Règne, o Père éternel, Fils, Sagesse incréée,
Esprit Saint, Dieu de paix,
Qui fais changer des temps l'inconstante durée   (schon erwähnte
Et ne changes jamais   (IV) 129)   Echotechnik).

So verfährt der „schlichte" Racine. Ich bin deshalb auch geneigt,
seine „Zweigliedrigkeit" und seine „Gabelung" [48] genau wie jede
Doppelaussage der Klassik als barocke Linienbrechung zu erklären.
So verstehe ich die Übersetzungen Corneilles:

Eripe me de luto.	Tire-moi de la *fange*, où ma chute
(Imit. Chr. III 20.)	m'engage,
	De ce *bourbier* épais arrache ton
	image. (VIII 363.)
Ut Deo viveres. (Imit. Chr. I 25.)	Pour *vivre* à Dieu seul attaché,
	Pour *embrasser la croix*, pour la
	baigner de larmes. (VIII 163.)
Nobis, Pater, canentibus	Entends des voûtes azurées
Adesse te deposcimus.	Et le *concert des voix*, et le *zèle*
(Montag Ad Matut.)	*des coeurs*. (IX 462.)
Benedixit pusillis cum maioribus.	Aux *petits comme aux grands, aux*
(Ps. 113.)	*bergers comme aux princes*
	Il départ ce précieux don.[49]
	(IX 317.)
(Israel) laudet ... eum in saecula.	Et *d'un climat à l'autre*, ainsi *que*
(Benedicite, Dan. 3.)	*d'âge en âge*,
	Exaltez sa grandeur. (IX 145.)

---

[48] Spitzer a. a. O. S. 420 u. 422.
[49] Solche Übersetzungen in allgemein-abstrakter *und* besonderer konkreter Aussage werfen auch ein Licht auf die Technik Malherbes, der in
der ›Consolation à M. Du Perrier‹ auf die abstrakte Strophe 19: « La
mort a des rigueurs », zur Illustrierung des gleichen Gedankens noch die
berühmte 20. folgen läßt mit dem konkreten « pauvre en sa cabane » und
der « garde du Louvre ». Wäre Malherbes Kunst nicht barock, so hätte
De Broglie (Malherbe S. 50) sein Kunstschaffen nicht charakterisieren

Für Racine wären zu den Spitzerschen Beispielen aus seiner Lyrik
etwa hinzuzufügen Paraphrasen wie:

Vides malum quod gessimus. (Rerum creator, Mittwoch Ad Matut.)	Nous montrons à tes yeux *nos maux* et *nos alarmes*. (IV 116.)

Lehrreich ist auch Racines Art des Linienbruchs in dem geballten:

Intenta supplicatio Dormire cor mundum vetat. (Ales diei nuntius, Dienstag Ad Laudes.)	*Pleurons et gémissons:* une ardente prière *Ecarte le sommeil, et pénètre les cieux.* (IV 114.)

Nun versteht man auch die Doppelsage bei Bossuet, wenn er etwa
für „benedictus Deus" (Ps. 65) sagt: « Il est tout, il n'est rien de
tout ce que je pense » (Tibi silentium laus), wenn er ebenda sein
„ineffabile" als Konstatierung *und* als lautmalendes Stammeln ausdrückt:

> Interdit, èperdu, *je n'articule plus,*
> A, a, a, mon discours n'a ni force ni suite.   (Ps. 65.)

Das „psallam nomini Domini altissimi" heißt bei Mme. Deshoulières:

> Dans ma bouche il mettra de ces airs éclatants,
> Que, *du nord au midi* (1), *du couchant à l'aurore*[50] (2)
> A la gloire du Dieu ... Les peuples chanteront.
>   (Paraphrase du Psaume 12.)

IX. Man sieht deutlich, daß die Doppelsage mit den pluralisti-
schen und superlativen Zügen, die man im deutschen und spanischen Literaturbarock feststellen kann, so etwa verwandt ist, wie
pompöse Grandezza mit pomphafter Überladung. Und mir scheint,
genauso haben fast alle extensiven Übersteigerungen des außer-

---

können als: « Une seule idée logiquement déduite avant d'être parée des
ornements de l'imagination. »

[50] Ähnlich Corneille: « Et du nord au midi, de l'Inde jusqu'au Tage Il le
faut exalter » (IX 215).

französischen Literaturbarocks in der französischen Klassik ihre intensiven Entsprechungen. Wie hätte auch anders Boileaus „barokker" Rat ausgeführt werden sollen:

> Que dans tous vos discours la passion émue
> Aille chercher le cœur, l'échauffe et le remue.[51]

Nur von zweien dieser Erscheinungen, die als besonders typisch gelten, soll noch die Rede sein, von der *intensiven Überladung* durch *Wortwiederholung* und *Worthäufung*. Von der „feierlichen Wiederholung", die er als „gemalte Aufregung" deutet, hat Spitzer [52] überzeugend gehandelt. Seine Deutung einer gewollten, erstrebten, rational-meditativen Erregung paßt auch zu den folgenden lyrischen Gebetsbeispielen, ist aber gerade insofern „barock", als sie sich unschwer mit der jesuitischen pädagogischen Technik der Affektlenkung und Intensivierung in Einklang bringen läßt. Ästhetisch wirkt dieser Sonderfall der Doppelsage beim Einzelwort, der zweimalige Einsatz mit dem gleichen voluntaristisch geschwellten Worte, wie ein gesteigerter Doppelklang von verschiedener Klangfarbe, wie ein Takt, der instrumental und vokal, oder „Solo" und „Tutti" wiederholt wird. Jetzt erst, beschränkt auf die feierlichsten Stellen, ist die Wortwiederholung poetisches Stilmittel, während sie im 16. Jahrhundert, bei den Ronsard-Imitatoren, bei A. d'Aubigné, bei Garnier usw. noch lückenbüßerische Ausflucht war. Das besonders Beweisende für unsere Beispiele soll wieder an den ganz anders gearteten Originaltexten abgelesen werden:

Corneille:

Loquere, Domine, quia audit servus tuus. (Imit. Chr. III 1.)	*Parle, parle,* Seigneur, ton serviteur écoute. (VIII 261.)
Intende in adiutorium meum, Domine. (Ps. 37.)	*Venez, venez,* mon Dieu, *venez* tôt à mon aide. (IX 259.)
Trade te mihi, et sufficit. (Imit. Chr. IV 3.)	*Donne-toi* donc, Seigneur, *donne-toi* tout à moi. (VIII 600.)

---

[51] In sinngemäßem Zusammenhang zitiert bei *Fidao-Justiniani*, L'Esprit classique et la préciosité S. 103.

[52] A. a. O. S. 428 f.

Utile est enim scire, qualiter . . .
praeparare debeam cor meum.
(Imit. Chr. IV 6.)

Fais-moi, Seigneur, *fais-moi* savoir,
Avec quel zèle . . . je m'ap-
prête . . .   (VIII 619.)

Numquid in aeternum irasceris
nobis? (Ps. 84.)

Pourriez-vous, Dieu tout bon,
pourriez-vous sur nos têtes
Tenir le bras levé durant tout
l'avenir? (IX 171.)

In camo et freno maxillas eorum
constringe. (Ps. 31.)

Domptez avec le mors, *domptez*
avec la bride
Les esprits durs et fiers.
(IX 251.)

Beati simplices, quoniam multam
pacem habebunt. (Imit. Chr. I 11.)

C'est vous, simples, *c'est vous,* dont
l'heureuse prudence
Du vrai repos d'esprit possède
l'abondance.   (VIII 70.)

Interessant ist auch, zu sehen, wie Corneille stilistisch *Ähnliches* bei seinen Originalen bewußt zu dieser klangintensitätsverschiedenen Haplologie umbildet:

Gaude virgo, mater *gaude.*
(Laus B. M. V.)

Ouvre donc, mère vierge, *ouvre* l'âme à la joie.   (IX 11.)

Für Corneille kann ich die reichlichst fließenden Beispiele wohl abbrechen. Racine bedarf nach den Spitzerschen Beispielen keiner weiteren Belege. Als Repräsentant der petits poètes stehe Godeau:

Nun dimittis servum tuum, Domine.   (Luk. 2, 29.)

Permets, permets, Seigneur, que j'aille
Annoncer que ta grâce ouvre chez les morts tous ses trésors.
(Cantique de Siméon.)

oder:

Célébrez, ô pécheurs, en ce merveilleux jour,
L'excès de ses bontés, *l'excès* de son amour.
(Sur le sacrifice de la Croix.)

Endlich noch ein Bossuet-Beispiel:

Cédez, cédez, mes sens, fuyez, troupe infidèle.
(Ceci est mon corps.)

X. Am meisten frappiert hat es mich, in der klassischen französischen Lyrik nicht nur das gedämpfte dreigliedrige „steigernde Asyndeton",[53] sondern auch — sagen wir einmal — das chaotische Asyndeton zu finden, das tatsächlich die intensive Überladung in die extensive überführt, also jene asyndetische Worthäufung, in der Strich etwas typisch Germanisches sah, und deren Sinn und Entwicklung Viëtor [54] nach allen Richtungen diskutiert. In dieser Spezialuntersuchung kann ich nur in Parenthese bemerken, daß dieses französische Asyndeton des 17. Jahrhunderts wohl nur im geringsten Grade „Fortwälzung" desjenigen des 16. Jahrhunderts ist. Rabelais scheidet als einzigartig (Sainéan) und als Prosaist für die Entwicklung überhaupt aus. Ronsard, Du Bellay werden in ihren spärlichen Häufungen von der klassischen Theorie sicher ebenso abgelehnt wie in ihren Deminutiven oder in ihren Neologismen. Wohl aber scheint die asyndetische Häufung mit primärbarockem Sinne durch die Hintertür Spanien wieder einzudringen.[55] Aber hier will ich keine Theorien vortragen, die jenseits meines Beispielmaterials liegen. Ich konstatiere für *mein* Material als *Anregung* das häufende Asyndeton des Hymnen- und Psalmenlateins, das anstandslos rezipiert, und nicht wie andere Stilistica ersetzt wird, woraus zu schließen ist, daß es, wenn auch in der Theorie der französischen Klassik nicht gerade verankert, dennoch dem Lebensgefühl jener Dichter entsprochen hat:

Hic acetum, fel, arundo,
Sputa, clavi, lancea.
      (Temp. Pass. Ad Laudes.)

Le vinaigre, le fiel, le roseau, les
   crachats
Joignirent l'insulte au trépas.
      (Corn. IX 514.)

Ignis, grando, nix, glacies, spiritus
   procellarum ... laudent nomen
   Domini. (Ps. 148.)

Bénissez-le, *foudre, orage,*
Frimas, neiges, glaçons, grêles,
   vents indomptés. (Corn. IX 149).

Corneille geht aber über seine Vorbilder hinaus, z. B.:

Pro nulla re mundi, et pro nullius hominis dilectione, aliquod

Le mal n'a point d'excuse, il n'est
espoir, surprise,

---

[53] Spitzer a. a. O. S. 430.
[54] Barockprobleme S. 3 ff.
[55] Vgl. L. Pfandl a. a. O. S. 236.

malum est faciendum.
      (Imit. Chr. I 5.)

Intérêt, amitié, faveur, crainte,
   malheurs,
Dont le pouvoir nous autorise
A rien faire ou penser qui porte ses
   couleurs.[56]   (VIII 90.)

Quid te magis molestat quam tua
immortificata affectio cordis?
Bonus ... homo opera sua prius
intus disponit.   (Imit. Chr. I 3.)

Bien loin d'être emporté par le
   courant rapide
Des flots impétueux de ses bouil-
lants désirs,
Il les dompte, il les rompt, il les
   tourne, il les guide. ... (VIII 42.)

Genauso verfährt der klassisch beherrschte und rhetorisch dispo-
nierende Bossuet:

> J'ai tout perdu, *grâce, gloire, innocence, Espoir, amour.*
>   (Prière d'un pécheur pénitent.)
> L'Eglise *a ses parfums, sa foi, sa patience,*
> Son *amour, ses désirs; les vents, la violence,*
> La fureur des tyrans ...   (Le Saint Amour VII.)

oder:

>   *Hardis à tout quitter,*
> *Père, mère, plaisirs, trésors, femme, héritage,*
> *Soi-même.*   (Les trois amantes 2, IV.)

Kann man nach dem im Vorstehenden ausgebreiteten Material
an dem *wesenhaften* Barockcharakter der klassischen Lyrik Frankreichs zweifeln und Schwierigkeiten finden, auch diese angeblich
„nationalste" aller Dichtungen in die gemein-abendländische Dichtung des 17. Jahrhunderts einzugliedern, einen Corneille (1606 bis
1684) mit einem Calderon (1600—1681) oder einen Bossuet (1627
bis 1704) mit einem Angelus Silesius (1624—1677) zusammenzu-
sehen? Ich glaube, wir dürfen den Barockcharakter der klassischen
Lyrik für die französische „Klassik" überhaupt in Anspruch nehmen. Denn gerade diese religiöse Lyrik [57] ist für das französische

[56] So die Fassung von 1656, die von 1651 hat diese Häufungen nicht!
In den fünfziger Jahren ist Hochflut spanischen Literatureinflusses!

[57] Die „Imitation" allein soll Corneille mehr eingetragen haben als
seine beste Theaterproduktion (vgl. Notice VIII, XVII).

17. Jahrhundert ungemein repräsentativ und erlebte höchste Auflagen. Sie war eben die Literatur der gens de la retraite, der jeweils „Alten" der zwei Generationen, um die es sich handelt. Gerade deshalb allerdings pflegt sie von der französischen Literaturgeschichtsschreibung, welche nur die Literatur der „Jungen", der gens du monde, der gens du divertissement, berücksichtigt, als quantité négligeable behandelt zu werden — sehr mit Unrecht. Stilgeschichtlich mag noch hinzugefügt werden, daß diese klassische religiöse Lyrik im Zeitalter Louis XIV sich auch dadurch als barock erweist, daß sie fast keine Berührung hat mit der vorklassischen des Zeitalters Henri IV und Louis XIII, welch letztere noch einen wahrhaft renaissancehaft-humanistischen Charakter aufweist, ohne jedes barocke Pathos, voll von tändelnder Beschwingtheit der Tradition Marot-Ronsard. Vielleicht kann ich das bald an anderer Stelle im einzelnen aufweisen. Vorderhand mag man diese Tatsache skizzenhaft belegt finden in dem trefflichen Kapitel des Abbé Brémond ›In Hymnis et Canticis‹.[58]

[38] Histoire littéraire du sentiment religieux en France I 298—319, zum Stil besonders S. 303 A. 1.

Walter Franz Schirmer, Kleine Schriften (Teilsammlung). Tübingen: Max Niemeyer
Verlag 1950, S. 119—135 (Mit Genehmigung des Max Niemeyer Verlages Tübingen.)

DIE GEISTESGESCHICHTLICHEN GRUNDLAGEN
DER ENGLISCHEN BAROCKLITERATUR *

Von WALTER F. SCHIRMER

Überdenkt man die Zeit von Shakespeare bis Dryden, die Zeit
des 17. Jahrhunderts also, die der Titel als eine in sich geschlossene
Kulturperiode postuliert, so erhebt sich als erster Widerspruch die
Frage, wo denn da die Einheit sei. Schon die Namen, die die Literaturgeschichte nennt: John Milton vor allem, dann den Epiker
und Lyriker Edmund Waller, den Epiker und Dramatiker William
Davenant, den Puritaner und Dichter Andrew Marvell, den katho-
lisierenden Lyriker Henry Vaughan, den katholischen religiösen
Dichter Richard Crashaw, den Satiriker Samuel Butler, den Kava-
lier Sir John Suckling, den Prosaiker Sir Thomas Browne, den
anglikanischen Prediger Jeremy Taylor, den puritanischen Prediger
Richard Baxter, den neuplatonischen Philosophen Henry More —
um nur solche zu nennen, deren Leben die zur Rede stehende Zeit
ganz durchmißt —, schon diese wenigen, nur der Literaturgeschichte
entstammenden Namen besagen eine grundverschiedene, ja gegensätzliche geistige Haltung. Sie deuten die das geistige Leben des
17. Jahrhunderts erfüllenden Kämpfe an. Und gerade das ist eine
erste Erkenntnis: es ist eine uneinheitliche Zeit, eine Zeit der Auf-
spaltung. Diese negative Formulierung kann vielsagender gemacht
werden, wenn wir die Endpunkte betrachten. Diese Endpunkte sind
hier Shakespeare, dort Dryden; hier Renaissance, dort Klassizismus. Das sind zwei klar geschiedene, in sich einheitliche Welten:
die elisabethanische Renaissancezeit, deren verklärtes Abbild Spensers ›Faerie Queene‹ gibt, ist eine nationale Einheit, doppelt stark,
da die Reformation auch in Glaubenssachen die ausländische Autorität durch die nationale ersetzt hatte. Die Literatur des Hofs und

* Antrittsvorlesung in Tübingen, 1929.

die Literatur des Volkes sind aus demselben Geist. Es ist eine heroische Zeit, deren Helden die Gewaltmenschen überschäumender Lebenskraft sind. Überall rücksichtsloser Individualismus, Wagemut, Entdeckerfreude, unerhörtes Tempo in Leben und Dichtung. — Und dagegen die Welt der Aufklärung und aristokratischen Gesellschaftskultur, auch sie eine Einheit, aber nicht eine allumfassende nationale, sondern die einer abgesonderten Klasse der Gebildeten. Es ist eine literarische Zeit, der Mann der Feder ist der Held. Dryden ist der erste moderne Literat. In allem ein Gegensatz zum Elisabethanertum: witzig, klar, leidenschaftsfeindlich; Leben wie Literatur regiert der gute Geschmack.

Der Gegensatz ist klar. Das 17. Jahrhundert aber ist die zwischen diesen beiden gegensätzlichen Welten liegende Zeit. Hier müssen also die Übergänge enthalten sein: seine Geschichte ist die eines Prozesses, der Auflösung des Renaissancestils und der Neubildung des klassizistischen Stils. Mit dieser ersten Orientierung erhebt sich als zweite Frage die nach den Gründen einer solchen Auflösung und Neubildung. Die Antwort ist zunächst selbstverständlich; der elisabethanische Stil löste sich auf, weil er nicht mehr der adäquate Ausdruck der geistigen Haltung der Zeit war. Und wenn wir diese geistige Haltung der Zeit nachprüfen, so erkennen wir: eines ist nicht zu Wort gekommen, hat in der elisabethanischen Renaissance nicht Ausdruck gefunden in Staat, Lebenshaltung und Literatur: der Puritanismus. Puritanismus, das ist der tiefinnere religiöse Drang in seiner asketischen Form. Das innere Drama des spirituellen Lebens, das sich zu tragischer Intensität gesteigert hatte, verlangte Ausdruck. Damit aber können wir die Zeit geistesgeschichtlich festlegen: was zugrunde liegt, ist der alte, ewige Dualismus, der Dualismus von Diesseitigkeit und Jenseitigkeit. Er war zum Schweigen gebracht in der Antike unter dem Primat des Diesseitigen, er war zum Schweigen gebracht im Christentum unter dem Primat des Jenseitigen. Jetzt, nach dem Zwischenspiel der antik empfindenden englischen Renaissance, beginnt mit dem Neuaufflammen dieses Dualismus der Barock. Hier liegt der ungeheure Riß zwischen Renaissance und Neuzeit, und die große Spaltung reißt Leben und Kunst auseinander. Das Ergebnis ist ein Kompromiß, nach Huizingas brillanter Formulierung eine beiderseitige

Kapitulation, wobei sich die eine Seite die Rettung der Schönheit, die andere die Verurteilung der Sünde ausbedingte. Ein Kompromiß zwischen Renaissance und Puritanismus, demzufolge das Leben fortan in zwei Hälften geteilt bleibt, in eine niedrigere und eine höhere.

Diese weltanschauliche Haltung nun bedingte die Auflösung des elisabethanischen Stils, sie schnitt die jetzt als unmöglich empfundene Renaissance-Einheit-des-Disparaten in zwei Hälften auseinander, in eine ethische und eine ästhetische. Spensers Synthese, die griechische Mythologie und in Bild und Klang ausgedrückte Sinnenschönheit mit tief ethischem und religiösem Empfinden in *einer* Dichtung zusammenfügen konnte, erscheint im 17. Jahrhundert naiv und ist dem empfindlich gewordenen religiösen Gefühl nicht mehr annehmbar. Jetzt schreibt man entweder graziös über die oberflächlichen Aspekte des Lebens wie Herrick, Carew und die Kavaliere, oder aber religiöse Verse wie Herbert, Wither und der mystische Crashaw. Das 17. Jahrhundert ist so einerseits der Weg zum Aufklärungszeitalter, anderseits das religiöse Jahrhundert par excellence. Oder auf eine Formel gebracht: Rationalismus und „Mystik" sind die beiden großen Strömungen, die alle Äußerungen des 17. Jahrhunderts bestimmen. Denn diese Gegensatzpaare beschränken sich nicht auf das literarische Gebiet: in der Predigt haben wir einerseits die witzig-literarische Barockpredigt der Corbet und King, anderseits die alles Schmuckes entblößte Puritanerpredigt bei Baxter; in der Architektur auf der einen Seite die malerische, aber nicht mehr recht als „Stil" ansprechbare Steigerung des Tudor-style, auf der andern das Sich-Begrenzen, das im wenig hochfliegenden, aber geschmacksicheren Queen Anne-style ausmündet; dem entsprechend auf philosophischem Gebiete hier die Cambridge-Platoniker, dort Hobbesscher Rationalismus. Auf politischem Gebiet hier das absolutistische Gottesgnadentum der Stuartdynastie, dort der nach antikem Muster gemodelte puritanische Volksstaat. Vor allem aber auf religiösem Gebiet der Gegensatz von Anglokatholizismus und Puritanismus, von „mystischer" und rationaler Frömmigkeit. Und — das macht den Reichtum und die Komplexität dieser Zeit aus — diese Gegensatzpaare können sich überschneiden. So beanspruchen z. B. die beiden religiösen Lager einmal die Mystik, ein andermal die ratio für sich. Little Gidding ist eine Art protestantischen Klosters, und anglokatholische Apologeten bekämpfen den Puritanismus mit Vernunftgründen. Ja, diese Gegensätze können in einer und derselben Person nebeneinanderlaufen; es ist das Große dieses Zeitalters, daß es Männer erzeugte, die solche Eigenschaften in sich vereinigten, wie sie keine Zeit aufweist: Leute wie Nicholas Ferrar, George Herbert, Lucius Cary Lord Falkland, Leute, die zugleich Hofleute sind und eine Art Mönche. Und es ist das Große dieser Zeit, daß sie den Kampf dem Kompromiß vorzog: "to look out for perfect truth" ist Edward Herbert von Cherburys Wahlspruch; im Zeichen der absoluten Aufrichtigkeit vollzog sich die große Neuorientierung in Staat, Gesellschaft, Philosophie, Naturwissenschaft und Literatur.

Damit erhebt sich die dritte Frage: wie vollzog sich diese Neuorientierung? Wir müssen den Blick über die Literatur hinaus zum Kulturganzen richten, dann treten zwei beherrschende Namen hervor: Stuart und Cromwell, Namen, die die Verquickung der beiden Hauptleidenschaften des 17. Jahrhunderts verkörpern, Politik und Religion. James I. trat das Erbe des Tudordespotismus an, und James erkannte nicht, daß das eine verlorene Position war, daß, wer das Land regieren wollte, neue Wege gehen mußte. James ging sie nicht, und Charles ging sie auch nicht; so wurde das 17. Jahrhundert das Jahrhundert des Kampfes zwischen König und Parlament. Religiöse Leidenschaft verband sich mit sozialer und politischer Unzufriedenheit und führte zu einem Bürgerkrieg, der, anders als die Rosenkriege des 15. Jahrhunderts, infolge der religiösen Grundstimmung durch die kirchenpolitischen Maßnahmen die Stellungnahme jedes einzelnen erforderte. Milton, der sich, das Leben aufs Spiel setzend, zur Partei der Königsmörder schlug, wurde geschmäht und vergöttert, Falkland, den Loyalität auf die Seite der Kavaliere trieb, starb in furchtbarstem Widerstreit der Pflichten, Waller, der weder hier noch dort das volle Recht sah, ward als wankelmütig gescholten. Nur wenige erlebten die Einigung über die trennenden Leidenschaften hinweg, die Glorious Revolution von 1688, die den beim Monarchenabsolutismus angefangenen Weg beim Gesetzesabsolutismus enden ließ. Literarische Erscheinungen bezeichnen den Weg: Idealstaattheorien von Bacons

›New Atlantis‹ (1627) bis zu James Harringtons wirklichkeits-
nahem Buch ›Oceana‹ (1656); philosophische, rationalistische Töne
anschlagende Traktate wie Hobbes' ›De Cive‹ und ›Leviathan‹,
juristische Werke wie die von John Selden mit einer beinahe mystischen Auffassung der Gesetzeskraft. Und die schöne Literatur folgt
in ihrer Art, indem sie den mit Heinrich VIII. geborenen Imperialismus steigert und in Edmund Wallers Hyperbelsprache sich be-
rauscht an der grenzenlosen Fläche des Meeres als englischen Herr-
schaftsgebiets. Der Puritanismus steigert es zum ethischen Gebot:
Ausbreitung Englands ist Ausbreitung der wahren Religion und
also Verherrlichung Gottes. Daß England das Land der Freiheit
sei und die Engländer das auserwählte Volk, verkünden Milton
und Marvell.

Stärker noch als die politische ist die religiöse Umwälzung. Denn
England hatte zwei Reformationen (— die aus Heinrichs VIII.
Bruch mit Rom hervorgegangene von oben her und die puritanische
von unten her —), die sich im 17. Jahrhundert zu feindlichen
Lagern entwickelten und das ganze Sein und Denken der Nation
aufspalten: hier Anglokatholizismus, dort Puritanismus. Uns scheinen die Gegensätze nicht ganz so groß, wie es die leidenschaftlichen
Bücher der Zeit sagen, auch dem Anglokatholizismus lag ein
Paktieren mit Rom fern, aber er betonte seine katholische Vergangenheit ebenso, wie die Puritaner sie verabscheuten. "We have
reformed from them, not against them", sagt Thomas Browne, der
würdevollste Prosaiker des englischen Barock. Also keine Feindschaft
gegen den Katholizismus als solchen; und die freiere Basis des von
Holland eingeführten Arminianismus sollte Anglokatholizismus mit
Katholizismus, Frömmigkeit mit Wissenschaft, Schönheit mit Heiligkeit versöhnen. So stellt der Anglokatholizismus die meisten Gelehrten, Künstler, Dichter. In Bischof Laud vollendet sich das System: die Kirche mit ihrer Hierarchie dem Volke eingefügt, ihre
Grundlage die apostolische Sukzession des Episkopats, die englische
Kirche die wahre Fortsetzung der athanasischen Kirche. Das ist im
Fahrwasser der das 17. Jahrhundert durchziehenden „mystischen"
Strömung, die in der religiösen Lyrik Herberts, Donnes, Vaughans
und Crashaws z. T. ekstatischen Ausdruck fand. — Demgegenüber
der Puritanismus; als Ganzes ordnet er sich der rationalen Zeit-

strömung ein, da in ihm aber auch ein Seelenhunger Befriedigung sucht, genügt ihm die intellektuelle, juristische Atmosphäre der Institutio nicht. Das puritanische System wurde nicht in einem gedruckten Buch, sondern als praktische Tat — auf dem Gebiet der Politik — aufgeführt: in der Revolution und der Gründung der Puritanerstaaten in Amerika. Cromwell ist in dem Sinn der größte Repräsentant des Puritanertums. Und neben ihm steht nicht der Dogmatiker, sondern der Prediger: ein Thomas Adams, ein George Fox, ein Richard Baxter, ein John Bunyan — ja, jedermann, denn es ist die Tat des Puritanismus, das Individualgewissen als moralische Richtschnur des Lebens nicht nur aufgezwungen, sondern erzeugt zu haben.

Aber dieser Kampf der Parteien ist nicht das letzte, es ist eine Zeitströmung da, die *fühlt*, daß der religiöse Gehalt nicht mit dieser oder jener Partei ausschließlich verbunden ist, sondern eher in einer Haltung über den Parteien realisiert werden könne. Wie Grotius in Holland, Calixtus in Deutschland, Casaubon in Frankreich sucht Thomas Fuller in England eine Einigung der Christenheit auf der Basis gegenseitigen Verstehens. Gerade die feinsten Geister neigen zu solcher Haltung. Sie kommen von beiden Lagern: Falkland von puritanisch gerichteter, Donne von katholisierender Seite. Diese aus dem religiösen Gefühl quellende Forderung der Toleranz hat das, übrigens gleichfalls aus religiöser Grundlage erwachsende, philosophische Denken der Zeit vollendet. Es ist die Linie, die über Falkland, John Hales und William Chillingworth zu Herbert von Cherbury hinführt. Es ist rührend, wie Herbert von Cherbury an jenem strahlenden Sommertage in seinem Zimmer in Paris hinkniet, sein Buch ›De Veritate‹ in der Hand und zu Gott um ein Zeichen betet, ob er dies Buch veröffentlichen solle. Diese gewisse Dissonanz religiösen Mystik-Verlangens und eines z. T. daraus selbst geborenen rationalistischen Wahrheitsstrebens rührt ans Herz des 17. Jahrhunderts, denn das Buch Herberts, das die Wahrheit behandeln wollte, ist ihm unter der Hand aus einer erstrebten neuen Erkenntnistheorie zu einer neuen Religionstheorie geworden. Es ist der Grundstein des Deismus. Und die dieser Kritik des Wissens folgende Kritik des Glaubens (›De Religione Gentilium‹ 1645) gipfelt gewissermaßen in dem Axiom: was an den historischen Religionen wahr ist, ist nicht historisch; und was historisch ist, ist nicht wahr. Daß solcher geistigen Haltung religiöse Toleranz Grunddogma werden mußte, ist selbstverständlich. Und in dieser Stimmung wurzeln desselben Herbert englische Gedichte, wurzelt Sir John Davies' Gedicht über die Unsterblichkeit der Seele ›Nosce Te ipsum‹ und das epische Lehrgedicht ›Psychozoia‹ des Philosophen Henry More. Und da ebendieser More zu den Cambridge-Platonikern gehört, so sehen wir auch hier, im Bereich des philosophischen Denkens, dieselben rationalistischen und mystischen Strömungen aufzeigbar, denn dieser Platonismus ist nicht rational, ist ein von der Florentiner Akademie ausgehender Neuplatonismus, der nur langsam seine krause Mystik abstreift und bei den Dichtern — Giles und Phineas Fletcher zumeist — in ästhetisch seltsamer Verquickung religiöser und spekulativer Werte nachhallt. Ich sage „nachhallt", denn in dem Prozeß, den das 17. Jahrhundert darstellt, nimmt die rationalistische Linie allmählich an Kraft zu. Das lehrt die aufsteigende Naturwissenschaft; Bacons „Wissen ist Macht" hatte den Anstoß gegeben. Eine aus der fragenden Haltung der Menschen des 17. Jahrhunderts geborene empiristische Weltanschauung, gestärkt von puritanischem Wahrheitsfanatismus, bringt bahnbrechende Erfolge: Halley, der Astronom, Napier und Briggs, die Logarithmiker, Harvey, der Entdecker des Blutkreislaufs, und vor allem Newton. Hobbes dehnt seinen erkenntnistheoretischen Materialismus auf den psychischen Organismus aus, und die Frage, ob der menschliche Geist denn überhaupt fähig sei, metaphysische Probleme zu lösen — mit denen man sich früher einzig abgegeben hatte —, diese Frage wird verneint. Damit war dem Freidenkertum der Weg geebnet. Zuerst nur in schüchternem Aufflackern bei Thomas Browne und Milton, nach der Restauration aber fällt die Maske, unter Charles II. wird die Irreligion Mode, und die Philosophie des 18. Jahrhunderts ist vorbereitet.

Damit ist der Prozeß des 17. Jahrhunderts zu Ende. Die Zeit des Barock ist abgelöst von dem aufklärerischen Klassizismus. Wie ist nun aber das künstlerische Fazit? Was ist die Leistung der Barockliteratur in Drama, Epos und Lyrik?

Beim Drama müssen wir wieder mit einer negativen Formulierung beginnen: das 17. Jahrhundert lehnt das Drama ab. Das ist so, obwohl Hunderte von Dramen geschrieben werden. Diese Dramen gehören nach Gehalt und Form noch zur elisabethanischen Renaissance, die Opposition gegen diese Stücke aber gehört zum 17. Jahrhundert, wie es auch die äußere Geste des Schließens der Theater in der Revolution beweist. Die „äußere Geste", denn das Drama wurde nicht totgeschlagen, sondern nur begraben. Somit erhebt sich die Frage: wie kam es dazu? Das 16. Jahrhundert war ein weltliches Jahrhundert und das elisabethanische Drama war von diesseitigem Geiste erfüllt. Das war einer Zeit, deren stärkste Leidenschaft die Religion war, nicht mehr annehmbar. Oder aufs ganze sittliche Gebiet ausgedehnt: das elisabethanische Drama stellte das Leben ohne Parteinahme dar, es zeigte eine Welt, die alle Gegensätze in sich begreift, wie es in der wirklichen Welt der Fall ist. Nirgends ein moralisch Schlechtes, dem nicht auch sein Teil von moralisch Gutem beigemengt wäre, nirgends ein moralisch Gutes, das nicht zugleich mit der Realität des Menschlichen unlösbar verwachsen wäre. Mit anderen Worten: es moralisierte nicht, und so gibt das Renaissancedrama und vor allem gibt Shakespeare keine Antwort auf die Fragen, die dem 17. Jahrhundert brennende Fragen waren, weder in politischer noch in religiöser noch in sozialer Hinsicht. Ein Riß tat sich also auf zwischen der Welt der elisabethanischen Dramatiker und der Welt des 17. Jahrhunderts. Das heißt: das Drama verlor durch diesen Riß den Nährboden der Unmittelbarkeit des Lebens, büßte die Fähigkeit ein, die Lebensganzheit darzustellen. Shakespeares Totalität zerfällt in die Teile: nackten Realismus (Middleton), nacktes Melodrama (Webster), nackte Farce (Beaumont). Dieses Minus soll wettgemacht werden durch Reizsteigerung auf anderen Gebieten. Man ist eminent bühnengeschickt, man kann die drei Einheiten brillant handhaben, man appelliert an die Sinne durch Schauprunk und Bombast, man stellt die geschlechtliche Leidenschaft in den Vordergrund, steigert sie durch Sünde, Verbrechen, Inzest — und mit all dem vergrößerte man nur den Riß. Die Tragödie hatte ihren positiven Charakter eingebüßt, das Gefühl, daß das Leben trotz oder wegen der Leiden, Schrecken, Verbrechen, die es erfordert, groß ist, daß die Menschheit größer ist als ihre Ketten — *das* Gefühl hatte das 17. Jahrhundert verloren oder es konnte nichts mehr damit anfangen. Das

Heroische war nicht mehr Ideal, und in solchen Zeiten nimmt die Tragödie einen skeptischen oder klagenden Charakter an. Schon bei Shakespeare reicht Troilus in das Reich der Komödie hinüber: die Tragikomödie entsteht. Das ist die große Bedeutung Ben Jonsons, die Schaffung der modernen Tragikomödie. Der Zweifel hatte die alten Werte untergraben, eine unruhig fragende Haltung sieht alles in neuer, skeptisch-kritischer Beleuchtung, der einzige Trost ist ein bitteres Lachen "a scornful tickle". Im englischen Barock stirbt das merry old England und wird das Desillusionsdrama geboren. "And new philosophy calls all in doubt", ruft Donne erschüttert aus. Der Weg zum Klassizismus war frei, die Skepsis war geboren, und eine Welt, die zwischen den Auffassungen des Lebens als eines heroischen Kampfes, eines galanten Spiels, eines sinnlosen Chaos hin- und herschwankte, konnte nur die Komödie zum Darstellungsmittel wählen. Die Tragödie wird Deklamation. Die Komödie der Wycherley, Dryden, Shadwell, Congreve entwickelt eine eigene Theorie der Gesellschaft auf der Basis der Raison und der Zerlegung des nicht mehr anerkannten Begriffs der Liebe in Geschlechtlichkeit und Neigung. Man macht sich graziös über das Leben lustig und will nichts mehr wissen von den Fragestellungen des Barock.

Das dramatische Ergebnis des 17. Jahrhunderts ist klein, aber nur, weil man einen Shakespeare zum Vergleich hat. Das epische Ergebnis ist groß, obgleich man einen Spenser zum Vergleich hat. Spenser war der erste wirklich große Renaissance-Epiker in der englischen Literatur; in der ›Faerie Queene‹ haben wir den nur in der Renaissance möglichen Versuch einer Synthese aller geistigen Strömungen der Zeit und aller poetischen Ausdrucksmittel aller Zeiten. Katholizismus, Rittertum, Kirchenväter gehen Hand in Hand mit Puritanismus, der künstlerischen Kultur der italienischen Renaissance und heidnischer Mythologie. Es ist eine Synthese von Antike und Christentum, ein wesentlich künstlerisches Weltbild, dessen Einheitlichkeit nur durch die das Disparate verdeckende Allegorie ermöglicht ist. Es ist ein mittelalterlich konzipiertes, klassisch verbrämtes, heidnisch-religiöses Epos, das dem 17. Jahrhundert nicht mehr annehmbar war, und der Weg geht zu dem klassisch konzipierten, rein religiösen Epos Miltons. Die Zwischenstufe sind die beiden Fletchers. Sie wählen religiöse Themen — selbstverständlich, denn es schien würdigste Aufgabe, in der erhabensten epischen Form den höchsten Stoff zu gestalten, wie es auch Tasso, du Bartas und Marini getan — und das religiöse Epos ist das eigentliche Dichtproblem des Barock. Giles Fletchers vierteiliges Epos ›Christ's Victorie and Triumph‹ ist eine Rhapsodie über Sündenvergebung, Versuchung, Kreuzigung und Auferstehung. Sein Thema ist wie das Miltons theologisch — Verkörperung der kalvinischen Theologie —, seine Ausdrucksform ist bewußte Anpassung an Spensers Stil, wenn auch gemäßigt durch Hinzuziehung der Vorbilder Vergil und dessen christlicher Nachfahren Prudentius und Sedulius. Diese gegen den flamboyanten Stil Spensers reagierende Mäßigung — also der Versuch, christlichen Gehalt in antikisierender Form zu realisieren — ist die Klippe, an der sein Werk als Kunstwerk scheitert. Fletcher, der erkannte, daß Spenser zu diffus war, der bereits klassische Präzision, Kürze und Einfachheit schätzte, erkannte nicht, was erst Milton erkannte, daß mit solchen neuen Zielen ein Ablehnen der Spenserschen Kunstform überhaupt bedingt war. Spensers Personifikationen bekommen in den dispositionslos dahinströmenden Strophen, im verwickelten, gewundenen, verweilenden Fluß der Handlungsführung Relief und Anschaulichkeit. Fletchers klassische Kürze wirbelt uns einen Personenhaufen von Abstrakten vor, vor dem uns schwindelt. Gescheit, geschickt, antithetische Deklamation, ein williges Aufnehmen der für den Barock so bezeichnenden Vorliebe für das Geistreiche, Unerwartete, Paradoxe — aber keine Dichtung. Was nützt selbst die von der Antike gelernte und barock übersteigerte Geste der stilistischen Spannung, diese ganze raffinierte Kunst, wenn die Form das Thema selbst negiert? Auch Milton scheiterte an der Unmöglichkeit, ein religiöses Epos in antiker Form zu schreiben. Dante, aus dessen christlicher Form das Symbol als natürlich herauswächst, kann das Unerhörte: die Schau des Göttlichen vergegenwärtigen (Par. 28/16); seine Augen von Beatrice wegwendend trifft ihn die Majestät des Göttlichen, symbolisiert in einem Pünktchen blendenden Lichts, so klein, daß der kleinste Stern ein Mond dagegen, aber das ganze Universum durchstrahlend. Fletchers klassische, konkrete Allegorie anstelle abstrakten Symbols setzende Form sinkt vor derselben Aufgabe ohnmächtig zurück:

Impotent words, weak lines that strive in vain
In vain, alas, to tell so heav'nly sight.

Die mittelalterliche einheitliche Lebensschönheit, die Spensers auch-
Welt-und-Gott-vereinen-wollende, allerdings in höchst labilem
Gleichgewicht schwebende Synthese noch zu retten suchte, war aus-
einandergebrochen. Das Problem des religiösen Epos, die Schwierigkeit der Vermittlung zwischen dem Geistigen und Materiellen,
was Fletcher durch antike Imagination hatte überwinden wollen,
war nach wie vor ungelöst. Miltons unerhörte Gestaltungskraft
unternahm bewußt denselben Versuch. Und diese neue erstrebte
Synthese sollte die end- und allgemeingültige Form sein, in der der
Menschheit Wohl und Wehe dargestellt ist. Das Thema ist "to
justify the ways of God to man", wobei justify natürlich nicht
rechtfertigen, sondern erklären heißt; — es ist eine Bibel in Poesie,
ein Testament an die Nachwelt. Es ist ein Thema, demgegenüber
selbst Dantes Welt klein erscheint, denn Milton hat es mit dem
Grenzenlosen zu tun; eine weltanschaulich-philosophische Dichtung,
die die Beziehungen knüpfen will zwischen physischer Welt und
metaphysischer — das, was die Philosophie mit Begriffen zu deuten
unternommen, will er mit dichterischer Vorstellung leisten. Es ist
zugleich das heroische Lied des Menschen schlechthin, das den Menschen zu den Sternen hinaufführt, ihm im Vertrauen auf die innere
Freiheit auch beim Verlust des äußeren Paradieses das "paradise
within thee happier far" verheißt. Statt einer den Gehalt aus-
schöpfenden Analyse, die sich hier verbietet, muß die Formel genügen, daß Miltons Epos den zukunft-zugewandten Ausblick von
streng christlicher Tradition gibt, die Gestaltung dessen, was dem
widerwillig auf das Wort Beschränkten das Scheitern der Puritaner-
republik verwehrt hatte, durch die Tat zu vollenden. Nun, diesem
christlichen Gehalt steht eine renaissancemäßige und also nicht-
christliche Form gegenüber, und das ist, worauf es hier ankommt.
Gegenüber dem erörterten Fletcherschen Epos fällt nämlich auf:
erstens, daß der puritanische Gehalt und die antike Form eine Einheit bilden, daß sie untrennbar sind, daß Milton puritanischen Gehalt in antiker Form von vornherein konzipiert, und zweitens, daß
— für den modernen Leser wenigstens — trotzdem eine Inkon-
gruenz, ein Widerspruch, ein Gefühl, daß die Einheit keine Syn-

these darstellt, bestehen bleibt. Nämlich: die griechische Mythologie, in der sich der religiöse Gehalt des ›Verlorenen Paradieses‹ verkörpern soll, ist vom christlichen Standpunkt aus durchaus irreli-
giös. Den anthropomorphen Darstellungen der geistigen Welt geht
sowohl die liebende Güte wie das ehrfurchtgebietende Staunen ab,
die die christliche Phantasie verlangt. Man spürt in einer reinen
Gefühlswelt den kalten Hauch der Renaissance. Engel, wie sie weder für den Katholiken noch für den Protestanten vorstellbar sind,
Charaktere, wie sie vom Standpunkt eines Franz von Assisi
schlechthin unbegreiflich sind. Dadurch leise irritiert, fällt einem
auf, daß sämtliche Punkte des Renaissance-Epenrezepts im Verlorenen Paradies aufzeigbar sind: von der Zwölfzahl der Bücher
über den Heereskatalog und die Gleichnisse bis zu den einzelnen
antiken Phrasen. Ein Schritt weiter und man sieht in der Himmels-
darstellung nur mehr den Renaissanceabklatsch der olympischen
Maschinerie. Hier ist dann der Punkt, wo viele sich dazu entschlossen, Milton das Christentum abzusprechen. Aber es bedarf nur
erneuter Lektüre, um zu empfinden, wie wesentlich unantik der
Gehalt des ›Verlorenen Paradieses‹ ist. Kurzum, es ist keine Synthese von Antike und Christentum, es ist eine seltsame Einheit, die
irgendwie rissig ist. D. h. es ist ein Riß, von dem wir nur viele
einzelne Bruchstellen aufzeigen können, den wir aber nicht, wie bei
Fletcher, als einen durchlaufenden und somit das Werk auseinander-
sprengenden darzutun vermögen. Es geht uns ähnlich wie bei der
Betrachtung der barocken St. Pauls-Kathedrale. Wir können nicht
anders, als Miltons Werk als eine großartige Antinomie von Antike
und Christentum begreifen, und daß diese vollendete Übertragung
der klassischen Formen in die englische Dichtung in sich die Negation klassischen Geistes enthält, ist Miltons Tragik. Daß Miltons
Werk bei den Zeitgenossen geteilte Aufnahme fand, beweist nur,
daß man für diese Tragik kein rechtes Verständnis mehr hatte. Die
Welt des Barock stirbt in der zweiten Hälfte des 17. Jahrhunderts.

Die Nachahmer halten sich an die klassizistische Form allein, und
ihre Lobeserhebungen wirken wie Blasphemie, wenn Miltons rol-
lender Gesang zur Darstellung von Alltagsdingen mißbraucht
wird. Pope wußte, was er tat, als er mit seiner Rokokoepik das
Problem des religiösen Epos ein für allemal begrub.

Der Prozeß des 17. Jahrhunderts liegt klar zutage. Die Betrachtung der Lyrik kann uns nichts Neues lehren; auch sie verläuft vom marinistischen Stil der metaphysical poets zu klassizistischer Präzision. Aber sie ist lange verkleinert worden, muß also schon deshalb hervorgehoben werden, und zweitens, weil in dieser subjektivsten Gattung die Spaltung der Lebensauffassung sich besonders deutlich zeigen läßt. Donne und Ben Jonson sind die beiden entgegengesetzten Leitsterne des Jahrhunderts, und dennoch konnten sie von ihrer Zeit gemeinsam verehrt werden, da sie die Gegensätze der Zeit in sich tragen, da sie beide bewußt die Lyrik revolutionierten, ihren intellektuellen Bereich weiteten und sie zu einer Höhe führten, die der Shakespearezeit nicht nachsteht.

Überragende Subjektivität charakterisiert John Donne, achtlos gegen die Formen der äußeren Welt. Statt konventioneller Bildlichkeit eine in termini des Intellekts übersetzte Emotion. Gewaltige Seelenstürme, überwältigende Leidenschaft machen ihn zum Schöpfer eines seltsam fremden, oft überraschend modern anmutenden Gesangs, in dem eine gequälte, aber unwiderstehliche Musik aus dem Zusammenstoß kämpfender Gedanken erwächst. Alles, was bloß dekorativ ist, schrumpft zusammen in seiner brennenden Seele, und der Gedanke steht nackt in seiner ganzen Kraft. Diese Unmittelbarkeit ist scheinbar verdeckt durch das unvergleichlich Gewagte seiner Bilder. Donne springt mit einem Satz zu seinem Ziel. Andre mögen mit Vergleichen arbeiten, mit „wie" und „als ob", er ruft "she is all states, all princes I, nothing else is . . .", oder er zerreißt das ganze konventionelle Gewebe der Liebeskomplimente mit einer unerhört unmittelbaren Wendung: "for God's sake hold your tongue and let me love . . ." Donne braucht diese Unmittelbarkeit, weil er etwas ganz anderes will als der konventionelle Petrarcasche Idealismus. Das war gut und schön, solange die Allegorie lebendig war. Donnes philosophische Liebesdichtung bringt demgegenüber etwas ganz Neues: Donne und Milton machen den singulären und so modernen Versuch der Rechtfertigung der Liebe als Leidenschaft. Und noch höher geht Donnes Wollen in Dichtungen wie den beiden anniversaries. Wohl nie zuvor in englischer Dichtung ist die Metaphysik, reine Abstraktion, derart dichterisch gestaltet worden; — daß dies, genauso wie Miltons Synthese, das

Wollen eines Unmöglichen ist, zeigt der Stil. Dialektisch subtiles
Spiel mit Argument, gelehrtem und phantastischem Witz, und zugleich Diesseitsrealismus, der die Physis zur Exemplifizierung und
Deutung des Metaphysischen heranzieht. Diese discordia concors
spiegelt die Zwiespältigkeit der Barockzeit, in die Donne geboren
wurde. Er glaubt und verzweifelt zugleich, daß es dem Menschen
möglich, die letzte Wahrheit zu finden, und so kommt störend ein
Geist der Skepsis und des Paradoxons in alles, was er schrieb. Nur
wo die Leidenschaft, sei es die Liebe oder die Religion, einen Augenblick darüber hinaushebt, leuchtet die Flamme rein. Aber Donne ist
groß, auch wo er versagt, er ist der moderne Mensch, der Himmel
und Hölle in sich schließt, der wie nie zuvor diesen innerlichen
Verbrennungsprozeß in seinem Dichten unmittelbar ausspricht.
Donnes ›Divine Poems‹ (1633) begründen die persönliche, gedank-
lich gesättigte religiöse Lyrik Englands. Herbert, Crashaw, Vaughan,
Christopher Harvey, sie alle wurzeln in Donnes Grundstimmung — und gehen doch langsam weiter mit der sich wandelnden
Zeit. Vaughan zumal zeigt eine stärker, ich möchte sagen vernunft-
mäßiger begrenzte Ordnung des religiösen Gefühls, das er mit
einem puritanischen Reinheitsideal und einem kultivierten Schön-
heitssinn zu verbinden vermag. Und das, obwohl ihm wie Donne
die Fähigkeit mystischen Ausdrucks verliehen ist und die grandiose
Verwendung des Symbols, wie in dem Gedicht:

> I saw eternity the other night
> Like a great ring of pure and endless light.

Anders Crashaw, bei dem nicht das Licht, sondern die Flamme
spricht. Vor dem düsterroten Prunk des gegenreformatorischen
Märtyrerkults steigt schwindelnd eine Grecosche Bilderphantasie
auf. Daneben aber wird er *der* englische Repräsentant jener ver-
geistigten Sinnlichkeit und femininen morbidezza, als deren Beispiel man Bernini zu nennen pflegt. Er meidet die geschlossenen
Formen, seine Konturen zerfließen, seine Devotion steigert sich in
malerischen und musikalischen Assoziationen zur Ekstase. Eine
Dichtung wie die Hymne an die hl. Teresa ist der glänzendste
Ausdruck spiritueller Liebe und ohne Parallele in englischer Dichtung. Und doch ist Crashaw dem Klassizismus näher als Donne;

seine Form ist — was die Donnes nicht war — raffiniert, ist glitzernd, verfeinert, und durch alle concetti des Marinismus hindurch sieht man den Weg, der zu Pope führt.

Die andere Linie, die ästhetische, rationale — man kann schon sagen: klassizistische — geht diesen Weg direkt, aber nicht ohne Kräfte aus der gegensätzlichen Donneschule in sich aufzunehmen. Ben Jonson ist der Führer. Von Spenser ausgehend, hat er schon das ganz un-Spensersche Gefühl, daß ein Wort zuviel die Wirkung zu stören vermag, daß ein inneres Gleichgewicht im Verhältnis der Teile zum Ganzen da sein müsse. Es ist schon wie ein Vorspiel des Klassizismus: er meidet leidenschaftliche Hingabe, wählt eine keusche statt einer blumigen Form und sucht Schönheit zu erreichen durch konstruktive Vollendung. Er hebt das Epigramm wieder zur Würde der silbernen Latinität und wird Begründer des würdig ernsten Requiems, das im 17. Jahrhundert blüht. Er hat als erster Pindarische Oden nachgebildet, und wenn nicht in dieser, so in der einfacheren Horazischen Sphäre gleiche Nüchternheit und Konzision, ja gleiche Kraft bewiesen wie das Vorbild. Wie Donne, wenn auch auf anderem Wege, hat er so die Liebeslyrik des überspannt-spielerischen Petrarkismus überwunden. Und unter seinem Einfluß bewegen sich in derselben Richtung die Hofdichter: Herrick, Carew, Cartwright, Randolph, Waller. Ja, es entstehen, vom ernsten Wollen des Meisters sich schon entfernend, die Gattungen, die dann im 18. Jahrhundert lebendig bleiben, die Gattung der vers de société, die Forderung des l'art pour l'art. Übergang ist schon der feine Ästhetizismus Herricks, dem Blumen und Frauen die Atmosphäre sind zu dem pittoresken Bild menschlichen Glücks, das seine Dichtungen malen. Dem alexandrinischen Griechenland nachempfundene Liebeslieder, hingehauchte, wie ins Ohr geflüsterte Galanterien, die dann bei den Kavalieren Carew und Suckling zur Gesellschaftsdichtung werden mit dem Rokokogefühl des nicht ganz Erlaubten. Die klassizistische Vollendung der Form ist unter der Hand das Maß geworden, die Konventionen des gesellschaftlichen Lebens das Thema. Eine Dichtung, die Selbstbeherrschung, Gelassenheit, Witz, Freiheit von Pedanterie verlangt und voraussetzt, eine Dichtung, die sich nicht mehr an die Nation als Ganzes wendet, sondern an die côterie, an den exklusiven Kreis einer geistigen

Elite. Das französische Exil der Waller, Sidney Godolphin, Denham vollendet die Form. Drydens Genie verleiht der präzisen, farblosen, unpersönlichen Art zu schreiben Kraft und Prestige. Pope endlich vollendet den Prozeß. Eine neue Welt war da.

Deutsche Vierteljahrsschrift für Literaturwissenschaft und Geistesgeschichte. 11, 1933,
S. 618—636.

DER WANDEL DER BAROCKAUFFASSUNG

Von Heinrich Lützeler

Gern wirft man der Geistesgeschichte subjektivistische Willkür,
der Geschichte der Künste im besonderen Abhängigkeit von höchst
bedingten geschmacklichen Bindungen vor. Demgegenüber ist zu
betonen, daß auch die Naturwissenschaften nicht frei von Unexakt-
heit und Unsicherheit sind, und daß auch die Geisteswissenschaften
ihre strengen Erkenntnisordnungen und ihre eigene Form von Evi-
denz haben.

Diese Tatsachen lassen sich besonders klar an dem Wandel der
Barockauffassung veranschaulichen.[1] Weniger kommt hier freilich
die Literaturwissenschaft in Frage, die sich an Feinheit der Unterscheidungen, an Reichtum der Fragestellungen und an Sauberkeit
des Durchdenkens mit der systematischen Kunstwissenschaft nicht
messen kann. Aber die Beschreibungen der barocken Architektur
und bildenden Künste haben in ihrer Gesamtheit eine solche Fülle
und Reife, daß dabei sichtbar wird, was überhaupt Erschließung
eines künstlerischen Phänomens bedeutet.

Nicht beziehungslos liegen diese Forschungen nebeneinander;
nicht zuchtlos setzen sie an immer anderen Stellen ein, sondern sie
verbinden sich zu einem wahren Drama der Erkenntnis, sind nicht
ein Chaos, sondern ein System. Immer klarer tritt der Barock hervor, immer mehr werden Fehlerquellen ausgeschaltet, immer voll-
ständiger erscheinen die Möglichkeiten der Auseinandersetzung mit
ihm.

---

[1] „Barock" ist hier im engeren Sinne als nachrenaissancistischer abend-
ländischer Kunststil verstanden, nicht als in mannigfachen Zeiten und
Kulturen wirksames „barockes Prinzip". Zur Klärung des engeren und
erweiterten Barockbegriffs vgl. Georg Weise, Das „gotische" oder
„barocke" Prinzip der deutschen und der nordischen Kunst. 10. Jahrgang
dieser Zeitschrift (1923), Heft 2.

Es empfiehlt sich nicht, dieses geistige Ringen um den Barock
durch eine bedingungslos chronologische Besprechung der führenden
Geschichtswerke darzustellen; wesensgemäßer ist die Anordnung
nach erkenntnistheoretischen Gesichtspunkten, die sich übrigens im
ganzen mit den chronologischen decken, nur daß manchmal jüngere
Bücher neben älteren zu nennen sind, wenn sie der gleichen (natürlich meistens nicht in einem bestimmten Jahr aussterbenden, sondern gewöhnlich fortwirkenden) Betrachtungsart angehören.[2]

I. Die Abwertung des Barock

Ein Kunstwerk kann nur dann recht verstanden werden, wenn
der Punkt gefunden ist, von dem aus seine besondere Wertwelt
sichtbar wird. So ist es schließlich mit allen Erscheinungen: der
Mensch, vom Tier aus betrachtet, ist ein dekadentes Tier, das
Tier, vom Menschen aus betrachtet, eine unvollkommene Vorstufe
des Menschen; in ihrer Eigentlichkeit werden sie nur dann begriffen, wenn der Mensch vom Menschen, das Tier vom Tier aus
erfaßt ist.

Die Barockforschung setzt vor rund 80 Jahren mit einem Werk
ein, das diese Kunst von einem barockfremden Wertsystem aus

---

[2] Nach Fertigstellung des Aufsatzes erscheint eine Dissertation (Münster
1932) von Else Padtberg, Die Beurteilung der Barock-Architektur. Ein
Beitrag zur Geschichte der kunstgeschichtlichen Methode. — Die Arbeit
zerfällt in zwei sich mannigfach überschneidende Teile: Die Entwicklung
der methodischen Probleme in der Barockforschung. — Die Entwicklung
einzelner Probleme in der Barockforschung. Der Hauptwert der Untersuchung besteht weniger in der erkenntnistheoretisch konstruktiven Durchdringung als in der Mitteilung des Stoffes. Daraus und aus der verschiedenen Abgrenzung des Themas ergibt sich im Vergleich zu dem vorliegenden
Aufsatz eine andere Auswahl und Anordnung der in Frage kommenden
Werke (abgesehen davon, daß gleicherweise berücksichtigten Büchern
jeweils anderes entnommen wird). So ziehe man vor allem für Escher,
Horst, Wackernagel und Hauttmann Padtbergs Arbeit zur Ergänzung
heran; umgekehrt sind bei ihr nicht behandelt vor allem die unter Nr. 5,
6, 7, 8, 10, 13, 18, 25 des Literaturverzeichnisses genannten Verfasser.

beschreibt; der Schaden war um so größer, als es sich um ein außerordentlich suggestives Werk von ausgedehnter Wirkung handelte. Eben darum hat es lange gedauert, ehe man sich aus dem Zwang seiner Verzerrungen gelöst hat: Burckhardts ›Cicerone‹ versperrt sich dadurch die echte Erkenntnis, daß er den Barock von der Renaissance aus mißversteht. Die Renaissance wird verabsolutiert, als wenn sie die einzige rechtmäßige Möglichkeit des künstlerischen Verhaltens bedeutete (4/368); der Barock erscheint als eine Entartung der Renaissance: „Die Barockkunst spricht dieselbe Sprache wie die Renaissance, aber einen verwilderten Dialekt davon." Abscheulich und widerwärtig nennt er Türme und Fassaden, prahlerisch und charakterlos die Skulptur (370, 376, 694).

Hat Burckhardt damit so ganz unrecht? Ist nicht der Barock reich an leeren und unangenehmen Werken? Gewiß, doch die Renaissance ist es nicht minder; vom Barock aus gesehen, müßte sich die Renaissance oft das Prädikat der Langeweile und Nüchternheit gefallen lassen, wie jener, von der Renaissance aus, das einer bis zum „Wahnsinn" gesteigerten Zuchtlosigkeit. Aber ist damit etwas über die Stile als solche ausgemacht? Keineswegs, denn jeder Stil hat seine besonderen Werte und ihnen entsprechende Unwerte; Ausgeglichenheit wird in den Händen von schlechten Künstlern zur Langeweile (das Problem der Renaissance), Überschwang zur Zuchtlosigkeit (das Problem des Barock).

Wenn also Burckhardt die möglichen Unwerte des Barock nennt, lassen sich daraus die möglichen Werte dieses Stils erschließen; insofern trägt auch die negative Beschreibung zu einer positiven Erklärung bei. Rügt er etwa baulich unverwurzelte, dekorative Fassaden oder in haltloser Lage auf Voluten sitzende naturalistische Skulpturen (370, 385), so bleibt ihm der Sinn einer echt barocken Tendenz unzugänglich: die Auflösung des Rationalen zu einer zwecklos-irrationalen Bewegtheit, die ekstatische Dynamik um jeden Preis, womit ganz neue Reiche des Künstlerischen und Menschlichen eröffnet wurden. Tadelt er die Massenhaftigkeit der Dekoration, „wie hier Eines das Andere übertönt und aufhebt, wie die einzelnen Teile, jeder von besonderen Präzedentien aus, ihrer besonderen Entartung entgegeneilen und wie sie einander gegenseitig demoralisieren" (389), so weist er damit auf eine zentrale, freilich in ihrer Schönheit verkannte Erscheinung des Barock hin: seine großartigen Ensemble-Bildungen.

Vor allem aber hat Burckhardt der Barockanalyse zwei Formeln von größter Wichtigkeit bereitgestellt: in den Kategorien des „malerisch Dekorativen" und des „Affekts" prägte er Leitworte für die Erörterung der barocken Form und des barocken Ausdrucks, die zwar bei ihm erst undeutlich erscheinen, aber in der Folgezeit bald präzisiert werden sollten.

Noch aus einem weiteren Grunde ist er zum Wegbereiter der Barockerkenntnis geworden; denn bei aller Negativität, die ihn immer wieder vom „Wüsten und Rohen" und von „erstaunlicher Willkür" sprechen ließ, die ihm die bitteren Scherze entlockte, gewisse gekrümmte Fassaden sähen wie auf dem Ofen getrocknet, gewisse Gewandmodellierungen wie mit dem Löffel in Mandelgallert gegraben aus (392, 373, 696), bei aller Negativität fühlte er sich doch immer wieder überwältigt und zur Anerkennung gezwungen; nicht selten entringt sich ihm hohes Lob: daß die Barockkünstler bisweilen großartig in ihrer Freiheit, konsequenter als diejenigen der Renaissance, Erfinder manch prachtvoller Aufeinanderfolge verschiedenartiger, sich steigernder Raumkulissen gewesen seien usw. (367, 371, 381). In solchen Äußerungen öffnet sich der Weg zu den Werten des Barock.

Die Abwertung des Barock spukt bis heute vereinzelt weiter, so bei Saitschick [3]: das übertriebene Virtuosentum der Barockzeit, Verfall ins Barocke, überwucherndes Barock in unserm erkrankten modernen Empfinden, so bei Moeller van den Bruck: der Barock ohne künstlerische und religiöse Aufrichtigkeit, Verzerrung des Ausdrucks, skrupellose Bemühung um einen blendenden Eindruck, verwilderter Klassizismus (16/475—81), vor allem aber bei Benedetto Croce: Effekthascherei, oberflächliche Bewegtheit, der Barock als ästhetische, aber auch als menschliche Sünde — „Kunst ist niemals barock und das Barock niemals Kunst" (6/18, 24, 34).

Besonders schwierig mußte unter diesen Umständen die Auseinandersetzung mit einem so typischen Barock-Land wie Spanien

---

[3] Robert Saitschick, Die Brücke zum Menschen. Darmstadt und Leipzig 1931. S. 158, 169, 178.

werden. Besonders eindringlich wird an dieser Stelle auch der Umschwung der Bewertung. Man möge daraufhin die kunstgeschichtlichen Einleitungen in den verschiedenen Auflagen des Spanien-Baedeker: die ursprüngliche von Carl Justi und die Neubearbeitung von Gertrud Richert vergleichen. Vier Punkte seien hervorgehoben: bei Justi manch vages Urteil (so über den führenden Gregorio Hernández) — bei Richert Erkenntnis des Eigenartigen, bei Justi manch schroffe Abwertung (über Churriguera: „Afterkunst, Kirchenpest", 13/LXXIV ff.) — bei Richert Milderung aller Einwände, um einen Grad weitergehend dann die Umbiegung der Wertung (über Pedro Roldán — Justi: mehr stofflich, Richert: voll tiefen Ausdrucks), schließlich absolut gegensätzliche Bewertung (über Luis de Morales—Justi: schauerliche Karikaturen, Richert: voll inniger spanischer Frömmigkeit). Am schlagendsten ist der Wandel der Greco-Schätzung (13/LXXXII und 20/LXXVII).

Angesichts solcher Verwirrung wäre eine Wertlehre des Barock zu fordern: welches sind die besonderen positiven Möglichkeiten des Barocks und welches die ihnen zugeordneten Gefahren? Ein bescheidener Ansatz dazu findet sich in Luckas Bemerkung: „So gehen Pathos, Ekstase, Verzückung nicht selten ins Theaterhafte hinüber" (14/246).

II. Die Formerschließung des Barock

Die Geschichtsschreibung, die sich an Burckhardts kühnen Vorstoß in Neuland anschloß, hatte zwei Hauptaufgaben zu erfüllen: einmal für eine genaue Kenntnis des Materials zu sorgen und sodann sich zu einer vorurteilsfreien Arbeit durchzuringen.

1. *Reihende Mitteilung der Tatsachen.* Mit erstaunlicher Zähigkeit, fast ganz ohne Vorarbeiten, ja z. T. ohne Verzeichnisse der vorhandenen Bauten, hat Cornelius Gurlitt eine erste Sammlung und Beschreibung der Barockarchitektur angelegt. Noch fehlt freilich Spanien, noch sind einzelne Analysen — so über Ottobeuren — dürftig, noch vermißt man selbst im Deutschland-Band eine große Zahl von Kirchen — so die von Diessen, Osterhofen, Rott, Wies. Aber unendlich reich ist bereits das Gebotene: Grundlage für jede weitere Forschung. Die bedeutende Leistung dieser Bücher liegt

darin, daß sie Kunde bringen, liegt aber nicht in einer Erhellung
dessen, was den Barock zum Barock macht; Riegl erwartete mehr:
ein Herausheben der gemeinsamen Faktoren, und tadelte infolgedessen: „Es ist, als ob der Autor den Wald vor lauter Bäumen nicht
gesehen hätte" (21/12, 13). Immerhin finden sich wenigstens gewisse Andeutungen: daß es sich um eine Macht- und Luxuskunst
handelt, daß der Bau zur Agitation dient, daß die Architektur statt
in Individualitäten in Korporationen denke, das Ganze also den
Primat vorm Einzelnen habe (11/I. Bd., 222, 224, 228).

Die erkenntnistheoretische Problematik dieses Verfahrens sei an
einem Buch aufgewiesen, das eine solche Betrachtungsart auch heute
noch übt: Weingartners feinfühlige Abhandlung über Römische
Barockkirchen (26) bringt statt einer Verknüpfung der Tatsachen
ein Nebeneinander von Einzelheiten. Die vorangehende Schilderung der kirchenpolitischen und religiösen Zeitlage erklärt wohl das
Dasein, aber nicht das Sosein der weitverzweigten Kirchenarchitek-
tur, d. h. es bleibt unerörtert, ob sich der Geist der Gegenreformation und die besondere politische Form der damaligen Kurie an
den Bauten durchsetzt. Das wäre das erste Auseinanderfallen: hier
Zeitbild, dort künstlerischer Gehalt der Architektur. Das zweite
betrifft die Einheit von Form und Ausdruck; vergebens erwartet
man über positivistische Feststellungen hinaus, was das Prinzip des
einschiffigen Langhauses mit tiefen und breiten Seitenkapellen oder
die Steigerung der Kuppel für den Gehalt des Barock bedeuten.
Aber das Auseinanderfallen intensiviert sich noch auf eine dritte
Art: selbst wenn man die Konstatierung der Formen als letztes
hinnimmt, wäre doch wenigstens die Erfassung der Zusammenhänge innerhalb der bloßen Formen zu verlangen: wie geht etwa
die Einordnung der Kirchen in ihre architektonische Umwelt zusammen mit der Lichtführung oder der Wandgliederung? Was ist
in diesen Vorgängen das einende Prinzip, das bewirkt, daß eins
nicht dem anderen widerspricht, sondern mit ihm ein Ganzes bildet? Im Grunde handelt es sich bei einer solchen Statistik um eine
vorhistorische Arbeit: um ein Verzeichnis der Vorkommnisse, einen
morphologischen Katalog.

2. *Negative Formbeschreibung.* Der morphologische Katalog
wird überwunden in der Wesensbetrachtung der Einzelformen.

Diese kann positiv und negativ orientiert sein. Die negative Formbeschreibung enthält zwar keine Abwertung mehr, sondern verfährt wertungsfrei; aber sie ist noch nicht Feststellung dessen, was
der Barock positiv ist, vielmehr hebt sie — ohne Tadel — hervor,
inwiefern er nicht mehr Renaissance ist. Eine solche „Von-weg"-
Betrachtung ist an einem doppelten Kriterium erkennbar: 1. sie
arbeitet stark mit „un"-Bestimmungen, d. h. mit negativen, 2. sie
sieht den Barock, insofern er für sie lediglich nicht mehr Renaissance ist, als Auflösung, übersieht also etwaige neue Bindungen in
ihm.

Diesen Zustand spiegelt Wölfflins für die damalige Zeit ausgezeichnete Barock-Analyse (28; auf die „Grundbegriffe" 29 sei
ihrer Bekanntheit wegen hier nicht näher eingegangen). Man findet
in der Tat zahlreiche „un"-Bestimmungen: alles weicht aus den
Fugen, das Chaos beherrscht den Raum, Betonung der Schwere bis
zur Formlosigkeit, unruhige Formen, das Unübersehbare und Un-
begrenzte, unreine Proportionen, Dissonanzen, nicht zum Raum
passende Fenster, für die Wandfläche viel zu große Gemälde (28 ff.,
45 ff.). — Zusammengefaßt werden diese „un"-Bestimmungen in
einem „Auflösungs"-Begriff, im Begriff des „Malerischen", den
Wölfflin von Burckhardt übernimmt, aber nun eingehend analysiert: eine Ruine nennen wir malerisch, weil sie im Verfall, d. h. im
Anderswerden begriffen ist. Vom allgemeinen Sprachgebrauch her
erscheint also das Veränderliche und Verschwimmende mit dem
Malerischen verknüpft. Darum hat es eine besondere enge Beziehung zum Licht. Das Licht entfaltet sich vor allem auf einer massen-
haften Architektur, die scharfe Vor- und Rücksprünge liebt. Durch
solches An- und Abschwellen der Baumassen kommt es zur Auflösung des Regelmäßigen, die auf Bildern vor allem in der Über-
Eck-Stellung und im verschobenen Schwerpunkt erreicht werden
kann. Diese Anordnungen, die im äußersten Fall den Eindruck des
Unfaßlichen und Grenzenlosen bewirken, gehen in der Malerei
zusammen mit der Überschneidung von Figuren durch den Rahmen.
Aus allem ergibt sich, daß das Malerische nicht mit dem Farbigen
zu verwechseln ist; der malerische Stil kann auf das Farbige ganz
verzichten; wo er aber farbig wird, wählt er gebrochene Töne
(16 ff.).

Die negative Formbetrachtung hat eine zweifache Kritik gefunden: von der Form und vom Ausdruck her. Zunächst einmal hat Schmarsow eingewandt, das durchwaltende Prinzip des römischen Frühbarock sei der plastische Drang, erst später werde der Barockstil in Rom malerisch, und die malerischen Tendenzen vollendeten sich im Rokoko (24/179, 359; 375); es besteht also das Bedürfnis zu einer genaueren Differenzierung des Begriffs „malerisch", der einschneidende Unterschiede zwischen Barock und Rokoko verwischt. — Radikaler stellt Frankl den Gebrauch dieses Begriffs in Frage: er sei vieldeutig, es müßten besondere Begriffe für die Grundfaktoren der Architektur (Raum, Körper, Licht, Zweck) gefunden werden; es zeigt sich also die Tendenz, diesen Begriff überhaupt fallenzulassen (9/130 ff.). — Frankl und Schmarsow leugnen nicht, daß dieser Begriff für die Interpretation des Barock verwendbar sei. Brinckmann dagegen betont, daß so das Wesen des Barock niemals zu bestimmen ist: „Das Malerische vermag einzig Wesenseigentümlichkeit der Malerei zu werden. In der Skulptur und Baukunst kommt ihm nur ein akzessorischer Wert zu, dort stärker, hier geringer" (2/8). Daß man die Architektur des Barock malerisch-unklar nenne, liege an mangelnder Vorstellungsbegabung; sie sei in Wirklichkeit ganz klar. Daraus geht hervor, daß man ihr Wesen überhaupt noch nicht erfaßt hat. Eine neue Betrachtungsart meldet sich an: die positive Formbeschreibung vor allem der Barockarchitektur, die durch den Begriff des Malerischen zentral mißdeutet werde. Daß hier das Entscheidende noch zu leisten ist, geht schon aus der Tatsache hervor, daß Wölfflin überhaupt keine Analysen des rhythmischen Aufbaus von Innenräumen zu geben weiß.

Die negative Formbetrachtung ist ferner vom Ausdruck her gesprengt worden, und zwar besonders aufschlußreich in einem Buch, das Wölfflins Grundbegriffe auf den Spätbarock anwendet, wo sich die Einheit des Malerischen zur Einheit des dekorativen Ensembles und die Bewegung des Malerischen zur Totalbewegung steigere. Rose findet die Wölfflinschen Grundbegriffe darum für den Spätbarock besonders geeignet, weil dieser keine großen Einzelkünstler hervorgebracht habe. Dagegen seien sie problematisch für alle geniereichen Zeitalter: ungelöst bleibe eingestandenermaßen das Problem des künstlerischen Genies; „der Name Rembrandt umfaßt kein Formproblem, sondern ein Schicksal". All das ist also noch zu erobern, was man die Weltanschauung und Welthaltung des Zeitalters nennen könnte. Rose beginnt damit durch Kennzeichnung der soziologischen Momente im Spätbarock; charakteristisch z. B. das Leitmotiv: „Die Entwertung der Individualität zugunsten des absolutistischen Königtums", oder der Satz: „Das aristokratische Treiben rauscht an den Dingen vorüber", oder der Hinweis auf einen neuen Forschungszweig: „Wir verlassen damit die eigentlich kunsthistorische Fragestellung und wenden uns dem problematischen Gebiet der Sozialethik zu" (23/VII, 1, 3, 6, 7, 11). Im Bewußtsein der Ergänzungsbedürftigkeit des Wölfflinschen Barockbuches schreibt Rose einen Kommentar dazu, in dem er Erwin Panofskys Abhandlung über die Scala Regia im Vatikan [4] wegen der Verknüpfung formaler und weltanschaulicher Momente rühmt und eine Deutung des Stilwandels aus der Relation ästhetischer Wertreihen mit ethischen fordert; bezeichnend ist in dieser Hinsicht gleich die Überschrift seines an den Wölfflinschen Text anschließenden Eingangskapitels: ›Die geistige Wandlung‹ (22/181 ff., 325 ff.).

3. *Positive Formbeschreibung.* Die volkstümliche Kunstschriftstellerei ist kaum über Wölfflins Standpunkt hinausgekommen; noch immer heißt es in ihr: „Die Renaissance erweicht sich zum Barock" oder „Die tektonische Festigkeit der Renaissance wandelt sich ins Malerische" (14/160, 239). Und doch sind inzwischen positive Bestimmungen des Barock, und zwar seiner Architektur, gefunden worden. Freilich liegt auch der Versuch vor, die gesamte Barockform einheitlich zu definieren; aber dieser Versuch kann nicht als gelungen gelten, wenn Alois Riegl die Kunstentwicklung von der Renaissance zum Barock lediglich als Weg vom Taktischen ins Optische beschreibt; denn der Begriff „optisch" ist zu weit, da er z. B. auch den Impressionismus mitumfaßt (21). Die beiden positiven Formbeschreibungen der Barockarchitektur ergänzen sich, indem vielleicht die Franklsche primär auf die Ordnung, die von Brinckmann primär auf die Bewegung der Teile gerichtet ist. In beiden wird die Eigenständigkeit des Barock deutlich sichtbar: daß

---

[4] Jahrbuch der preußischen Kunstsammlungen, Bd. 40, S. 241—278.

er gegenüber der Renaissance unvergleichlich ist und neue Möglichkeiten der architektonischen Gestaltung erobert.

Frankl unterscheidet zwei Hauptphasen und innerhalb der letzteren zwei Stufen; dadurch werden Renaissance (I) und Barock (II)
einander gegenübergestellt und innerhalb des Barock eine frühe
bzw. mittlere und eine ausgesprochen späte Phase (Rokoko). Er
verfolgt die Wesenseigentümlichkeiten der Baukunst an ihren
Grundfaktoren: Raum, Körper, Licht, Zweck. Dabei ergeben sich
folgende Antithesen (9):

Raumform

I. Raumaddition: Bevorzugung der Gruppe vor der Reihe; Einheit aus selbständigen verschiedenartigen Teilen.

II. Raumdivision: Primat des Ganzen, der Teil als Ausschnitt und
Bruchstück, „herausgeholt aus dem Ganzen, in ihm schwebend
oder schwimmend" (64).

Allmählich Steigerung der Formen zu solchen der höheren Geo-
metrie, „deren Berechnung nur mittels der Infinitesimalrechnung
möglich wäre" (76).

Körperform

I. Körperform als Ausgangspunkt der Kräfte (Unabhängigkeit der
Teile).

II. Körperform als Durchgangspunkt der Kräfte (Abhängigkeit der
Teile).

Erst ein Sichstemmen gegen die durchgehenden Kräfte — voll
Qual, dann ein Ausnutzen und Mitmachen — bis zur Fri-
volität.

Bildform (Ansichten, Licht)

I. Einbildig: e i n Hauptstandpunkt genügt zur Erfassung der
Architektur.

II. Vielbildig: „Schon die Einzelperspektive erweckt die Vorstellung
eines Bilderreichtums" (127).

Erst Eindruck vieler Bilder, dann Eindruck unendlich vieler
Bilder.

Die vierte Kategorie, die des Zwecks, weist über das Formale hinaus und wird später zur Behandlung kommen. Selbstverständlich läßt das hier mitgeteilte Schema auch nicht im entferntesten Reichtum und Scharfsinn der Franklschen Ausführungen ahnen.

Ihnen gegenüber haben die Untersuchungen Brinckmanns ein doppeltes neues Verdienst: sie fassen die vielen Antithesen Frankls in eine Grundantithese zusammen und klären mit besonderem Nachdruck das solang unaufgefundene rhythmische Prinzip des Barock. Die Grundantithese wird aus dem Verhältnis von Plastik und Raum abgeleitet; Plastik ist etwas anderes als Skulptur; Plastik ist an Skulptur und Architektur der feste Körper, Raum alles, was zwischen den festen Teilen liegt und dem Kunstwerk zugehört. Das Verhältnis von Plastik und Raum verfolgt Brinckmann in den drei Phasen des italienischen Frühbarock, des italienischen Hochbarock und des deutschen Rokoko. Bezeichnend ist die immer mehr gesteigerte Durchdringung von Plastik und Raum; an die Stelle der renaissancistischen Selbständigkeit und Geschlossenheit der Teile tritt also die rhythmisch gebundene Folge und die Durchsetzung mit Raum. Die Durchdringung von Plastik und Raum vollendet sich in der Mischung der Künste: „In der Baukunst durchdringen Plastikkörper und Raumkörper einander. Die Skulptur wird plastisch-räumliche Synthese, quillt über die ihr zugewiesenen Raumabschnitte hinaus und verschmilzt mit dem architektonischen Raum" (3/52). Daraus ergeben sich als Grundformen des barocken Rhythmus: Verklammerung, Durchdringung, Verschmelzung. Solche Dynamik erreicht ihren Höhepunkt durch die Unterschiedlichkeit der barokken Teilräume einer Gruppe; radikal wird die metrische Reihe der Renaissance in eine rhythmische Reihe verwandelt; Höhe, Breite, Grundform (Kreis, Quadrat, Oval usw.) und Richtung (zentral, querachsial und tiefenachsial) der Teilräume wechseln; „die Raumkurven schwingen in der Horizontale aus, werden zusammengepreßt, schwingen wiederum aus; sie werden aus der umgebenden Weite der Landschaft hereingerissen, müssen sich tief ducken, steigen etwas, ducken sich wieder, um erst nach allen diesen Modellierungen in Höhe und Breite mächtig emporzurauschen" (3/23). Indem Brinckmann die Mischung der Künste beschreibt, treten von der Architektur aus auch Skulptur und Malerei ins Blickfeld.

III. Die Sinnerschließung des Barock

Die vierte der Franklschen Kategorien leitet zu einer neuen Betrachtungsweise über: Architektur formt den festen Schauplatz für Handlungen von bestimmtem Ablauf voraus. Wie sehen die der Architektur zugeordneten Handlungen in den verschiedenen Phasen aus? I. In der Renaissance ist das Gebäude Denkmal einer unabhängigen Persönlichkeit (Gott, Stifter, Herr), auf die allein sich die Gesamtheit der in einem Gebäude vereinigten Zwecke bezieht. II. Im Barock setzt sich der Herr des Baus (Gott oder der Mensch) gleichsam in Szene, strahlt Wirkungen aus auf eine Schar, mit der er in Wechselbeziehungen tritt. Die erste Phase (I) orientiert die Zwecke vom Standpunkt einer freien Persönlichkeit, die zweite (II) vom Standpunkt einer gebundenen; die Spätstufe „gibt dieser Gebundenheit den Charakter der Abhängigkeit des Bauherrn von einer bewundernden Menge und überträgt diesen Eindruck selbst auf den Sakralbau" (den katholischen, 9/165).

Aus den Formproblemen selber und jenseits ihrer tauchen die Probleme des Ausdrucks und der Weltanschauung auf. Vor ihrer Lösung ist es jedoch nötig, sie überhaupt einmal in ganzer Fülle sichtbar zu machen.

1. Das Gesamtreich des Ausdrucks. Der Gefahr einer zu einseitigen Betrachtung ist Hausenstein dadurch begegnet, daß er den Barock als eine von größten Gegensätzen durchwirkte Kunst sehen lehrte; seine Grundthese: „Barock bedeutet das Undenkbare: den Fluß mit zwei Mündungen" wehrt fruchtbar jedes falsche logizistische Einheitsstreben ab, das über die Tatsachen hinwegkonstruiert. Voll gesunder Freude am Gegenständlichen zählt er auf, was alles im Barock gleichzeitig ist: „Die maßlose Flüssigkeit dieses Stils; das Organische, Vegetabilische, Tropische; das non plus ultra von Ausdruck; das erschreckend Wirkliche; das Preziöse und Vorgetäuschte; das Sinnliche und das Metaphysische; das Verliebte, Unziemliche, Skandalöse und das Entrückte; Fleischlichkeit und Geistlichkeit; Proletarier, Bettler, Krüppel, Mißgewachsene und Feudalität, Dynasten, Bischöfe, süße Nonnen; Jenseits und Diesseits; Renaissance und Gotik; Malerei, Plastik und Architektur . . .; Stil und die krasseste Unmittelbarkeit des Gegenständlichen." Tolle

Unübersichtlichkeit erscheint neben klarer Berechenbarkeit, das Pastose der Altäre neben edel-nüchternen Schloßfassaden, der Schwarm der Kuppelmalereien neben der Planimetrie barocker Gärten, das Füllhorn der Ceres neben dem Rationalismus barocker Stadtpläne.

Hausenstein hat mehr die Kraft der Andeutung als der Durchführung. Das zeigt sich vor allem auf drei zentralen Gebieten: Religion, Erotik und Soziologie, wo wissenschaftliche Ergründung fortzusetzen hätte, was schriftstellerische Wendigkeit glücklich begonnen hat. Der Barock ist ein höchst katholisches Phänomen, heißt es — warum, lautet die Gegenfrage, und wie steht es um den Protestantismus? Viel zu ungenau ist die barocke Erotik beschrieben: „Du siehst nicht eine Schulter. Du siehst in die Höhle einer Achsel hinein. Du siehst nicht nur die reine Plastik eines Knies. Du siehst Politur und Elektrizität eines Knies" usw. Außerordentlich dankenswert sind seine soziologischen Hinweise, die freilich ohne Belege gegeben sind: „So sehr ist die Epoche von der noblen Raserei ihrer Produktivität besessen, daß sie nur eine Form kennt, Kunst zu machen: sich zu ruinieren, damit die Kunst bedingungslos sei." (12/60, 9 ff., 47, 25, 59.)

Soll nun die Ausbreitung barocker Ausdrucksfülle das letzte sein? Es fragt sich, ob und wie sie zu ordnen ist.

2. Die grundbegriffliche Ordnung. Auch bei Pinder findet sich eine Aufzählung typischer Merkmale; aber diese lassen sich auseinander ableiten, lassen sich logisch miteinander verbinden. Er geht aus von der Grundthese: Schönheit heißt dem Barock Kraft. Solche Kraft entfaltet sich darin, daß dieser Stil die Bauglieder mit menschlichem Ausdruck lädt. Nicht die einzelnen Teile, sondern der sie einigende Ausdruck ist das Primäre; d. h. das Ganze gilt vor dem Einzelnen. Unterordnung herrscht bis zur Unterdrückung. Indem der Ausdruck so wichtig wird, breitet sich ein Drang nach dem Seelischen und dem Unsichtbaren aus: „Die Renaissance kannte kein Jenseits; der Sinn für das Geschlossene erstickte den Sinn für das Unermeßliche." Hinwendung zum Jenseits fordert ganz allgemein Verinnerlichung; es wächst die Macht der seelischen Anliegen. Die Verinnerlichung geht so weit, daß das Schaffen selber dargestellt wird, daß man das Thema werden läßt. Von selber erhält damit

das Unplastische entscheidende Bedeutung: alles, was zwischen den
Körpern und um die Körper herum sein Leben hat. Häufung und
Bewegung heben die plastische Abgerundetheit auf; „eine der Lieb-
lingsformen wird die steigende und fallende, rollende und fließende
Volute". Bewegung kann natürlich in der Architektur nie real sein;
aber es wird der Eindruck des Höchstbewegten erweckt. So arbeitet
man überhaupt mit dem Schein: „Es kommt nie darauf an, wie der
geformte Stein wirklich ist, sondern wie er sich am allgemeinen
Scheine beteiligt." Da schließlich die Gesetze des Materials nicht
mehr zu gelten scheinen, da der Barock der Materie eine gänzlich
unmaterielle Aufgabe gibt, kommt es zu einer bis dahin unbekannten Vergeistigung, die nur in veroberflächlichenden Händen zu un-
angenehmer Verlogenheit wird. Ziel der Vergeistigung ist es, die
Materie durch Hinwegspielen über ihre Grenzen zu überwinden
und das Endliche unendlich erscheinen zu lassen; das Unendliche
wird realisiert in der Allverschmelzung (19/VI—X). — Diese rein

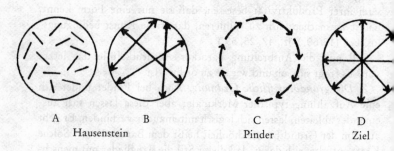

A   B   C   D
Hausenstein   Pinder   Ziel

methodischen Feststellungen verschweigen den Zauber von Pinders
Sprache und die Eindringlichkeit der Einzelbeschreibung, z. B. der
Münchener Asamkirche (XX), wodurch seine kurze Einleitung eine
Kostbarkeit der heutigen kunstgeschichtlichen Literatur wird. Allzu
dürftig bleibt ihm gegenüber die bloß erkenntnistheoretische Cha-
rakteristik: bei Hausenstein zerstreute Merkmale (A), deren Zu-
gehörigkeit zu e i n e m Phänomen nicht explizit wird, oder als
Verbindung zwischen ihnen bloße Antithetik (B), bei Pinder gleich-
sam eine Begriffssymphonie der logisch auseinander verständlichen
Einzelzüge (C). Darüber hinaus wäre die Ableitung aller Einzel-

merkmale aus einem einheitlichen Kern zu fordern (D). Es müßte das Barock-Prinzip ermittelt werden; aus dem alles Einzelne in seiner Fülle und auch in seiner Gegensätzlichkeit begreiflich würde. Um diesen Mittelpunkt kreisen zwar bei Pinder die Begriffe, aber der Mittelpunkt selber wird nicht faßbar. Wenn er aber gesehen wäre, würde er dann nur für die Architektur und die Bildenden Künste gelten und nicht vielmehr für die Barockkultur überhaupt? Gewaltig weitet sich damit der Umfang der Untersuchung; zugleich vertieft sie sich in letzte Wesensgründe, aus denen überhaupt erst die barocke Deutung von Natur, Welt und Gott verständlich werden kann. In diesen Wesensgründen muß aber zuvor die Forschung heimisch werden.

3. Die Tiefenschichten des Ausdrucks. Die Untersuchungen der nun zu nennenden Bücher erstreben eine Sinnerschließung der religiösen und metaphysischen Gehalte der barocken Kunst.

Drost hat aus der Barockmalerei die metaphysische Wendung des Zeitalters herausgelesen; den Wandel von der anthropozentrischen zur kosmischen Weltansicht. Jedes Ding wird damit wertvoll (Rechtfertigung der spezialistischen Maler). Das vielfältige Leben auch des ärmlichsten Stückchens Erde wird geliebt (Ruisdael). Der Mensch erscheint als Naturwesen: unter dem Zwang der Triebe handelnd und mit der dunklen Anonymität der Umwelt zusammenwebend (Hals und Brouwer). Nicht der freie Wille, sondern das Fatum entscheidet (bei Rembrandt drücke der Mangel an Lokalfarbe, das Versinken aller Farben im Dunkel die vom Schicksal vorherbestimmte Verkettung alles Geschehens aus). In diesen und verwandten Feststellungen wird die Kunst mit dem allgemeinen geistigen Leben verknüpft; nun sind ihr Kopernikus oder Bruno nahe, nun flutet sie mit im Strom des mächtig angewachsenen Pantheismus usw. (7/34, 22, 103, 137, 158).

In ähnlicher Weise entreißt Weisbach (27) die Kunstbetrachtung ihrer Isolierung, indem er die Beziehungen zwischen Kunst und Religiosität beobachtet. Jesuitismus, spanische Mystik und Pantheismus sind drei religiöse Grundmächte der Zeit. Heroisches durchdringt sich in der Kunst mit Mystischem; Erotik, Grausamkeit und Askese sind in ihr miteinander verflochten. Diese Sprengung der Kunstbetrachtung entspricht durchaus dem faktischen historischen

Leben; denn als sein Teil, von ihm her und zu ihm hin, ist die Kunst geworden: ein Exponent des Zeitalters und mit anderen Erscheinungen dieses Zeitalters verbunden durch ein einheitliches Weltgefühl.

IV. Die Kunst in der Gesamtkultur

Aus dieser Einsicht ergibt sich eine neue Aufgabe, die Verknüpfung der Kunst mit der Gesamtkultur aufzuweisen.

1. Erschließung der einzelnen Sachgebiete. Solchem Aufweis muß die Klärung der einzelnen Sachgebiete vorangehen. Ein erster Versuch zusammenfassender Art ist für die Schweiz geleistet worden; unter dem Leitwort: „Barock in der Schweiz" werden Staat und Kirche, Kunst und Schrifttum behandelt (8), und zwar die Musik nicht minder als auch das Theater und — sonst kaum berücksichtigt — die Beredsamkeit.

Nun genügt es freilich nicht, die Ereignisse auf den einzelnen Sachgebieten parallel zu beschreiben; vielmehr sind die Wege aufzudecken, die von einem Sachgebiet zum andern führen. Innere und nicht allein äußere Zusammenhänge sind zu klären. In solcher Absicht schildert Ref. das gottesdienstliche Leben, das der Barockarchitektur des deutschen Katholizismus zugeordnet ist; es wird nicht nur konstatiert, daß man damals so und so den Gottesdienst feierte, sondern es werden die der Architektur gemäßen Gottesdienstformen aus dieser selber erkannt; damit ist die beziehungslose Beschreibung der kulturellen Umwelt zugunsten eines Aufzeigens kultureller Wesensbeziehungen und Wesensverwandtschaften überwunden (15). Da es sich um Wesensbeziehungen handelt, muß ein Identisches in der Kunst und im Außerkünstlerischen sichtbar werden, jenes Barocke, das gleicherweise die Architektur wie die gottesdienstlichen Verrichtungen prägt.

2. Die Einheit der Künste. Es ist schwer möglich, das Barocke gleich als beherrschendes Prinzip der gesamten Sachgebiete zu erkennen. Eine Vorstufe ist die Klarstellung dessen, was die Künste miteinander gemeinsam haben. Zwei Lösungen liegen vor, die Literatur und raumhafte Künste überspannen wollen, und zwar die eine mit zwei Grundbegriffen, die andere mit einem.

Pfandl sieht das Barockempfinden von einer Polarität beherrscht: Naturalismus und Illusionismus. Nun bilden doch die Barockwerke eine innere Einheit; wie aber ist das möglich bei jener ohne Zweifel richtig beobachteten Polarität? Auf diese Frage bleibt Pfandl ebenso die Antwort schuldig wie auf die Frage der Zusammengehörigkeit der einzelnen Merkmale, die in den Unterabteilungen beider Grundbegriffe genannt werden: Teilglieder des Naturalismus sind einerseits Triebhaftigkeit, Verrohung, Unsittlichkeit, Grausamkeit, zynische Spottlust, Proletarisierung, Picarismus, Kriminalismus, andererseits das engaño, Morbidität, Melancholie, Hypochondrie; Teilglieder des Illusionismus sind A. Symbolik, Augenwirkung und Schaubarkeit, Cultismo, B. Überhöhung der Geste und des Ausdrucks, C. Überhöhung des Individuums und Geniesucht, Conceptismo, D. Vermenschlichung des Überirdischen, E. Ästhetischer Kollektivismus (18/XII). Pfandl reiht lediglich die Charakterzüge, ohne sie in ihrer Bezogenheit auf einen einigenden Kern zu sehen: Empiriker, nicht Systematiker, ein Kenner des barocken Spanien, wie es heute keinen zweiten gibt.

Christiansen sucht die barocke Kunst aus *einem* Begriff zu interpretieren: sie beginne mit einem vollgelösten Gefüge, dann folge eine Spannung, die wohl angedeutet, aber verschwiegen, die aufgegeben, aber nicht wirklich gegeben sei; so habe denn Barock einen sichtbaren und einen unsichtbaren Teil, welch letzterer den Spannungsakzent trage. In der Literatur zerlösen sich z. B. die Gefühle in Überschwang und Schwulst, in der Kunst zerlösen sich die Gegenstände und schmelzen ein in den gleichen Allraum, ohne ihn zu bestimmen. Aber ist nicht oft in barocken Werken gerade die Spannung sichtbar, sind die Bauten nicht oft das Gegenteil aller Auflösung? Paßt nicht die letztere Beschreibung mehr auf impressionistische als auf barocke Bilder („Allraum, ohne ihn zu bestimmen" 5/95)? Und selbst wenn alles auf den Barock zuträfe, bliebe noch unbeantwortet die zentrale Frage, warum er eine Unendlichkeit im Unbestimmten läßt.

3. Die Einheit der Kultur. Die Schwierigkeiten wachsen, wenn nicht nur die Einheit der Künste, sondern der ganzen Kultur aufgefunden werden soll. Wieder sind mehrere Typen von Lösungen zu unterscheiden.

Pevsner sieht in Religion und Wissenschaft drei Grundideen wirken, die nicht unverbunden und wesensverschieden nebeneinander-
stehen, sondern miteinander verflochten sind: 1. Versinnlichung,
2. abstrakter Gottesbegriff bzw. Streben nach allgemeinen Gesetz-
lichkeiten, 3. Unendlichkeit. Wenn aber diese Ideen sich gegenseitig
fordern und bedingen (17/237 ff.), müssen sie aus einer gemeinsamen Wurzel kommen; so präzisiert sich die Frage nach dem Generalnenner des Barock.

Frey verwirft ausdrücklich das Verfahren, daß man Analogien
zwischen einzelnen Kulturerscheinungen feststelle, es komme vielmehr darauf an, die geistige Entwicklungsursache zu ermitteln,
durch die das Wesen der geistigen Physiognomie einer Zeit in der
Totalität ihrer geistigen Äußerungen bestimmt werde. Er findet
diese Entwicklungsursache im jeweilig verschiedenen menschlichen
Vorstellungsvermögen. Freilich ist er sich durchaus klar darüber,
daß dies nicht die letzte Ursache ist. Aber erst wenn die den geistigen Äußerungen zugrunde liegende Vorstellungsweise erkannt ist,
kann man an die zweite Aufgabe herantreten, die geistigen Erscheinungen als Objektivationen des Willens, als Auseinandersetzung
des Ich mit der Welt zu verstehen: „Hier erst rühren wir an das
Urproblem, das aller wissenschaftlichen Erkenntnis, aller künstlerischen Gestaltung, aller religiösen Symbolik zugrunde liegt" (10/
XXXI). Frey beschränkt sich also bewußt auf die Grundformen
der Vorstellung, unterscheidet das Sukzessive und das Simultane,
untersucht die Auswirkung dieser Grundformen in der Kunst, im
Epos, im Drama, in der Musik, in den Naturwissenschaften, im
Bühnenbild, und beschreibt die eigentümliche Durchdringung des
Simultanen mit dem Sukzessiven im Barock.

Auf eine solche Bescheidung verzichtet Spengler. Er sucht über die
Vorstellungsformen hinaus den innersten Kern in der Vielgestal-
tigkeit der Erscheinungen, in Farbe und Fuge, in Infinitesimalrechnung und Porträt, im Park und in der Physik, in der Philosophie
und in der Religion. Barock entsteht nach ihm dort, wo das vom
Ländlich-Traumhaften und Mystischen gelöste Dasein nach einem
Ausdruck seiner neuen Bestimmung ringt (25/268). Barock ist ihm
die letzte Weltformung der faustischen Seele — vor dem Untergang aller großen Stilbildungen im Zivilisatorischen. Zwar ist

damit noch lange nicht der Seinsgrund des Barock erfaßt; aber vortrefflich sind viele Einzeleinsichten von Spengler und von bleibendem Wert vor allem seine Fragestellungen.

V. Entwicklungsgeschichtliche Probleme

Nicht mit einer Lösung, sondern mit der denkbar weitesten Problematik schließt dieser Überblick. Der am Ende stehende Spengler weist charakteristisch auf den am Anfang stehenden Burckhardt zurück: bei Burckhardt Positivität der Renaissance und Negativität des Barock, bei Spengler Positivität des Barock und Negativität der Renaissance, die aus dem Trotz, der Theorie, dem Ideal geboren und nicht autochthon wie Gotik und Barock sei (25/354). Die Ungerechtigkeit Burckhardts ist in die Ungerechtigkeit Spenglers umgeschlagen. Das Problem: Renaissance-Barock ist Teil einer ganzen Fragengruppe, der entwicklungsgeschichtlichen Probleme. Sie seien, da sie nur verstreut in den zitierten Schriften behandelt werden, lediglich aufgezählt.

1. Wie grenzt sich der Barock von Gotik, Renaissance, Manierismus und Rokoko ab? Das Problem der benachbarten Stile.

2. Welche Altersstufe repräsentiert der Barock, setzt er ein jugendliches Volk (Pinder) oder eine Endsituation (Spengler) voraus? Das Problem der Genealogie.

3. Wie wirkt sich im Barock das Volkstum aus, insbesondere die nordische und südliche Grundart (Dehio, Lucka)? Das Problem des Volklichen.

4. Was bedeutet Barock als Phase jeder künstlerischen Kultur (barocke Phase in Ägypten, China, Indien, im Hellenismus, in der Romanik und Gotik)? Das Problem der Phasengesetzlichkeit [5].

5. Was kann der Barock in unserer heutigen geistigen Situation bedeuten (der Barock und wir)? Das Gegenwartsproblem (erste Andeutungen bei Hausenstein).

[5] Für die unter 3 und 4 genannten Problemkreise vgl. die S. 199 genannte außerordentlich klärende Arbeit von Weise.

6. Welches ist der dauernde Sinn des Barock, was hat er der Menschheit an sonst nicht gesichteten Realitäten und sonst nicht verwirklichten Werten hinzugewonnen (ganz abgesehen davon, was uns in unserer kulturellen Situation diese Werte bedeuten könnten)? Das Wert-Problem des Barock.

Literaturverzeichnis

1. A. E. Brinckmann, Baukunst des 17. und 18. Jahrhunderts in den romanischen Ländern. Berlin-Neubabelsberg 1915 bis 1917.
2. —, Barockskulptur. Berlin-Neubabelsberg 1917—1919.
3. —, Plastik und Raum. München 1922.
4. Jacob Burckhardt, Der Cicerone. Basel 1854.
5. Broder Christiansen, Die Kunst. Buchenbach i. B. 1930.
6. Benedetto Croce, Der Begriff des Barock. Zürich 1925.
7. Willi Drost, Barockmalerei in den germanischen Ländern. Wildpark-Potsdam (1926).
8. Oskar Eberle (Herausgeber), Barock in der Schweiz. Einsiedeln 1930.
9. Paul Frankl, Entwicklungsphasen der neueren Baukunst. Leipzig-Berlin 1914.
10. Dagobert Frey, Gotik und Renaissance als Grundlagen der modernen Weltanschauung. Augsburg (1929).
11. Cornelius Gurlitt, Geschichte des Barockstiles. 3 Bde. Stuttgart 1887/89.
12. Wilhelm Hausenstein, Vom Geist des Barock. 6.—7. Tsd. München 1924.
13. Carl Justi, Die spanische Kunst (im Spanien-Baedeker 1912).
14. Emil Lucka, Michelangelo. Berlin 1930.
15. Heinrich Lützeler, Zur Religionssoziologie deutscher Barockarchitektur. In: Archiv für Sozialwissenschaft und Sozialpolitik. 66. Bd. H. 3 (1931), S. 557—584.
16. Moeller van den Bruck, Die italienische Schönheit. 3. Aufl. Stuttgart und Berlin 1930.
17. Nikolaus Pevsner, Beiträge zur Stilgeschichte des Früh- und

Hochbarock. In: Repertorium für Kunstwissenschaft. 49. Bd. (1928), S. 225 ff.

18. Ludwig Pfandl, Geschichte der spanischen Nationalliteratur in ihrer Blütezeit. Freiburg i. Br. 1929.

19. Wilhelm Pinder, Deutscher Barock (Einleitung in das Barockheft der Blauen Bücher). Düsseldorf und Leipzig 1912.

20. Gertrud Richert, Die spanische Kunst (Neubearbeitung von Nr. 13, Spanien-Baedeker 1929).

21. Alois Riegl, Die Entstehung der Barockkunst in Rom. Wien 1908 (nach den Vorlesungen von 1887).

22. Hans Rose, Kommentar zu Nr. 28. 4. Aufl. München 1926.

23. —, Spätbarock. München 1922.

24. August Schmarsow, Barock und Rokoko. Eine kritische Auseinandersetzung über das Malerische in der Architektur. Leipzig 1897.

25. Oswald Spengler, Der Untergang des Abendlandes. 43. bis 47. Aufl. 1. Bd. München 1923.

26. Josef Weingartner, Römische Barockkirchen. München o. J.

27. Werner Weisbach, Der Barock als Kunst der Gegenreformation. Berlin 1921.

28. Heinrich Wölfflin, Renaissance und Barock. 3. Aufl. München 1908. (1. Aufl. 1888.)

29. —, Kunstgeschichtliche Grundbegriffe. 2. Aufl. München 1917.

Modern Philology; a journal devoted to research in medieval and modern literature, 38, 1940—41, S. 325—333.

MITTELALTERLICHER UND BAROCKER DICHTUNGSSTIL

Von Ernst Robert Curtius

Jedem Calderónleser ist der prunkvolle Monolog zu Beginn von ›La Vida es sueño‹ in Erinnerung, in dem Segismundo über seine Gefangenschaft klagt. In sieben kunstvoll gereimten zehnzeiligen Strophen *(décimas)* baut sich das Stück auf. Der Gedankengang ist folgender:

(1)   I. Was für ein Verbrechen habe ich durch meine Geburt begangen?

      II. Warum werden die übrigen Geschöpfe für das Verbrechen der Geburt nicht bestraft?

     III. Der Vogel wird geboren und genießt die Freiheit.

     IV. Das Raubtier desgleichen.

     V. Der Fisch desgleichen.

    VI. Der Bach desgleichen.

   VII. Welches Recht beraubt den Menschen der Gabe, die Gott diesen Geschöpfen — Bach, Fisch, Raubtier, Vogel — verlieh: der Freiheit?

Die Strophen III—VI sind in strengem Parallelismus gebaut. Jede beginnt mit « Nace...» und endet mit «¿Y yo... tengo menos libertad?» Die letzte Strophe zieht aus den vier vorhergehenden die Summe — und zwar im wörtlichen Sinne. Sie schließt mit kurzer Rekapitulation:

> ¿Qué ley, justicia ó razón
> Negar á los hombres sabe
> Privilegio tan suave,
> Excepción tan principal,
> Que Diós le ha dado á un cristal,
> Á un *pez*, á un *bruto* y á un *ave*? [1]

[1] Hrsg. von Keil, I, 2b.

Krenkel [2] bemerkt hierzu, daß „die letzte Strophe den Inhalt der vorhergegangenen nochmals kurz zusammenfaßt". W. v. Wurzbach [3] wies darauf hin, daß das in diesem Monolog befolgte Kompositionsschema eines der auffälligsten Merkmale von Calderóns Stil sei, und charakterisierte es als „Anführung einer Reihe von Begriffen mit ihren Merkmalen und ihre schließliche Zusammenfassung behufs Anwendung auf einen bestimmten Fall". Andere Hinweise auf dies eigenartige Strukturschema habe ich weder in der Calderón-Literatur noch sonstwo gefunden. Ich möchte es als Summationsschema bezeichnen. Denn das Charakteristische dafür ist die abschließende Summierung einer in symmetrischer Reihung vorgeführten Zahl von Beispielen. Calderón verwendet diese Form sehr häufig und sehr mannigfaltig. Dafür nur noch zwei Beispiele. Eine knapp gehaltene Sechserreihe findet man in ›La Puente de Mantible‹:

> (2) Un águila hiriendo el viento,
> Un delfín cortando el mar,
> Un caballo desbocado
> En medio de la carrera,
> Un rayo abriendo la esfera
> Adonde ha sido engendrado,
> Una flecha disparada
> Del corvo marfil herido,
> Un cometa desasido
> De su fábrica estrellada,
> Se podrán volver atrás,
> Solo con quererlo yo,
> En su violencia; mas no
> La furia de Fierabras;
> Porque excede altivo y fuerte
> Aguila, delfín, saeta,
> Caballo, rayo y cometa.[4]

Gelegentlich findet man bei Calderón auch die Umkehrung des Schemas: die Summation steht am Anfang und die Einzel-

---

[2] Klassische Bühnendichtungen der Spanier, I, 44.
[3] Calderóns ausgewählte Werke (1910), I, 190 et sq.
[4] Keil, I, 122b.

ausführung der Beispiele folgt. So klagt Flora in ›El Sitio de
Breda‹:

> (3) Si es forzoso mi tormento,
>   Forzoso será que muera;
>   Porque si yo no sintiera,
>   Tuviera en desdicha tanta
>   Alma inferior á la planta,
>   Al pez, al ave y á la fiera.
>   De su centro con dolor
>   Siente una piedra arrancada,
>   Del cierzo la furia helada
>   Siente una temprana flor,
>   Brama una fiera, el rigor
>   Dice mudo el pez, y el ave
>   Con tono dulce y suave
>   Canta amor y zelos llora . . .[5]

Auch bei Lope finden wir dasselbe Schema. In drei symmetrisch
gebauten Strophen beschreibt er einmal[6] ein Schiff, einen blühen-
den Baum, ein Vogelnest. Die vierte Strophe bringt dann die sum-
mierende Anwendung:

> (4) Nave en el mar parecía
>   Mi libertad en amor;
>   Árbol vestido de flor
>   Mi locura y bizarría;
>   Nido que el ave tejía
>   Era mi seguro olvido;
>   Mas vino Amor atrevido
>   Y, con el galán Cardona,
>   Puso al pie de su corona
>   La nave, el árbol, y el nido.

Das Summationsschema ist Gemeingut der spanischen Blütezeit.[7]
Woher stammt es? Wir finden es gelegentlich in der italienischen
Renaissance, z. B. bei Panfilo Sasso (1527):

[5] Keil, I, 238b.
[6] Neue Akademie-Ausgabe, XI, 450.
[7] Vgl. z. B. noch Antonio Mira de Amescua in den Cién mejores
poesías, von Menéndez y Pelayo, S. 150.

(5) Col tempo el villanel al giogo mena
El tòr sí fiero e sí crudo animale;
Col tempo el falcon si usa a menar l'ale
E ritornar a te chiamato a pena.

Col tempo si domestica in catena
El bizarro orso, e'l feroce cinghiale;
Col tempo l'acqua, che è sí molle e frale,
Rompe el dur sasso, come el fosse arena.

Col tempo ogni robusto arbor cade;
Col tempo ogni alto monte si fa basso,
Ed io col tempo non posso a pietade

Mover un cor d'ogni dolcezza casso;
Onde avanza di orgoglio e crudeltade
Orso, toro, leon, falcone e sasso.[8]

Das Verfahren der Summation setzt immer die Aufzählung der einzelnen „Summanden" voraus. Es ist, wie schon angedeutet, der Abschluß einer Reihe von Beispielen. Vergleicht man daraufhin die von mir bisher aufgeführten fünf Stellen, so findet man in:

Nr. 1: vier Beispiele für die Freiheit der Geschöpfe
Nr. 2: sechs Beispiele für hohe Geschwindigkeiten
Nr. 3: vier Beispiele für Sensibilität
Nr. 4: drei Vergleiche für einen Seelenzustand
Nr. 5: fünf Beispiele für die unmerklich verändernde Wirkung der Zeit

Alle diese Stellen können also — wenn wir von der abschließenden Summierung absehen — als Fälle von symmetrischer „Beispielreihung" angesehen werden. Es handelt sich dabei um eine Technik, die in der Germanistik als „Priamel" (von *praeambulum*) bezeichnet wird.[9] Sie ist aber, wie eine neuere Untersuchung nachweist,

[8] Abgedruckt in Le Rime di Serafino de' Ciminelli dall' Aquila, von M. Menghini (1894), I, 213. Dieses Sonett hat Lope nachgebildet (vgl. die Nachweise meines Schülers Ernst Brockhaus in Herrigs Archiv, CLXXXI [1937], 200).

[9] K. Euling, Das Priamel bis Hans Rosenplüt (1905). Ders. im Reallexikon der deutschen Literatur von Merker und Stammler unter „Priamel".

auch in der Antike und im alten Orient sehr beliebt.[10] Den reich-
lichsten Gebrauch von der Priamel macht Ovid (101 Beispiele
gegen 23 aus Horaz und 13 aus Virgil). In den ›Remedia amoris‹
(ll. 453 *et. sqq.*) zählt er z. B. fünf mythologische Exempla dafür
auf, daß unglückliche Liebe durch eine neue Liebe geheilt werden
kann, um dann zu schließen:

> Quid moror exemplis quorum me turba fatigat?
> Successore novo vincitur omnis amor.

Hier haben wir die Sentenz am Schluß der Beispielreihe. Aber
auch das Umgekehrte kommt vor. In ›Tristia‹ (ii. 266) erklärt
Ovid:

> Nil prodest, quod non laedere possit idem.

Das wird dann am Beispiel des Feuers, der Arznei, des Schwertes,
der Redekunst nachgewiesen. Es ist ersichtlich, daß die lateinische
Priamel unserem Summationsschema nahesteht. Aber in keinem der
von Kröhling gesammelten Beispiele finde ich Zusammenfassung
der Exempla durch Summation. Das Summationsschema ist also von
der Priamel abzutrennen. Es bewahrt seine formale Selbständigkeit. Dies erweist sich nun auch daraus, daß die Summation durchaus nicht immer der Abschluß einer Reihe von Beispielen sein muß:
sie kann vielmehr auch Zusammenfassung einer Anzahl von Teilen
zu einem Ganzen sein. Diesen Fall haben wir in einer berühmten
Ode von Ronsard. Sie beginnt:

> (6) Quand je suis vingt ou trente mois
> Sans retourner en Vendomois,
> Plein de pensées vagabondes,
> Plein d'un remors et d'un souci,
> Aux rochers je me plains ainsi,
> Aux bois, aux antres et aux ondes.

Laumonier[11] bemerkt dazu: « c'est un chef-d'œuvre de composi-

---

[10] Walter Kröhling, Die Priamel (Beispielreihung) als Stilmittel in der
griechisch-römischen Dichtung. Nebst einem Nachwort: die altorientalische
Priamel von Franz Dornseiff (Greifswald, 1935).

[11] Ronsard poète lyrique (Paris: Hachette, 1923), S. 463.

tion. La strophe initiale contient la *division* en quatre mots, qui sont repris en têtes des quatre strophes centrales. » Wir haben hier also eine Summation von Naturgegenständen, nur daß diese am Anfang, nicht am Ende der poetischen Komposition gebracht wird. Aber die Anfangsstellung der Summation fanden wir schon bei Calderón (Nr. 3). Laumonier hat kein Vorbild für diese Kompositionsform gefunden und möchte sie deshalb als Erfindung von Ronsard ansehen. Aber Bruno Berger hat in seiner wertvollen Dissertation[12] eine ganze Reihe verwandter Beispiele für Summation (Berger sagt: „Enumeration und Wiederaufnahme") aus Mellin de St. Gelais, Baïf, Jodelle u. a. zusammengetragen. Aufgrund meiner eigenen Lektüre darf ich hinzufügen, daß in der mittellateinischen Poesie das Schema „Aufzählung von Landschaftsreizen" nicht selten ist. Ein Beispiel mit Summation am Anfang:

> (7)   Ridentem reddunt quattuor ista locum.
> Haec sunt: arbor, humus et fons et avis; viret arbor,
> Vernat humus, garrit fons, cytharizat avis.[13]

Verwandt, aber einfacher gebaut und der Summation entbehrend:

> (8) Sunt tria, cur locus hic sit amenus: scilicet umbra
> Arboris et gramen, fons quoque perspicuus.[14]

Diese beiden Beispiele weisen den trockenen Stil der mittelalterlichen Schulpoesie auf. Aber dasselbe Schema — Darstellung einer Landschaft durch Aufzählung der sie zusammensetzenden Einzelschönheiten — kann auch in künstlerisch vollendeter Form ausge-

[12] Bruno Berger, Vers rapportés: Ein Beitrag zur Stilgeschichte der französischen Renaissance-Dichtung (Diss. Freiburg i. Br., 1930), S. 61 et sqq.

[13] Abgedruckt unter den Werken von Hildebert bei Migne, Patr. Lat., CLXXI, 1289; nach Hauréau (Notices et extraits, XXIX, Heft II, 353) von Petrus Riga verfaßt.

[14] Paul Lehmann, Pseudoantike Literatur des Mittelalters (1927), LVI, 195.

führt werden. So in einem Gedicht des Tiberianus [15] aus konstanti-
nischer Zeit:

(9) *Amnis* ibat inter herbas, valle fusus frigida,
Luce ridens calculorum, flore pictus herbido.
Caerulas superne laurus et virecta myrtea
Leniter motabat *aura* blandiente sibilo.
Subtus autem molle gramen *flore* pulcro creverat;
Et croco solum rubebat et lucebat liliis.
Tum *nemus* fraglabat omne violarum spiritu.
Inter ista dona veris gemmeasque gratias
Omnium regina odorum vel colorum lucifer
Auriflora praeminebat forma dionis, rosa.
Roscidum nemus rigebat inter uda gramina:
Fonte crebro murmurabant hinc et inde rivuli,
Quae fluenta labibunda guttis ibant lucidis.
Antra muscus et virentes intus [hederae] vinxerant.
Has per *umbras* omnis *ales* plus canora quam putes
Cantibus vernis strepebat et susurris dulcibus:
Hic loquentis murmur amnis concinebat frondibus,
Quis melos vocalis aurae musa zephyri moverat.
Sic euntem per virecta pulchra odora et musica
Ales amnis aura lucus flos et *umbra* iuverat.

Als ich vor längeren Jahren dieses Gedicht las, war ich von der
Übereinstimmung seiner Summationstechnik mit der Calderóns so
frappiert, daß ich mir vornahm, nach Zwischengliedern zu suchen
oder wenigstens — denn systematisch kann man so etwas ja nicht
tun — bei meiner Lektüre die Sache im Auge zu behalten. Zunächst
hoffte ich bei der klassischen Philologie Auskunft darüber zu finden, ob das von Tiberianus befolgte Schema noch anderswo in der
Antike belegt sei. Aber auch in der neuesten und eingehendsten
Würdigung des Gedichtes von Fr. Lenz [16] wird diese Frage nicht
beantwortet, ja nicht einmal gestellt. Lenz scheint den Summationsstil des Gedichtes gar nicht bemerkt zu haben. Er würdigt es mit

---

[15] Abgedruckt nach Buecheler-Riese, Anth. Lat., I, ii, S. 296 et sq.
(= Nr. 809).
[16] In Pauly-Wissowa-Kroll, Realencyklopädie, 2. Reihe, Halbband XI
(1936), 766 et sqq.

den Worten: „Hier ist es dem Dichter gelungen, einen wirklich unmittelbaren Eindruck hervorzurufen und den Leser die Lieblichkeit
der Natur deutlich empfinden und miterleben zu lassen. Dank dieser Vorzüge nimmt das Gedicht nicht nur innerhalb der spätantiken lateinischen Literatur eine Sonderstellung ein." Zum Stil des
Gedichtes notiert Lenz nur in Vers 20 „die überaus auffallende
nominale Stilisierung", wozu er Seneca-Verse wie ›Hercules fu-
rens‹ 32

terribile dirum pestilens atrox ferum

vergleicht. Dieser Vergleich ist aber irreführend, denn der Seneca-
Vers stellt keine Zusammenfassung vorher aufgezählter „Summanden" dar, sondern eine Form des Asyndetons, von der später zu
reden sein wird. Da Lenz den Tatbestand der Summation nicht
erkannt hat, muß ich annehmen, daß er außer bei Tiberianus in der
antiken Literatur nicht vorkommt.

Sollten nun die romanischen Dichter des 16. und 17. Jahrhunderts, die das Summationsschema verwenden, dieses unmittelbar von
Tiberianus entlehnt haben? Das wird niemand glauben wollen.
Sollten sie es neu erfunden haben? Auch das ist unwahrscheinlich.
Es bleibt die Möglichkeit, daß das Schema aus der Spätantike in die
mittellateinische Dichtung und von dort in die romanische gelangt
wäre. Schon 1934 fragte ich bei Otto Schumann in Frankfurt a. M.
deshalb an. Er hatte die Freundlichkeit, mir zu antworten: „Ich
glaubte mich zu erinnern, daß mir dergleichen schon begegnet sei,
habe aber beim Nachdenken und Nachblättern nichts finden können. Ich habe auch herumgefragt bei Strecker, H. Walther und
Heraeus. Sie wußten aber auch nichts." Ich selbst habe bei meiner
mittellateinischen Lektüre seitdem nur ein einziges Summationsschema finden können, und zwar bei Walahfrid Strabo. In seinem
Gedichte ›De carnis petulantia‹ 17 führt er als Beispiele für den
Hang zur Sünde an:

    1. Strophe: eine Kugel auf schiefer Ebene
    2. Strophe: eine Feder im Winde
    3. Strophe: ein Schiff (puppis) auf den Wellen

---

17 Poetae Latini aevi Carolini (Berlin: Weidmann, 1884), II, 360.

4. Strophe: ein Feuer auf dem Felde
5. Strophe: ein wildes Tier, einen Vogel
6. Strophe: ein Füllen
7. Strophe: einen reißenden Strom

Die achte Strophe lautet dann:

> (10) Haec carnem, stolidissime,
>   Nostram respiciunt, homo,
>   Consuetam male vivere:
>   Puppis, pluma, focus, sphera,
>   Pullus, flumen, avis, fera,
>   Haec attende sagaciter.

Auch die mittellateinische Philologie hat, soviel ich sehe, zu diesem Text nichts über den Summationsstil angemerkt. Wer aber die im Vorstehenden angeführten neun Beispiele kennt, wird nicht zweifeln, daß wir hier das „missing link" zwischen Tiberianus und Panfilo Sasso in Händen haben. Was wir jetzt noch brauchen, sind Zwischenglieder zwischen Walahfrid Strabo und Panfilo Sasso. Sie werden sich mit der Zeit wohl noch finden. Aber wir dürfen jetzt schon in der, wenn auch lückenhaften, Geschichte des Summationsschemas ein neues Zeugnis für die geschichtlich so bedeutsame Übermittlung spätantiken Formen- und Motivgutes an die romanischen Literaturen durch die mittellateinische Dichtung sehen.[18]

Das lateinische Mittelalter hat mit besonderer Vorliebe grammatische und metrische Künsteleien gepflegt, die es von der Spätantike übernahm und dann dem Zeitalter des barocken Manierismus vermachte. Eine solche Künstelei stellt auch der als Asyndeton gebildete Vers dar, für den ich schon ein Beispiel aus Seneca anführte.

„Versefüllendes Asyndeton", um den Ausdruck von Carl Weyman zu brauchen,[19] findet man schon bei Horaz gelegentlich, wenn er eine ganze Klasse von Gegenständen verächtlich abtun will, etwa Reichtümer:

[18] Meine Arbeiten über dieses Thema sind verzeichnet in Romanische Forschungen (1940), S. 106, Anm. 3.

[19] Carl Weyman, Beiträge zur Geschichte der christlich-lateinischen Poesie (München, 1926), S. 126 et sq.

> Gemmas, marmor, ebur, Tyrrhena sigilla, tabellas,
> Argentum, vestis Gaetulo murice tinctas . . .[20]

oder Formen des Aberglaubens:

> Nocturnos lemures portentaque Thessala.[21]
> Somnia, terrores magicos, miracula, sagas,

Der Gebrauch verallgemeinert sich bei Statius.[22] Bei Dracontius wird er zu einem Exzeß.[23] Beispiele aus Sedulius und andern frühchristlichen Dichtern bringt Weyman a. a. O. Diese Form des Asyndetons ist im Mittelalter und in der Renaissance ein wohlbekanntes Stilmittel. Es wird empfohlen von Beda [24] wie von Albericus Casinensis.[25] Ariost verwendet es, um Rolands Wahnsinn zu schildern:

> Ch'a pugni, ad urti, a morsi, a graffi, a calci
> Cavalli e buoi rompe, fracassa e strugge.[26]

Besonders beliebt wird dieses Stilmittel dann in der deutschen Barockdichtung, vor allem bei Gryphius. Viëtor bespricht es als „zusammenballende Worthäufung" oder „expressives Asyndeton". Er weist mit Recht auf den „romanisch-englischen Zierstil des 16. Jahrhunderts" hin, irrt aber, wie ich glaube, wenn er diesen auf Cicero und Quintilian zurückführt. Der literarische Manierismus des 16. Jahrhunderts geht vielmehr auf den mittellateinischen des 12. und dieser auf den spätantiken zurück, wie ich gelegentlich zu zeigen hoffe.

[20] Epi. ii. 2. 180 et sq.

[21] Ibid. ll. 208 et. sq.

[22] Thebais i. 341; vi. 116; x. 768.

[23] De laudibus Dei i. 5 et sqq.; i. 13 et sqq.; i. 433; i. 527, und viele andere Stellen.

[24] H. Keil, Grammatici Latini, VII (1880), 244.

[25] Vgl. dessen Flores rhetorici, hrsg. von Inguanez et Willard (1938), S. 44, § 44, § 4.

[26] xxiv, 7.

Leo Spitzer, Romanische Stilstudien 1936—1956. Tübingen: Max Niemeyer Verlag 1959,
S. 789—802. (Mit Genehmigung des Max Niemeyer Verlages Tübingen.) Aus dem Spanischen übersetzt von Ursula Magen.

DER SPANISCHE BAROCK *

Von LEO SPITZER

Der Begriff „Barock" war ursprünglich vage und ohne genaue
Bedeutung, bis ungefähr im Jahre 1915 ein Schweizer Kunsthistoriker, Wölfflin, dem Wort eigenmächtig und mit Absicht eine neue
und genaue Bedeutung gab. Der Sinn, den Wölfflin dem Begriff
„Barock" gab, wurde sogleich durch die große Begeisterung einiger
seiner Anhänger geradezu von einem magischen Glorienschein umgeben, rief aber gleichzeitig den entschiedenen Widerspruch seiner
Gegner hervor. Nach zwanzig Jahren schwankender Bedeutung hat
das Wort nunmehr einen bestimmten Wert als terminus technicus
und wird für literarische und künstlerische Auseinandersetzungen
akzeptiert. Seine Bedeutung ist aber weder sehr genau noch sehr
vage, er muß daher mit Vorsicht benutzt werden. Viele abstrakte
Wörter einer Sprache haben ein ähnliches Schicksal, z. B. das Wort
„Evolution". Es ist meist so, daß die Wörter zuerst eine Phase des
unbestimmten Gebrauchs durchlaufen, dann wird in einer gedanklichen Anstrengung versucht, ihnen eine genau umrissene Bedeutung
zu geben, und es wird ihnen eine neue vis magica verliehen. Diese
Bemühung erfaßt jedoch nicht das ganze Bedeutungsfeld, und was
schließlich übrig bleibt, ist ein einigermaßen klar bestimmter terminus technicus, den man benutzt, um ein begrenztes Phänomen zu
bezeichnen und um neuen Wortidolen nachspüren zu können, die
ihrerseits bald den Glanz des Neuen verlieren werden. Die Bereicherung des gebräuchlichen Wortschatzes scheint einer Verarmung
des ursprünglichen Bedeutungsgehaltes der Wörter parallel zu lau-

---

* Vortrag, der auf eine Übersetzung für den verstorbenen Dichter
Pedro Salinas zurückgeht und im Sommer 1943 in der spanischen Schule
von Middleburg (Vermont) gehalten wurde.

fen. Eine Art von Entzauberung, von desengaño lastet auf allem
menschlichen Streben nach Wissen.

Die Bezeichnung „Barock" war zu Beginn des 17. Jahrhunderts
ein französisches Wort, das «bizarre, fantasque», seltsam, phantastisch bedeutete. Der Ursprung des Wortes ist nicht bekannt, aber
es liegt die Beziehung zu der barocken, d. h. unregelmäßigen Perle
nahe, einer seit dem 16. Jahrhundert bekannten Bezeichnung, die
zweifelsohne iberischen Ursprungs ist. Vielleicht könnte man das
Wort auch auf den Namen einer der scholastischen Syllogismen,
die im 17. Jahrhundert dann so sehr in Verfall gerieten, beziehen?
Sicher ist nur: wenn man im Französischen „barocke Kunst" oder
„barocker Stil" sagte, dann wollte man diese Kunst oder diesen
Stil verächtlich machen. Mit diesem negativen Ausdruck war nicht
eine historisch zu lokalisierende Kunst oder ein bestimmter Stil
gemeint. Bei diesem Stand der Dinge berichtet Mitte des 18. Jahrhunderts ein deutscher Kunstkritiker, Nicolai, daß die Franzosen
die Kunst, die damals in Mode war, «rocaille», «grotesque»,
«arabesque», «à la chinoise» oder «de gusto barroco» nannten.
Im 19. Jahrhundert wurde der Begriff endgültig auf die Architektur der italienischen Meister des 17. Jahrhunderts wie Borromini
bezogen und als Gegensatz zum Klassischen verwandt. Der negative Unterton schwang aber immer noch mit, die barocke Kunst des
17. Jahrhunderts schien immer noch nichts anderes zu sein als eine
Entstellung des klassischen Ideals, eines Ideals, das, wie man damals
glaubte, das griechische Maß, die griechische Eurhythmie verkör-
perte. Es war Wölfflin, der im Jahre 1915 in München mit seinen
›Kunstgeschichtlichen Grundbegriffen‹ dem Begriff „Barock", wie
man ihn damals auf die Kunst des 17. Jahrhunderts anwandte,
seinen abwertenden Unterton nahm, indem er darlegte, daß sich in
der barocken Kunst nicht etwa eine den anderen Stilrichtungen
unterlegene Schöpferkraft ausprägte, sondern daß eine andere
künstlerische Intention, ein anderes „Kunstwollen" vorlag. Mit
Hilfe einer Reihe paralleler Phänomene, in denen er die klassische
und die barocke Kunst als Gegensätze sichtbar machte, gelangte er
zu einer Definition dieser beiden für ihn gleichwertigen Stilrichtungen. Während die klassische Malerei eines Raffael linear, zeichnerisch ist, kann die barocke Malerei eines Rembrandt als rein ma-

lerisch bezeichnet werden. Während Tizian, wenn er seine Venus malt, allen Einzelheiten des Körpers die gleiche Aufmerksamkeit schenkt, ist die Gestalt der barocken Venus von Velazquez auf einen bestimmten „Akzent" hin angelegt, sind alle Einzelheiten zu einer Einheit zusammengeschlossen. Dieser gleiche, alles einigende Stilwille zeigt sich auch in anderen Bildern in der Tiefendimension der Komposition, auf die alle Figuren ausgerichtet sind. Die Barockkunst vermeidet die absolute Symmetrie und gibt Gruppenbildern durch Asymmetrie den Anschein von Bewegtheit. Für Wölfflin ist die Abfolge: Renaissance — Barock eine notwendige und nicht umkehrbare Entwicklung. Es folgt immer und nicht nur im 17. Jahrhundert auf eine klassische Kunst eine barocke Kunst, auf einen zeichnerischen Stil ein malerischer. Und Wölfflin setzt an Stelle der alten kritischen Bestimmung: klassisch — Maß, barock — Übertreibung, das Bejahen einer historisch notwendigen Entwicklung. Andere Kritiker und Historiker haben die Ideen Wölfflins erweitert. Sie folgten darin drei Grundtendenzen, die alle schon im Werk des Meisters vorgezeichnet waren.

Es war z. B. offensichtlich, daß der „Akzent", der die Tendenz hatte, alle Einzelheiten zu bestimmen, ob es sich nun um die wesentliche Einheit in der Malerei oder um die barocke Architektur handelte, dem einigenden Akzent entsprach, den das Konzil von Trient (beendet 1563) ganz allgemein in das Leben jener Epoche eingeführt hatte. Das Konzil von Trient versuchte angesichts der Reformation, den Katholizismus mit Hilfe einer autoritären Gegenreformation zu reorganisieren, unter besonderer Betonung der Glaubensinhalte, denen die Kirche wieder stärkere Bedeutung verleihen wollte. Das Lebensgefühl dieses bestimmten Augenblicks der Geschichte drückte sich also in einer ihm aufs genaueste entsprechenden Kunst aus.

Andererseits wollten die deutschen Literarhistoriker Fritz Strich und Oskar Walzel auf Grund der von den Romantikern so geschätzten Vorstellung, daß die Kunst einer Epoche immer ein neues Licht auf eine andere Kunstgattung der gleichen Epoche werfen sollte (wechselseitige Erhellung der Künste), diese Kategorien Wölfflins auf die Dichtkunst der barocken Epoche anwenden. Man versuchte also mit mehr oder weniger Erfolg, und insbesondere für die dramatischen Werke, zu beweisen, daß diese im gleichen Maß wie eine Kirche auf einem architektonischen Aufbau beruhten. Man wollte beweisen, daß die Tragödie Shakespeares barock ist und die französischen Tragödien der Zeit klassisch im wölfflinschen Sinn dieser beiden Termini sind. Selbst von der lyrischen Dichtung behauptete man, sie sei entweder zeichnerisch, also klassisch, oder malerisch, also barock.

Eine dritte von Wölfflin ausgehende Richtung versuchte ähnliche Entwicklungen, wie sie in der Kunst des 16. und 17. Jahrhunderts zutage traten, in anderen historischen Epochen nachzuweisen. So sah vor allem der Kunsthistoriker Worringer Vorläufer dieser barocken, so bewegungsreichen Kunst in der Gotik des Mittelalters. Auch die Romantiker und die Expressionisten der Zeit nach dem Ersten Weltkrieg waren für ihn Nachfolger der barocken Künstler. Der „gotische Mensch", ein von Worringer geprägter Ausdruck, gab sozusagen über die Jahrhunderte hinweg dem barokken Menschen die Hand, ebenso der „homo romanticus", der „homo expressionisticus" usw. usw. Aufs ganze gesehen schien die Kunst- und Literaturgeschichte von einem ständigen Wechsel von Ebbe und Flut durchpulst zu werden: zuerst gab es eine Klassik, dann einen Barock, dann wieder eine Klassik und nach ihr wieder einen Barock, und in dieser Reihenfolge schien es immer weiterzugehen. So sah auch Eugenio d'Ors die Entwicklung und glaubte in dem « manuelino » genannten Stil einen portugiesischen Barock des 15. Jahrhunderts zu entdecken. Auf diese Weise verloren die Bezeichnungen „klassisch" und „barock" ihre engere Bedeutung, die sich auf ganz bestimmte Epochen bezog, und sie wurden zu bloßen Verständigungsbegriffen. Man sprach von einem Barock des italienischen Trecento und sogar von einem griechischen Barock, was einer klaren Eingrenzung einzelner künstlerischer Phänomene außerordentlich abträglich war.

Ich habe Ihnen eine kurze Skizze dieser Versuche gegeben, habe Sie an der Geburt eines Mythos teilnehmen lassen, des Mythos vom „barocken Menschen", der heute in gleichem Maß glorifiziert wird, wie die Kunst desselben Namens früher verunglimpft wurde. Wölfflin hatte in seiner Theorie Stilelemente hervorgehoben, die der Beobachtung zugänglich und sichtbar waren für den Blick desjenigen, „für den die äußere Welt existiert". Er hat sich seine Kategorien, die er von der visuellen Beobachtung abstrahierte, geschaffen, um der Kunstgeschichte eine größere Objektivität zu verleihen und sie vom "sentimental approach" zu befreien. Er wollte der Kunst gewissermaßen eine historische Grammatik geben, indem er die Kunst auf einer überpersönlichen Ebene erfaßte, einer Ebene, die über den einzelnen Künstlern lag. Aber die deutsche Seele bemächtigte sich seiner *graphischen Kategorien* und schöpfte aus ihnen den Mythos vom „barocken Menschen". Wenn ich in diesem Zusammenhang von „der deutschen Seele" spreche, so deshalb, weil es in ihr eine angeborene Neigung gibt, alles ernst zu nehmen; sie nimmt nicht nur die Geschichte in einem Maße ernst, daß sogar jeder historische Verlauf „eines Geschehens" nachträglich als ein in dieser Art vor Gott notwendiger bezeichnet wird (diese Einstellung steigert sich bis zum Grotesken im Akzeptieren der „Tatsache" Hitler durch die Deutschen). Die Deutschen nehmen auch die Kategorien, die von Historikern zur Erklärung eines historischen Vorgangs formuliert werden, bis zum letzten ernst. Und sie vergessen dabei, daß diese Kategorien von Menschen geschaffen wurden und Annäherungswerte darstellen. Sie vergöttlichen oder erhöhen bis zur Apotheose, was bei anderen Völkern nur den Wert äußerlicher Etikettierungen haben würde. Es ist sicher nicht zufällig, daß Begriffe wie „Renaissance", „Romantik", „Rokoko", „Biedermeier" (letzterer wird nur in Deutschland benutzt) in diesem Land in objektive Wesenheiten verwandelt wurden, deren Definition und Beschreibung bisweilen mehr Platz einnimmt als die Analyse der Tatsachen, auf die sie sich beziehen. Deutschland ist darin dem angelsächsischen Geist, der grundsätzlich jeglichem Orientierungsbegriff mißtraut, fast genau entgegengesetzt. Der holländische Historiker Huizinga sagte einmal, daß die Deutschen mehr als alle anderen zusammen zur Aufhellung des Begriffs „Renaissance" beigetragen haben, von Burckhardt bis hin zu Burdach. Das ist sehr verständlich, denn nur die Deutschen sehen die Renaissance mit den Augen ihrer Seele als eine Allegorie. Ich möchte ausdrücklich das Deutsche dieses Charakterzugs betonen, dieser geistigen Tendenz, dieses deutsche Bedürfnis, zu allegorisieren, eine historische Epoche zum Mythos zu erheben.

Wölfflin selbst, eine Persönlichkeit von seltener geistiger Integrität und geistiger Disziplin, war etwas erschrocken über diese Woge
der Zustimmung, die er bei seinem deutschen Publikum fand. Und
mein Freund Vossler sagte mir, daß er einen Ruf an eine Schweizer
Universität angenommen habe, nur „um seinen deutschen Schülern
zu entrinnen".

Andererseits bin ich überzeugt, daß hinter der begeisterten
Zustimmung zu Wölfflins Versuch, die barocke Kunst zu rehabili-
tieren, etwas mehr steht, als die schon erwähnten philosophisch-
mythischen Bedürfnisse der deutschen Seele. Es handelte sich wahr-
scheinlich, ohne daß Wölfflin sich selbst darüber im klaren war, um
einen wirklichen Wandel der geistigen Einstellung, der sowohl in
Deutschland selbst als auch in ganz Europa seit dem 1. Weltkrieg
stattfand. Die so verachteten religiösen Werte gewannen ihre
herausragende Bedeutung wieder. In Frankreich wie in Deutschland
gab es eine katholische Erneuerung, in Skandinavien, in der Schweiz,
in England wie auch in Deutschland eine protestantische Erneuerung. Und überall fanden Kunst und Literatur des 17., des katholischen Jahrhunderts eine innigere Aufnahme, eben weil sie sosehr
von einem religiösen Gefühl durchtränkt waren. Nadler z. B. stellte
fest, daß eine ganze katholische und barocke Literatur Süddeutsch-
lands von dem ablehnenden Schweigen der deutsch-protestantischen
und deistischen Kritik des 18. Jahrhunderts übergangen worden
war. Spanien kam diese Rehabilitierung des nachtridentinischen
Katholizismus in Europa ganz besonders zugute. Die von den französischen Enzyklopädisten des 18. Jahrhunderts in die Welt gesetzte „schwarze Legende" verlor zufällig — wenn man so etwas
überhaupt Zufall nennen kann — im rechten Augenblick ihre Wirkung, als sich nämlich die allgemeine Aufmerksamkeit Europas
Spanien zuwandte, gab es dort Schriftsteller wie Unamuno und
Ortega y Gasset, die die Botschaft Spaniens so zu formulieren
wußten, daß sie von den Europäern verstanden wurde. Andererseits traten gerade diese Schriftsteller für die Rückkehr zu einer
jahrhundertealten Tradition ein, ohne aber blinder Reaktion zu
verfallen. Nach Kunsthistorikern wie Meier-Gräfe, der El Greco
entdeckt, und Weißbach, der die Kunst der Gegenreformation er-
forschte, haben alle meine romanistischen Kollegen um 1924 be-

gonnen, die spanische Literatur zu studieren. Die meisten stammten
aus einem protestantischen Milieu und waren im Bannkreis einer
rein abstrakten, dem Ethischen zugewandten Geistigkeit aufgewachsen. Karl Vossler behandelt in seinem ›Spanischen Brief an
Hugo von Hofmannsthal‹ das Siglo de Oro. Ernst Robert Curtius
schreibt in der katholischen Zeitschrift ›Hochland‹ über die Generation von 98. Mit anderen Worten, man studiere sowohl die literarische Tradition Spaniens als auch ihre Wiedergeburt in der
Gegenwart, sowohl Don Quichotte als auch Unamuno; und gerade
weil diese Studien aus protestantischem Geist hervorgingen, dem es
sehr früh gelang, sich von seinen Scheuklappen zu befreien, drangen
sie eher zu dem Wesentlichen vor als die Literaturgeschichte des
Siglo de Oro, die in apologetischer Absicht von dem Katholiken
Ludwig Pfandl geschrieben wurde (1929). Früher sah man in der
spanischen Kunst und der spanischen Dichtung nichts anderes als
Obskurantismus, Fanatismus, Übertreibung, Verdrehtheiten und
Derbheiten; jetzt wurde das Verständnis dafür geweckt, daß diesem leidenschaftlichen Dynamismus ein tiefer katholischer Glaube
zugrunde lag. So erklärt es sich auch, daß es für einen Österreicher
wie mich, der unmittelbar neben der barocken Architektur der
Karlskirche in Wien aufwuchs und mit dem Studium des spanischen
Theaters Grillparzers und seiner Nachahmungen durch Hofmannsthal aufgewachsen war, niemals ein Problem schien, wie der mittel-
meerische Katholizismus (der spanische wie der italienische) gerade
auch in der Sinnlichkeit den Ausdruck des Transzendenten fand.
Die Protestanten gefallen sich darin, in der göttlichen Wahrheit
etwas radikal anderes, diese Welt Transzendierendes zu sehen, und
der Protestantismus findet letzten Endes, in völliger Übereinstimmung mit seiner Exegese des Alten Testaments, sein Zentrum in
dem abstrakten jüdischen Gott, der sich nur dem Geist offenbart
und sich nur bei seltenen Gelegenheiten durch den Donner oder
den brennenden Dornbusch dem Moses zeigte, um ihm die Gesetzes-
tafeln zu übergeben. Im mittelmeerischen Katholizismus war schon
immer das Verständnis dafür lebendig, daß das Fleisch Anteil am
Mysterium der Inkarnation Christi hatte, und gerade die spanische
Kunst hat es am besten verstanden, das „verbum caro factum“, das
Wort, das Fleisch ward, die zweite Person der Trinität, auszu-

drücken. Dem Göttlichen geht es nicht nur um den Geist, sondern auch um den irdischen Teil des Menschen. Für den Verstandesmenschen ist das große Mysterium nicht (und so faßte es auch der so verstandesbetonte Franzose Barrès auf, als er Toledo wiederentdeckte), daß es über seinem eigenen beschränkten Intellekt einen universellen göttlichen Verstand gäbe, sondern daß dieser menschliche Intellekt an das schwere Gewicht des undurchschaubar bleibenden, im Irdischen verhafteten menschlichen Körpers gebunden ist. Das wäre ein Grund zur Verzweiflung, wenn das Göttliche nicht im Körper Wohnung genommen hätte, wenn Gott nicht selbst Fleisch geworden wäre. André Gide hat in seinen literarischen Werken ähnliche Ängste des Intellektuellen, der seiner « nourritures terrestres » beraubt wurde, beschrieben. Erlauben Sie mir, hier einige persönliche Erinnerungen einzuflechten, denn sie scheinen mir im höchsten Maß Ausdruck unserer Epoche zu sein. Als ich ein Junge war und in der Synagoge dem verehrungswürdigen Rabbiner zuhörte, der die geistige Mission Israels predigte, kam mir das alles immer allzu abstrakt vor. Warum, so fragte ich mich, spricht er uns nicht von den Illusionen und den Sünden der Sinnlichkeit, die doch die großen Prüfsteine des geistigen Menschen sind? Er bejahte wohl für sich selbst die geistige Bestimmung des Menschen, aber das Problem der Sinnlichkeit schob er allzu leichtfertig beiseite. Dem steht eine andere Erfahrung gegenüber, die mir zuteil wurde, als ich schon Professor einer protestantischen deutschen Universität war. Ich nahm im Jahre 1928 an den schon fast heidnisch zu nennenden Prozessionen der „Semana Santa" in Sevilla teil, bei der die Kathedrale sich gleichsam auf die Straße ergießt, bei der die religiösen Bruderschaften Statuen der Jungfrau Maria von überirdischer Schönheit, in Brokat gehüllt und mit Edelsteinen überhäuft, mit sich führen, Statuen der Maria Magdalena mit echten Haaren, dazu Christus, dessen Körper den Abgrund des Martyriums vor Augen führte. Dort fühlte ich mich bis in die tiefsten Tiefen meiner Seele von etwas durchdrungen, das ein gleichzeitig mystisches und ein sinnliches Schaudern war. Hier, zwei Schritte von mir entfernt nur, sahen meine Augen das Fleischwerden des Geistes. Die Gottheit beschränkte sich nicht darauf, in den göttlichen Wolken des Horebs in Palästina gehört zu werden, sondern sie nahm sichtbare Gestalt

an, hier und jetzt, im Sevilla des Jahres 1928, hier in dem lärmen-
den Tumult der Straßenhändler, zwischen Süßigkeiten und Luft-
ballons, und die Saetas, die von allen Balkons für die heilige Jungfrau erklangen, verkündeten die Nähe des Göttlichen und des
Menschlichen. Hier war es möglich, daß sich die sinnliche Schönheit
in den Dienst des katholischen Gottes stellte, der auch die irdischen
Körper in sein Verstehen einbezog.

Ich wußte, daß einige dieser geschnitzten Bildwerke, die da in
ihrem Kerzenhimmel vor mir vorüberzogen, wirklich aus dem
17. Jahrhundert stammten oder daß zumindest ihr Stil ein popula-
risierter Rest der Kunst dieses Jahrhunderts war, der sich nicht in
die Museen hatte einschließen lassen. Dann sah ich in den Museen
dieses selben Sevilla den Christus von Murillo, der am Kreuz seinen
Arm ausstreckt und gleichsam den Kopf des knieenden heiligen
Franziskus streichelt. Ich sah jenen seligen Susón von Zurbarán, der
sich mit mystisch verzücktem Blick die rechte Brust mit einem Stilett
aufschlitzt, um über den Dämon zu triumphieren, den der Selige
mit der rechten Hand in einer Phiole eingeschlossen hochhält, und
ich sah in Granada den Kopf des heiligen Johannes des Täufers als
Relief, bei dem die Zeichen des Todes mit solch strahlenden Farben
und mit einem solchen Anschein von Leben gemalt und modelliert
sind, daß ich mich an das Gedicht ›La Charogne‹ von Baudelaire
erinnert fühlte. Und ich sah jenen Schrank mit seinen Verzierungen
aus Silber und Spiegelglas, der aussieht wie die Toilettenschränk-
chen der „Preziösen", während in Wirklichkeit jedes Schubfach
heiligen Reliquien, Knochen oder menschlichen Überresten gewidmet ist. Da wurde mir klar, wie abstrakt doch die jüdisch-protestan-
tischen Morallehren sind und welch wirkliche Tiefe in der religiösen Sinnlichkeit des mediterranen Katholizismus liegt, bei dem wir
niemals dieses „ich bin aus Fleisch, ich bin aus Fleisch", das der
Graf Keyserling ein spanisches Kind rufen hörte, vergessen können.
Dieser spanische Katholizismus sieht das Göttliche auch in den Freuden und Schwächen des Fleisches. Vielleicht kann man das Heidentum nennen; dann ist es aber ein christianisiertes Heidentum, das
noch aus der Sinnlichkeit Geistiges schöpft, das selbst die Sinnlichkeit in den Dienst Gottes stellt. Und damit sind wir schon an das
Zentrum des spanischen Barockproblems gelangt. Wie fern schei-

nen uns jetzt die malerischen und architektonischen Kategorien Wölfflins, diese abstrakte Grammatik einer Kunst, die sich schon selbst als Abstraktion begriffen hatte. *Das eigentliche, konkrete und menschliche Problem des spanischen Barock ist die bewußte Verbindung des Sinnlichen mit dem Ewigen.*

Die italienische Renaissance öffnete den Blick des schlafenden, vom mittelalterlichen Transzendentalismus eingeschüchterten westlichen Menschen für die sinnliche Schönheit der Natur und des Menschen, für die Schönheit der Gioconda, der Venus, des Pans. Der spanische Barock, der immer empfänglich für „die Wunder dieser Welt" war, vergaß darüber hinaus niemals die Vergänglichkeit dieser Schönheit, er vergaß niemals, wie nahe stets das Jenseits den Festen der Sinnlichkeit ist. Für den spanischen Barock ist es nur ein kleiner Schritt vom Rot zum Schwarz, von der Sinnenfreude zum Tod. In ihm mischt sich das Ewige mit dem Allervergänglichsten: kein Fest des Lebens kann vorübergehen, ohne daß des „memento mori" gedacht wird, und das „memento mori" betritt die Szene mit allem Glanz des weltlichen Prunks. Der Geist ist Fleisch geworden, aber das Fleisch bedarf immer des Geistes. Die beiden Prinzipien dieser dualistischen Philosophie stehen sich seit Anbeginn gegenüber, das eine nach dem anderen verlangend. Die Polarität löst sich niemals in einer vollständigen Einheit. Das Rot, auch wenn es in unmittelbarer Nähe des Schwarz ist, ist doch nicht das Schwarz selbst. Der spanische Barock kannte nie diese Unterordnung des Geistes unter die Bedürfnisse des Fleisches, wie sie der Rokoko-Stil eines Watteau oder eines Fragonard vollzog, aber er kannte ebensowenig die Unterordnung des Fleisches unter den Geist wie bei Rembrandt und so vielen protestantischen Künstlern. Ebenso fremd sind ihm die Aufhebung dieser beiden Prinzipien in einer pantheistischen Geistigkeit nach der Art italienischer Meister der Renaissance wie Tizian, Leonardo und Raffael. Der Dualismus ist immer gegenwärtig; das barocke Thema par excellence ist der « desengaño », der Traum als Gegensatz zum Leben, die Maske im Gegensatz zur Wahrheit, die zeitliche Größe im Gegensatz zur Vergänglichkeit. Dieser Dualismus ist der Hintergrund für die beiden Auffassungsweisen Murillos, der sogenannten realistischen und der sogenannten idealistischen. Dieser Dualismus liegt auch der Inspiration des Velázquez zugrunde, der uns irdische Größe in all ihrem Prunk zeigt, andererseits aber auch die Verstümmelungen des Fleisches in seinen Bildern der Hofnarren und Zwerge, in seiner Darstellung Christi, in der Art und Weise, wie er die zarte, gleichsam hinschmelzende Haut des Königs malt, den er in der glänzenden Pracht des Monarchen darstellt. Dieser Dualismus wird besonders deutlich in dem „fauligen" Realismus des Valdés Leál, der die Vergänglichkeit des menschlichen Körpers malt, obwohl er überreich bedeckt wird vom glänzenden Pomp der bischöflichen oder höfischen Kleidung: sic transit gloria mundi.

Die Schönheit der von El Greco gemalten Körper und Gewänder ist ganz durchsetzt mit fahlen Gelbtönen, mit dem Grün eines ekstatischen Todes, einer dem letzten Gericht unterworfenen Welt. Die zart errötende Jungfrau des Zurbarán hält ihren prunkvollen Mantel schützend über dickliche, bärtige Mönche. Das Geistige und das Körperliche verschmelzen nicht miteinander. Dieses Halbdunkel, aus dem die ausgezehrten, aber leuchtenden Körper der von Ribera gemalten Eremiten auftauchen, läßt keinen Zweifel an der unauflösbaren Existenz der beiden sich bekämpfenden Elemente des Körpers und des Geistes. Es ist, als ob das strahlende Licht der Sonne Spaniens zu seiner Ergänzung der Schwärze der Kirche und der Dunkelheit des Klosters bedürfe. Es ist unbezweifelbar, daß in diesen Bildern ein einheitlicher Stilwille herrscht, wie ihn Wölfflin postuliert. Die geistliche Unterweisung beschwört das Jenseits. Der einheitliche Stilwille steht jedoch immer über der stets gewahrten dualistischen Polarität. Noch Tizian konnte sich ganz dem Genuß hingeben, den feinen Einzelheiten des Körpers seiner Venus nachzuspüren. Für Velázquez, der seinen Werken gewöhnlich eine einheitliche Bedeutung gab, bestand die Notwendigkeit, alle die verschiedenen Details in einem einzigen Gesicht, in einem einzigen Bild zu vereinen, wie bei seiner Venus, in der keinerlei Transzendenz spürbar wird. Der Geist triumphiert in der Barockkunst, aber der Künstler lädt uns ein, uns Betrachter, die gleiche Anstrengung aufzubringen, die er, der Künstler, aufgebracht hat. Dieses ist die innere Dynamik, die von der barocken Kunst ausgeht. Das geistige Prinzip muß gegen den Widerstand des Körpers durchgesetzt werden, so wie Calderóns Sigismund es lernt, das Leben vom Traum zu scheiden.

Mit der Erwähnung des Stückes ›Das Leben ein Traum‹ wenden wir den Blick zur spanischen Barockliteratur. Niemand hat die Situation dieses Prinzen in der Welt, die Anziehungskraft, die von der Macht und von der Liebe ausgehen, glanzvoller beschrieben als Calderón. Großartig zeigt der Dichter dann den schrecklichen Fall jenes stolzen Prinzen, und er zeigt, wie dieser den *Aberwitz* des weltlichen Traumes begreift, den *Aberwitz jener Träume, die Träume sind.* Wer hätte wohl dieses Feuerwerk, diese Spiegelfechtereien, diese zarten Blüten der Schönheit und des Reichtums, des Geistes und der Poesie besser zu meistern gewußt als Lope de Vega in seiner sogenannten Autobiographie der ›Dorotea‹, in der er uns am Schluß mit der düsteren Predigt entläßt: „alles Entzücken ist Schmerz". Ich erinnere mich, einmal in Istanbul mit meinen Schülern die einleitenden Redondillen des 3. Aktes von ›Barlaán und Josafat‹ von Lope de Vega gelesen zu haben, wo alle Schönheiten einer exotischen Landschaft wie Bäume, Palmen, Flüsse aufgezählt werden. Die Aufzählung gipfelte in dem *Wortspiel* von den Bächlein, die den Himmel widerspiegeln. „Wenn ihr auch ihm nicht entstammt ... durchfließt ihr doch das Paradies, denn ihr entsteht zwischen Heiligen." Lope de Vega spielt hier an auf den heiligen Barlaán, der jene Weideplätze bewohnte. Meine türkischen Schüler, alles Mädchen, fühlten wohl die Poesie darin, bedauerten aber, daß der spanische Dichter nicht mit dem vorletzten Vers geschlossen habe. Das kam daher, daß sie das barocke Phänomen der Polarität Natur — Heiliger, Mensch — Heiliger nicht verstanden. Und Góngora, der in seinen prunkvollen Beschreibungen die körperliche Schönheit und die witzigen Worteinfälle häuft, verschließt sich später in eine klingende *Einsamkeit,* in eine zwar nicht religiöse, aber strenge Welt, die dem Mönchtum des Künstlers entspricht. Cervantes, der wesentlich klassischere, führt seinen phantastischen Helden durch eine imaginäre Welt, um ihn dann als guten Christen, dem die Eitelkeit der Buchträume klar wurde, sterben zu lassen. Zum Schluß kommen wir zu den beiden am meisten barocken Meistern der spanischen Prosa, Gracián und Quevedo; der eine, Gracián, entführt uns in eine Welt, in der er uns aus allen Quellen der

Schönheit, der Jugend und der Macht dieser Welt trinken läßt, um uns dann den bitteren Becher des « desengaño » zu kredenzen. Er richtet vor unseren Augen die großartige Fassade des Palastes auf, nur um sie dann unerbittlich zu zerstören.

„... auf ihm (dem dünnen Grad zerbrechlichen Lebens) errichten die Menschen große Häuser und phantastische Chimären, errichten Türme aus Wind und gründen darauf all ihre Hoffnungen ... sie verlassen sich nicht auf eine vernünftige Hoffnung, sondern auf eine ganz und gar wahnsinnige, auf einen seidenen Faden; noch schlimmer: auf ein Haar oder sogar auf einen Spinnwebfaden, aber dann doch auf den Lebensfaden, was aber noch schlimmer ist."

Und der andere, Quevedo, peinigt seinen ›pícaro Buscón‹, indem er ihn in das Spannungsfeld zweier Pole stellt; diese beiden Pole habe ich in einer Studie mit Begriffen bezeichnet, wie sie auf den deutschen Barockhelden des 17. Jahrhunderts, Simplicissimus, angewandt werden: „Weltsucht" und „Weltflucht", Suche des Helden nach der Welt und Flucht vor der Welt. Derselbe Dichter fühlte diese Polarität, ohne sich wie jener andere barocke Autor, Mateo Alemán, in seinem ›Guzmán de Alfarache‹ zu Äußerungen der Enttäuschung hinreißen zu lassen. So läßt er auch seinen Helden empfinden, so daß sich in die Beschreibung der offensichtlichen Triumphe des Picaro immer eine makabre Ironie einschleicht, die bis in die Adjektive spürbar ist, wenn er z. B. schreibt: „Prinz des Gaunerlebens, Rabbi der Spitzbuben". Das sind Sätze, in denen Wörter wie „Gauner" und „Spitzbuben" nicht mit dem panegyrischen Schema, das gewöhnlich Prinzen und berühmten Weisen vorbehalten ist, übereinstimmen.

Wie können wir uns diesen spanischen Barock erklären? Warum hat gerade dieses Volk in diesem bestimmten Augenblick seiner Geschichte die innere Notwendigkeit gefühlt, immer wieder jene beiden Pole, den *Traum* und das *Leben*, einander entgegenzusetzen und voneinander zu unterscheiden? Zunächst muß dazu gesagt werden, daß dieses spanische Phänomen nicht nur ein spanisches ist. Wie schon Hatzfeld darlegte, zeigt das 17. Jahrhundert, ob es nun vom spanischen Geist direkt beeinflußt war oder nicht, besonders in den katholischen Ländern die Tendenz zu einer ähnlichen Entwicklung. Die Rubens, Bernini, Barocci und die Erbauer der bayeri-

schen Kirchen zeigen ebenfalls in ihrer Malerei, wie das Göttliche
sich des Sinnlichen bemächtigt. Den deutschen ›Simplicissimus‹, der
von den spanischen Picaro-Romanen abgeleitet ist, habe ich schon
genannt. Bis in die zutiefst protestantischen Länder bahnt sich der
« desengaño » einen Weg. Ich lese den ›Hamlet‹ oder einige Sonette
von Shakespeare, die Dichtungen von Donne, dessen Satz "For
whom the bell tolls" dank Hemingway allgemein bekannt wurde
— als ob ich spanische Barockwerke läse. Aber es ist offensichtlich,
daß kein anderes Volk so wie das spanische mit einer derartigen
Energie und Beständigkeit an der Polarität des Sinnlichen und des
Göttlichen festgehalten hat. Man pflegte im Ausland zu sagen, daß
Spanien keine wirkliche Renaissance gehabt habe. Ein deutscher
Professor, der „Spanien so übelgesinnte Herr Klemperer", wie ihn
Américo Castro nennt, spricht von Spanien immer als von diesem
Land ohne Renaissance. Die Tatsachen beweisen jedoch, daß die
Renaissance, so wie wir sie aus Italien kennen, auch in Spanien
existierte. Beispiele dafür sind der ›Lazarillo de Tormes‹, Garcilaso
de la Vega, der Brief an Fabrio und Luis de León. Castro und
Bataillon haben nachgewiesen, daß alle Themen der Renaissance
bis hin zum Erasmismus in Spanien behandelt wurden und daß
Cervantes, dieser Fürst des spanischen Parnaß, nicht jener „weltliche Geist" war, für den man ihn hielt. Aber wenn auch die Themen der Renaissance sämtlich in Spanien eindrangen, so verlieh
ihnen dieses Land doch einen ganz besonderen Charakter. Folgende
von Vossler aufgestellte Formel kommt vielleicht der Realität am
nächsten: „Spanien kannte die Renaissance, hat sie aber immer
abgelehnt." Das bezieht sich selbstverständlich auf die rein italienische und heidnische Renaissance, die ganz der sinnlichen Schönheit
zugewandt war. Spanien war mit der Renaissance vertraut, aber
es hat ihr ein Nein und eine radikal mittelalterlich christliche Einstellung entgegengesetzt, so daß in Spanien ein direkter Weg von
Berceos „Wir sind alle Pilger auf dem Weg des Lebens und werden
voll Angst sterben, alle die wir hier leben", über die ›Coplas‹ des
Jorge Manrique bis zu ›Das Leben ein Traum‹ führt, während es
nichts Verschiedeneres gibt als einen Villon und einen Ronsard in
Frankreich, einen Dante und einen Ariost in Italien. In Frankreich
gab es einen Bruch zwischen der Renaissance und dem Mittelalter,

der am besten in der Geschichte des Theaters sichtbar ist. Im Jahre
1548 wird die Aufführung von Mysterienspielen verboten, und im
Jahre 1549 tritt die Pléiade in die Dichtungsgeschichte ein. In zwei
verschiedenen Völkern entstehen zwei verschiedene Künste. In
Spanien bleiben die Autos Sacramentales (Mysterienspiele) während des ganzen Siglo de Oro und noch lange danach lebendig. Die
immer gegenwärtige Hinwendung zum Mittelalter und die neu
entstandene Renaissance verbinden sich und gebären ein Zwitter-
wesen aus Weltsucht und Weltflucht, aus glänzenden Renaissance-
träumen und mittelalterlichem « desengaño », aus sinnlichen
Illusionen und makabren Desillusionen. In einem spanischen
Theaterstück muß man jeden Augenblick gewärtig sein, daß die
Degen und die prunkvollen Kleider verschwinden, um Ordensregel
und Mönchskluft Platz zu machen. Die Polarität des Barock schafft
eine Situation, als ob der Konflikt zweier aufeinanderfolgender
Epochen gleichzeitig in der Seele der spanischen Nation gegenwärtig
wäre. Die Barockkunst ist weder vorstellbar ohne das sinnenfrohe
Leben der Renaissance, noch ohne Totentanz, noch ohne Trinkgelage.
Auf diese Weise konnte Spanien einen der grundlegenden Aspekte
des Christentums noch einmal verwirklichen: die Fleischwerdung des
Göttlichen und den Verzicht dieser göttlichen Person auf das Sinnliche. Das bedeutet, daß selbst diese stilistischen Besonderheiten, die
wir geneigt sind als besonderes Charakteristikum eines Góngora,
eines Quevedo, ja ich möchte sagen, selbst eines Lope de Vega anzusehen, der „Conceptismo" und der „Culteranismo" vom Stilistischen her letztlich *mittelalterliche* Geisteshaltungen sind. Wenn sie
im Siglo de Oro mit größerem Glanz aufleuchten, so dank der sinnlichen Schönheiten, die die Renaissance ihnen gab, indem sie sie den
alten Mustern aufprägte. Der conceptismo ist der bedeutendere von
beiden. Dieses Spielen mit den Wortbedeutungen ist eine der Ver-
gnügungen der christlichen Seele, die sich wohl bewußt ist, daß die
Realität dieser Welt durchdrungen ist von einer anderen Realität,
so daß das „Wortspiel" zu einem Spiel wird, welches das Transzendente mit der Welt hier unten spielt, und Gott ist der einzige,
der den wahren Sinn der Worte kennt. Bei den Kirchenvätern,
insbesondere bei Tertullian und dem heiligen Augustinus findet man
Wortspiele im Überfluß. Der heilige Isidor, Alcuin, Raimundus

Lullus und Dante bedienten sich ihrer ebenfalls. So basiert auch der „Culteranismo", der wenig gebräuchliche Wörter benutzt, auf dem Glauben an das Latein als den Verkünder ewiger Wahrheiten. Dessenungeachtet möchte ich nicht verkennen, daß die Lebendigkeit, mit der die barocken Künstler diese mittelalterlichen Kunstmittel verwendeten, ein neues Element ist. Es entspricht völlig der Art und Weise, in der das Renaissance-Element das mittelalterliche überlagert.

Der französische Geist wendet sich in die genau entgegengesetzte Richtung. Frankreich kannte mit der Pléiade und mit Rabelais die Renaissance von ihrer sinnlichen Seite, aber es hatte nie einen wirklichen Barock. Das Drama der Sinnlichkeit berührte Frankreich nie so wie Spanien, und die Renaissance wurde schnell zu einer Angelegenheit von Moral und Wissenschaft, gegründet auf den Verstand. (Selbst Rabelais ist vernunftgeprägter, als man gemeinhin glaubt.) Im Namen der Vernunft schieben Malherbe und Boileau Ronsard beiseite. Im Namen der Vernunft macht Descartes mit dem Mittelalter Schluß. Den ganzen Barock, zu dem Frankreich im 17. Jahrhundert fähig war, umschließt das *Pathos* eines Corneille, des Spanienfreundlichen, der in seiner ›Illusion Comique‹ ein barockes Thema in ein vernunftgemäßes Theaterstück verwandelt; die Preziosität mit ihren höfischen und in keiner Weise metaphysischen Feinheiten der Sprache und mit den Ansprüchen einer auserwählten Gesellschaft; schließlich noch die Gruppe, die man die „Grotesken" nannte, eine zurückgezogene Gruppe, zu der Saint-Amand und Théophile de Viau gehörten. Dem Klassizismus des Jahres 1660 standen nur diese drei, schon sehr gemilderten und gezähmten barocken Strömungen gegenüber. Das soll nicht heißen, daß das Frankreich des 17. Jahrhunderts dem Geist des Barock nicht seinen Tribut gezahlt habe. Was sind Pascal, Racine und Bossuet anderes als gnadenlose Enthüller der Tragödie des schwachen Fleisches? Wem es gefällt, sich vorzustellen, was aus diesem oder jenem großen Schriftsteller eines Landes geworden wäre, wenn er in einem anderen Land gelebt hätte, könnte sich sehr gut vorstellen, daß Pascal zu Quevedo geworden wäre, Racine zu Calderón, Bossuet zu Gracián. Aber diese Franzosen des 17. Jahrhunderts haben ihre Themen ihrer Ansicht nach ganz in Übereinstimmung mit der Vernunft behandelt, auch wenn dies in Wirklichkeit oft nicht sosehr der Fall war. Das berühmte « roseau pensant » ist ein conceptismo in der Art Graciáns oder Góngoras. Entscheidend ist, *daß sie überhaupt vernunftgemäß dachten.* Der französische Klassizismus kann nur auf der Grundlage der Vernunft verstanden werden. Bernini bedeutete in jenem klassizistischen Paris ein Fiasko. Der ganz vom Jansenismus beeinflußte französische Kunstgeschmack hieß Poussin, Pujot, Le Notre, er prägte sich mehr in den Gärten von Versailles aus als in der Fassade dieses Schlosses.

Der französische Klassizismus ist eine revolutionär-gallikanische, gegen das Tridentinum gerichtete Bewegung, ein Verteidiger der Vernunftherrschaft. Er konstituiert sich gerade in dem Augenblick, in dem in Europa der spanische Barock triumphiert. Es ist falsch, den spanischen Barock vom französischen Klassizismus aus zu beurteilen, es ist falsch, ihn mit den Augen des französischen Klassizismus zu sehen. Das war die allgemeine Ansicht vor Wölfflin und Benedetto Croce, der auch heute noch den Barock als eine Kunst definiert, die um jeden Preis „verdunkeln" will, und er ist sich vielleicht nicht ganz darüber im klaren, daß mit dieser Ansicht der französische Klassizist in ihm spricht. Man sollte viel eher, um der bewußten Entscheidung Frankreichs Gerechtigkeit widerfahren zu lassen, seinen Klassizismus vom spanischen Barock aus beurteilen. Es ist bekannt, daß zwei volle Jahrhunderte vergehen sollten, bis der französische Geist, der alle seine Verbindungen mit dem Mittelalter durchschnitten hatte, es sich in seinen allerdings reichlich komödiantischen, romantischen Strömungen gestattete, wieder spanische und mittelalterliche Themen in die Literatur einzuführen. In der vorromantischen Epoche war es noch nötig, daß die beredten und vernünftigen, die moralisierenden und spießbürgerlichen Prediger des englischen Lagers Europa wieder mit dem Thema der Grabdichtung vertraut machten; in Wirklichkeit stammen Nachtdichtung und Friedhofslyrik in direkter Linie von den Totentänzen des Mittelalters her, und sie wurden mit einer unvergleichlich überlegenen barocken Gestaltungskraft in der Epoche des spanischen und des englischen Barock behandelt (Who is the beggar, who is the king?). Die Höhlen der Kapuziner von Neapel mit ihren nach Art des Valdés Leál bekleideten Skeletten sind für den modernen

Touristen die vor vielen Jahrhunderten errichteten Zeugen der Vergänglichkeit, sie sind Überbleibsel der barocken Epoche, an denen
sich die präromantischen und romantischen Dichter der Länder, die
eine grundsätzliche Abkehr von der mittelalterlichen Geisteshaltung
vollzogen hatten, niemals inspirieren konnten.

Wir kommen jetzt dazu, wie ich es zu Beginn dieses Vortrages
versprochen habe, den sich präzisierenden terminus technicus „Barock" zu umschreiben. Er bezeichnet einen Aspekt der kulturellen
Zivilisation, der seinen Höhepunkt im Spanien des 17. Jahrhunderts hatte, aber nach ganz Europa ausstrahlte, bis der französische
Klassizismus ihm den Weg verstellte. Er besteht in der Herausarbeitung zweier Ideen, einer mittelalterlichen und einer der Renaissance verpflichteten Idee, in einer dritten Idee, die uns die Polarität zwischen dem Sinnlichen und dem Nichts zeigt, zwischen der
Schönheit und dem Tode, dem Zeitlichen und dem Ewigen. Diese
Polarität hat sich in der spanischen Seele der Gegenwart als eine
Spannung erhalten, die sich nicht einordnen läßt; sie kommt in der
Volksreligion ebenso zum Ausdruck wie in Werken der Dichter
und Essayisten, in dem tragischen Welterleben Unamunos, im
« sentimiento trágico de la vida » desselben Unamuno mit seiner
Vorliebe für etymologische, barocke und patristische Wortspiele-
reien. Diese Polarität hat sich auch in der metaphysischen Poesie
meiner Freunde Guillén und Salinas erhalten. Vielleicht gibt es den
„barocken Menschen" gar nicht. Eines aber gibt es sicher, eine barocke *Haltung* des Menschen, die im Grunde genommen eine zutiefst christliche Haltung ist: „Haben als hätte man nicht" (Pau-
lus). Eine Haltung, die heutzutage besser verstanden wird, heute, in
dieser schamlosesten aller Epochen, die wir durchleben. Die in den
materiellen Fortschritt verliebte moderne Zivilisation zeigt überraschende Analogien zum Spanien des 17. Jahrhunderts, dessen
Dichter und Prediger immer wieder die Eitelkeit der vergänglichen,
aus Indien herangeschleppten Reichtümer betonten, während die
barocken Spanier es sich nicht versagten, die von der physischen
und materiellen Schönheit ausgehende Anziehungskraft zu verwenden, um dem Göttlichen größeren Glanz zu verleihen. Ein moderner apokalyptischer Dichter mit christlicher Seele wie T. S. Eliot
z. B. empfindet die tragische Spannung zwischen einer verlorenen

christlichen Vergangenheit und einer unerträglichen Gegenwart. Das Mittelalter und die Moderne werden für ihn nie auf einer Ebene der Gleichzeitigkeit sein, wie es für die Spanier der Barockzeit der Fall war. Für ihn schließen sie sich gegenseitig aus. Es bleibt deshalb seiner Wahrhaftigkeit als Dichter kein anderer Ausweg, als die Unvereinbarkeit des Gewesenen mit dem Seienden darzustellen. Das prägt seinen als barock zu bezeichnenden Stil des doppelten Bodens (eine abgeschmackte Unterhaltung im 20. Jahrhundert wird unterbrochen von den Orgeltönen eines bereuenden Christentums), von daher ist seine Todessehnsucht im Schoße dieser Welt zu verstehen. Was die starke Anziehungskraft eines T. S. Eliot und eines Hemingway ausmacht, ist die Stärke, mit der sie die moderne physische Realität beherrschen, dieses « ver a lo vivo », neben dem jeglicher Klassizismus oder Romantizismus verblassen. Dazu gehört aber auch das stets gegenwärtige Bewußtsein, daß es nach dem Leben noch etwas anderes gibt, den Tod, der nicht irgendeine gleichgültige Sache, sondern eine Realität ist, und daß Gott darum weiß. Wir vermögen nicht wie Calderón und Donne vor dem *Traum des Lebens* in einen unerschütterlichen Glauben zu flüchten. Mangels einer besseren Sache klammern wir uns mit einer Ehrlichkeit, die nur "make the best of it" möchte, an die Ungewißheit dieses polarisierten Spannungszustands. Wir erkennen die unwiderrufliche Spaltung und versuchen nicht, sie zu verschleiern. Und so werden wir den spanischen Barock verstehen, der sich in jenem Spiel mit den beiden Begriffen seines zentralen Problems niemals Täuschungen hingab.[1]

---

[1] Dieser Vortrag scheint mir heute an einer gewissen Vermengung von religiösem Bekenntnis und ästhetischem Bekenntnis zu leiden.

Das Buch von Rousset hat uns einen „französischen Barock" entdeckt, der vorher unbekannt war.

Comparative Literature, 1, 1949, S 113—139. Ins Deutsche übersetzt von Regina Krawschak.

ZUR KLÄRUNG DES BAROCKPROBLEMS IN DEN ROMANISCHEN LITERATUREN

Von Helmut Hatzfeld

Um die Frage nach dem Barock in den romanischen Literaturen zu beantworten, ist es notwendig, das Hauptaugenmerk auf Gemeinsamkeiten in den italienischen, spanischen und französischen Literaturen vom Ende des 16. bis zum Ende des 17. Jahrhunderts zu richten. Der Begriff „Barock" wird somit nur in einem strikt historischen Sinne verwendet. Für den Stilkundler ist das Barock der Zeitabschnitt zwischen Renaissance und Rokoko, der der Periode entspricht, die der Ideengeschichtler als Zeit der Gegenreformation bezeichnet und die er zwischen Humanismus und Aufklärung ansetzt. Wir stehen also vor der Frage, ob diese Literaturperiode, die herkömmlich mit Barock bezeichnet wird, im wesentlichen von Stilprinzipien geformt wird; mit anderen Worten: „Bildet das Barock einen eigenen literarischen Stil heraus?"

René Wellek war in seinem ausgezeichneten, 1946 veröffentlichten Forschungsbericht über Barockstudien nur dazu bereit, den Begriff „Barock" als ein heuristisches Prinzip gelten zu lassen, nicht jedoch als einen Stil, der besondere künstlerische Eigenarten erkennen läßt.[1] Heinrich Wölfflin hatte jedoch 1915 festgestellt, daß es einen literarischen Barockstil gibt, der gekennzeichnet ist durch die einzigartige Verbindung von übertreibenden Epitheta, tönenden Wort- und Silbenechos, schwerfälligen Wiederholungen, komplizierten Bauformen, langsamen Rhythmen und eindrucksvollen, geschlossenen Bildern.[2] Wellek bezweifelt, daß das Barock in ir-

---

[1] René Wellek, The Concept of Baroque in Literary Scholarship, in: Journal of Aesthetics, V (1946), 96.

[2] Heinrich Wölfflin, Renaissance und Barock (2. Aufl. München, 1925), 83.

gendeiner der Künste eine bestimmte Weltanschauung widerspiegelt,
und dies trotz der vielen treffenden Definitionen, die für eine solche
Weltanschauung angeboten wurden. Eugenio d'Ors zum Beispiel
interpretiert das Barock als eine „Befreiung von der Erdanzie-
hung".[3] Und obwohl Professor Wellek eine charakteristische Beziehung zwischen Stil und Weltanschauung in dieser historischen
Epoche, die wir Barock nennen, in Frage stellt, kann es keinen
Zweifel daran geben, daß die Gegenreformation und die jesuiti-
sche Form des Katholizismus die entscheidende Formkraft für das
Barock waren, wie Weibel,[4] McComb,[5] Weisbach[6] und andere
nachgewiesen haben.

Der Romanist, der den Ausdruck „barocker Stil" gebraucht,
macht daher auch keine unangemessene Anleihe beim Kunsthistoriker, wie S. Griswold Morley folgern zu müssen meinte.[7] Heinrich Wölfflin hingegen machte, bevor er seine fünf Grundmerkmale
der Barockkunst aufstellte, deutlich, daß er nicht an einer Form-
analyse an sich interessiert war, sondern an der dahinterstehenden
Kulturpsychologie.[8] Er sprach dies erneut als seine tiefste Überzeugung aus, als er später von Benedetto Croce und der Wiener

---

[3] „Die Erde zieht uns an sich. Es scheint so, als könnte sich das Leben
von der Anziehung auf zweierlei Weise befreien: durch den Flug und
durch aufrechte Haltung ...:
El Greco: Maler von Gestalten, die sich zum Flug aufschwingen,
Poussin: Maler von Gestalten, die sich aufrecht halten."
Eugenio d'Ors, Poussin y el Greco (Madrid, 1922). Siehe auch José Luis
Aranguren, La Filosofía de Eugenio d'Ors (Madrid, 1945), 252: „Die
Seiten, die sich mit Poussin und El Greco beschäftigen, gehören zu dem
Bedeutendsten, was die Kunstkritik hervorgebracht hat."
[4] Walther Weibel, Jesuitismus und Barockskulptur in Rom (Straßburg,
1909).
[5] Arthur McComb, The Baroque Painters of Italy: An Introductory
Historical Survey (Cambridge, Mass., 1934), 3.
[6] Werner Weisbach, Der Barock als Kunst der Gegenreformation
(Berlin, 1921).
[7] Hispanic Review, XV (1947), 395.
[8] Heinrich Wölfflin, Prolegomena zu einer Psychologie der Architektur
(München, 1886).

Schule Dvořáks mißverstanden worden war.[9] Folglich begingen deutsche Gelehrte wie Oskar Walzel einen groben Fehler, als sie Wölfflins Kriterien unbesehen direkt von der Kunst auf die Literatur zu übertragen versuchten. Theophil Spoerri wies jedoch in seiner bahnbrechenden Studie ›Renaissance und Barock bei Ariost und Tasso‹[10] nach, daß das Bildliche in der Kunst psychologisch und ästhetisch dem Musikalischen in der Literatur entspricht — die fehlende Klarheit in der künstlerischen Anlage entspricht der dynamischen Bewegung in der literarischen Darstellung — das Prinzip des offenen, gleichsam unvollendeten Bildes entspricht dem Prinzip der unbegrenzten Abstufung innerhalb einer atektonischen Motivstruktur. Die formalen Gegenstände des Kunsthistorikers und des Literaturwissenschaftlers sind, was das Barock angeht, nur ähnlich; ähnlich sind sie aber, weil die Art der Realitätserfassung die gleiche ist,[11] und dieselbe Form der Auffassung ist in Geist und Willen der Menschen dieser Epoche verankert.[12]

Kunst und Literatur als Ausdruck ein und desselben Geistes zu betrachten, ist deshalb der sicherste Weg, um zu zuverlässigen Aussagen über den Ursprung des literarischen Barock zu kommen. In beiden Bereichen entwickeln sich, im Gegensatz zu den statischen Formen der sich selbst genügenden Renaissance, die gleichen dynamischen Formen als Ausdruck einer grenzenlosen Ruhelosigkeit. Sie nehmen ihren Anfang mit Michelangelos späten Gemälden und Sonetten und erreichen um 1580 in Italien einen ersten Sättigungsgrad mit Vignolas San Gesù, dem Prototyp einer Barockkirche, und Tassos ›Gerusalemme liberata‹. Die Frage, ob dieser Ursprung des

---

[9] Heinrich Wölfflin, Gedanken zur Kunstgeschichte (Basel, 1941), das Kapitel: ›Kunstgeschichtliche Grundbegriffe: Eine Revision‹.

[10] T. Spoerri, Renaissance und Barock bei Ariost und Tasso (Bern, 1922), 3—8.

[11] Dagobert Frey, Gotik und Renaissance als Grundlagen der modernen Weltanschauung (Augsburg, 1929), xxviii.

[12] José Ortega y Gasset, Meditaciones del Quijote [Meditationen über Don Quijote, übertragen von Ulrich Weber, (Stuttgart, 1959)] (Buenos Aires, 1942), Kap. IV: ›Die Kunst in Gegenwart und Vergangenheit‹ (›El arte en presente y en pretérito‹, 289—291).

Barock in Rom irgend etwas mit Spanien zu tun hat, dessen Literatur und Kunst während des ganzen Mittelalters eine eher „arabeske", paradoxe Dynamik hatte als alle anderen mehr statischen, rationalen romanischen Literaturen, mag offenbleiben, obgleich der Einfluß des faszinierenden und phantasievollen Geistes [13] eines Ignatius von Loyola auf Papst Paul III., den Auftraggeber der Spätwerke Michelangelos, Spanien als wahrscheinliches Ursprungsland nahelegen mag. Tatsächlich sind die in Spanien entdeckten spezifischen Formen des Barock historisch gesehen jünger als die in Italien, und sie zeigen sogar unzweideutig italienischen Einfluß: dies bezeugen El Greco und Velázquez ebenso wie Cervantes [14] und Mateo Alemán. In Frankreich werden sowohl italienische wie spanische Einflüsse bei Poussin und Corneille sichtbar und schließlich auch bei Claude Lorrain und Racine, wenn auch in rein französischer Ausprägung. [15] So sind in drei aufeinanderfolgenden Generationen die größten Werke der drei großen romanischen Literaturen, die des musikalischen Tasso, die des phantasievollen Cervantes und die des dramatischen Racine barock, weil ihnen allen eine gleiche Gefühlslage, die gleichen Motive, Strukturen und stilistischen Elemente, die überall als typisch für diese Periode erscheinen,

---

[13] Stephen Gilman, Baroque Ideology, in: Symposium, I (1946), 99—104, erkennt an, daß das *spätere* mystisch-religiöse Schrifttum auf Spanien einen ähnlichen Einfluß ausgeübt habe: „Die Formwelt der Renaissance hätte nicht aus sich heraus ... das Barock hervorbringen können; das Einbeziehen des Ewigen in das Denken der Menschen war für diese Veränderung notwendig." (S. 99.)

[14] Leo Spitzer, Linguistic Perspectivism in the Don Quijote, in: Linguistics and Literary History: Essays in Stylistics (Princeton, 1948), 41—85.

[15] Elisabeth Brock-Sulzer, Klassik und Barock bei Ronsard, in: Trivium, III (1945), 154: „Es ist wesentlich, wenn man heute die barocken Elemente des Grand Siècle sich bewußt macht. Aber nicht dort sind diese Elemente belangvoll, wo sie offen heraustreten, sondern dort, wo sie als überwundene, unsichtbar gewordene den klassischen Werken der Franzosen den ... asketischen Zug verleihen. Daß sie es verschmähen barock zu sein, das macht einen Poussin, einen Pascal, einen Racine so groß ... Der Barock als solcher ist in Frankreichs wesentlichen Bezirken

gemeinsam sind. Sie alle zeigen dieselbe gleichzeitig durch Fülle
und Dichte gekennzeichnete Sicht und Darstellung in Epos, Roman
und Tragödie,[16] dieselbe Akzentuierung des Wesentlichen bis zur
Vernachlässigung des Details, die typisch ist für die umgreifende
Sicht («visión lejana»), wie Ortega y Gasset diesen Stil kennzeichnet.[17]

Man kann das Barock als einen kulturellen, repräsentativen und
übernationalen Stil von höchstem ästhetischen Wert nicht mit seinen manieristischen Übertreibungen gleichsetzen, die als «secentismo», «conceptismo», «marinismo», «culteranismo» oder
«préciosité»[18] bezeichnet werden, zumal diese Erscheinungsformen
selbst nur die traditionellen mittelalterlichen Stilfiguren wiederholen, die seit der Zeit der Troubadours,[19] Petrarcas und Cariteos[20]
bekannt sind und nach der Renaissance bloß einen Mangel an Disziplin sichtbar werden ließen.[21] Man kann das Barock auch nicht mit
der literarischen Dekadenz in Italien identifizieren, wie sie bei
Guarini, Marino, Achillini, Battista, Artale oder Leporeo offenbar

nicht direkt erkennbar ... Allerdings möchte man dann vielleicht gerade
diese Fernstenliebe als das sublimste Barocke überhaupt bezeichnen ..."

[16] Dagobert Frey, Gotik und Renaissance (Augsburg, 1929), Einleitung, die auf englisch von Ernest C. Hassold zusammengefaßt wurde
unter dem Titel: ›The Baroque as a Basic Concept of Art‹, in: College
Art Journal, VI (1946), 3—28.

[17] José Ortega y Gasset, Goethe desde dentro: El punto de vista en
las artes [Um einen Goethe von innen bittend, 1934] (Madrid, 1933), 114.

[18] „[Das Barocke] ruht auf tiefergehenden Grundlagen und ist genau-
sowenig durch die Vorliebe für Konzetti bestimmt, wie die Prinzipien
der Jesuiten durch die Vorliebe für die Kasuistik bestimmt sind." Roy
Daniells, in: Journal of Aesthetics, V (1946), 120.

[19] „Konzeptismus und Kulteranismus tragen im Grund Züge des
mittelalterlichen Stils. Wenn diese im Goldenen Zeitalter in hellerem
Licht erstrahlen, so ist das ein Geschenk der Renaissance, die die sinnliche
Schönheit in alte Gefäße füllte." Leo Spitzer, El Barroco Español, Middle-
bury lecture, 1944 (Manuskript).

[20] Mario Praz, La Poesia metafisica inglese del seicento (Roma, 1945).

[21] Heinrich Lützeler, Der Wandel der Barockauffassung, in: Deutsche
Vierteljahrsschrift für Literaturwissenschaft und Geistesgeschichte, XI

wurde; sie alle sind Dichter, deren stilistische Kraftlosigkeit Croce als Auswirkung der ideenfeindlichen Gegenreformation tadelt.[22] In Wirklichkeit rührte dieser Verfall in Italien von den ganz natürlichen Erschöpfungserscheinungen in der italienischen Literatur in einer Zeit her, da die Fackel an das Land, in dem die Gegenreformation am stärksten wirkte, nämlich Spanien, weitergereicht wurde. Man kann das Barock jedoch auch nicht mit dem Zug des Volkstümlichen in der spanischen Literatur, wie er sich im besonderen in den Dramen Lope de Vegas zeigt, gleichsetzen; diese irrige Ansicht herrscht bei gewissen ausländischen Hispanisten vor, denen Dámaso Alonso jedoch in der unverblümtesten Redeweise vorhält, daß sie fälschlicherweise die barbarischen und primitiven Aspekte für echte spanische Werte des Barock halten und daß sie so die spanische Literatur auf die Stufe der Indianer- und Negerkunst stellen.[23] Das spanische Barock kann jedoch auch nicht, wie es von Pfandl, Díaz-Plaja, Castro und Rosales mit den verschiedensten und sich widersprechenden Begründungen versucht worden ist, als innerer Verfall der zeitlich vorangehenden spanischen Renaissance abqualifiziert werden.[24]

Umgekehrt hat die beharrliche Behauptung französischer Ge-

(1933), 620: „Ausgeglichenheit wird in den Händen von schlechten Künstlern zur Langeweile (das Problem der Renaissance), Überschwang zur Zuchtlosigkeit (das Problem des Barock)."

[22] Benedetto Croce, Der Begriff des Barock: Die Gegenreformation (Zürich, 1925), 15, 25, 63.

[23] Dámaso Alonso, Ensayos sobre poesía española (Buenos Aires, 1946), 12: „Der Ausländer, der sich für die als « popularismo » bekannte spanische Volksverbundenheit begeistert, ist auf der Suche nach dem Barbarischen und Primitiven, durch das die spanische Literatur nahezu zu einer Indianer- und Negerkunst reduziert wird."

[24] L. Pfandl, Geschichte der spanischen Nationalliteratur der Blütezeit (Freiburg, 1929); Américo Castro, Lo hispánico y lo erasmista, in: RFH, II (1940), 84, ebenso wie Las complicaciones del arte barroca, in: Tierra firme, I (1935), 161—168; Guillermo Díaz Plaja, El espíritu del barroco (Barcelona, 1940); Luis Rosales, La figuración y la voluntad de morir en la poesía española, in: Cruz y Raya, XXXVIII, (1936), 67 bis 98.

lehrter wie F. R. Baldensperger [25] und Henri Peyre [26], daß ihr literarischer Nationalstil im 17. Jahrhundert nur „purer Klassizismus" war, der dem Barock direkt entgegengesetzt ist, dermaßen an Boden verloren, daß sogar Franzosen wie R. Lebègue [27], Marcel Raymond [28], P. Kohler [29], Gonzague de Reynold [30], auch R. A. Sayce [31] nichts mehr gegen einen barocken Corneille einzuwenden haben. Sie sehen aber immer noch nicht ein, daß Pascal, Racine,

---

[25] Fernand Baldensperger, Pour une révaluation littéraire du XVIIe siècle classique, in: RHL, XLIV (1937), 13: „Auf jeden Fall würde diese Rationalisierung eines Teils der französischen Literatur, der keineswegs unbedeutend ist, ausreichen, um vom französischen 17. Jahrhundert das Etikett Barock zu entfernen, dessen Anwendung man uns durch allzu unüberlegte Analogien aufnötigen möchte ... Es ist völlig absurd, die uneingeschränkte, konsequente und präzise Stilisierung der tragischen, komischen und didaktischen Formen als barocken Ausgleich zwischen antikem Geist und den besonderen zeitlichen und örtlichen Erfordernissen anzusehen, wie man uns durch eine unüberlegte ‚Periodisierung' nahelegen möchte."

[26] In seinem Buch ›Le Classicisme français‹ (New York, 1942) lehnt Henri Peyre ein französisches literarisches Barock radikal ab, für die bildenden Künste läßt er es jedoch gelten, ›French Baroque‹, in: Art News, XLV (1946), 19—21, 65.

[27] Raymond Lebègue, Le Théâtre baroque en France, in: Bibliothèque d'Humanisme et Renaissance, II (1942), 161—184.

[28] Marcel Raymond, Classique et baroque dans la poésie de Ronsard, in: Concinnitas. Festschrift für H. Wölfflin (Basel, 1944), 137—173.

[29] Pierre Kohler, Histoire de la littérature française, I (Lausanne, 1947), 122: „Der Begriff Barock, der hier zum ersten Mal in ein Handbuch der französischen Literatur eingeführt wird, ... ist Kunstwerken aus dem Anfang des 17. Jahrhunderts, nämlich der vorklassischen Periode angemessen, da der Terminus Barock sehr schön ihre Regellosigkeit und ihre Pracht deutlich macht." Siehe hierzu auch einen früheren Aufsatz von Pierre Kohler, Le classicisme français et le problème du baroque, in: Lettre de France (Lausanne, 1943), 49—138.

[30] Gonzague de Reynold, Le XVIIe siècle: Le Classique et le Baroque (Montreal, 1944).

[31] R. A. Sayce, Boileau and French Baroque, in: French Studies, II (1948), 148—152.

Bossuet und Molière [32] nicht weniger barock sind als die Generation der Zeit Ludwigs XIII. Bezüglich dieses heikelsten Teils des Problems haben unterdessen die Untersuchungen von Erich Auerbach [33], Hugo Friedrich [34], Gerhard Rohlfs [35], Ernst Merian-Genast [36], Leo Spitzer [37] und anderen im Streit um das literarische Barock Schützenhilfe geleistet. Wir hoffen, daß die Vergleiche und Parallelen der folgenden Untersuchung das Problem weiter beleuchten werden.

Eine vergleichende Literaturwissenschaft kann die Kunstgeschichte nicht einfach imitieren, dadurch daß sie das Barock auf Grund der religiösen Thematik mit der Gegenreformation verknüpft. Das geht nicht, da in der Literatur das religiöse Element explizit nur in zweitrangigen Werken [38] vorhanden ist; in bedeutenden literarischen Werken, die der Definition nach weltlich sind, ist es jedoch nur implizit gegeben. Es ist vielmehr so, daß die Literatur mit der Gegenreformation durch die ›Poetik‹ des Aristoteles, die zur Grundlage eines neuen formalen Humanismus wird, verbunden ist.

[32] Vergleiche hierzu jedoch W. G. Moore, Tartuffe and the Comic Principle in Molière, in: MLR, XLIII (1948), 45—53.

[33] E. Auerbach, Racine und die Leidenschaften, in: Germanisch-Romanische Monatsschrift, XXVIII (1926); und Leo Spitzers Bemerkung zu einer mündlichen Äußerung von Auerbach aus dem Jahre 1929 in Spitzers ›Stil- und Literaturstudien‹ (Marburg, 1931), 235.

[34] Hugo Friedrich, Pascals Paradox: Das Sprachbild einer Denkform, in Zeitschrift für romanische Philologie, LVI (1936), 322—370.

[35] Gerhard Rohlfs, Racines Mithridate als Beispiel höfischer Barockdichtung, in: Archiv für das Studium der neueren Sprachen, CLXVI (1936), 200—212.

[36] Ernst Merian-Genast, Die Kunst Racines, in: Die Neueren Sprachen, XL (1932), 135—157.

[37] Leo Spitzer, Die klassische Dämpfung in Racines Stil, in: Archivum Romanicum, XII (1928), 361—472; weiterhin Romanische Stil- u. Literaturstudien (Marburg, 1931), I, 135—268, und Le Récit de Théramène, in: Linguistics and Literary History (Princeton, 1948).

[38] Beispiele hierfür bei Gerolamo Malipiero, Petrarca Spirituale (1536), Sebastián de Córdova, Las obras de Boscán y Garcilaso trasladadas en materias christianas y religiosas (1575), und in Corneilles und Racines Übersetzungen der Hymnen aus dem Brevier.

Aristoteles und der humanistische Formalismus

Barock als Gegenbewegung zur Renaissance zu sehen heißt, daß man dessen ästhetische, intellektuelle,[39] vernunftmäßige und kritische Einstellung zur Antike erkennt, die im Gegensatz zu der des älteren ethischen, lebensbejahenden, gefühlsbetonten und naiven platonischen Humanismus steht; dieser hatte es gewagt, in den heidnischen Religionen die Offenbarung einer schwachen, symbolischen, aber göttlichen Wahrheit zu erkennen, die eine Parallele zur biblischen Offenbarung aufweise. Diese poetisch-philosophische Auffassung, die seit dem augustinischen Neoplatinismus einigen Korrekturen unterworfen worden war, zeigte die Tendenz, eine heidnische Vorform der Offenbarung anzunehmen, die auf dem Logos spermatikos fußte. Diese Tendenz entwickelte sich zum lateinischen Averroismus, der daranging, den heidnischen Naturglauben in einen Gegensatz zur Offenbarungswahrheit zu bringen, und der schließlich dazu führte, daß die platonische Akademie in Florenz, Pomponazzi, Telesio, Cardano, Giordano Bruno, die Alten gegen die Kirche ausspielten. Daneben bestand die Kompromißlösung von Erasmus, der gemäß seinem Programm für einen christlichen Humanismus die Antike mit dem Christentum verband. Das charakteristische Merkmal all dieser Einstellungen war der Wunsch, von der Antike eine lebendige Botschaft zu erhalten.

Genau umgekehrt ist es im Barock, wo man gerade einen Weg zu finden sucht, sich all dessen zu entledigen — sogar des Humanismus eines Erasmus.[40] P. R. M. Hornedo hat deshalb recht, wenn er sagt, daß das Lebenselement des Barock die geistlichen Exerzitien bildeten, wohingegen „der Humanismus bei den Jesuiten rein formale und literarische Bedeutung hat".[41] Toffanin drückt dies folgendermaßen aus: der triumphierende humanistische Geist stirbt,

[39] Joaquín de Entrambasaguas, El paisaje inexistente (Castellón de la Plana, 1933).

[40] P. G. Villoslada, Humanismo y Contrarreforma, in: Razón y Fé, CXXI (1940), 23.

[41] P. Rafael María de Hornedo, ¿Hacia una desvaloración del barroco?, in: Razón y Fé, CXXV (1942), 47—60, 361—374, 545—558, und CXXVI (1942), 37—52.

der Glaube ist gewahr geworden, daß er ohne ihn auskommt.[42] Schriftsteller dieser Epoche, die sich zwar zu einem „aufrichtigen" Humanismus bekennen, zögern trotzdem nicht, die Alten, wie es z. B. Cervantes tut, „den ganzen Haufen von Philosophen" («toda la caterva de filósofos», Don Quijote, I, Prólogo) zu nennen, und sie bezeichnen Homer, wie es z. B. Tassoni [43] tut, als „den blinden Dichterling" («il cieco cantalluscio»), während Gracián von den Philosophen sogar als „von ein paar großen Dummköpfen" spricht («unos grandes necios», El Criticón, ed. Romera Navarro, I, 27). Nur die wiederentdeckte ›Poetik‹ des Aristoteles wird uneingeschränkt akzeptiert, da sie den Schriftstellern des Barock das fehlende Glied im aristotelisch-thomistischen System zu sein schien. Sie wird ihr großer ästhetischer Sieg, aber auch ihr ästhetisches Gefängnis.[44] Das charakteristische Merkmal ihres Humanismus war die absolute Unterwerfung unter die ästhetischen Grundsätze des Aristoteles, unter eine poetica perennis, die, wie Vincenzo Maggi ausdrücklich hervorhebt, über allem stand, was Plato geschrieben hatte.[45]

Nach Toffanin ergab sich aus dieser Tatsache, daß das 16. Jahrhundert in Italien, das als Barock anerkannt ist, von Aristoteles die

[42] Guiseppe Toffanin, Storia dell'Umanesimo (Bologna, 1943), 248. R. G. Villoslada, S. J., macht dazu die treffendste Feststellung in seinem La Muerte de Erasmo, in: Miscellanea Giovanni Mercati (Città del Vaticano, Biblioteca Apostolica, 1946), IV, 406: „Mit dem Tode des Erasmus verschwindet eine historische Form des Humanismus oder besser gesagt, sie scheitert und wird zunichte. Dessen ironische und konziliante Haltung sollte durch den kämpferischen und kompromißlosen Gestus der Gegenreformation ersetzt werden."

[43] Alessandro Tassoni, Pensieri diversi, IX, zitiert in Giuseppe Toffanin, Omero e il Rinascimento italiano, in: Comparative Literature, I (1949), 59.

[44] Giuseppe Toffanin, Il Tasso e l'età che fu sua (L'età classicistica) (Napoli, 1947), 12.

[45] Vincentius Madius (Maggi) et Bartholomaeus Lombardus, In Aristotelis librum de poetica communes explicationes: „Ut facilius deprehendi possit, quam docte placitis Platonis sui praeceptoris Aristoteles utens, in melius eum reformet.", zitiert bei Irene Behrens, Die Lehre von der Dichtkunst, vornehmlich vom 16. bis 19. Jahrhundert (Halle, 1940).

gleichen Grundregeln ableitete, wie es Cervantes und der französische Klassizismus taten.[46] So wurde Aristoteles, der im Geiste des Barock interpretiert wurde, zu einem Bindeglied zwischen den europäischen Literaturen, und dieser Einfluß Aristoteles' war nicht weniger stark als der, den der Aristoteles eines Lessing ausübte, der im Geiste der Aufklärung verstanden wurde.[47] Es ist daher logisch, daß Tassos drei ›Discorsi sull'arte poetica‹, die literarischen Grundsätze von Cervantes, die der Kanonikus von Toledo Don Quijote predigt (DQ, I, 48) (und die nach Aussage von Atkinson aus El Pincianos ›Philosophia antigua poetica‹ aus dem Jahre 1596 stammen) und Racines Vorworte das gleiche theoretische Ideal aufweisen mußten. Weniger augenscheinlich ist jedoch die Tatsache, daß diese aristotelische Theorie in gleichem Maße ihre praktische Arbeit bestimmte. Es ist bekannt, daß sie ihre Theorie mit anderen erörterten, um ästhetische Vollkommenheit zu erzielen[48] und um sicherzugehen, daß ihre Werke die richtigen Theorien auch illustrierten. Diese Werke mußten auch vom vermeintlichen *moralischen* Standpunkt des Aristoteles aus einwandfrei und „exemplarisch" sein; dies verbindet sie am stärksten mit der Gegenreformation.

Alle Schriftsteller, auch die weniger bedeutenden, waren bestrebt, sich an die Ratschläge des Aristoteles zu halten hinsichtlich des Gebrauchs des Ornaments und des „Einwebens von Verzierungen («intesser fregi»)".[49] Ornamentik wurde in Tassos dramatischen

---

[46] G. Toffanin, Il Tasso, 79: „Eigentlich war schon im Ausklang des Humanismus während der 2. Hälfte des 16. Jahrhunderts der Pseudoklassizismus völlig enthalten; Frankreich tat nichts weiter ... als ihm seine technische Strenge zu verleihen."

[47] Siehe hierzu Max Kommerell, Lessing und Aristoteles: Untersuchungen über die Theorie der Tragödie (Frankfurt, 1940).

[48] Für Tasso siehe Gaetano Firetto, Torquato Tasso e la Controriforma (Palermo, 1939), 142, 163. Cervantes befand sich in einem ständigen Dialog mit den Anhängern Lope de Vegas, und Racine war Bouhours' und Boileaus „konstruktiver Kritik" zu Dank verpflichtet. [Racine wird in Anlehnung an die Übertragung von Wilhelm Willige, Jean Racine, Werke, 2 Bde. (Darmstadt: Luchterhand, 1956), zitiert.]

[49] G. Toffanin, Il Tasso, 96.

Peripetien in ›Aminta‹ in der Tat mit der gleichen Virtuosität verwendet wie in Racines ›Phèdre‹. Wie Dámaso Alonso und Leo Spitzer nachwiesen, findet man nicht nur in Tassos und Calderóns pompösem Sprachgebrauch weitausholende und prismatisch gebrochene Metaphern, sondern auch im gemäßigteren Stil eines Góngora und Racine. Der ganze mythologische Apparat erscheint sogar Boileau unerläßlich, der vergeblich antibarock zu sein sucht. Der stychomythische Dialog, der im ›Don Quijote‹ in komischer Weise verwendet wird, erreicht in ernster Verwendung seinen Höhepunkt bei Racine.

Denjenigen, die an die Lehrsätze der vorausgegangenen Renaissance glauben, steht es frei, all diese formalen, nachahmenden Tendenzen mit Werner Friedrich eine Gegenrenaissance oder mit Sacheverell Sitwell einen hybriden Klassizismus zu nennen, weil für die imitatio stärker die Regeln als die Qualität eines literarischen Modells maßgebend waren. Wenn das auch so sein mag, es war daneben genügend Raum für die schöpferischen Kräfte des Barock übrig. Obgleich das Tridentinische Konzil den mythologischen Apparat anerkannte, wurde er gänzlich durch eine in echtem Sinn moderne kritische Sicht und ironische Haltung verwandelt, und dies geschah auch durch den Wettstreit mit einer spezifischen Naturdichtung. Tasso weist die Anrufung der Musen als unwahr zurück und ruft statt dessen Maria an (Ger., I, 2); und er versucht die Darstellung eines Achilles mit christlichen Eigenschaften und schafft so seinen Rinaldo. Die rosenfingrige Eos wird eine einfache „Aurora [die] aus dem Himmelshause heraustritt" (« Alba [che] uscia della magion celeste », Ger., VIII, 1). Cervantes macht sich über die Christen lustig, die in „einem fingierten und verfälschten Arkadien" (« Arcadia fingida y contrahecha »; DQ, II, 58) eine heidnische Pseudounschuld vorspielen; er lacht über den Humanisten, der seine Zeit darauf verwendet, aus Homer, Martial und Vergil einen geheimnisvollen Sinn herauszulesen (DQ, II, 16); formelhafte Zeitangaben und Morgenbeschreibungen wie „blonder Apollo", „rosenrote Aurora" (« rubio Apolo », « rosada Aurora », DQ, I, 2), „Napäen und Dryaden" (« Napeas y dríadas », DQ I, 25), „Frau Diana" (« la señora Diana », DQ, II, 68) verwendet er mit poetischer Ironie. Ähnliche Scherze über Thetis und Phoebus finden sich bei Lafontaine (Fables, V, 6). Nach dieser barocken Demolierung konnte kein neuer Dante mehr den christlichen Gott «Sommo Giove» („Höchster Jupiter") nennen. Es gibt jedoch auch so etwas wie eine Rehabilitierung. Aurora verwandelt sich als „helle Morgenröte" («blanca aurora», DQ, II, 20) oder auch als „frische Morgenröte" («fresca aurora», ohne Großschreibung) in den schönen Morgen selbst, und sie überflutet die Welt mit „zahllosen flüssigen Perlen" («un número infinito de líquidas perlas», DQ, II, 14). Racine, der die Charaktere seiner antiken Quellen so verändert, daß sie all die Eigenschaften besitzen, von denen er glaubt, daß Aristoteles sie von einem tragischen Helden fordern würde,[50] kristallisiert das mythologische Element an Helios heraus, so daß dieser in Phädras Gebet «Soleil», ein sehr viel komprimierteres modernes Symbol des Lebens und der Reinheit wird; er wird eine Sonne, die im Sinne der Modernisierung des Mythos durch Fénelon ein unmittelbares Element der Natur ist und die ihre „Flammenstrahlen des Tages aussendet, um alle Sterne vom Himmel zu vertreiben" (Télémaque, IV).

Katharsis und Decorum

Ein besonderes Bindeglied zwischen Gegenreformation und der Literatur des Barock ist die ständige Beschäftigung mit der Moral. Die großen Sittenreformen, die Sorge um die Seelen und die Entwicklung einer systematischen Gewissenserforschung spiegeln sich in der stärkeren Betonung der reinigenden Kraft von Epos und Drama wider. Ein einschlägiges Beispiel ist die barocke Deutung der aristotelischen Katharsis. Für die Antike bedeutete sie Befreiung von Mitleid und Furcht, die beide gleichermaßen negativ waren, da sie die mesotes in einem sorgenfreien Leben verhindern.[51] Für das

[50] ›Phèdre‹, Vorwort: „vereinigt er doch alle Eigenschaften in sich, die Aristoteles vom Helden der Tragödie verlangt."

[51] Aristotle, Poetics (Loeb's Classical Library), 22: „Mit Hilfe von Mitleid und Furcht bewerkstelligt sie eine Reinigung von eben diesen und ähnlichen Affekten." [Zitiert nach Aristoteles, Von der Dichtkunst, übertragen v. Olof Gigon, Zürich: Artemis Verlag, 1950, 398, 1449b.]

Barock bedeutet sie Befreiung von den Leidenschaften und Ansporn
zur Tugend, Abtötung des Bösen und Erweckung der Neigungen
zum Guten. Sie bedeutet sogar die Kultivierung einer heilsamen
Furcht vor der Hölle,[52] die zu einem größeren Maß an Nächsten-
liebe führen und zugleich ein unmittelbares Gefühl der Glückseligkeit erzielen sollte[53] — ein verdienter Lohn, nachdem man mit dem
einen oder anderen Helden alle Schicksalsschläge, Mühen und
Schmerzen (« affani », « trabajos » oder « douleurs ») mitempfun-
den hat. Der Leser oder Zuhörer einer Tragödie, genaugenommen
der barocken « comedia artificiosa » wird, wie Cervantes sagt (DQ,
I, 48), gegen das Laster eingenommen und liebt die Tugend, weil
er, im Gegensatz zu dem, was er ist, sieht, was er sein sollte (DQ,
II, 12).

Diese ständige Beschäftigung mit dem Moralischen bildet außerdem eine Parallele zur ethischen und ästhetischen Vervollkommnung der Literatur, und zwar in einem solchen Maße, daß moralische Vollkommenheit vom Ergötzlichen eines Kunstwerks nicht zu
trennen ist. Selbst dort, wo das Vergnügen das Übergewicht hat,
muß laut Lopez Pinciano eine moralische Nachwirkung spürbar
werden. Die Vollkommenheit aristotelischer Form, so sagt Alaman-
ni[54], muß in der moralischen Vollkommenheit eines Werkes ihre
Entsprechung finden. Der Kritiker La Mesnardière (1610—1663)
definiert die Dichtkunst als eine anmutige Wissenschaft, die Beleh-
rungen mit dem Vergnügen mischt — « cette science agréable qui
mesle les enseignements parmi la récréation »; er tadelt an dem
Renaissancehumanisten Castelvetro, daß er das „prodesse" von dem
„delectare" getrennt habe und an dem Spanier Lope de Vega seine
fehlerhafte Kunstübung und seine absichtlichen Regelverstöße —
« sa vicieuse pratique et ses fautes volontaires » —, die in seinem

---

[52] G. Toffanin, Il Tasso, 33, behauptet, daß für Varchi Katharsis „die
Angst vor der Hölle" bedeutet.

[53] Ebd., S. 90: „das Vergnügen, das auf den Kummer folgt, ist kost-
barer." (« Essere più caro il piacere raggiunto attraverso l'affanno. »)

[54] G. Toffanin, Il Tasso, 67, zitiert aus der Vorrede zu Alamannis
›Avarchide‹: „Die aristotelischen Einheiten entsprechen der moralischen
Vollkommenheit."

« hablar en necio para dar gusto » — bestehen, d. h. in seiner gespielten Ignoranz, um dem Publikum zu gefallen.[55]

Bezeichnenderweise ist also für Cervantes die Nachahmung der Alten insofern empfehlenswert, als sie „die Frömmigkeit des Aeneas, die Kühnheit des Achilles, den Großmut des Alexander, die Mannhaftigkeit Caesars, die Milde und Wahrhaftigkeit Trajans und die Klugheit Catos" zeigen, und das heißt „gleichzeitig belehren und entzücken" können (DQ, I, 47). Er bemerkt ferner, daß diese Helden von Homer und Vergil nicht so gezeichnet wurden, wie sie waren, sondern wie sie sein mußten, damit sie künftigen Generationen ein Tugendbeispiel abgeben konnten (DQ, I, 25). Alles, was gewöhnlich, vulgär und gemein ist, verträgt sich infolgedessen auch nicht einmal mit dem erbärmlichsten Helden. Racine verändert deshalb den Charakter der Phädra, wie er in den Quellen vorgegeben ist, weil Verleumdung unvereinbar ist mit dem Wesen einer Prinzessin.[56]

Die Gegenreformation vermehrte Antonio Riccobonis ›Poetica‹ (1584) um noch ein weiteres Problem: « Dilettare senza essere pericoloso », d. h. „amüsieren, ohne anstößig zu werden". Diese übergewissenhafte moralische Enge brachte in Spanien eine Einstellung hervor, die Marcel Bataillon als „immanente Inquisition" bezeichnete [57] und die Cervantes mit „Anstand und Dekorum" (« decencia et decoro », DQ, II, 12) umschrieb. Auf Grund dieser Einstellung wird Wert darauf gelegt, daß „man auch nicht im entferntesten ein unziemliches Wort finden kann" (DQ, II, 3) beziehungsweise, daß aus jedem „Buch Gemeinheiten ausgejätet und ausgerupft werden" (DQ, I, 6). In Frankreich führt Racine seine ›Phèdre‹ mit der Erklärung ein, daß „darin Leidenschaften nur deshalb vor Augen geführt werden, damit sie die Störung der Ordnung zeigen, welche

[55] Hippolyte Jules Pilet de la Mesnardière (1610—1663), La Poétique (Paris, chez Antoine de Sommaville, 1640), Vorwort und S. H, T.

[56] „Die Verleumdung habe etwas allzu Niedriges und Finsteres an sich, um sie einer Fürstin in den Mund zu legen ... Phädra gibt ihre Hand dazu nur, weil sie sich in einer seelischen Erregung befindet, die sie außer sich bringt." (›Phèdre‹, préface).

[57] M. Bataillon, Honneur et Inquisition, in: Bull. Hisp., XXVII (1925), 5.

sie verursachen". Diese als «bienséance» bekannte Ziemlichkeit entspringt nicht dem launischen Diktat der „Preziösen", sondern „einem spröden Bedenken" («un farouche scrupule», Phèdre, Vers 121). „Skrupel" ist nämlich das Losungswort der gesamten Barockliteratur und der Schlüssel zur Biographie etwa eines Tasso oder eines Racine. Die Kritiker, die diesen Umstand übersehen, behaupten, daß das Barock sinnlicher sei als die Renaissance, allerdings von einer heuchlerischen Sinnlichkeit, weil beispielsweise bei der Beschreibung weiblicher Schönheit Tasso euphemistisch von „dem verbotenen Teil" spricht («la vietata parte»), Cervantes von „verborgenen Dingen" («cosas ocultas», DQ, I, 17) und Racine von dem „schlichten Gewand einer Schönheit, die man vom Schlummer erweckt hat" («le simple appareil d'une beauté qu'on vient d'arracher au sommeil», Britannicus, Vers 390). Letzten Endes geben sie jedoch keine Beschreibung. Ihre Zurückhaltung erscheint echt. Die gleichen Kritiker können nicht verstehen, daß in all diesen Werken kein Austausch von Zärtlichkeiten, nicht einmal von Küssen, vorkommt. Die Erklärung dafür liefert Cervantes: „wo viel Liebe herrscht, pflegt man sich nicht leicht gehenzulassen" (DQ, II, 65). Die Leidenschaft beruht vielmehr auf der starken geistigen Bannkraft des Gegenstandes der Liebe, denn Tancredi wird von dem Bild der Clorinda gefesselt, Don Quijote durch das der Dulcinea, Phèdre durch das des Hippolyte.

Verschiedene realistische Tendenzen vermochten nichts an dem Programm zu ändern, wonach unanständige Wörter vermieden und durch «rodeos», d. h. durch periphrastische Metynomien und durch „saubere Ausdrücke" umschrieben werden mußten, um „züchtig das zuzudecken, was der Anstand zuzudecken gebietet" (DQ, I, 11). Wenn Tasso etwas weniger zurückhaltend ist als die anderen, so hat ihm doch Pater Bouhours bescheinigt: „welche Freiheiten er sich auch immer gestattet, er gerät schließlich nie auf solche Abwege . . . wie Ariost".[58] Dabei ist es der gleiche anspruchsvolle Bouhours, der im Interesse der «bienséance» forderte, daß in der französischen

---

[58] Le père Bouhours, Entretiens d'Ariste et d'Eugène, 1671, zitiert bei Chandler B. Beall, La Fortune du Tasse en France (Eugene, Ore., 1942), 100.

Bibelübersetzung die Wendung „Abraham zeugte Isaac" durch „Abraham war der Vater Isaacs" ersetzt werde. Wenn es in der Gesellschaft der französischen Preziösen unmöglich war, von Kühen, Schweinen, Kamelen und Eseln zu sprechen, so hatte schon Sancho Panza die gleiche Hemmung empfunden, als er mit der edlen Herzogin sprach: „Mein Esel . . . und damit ich ihn nicht mit diesem Wort bezeichnen muß, pflege ich ihn Grautier zu nennen" (DQ, II, 33). Ebenso wird Sancho Panza von Don Quijote bedeutet: „Leute, die auf sich halten . . . sagen ‚aufstoßen' statt ‚rülpsen'" (DQ, II, 43). Die französische « bienséance », dem Begriff nach ein echtes Kind der Gegenreformation, der Form nach ein echtes Kind des Barock, war auch den Spaniern im Zusammenhang mit dem « merveilleux chrétien » bekannt. Das Fortleben des mittelalterlichen Dramas mit seinen Mirakelspielen in Spanien war für Francisco Cascales kein Hindernis, bereits 1598 festzustellen: „Es ist unangebracht, die hl. Jungfrau und den Herrgott auf die Bühne zu stellen."[59] Die Quelle von La Carte du Tendre findet sich im Werk des hl. Johann vom Kreuz, wie Paul Zumthor entdeckt hat.[59a]

Verschmelzung und Übergang

Wenn man tiefer in die künstlerische Methode der Barockliteratur eindringt, findet man, daß die berühmten Einheiten des Aristoteles und die beiden Prinzipien Wölfflins, nämlich die radikale Unterordnung der Teile unter das Ganze und das absichtliche Meiden von Klarheit in der Darbietung dieser Details, im Grund als ein und dasselbe erscheinen. Beide zeigen eine Neigung zur Verschmelzung. Zu dieser Fusion gehört, was die Literatur angeht, das Verschmelzen von Motiven zu einer literarischen Symphonie, von Vordergrund- und Hintergrundfiguren zu einem Gesellschaftsbild von beträchtlicher Tiefe, ein Verschwimmen der deskriptiven Elemente

[59] ›Tablas poéticas del Licenciado Francisco Cascales‹ (Madrid, Don Antonio de Sancho, Segunda impresión, 1779), 11.
[59a] Paul Zumthor, La Carte du Tendre et les Précieux, in: Trivium, VI (1948), 263—273.

zu vagen Andeutungen, ein Zerfließen der visuellen Elemente in ein verschwommenes « chiaroscuro » (Helldunkel) und eine Verbindung musikalischer Elemente in vage, weitreichende Echoklänge.

Radikale Verknüpfung aller Details zur Einheit war die unerbittliche Regel des Aristoteles für den Aufbau einer jeden epischen oder dramatischen Handlung. Ihre gesamten Teile mußten, wenn sie auch noch so nebensächlich erschienen, in einer solchen Weise angeordnet sein, daß das ganze Gefüge zerstört würde, wenn man auch nur den geringsten Bestandteil umstellte oder daraus entfernte.[60] Diese Zusammenfassung der Einzelteile zur Einheit, so sagt Aristoteles, macht eine Fabel oder eine Tragödie zu einem lebenden Organismus.[61] Gerade die Unkenntnis dieses Grundsatzes hinderte die italienischen Novellisten daran, wirkliche Romanerzähler zu werden, sie hinderte Ariost ebensosehr wie die Verfasser der Schelmenromane, ihre Episoden wirklich organisch miteinander zu verknüpfen,[62] und sie hinderte Fernando de Rojas, die „Prosahandlung" seines ›Calisto und Melibea‹ zu einem richtigen Drama fortzuentwickeln. Ja, trotz all der barocken Schmuckelemente — « fregi, decoros » und « ornements » — wird die Ver-

---

[60] Aristotle, Poetics (Loeb Classical Library), 32—33: „... so muß auch der Mythos, da er Nachahmung von Handlung ist, Nachahmung einer einzigen und ganzen Handlung sein. Die Teile der Handlung müssen so zusammengesetzt sein, daß, wenn ein einziger Teil umgestellt oder weggenommen wird, das Ganze sich verändert und in Bewegung gerät. Wo aber Anwesenheit oder Abwesenheit eines Stückes keine sichtbare Wirkung hat, da handelt es sich gar nicht um einen Teil des Ganzen." [Gigon, S. 403, 1451a].

[61] Aristotle, Poetics (Loeb Classical Library), 90: „... daß sie die Mythen wie in der Tragödie dramatisch aufbauen soll und daß sie sich auf eine einzige geschlossene und vollständige Handlung beziehen soll mit einem Anfang, Mitte und Abschluß, damit das geschlossene Ganze wie ein organisches Wesen die entsprechende Freude hervorbringt." [Gigon, S. 427, 1459b].

[62] Cascales, Tablas poéticas, 39: „Die Episoden müssen in die Fabel so gut eingefügt werden, daß man sie nicht herausnehmen kann, ohne daß die Fabel verdreht wird. Das ist eine der wichtigsten Vorschriften der Poetik."

schmelzung der Elemente zur Einheit das höchste Gesetz. Das wird
zum Beispiel deutlich zum Ausdruck gebracht in den Übergängen
und Überkreuzungen von Beziehungen [63] in den Calderonischen
Summationsschemata ebenso wie in den Szenenverknüpfungen der
französischen « liaison des scènes » und in der Reduzierung einer
bunten Fabel auf eine Krisenhandlung, wobei das Geschehen in enger
Anlehnung an die Vorlagen gebildet wurde, die Aristoteles empfohlen
hat. Vergil tritt dabei manches Mal freilich an die Stelle Homers,
wenn man Vicente do los Ríos und Arturo Marasso im Hinblick
auf ›Don Quijote‹ glauben darf.[64]

Die Barockautoren selbst sind sich ihres Arbeitsprinzips, nämlich
der Verschmelzung der Elemente zu einer unauflöslichen Einheit,
durchaus bewußt. So spricht etwa Tasso von „verschiedenen Bildern, die zu einem verschmolzen und vermengt werden" (« diversi
aspetti in un confusi e misti », Ger., IV, 5) und schreibt: „mischt
[die Nacht] zu einem Gegenstande der Gegenstände wechselnde
Gestalt" (« Confondea i vari aspetti un solo aspetto », Ger., XVII,
56). Und er illustriert das mit dem Beispiel:

> Accore altri alle porte, altri alle mura,
> Il re va intorno, e il *tutto* vede e cura
> Der *läuft* zum Tor, und der zu Mauer und Schanze,
> Der König geht umher und lenkt das Ganze. (Ger., III, 11)

Cervantes kritisiert durch sein Sprachrohr, den Kanonikus von
Toledo, die Ritterromane der Renaissance, weil „sie nicht mit allen
ihren Gliedern einen Erzählleib bilden" (« un cuerpo de fábula
entero con todos sus miembros », DQ, I, 47), während er selbst
ganz strenge Einheiten gebildet hat, in denen alle Details aufgehen.

---

[63] Leo Spitzer, The Récit de Théramène, in: Linguistics and Literary
History (Princeton, 1948), 103: „In [Racines] einhäusigen Gebäuden
müssen wir uns auf die überkreuzenden Beziehungen, die zwischen verschiedenen Charakteren und Situationen bestehen, konzentrieren ... Er
engt das Sichtfeld ein, hat es aber mit vielerlei Kräfteparallelogrammen
ausgefüllt."

[64] Arturo Marasso, Cervantes y Virgilio (Buenos Aires, 1937); er-
weiterte Ausgabe: Cervantes, la invención del Quijote (Buenos Aires,
1943).

„Jedes Ding für sich" («Cada cosa por sí») wurde absorbiert von
„der Gesamtheit" («todas juntas», DQ, II, 58) dank zahlreicher
„Verwicklungen" und „verworrener Labyrinthe" («enredos», «in-
tricados laberintos», DQ, II, 44); diese entwirrt zu haben, ist das
große Verdienst von Joaquín Casalduero. Er trug dazu bei, in
›Persiles y Segismunda‹ das Wirken eines Baumeisters zu erkennen,
der seinen Bau nicht berechnet hat, wie es auch von Correggio heißt.[65]
Was Racine unter Verzicht auf jegliche äußere Abenteuerhandlung
(«action — aventure») zu einer Einheit verschmilzt, ist „der bunte
Reichtum der inneren Vorgänge, die Kompliziertheit von Gefühls-
nuancen" (J. Segond).[66] In Anbetracht seiner scheinbar unförmigen,
psychologischen Blöcke, die zwischen zwei Peripetien eingezwängt
sind, hätte Racine sehr wohl das sagen können, was Poussin in
Fénelons ›Dialogues des morts‹ aussprach: „Ich habe viele unregelmäßige Gebäude errichtet; sie ergeben nichtsdestoweniger ein an-
mutiges Ganzes."[67]

Wenn also die zu einem einheitlichen Ganzen verbundenen Ein-
zelelemente den Eindruck „einer schönen Unordnung" («un beau
désordre») beziehungsweise einer „regellosen Ordnung" («una
orden desordenada») hervorrufen, dann ergibt die Verschmelzung
der Details untereinander laut Casalduero eine barocke „Gestalt
von konfuser Klarheit" («forma confusamente clara»), d. h.
Wölfflins „relative und verschwommene Klarheit" im Gegensatz
zur absoluten Klarheit der Renaissance. In der Barockliteratur werden Dinge, Vorgänge, Personen und Landschaften nicht beschrieben, sondern bloß evoziert; sie gehen ineinander über, ihre un-

---

[65] Josef Strzygowski, Das Werden des Barock bei Raphael und
Correggio (Straßburg, 1898), 112—113: „Correggio baut wie ein Architekt, der die Konstruktion nicht erwogen hat."

[66] J. Segond, Psychologie de Jean Racine (Paris, 1940), 36: „Was
man ausspart, indem man die Verwicklungen von Abenteuern aus dem
Drama verbannt, ist eine Überfülle äußerer Handlung ... Was man
dagegen behält, auch wenn man es hervorhebend darstellt, ist der vielfältige Reichtum inneren Geschehens, die Dichte der Empfindungsschat-
tierungen."

[67] Fénelon, Dialogues des morts in Œuvres choisies (Paris, 1890),
109—110.

scharfen Konturen werden verwischt, sie haben „etwas Ungewisses an sich" («un non so che»), sie werden, nach Ortega y Gasset, „schräg aus dem Augenwinkel" betrachtet,[68] und sie werden indirekt aus der Perspektive literarischer Figuren gesehen, nicht direkt im Urteil des Verfassers gespiegelt. Perspektivenkunst, Teichoskopie und Impressionismus bilden die konzentriertesten und einfachsten Methoden der Darbietung. In prismatischer Brechung erscheinen die geschauten Gestalten in einem faszinierenden Lichtkranz von Dehnungen und Andeutungen. Die Situationen sind in allen literarischen Gattungen die gleichen, insbesondere weil für die Aristoteliker des Barock die Tragödie alle Elemente der epischen Dichtung in sich birgt.[69]

Was Tasso anbelangt, so haben Spoerri und Toffanin unabhängig voneinander Galileo Galileis Anmerkungen zu seiner Kunst ausgewertet. Mit seinem entschieden an der Renaissance orientierten Geschmack wendet er sich gegen die stilistische Gewolltheit in Tassos Mangel an Klarheit, die sich so stark gegen Ariosts Klarheit des Details abhebt; er spottet über Tassos Art, alle spezifischen Dinge einfach als „Sachen" («cose») zu bezeichnen, und über seine Weigerung, diese zu beschreiben.[70] Er hat kein Verständnis für Tassos Sichtweise der „Verkürzungen" («in scorcio») und für sein „wirres Gemisch der Linien" («confusa mescolanza di linee»).[71] Galileo ist außerstande zu erkennen, daß einfache Personen und Dinge, die von einem lyrischen Charakter beschworen werden, ihre Gemeinplätzigkeit verlieren und, entsprechend dem barocken Geschmack, durch die besondere Situation eine Überhöhung erfahren; so z. B. im Ausruf der Sophonisbe auf dem Scheiterhaufen:

---

[68] José Ortega y Gasset, op. cit., Anm. 17, besonders die Seiten 113—114.

[69] Aristotle, Poetics (Loeb Classical Library), 22: „... ursprünglich war die Darstellungsweise in Tragödie und epischer Dichtung gleich."

[70] Spoerri, Renaissance und Barock bei Ariost und Tasso, 14.

[71] Toffanin, Il Tasso, 140: „Oh, Herr Tasso ... ihr setzt wahrhaftig viele Worte zusammen, aber ihr konterfeit nichts Rechtes ab ... ihr seht alles in Verkürzungen ...; die Bilder stellen aber nichts anderes dar als ein wirres und ungeordnetes Gemisch von Linien und Farben."

> Mira il ciel com' è bello!
> Siehe wie schön der Himmel ist!

oder in Seufzern der Erminia beim Anblick der Zelte der Christen und in Gedanken an Tankred versunken:

> O belle agli occhi miei tende latine!
> O Römerzelte, wie schön seid ihr in meinen Augen!

Als die Kreuzfahrer zum erstenmal Jerusalems ansichtig werden, wird die Stadt nicht direkt beschrieben, sondern undeutlich in weiter Ferne von ihnen indirekt wahrgenommen,[72] indem sie Erstaunen bezeigen, mit dem Finger in ihre Richtung weisen und sie jubelnd begrüßen (Ger., III, 3). Der Wächter der Sarazenen auf den Wällen der Heiligen Stadt erblickt in teichoskopischer Schau das Christenheer zuerst als Staubwolke, dann als Flammenblitze im Staub und schließlich als Rosse und Reiter (Ger., III, 9). Das ist ganz eindeutig die gleiche Technik, mit der Cervantes beispielsweise das Abenteuer mit der Schafherde einleitet; er wendet sie auch bei anderen Abenteuern an (vgl. DQ, I, 2), nur daß Don Quijote die schließliche Aufklärung des ersten oberflächlichen Eindrucks dadurch abbiegt, daß er ihn auf närrische Weise deutet und entsprechend närrisch handelt. Schatten in weiter Ferne, wie etwa die Silhouette Clorindas auf der Anhöhe (Ger., VI, 26) oder Cardenios auf der felsigen Sierra (DQ, I, 23), lassen die Gemeinsamkeit des Geschmacks sichtbar werden, die Tasso und Cervantes mit Velázquez verbindet.

Wenn Tasso die tödliche Verwundung des Helden durch die vage Feststellung andeutet: „Und eine einzige Wunde ist sein Leib" (Ger., VIII, 22), dann ist es bemerkenswert, daß Racine genau das gleiche tut, wenn er spricht: „Bald ist sein ganzer Leib nur noch eine Wunde" (Phèdre, Vers 1550). Frauenhaar, das hinter einem Schleier hervorscheint (Ger., IV, 29), vom Wind gekräuselt wird oder plötzlich unter einem Helm oder einer Kappe hervorquillt (Clorinda,

---

[72] Giacomo Grillo, Poets at the Court of Ferrara: Ariosto, Tasso and Guarini, With a chapter on Michelangelo (Boston, 1943): „Der Klangkünstler Tasso sieht die Dinge in undeutlicher Ferne; er ist ein Maler perspektivischer Tiefe: die Kreuzritter sehen die Stadt Jerusalem nur verschwommen." (III, 3.)

Ger., III, 21, Dorotea, DQ, I, 28), weibliche Gliedmaßen, die von einem dünnen Flor oder von Wasser umspielt werden (Ger., XV, 59; DQ, I, 28), das alles sind Beispiele dafür, wie die miteinander verschmelzenden Attribute des Schönen in seltsamen, flüchtigen Impressionen wiedergegeben werden, wie das ständig bei Tasso und Cervantes vorkommt, ja sogar bei Racine, wenn er von „Jenem eitlen Schmuck und jenen Schleiern" spricht (Phèdre, Vers 158).

Bei Tasso gehen die Canti fließend ineinander über und lassen keinen Raum für Flickwerk nach der Art des Ariost. In der klassischen Tragödie der Franzosen darf kein Akt ein geschlossenes Ganzes bilden; wenn der Vorhang fällt, bleibt ein Rest für den nachfolgenden Akt, für das verkettende « enchaînement ».[73] Bei Cervantes fällt das Ende des Vorgangs niemals mit einem Kapitelschluß zusammen, wie Casalduero nachgewiesen hat. Gerade Cervantes ist sich des barocken Reizes bewußt, der im Verschmelzen aller Elemente liegt — epischer, lyrischer, tragischer und komischer —, die er in sein Epos in Prosa statt in Versen einarbeitet (DQ, I, 47). Er verschränkt Bericht mit Geschehen, Dialog mit Erzählung, Romanzitat mit unmittelbar gelebtem Roman, Romanerfindung mit Romankritik — « le roman » und « le point de vue de roman »[74] — den lebenden Don Quijote mit dem gedruckten.[75] In gleicher Weise verbinden die Barockmaler Stukkatur und Malerei und verwischen die Trennungslinien. In der Phantasie des Lesers werden, beinahe gegen seinen Willen, Erinnerungen und Vorstellungen wach, wenn er die beredten Worte des Don Quijote vernimmt: „Hörst du nicht das Wiehern der Pferde, den Trompetenschall und den Trommelwirbel?" (DQ, I, 18). Und dieses Beschwören geistiger Bilder wie z. B. des Bildes der „Wirren martialischer Harmonie" (II, 35) ist von der gleichen Art, wie es bei Racine vorkommt, wenn er uns am Schluß seines ›Britannicus‹ über künftige Verbrechen Neros nachsinnen läßt oder über Bérénices

[73] Racine, Mithridate, ed. G. Rudler (Oxford, 1943), xxviii: „Der Vorhang sollte nie nach einer ganz zu Ende gespielten Handlung fallen, auch nicht, wenn diese nur eine Teilhandlung wäre; die einzelnen Akte sollten miteinander verkettet sein."

[74] M. Bataillon, Erasme et l'Espagne (Paris, 1937), 822.

[75] A. Castro, España en su historia (Buenos Aires, 1948), 257.

langsames Dahinsterben an gebrochenem Herzen am Ende des gleichnamigen Dramas. Nichts ist beredter als diese «silences générateurs», wie M. Cressot diese Augenblicke fruchtbarer Stille nennt.

Die ständige Verwendung des Wortes «parecer», ‚scheinen', bei Cervantes (Fichter) oder der prismatischen Verben «voir», ‚sehen', «entendre», ‚verstehen' und «daigner», ‚geruhen', bei Racine (Spitzer) in Verbindung mit bestimmten Anspielungen, unterdrückten Aussagen und Aussparungen bei den Verfassern [76] erzielt eine Wirkung, die von Gustave Flaubert als die Fähigkeit gepriesen wurde, dem Leser Dinge vor Augen zu führen und in Erinnerung zu bringen, die gar nicht beschrieben worden sind. Alltäglichen Feststellungen kommt innerhalb dieses Vorgangs der Bilderbeschwörung die Funktion zu, einen barocken Schock auszuüben. Wenn beispielsweise Don Quijote und Sancho Panza bei Barcelona zum erstenmal das Meer erblicken, wird ihre Reaktion in scheinbar banale Worte gefaßt: „Sie sahen das Meer . . ., es erschien ihnen äußerst weit und ausgedehnt" (DQ, II, 61). Das erinnert uns an die heitere und glatte See, «la mer claire et unie», in Fénélons ›Télémaque‹. Darin zeigt sich dieselbe barocke Enthaltsamkeit wie bei Racine, wenn er „diese friedlichen Stätten", „dieses glückliche Ufer", „diese traurige Küste" oder die „öden Gefilde" erwähnt. Doch diese verschleierten und anscheinend bedeutungsarmen Epitheta erzeugen auch hier eine dichte Atmosphäre von Stimmungen, die mit der Situation in Einklang stehen. Die dürftigen compositiones loci eines Racine wetteifern mit denen von Cervantes: „ein hoher Berg, eine so grüne und karge Wiese, ein zahmes Bächlein" (DQ, I, 25), „Stellen, wo es Gras und Wasser gab" (DQ, I, 5), „ein kühler Hain" (DQ, II, 59), „einige schattige Bäume" (II, 12). Was an diesem Verfahren barock ist, das hat Dámaso Alonso in Zusammenhang mit Góngora formuliert: „Der Gegenstand wird in aller Eile und nur an Hand eines einzigen Wesenszuges evoziert." [77]

[76] W. L. Fichter, Estudios cervantinos recientes (1937—1947), in: Nueva Revista de Filología Hispánica, II (1948), 100. Leo Spitzer, „Die klassische Dämpfung . . .", loc. cit., und A. Castro, La palabra escrita y el Quijote, in: Asomante, III (1947), 13.

[77] Dámaso Alonso, Ensayos sobre literatura española, 53.

Leo Spitzer hat den ganzen Stil prismatischer Brechungen bei Cervantes in eine deutliche Parallele zum Stil Racines gesetzt. Er meint, Racines Methode der Spiegelung von Geschehnissen durch Personen, auf die sich der Dramenheld beruft, durch den Gebrauch von Verben der prismatischen Brechung oder, wie er sich ausdrückt, durch „eine Multiplizierung der Ebenen" lasse sich mit der „barocken Spiegeltechnik des Velázquez" vergleichen. In beiden Methoden sei die Sichtweise des „Schauens ... durch einen Wolkenschleier" vertreten.[78] Dem kann man hinzufügen, daß Racine sogar die Technik der perspektivischen Vertiefung des Cervantes beherrscht, wenn er das referierte Geschehen mit der Haupthandlung verflicht. In seinen Expositionen und in Skizzen von großer Dichte erinnert er beschwörend an die bedeutungsgeladenen Geschichten von Heldentaten und Verbrechen aus Liebe, indem er sie an dünnen Verben der Veranschaulichung aufhängt. Diese Verben beherrschen und durchziehen ganze Seiten, die aus Ovid und Catull exzerpiert worden sind. So z. B., wenn Hippolyte das ereignisreiche Leben seines Vaters, das ihm von Théramène berichtet wurde, mit der simplen verbalen Wendung « tu me dépeignois » — ‚du hast mir geschildert' — in Erinnerung bringt:

> Quand tu me dépeignois ce héros intrépide
> Consolant les mortels de l'absence d'Alcide,
> Les monstres étouffés et les brigands punis ...
> Et la Crète fumant du sang du Minotaure ...
> Hélène à ses parents dans Sparte dérobée,
> Salamine témoin des pleurs de Péribée ...
> Ariane aux rochers contant ses injustices,
> Phèdre enlevée enfin sous de meilleurs auspices
> (Phèdre, I, i, 77—90)
> So oft du die Kühnheit des Helden geschildert,
> Der die Trauer um Herakles' Sterben gemildert,
> Die Drachen erstickt und die Räuber bekriegt, ...
> In Kreta verbluten ließ Minotaurus ...
> Von Helena, die er in Sparta entführte,
> Periboia, die weinend ganz Salamis rührte, ...
> Ariadnes Klagen, die Felsen erweichen,
> Dann Phaidra, geraubt unter besseren Zeichen, ...

[78] Leo Spitzer, Linguistics and Literary History, 107, 109.

Durch diese geistigen Bilder gewinnt ›Phèdre‹ an Tiefe, so wie Tassos ›Gerusalemme‹ durch die Erinnerung an den sechsjährigen Kampf um die Heilige Stadt um eine Perspektive erweitert wird oder wie das im ›Don Quijote‹ durch die Beschwörung der Vergangenheit von Dorotea und Luscinda, Cardenio und Fernando bzw. der überstandenen Abenteuer des Gefangenen geschieht. Überdies kommt eine Reihe von Bildern des Typs der „ins Labyrinth hinabgestiegenen Phaedra" vor.[79] Dasselbe geschieht in ›Britannicus‹ (IV, 2) mit Agrippine, die „die Erinnerung wachruft an ihre Liebhaber, an ihre Alkovengeheimnisse und an das Wissen und die Macht ihrer Ausschweifungen", wie Brisson feststellt, und er fügt außerdem hinzu: „das ist ganz im Stile eines Mansart... ohne jeden Fehler der Perspektive."[80] Man kann also nicht nur Wölfflins Barockprinzip der beschwörenden relativen Klarheit in der Literatur nachweisen, sondern auch das Prinzip der perspektivischen Tiefe im Unterschied zur bloßen Flächenhaftigkeit der Renaissance.

Mit der speziellen Verschmelzung von Licht und Dunkel, die der Barockmaler durch sein « chiaroscuro » ausdrückt, dringen wir tiefer in die grundlegende Begriffswelt der Gegenreformation ein, für die das Hinüberfließen des himmlischen Lichts in das Todesdunkel das eschatologische, metaphysische, sittliche und künstlerische Thema par excellence darstellt. Diese Vorliebe des Barock ist etwas anderes als die Vorliebe der Romantik für die Betonung des Nächtlichen an sich. Das Werk Michelangelos ebenso wie das von Rembrandt ist durchdrungen von diesem Motiv:

> So weak is Night that if our hand extend
> A glimmering torch, her shadow disappear.
> So kraftlos ist die Nacht, daß ihre Schatten schwinden,
> wenn unsere Hand eine glimmende Fackel hält.[81]

Gerade mit Hilfe des Spiels von Licht und Schatten, von Mondschein und Sternengefunkel in der Dunkelheit entfaltet sich bei

---

[79] Leo Spitzer, Die klassische Dämpfung, loc. cit., 267.
[80] Pierre Brisson, Les deux visages de Racine (Paris, 1944), 62.
[81] G. Grillo, Poets at the Court of Ferrara, 128.

Tasso eine erhabene Mondscheinpoesie, was seiner Lieddichtung die eigene Atmosphäre verleiht.[82] Er spricht vom Schleier der Nacht, der durch Purpurnebel rot getönt ist (Ger. IX, 15), von ihrem bräunlich-trüben Schimmer (XVIII, 13), ihrem Sternenschleier und Strahlenglanz (VI, 103); er zeigt den Leichnam des Sveno im Lichte der „nächtlichen Sonne", durch die „jede seiner Wunden in Glanz und Schimmer glüht". (« Ch'ogni sua piaga ne sfavilla e splende », VIII, 32.)

Vom Hell-Dunkel sind auch die Spanier des Barockzeitalters fasziniert. Nicht nur Góngora zeigt die nächtliche Spiegelung von Fackellicht im Wasser:

> Fanal es del arroyo cada onda,
> Luz el reflejo, la agua vidriera. (Soledad primera, 675—676)
> Und jede Bacheswelle wird zum Feuerzeichen,
> die Spiegelung zu Licht, das Wasser zu Spiegelglas.

Auch Cervantes zeigt mit Ergötzen bei der Scheintodkomödie der Altisidora „den Hof ringsum, in dem an die hundert Fackeln brannten, . . . so daß man trotz der etwas düsteren Nacht das Fehlen des Tageslichts nicht bemerkte" (DQ, II, 69). Die Nacht der herzoglichen Jagdpartie ist „eine Nacht . . ., die nicht sehr hell war . . ., jedoch ein gewisses Hell-Dunkel — « un cierto claro escuro » — . . . verbreitete" (II, 34). Als Don Quijote in El Toboso einzog, „war die Nacht halbhell" (« entreclara », II, 9). Cervantes zeigt auch gern dunkle Innenräume, die plötzlich von Leuten mit Lichtern betreten werden (I, 16; II, 47) oder „Mönche in weißen Kutten" als helle Punkte in der von Fackeln erhellten Finsternis (I, 19). Die Schönheit Luscindas wird hervorgehoben, wenn man sie „eines Nachts beim Schein einer Kerze an einem Fenster" erblickt (I, 24). Dieser Rembrandtsche Effekt ist die Ursache, daß Fernando sich hoffnungslos in sie verliebt, obgleich sie seinem Freund versprochen ist. Genau das gleiche geschieht mit Junie, wenn Nero sie das erstemal erblickt:

> Cette nuit . . .
>   levant au ciel ses yeux mouillés de larmes

[82] T. Spoerri, op. cit., 20—21.

> Qui brillaient au travers des flambeaux et des armes.
>   (Brit., II, 2: 386—88)
> Als nächtlich ...
>   ihre tränenden Augen erhoben zum Himmel
> überstrahlten der Fackeln und Waffen Gewimmel.

Racine teilt in der Tat mit Corneille dessen Schwäche für

> Cette obscure clarté qui tombe des étoiles
> Jene dunkle Helle, die aus den Sternen stürzt.

Darum zeigt er Pyrrhus beim nächtlichen Betreten des Palastes der
Trojaner, wie er im Feuerschein der brennenden Häuser in Blut
watet — ein entscheidendes Erinnerungsbild, wodurch es Andromache unmöglich wird, ihn zu lieben (Andromaque, III, viii,
997—1000). Auf der anderen Seite zeigt er Titus bei einer nächtlichen Heerschau mit Fackeln, römischen Adlern, Rutenbündeln und
großen Mengen von Waffen während „jener entflammten Nacht"
(« cette nuit enflammée »), was dazu führte, daß Bérénice endgültig ihre Liebe zu der Größe und dem Glanz des Römerkaisers
entdeckte (Bérénice, I, v, 301—317). Marcel Chicoteau kommt das
Verdienst zu, entdeckt zu haben, daß in ›Phèdre‹ ein symbolisches
» clair-obscur «, wie er wörtlich sagt, sogar das Gleichgewicht des
Dramas herstellt, weil Phaedra zwischen der Sonne der Gnade und
der Höllenmacht der Sünde bloß den « demi-jour » der Reue wählen kann.[83]

Die Verschmelzung des Lichts findet ihre akustische Entsprechung
in der Verkettung der Laute zu Echoklängen. Da die großen Kunstwerke des Barock auf dem musikalischen Prinzip der Motivstruktur und der symphonischen Struktur wohlklingender Elemente
beruhen,[84] ist das Echo ein konsequentes und wiederkehrendes Stil-
element, eine Parallele zu dem Plätschern der Kaskaden und dem
künstlich herbeigeführten Echo in den barocken Gartenanlagen.
Tatsächlich hat Wölfflin behauptet, das Rauschen von Wasser und

[83] Marcel Chicoteau, Phèdre et les poisons: un thème de méditation tiré
d'Euripide, Comparative Literature I (1949), 59—66.
[84] Für Cervantes siehe H. Hatzfeld, Don Quijote als Wortkunstwerk
(Leipzig, 1927); für Tasso T. Spoerri, Renaissance und Barock; für
Racine L. Spitzer, Linguistics, 94 und 126, Anm. 3.

von Bäumen sei ein fundamentales Element des Barock. Er nennt es in deutsch „das Rauschen".

Wenn also die traditionellen Redefiguren Anapher, Figura etymologica, Wortspiel, Annominatio, Parechese, Paronomasie und Paronymie so etwas wie einen zweiten Lenz erleben, nachdem sie den hohen Stil der mittelalterlichen Hymnen und Sequenzen bestimmt hatten, so liegt das sicherlich an ihrem echoartigen Wesen. Bei Tasso findet man zahlreiche Zeilen dieser Art.

> *Pianger* ben merti ogn*or*, s'*ora* non *piangi* (Ger., III, 8)
> *Percosso* il cavalier non *ripercote* (III, 24)
> Ahi! Tanto *amó* la non *amante amata* (II, 28)
> Ch'io preghi ... come *amante amante* deve (XVI, 43)
> E scoprir la mia *tema* anco *temea* (IV, 51)
> Ma il suo *voler* più nel *voler* s'infiamma
> Del suo signor (I, 18)

Die letzte Zeile sieht fast so aus wie das Muster zu Malherbes berühmtem Vers:

> *Vouloir* ce que Dieu *veut* est la seule science ...[85]

In Spanien spielt Dámaso Alonso auf den barocken Echostil mit dieser Kennzeichnung an: „Wiederholung, ständige Wiederholung, ständige Variation."[86] Juan Díaz Rengifo empfiehlt in seinem typisch barocken Regelbuch ›Arte poética española‹ (mit dem Titelzusatz ›nebst einer frommen Ermunterung zur Liebe Gottes‹) alle Arten von Poesie „mit Echos" oder sogar „in Echoform". Er empfiehlt so drastische Muster wie dieses:

> ... piedad, Musa,
> Usa, y mi ignorante estilo,
> Ilo [hilo] por tan larga calle
> Halle.[87]

---

[85] „Malherbe ... hat vielleicht etwas von der Harmonie und der Anmut seiner Verse bei Tasso gelernt" (Vianey), zitiert bei C. B. Beall, op. cit., 75.

[86] Dámaso Alonso, Ensayos, 64.

[87] Juan Díaz Rengifo, Arte poética española con una fertilísima sylva de consonantes comunes, proprios, esdrúxulos, y reflexos, y un divino

Das rechtfertigt den humoristischen Echostil des Cervantes: « *aca-bar* su libro con ... la *inacabable* aventura « (DQ, I, 1). « Le *dejaron* de *tirar* y él *dejó retirar* a los heridos » (I, 3). « La voz ... *canta* quę *encanta* » (I, 6). « *Procurar* la *cura* de su *locura* » (I, 46). « Desvali*jando* a la *valija* » (I, 23). « Algún *caminante* desca*minado* » (I, 23).

In Frankreich erhalten die Echos obigen Typs von Malherbe wie:

> *Rose* elle a vécu ce que vivent les *roses,*

bei Racine dann feine Abschattierungen dank seiner besonderen Musikalität.[88] Das wurde durch die Analyse von Versen wie:

> Une femme *mourante* et qui cherche à *mourir* (Phèdre)
> Tu *vis* mon désespoir et tu m'as *vu* de*puis* (Mithridate)

von Maurice Grammont sichtbar gemacht. Das Wortecho wird hier zu einem Silbenecho, wie das auch in den [u] : [y] Echos des bekannten Verses der Phèdre der Fall ist:

> Ariane, ma sœur, de quel *amour* blessée
> *Vous mourûtes* aux bords *où vous fûtes* laissée! (Phèdre)

Dieser Echostil bildet den Gipfel der Barockvirtuosität. Bei Racine gibt es laut J. G. Krafft „ein vorgegebenes und unterbewußtes Echo", das Phädras kommendes Schicksal ankündigt, „ein Echo der Vokale, die die Verse zum Klingen bringen", sowie „ein Echo des Wirklichen im Ewigen", das den Franzosen ankündigt, daß das, was sich in Griechenland zugetragen hat, auch in Frankreich und allerorten geschehen wird.[89]

Diese Deutungen des Echos, die zwar schon in sich schlüssig sind, finden ihre stärkste Stütze in dem Echo-Bewußtsein der Barockautoren selber. Für Tasso ist das Leben wirklich das, was es auch

estímulo de el Amor de Dios (Barcelona, María Angela Martí, Viuda, 1759), 61.

[88] Brisson, op. cit., 49.

[89] Jacques G. Krafft, La Forme et l'idée en poésie (Paris, 1944), 110—112. Siehe auch das umfassende Kapitel ›L'Echo‹, in: J.-G. Cahen, Le Vocabulaire de Racine (Paris, 1946), 176—192 (= RLR, XVI, 1940—45, 1—249).

für Calderón ist, nämlich „ein Echo, ein Traum, eher noch der Schatten eines Traums":

> Un eco, un sogno, anzi del sogno un'ombra [90]

Ihn erfreut der Trompetenstoß der Signaltrompete, der von der Natur ringsum als Echo widerhallt, was er lautmalend ausdrückt:

> Quando a cantar la mattutina tromba
> Comincia: A l'arme; A l'arme, il ciel rimbomba (Ger., XI, 19)
> [zu den Waffen!] die Drommete dröhnt,
> und: zu den Waffen! rings der Himmel tönt

Ihn entzücken die Hymnen einer Prozession, deren Echo Berge und Höhlen zurückwerfen (IV, 1), so daß man „klar vernehmen konnte, wie der große Name Christi oder Mariens als Antwort wiederkehrte":

> Si chiaramente replicar s'udia
> Or di Cristo il gran nome, or di Maria (Ger., XI, 11).

Cervantes sagt uns, daß „das schmerzensreiche wie tränenvolle Echo" (« la dolorosa y húmida Eco », DQ, I, 26) Doroteas Klagen über unerwiderte Liebe zurückgibt:

> Y sus males ¿quién los cura?
> Locura. (I, 27)
> Und ihre Leiden, wer heilt die? der Wahn!

Und dasselbe widerfährt dem phantasievollen Schäfer, den seine angebetete Leandra verlassen hat: „Das Echo wiederholt den Namen Leandras, wo immer es sich bilden kann: ‚Leandra' hallt es von den Bergen, ‚Leandra' flüstern die Bäche und Leandra hält uns alle in Staunen gebannt" (DQ, I, 51). Sancho Panza hat ein ganz spezielles Interesse am Echo: „Als ich einen Eselsschrei ausstieß, schrieen alle Esel im Dorf ... und er begann so schrill zu schreien, daß es aus allen Tälern in der Nähe widerhallte" (DQ, II, 27). Zusammen mit diesen Echos spiegelt der ganze ›Don Quijote‹ geradezu

---

[90] Spoerri, op. cit., 21.

Wölfflins „Rauschen" der Bäume und des Wassers wider; « confuso estruendo de árboles » und « ruido de agua » (I, 20).

Racines Echo liegt auf einem höheren psychologischen Niveau, aber es ist als Widerhall — « retentissement » — durchaus präsent. Der verliebte Hippolyte wird wegen der Vernachlässigung seiner körperlichen Ertüchtigung von Théramène getadelt; an diese erinnert das Echo von Ausrufen:

> Les forêts de nos cris moins souvent retentissent ... (I, 2)
> Im Wald klingt seltner der Jagdlärm wider ...

und Hippolyte klagt:

> Mes seuls gémissements font retentir les bois (II, 2)
> Meine Klagen nur noch in den Wäldern ertönen.

Das Paradoxe

Die Literatur des Barock wird ferner beherrscht von einer äußerst engen Verschmelzung des Rationalen mit dem Irrationalen. Die Ausdrucksformen dieser Fusion sind das Paradoxon und das Oxymoron. Während die Renaissance mit ihrem typischen Vertreter Ariost sich in einer makellosen rationalen Klarheit bewegte, trat die Gegenreformation für die Paradoxie des Glaubensmysteriums ein, da es dem menschlichen rationalen Denken überlegen schien. Die ganze geistige Unruhe des christlichen Strebens nach einem Ausgleich zwischen Glauben und Vernunft schlägt sich in einem Stil nieder, den Schmarsow als den Kontrast zwischen Wunsch und Erfüllung, unten und oben, außen und innen kennzeichnet.[91] Das Paradoxe bringt literarische Gestalten wie Rinaldo hervor, einen frommen Helden, der dennoch sich in den Liebesschlingen einer Armida verstrickt; oder einen guten, vernünftigen Menschen wie Alonso Quijano, der [als Don Quijote] das Opfer seiner närrischen Lektüre wird; oder eine züchtige Frau wie Phèdre, die mit aller Kraft gegen das Böse ankämpft, in ihrem Herzen aber ehebrecherisch, blutschänderisch, eifersüchtig und zu einer Mörderin wird.

---

[91] August Schmarsow, Barock und Rokoko (Leipzig, 1897), 52, 123.

Die Gestaltung solcher Charaktere war gewiß auch von Aristoteles angeregt worden, nämlich von seiner Bemerkung über die literarischen Figuren von konsistenter Inkonsistenz,[92] die im höchsten Grade „Furcht und Mitleid" erregen.[93] Doch hätte Aristoteles niemals an eine Figur wie Tassos Silvia gedacht, die vor Aminta, dem Mann, den sie brennend zu besitzen begehrt, sogar in dem Augenblick flieht, als er sie aus den Fängen eines Satyrs zur Bewahrung ihrer stolzen Jungfräulichkeit rettet. Das ist echt barockes Empfinden für eine Mischung widersprüchlicher Gefühle, die in der Sprache auch in Ausdrücken wie: «onesta baldanza» ('ehrbare Kühnheit', Ger., II, 20), «magnanima menzogna» ('großherzige Lüge', II, 22), «dura quiete» ('harte Ruhe', III, 45), «lieto pianto» ('frohes Weinen', XII, 10), «libertate amara» ('bittere Freiheit'), «dolci martiri» ('süße Marter'), etc. in den Vordergrund rücken. Viele Dinge und Vorfälle werden als wundersam oder seltsam bezeichnet («strano, peregrino», I, 77), womit auf deren paradoxe Natur angespielt wird.

Das Paradoxon des «cuerdo-loco» des weisen Narren Don Quijote wird von Cervantes selbst hervorgehoben: „Seine Worte waren vernünftig, anmutig und wohlgesetzt und seine Taten waren verrückt, tollkühn und närrisch." (DQ, II, 17) Darum ist jedermann über seine „vernünftigen Narreteien" («concertados disparates», I, 50) erstaunt. Marcel Bataillon hat gezeigt, in welcher Weise Cervantes' Auffassung des Paradoxen sich in seiner Vorliebe für Don Quijotes kunstvolle Reden niederschlägt, die, wie packend sie auch sein mögen, dennoch durch das kurze Finale des illusionszerstörenden «desengaño» ins Lächerliche gezogen werden. Es ist paradox, daß der humorvolle Freimut des Cervantes sich durchaus mit den strengen Moralbegriffen seines fast puritanisch-frommen Humanismus und mit seiner aufrechten Rechtgläubigkeit verträgt.[94] Ganz im Gegensatz zu dem, was seine Kommentatoren feststellen, findet Cervantes auch alles geheimnisvoll, paradox und seltsam: „seltsame Neigung" («estraño gusto», I, 1),

---

[92] Aristotle, Poetics (Loeb Classical Library), Kap. 14, 64.
[93] Ebd., Kap. 13, 48.
[94] Marcel Bataillon, Erasme et l'Espagne (Paris, 1937), 823, 838.

„absonderliche Geschichte" (« peregrina historia », I, 2), „seltsame
Gesichte" (« extraña visión », I, 19), „merkwürdiger Vorfall"
(« extraño caso », II, 47; II, 63), „seltsames Abenteuer" (« extraña
aventura», I, 23), „seltsamer Umweg" (« extraño rodeo », II, 63),
„das Befremdliche seiner großen Narrheit" (« la extrañeza de su
grande locura », I, 49).

Noch besser sind wir über das Paradoxe bei Racine unterrichtet.
Pierre Brisson hat uns den ruhelosen Racine als „den Christen, der
von einem unerbittlichen Gott beherrscht wird"[95] dargestellt;
Theophil Spoerri spricht von dem religiösen Racine, der paradoxer-
weise gespalten ist in Leben und Herrschen (« vivre et régner »)[96];
Pierre Guéguen präsentiert uns einen weiteren widerspruchsvollen
Racine, der die Leidenschaften liebt, die er zu kurieren versucht.[97]
Henri Bremond[98] und Erika R. Freudemann[99] haben hübsche Li-
sten von Oxymora aufgestellt, in denen sich Racines Paradoxie
ausdrückt, z. B. in Wendungen wie „tückische Güte" (« perfide
bonté »), „mörderische Gunstbezeigungen" (« faveurs meurtrières »),
„hochmütige Schwäche" (« orgueilleuse faiblesse »), „nie geehelichte
Witwe" (« veuve sans avoir eu d'époux ») und in Sätzen dieses
Typs:

> Présente je vous fuis, absente je vous trouve (Phèdre)
> Toujours prête à partir, et demeurante toujours (Andr.)
> Dans une longue enfance ils l'auraient fait vieillir (Brit.)
> Euch nahe, flieh ich euch, euch ferne, find ich euch.
> Stets bereit zu ziehen und doch stets verweilend.
> In einer langen Kindheit hätten sie ihn altern lassen.

Leo Spitzer endlich hat alle Paradoxa in ›Phèdre‹ durchleuchtet,
ein Drama, das er als den Idealtyp einer „barocken Tragödie der
Desillusionen" voll von „willkürlichen Vieldeutigkeiten" bezeich-

---

[95] Brisson, op. cit., 9.

[96] Theophil Spoerri, Trieb und Geist bei Racine, in: Archiv für das
Studium der neueren Sprachen (1933), 60—80.

[97] Pierre Guéguen, Poésie de Racine: Les tragédies nautiques: Les
Passions (Paris, 1946).

[98] H. Bremond, Racine et Valéry (Paris, 1926).

[99] Erika Ruth Freudemann, Das Adjektiv und seine Ausdruckswerte
im Stil Racines (Berlin, 1941).

net, wo die Götter gerade diejenigen verfolgen, die sie scheinbar
begünstigen. Selbst das Paradoxon der unnatürlichen Natur wird
durch paradoxe Ausdrücke wiedergegeben (z. B. « montagne hu-
mide », „nasser Berg", zur Bezeichnung einer hohen Woge): Die
antagonistischen Sinnes- und Verstandeskräfte, Anarchie und Ordnung, finden so ein sprachliches Äquivalent, damit ein ausgewoge-
nes Gleichgewicht erhalten bleibt. Phaedra, „ein inkarniertes Oxymoron", die „Tochter des Minos und der Pasiphae", entpuppt sich
in ihren Reden als „eine durch Harmonie der Form bezwungene
Disharmonie",[100] oder, wie das Krafft andersherum ausgedrückt
hat, „ein Schatten, der vom Endlichen auf das Unendliche fällt"[101].
Dieses Racinesche metaphysische Paradoxon gab es schon zu Beginn der Barockzeit, als die hl. Teresa von Avila seufzte: « Que
muero porque no muero », „Denn ich sterbe, weil ich nicht sterbe".

Majestät und Erhabenheit

In der Zeit der Gegenreformation und des Absolutismus wurde
Gott von der gleichen Santa Teresa als „seine göttliche Majestät"
(« su divina majestad ») bezeichnet. Gott und die Könige wurden
gleichermaßen als Majestäten angesehen und mit einem prunkvollen Hofstil umgeben. Die gleichen Menschen, die sich als schwäch-
liche Marionetten in der Hand Gottes vorkamen, entwickelten
einen Sinn für Glanz und Herrlichkeit, Großartigkeit und Pomp,
der auf den inneren Überzeugungen eines Wesens beruht, das von
höheren, ewigen Mächten abhängt. Karl Vossler nannte dies einmal „Majestät des Gewissens".[102] Es gibt deshalb im Barock ein
gewisses Pathos, das die ganze Gesellschaft erfaßt,[103] und erst recht
die Schriftsteller, die nach den rechten Gelegenheiten dürsten, dieses
zur Schau tragen zu können. Hier herrscht nicht der schlechte Ge-

---

[100] Leo Spitzer, Linguistics (Princeton, 1948), vor allem S. 88—90.

[101] Krafft, op. cit., 112.

[102] Karl Vossler, Die Antike und die Bühnendichtung der Romanen
(Vorträge der Bibl. Warburg, VII), 19.

[103] Emil Staiger, Grundbegriffe der Poetik (Zürich, 1946), 168—169.

schmack eines eventuellen literarischen « churriguerismo » [eines Schwulststils analog zum Baustil eines Churriguera]; und als Boileau vom „Flitterwerk eines Tasso" sprach (« clinquant du Tasse », Sat., IX, 176), ahnte er nicht, was René Bray in unseren Tagen entdeckt hat, daß es nämlich Tasso war, der den Hauptbeitrag zur Ausbildung der Theorie des Klassizismus in Frankreich geleistet hat.[104] Von Tasso angefangen bis zu Racine existiert ein Gefühl für das Großartige von Prunk und Prachtentfaltung, für Paläste und Festlichkeiten, für Prozessionen und Militärparaden, insbesondere gibt es aber ein Empfinden für die erreichbare innere Größe des einzelnen, die man Großmütigkeit oder Hochherzigkeit nennt.

Diese barocke Haltung des Majestätischen hat, wie Spoerri nachgewiesen hat,[105] eine ihrer Ausdrucksformen in den superlativischen Epitheta in Tassos ›Gerusalemme‹ gefunden: « gran, eccelso, smisurato, inusitato, enfiato, tumido, gravissimo » ('groß, erhaben, unermeßlich, ungebräuchlich, aufgeblasen, geschwollen, imposant'). Diesen könnte man weitere hinzufügen wie: « nobilissimo » (I, 60), « magnanimo » (V, 2), « estremo » (V, 12), « glorioso » (I, 1), « augusto » (I, 22), « alto » (I, 43), « intrepido » (I, 45), « solenne » (I, 20) usw. („sehr edel, hochherzig, außerordentlich, ruhmreich, ehrwürdig, erhaben, unerschrocken, feierlich"), die ein besonderes Gewicht erhalten, wenn sie imposante Persönlichkeiten charakterisieren. So z. B. « sublim » bzw. „wunderbar" in:

Armida . . . sublime in un gran carro assisa (Ger., XVII, 33)
Meravigliosa . . . d'abito, di maniere e di sembiante (XVII, 36).
Armida . . . auf hohem Wagen, herrlich in Erscheinung
Ein Wunder . . . an Gestalt, wie sie sich hält und
wie sie sich geschmückt.

Von Rinaldo heißt es, daß er beim Paraderitt mit „sanfter Wildheit" die königliche Stirn hebt:

Dolcemente feroce alzar la regal fronte (I, 58)

---

[104] R. Bray, La Formation de la doctrine classique en France (Lausanne, 1931), und Chandler Beall, op. cit., 82.

[105] Spoerri, op. cit., 22—32.

Goffredo erscheint bei der Versammlung der Generäle mit „erlauch-
tem Antlitz" und „wohlklingender Rede":

> Augusto in volto ed in sermon sonoro (I, 20)

Argante, der gefährliche Gegner, wird in jeder Hinsicht „groß"
und mit „stolzer und drohender Miene" gezeigt:

> Per gran cor, per gran corpo e per gran posse
> Superbo e minaccevole in sembiante (VI, 23)
> An Herzen groß, an Körper, an Vermögen,
> Stolz, drohend an Gebärd und zornentbrannt

Gemäßigte Hyperbata dieser Art:

> Penetrar sin dove
> Fuor d'incognito fonte il Nilo move (V, 52)
> Ägypten zu durchziehen, bis wo die Welle
> des Nils entströmt der unentdeckten Quelle

und latinisierende Verschränkungen:

> Queste sacre ed al ciel dilette mura (IV, 69)
> Die heilige und gottgeliebte Stadt.

bilden eine feierliche Periphrase und erhöhen zusätzlich das Großartige des barocken Stils. Die metonymische Umschreibung an sich
und in jeder Form unterstreicht das Grandiose. Deshalb nennt er
den Feind „feindlichen Stahl" (« ferro ostile », IV, 40), den Leib
„sterbliche Hülle" (« il mortal velo », IV, 44), einen wagemutigen
Helden « L'uomo a fere imprese avvezzo » (I, 67).

Ohne Zweifel entspricht die barocke Praxis Tassos genau der
Regel von Cervantes: „Danach trachten, ... daß durch bedeutsame, geziemende und wohlgesetzte Worte eure Sprache und Rede
wohlklingend und feierlich wirken" (DQ, I, Prológo). Bei all seinem Humor soll der ›Don Quijote‹ auch auf wohlklingende und
ernste Weise „eine hochtrabende, hehre, bedeutungsgeladene, großartige ... Geschichte" sein (« grandilocua, alta, insigne, magnifica »,
II, 3), die auch „außerordentlich feierlich und hochtrabend" (« gra-
vissima, altisonante », I, 22) ist. Diese Empfindung steckt in Cervantes, ob er es will oder nicht. Gleich Tasso liebt Cervantes die

prunkvolle Beschreibung von allem, was „großartig und prächtig"
ist («magnífico y grande», II, 13), die „Großartigkeiten und Selt-
samkeiten" («grandezas y extrañezas», I, 20), die „mächtige
Kriegsrüstung" («el grandísimo aparate de guerra», I, 38), die
„höchst feierlichen Turniere" («solemnísimas justas», II, 4), meistens gesehen in der vergrößernden Sicht des majestätischen Ritters,
der in höchst pompöser Phraseologie „der niemals wie sich's gebührt
gepriesene Don Quijote de la Mancha" genannt wird, der nicht
möchte, „daß man die Erhabenheit der Großen engherzig abzirkele"
(II, 31).

Humor ist nur eine dünne Maske, hinter der sich das Ergötzen
des Cervantes an diesem metonymisch umschreibenden Barockstil
kaum verbirgt, wenn er selbst und nicht sein Held Don Quijote
nach einem anstrengenden Abenteuer spricht: „Dem Staub und der
Ermattung eilte eine klare Quelle zu Hilfe" (II, 59) oder wenn er
über das Ausbleiben der Niederschläge in einem trockenen Sommer
spricht: „In jenem Jahr hatten die Wolken der Erde ihren Tau ver-
weigert" (I, 52). Und Don Quijote wetteifert mit den rhythmisch-
sten und melodiösesten Wendungen Tassos, wenn er die „Hütten,
die auf unbehauenen Pfählen ruhen", preist («las casas sobre
rústicas estacas sustentadas», I, 11), wobei das schwingende Echo
der Vokale in Ortsnamen wie Guadalajara anklingt oder wenn er
vermeint, auf der Hochebene Feinde zu erblicken wie «el nunca
medroso Brandabarbarán de Boliche» ('den niemals Furchtsamen')
bzw. «el siempre vencedor y jamás vencido Timonel de Carcajona»
('den immer Siegreichen und nie Besiegten', I, 18). An diesen Stellen imitiert er, wie Cervantes selber sagt (I, 2), die Sprache der
Ritterromane, allerdings in einer majestätischen Barockform, welche
die 'Amadís'-Romane nicht kennen. Seine würdevollen Superlative
sind nicht weniger gedämpft, um Spitzers Ausdrucksweise zu gebrauchen, als die eines Racine, wenn er von „einem sehr tapferen
und sehr berühmten Ritter" spricht («un *tan* valiente y *tan* nom-
brado cabellero», I, 9) oder von jenen „ach so unseligen Zeiten"
(«estos *tan* calamitosos tiempos», I, 9). Trotz der Parodie des Heldischen steckt, wie bei Racine, majestätische Würde in seinen großartig klingenden Imperativen, die in seltene, höfische und glatte
Konjunktive gefaßt sind: „Nichts anderes begehre ich, als daß ihr

nach Toboso zurückkehret ... und euch jener Herrin präsentieret...
und ihr verkündet, was ich vollbracht" (I, 8).

Die gleiche barocke Würde herrscht bei Racine vor. Auch bei ihm
erweisen sich die Stellen bombastischer Schulrhetorik, „la pompe
d'école" in Brissons Terminologie, als „Kadenzen ... die den
Widerhall einer bestimmten Empfindung über das Erklärliche hin-
austragen"[106]. Diese Effektwirkung beruht, wie Erika Freudemann
gezeigt hat,[107] auch auf den zahllosen Epitheta, die in Form und
Gehalt Majestät ausstrahlen, wie z. B.:

généreux	étincelant	divin	fier
précieux	vaillant	céleste	magnanime
dédaigneux	puissant	altier	parfait
pompeux	royal	solennel	inflexible
majestueux	austère	immortel	haut
magnifique	insigne	rare	grand
formidable	riche	immense	sublime
terrible	célèbre	extrême	souverain
redoutable	illustre	noble	absolu
brillant	intrépide	superbe	suprême
éclatant	unique	sacré	

Diese Adjektive erfahren im Textzusammenhang noch eine Aufwertung, zumal sie mit Substantiven abwechseln, die die gleiche
Großartigkeit und Erhabenheit ausdrücken. Genau wie bei Cervantes erstrahlen diese Wörter wie Gold, Juwelen oder leuchtende
Barockfarben in ihrem Glanz, auch wenn dessen Eitelkeit — vor
deren Versuchung die erneuerte katholische Welt stets auf der Hut
war — teilweise durchschaut wird. So z. B. in Agamemnons Rede:

> Charmé de mon pouvoir et plein de ma grandeur
> Ces noms de roi des rois et de chef de la Grèce
> Chatouillaient de mon cœur l'orgueilleuse faiblesse.
> (Iphigénie, I, 1, 82)

> [Mich selbst, ...]
> Ein Gefühl meiner Größe und Macht überkam.
> Mich König der Könige nennen zu hören,
> Vermochte mein hoffärtig Herz zu betören.

[106] Brisson, op. cit., 50—51.
[107] E. R. Freudemann, op. cit., 59, 69, 121.

Wenn der gleiche Agamemnon Klytämnestra vom Griechenlager fernzuhalten trachtet, antwortet sie ihm mit Worten von nicht weniger faszinierender Erhabenheit, die allerdings durch ihre Selbstgefälligkeit unfein klingen:

> Dans quel palais superbe et plein de ma grandeur
> Puis-je jamais paraître avec plus de splendeur?
> (Iphigénie, III, 1, 807—8)
> In welchen Palastes erhabener Pracht
> Kann ich jemals erscheinen mit größerer Macht?

Um nachzuweisen, wie tief dieser Sinn für Würde und heroische Größe in barocken Seelen verwurzelt war, können wir aus Bossuets Leichenrede an der Bahre des großen Condé zitieren: „Zeigen wir an diesem bewunderten Fürsten, ... was den Gipfel des Ruhms dieser Welt ausmacht: Tapferkeit, Hochherzigkeit, Größe und Erhabenheit des Geistes" (Oraison funèbre du Grand Condé).

Der gemäßigte Racine hat mit Tasso und Cervantes jene Bilder gemeinsam, welche den implizierten Bildsinn überanstrengen und die Dámaso Alonso im Zusammenhang mit Góngora als „erschöpfende Bilder" oder „überzogene Metaphern", «imágenes agotadoras», bezeichnet hat. Spitzer definiert diese bei der Definition des Preziösen als „bis zum logischen Ende geführte Metaphern" («une métaphore suivie jusqu'au bout») und zitiert das Beispiel: [108]

> Le flot qui l'apporta, recule, épouvanté.
> Die Woge, die ihn trug, sie weicht erschreckt zurück.

Gerhard Rohlfs hat nachgewiesen,[109] daß auch Racine, ähnlich wie Tasso und Cervantes in ihren homerischen Katalogen, eine Vorliebe für das Konzert aus ungewöhnlichen, hochtrabenden Namen hat:

> Daces, Pannoniens, la fière Germanie (Mithridate)
> Procruste, Cercyon, Scirron et Sinaïs (Phèdre, I, 1)

und nicht zu vergessen ist:

> La fille de Minos et de Pasiphaé.

[108] L. Spitzer, op. cit., 115.
[109] Rohlfs, op. cit., 210.

Individuelle Würde und der Kampf zwischen Tugend
und Leidenschaft

In dieser Atmosphäre von Majestät und Größe treffen wir jene aristotelischen Helden, die weder völlig gut noch völlig schlecht sind. Sie können weder Sünder noch Heilige sein. In dem geistigen Klima der Gegenreformation jedoch weicht die humanistische *aurea mediocritas* und macht einer Tendenz Platz, die nach oben in Richtung auf Opfersinn und Seelenadel weist. Diese einzigartige Spannung zwischen Aristoteles und dem Reformgeist des Tridentinums scheint für das unstabile barocke Gleichgewicht zwischen Tugend und Schwäche verantwortlich zu sein, wobei die Tugend als Regel und Sünde als die Ausnahme erscheint — eine Situation, die der Erhabenheit im Roman des romanischen Barock förderlich war. Diese vieldiskutierte Frage läßt sich anhand einiger weiblicher Figuren bei Tasso, Cervantes und Racine illustrieren, die wie Töchter aus der gleichen Familie aussehen. Was die Clorinda, Erminia, Sofronia oder Gildippe eines Tasso mit der Dorotea, Doña Clara, Zoraïda oder Ana Félix eines Cervantes und mit der Bérénice, Monime, Atalide oder Esther eines Racine verbindet, sind Würde und eine Reinheit, die manchmal bis zur Schwäche gehen kann, wie Victor Cousin meinte.[110] Für sie ist Erliegen in einer Versuchung das vorübergehende Nachlassen einer gewohnheitsmäßigen extremen Wachsamkeit. Diese Figuren, ein „Schwarm von unschuldigen Schönen" (Esther), illustrieren laut Cervantes „die Schamhaftigkeit und Züchtigkeit der Jungfrauen" (DQ, II, 57) oder „ein schamhaftes Feuer" (Phèdre, I, 1), wie Racine sagt, oder „eine schlichte Größe, ... die aus dem Herzen kommt", wie La Bruyère meint (Caractères).

Diese Frauengestalten mit ihrer Selbstachtung und Züchtigkeit, ihrem Sinn für Pflicht und Ehre verfolgen mit Energie ihre rechtmäßigen Interessen: die tapfere Clorinda gegenüber Tancredi, die kluge Dorotea gegenüber Fernando, die diplomatische Andromache gegenüber Pyrrhus. Sie sind zwar schön, aber ohne sich darauf allzuviel zugute zu tun, wie Sofronia, eine „Jungfrau, die ihre

[110] Freudemann, op. cit., 293.

Schönheit nur so weit achtete, als sie der Keuschheit würd'ge Zierde schafft" (Ger., II, 14), oder Bérénice mit ihrem „Bedürfnis zu gefallen ohne Berechnung" («soin de plaire sans art», Bér., II, 2) oder gar die imaginäre Dulcinea mit ihrer unbewußten ewig-weiblichen Geste: „sie hebt den Arm, um ihr Haar zu ordnen, obschon es gar nicht in Unordnung geraten ist" (DQ, II, 10).

Der Opfersinn, der für Corneilles Pauline und Chimène oder die Prinzessin von Kleve sprichwörtlich wurde, ist keineswegs Ausnahme, sondern Regel. Deshalb pflegt die leidenschaftliche Erminia den verwundeten Tancredi, ohne ihm auch nur ihre Liebe zu gestehen. Das augenscheinlich rücksichtslose Maurenmädchen Zoraïda gibt Vaterland, Familie, Sprache und Sitten auf, um die Frau eines Christen zu werden. In der sanften Monime, die ihrem Geliebten Xipharès gesteht, daß die Pflicht sie nicht an ihn, sondern an seinen alten Vater bindet (Mithridate, II, 6)[111], zeigt sich das gleiche „gehorsame Opfer" wie in Racines Iphigénie. Eine solche Haltung findet sich sogar bei männlichen Charakteren wie Vicente Torellos (DQ, II, 60), der freudig durch die wahnsinnige Eifersucht seiner Geliebten stirbt, oder bei Oreste (Andromaque), der „wenigstens zu lieben weiß, auch ohne daß man ihn liebt". Die weiblichen Opfer sind von religiösen Gefühlen durchdrungen, so daß sich Sofronia, Zoraïda oder Esther in wörtlichem Sinne als „sanfte und zärtliche Kinder Mariens" entpuppen.[112]

Das echt Weibliche an all diesen Heldinnen verbürgen die Ströme von Tränen, die durch ihre Leiden hervorgerufen werden, und es umfaßt die kindliche Liebe Doña Claras (DQ, I, 43) und Atalides (Bajazet), die eheliche pietas von Odoardos junger Frau Gildippe und der beispielhaften Mutter und Witwe Andromaque.

Diejenigen aber, die in die Netze der Sünde geraten, erlangen ihre menschliche Würde entweder durch Reue und Selbstvergessenheit zurück wie im Falle Armidas oder durch harten Kampf vor dem Erliegen, was ganz offensichtlich bei Cervantes' Camila der Fall ist, der „verfolgten Penelope" («perseguida Penélope», DQ, I, 34) oder bei Dorotea (I, 28), die zwischen „blinder Zuneigung" («ciega

---

[111] Rohlfs, op. cit., 203.
[112] Brisson, op. cit., 201—202.

afición») und „wahrer Liebe" («verdadero amor») hin und her
schwankt. Bei Phèdre, so weist Brisson nach, reicht die gewaltige
Anstrengung zu entsagen, die ihren Körper rein bleiben ließ, noch
nicht aus, um ihr vergiftetes Herz zu reinigen, so daß „die Grenzen
der strengen Sittsamkeit von ihr überschritten wurden" («De
l'austère pudeur les bornes sont passées»).[113]

Im Geist und Herzen dieser barocken Heldinnen, ob sie sich nun
erheben oder fallen, ist immer das Bild Gottes gegenwärtig. Auch
ohne die drastischen Mittel der spanischen «comedia» sind sie als
Gestalten jenes „Großen Welttheaters" vom Mysterium umgeben
und die Fäden dieser Figuren liegen in den Händen des Einen, der die
Tugend liebt und die Sünde haßt. Diese gegenreformatorische Sinnes-
haltung läßt diese ernsten Frauengestalten besonders barock erscheinen und so vollkommen verschieden im Vergleich zu den vielleicht
reizenderen, aber weniger problematischen Gestalten wie Nausikaa,
Ophelia, Cordelia und Portia.

Ergebnis

Diese allgemeinen Züge des romanischen Literaturbarocks schließen keineswegs nationale Unterschiede aus; im Gegenteil, sie haben
sie geradezu zur Voraussetzung. Die Möglichkeit, daß einige Haupt-
merkmale sich über ganz Europa verbreitet haben, mag von anderen untersucht werden. Wenn gewisse Charakteristika des Barocken in den germanischen und protestantischen Ländern gefunden
werden, die romanischen Zügen entsprechen, so können sie sekun-
däre Imitationen oder Adaptionen des südlichen, katholischen Barocks sein. In den romanischen Ländern ist das literarische Barock
jedoch, wie wir gesehen haben, ein lebendiger Stil, der durch den
aristotelischen Humanismus beseelt wird, der selbst durch das Konzil von Trient gefördert wurde. Die neuen moralistischen Tendenzen ließen die Schriftsteller ein stärkeres Augenmerk auf Probleme
wie Katharsis und auf die Bedeutung einer verfeinerten und sitt-
samen Sprache richten. Diese Tendenzen weiten sich zu einem
Kunstgefühl aus, das nach Auffassung und Darstellung vollkom-

[113] Ebd., 134—145.

men neu war. Die Darstellung wenigstens kann als Neigung zur
Verschmelzung beschrieben werden, im Gegensatz zu einer scharfen
Konturierung in literarischem Aufbau und Stil. Die typischen
Merkmale dafür sind das „Chiaroscuro" und die Echoeffekte. Dies
wiederum steht in völligem Einklang mit dem Paradoxon vom
Licht des „dunklen" Glaubens, einem weiteren wesentlichen Element des neuen metaphysisch „offenen Menschen" («l'homme
ouvert»), der im Gegensatz zur rationalen Klarheit des irdischen
in sich „geschlossenen Menschen" («homme clos») der Renaissance
steht. Der offene, von der Würde des Göttlichen erfüllte Mensch
mußte repräsentative Formen der Majestät und Erhabenheit gebrauchen, die wiederum stilistisch analysierbar sind. Seine bewußte
Verpflichtung, im Angesicht Gottes zu wandeln, wie es in der
Sprache des 17. Jahrhunderts ausgedrückt wird, in dem unstabilen
Gleichgewicht zwischen Tugend und Leidenschaft, räumt der Tugend eine klare Chance ein. Diese Tatsache rückt bei den weiblichen
literarischen Charakteren überzeugend in den Vordergrund. All
diese inneren und äußeren Merkmale zusammengenommen, ergeben
eine spontane, originelle und logische Konstellation, die einzigartig in
der Geschichte ist. Dieser Komplex von Stilzügen bildet, und das ist
über jeden Zweifel erhaben, einen *Stil,* den barocken Stil der romanischen und katholischen Länder Europas im 17. Jahrhundert.[114]

[114] Emile Simon, L'Esprit du Baroque, in: Mercure de France (Nov. 1,
1948), 484, Anm. 3, überträgt den Barockstil der bildenden Künste auf die
Kultur überhaupt: „Wir sehen, wie ... eine *barocke Staatsform* entsteht:
die absolute und christliche Monarchie ..., eine *barocke Politik*: d. h., um
mit Bossuet zu sprechen, ‚die aus der Heiligen Schrift abgeleitete Politik' ..., ein *barocker religiöser Orden*: der Jesuitenorden ..., eine *barocke
Sittenlehre*: gegen die sich gerade Pascal so heftig auflehnte; ein *barocker
Lebensstil*: der der Kirchenfürsten und der christlichen Adligen ... um,
wie sie sagen, die Größe Gottes auf Erden zu veranschaulichen ..., eine
barocke Literatur, deren beste Beispiele ... Calderon, Lope de Vega,
Tirso de Molina ..., Tasso, Shakespeare, Milton und auch ... Corneille
und Bossuet sind ...; eine *barocke Kleidung,* die, anstatt die Linien des
menschlichen Körperbaus zur Geltung zu bringen, diese gerade unter allem
möglichen Zierart verbirgt." Emile Simons Feststellungen unterstützen
unsere Analyse, ausgenommen natürlich seine irrige Gleichsetzung kasuisti-
scher Übertreibungen mit *barocker Sittenlehre.*

Comparative Literature, 5, 1953, S. 323—33. Ins Deutsche übersetzt von Ursula Beul.

„MANIERISMUS" UND „BAROCK": EIN SCHLICHTES PLÄDOYER

Von E. B. O. Borgerhoff

Die Begriffe „Manierismus" und „Barock" sind kontrovers, insbesondere wenn sie auf die Literatur angewendet werden; das gilt verstärkt, wenn man sie auf einzelne Nationalliteraturen oder Individuen bezieht. Was bedeuten die Begriffe, und wie können sie verwendet werden? Ohne versuchen zu wollen, die erste dieser Fragen ein für allemal zu beantworten, halte ich es für möglich, für die zweite Frage zu einem erfolgversprechenden Ansatz zu kommen. Zweifellos gibt es viele, die sich gewünscht hätten, die beiden Wörter wären niemals aufgekommen, und die trotzdem bereitwillig voraussetzen, daß an ihnen etwas sei, oder solche, die sie als lästig empfinden und sie notgedrungen in ihre Überlegungen einbeziehen, wenn auch nur, um zu erklären, warum sie sie ablehnen. Vor allem diese geplagten Menschen sind es, an die sich die vorliegenden Bemerkungen richten.

Philip Wadsworth hat bedauert, daß der Gebrauch, den ich von dem Begriff „Barock" mache, zu zaghaft gewesen sei.[1] Ich bin durchaus bereit, diesen Vorwurf zu akzeptieren. Solange der Begriff kontrovers bleibt, habe ich nicht die Absicht vorzugeben, er sei es nicht. Besonders verzwickt wird das Problem, wenn es um die französische Literatur geht, wo die Begriffe « préciosité » und « classicisme » traditionell zur Beschreibung der Stile des 17. Jahrhunderts verwendet werden. Ich habe keinen revolutionären Anschlag auf diese Wörter vor. Sie werden sich selbst zu behaupten wissen, wie ja auch der Begriff des Barock sich durchaus zu halten

---

[1] In einer Rezension von ›The Freedom of French Classicism‹, in: Modern Philology, XLIX (1951), S. 67.

vermochte. Diejenigen, die ihn nur allzu gern unterdrückt oder auf die bildenden Künste beschränkt hätten, haben nichts erreicht. Er ist noch immer lebendig, und in fruchtbarer Spannung zu ihm steht der Begriff „Manierismus". Deshalb schlage ich vor, diese Wörter in einer Weise zu verwenden, die mir angemessen scheint; dabei will ich jedoch nicht im mindesten darauf bestehen, daß sie auch von denen aufgegriffen werden sollten, für die sie nichts Rechtes zu leisten vermögen. Was sie leisten können, läßt sich möglicherweise zeigen, wenn man sie zu einigen einfachen und allgemeinen Begriffen aus den Bereichen Kunst und Kunstgeschichte in Beziehung setzt und dann zu erkennen versucht, was ein solches Beziehungsgefüge für die Literatur des 17. Jahrhunderts, insbesondere für die französische, hergibt.

Nach mehr als fünfzig Jahren der „Moderne" ist für die meisten noch heute diejenige literarische und künstlerische Tradition, die als die normalste, am leichtesten anzunehmende und verständlichste erscheint, die realistisch-naturalistische Tradition, die auf der Vorstellung beruht, daß Kunst eine mehr oder weniger einfache und direkte Imitation einer objektiven, allgemeinen und allgemein anerkannten Realität sei. Es handelt sich hier, kurz gesagt, um die klassische Tradition — deren moderner und speziell im 19. Jahrhundert geschaffener Ausdruck Realismus genannt wird. Wenn die Kunst des 20. Jahrhunderts von dieser klassisch-realistischen Norm Abschied genommen hat und wenn sie damit etwas Wahres über unsere Zeit zum Ausdruck bringt, dann hat sie damit noch keineswegs Tizian oder Cervantes unzugänglich, unverständlich oder gar lächerlich gemacht.

Dennoch weiß jeder, daß jegliche Kunst, die — gleichgültig, mit welchem Grad an Vollkommenheit ihr dies gelänge — einzig eine unmittelbare Imitation der Natur wäre, nur ein Ersatz für Realität sein könnte, etwas Totes und keineswegs Kunst in dem Sinn, in dem wir diesen Begriff verwenden. Pascals Bemerkung — « Quelle vanité que la peinture qui attire l'admiration par la ressemblance des choses dont on n'admire point les origineaux » — träfe dann allerdings zu. Denn wie Kunst gleichermaßen Interpretation und Ausdruck wie auch Abbildung ist, ist sie auch ein persönliches und subjektives Unterfangen.

Es liegt jedoch auf der Hand, daß diese Subjektivität und Expressivität bis zu einem Punkt getrieben werden können, an dem die Kunst, wenn sie überhaupt Anspruch erheben will, etwas zu repräsentieren, entweder ihre Überzeugungskraft einbüßt oder — außer für den Künstler selbst, der sie geschaffen hat — völlig unverständlich wird. An diesem Extrempunkt würden wir ebenfalls sagen, daß es sich überhaupt nicht mehr um Kunst handele. Es scheint ganz so, als habe Kunst in sich eine Tendenz, zwischen diesen beiden Aspekten, dem Imitativen und dem Expressiven, zu fluktuieren. Zumindest scheint sie dies bis auf den heutigen Tag getan zu haben, und ich glaube, daß diese Fluktuation nicht nur in der Geschichte auftritt, sondern auch im einzelnen Kunstwerk selbst. Ob die historischen Faktoren, nationalen Besonderheiten oder das je individuelle Temperament die Fluktuation bedingen, ist eine Frage, die hier zu entscheiden nicht ansteht, wenngleich das Erscheinen eines Rabelais oder eines Sterne oder eines Kafka uns früher oder später zwingen wird, sie zu überdenken.

Wenn es wahr ist, daß das ausschließliche Dominieren des einen oder des anderen dieser beiden Prinzipien künstlerischen Schaffens — des imitativen oder des expressiven — die Annihilation darstellender Kunst bedeutet, dann wird man auch sagen dürfen, daß jedes Prinzip für sich die Kunst am Leben erhalte, indem es sicherstellt, daß die totale und ausschließliche Dominanz des anderen niemals eintreten kann. Da indessen das Imitative von eindrucksvoller Kunstfertigkeit geprägt sein kann und das Expressive in faszinierender Weise zu mystifizieren oder zu erregen vermag, könnte man sagen, daß jedes Prinzip das andere ebensosehr beneidet, wie es seine Konkurrenz fürchtet. Mithin hat jedes Prinzip Vorzüge aufzuweisen, die das andere ihm zugestehen muß. Und so bewirkt die Polarität eine kraftvolle und für beide Prinzipien wohltätige Spannung.

Legen wir eine so einfache Konzeption der Kunst zugrunde,[2] dann können die Begriffe „Manierismus" und „Barock" demjeni-

[2] Es geht mir darum, daß man begreift, daß ich hier keinen Versuch einer *Erklärung* des kreativen Prozesses unternehmen will. Ich möchte einfach von dem Gebrauch machen, was einigermaßen einleuchtende Merkmale zu sein scheinen.

gen, der behutsam mit ihnen umgeht, etwas bedeuten. Frankreich zum Beispiel war in auffälliger Weise an die klassisch-realistische (oder die imitative) Tradition gebunden. Einige würden sagen, daß diese Bindung eine Funktion des französischen Rationalismus sei. Jedenfalls war das 17. Jahrhundert ein Abschnitt in der Geschichte der französischen Literatur, in dem eine Neigung zu extremer Expressivität dadurch ausgeglichen oder kontrolliert wurde, daß diese klassisch-realistische Tradition zu neuer Geltung gelangte. (Ich verwende die Bindestrich-Form „klassisch-realistisch" hier mit vollem Bedacht, weil die Kontrolle sozusagen sowohl von unten wie von oben geübt wurde; denn sie ging von den Verfassern der « burlesque », der Komödie und Satire ebenso aus wie von den Gebildeteren, deren Vorbilder die klassischen Schriftsteller der Antike waren. Einige, wie Boileau und Molière, verkörpern beide Richtungen zugleich.) Im Laufe dieses „Augenblicks", der mehr als ein Jahrhundert anhielt, wurde eine Verschmelzung geschaffen, die einen distinktiven Stil hervorbrachte, einen Stil, der sich zum einen von demjenigen der Renaissance unterschied und der sich andererseits auch vom Rokoko oder dem Georgianischen Stil abhob. Natürlich schloß dieser Abschnitt die Autoren mit ein, die in Frankreich allgemein die „klassischen" genannt werden.

An dieser Stelle setzen die Schwierigkeiten ein, und hier liegt der mögliche Ausgangspunkt zu einem schrecklichen Streit. Denn wem sollen wir das Prädikat „klassisch" zuerkennen? Obgleich sowohl Corneille als auch Racine ernste Stücke in fünf Akten und in Alexandrinern über bedeutende Taten historischer oder legendärer Menschen von hohem Rang geschrieben haben und obschon beide (mehr oder weniger) die „Einheiten" beachteten, sehen sie sich kaum ähnlich. Wenn wir Racine und der sogenannten „Generation von 1660" die Bezeichnung „klassisch" vorbehalten, wie sollen wir dann Corneilles Stil nennen? Sollen wir ihn, um die Integrität der traditionellen Konzeption des französischen Klassizismus zu wahren, den Wölfen vorwerfen und ihn als Frankreichs bedeutendsten Beitrag zu einem grollend geduldeten Barock gelten lassen? Tun wir dies aber, was sollen wir dann mit Malherbe anfangen? Soll „le maître des Grands Classiques", wie das unschätzbare Handbuch bündiger und korrekter Literaturwissenschaft, der ›Petit Larousse‹,

ihn nennt, weniger klassisch sein als seine Schüler? All dies ist überaus kompliziert. Aber mir scheint, daß ein relativ einfacher Zugang
zu diesem Problem möglich ist, wenn wir uns auf die folgenden
Sätze einigen:

1. Von Malherbe bis zu Fénelon kann jeder Autor „klassisch" genannt werden, insofern er *nicht mehr* als eine Rückkehr zu « le
   simple et le naturel » repräsentiert, d. h. weg von dem expressiven, aber oft übertriebenen oder verzerrten italienischen oder
   spanischen Stil einer vorangegangenen Periode oder jener Periode selbst.

2. Dieser expressive, aber zuweilen ausschweifende Stil kann „manieristisch" genannt werden.

3. Wenn jedoch ein Autor, der nach Satz 1 klassisch zu nennen ist,
   nicht einfach den manieristischen Stil durch die klassische Tradition substituiert, sondern vielmehr zu einer *Verschmelzung*
   beider Elemente mit signifikanten stilistischen Folgeerscheinun-
   gen kommt, dann kann er „barock" genannt werden.

4. Barock zeigt, mit anderen Worten, die Wirkung der Tendenz zu
   größerer Natürlichkeit und Einfachheit, die wir mit dem Klassizismus zu verbinden gewohnt sind, bewahrt jedoch bestimmte
   Merkmale eben jener (überzogenen) Expressivität, gegen die sich
   gerade diese Epoche wandte.

Es bleibt nun jedem einzelnen Kritiker, sofern er diese Betrachtungsweise des Problems überhaupt akzeptiert, überlassen, für sich zu
entscheiden, wie er den Stil eines Autors nennen will. In einigen
Fällen, vermute ich, würde der Versuch kaum die Anstrengung wert
sein. In mehr als einem Falle würde ein Trennungsstrich zwischen
Manierismus und Barock nur schwer zu ziehen sein.

Ein gewisses Maß an Verwirrung hat sich aus dem Umstand
ergeben, daß viele Kritiker den Begriff „Barock" auf Autoren angewandt haben, die ich dem Manierismus zurechnen würde (ein
Beispiel hierfür ist Donne, wie René Welleks bekannter Aufsatz
und seine Bibliographie belegen,[3] während sie den Begriff „klassisch" denjenigen vorbehalten möchten, die andere „barock" nen-

---

[3] R. Wellek, The Concept of Baroque in Literary Scholarship, in:
Journal of Aesthetics and Art Criticism, V (1946), S. 77—109.

nen. So zeigt R. A. Sayce in einer Studie über ›Boileau and the
French Baroque‹,[4] daß viele der Sünden, die Boileau verdammte
(den romantischen Roman, die « burlesque, préciosité », ja selbst
noch das, Wortspiel) stilistisch ineinander verwoben gewesen sind —
und er nennt diesen Stil barock. So sind auch innerhalb weniger
Monate Stiluntersuchungen über Agrippa d'Aubigné und Pascal[5]
erschienen, in denen der Stil beider Schriftsteller als „barock"
charakterisiert wird. Offenbar müssen wir uns bei den Ausläufern
des Parnaß noch auf einigen Ärger gefaßt machen.

Zwar würde ich mit Sayce darin übereinstimmen, daß es eine
stilistische Beziehung zwischen den Merkmalen gibt, die Boileau
satirisch behandelte, und auch zwischen ähnlichen oder analogen stilistischen Phänomenen dieser Epoche in anderen Ländern und anderen Kunstgattungen; doch würde ich sie sämtlich dem Manierismus zurechnen. Boileaus Wunsch, das Romantisch-Glutvolle der
von ihm kritisierten Literatur zu dämpfen, bezeichnete eine Rückkehr zur Norm; und soweit es Frankreich betraf, war diese Norm
die klassisch-realistische Tradition. Doch einige unter denen, die
diese Thematik untersucht haben, würden sagen, daß Boileau selbst
barock werde, zum Teil aufgrund eben jener Tendenz zu Realismus
und Einfachheit. Um unsere Sätze nochmals in Erinnerung zu rufen: Manierismus ist eine expressive Abweichung von der Norm;
Barock ist die Rückkehr zu dieser Norm, wobei indessen einiges von
der emotionalen Färbung des Manierismus mitgeführt und assimi-
liert wird. Revoltieren nämlich kann man nur in den Begriffen
dessen, wogegen man revoltiert. Inwieweit das für Boileau gilt,
will ich später näher untersuchen. Hier sei nur angemerkt, daß,
obgleich Boileau sich verächtlich über das „clinquant du Tasse"
ausgelassen hatte, Chandler Beall[6] und Hatzfeld[7] dargelegt ha-

---

[4] French Studies, II (1948), S. 149.

[5] I. Buffum, Agrippa d'Aubigne's Les Tragiques, A Study of the
Baroque Style in Poetry (New Haven 1951). Sister Mary Julie Maggioni,
The Pensées of Pascal — A Study in Baroque Style (Washington 1950).

[6] La Fortune du Tasse en France (Eugene, Oregon 1942).

[7] A Clarification of the Baroque Problem in the Romance Literatures,
in: Comparative Literature, I (1949), S. 113.

ben, wie nachhaltig Tasso auf das ganze 17. Jahrhundert gewirkt hat.

Ich bin mir bewußt, daß meine Art, das Problem anzugehen, allzu vereinfacht erscheinen mag und daß es von anderen besser und gründlicher dargelegt worden ist. Eine Anzahl von Fragen, die das Barock uns aufgibt, sind von etlichen kompetenten Wissenschaftlern [8] abgehandelt worden — Fragen nach dem Ursprung des Begriffs; nach dem Verhältnis des Stils zur Gegenreformation, zur gesamten Renaissance und zum Aufstieg des Jesuitenordens; nach seiner Stellung und Bedeutung innerhalb des allgemeinen Zeitgeistes; nach seinen Beziehungen zu Italien und Spanien; nach seinem Verhältnis als literarischer Stil zu den anderen Künsten. All dies sind schwierige und wichtige Fragen, die der Erörterung bedürfen. Der Punkt, den ich hervorheben möchte, ist, daß sie nicht ein für allemal *entschieden* werden müssen, ehe man nicht die Existenz eines europäischen manieristischen Literaturstils und die eines europäischen Barockstils in der Literatur anerkennt — Stile, zu denen, nebenbei bemerkt, Frankreich seinen spezifischen Beitrag geleistet hat. Daß um das Jahr 1580 in Europa etwas Besonderes vorging, dürfte wohl ziemlich klar sein; der Beweis dafür findet sich in der Literatur wie in den Künsten. *Was* sich nun genau zugetragen hat, sollten wir zu entdecken versuchen. *Daß* wirklich etwas geschehen ist, bedarf keines Nachweises. Daß aus dem einen oder anderen Grund auf diese Welle gestörter Expressivität, die Manierismus genannt wird, selbst in Spanien eine gewisse Mäßigung folgte, ist gleichermaßen evident. Wenn Frankreich als Resultat dieser Beruhigung einen Stil entwickelte, den man traditionell als „klassisch" bezeichnet, sollten wir nicht vermuten, daß Frankreich die einzige Nation war, die diese allgemeine Erfahrung durchmachte. Umgekehrt war Frankreich von der voraufgegangenen Expressivität keineswegs ausgenommen. Wenn es auch in Richtung auf die klassisch-imitative Tradition weiter ging als seine Nachbarn, kann ich nicht sehen, daß damit ein Stil entstanden wäre, der sich

[8] Siehe Wellek, 10 c. cit., und S. Gilman, An Introduction to the Ideology of the Baroque in Spain, in: Symposium, I (1946), S. 82.

so erheblich von dem in anderen Ländern entwickelten unterschiede, daß er eine besondere Bezeichnung verdiente.

Es gibt, wie ich schon gesagt habe, gewisse Kritiker, die Frankreich wohl einen eigenen barocken Stil zugestehen, solange er auf das späte 16. Jahrhundert und die erste Hälfte des 17. Jahrhunderts beschränkt bleibt. Nun denn, wir alle könnten uns möglicherweise darüber einigen; doch es hat nicht sollen sein. Racine rief das Barock herauf, und das Barock rief Racine, und Gelehrte hörten den Ruf.[9] Dies war keineswegs Laune oder Willkür. Ein Nachdenken über das Problem und über die Merkmale dessen, was ein distinktiver Stil zu sein schien, führte zu der Erkenntnis, daß Racines Werk unser eigentlicher Gegenstand sei. Wenn man in La Pinelière's 1635 veröffentlichtem ›Hippolyte‹ diese Worte Phädras liest:

> Amour, cruel Amour, tyrannicque vainqueur
> Que ne me tuais-tu quand tu blessas mon cœur?
> Tu me brules le sein d'une flame si noire
> Qu'elle offusque déjà tout l'éclat de ma gloire ...

oder die Worte des Theseus in der letzten Szene des Schauspiels:

> Ha, femme sans honneur qui causes ces effets,
> L'Enfer peut-il punir tes horribles forfaits?
> Qu'une Reyne ait bruslé d'une flame si noire,
> Et que l'on voie un jour ce crime en notre histoire ...

so denkt man dabei nicht allein an die unermeßliche Überlegenheit der Verse Racines, sondern auch daran, wie die „flame si noire" bei Racine nicht einfach eine an Seneca gemahnende Reminiszenz enthält, sondern ein Symbol wird für die allseitige und schreckliche Verknüpfung von Gut und Böse, Leben und Tod, Liebe und Haß, Individuum und Kosmos, wobei gleichzeitig das Schauspiel von allgemeinem Chaos und Verderbtheit mit dem höchsten Grad bewußter künstlerischer Organisation vereinigt wird. Dies haben Spitzer[10] und andere eindrucksvoll gezeigt. Wenn es mir darum zu

---

[9] Wellek, 10 c. cit., S. 80.

[10] Klassische Dämpfung in Racines Stil, in: Romanische Stil- und Literaturstudien (Marburg 1931); vgl. auch The 'Récit de Théramène', Kap. III seines Buches Linguistics and Literary History (Princeton 1948).

tun ist, diese wechselseitige Durchdringung und Vereinigung anstatt der bloß heroischen oder einfach der artistischen Perfektion zum Ausdruck zu bringen, dann erscheint mir der Begriff „barock" passend.

Ähnlich verhält es sich mit Molière. Wenn ich veranschaulichen möchte, wie er sein Inneres nach außen kehrt und dabei jedem Versuch ausweicht, verbindlich zu sagen, was er auszudrücken sucht, wie er seine phantastisch verformten Charaktere liebt, sich „offen" hält, wie wir sagen würden, während er uns nichtsdestoweniger beständig durch die Chrysales und die Cléantes und die Philintes in Versuchung führt, nach der eindeutigen Feststellung einer realistischen und vernunftgemäßen Philosophie Ausschau zu halten, wenn ich, mit anderen Worten, Molières zwiespältiges Hingezogensein zum Vernünftigen und zum eindeutig Unvernünftigen hervorheben will, so scheint mir die Bezeichnung „barock" weit angemessener als das Wort „klassisch". Wenn wir uns nun wieder Boileau zuwenden, müssen wir uns, obwohl es auf der Hand zu liegen scheint, daran erinnern, daß er nicht einfach als der vernünftige, horazische Gelehrte gelesen werden sollte, sondern gleichermaßen als der impressionistische und phantastische Autor der ›Satires‹ und des ›Lutrin‹. Boileau muß man, wenn überhaupt, als *Dichtung* auf der Ebene des Expressiven und des Figurativen genießen, wobei die Hyperbel natürlicherweise das beherrschende Stilmittel bildet, und erst dann auf der Ebene der Kritik im Namen des Common sense oder der « raison » oder irgendeines anderen der Schlagwörter, durch die er noch in einem Jahrhundert berühmt blieb, das um so vieles vernunftgeprägter war als sein eigenes. Wenn ich von Boileau als einem barocken Autor spreche, dann versuche ich, das Ineinanderspielen von Phantasie und Kritik, von Übertreibung und gemessen-schlichter Rede zum Ausdruck zu bringen, das einen mit Anspielungen operierenden, obliquen und doppelsinnigen Stil hervorbringt (wie Hatzfeld,[11] wenn ich ihn recht verstehe, vor nahezu 20 Jahren bemerkt hat).

Vielleicht kann hier ein Vergleich mit Donne erhellend wirken.

---

[11] Die französische Klassik in neuer Sicht. Klassik als Barock, in: Tijdschrift voor Taal en Letteren, XXIII (1935), S. 252; zu dem all-

Bei Boileau tritt das Figurative sozusagen verstreut auf, beständig variierend, ausgebreitet über das ganze Gedicht, und wird selten über die einzelne Zeile hinaus entwickelt, so daß man nur durch ein genaues Beachten des Wortgebrauchs in den einzelnen Wendungen sich bewußt wird, wie stark man von der Bildlichkeit fortgetragen wird.

Bei Donne hingegen besteht vielmehr die Tendenz, die Metapher auszuweiten, sie bis ins Detail auszuschlachten, wie etwa im Falle der achtzehnten Elegie ›Loves Progress‹, wo die weibliche Anatomie in geographische und nautische Begriffe übertragen wird. Oder man denke an den Anfang von ›The Storme‹; England, in Trauer über den Verlust so vieler Söhne in der Fremde,

> From out her pregnant intrailes sigh'd a winde
> Which at th'ayres middle marble roome did finde
> Such strong resistance, that it selfe it threw
> Downeward againe; and so when it did view
> How in the port, our fleet deare time did leese,
> Withering like prisoners, which lye but for fees,
> Mildly it kist our sailes, and, fresh and sweet,
> As, to a stomack sterv'd, whose insides meete,
> Meate comes, it came; and swole our sailes, when wee
> So joyd, as *Sara*'her swelling joy'd to see.

Verdauung und Schwangerschaft verbinden sich in diesem Bild, das ursprünglich von einer durchaus respektablen Theorie über das Warum und das Wie der Luftströmungen angeregt wurde.[12] Es ist zweifelhaft, daß sich im gesamten Werk Boileaus oder, wie ich behaupten möchte, bei Dryden etwas Vergleichbares findet. Ich glaube, daß diese intensive Nutzung bildhafter Möglichkeiten für die expressive Art der Poesie charakteristisch ist und daß sie gewiß in der klassisch-realistischen Tradition weniger häufig auftritt. Bei Victor Hugo läßt sich zeigen, wie sie (weil sie ernstgenommen und nicht, wie bei Donne, spielerisch gehandhabt wird) in absurden Extremen

gemeinen Gesichtspunkt, den ich hier zur Diskussion stelle, vgl. auch die Seiten 218, 228.

[12] Donne's Poetical Works, ed. Grierson (Oxford 1912), II, S. 134.

gipfelt.[13] Doch wenn wir Hugo einen Romantiker nennen, müssen wir auch Donne einen Manieristen nennen.

Bei den Manieristen werden Antithese, contrapposto, chiaroscuro, Drehung und Verdrehung, Erscheinungen, die sämtlich Manifestationen einer emotionalen Lebensanschauung sind, nach außen gewendet und prägen die eigentliche Form des Kunstwerks. Ich will damit nicht sagen, daß der Manierist diese Charakteristika stets *nur* nach außen hin zum Ausdruck bringt, doch gelegentlich läßt er es dabei bewenden. In dem schwer zu bestimmenden Fall Corneilles zum Beispiel bieten die folgenden Zeilen eine Illustration für diese These; sie werden in ›Rodogune‹ vom Prinzen Antiochus bei seiner Hochzeitsfeier gesprochen, nachdem er den rätselhaften Bericht von der Ermordung seines Bruders erhalten hat:

> Rapport vraiment funeste, et sort vraiment tragique,
> Qui va changer en pleurs l'allégresse publique.
> O frère, plus aimé que la clarté du jour,
> O rival, plus chéri que m'était mon amour,
> Je te perds, et je trouve en ma douleur extrême
> Un malheur dans ta mort plus grand que ta mort même.

Ich brauche die kontrapunktischen Effekte nicht hervorzuheben, die hier in jeder einzelnen Zeile erscheinen, entweder innerhalb der Zeile oder von Zeile zu Zeile, durchweg unterstützt von Binnenreimen und durch den spitzfindigen Einfall gegen Schluß, dem wiederum die dritte Zeile das Gleichgewicht hält. Dieser Stil ist manieriert, und ich möchte ihn auch manieristisch nennen. In ähnlicher Weise sind auch der Charakter der Cléopâtre und die Situation, in der die Prinzessin Rodogune und die Brüder sich befinden, wie Corneille gewünscht hatte, über die Grenzen der « vraisemblance » hinaus überzogen und damit dem Stil konform. Doch liegt die eigentliche Schwierigkeit hier darin, daß das Ganze mit keiner wirklichkeitsnahen Lebensauffassung übereinstimmt, sondern nur mit einer bestimmten Theaterkonzeption.

Die überzeugendsten Beispiele für diese Art der Expressivität,

---

[13] Siehe W. F. Giese, Victor Hugo, the Man and the Poet (New York 1926).

wo das Ganze einer Lebensanschauung entspricht und der Ausdruck nicht bloß ein Oberflächenphänomen ist, finden sich außerhalb Frankreichs — Shakespeare ist natürlich der Meister. In Frankreich bedurfte es der Absorption des Manierismus durch eine „realistischere" und dementsprechend — für die Franzosen — durch eine ganzheitlichere Sicht, um einen Racine oder (wenn es denn noch betont werden muß) einen Pascal hervorzubringen, dessen Wechselspiel zwischen Rationalismus und Skeptizismus im Dienste einer höheren Ordnung des Wissens die eigentliche Seele des Barock ausmacht. Wenn diese Entwicklung in Frankreich mit dem Niedergang der lyrischen Dichtung, wie sie gemeinhin definiert wird, gleichbedeutend war, dann wurde dieses Opfer großzügig abgegolten, und die Franzosen durften sich trösten mit dem unvergleichlichen La Fontaine.

Doch war die Entwicklung keine ausschließlich französische. In England bringt dieselbe Richtung Dryden und schließlich Congreve hervor. Dryden empfand deutlich, daß die sozusagen etwas grobe Energie der Bühne zu Jacobs und Charles' Zeiten im Zuge der Restauration durch einen gewissen Schliff ersetzt worden war, daß aber dabei, wie er in seiner Epistel an Congreve[14] sagt, „uns an Kraft verlorengegangen ist, was wir an Fertigkeiten hinzugewonnen", bis dann mit Congreve, „dem besten Vitruvius", das Gleichgewicht wiederhergestellt wurde, so daß im Tempel des Dramas „alles Untere Kraft und alles Obere Grazie ist". Damit ist die Richtung gegeben, in die das Barock strebt — gewiß nicht immer mit Erfolg. Ein Beispiel für die unglückseligen Auswirkungen dieser Richtung besitzen wir an Sir William Davenants gereinigten Shakespeare-Bearbeitungen; als Muster möge die Passage aus ›Macbeth‹ "Tomorrow and tomorrow" stehen, in der "this petty pace" durch "a stealing pace" ersetzt wird, "syllable" zu "minute", "dusty death" zu "eternal homes" und "brief candle" zu "that candle" und so fort verändert ist, so daß die Stelle kraftlos und schlaff wird.[15]

---

[14] Dryden's Poetical Works, ed. Sargeaunt (Oxford 1948), S. 166.
[15] Die beiden Abschnitte können verglichen werden bei Brooks und Warren, Understanding Poetry (New York 1938), S. 488.

Es kann nicht die Rede davon sein, den barocken Stil höher zu
werten als den Manierismus. Dieses Vorrecht kommt allein der
Zeit zu, in die der Stil gehört. Wenn wir überhaupt Wertungen
vornehmen wollen, dann müssen sie den einzelnen Künstler innerhalb der Stilrichtung betreffen; die Wertung gilt dann als Einschätzen dessen, wie der Künstler *mit* dem Stil arbeitet und wie er
auf ihn einwirkt. In diesem Sinne (obwohl ich auch glaube, daß
man Stile als internationale und historische Realitäten ansehen
kann und muß) schafft sich jeder Künstler, wie Castro zu beteuern
pflegte, den ihm eigenen Stil.

Trotz dieser Einschränkungen möchte ich sagen, daß die Begriffe
„Manierismus" und „Barock" mir ermöglichen, eine dynamische
Kunst zu Gesicht zu bekommen, dynamisch in ihren je besonderen
Ausprägungen, dynamisch in ihrer Evolution. Der Begriff „klas-
sich" legt den Gedanken an eine statische Kunst nahe; gleichzeitig
ist er vage und willkürlich. Wenn er die Vorstellung eines bestimmten ewigen Maßstabs des Schönen und zugleich einer Tradition, die
bis in die Antike zurückreicht, evoziert, so ist er eben deswegen so
weitreichend, daß er für eine präzisere Füllung im Hinblick auf
eine beliebige Epoche nicht mehr taugt.

Darüber hinaus eignen sich die Begriffe „Manierismus" und
„Barock" dafür, einige der Ähnlichkeiten hervorzuheben, die an
bestimmten Autoren aus verschiedenen Ländern zu beobachten sind,
etwa einem Marino und einem Donne, einem Corneille und einem
Webster, einem Racine oder einem Boileau und einem Dryden.[16]
(Es versteht sich von selbst, daß auch die Unterschiede mit entsprechend größerer Klarheit hervortreten.) Der Begriff „Klassik"
dagegen verschiebt allenthalben die Gewichte, besonders wenn wir
ihn international anzuwenden versuchen.

Eine Ermutigung findet die hier vorgetragene Auffassung schließlich auch in der Tatsache, daß die neue Einschätzung der europäischen Literatur des 17. Jahrhunderts, die noch immer gültig ist, sich
nicht als Resultat der Entscheidung eingestellt hat, das Klassische
sei eigentlich barock; umgekehrt sieht man es richtiger. Sobald sich

---

[16] Siehe W. Empson, Seven Types of Ambiguity (London 1947),
S. 6—7.

erst einmal das Gespür dafür, daß sich hier ein besonderer Stil mit positiven und nicht negativen Merkmalen entwickelt habe, durchzusetzen begann, entstand auch das Bedürfnis nach dynamischeren und präziseren Begriffen. „Manierismus" und „Barock" genügten diesem Bedürfnis. Wer sie verwendet, scheint *mir*, drückt damit ein modernes Bewußtsein von historischer Entwicklung aus und ein modernes Stilbewußtsein dazu.

Sicher sind damit nicht alle offenen Fragen beantwortet; aber die Begriffe klären doch einiges. Sie sind für diejenigen gedacht, die mit ihnen etwas anfangen können — aber vorhanden sind sie, ob wir wollen oder nicht.

Die Kunstform des Barockzeitalters. Vierzehn Vorträge, hrsg. von Rudolf Stamm.
(= Sammlung Dalp, 82.) München: Lehnen Verlag (Copyright 1956 by A. Francke AG.
Verlag, Bern), S. 243—265.

DIE ÜBERTRAGUNG DES BAROCKBEGRIFFS
VON DER BILDENDEN KUNST AUF DIE DICHTUNG

Von Fritz Strich

Wenn ich die Aufforderung erhielt, in diesem Vortragszyklus
›Kunstformen des Barockzeitalters‹ die Übertragung des Barockbegriffs von der bildenden Kunst auf die Literatur zu behandeln, so
verstehe ich den Sinn meines Auftrags nicht nur so, daß ich die
Brücke von den kunstwissenschaftlichen Vorträgen des ersten
Zyklusteiles zu den literaturwissenschaftlichen des zweiten zu schlagen habe, sondern daß mir aufgegeben ist, nach der Einheit zu
fragen, die zwischen der bildenden Kunst und der Dichtung des
„Barock" genannten Zeitalters besteht, vielmehr zu fragen, ob eine
solche Einheit überhaupt besteht, und ob die Übertragung des Begriffs Barock von einer auf die andere Kunst mit Recht versucht
worden ist. Daß ich diese Frage bejahen werde, wird von vornherein wohl angenommen werden können, da ich selbst es ja gewesen bin, der das Abenteuer dieser sogenannten „Übertragung"
unternahm, als ich bereits im Jahre 1916, in einer Abhandlung ›Der
lyrische Stil des 17. Jahrhunderts‹, die in der Festschrift für Franz
Muncker: ›Abhandlungen zur deutschen Literaturgeschichte‹ erschien, zu zeigen versuchte, daß die Literatur dieses Jahrhunderts
stilgeschichtlich keineswegs als Renaissance, sondern eben als Barock
zu verstehen sei. Im gleichen Jahre 1916 hat Oskar Walzel, ohne
daß wir voneinander wußten, in seiner Abhandlung über ›Shakespeares dramatische Baukunst‹ einen ähnlichen Versuch gemacht,
indem er den „atektonischen" Bau der Shakespeareschen Dramen
von der „Tektonik" des Renaissancedramas abhob. Wir standen
eben beide unter dem gewaltigen Eindruck des Kunsthistorikers
Heinrich Wölfflin.

Aber die Anwendung seiner Grundbegriffe auf die Dichtkunst
wurde immer wieder angegriffen. Jede Kunst, so wurde und so wird

auch heute noch behauptet, schaffe souverän nach ihren eigenen
Formprinzipien und dürfe darum nicht dem Zwang von Kategorien
unterworfen werden, die von einer anderen Kunst gewonnen wurden. Nicht nur jeder Übergriff von einer Kunstwissenschaft auf
andere geisteswissenschaftliche Gebiete: Philosophie, Soziologie,
Theologie, Geschichte, sondern auch jeder kategoriale Übergriff von
einem auf das andere Kunstgebiet, von dem der bildenden Kunst
auf das der Dichtkunst oder der Musik, sei ein unerlaubter Angriff
auf die Souveränität, die Selbstbestimmung einer jeden Kunst, die
nur nach ihren eigenen Grundbegriffen beurteilt werden dürfe.
Welch unseliger Irrtum in solcher Kritik am Werke ist, weswegen
ich mich denn auch in keinem Augenblick von ihr beirren ließ und
noch meinen Vergleich der deutschen Klassik und Romantik, wie
meine späte Abhandlung ›Der europäische Barock‹ (in: ›Der Dichter
und die Zeit‹) vom gleichen Standpunkt aus geschrieben habe, das
möchte ich heute, nicht etwa als Rechtfertigung und Entschuldi-
gung, aber als Klärung von mancherlei Wirrnis zu zeigen versuchen.

Ich gebe natürlich zu, daß mein mich unauslöschlich prägendes
Erlebnis nicht im Bereich der Literaturwissenschaft geschah, in dem
ich keinen wahren Lehrer fand. Ich wanderte in meinen Studien-
jahren von Universität zu Universität, um ihn zu finden, und ich
fand ihn nicht. Das allentscheidende Erlebnis aber war der Kunsthistoriker Heinrich Wölfflin, und gleich als ich ihn zum ersten Male
hörte, fiel es mir wie Schuppen von den Augen. Es ist hier nicht der
Ort, von dem persönlichen Eindruck zu sprechen, den diese all-
überragende Persönlichkeit auf mich machte. Ich will nur sagen,
daß ohne das Geheimnis der Persönlichkeit, die durch kein Buch
ersetzt werden kann, der zu eigener Leistung erregende Impuls
wohl nicht denkbar gewesen wäre, und es war nicht etwa Pathos
oder irgendwelcher Zauber der Rhetorik, der mich so in seinen
Bann schlug, sondern gerade die sachlich-gegenständliche, ruhig-
gemessene, klare, ja kühle Art seines Wortes, das selber gleichsam
plastisch bildend und anschauungsgesättigt war. Er sagte nichts,
was man nicht leibhaft sehen konnte. Er besaß das, was man Goethe
einmal zu seiner Freude zuerkannte: „gegenständliches Denken".

Aber ist es nicht trotzdem seltsam, und konnte es von ihm gerade gebilligt werden, wenn Wunsch und Wille in einem angehenden Literarhistoriker erwachten, seine Grundbegriffe auf die Literaturwissenschaft zu übertragen und damit eine Wandlung, eine geistige Vertiefung dieser Wissenschaft zu versuchen? Denn worin beruhte die eigentlich schöpferische Tat Wölfflins? Nicht nur darin, daß er Künstlergeschichte zu Kunstgeschichte wandelte und die individuellen Einzelfälle zu Stilen einer Zeit, einer Nation zusammenband, sondern auch darin, daß er die Geschichte der bildenden Kunst, deren spezifischen Charakter er so stark betonte, von der allgemeinen Kultur- und Geistesgeschichte loslöste, sie zu einer autonomen Wissenschaft machte und auf eigene Füße stellte. Die bildende Kunst besitzt nach ihm eine spezifische Form, die nicht Ausdruck ist für Stimmung, Weltgefühl, geistige Haltung, Schönheitsideal oder Humanitätsidee einer Zeit, eines Volks, einer Individualität, und die nicht von der Religion oder von der Gesellschaft her zu verstehen ist. Sie ist die einfach künstlerische Sehform, und die Kunstgeschichte ist daher die Geschichte des künstlerisch sehenden Auges, Erklärung und Veranschaulichung der Wandlungen, die das künstlerisch sehende Auge von Zeiten zu Zeiten durchmacht. Aller *geistige Ausdruck* der Form ist an die *optischen* Möglichkeiten gebunden, die in jedem Zeitalter andere sind, nicht weil das Weltgefühl und die Weltanschauung sich geändert haben, sondern weil das künstlerisch-optische Sehen sich geändert hat. Die Form hat demnach ihre eigene Geschichte, und die verschiedenen Möglichkeiten des künstlerischen Sehens, die von Wölfflin als „kunstgeschichtliche Grundbegriffe" bezeichnet werden, heißen: Linear und malerisch, flächenhaft und tiefenhaft, geschlossene und offene Form, Vielheit und Einheit, Klarheit und Unklarheit. Es sind die Stilprinzipien der Renaissance und des Barocks. Damit erhielt die Kunstwissenschaft als die Wissenschaft des künstlerischen Sehens ihre Souveränität, und wirklich: dieser begnadete Lehrer hat vielen Generationen überhaupt erst die Augen geöffnet und sie sehen gelehrt.

Aber, so frage ich noch einmal, ist es nicht seltsam, daß grade Wölfflin zur Übertragung seiner Grundbegriffe mich innerlichst nötigte, daß seine Anschauungskraft auch den beflügelte, der sich der Dichtkunst widmete, obwohl doch damit — scheinbar wenigstens — die Souveränität der Dichtkunst und ihrer Wissenschaft aufgehoben wurde? Man machte mir denn auch, wie schon gesagt, sofort den Vorwurf, daß meine Anwendung kunsthistorischer Grundbegriffe auf die Dichtkunst keine Legitimität besitze, weil die Dichtkunst ihre eigenen Grundbegriffe habe. Schon daß die bildende Kunst mit Farben oder Stein gestalte, die Dichtkunst aber mit dem Wort, mache solche Übertragung höchst bedenklich. Denn das Wort sei im Unterschied von Farbe und Stein schon selbst eine sinnhafte Gestalt, ein geistgestaltender Laut. Man berief sich auf Lessings ›Laokoon‹: daß die bildende Kunst im Raume wirke, die Dichtung aber in der Zeit. Die bildende Kunst also stelle ein Nebeneinander, die Dichtung ein Nacheinander dar, weswegen es jene mit der seienden Welt der Körper und Dinge im Raum zu tun habe, diese aber mit der werdenden, sich bewegenden und entwickelnden Welt der Handlungen und Taten. Jene schaffe für die Anschauung des äußeren Auges, diese für den inneren Sinn, das Auge der Phantasie, und wie die Einwände auch sonst noch heißen mochten.

Ich ließ mich jedoch in keinem Augenblick einschüchtern und fand Trost und Stärkung bei meinem Lehrer, Heinrich Wölfflin, der mein Tun bedingungslos billigte. Ich bemerkte denn auch, daß Wölfflin selbst schon der erste war, der seine Erkenntnis von der Form der bildenden Kunst und ihren stilistischen Wandlungen auch auf die Dichtung übertragen hatte, und zwar bereits in seinem Frühwerk ›Renaissance und Barock‹ (1888), in dem es heißt:

„Die Zeit der Nachrenaissance ist ernst von Grund aus. In allen Sphären macht sich dieser Ernst geltend; das Weltliche tritt wieder in Gegensatz zum Kirchlichen und Heiligen, der unbefangene Lebensgenuß hört auf, Tasso wählt für sein christliches Epos einen Helden, der der Welt müde ist; in der Gesellschaft, in den geselligen Umgangsformen ein schwerer gehaltener Ton; nicht mehr die leichte ungebundene Grazie der Renaissance, sondern Ernst und Würde; statt des leicht und heiter Spielenden eine pomphafte rauschende Pracht; überall verlangt man nur noch nach dem Großen und Bedeutenden. Es ist interessant, den neuen Stil auch in der Poesie zu beobachten. Die Verschiedenheit der Sprache bei *Ariost* und *Tasso* drückt die veränderte Stimmung vollständig aus. Es genügt, die Anfänge des Orlando furioso (1516) und der Gerusalemme liberata (1584) zu vergleichen. Wie fängt Ariost einfach und munterbeweglich an:

> Le donne, i cavalier, l'arme, gli amori,
> Le cortesie, l'audaci imprese io canto,
> Che furo al tempo, che passaro i Mori
> D'Africa il mare, e in Francia nocquer tanto; etc.

Wie anders dagegen Tasso:

> Canto l'armi pietose, e il Capitano
> Che il gran sepolcro liberò di Christo:
> Molto egli oprò col senno a con la mano;
> Molto soffrì nel glorioso acquisto:
> E invan l'Inferno a lui s'oppose, e invano
> S'armò d'Asia e di Libia il popol misto;
> Chè il Ciel gli diè favore etc.

Man beachte überall die hebenden Beiworte, die hallenden Endungen, die schweren Wiederholungen (molto —, molto —; e invan — e invano), den gewichtigen Satzbau, den verlangsamten Rhythmus des Ganzen. Aber nicht nur der Ausdruck, auch die Anschauungen, die Bilder werden größer. Wie vielsagend ist zum Beispiel die Umgestaltung, die Tasso mit dem Typus seiner Muse vornimmt. Er erhebt sie in unbestimmte Himmelsräume, und statt dem Lorbeerkranz gibt er ihr ,eine goldene Krone von ewigen Sternen'. Mit der Bezeichnung ,gran' wird nicht gespart, überall soll die Phantasie zu bedeutenden Vorstellungen veranlaßt werden."

An diesen Vergleich Wölfflins von Ariosts und Tassos Sprache hat dann später, 1922, Theophil Spörri mit seiner Abhandlung ›Renaissance und Barock bei Ariost und Tasso, Versuch einer Anwendung Wölfflinscher Kunstbetrachtung‹ angeknüpft, und ich selbst habe die klassische und romantische Sprache, wie auch den klassischen und romantischen Rhythmus, grundbegrifflich zu deuten und zu unterscheiden versucht, ohne an die Souveränität des Sprachkunstwerks zu rühren.

Auch die Musik wurde von Wölfflin schon in die Übertragungsmöglichkeiten seiner kunsthistorischen Betrachtung einbezogen. Er fand, daß die Kunstweise Richard Wagners sich vollständig mit der Formgebung des Barocks decke, und es sei kein Zufall, daß Wagner gerade auf Palästrina zurückgreife. Denn Palästrina sei der Zeitgenosse des Barocks. Man sei wohl nicht gewöhnt, die Kunst Palästrinas als Barock zu bezeichnen, und doch müsse eine vergleichende Stilanalyse die Verwandtschaft klarlegen. Das Zurückdrängen des geschlossen-rhythmischen Satzes, des streng-systematischen Aufbaus und der übersichtlich-klaren Gliederung, das Lebenselement der Palästrinaschen Musik, was man als „Latenz des Rhythmus", als die Aufnahme eines „Ataktischen" in die Kunst bezeichnet hat, sei barocker Musikstil.

In dem Hauptwerk Wölfflins ›Kunsthistorische Grundbegriffe‹ heißt es dann ganz allgemein: „Es ist deutlich ein neues Lebensideal, das aus der Kunst des italienischen Barock spricht ... Das Verhältnis des Individuums zur Welt hat sich verändert, ein neues Gefühlsbereich hat sich aufgetan, die Seele drängt nach Auflösung in der Erhabenheit des Übergroßen und Unendlichen."

Es könnte scheinen, daß Wölfflin mit dieser Anerkennung des geistigen Ausdrucks in der Formenwelt des Barocks und der Möglichkeit der Übertragung seiner stilistischen Grundbegriffe auf Dichtkunst und Musik im Grund zurückgenommen habe, was er von der ausdruckslosen Wandlung des optisch sehenden Auges aussagte. Aber das ist nicht der Fall. Nur sei es, so interpretierte er, die fundamentale Aufgabe der Kunstgeschichte, *zuerst* und *zunächst* jenen Wandlungen des optisch-künstlerischen Sehens nachzugehen, die sich vollziehen, ohne daß sich darin geistig-menschliche Wandlungen zum Ausdruck bringen. Denn die gleichen Stilprinzipien werden von national und individuell verschiedenen Künstlern des Barocks für die Gestaltung verschiedener Stimmungen, Affekte und Motive verwendet. Erst dann, wenn man dies erkannt habe, werde man imstande sein zu sagen, was geistiger Ausdruck in der Kunst einer Zeit, eines Volkes, einer Persönlichkeit sei.

Hier muß ich nun gestehen, daß sich mein eigener Weg von Wölfflin trennte. Denn das konnte ich nicht zugeben, daß die Einheit der „Sehform" in einer Zeit irgend etwas gegen ihren Ausdruckswert aussage und daß eine Wandlung des sehenden Auges überhaupt möglich sei, ohne daß dahinter eine Wandlung des künstlerischen Willens, der geistigen Haltung stehe, die sich darin zum Ausdruck bringt. Wenn sich der lineare Stil zum malerischen, der geschlossene zum offenen, der flächenhafte zum tiefenhaften wandelt, so hat sich damit nicht nur das sehende Auge, sondern der

Mensch in seiner Ganzheit verwandelt, und ich erlebte diese geistigen Wandlungen, ja ich glaubte sie leibhaft mit Augen zu sehen, wenn Wölfflin die optischen Wandlungen so greifbar demonstrierte, ohne von ihrem Ausdruckswert zu sprechen. Es schien mir sogar, als ob es nur die vornehm-zurückhaltende Natur meines Lehrers sei, die ihn Entsagung üben und nur das aussprechen ließ, was wirklich und wahrhaftig zu sehen und zu zeigen ist. Darum ließ er lieber das Letzte ungesagt, als sich mit allzu großer Zudringlichkeit den ewigen Geheimnissen und Wundern der Kunst zu nähern. Nur darum glaubte ich von früh auf an die Möglichkeit, ja an die dringende Notwendigkeit, daß auch die Dichtkunst solcher grundbegrifflichen Betrachtung unterzogen werde und daß dabei keine illegitime „Übertragung" herauskommen könne. Das erste Kapitel meiner ›Deutschen Klassik und Romantik‹ heißt denn auch: ›Der Mensch‹, und von der Wandlung des Menschen aus verstand ich die Wandlung der Dichtkunst, ihrer Sprache, ihres Rhythmus, ihres Gehaltes. Grundbegriffe bezeichnen für mich geistige, ewig menschliche Haltungen, und in der Wandlung eines Bildstils drückt sich die Wandlung eines Welt- und Menschenbildes aus.

Die Einwände, die man gegen meinen Gebrauch der Grundbegriffe erhob, verloren, je öfter sie erhoben wurden, desto mehr für mich an Gewicht. Ich leugnete und leugne es auch heute noch, daß Dichtkunst und bildende Kunst nicht miteinander auf ihre Einheit hin verglichen werden dürfen, weil diese mit Farben und Stein, jene aber mit dem Wort, also mit geformtem Gehalt zu tun habe. Farben stehen nicht auf einer Ebene mit Worten. Die bildende Kunst hat es ebenso wie die Dichtkunst mit sinnvollen Formgestalten: Göttern, Menschen, Tieren, Blumen, Landschaften und Dingen jeder Art zu tun, und wenn man etwa die abstrakte Kunst dagegen ins Feld führen würde, die sich von jeder Gegenständlichkeit gelöst hat und sich in reinen Farben, Linien, mathematischen Formen zum Ausdruck bringt, so würde ich antworten: das kann die Dichtung auch, und hat es auch getan. Zwar hat der deutsche Romantiker Novalis nur von Gedichten *geträumt*, die „bloß wohlklingend und voll schöner Worte, aber auch ohne allen Sinn und Zusammenhang" sind. Der moderne Maler und Dichter Kandinsky aber hat wirklich so abstrakte Gedichte aus Worten ohne logischen

Sinn und Zusammenhang produziert, man mag sich dazu stellen, wie man will.

Viel schwieriger zu widerlegen aber scheint mir ein anderer Einwand gegen die Übertragung kunsthistorischer Begriffe auf die Dichtkunst zu sein, und damit komme ich zu dem allentscheidenden Moment, das die Legitimität meiner Übertragung begründen soll: indem ich die durch Lessings ›Laokoon‹ sanktionierte Grenzscheidung zwischen Malerei und Poesie nicht anerkennen kann.

Die Malerei, so hatte Lessing gelehrt, bedient sich anderer Mittel oder Zeichen als die Poesie: die Malerei der Farben und Figuren im Raum, die Poesie artikulierter Töne in der Zeit. So können denn auch nebeneinandergeordnete Zeichen nur Gegenstände, die nebeneinander oder deren Teile nebeneinander existieren, also Körper darstellen, aufeinanderfolgende Zeichen aber nur Gegenstände, die aufeinanderfolgen, also Handlungen und Entwicklungen. Diese Idee des Nebeneinander und Nacheinander, des Seins und Werdens, des Raums und der Zeit, als Kategorien der bildenden Kunst und der Dichtkunst, haben sich seit Lessings autoritärer Bestimmung verhängnisvoll nicht nur auf die Ästhetik, sondern auch auf die Künste selbst ausgewirkt, und auch auf die Geschichtswissenschaft, weil man fast zweihundert Jahre lang nicht zu der Einsicht kam, daß ein Nacheinander der *Zeichen* (der Worte also) durchaus nicht ein Nacheinander im Gehalt bedingt, daß es sich hier überhaupt nicht um Kategorien der Malerei und der Poesie handelt, sondern um kategoriale Unterschiede verschiedener Stile innerhalb einer jeden Kunst, und also um historische Kategorien. Es gibt nämlich gewiß einen Stil der bildenden Kunst, der das reine Nebeneinander im Raume darstellt und also von der Zeit abstrahiert: den klassischen Stil der Antike, der Renaissance oder des neueren Bildhauers Adolf von Hildebrand. Es ist der Stil der Zeitlosigkeit, des ruhenden Seins. Adolf von Hildebrand ist der Verfasser einer kleinen, aber höchst gewichtigen Schrift ›Das Problem der Form in der bildenden Kunst‹, die zunächst für Wölfflin maßgebend wurde. Die bildende Kunst hat es, dieser Schrift gemäß, zu ihrem Formproblem, das unruhig schweifende Auge in den Zustand völliger Ruhe und Befriedung zu versetzen, und dies geschieht, erstens: wenn der Künstler durch die gleichmäßige Distanz aller Teile zum

Auge, durch flächenhafte Darstellung also, das Auge von der Unrast des dreidimensionalen oder kubischen Sehens befreit, so daß es nicht mehr genötigt ist, in unendliche Tiefen zu schweifen; zweitens: wenn durch klare Gliederung jeder Teil schon seine Selbständigkeit und Ganzheit, seine deutliche Entfaltung erhält, so daß es dem Auge nicht mehr nötig ist, nach Aufklärung dunkel und verdeckt gebliebener Teile zu verlangen; drittens: wenn alle Teile zur simultanen Einheit und Ganzheit harmonisch zusammenstimmen, so daß es dem Auge möglich wird, das Bild auf einmal, simultan, als Einheit und Ganzheit zu schauen, ohne von einem Teil zum anderen Teil gehetzt zu werden; viertens: wenn die Form des einzelnen Teiles wie des ganzen Bildes so in sich selbst geschlossen ist, daß der Blick nicht mehr gezwungen ist, über die Grenzen des Teiles und des ganzen Bildes hinaus weiter und ins Unendlich-Offene schweifen zu müssen. Die bildende Kunst ist also die Kunst des ruhig, unbewegt, blickenden Auges, das in ihr sein Glück, weil seinen Frieden, seine Erlösung von der Qual des Suchens und des Schweifens findet.

Diese bedeutsame Schrift sieht demnach das Problem der Form einzig und allein in der klassischen Kunst, der Kunst der Zeitlosigkeit gelöst, und Wölfflins Idee der klassischen Kunst beruht durchaus auf Hildebrands Problem der Form. Es hat auch Wölfflins Maßstab, den er an die Kunst anlegte, zunächst bestimmt. Denn sein frühes Werk ›Renaissance und Barock, eine Untersuchung über Wesen und Entstehung des Barockstils in Italien‹, stellte sich das Thema, „die Auflösung der Renaissance", die Symptome ihres „Verfalls" zu beobachten und in der „Verwilderung und Willkür" womöglich das Gesetz zu erkennen, das einen Einblick in das innere Leben aller Kunst gewährt.

Verfall! Verwilderung und Willkür! Das sind die Worte, mit denen der Barock bezeichnet wird. Aber schon, daß Wölfflin sich in diesem Werk das Thema stellte, das Wesen und die Entstehung nicht etwa des Renaissancestils, sondern eben des Barockstils zu untersuchen, scheint mir denn doch schon früh eine heimliche Liebe zu verraten, und wenn er auch gewiß niemals den Barock über die Renaissance gestellt hat, so ging es ihm doch eben auf, daß der barocke Stil genau das gleiche Recht, als eine andere Möglichkeit

der Kunst, besitzt, wie der klassische Stil der Renaissance. Wölfflin
erkannte die im menschlichen Geist tief angelegte Polarität, welche
die Wandlung der Kunst von einem Pol zum anderen Pol, von
einem Stil zum anderen Stil notwendig und verständlich macht und
damit jene Gesetzlichkeit offenbart, die dem Kunsthistoriker zu
zeigen und zu deuten aufgegeben ist. In den Vorlesungen Wölfflins
fielen denn auch damals noch höchst ungewöhnliche, ja wahrhaft
erregende und aufwühlende Bemerkungen und Werturteile über
den Barock. Man horchte auf, und wenn er auch, wie gesagt, in
seinen Vorlesungen und Werken den barocken Stil niemals über den
der Renaissance erhob, so stellte er doch die auswiegende Gerechtigkeit zwischen der Beurteilung der Renaissance und des Barocks her,
und wie epochal dies zu bewerten ist, wird man erkennen, wenn
man die erste, wirklich systematische Übertragung einer kunsthistorischen Kategorie auf die Poetik vergleicht. In den Jahren 1897/1898
erschien nämlich in der ›Vierteljahrsschrift für wissenschaftliche
Philosophie‹ eine Abhandlung des Berliner Philosophen Alois
Riehl: ›Bemerkungen zu dem Problem der Form in der Dichtkunst‹, und obwohl Wölfflins ›Renaissance und Barock‹ damals
schon zehn Jahre vorlag, knüpfte Riehl ganz einseitig an Adolf von
Hildebrands Problem der Form in der bildenden Kunst an, das
lediglich den klassischen Stil für die einzige Möglichkeit der Kunst
erklärte. Riehl übersetzte das „räumliche Fernbild" Hildebrands in
das „zeitliche Fernbild" der Dichtkunst, weil die Zeit hier wieder
einmal für die Form der Dichtkunst überhaupt im Unterschied vom
Raum als Form der bildenden Kunst gehalten wurde. Das zeitliche
Fernbild der Dichtkunst, das die Klärung und Beruhigung des Erlebnisses hervorbringt, soll nach Riehl die Vergangenheit oder die
Erinnerung sein, in der die Welt durch zeitliche Distanz zur Klarheit und Ruhe gebracht wird. Ich will gar nicht davon sprechen,
daß die Ferne der erinnerten Vergangenheit noch niemals Klarheit
und Ruhe hervorgebracht hat und das Fernbild der Zeit in keiner
Weise dem räumlichen Fernbild entspricht. Aber Riehl hatte auch
gar nicht bemerkt, daß Wölfflin bereits zu der von Hildebrand
einzig sanktionierten Kunst, der klassischen also, die ganz andere
Möglichkeit barocker Kunst hinzugefügt hatte. Er bemerkte nicht,
daß die Zeit auch in der bildenden Kunst durchaus eine formale

Funktion besitzen, ja das Problem der Form sein kann. Das ist der wesentliche Unterschied: nicht zwischen bildender Kunst und Dichtkunst, sondern zwischen dem klassischen und dem barocken Stil in einer und derselben Kunst, ob seine Form die zeitlos statische oder die zeitlich dynamische ist. So kracht denn natürlich das Fundament dieser Riehlschen Übertragung in allen Fugen und an allen Ecken und Enden.

Ich möchte nun an Wölfflins Grundbegriffen zeigen, daß jene seit Lessing geübte Unterscheidung zwischen Raumkunst und Zeitkunst, zwischen der Kunst des Nebeneinander und des Nacheinander durchaus nicht zu Recht besteht und keinen Einwand gegen die Übertragung Wölfflinscher Grundbegriffe auf die Dichtkunst hergeben kann. Denn die Zeit kann auch in der bildenden Kunst zum Formproblem und übrigens, wie ich jetzt schon sagen möchte, auch zum Gehaltsproblem werden. Die Zeit ist der Grundbegriff des Barocks, so wie die Zeitlosigkeit oder Zeitentrücktheit der Grundbegriff der Renaissance oder der klassischen Kunst ist. Wenn also ein erstes Grundbegriffspaar „Fläche und Tiefe" heißt, so kann jeder im eigensten Erlebnis erfahren, daß dort, wo der Blick in die unendliche Tiefe gezogen wird und sich an keiner Fläche begrenzt und beruhigt, in Wahrheit sich ein *zeitliches* Erlebnis vollzieht, daß also ein nur scheinbares Raumerlebnis sich damit in ein Zeiterlebnis wandelt und die Tiefe des Raumes vielleicht deutlicher mit Tiefe der Zeit bezeichnet werden könnte, während das flächenhafte Bild oder die reliefhafte Plastik dem Auge die Wohltat des ruhenden, befriedeten und also zeitlosen Zustands verschafft. Wenn es nach mir gegangen wäre, so hätte ich an Stelle der Vortragstitel in diesem Zyklus: ›Der barocke Raum in der Architektur‹, ›Der barocke Raum in der Malerei‹, ›Der barocke Raum in der Plastik‹, ›Die Raumgestaltung im Barocktheater‹ überall statt „der barocke Raum" die „barocke Zeit" gesagt, was gewiß ungewöhnlich und gewagt gewesen wäre, aber, wie ich glaube, den Sinn getroffen hätte.

Es ist nicht anders mit dem Unterschiede zwischen der „geschlossenen und offenen Form". Die Offenheit der Form ist ein Zeiterlebnis, indem sie das Auge nötigt, in das Unendlich-Offene hinauszuschweifen, um doch zu keiner Begrenzung, zu keinem Stillstand zu kommen, während die geschlossene Form die Seligkeit eines vollendeten, endgültigen und in sich selber ruhenden Zustands erzeugt, der nicht mehr der Macht der Zeit unterworfen ist.

Auch wenn Wölfflin den Unterschied zwischen Klassik und Barock in die „Klarheit und Unklarheit" setzt, so stehen wir vor dem gleichen Phänomen: der Barock will im Gegensatz zur Renaissance, die jede Form, Erscheinung und Gestalt ganz deutlich faßbar, bestimmt und klar dem ruhenden Auge präsentiert, verdunkeln, verstecken, verhüllen, geheimnisvoll unfaßbar machen, so daß auch dies jenes unruhige, ins Dunkel dringende und spannende, dynamisch tätige, nach Klarheit ringende Erlebnis produziert, das sich eben in der Zeit vollzieht.

Wenn Wölfflin jenen Grundsatz der Stile in der „Vielheit und der Einheit" sieht, und dies darunter versteht, daß im klassischen Stil jeder Teil, jedes einzelne Glied schon in sich selber ganz vollendet, in sich ruhend ist, während es im barocken Stil seine Erfüllung und Funktion erst in der Einheit *aller* Teile findet, sich gleichsam in das Meer der Einheit und Unendlichkeit ergießt, verströmt, verliert, wenn die barocke Form auf diesem Wege eine Zielstrebigkeit erhält, die sogar weit über den Rahmen des Bildes hinaus tendiert, so ist auch dies ein höchst dynamischer, bewegter, werdender Prozeß der Zeit.

Nun aber das Begriffspaar: „linear und malerisch". Ich will nicht davon sprechen, daß sich im malerisch genannten Stil all das zusammenfindet, was der Tiefe, der Offenheit, der Einheit und dem Dunkel eigen ist, wie denn überhaupt die Wölfflinschen Grundbegriffe keineswegs ganz eindeutig und bestimmt zu sondern sind, vielmehr ineinandergehen und sich überschneiden. Aber ich hebe am malerischen Stil noch ein ihm besonders eigentümliches Moment hervor: daß er nämlich nicht das zeitlose Sein, sondern den zeitlichen Schein der Welt zur Erscheinung bringt, ja daß er im Grunde überhaupt nur die optische Erscheinung kennt. Die feste, dauernde Struktur verschwindet hinter dem wechselnden, bewegten, wandelbaren, flimmernden Spiel des Lichtes und der Schatten oder wird von der gehäuften Pracht des Ornamentes überwuchert.

Hiermit aber wende ich mich nun von der Form zum Gehalt oder, könnte ich auch sagen, von der äußeren zur inneren Form. Denn der malerische Schein, der das Auge des barocken Künstlers fasziniert, löst offenbar nicht nur ein formales Problem: wie nämlich die Zeit in bildender Kunst gestaltet werden kann, sondern diese Form hat Ausdruck, und sie weist auf ein dem Barock eigentümliches, seinem ganzen Stil zugrundeliegendes Zeiterlebnis. Der malerische Schein zeigt uns die zeitliche Welt in ihrer Flüchtigkeit, Wandelbarkeit, Vergänglichkeit. Die werdende und vergehende, fliehende und allstürzende Zeit ist also das *religiöse* Erlebnis des Barocks. Man könnte es auch das Erlebnis der Vanitas, der Eitelkeit und der Vergänglichkeit der Welt benennen. Was ist der Mensch! Nicht wie die Renaissance ihn fühlte, nicht ein souveränes, sich selbst bestimmendes, harmonisches, ein kosmisch Ganzes und in sich selber ruhendes, geschlossenes Wesen, sondern ein Schatten, ein verklingender Ton, eine flüchtige Welle, ein im Sturme schwankendes und bald zerknicktes Rohr. Was ist das Leben? Ein Traum, ein Spiel, oder wie ein Dichter des Barocks, Andreas Gryphius, einmal sagte: eine Phantasie der Zeit. Das unterscheidet den Barock so wesentlich von der Renaissance, die schon mitten im Strome der verrauschenden Zeit ein ewiges, zeitloses, sich selber gleichbleibendes, vollendetes Sein erlebte und dies in ihrer Kunst gestaltete, indem sie es heraushob aus dem Strom der Zeit.

Ich möchte an einigen Beispielen deutlich machen, wie sich das Zeiterlebnis des Barocks in der inneren Form seiner Kunst zum Ausdruck bringt.

Als erstes Beispiel nenne ich, mich anschließend an ein tiefes und geistvolles Werk des Philosophen Georg Simmel: ›Rembrandt, ein kunstphilosophischer Versuch‹, die Porträtbilder Rembrandts, im Unterschied von denen eines Raphael. Man sieht es Rembrandts Menschen an, daß sie eine *Vergangenheit* besitzen, und eine *Zukunft*; denn sie leben in der Zeit. Man sieht, man spürt, daß diese Menschen einmal sterben werden, sterben müssen, weil der Tod ihrem Leben immanent, ihm eingeboren ist. Er tritt nicht von außen her an sie heran, bedroht sie nicht und überwältigt sie nicht. Er gehört ganz wesentlich von Anfang an zu ihrem Leben. Er wächst in ihnen heran. Vergänglichkeitsstimmung ist um sie, und Vergänglichkeitsbestimmung ist ihnen unlösbar eingewebt, und darin ist Rembrandt einem Shakespeare brüderlich verwandt. Die tragischen Helden Shakespeares sterben auch von innen her, von vornherein notwendig. Sie leben in der Zeit und tragen schon in ihrem Leben den Tod als dessen Bestimmung. Wie anders ein Porträt Raphaels. Es enthebt den Menschen der Zeit und entrückt ihn in die Sphäre der Zeitlosigkeit, des ruhenden Seins, was es dadurch erreicht, daß es den Menschen typisiert. Denn nur das Individuum stirbt, der Typus nicht, und je individueller, einzigartiger, unwiederholbarer der Mensch ist, desto sterblicher ist er von innen her.

Die Zeit, so fahre ich fort, ist die unheimliche Göttin des Barocks. Sie ist in Shakespeares Dramen die unsichtbare, aber mächtigste Macht. Die Zeit tritt auch im ›Wintermärchen‹ als Chorus auf, was ein Analogon zu Gryphius' Dramen bildet, in denen so etwas ebenfalls geschieht. Daß die Zeit vergeht, daß alles sich wandelt, wird und welkt, das macht die innere Form von Shakespeares Dramen aus und ist bei ihm die Erscheinung der Vanitas. Schon darum konnte Shakespeare sich nicht an die klassische Regel der Einheit der Zeit halten, weil der eigentlichste Sinn dieser sogenannten Zeiteinheit ja doch Zeitentrücktheit, Zeitlosigkeit, Abstraktion von der Zeit ist. Die Zeit hat im klassischen Drama nichts zu suchen. Sie hat keine Funktion in ihm.

Aber ich kehre zur bildenden Kunst zurück und nehme ein zweites Beispiel: die Landschaftsbilder Ruysdaels. Es gibt von Goethe einen kleinen Essay: ›Ruysdael als Dichter‹ (1816), in welchem ich eine eigene Beobachtung in willkommenster Weise bestätigt fand: Ich sah nämlich, daß fast in jedem Bilde Ruysdaels, meist im Vordergrunde, ein umgestürzter oder zerknickter und entblätterter Baum liegt, worin ich ein Symbol der Zeit, ihrer allstürzenden Macht zu erkennen glaubte. Nun las ich in Goethes Schrift, wie er drei Bilder Ruysdaels: ›Der Wasserfall‹, ›Das Kloster‹, ›Der Kirchhof‹ auf ihren symbolischen Gehalt hin deutete: Ruysdael habe „im Gegenwärtigen das *Vergangene*" darstellen wollen. Auf dem ersten Bild stürzt in einem fruchtbaren, wohnlichen Tal mit uralten, hohen Fichten und einem alten Turm ein stark strömendes Wasser über Felsen und abgebrochene, schlanke Baumstämme. Auf dem zweiten Bild erblickt man ein verfallenes, ja verwüstetes Kloster an einem Wasser, in dem übriggebliebene Fundamente von Brückenpfeilern stehen, die den Lauf des Flusses hemmen. Diesseits des Wassers hat sich an einer verwitterten, zerbröckelten Felspartie eine

merkwürdige Baumgruppe angesiedelt. Schon steht veraltet eine
herrliche Buche da, entblättert, entästet, mit geborstener Rinde.
Zwar hat Goethe als ein echter Klassiker, der nicht gern an die
Vergänglichkeit der Zeit erinnert werden wollte, und grade in der
Kunst nicht, ein bedeutendes Gewicht darauf gelegt, daß auf diesen
Bildern Ruysdaels die Vergangenheit sich lieblich mit der Gegenwart durcheinanderwebt, indem auch das fortschreitende, blühende,
sich immer erneuernde Leben von Bäumen und Menschen auf ihnen
erscheint, so daß eine dauernde Lebensbewegung von der toten
Vergangenheit zur lebendigen Gegenwart flutet. Aber bei dem dritten Bild: ›Der Kirchhof‹ kann Goethe diese optimistische Deutung
nicht mehr aufrechthalten. Da heißt es nämlich: „Das dritte Bild ist
allein der Vergangenheit gewidmet, ohne dem gegenwärtigen Leben
irgendein Recht zu gönnen. Man kennt es unter dem Namen des
Kirchhofs. Es ist auch einer. Die Grabmale sogar deuten in ihrem
zerstörten Zustande auf ein *mehr als* Vergangenes; sie sind Grab-
mäler von sich selbst. In dem Hintergrunde sieht man, von einem
vorüberziehenden Regenschauer umhüllt, magere Ruinen eines ehe-
mals ungeheuern, in den Himmel strebenden Doms. Eine frei
stehende spindelförmige Giebelmauer wird nicht mehr lange halten.
Die ganze, sonst gewiß fruchtbare Klosterumgebung ist verwildert,
mit Stauden und Sträuchen, ja mit schon veralteten und verdorrten
Bäumen zum Teil bedeckt. Auch auf dem Kirchhofe dringt diese
Wildnis ein, von dessen ehemaliger frommen Befriedigung keine
Spur mehr zu sehen ist.“

Ruysdael als Dichter der Vanitas, der Macht der Zeit! Die Zeit,
die ja auch rein formal in die Tiefe stürmt, läßt hinter sich Ruinen
und umgestürzte Bäume zurück, und man ahnt schon, daß auch die
noch stehenden Bäume und Bauten zerknickt und verfallen werden.

Ich bin mir wohl bewußt, daß man heute geneigt ist, solch symbolische Deutungen von Werken der bildenden Kunst als illegitim
zu verwerfen. Die bildende Kunst habe allein die Form und den
Stil im Auge, und wenn sie tiefsinnige Deutung verlangt, so weise
das auf einen Mangel der Form, der dadurch verdeckt werden soll.
Leonhard Beriger hat in seinem übrigens geistvollen und interessanten Buch ›Die literarische Wertung‹ nach den Wertmaßstäben

gesucht, die der Literaturwissenschaft nötig seien, um das dichterische
Kunstwerk beurteilen zu können. Er glaubt sie darin gefunden
zu haben, daß im Unterschied zur Kunst- und Musikwissenschaft
„Idee und Symbol" die Grundbegriffe der Literaturwissenschaft
(ich würde eher sagen: der Dichtkunst) sind. *Nur* dem dichterischen Kunstwerk eigne die Idee, die in Gestalt erscheint, und
die Einheit von Idee und Gestalt, von Wahrheit und Bild heißt eben
das Symbol. Es gibt also im Abendmahl und der Mona Lisa von
Leonardo keine gestaltete Idee, kein Symbol. Ich frage aber: wirklich nicht? Und hat dieser Autor denn nie, ergriffen und erschüttert,
vor den ›Gefangenen‹ des Michelangelo gestanden und die Tragödie
des Menschen erlebt, die hier gestaltet ist? Welch unselige Trennung
der Wissenschaften und der Künste! Die bildende Kunst ist ganz
ebenso wie die Dichtkunst gestalteter Gehalt, Symbol. Seitdem es
üblich geworden ist, der Kunstwissenschaft einzig und allein die
Untersuchung der Form und ihrer stilistischen Wandlungen zu
erlauben, ist eine Verarmung des Kunsterlebens eingetreten, die
man tief bedauern muß. Ich verstehe gewiß diesen Formalismus als
Reaktion gegen die frühere Betrachtung eines Kunstwerks, die in
ihm nichts als den Ausdruck eines persönlichen Erlebnisses oder als
ein geisteswissenschaftliches Dokument für die Religiosität, die
Philosophie, die Weltanschauung, das Menschenbild, den gesellschaftlichen Zustand einer Zeit, eines Volkes, eines Künstlers erkennen wollte, etwas also, das ebensogut in einer wissenschaftlichen
Abhandlung, einem journalistischen Artikel, einem Essay hätte beschrieben werden können. Daher nun diese Überbetonung der von
ihrem Gehalt gelösten Form. Aber man vergißt dabei nur allzu
leicht, daß zum Kunstwerk genauso wie die künstlerische Form
auch der künstlerisch-symbolische Gehalt, in bildender Kunst wie
in Dichtung, gehört, daß gar keine Trennung von Form und gei-
stigem Gehalt vorzunehmen möglich ist. Ich kenne keine Form, die
nicht Ausdruck geistigen Gehaltes wäre. Ich kenne kein Kunstwerk,
das nicht eine Ganzheit darstellt, von der man die Form nicht ablösen und als für sich bestehendes Wesen behandeln darf. Ich denke
selbstverständlich nicht daran, jene kitschigen und nur *sogenannt*
poetischen Deutungen von Werken der bildenden Kunst legitimie-
ren zu wollen. Das liegt mir völlig fern. Aber es widersteht mir

innerlichst, ein Madonnenbild, ob nun des religiös gebundenen Mittelalters oder der die Religion säkularisierenden Renaissance, lediglich auf seine Form hin zu betrachten. Ich will schauend erleben, ob eine Madonna religiös geglaubte Mutter Gottes oder ewig menschliche Mutter ist. Ich weiß, daß man bei Gestalten eines Michelangelo, eines Rembrandt und van Gogh von ihrer Schicksalsprägung tiefer ergriffen und erschüttert wird als bei denen eines Raphael. Aber ich weigere mich, die erschütternden und nach Deutung verlangenden Werke als literarisch, wie man heute gerne sagt, abzutun. Ich finde alle Grundbegriffe, die man für die spezifisch dichterischen hält, also etwa das Symbol oder die Innerlichkeit oder Innigkeit oder Stimmung, ja auch epische, dramatische, lyrische Darstellung ganz ebenso im Möglichkeitsbereich der bildenden Kunst gelegen.

Das ist, wie man bemerken wird, das ideelle Fundament meiner sogenannten Übertragung von kunsthistorischen Grundbegriffen auf die Dichtkunst: daß ich nur die Ganzheit eines Kunstwerks gelten lasse, und die Kunst für eine Einheit halte, die sich über den einzelnen Künsten, sie verbindend, wölbt. Grundbegriffe, die nicht für *alle* Künste Geltung haben, sind für mich nicht echte und wahre Grundbegriffe der Kunst, sondern höchstens der verschiedenen *Techniken* der Künste. Wölfflins Grundbegriffe, die sich als spezifische Begriffe der bildenden Kunst geben, haben, weil sie echte Grundbegriffe sind, für alle Künste und weit über den Kunstbereich hinaus Gültigkeit, und wenn Wölfflin sehen lehrte, so lehrte er nicht nur Bilder, Plastiken, Architekturen sehen, sondern die Welt überhaupt, und man ging mit gewandelten Augen nicht nur durch die Museen, sondern durch das Leben.

Ich finde es daher ganz selbstverständlich, daß die Dichter von bildender Kunst so oft und tief erschüttert und erzogen wurden, und die Spuren davon ihren Dichtungen unverkennbar eingeprägt blieben. Was der Straßburger Dom für den jungen Goethe, was die antike Plastik für den italienischen Goethe bedeutet hat, daran brauche ich kaum zu erinnern. Aber das allerschönste, nur weniger bekannte Beispiel scheint mir dies zu sein, daß Goethe in Bologna vor einem Renaissancebild der heiligen Agathe stand und dann niederschrieb: „Ich habe mir die Gestalt wohl gemerkt und werde

ihr im Geiste meine Iphigenie vorlesen und meine Heldin nichts
sagen lassen, was diese Heilige nicht aussprechen möchte." Einer
Heiligen des Barocks, der heiligen Therese von Bernini etwa, hätte
er freilich die Iphigenie nicht vorlesen mögen, und ihre Worte hätten auch seltsam fremd im Munde dieser erotisch verzückten Heiligen geklungen.

Ich glaube sogar zeigen zu können, daß die barocke Dichtung
unter dem erschütternden Eindruck bildender Kunst begann. Man
darf die italienische Renaissance gewiß nicht mit der Wiedergeburt
der Antike identifizieren. Aber der Enthusiasmus für sie und die
Intention, ihr eine Wiedergeburt zu bereiten, gehört unlöslich zum
Wesen der Renaissance. Da kommt nun ein Dichter Frankreichs, ein
Stern der Plejade, Du Bellay, von schwärmerischen Vorstellungen
der Herrlichkeit und Schönheit der antiken Kunst erfüllt, nach
Rom und findet dort: Ruinen, gestürzte Säulen, zerstörte Tempel,
verstümmelte Statuen, verfallene Paläste, und nur der Tiber, der
dem Meere zufließt, bleibt von Rom. Das also hat die allstürzende
Zeit aus den größten, für die Ewigkeit geschaffenen Werken der
Menschenhand gemacht. Die angebetete Antike in Ruinen! Welch
ein Bild der Vanitas, der Macht der Zeit! Es ist die große Tat Du
Bellays gewesen, daß er in seinen Sonetten ›Antiquitez de Rome‹
diesem Erlebnis Ausdruck gab. Er war es, der den melancholischen
Zauber der Ruinen entdeckte und damit der Renaissance einen
sentimental-romantischen Geist einhauchte. Durch ihn geschah es,
daß die Trümmer der antiken Welt zu sprechendsten Zeugen der
Allvergänglichkeit wurden. Nach diesen ›Antiquitez‹ von Du Bellay, mit denen sich schon in der Renaissance ein blühender Barock
zum Ausdruck brachte, hat dann ein großer Repräsentant des englischen Barocks, Spenser, ›Die Ruinen von Rom‹ und ›Die Ruinen
der Zeit‹ geschaffen, und auch Spensers visionäre Dichtungen:
›Visionen von Du Bellay‹, ›Visionen von Petrarca‹, ›Visionen von
der Welteitelkeit‹ liegen auf jener Entwicklungslinie, die von Du
Bellay ausgeht. Wahrlich ein barockes Erlebnis der antiken Kunst,
und wie anders hat Goethe, der klassische Goethe, sie in Rom erlebt. Er wurde nicht von solchem Zauber der Ruinen eingesponnen
und sah in ihnen nicht die Denkmale der allstürzenden Zeit. Er
konnte sie im Geist so heil und ganz und gegenwärtig vorstellen,

daß sie ihm nicht Sehnsucht weckten, sondern stillten, und ihn nicht in Trauerstimmung setzten, sondern ihm Frieden und Erfülltheit brachten.

Man wird nun, hoffe ich, die Legitimität und den Sinn der Übertragung des Barockbegriffes auf die Literatur besser verstehen. Ich glaube sogar, daß man gar nicht von einer Übertragung sprechen sollte, sondern von der Erkenntnis oder dem Erlebnis der Einheit aller Kunst in ihrem Wesen und in ihren Wandlungen.

In diesem Sinne habe ich es in der Abhandlung ›Der lyrische Stil des 17. Jahrhunderts‹ versucht, die barocken Prinzipien lyrischer Gestaltung im Unterschied von denen der Renaissance zu zeigen: Die Zerbrechung oder Öffnung festgeprägter und geschlossener Formen, die unendliche, maßlose, dynamische Anschwellung, Variierung, Auftürmung, Steigerung und Übersteigerung, die Verschlungenheit, die Zielstrebigkeit, die bildliche Verhüllung von geheimem Sinn, die Dissonanz und Widersprüchlichkeit der Antithetik, die nach Auflösung, nach Erlösung verlangt. Das alles ist dichterische Gestaltung der dynamisch bewegten Zeit.

Ich versuchte dann später auch, besonders in meiner Abhandlung ›Der europäische Barock‹, in den andern Gattungen der Dichtkunst, Roman und Drama, Grundbegriffe auf die Dichtkunst zu übertragen, mit denen Wölfflin die bildende Kunst durchleuchtet hatte, besonders den Unterschied von *Sein und Schein*. Ich sah, daß ja wirklich das Leben dem barocken Menschen einen Traum, die Welt ein großes Welttheater bedeutete, und nicht umsonst heißen dramatische Dichtungen des größten Barockdramatikers, Calderón: ›Das Leben ein Traum‹ und ›Das große Welttheater‹. Hier ist wohl auch der tiefste Grund dafür zu finden, daß erst im Barock das Theater zu einer eigenen und souveränen Kunstwelt wurde und daß die Kunst des spielenden Menschen, des Schauspielers, sich erst in dieser Zeit zu einem eigenen und souveränen Beruf entwickelte. Ja, Otto Ludwig, der deutsche Dramatiker, hat in seinen ›Shakespearestudien‹ mit größter Überzeugungskraft gezeigt, daß Shakespeare, der selbst ein Schauspieler war, seine Dramatik aus dem „Herzen der Schauspielkunst" geschaffen hat. Seine durch und durch gestikulierende Sprache, seine Neigung zur Darstellung sich verstellender,

spielender Menschen zeugt davon, ob es sich nun um Hamlets gespielten Wahnsinn, um Jagos gespielte Freundschaft, um Richards
des Dritten trügende Masken und Larven handelt. Damit aber
wird das Schauspiel zu einem Spiel im Spiel, zu einem Schein im
Schein, und noch einmal vertieft sich diese traumhafte Welt zu einer
gleichsam dritten Dimension des Scheines dadurch, daß manchmal
im Drama selbst ein Drama aufgeführt wird, wie im ›Hamlet‹, im
›Sommernachtstraum‹, in ›Der Widerspenstigen Zähmung‹. Solch
dreifache Spiegelung läßt Welt und Leben immer traumhafter,
scheinhafter werden, sich immer mehr verflüchtigen. (Man kann mit
solcher Dichtung wohl vergleichen, wie in der bildenden Kunst des
Barocks die Dinge gern in ihrem *Spiegel*bild erscheinen oder *Gemälde* im Gemälde eines Künstlerateliers gemalt hängen.) Shakespeare ist aber auch darum der Dichter der Vanitas zu nennen, weil
er der Dichter der Verblendung ist. Seine tragischen Gestalten sind
von Wahn umfangen, von Illusion umschleiert: Othello, Timon,
König Lear, Gestalten, die am Schein der Welt zugrunde gehen.
Auf der anderen Seite aber stehen die Masken und die Larven, die
ihr wahres Gesicht verbergen und die Welt zu einem Gewebe von
Lug und Trug machen: Richard III., Jago. Hinter diesem Schein der
Welt tun sich unheimliche Tiefen, Hintergründe und Abgründe auf.
Wer diesen Schein durchschaut, wer hinter diese Masken blickt, wem
das Wahngespinst sich auflöst und die Umschleierung sich hebt, wer
also den Blick dahinter tut, wie es Hamlet zu seinem Unglück kann
oder muß, der vermag in dieser Welt des trügerischen Scheins nicht
mehr zu wollen, zu handeln und zu leben, dem wird der Tiefen-
blick zum Fluch und Tod.

Die Vanitas der Welt kann aber auch unter einem ganz anderen,
nämlich dem heiteren Aspekt gesehen werden, und das macht wiederum Shakespeare so barock, daß sein Weltbild gegenüber der Ein-
deutigkeit und Klarheit der Renaissance so ganz verschiedene
Aspekte zuläßt. In seinen Komödien wird die Vanitas zum heiteren Spiel. Verwechslungen, Verkleidungen, Verstellungen, Verzau-
berungen, Täuschungen schaffen ein Gespinst des Wahns, des Scheins
und der Umschleierung, das sich heiter löst. Die Dichtung wird zum
flüchtigen Traum einer Sommernacht. Wie heißen doch die Worte
des Zauberers Prospero im ›Sturm‹?

Mein Sohn, ihr blickt ja auf verstörte Weise,
Als wäret ihr bestürzt? Seid gutes Muts!
Das Fest ist jetzt zu Ende; unsre Spieler,
Wie ich euch sagte, waren Geister, und
Sind aufgelöst in Luft, in dünne Luft.
Wie dieses Scheines lockrer Bau, so werden
Die wolkenhohen Türme, die Paläste,
Die hehren Tempel, selbst der große Ball,
Ja, was daran nur Teil hat, untergehn
Und, wie dies leere Schaugepräng erblaßt,
Spurlos verschwinden. Wir sind aus solchem Zeug
Wie dem zu Träumen, und dies kleine Leben
Umfaßt ein Schlaf.

Das ist fast mit gleichen Worten gesagt, was Calderón im ›Leben
ein Traum‹ und im ›Großen Welttheater‹ verkündet hat.

In späteren Arbeiten, besonders in der Abhandlung ›Der europäische Barock‹, versuchte ich aber auch die Wege aufzuzeigen, auf denen der barocke Mensch aus der vergehenden und allstürzenden Zeit, der Vanitas des Lebens nach Erlösung suchte. Ja, ich glaubte in all den genannten Eigenschaften des barocken Stils, der dynamischen und maßlosen Häufung von Bildern und Gleichnissen, der gigantischen Schwellung, Steigerung und Übersteigerung den Drang zu erkennen, sich emporringend aus der Zeit, ein Überzeitliches, Absolutes, Göttliches zu erreichen, zu umgreifen, einen babylonischen Turm gleichsam zu errichten, der bis zum Himmel steigt und ihn doch nicht erreichen kann, das Meer der Unendlichkeit auszuschöpfen, das doch unerschöpflich und unumgreifbar ist und nur mit der völligen Hingebung, dem Opfer des Lebens errungen werden kann. Wie in der bildenden Kunst des Barocks, so geben sich nun die Heiligen, Dulder und Märtyrer der barocken Dramatik, ekstatisch, rauschhaft, wildverzückt dem erlösenden Tode hin, öffnen und opfern sich, oder der Mensch setzt den Leiden dieser zeitlichen Welt die innere Constantia, die stoisch-christliche Gelassenheit und Beständigkeit entgegen, oder er flüchtet, wie Simplicius Simplicissimus, dieser Spielball der Zeit, aus dem Auf und Ab, dem Empor und Hinunter, dem ständigen Sturz und Wechsel des Lebens in die Einsamkeit, die Einsiedelei des Inseldaseins, das die Zeit nicht kennt.

Ein anderer Weg der Erlösung aber führte auch mitten in die Zeit hinein, und den das Jahrhundert durchtönenden Rufen: „memento mori" und „vanitas vanitatum vanitas" tönt der andere Ruf entgegen: Carpe diem, pflücke den Tag, genieße den Augenblick, grade weil er so schnell vorübergeht. Das bringt grade im Barock eine sehr sensualistische und eine hochfestliche Dichtung wie bildende Kunst hervor; denn das Fest ist die Erhöhung und Bekränzung, das Festhalten der flüchtigen Zeit. Das *religiöse* Leiden an der Scheinhaftigkeit der zeitlichen Welt verwandelt sich in den *ästhetischen* Genuß des schönen, malerischen Scheins der Welt. Auch hierin also begegnet sich die bildende Kunst mit der Dichtkunst des Barocks.

Wissenschaftliche Zeitschrift der Ernst Moritz Arndt-Universität, Greifswald. Vorträge
und Reden an der Philosophischen Fakultät anläßlich der 500-Jahr-Feier. Gesellschafts-
und sprachwissenschaftliche Reihe. 6, 1/2, 1956—57, S. 67—77.

DAS PROBLEM DES SLAWISCHEN BAROCKS

Von ANDREAS ANGYAL

Es ist für uns eine ganz besondere Freude, bei der 500-Jahr-Feier
der „alma mater Gryphiswaldensis" über ein so wichtiges Thema
wie das Problem des slawischen Barocks sprechen zu können. Wenn
es auch allerlei Spezialarbeiten zu diesem Problem gibt, so muß
doch noch vieles geleistet werden. Es kann nicht die Aufgabe eines
Vortrages sein, alle Fragen zu lösen, aber vielleicht können wir
doch einige Seiten dieses Problemkreises näher beleuchten.

Schon der erste verständnisvolle Würdiger der barocken Kunst,
der deutsche Gelehrte Carl Justi, der 1866 in seiner schönen Winckel-
mann-Monographie beachtenswerte Sätze über Sinn und Wert der
Barock-Epoche niederschrieb (neuerdings im Bändchen ›Das augu-
steische Dresden‹, 1956, nachzulesen), machte einige Bemerkungen
über sächsisch-polnische Kunstbeziehungen in der Epoche Augusts
des Starken. In diesen Bahnen schritt dann Cornelius Gurlitt weiter, der in seinem großen und mit Recht als epochemachend geltenden Buch ›Geschichte des Barockstiles und des Rococo in Deutschland‹ (Stuttgart 1889) auch dem polnischen und böhmischen Barock
Beachtung schenkte.

Diese Ansätze lagen vorerst nur auf kunsthistorischem Gebiet.
Die erste literarhistorische Monographie über das Barock schrieb —
was leider zu wenig bekannt ist — ein slawischer Gelehrter, der
Pole Edward Porębowicz. Sein auch noch heute lesbares Buch enthält eine Darstellung des polnischen Barockdichters Andrzej
Morsztyn (erschienen 1894). Einige Jahre später, 1909, kam dann
die Monographie des kroatischen Jagić-Schülers Dragutin Prohaska über zwei südslawische Barockdichter des 18. Jahrhunderts, Ig-
njat Djordjić und Antun Kanižlić heraus. Das geschah zu einer Zeit,
als die internationale Barockforschung sich noch hauptsächlich auf
die Kunstgeschichte beschränkte. Jacob Burckhardts Spätwerk ›Er-

innerungen aus Rubens‹ sowie Cornelius Gurlitts und Heinrich Wölfflins Arbeiten wurden damals schon allgemein gelesen und geschätzt, aber die Übertragung des Barockbegriffes auf die Literatur- und Geistesgeschichte vollzog sich vorerst nur zögernd. Die Arbeiten von Porębowicz und Prohaska sind nun gerade deshalb von besonderer Bedeutung, weil sie diese Übertragung des Barockbegriffes wagten und ihn gerade auf slawistischem Gebiete weiterentwickelten.

Das Interesse für das slawische Barock erfaßte bald auch die Schriftstellerwelt. Im Jahre 1912 beginnt der große tschechische Erzähler Alois Jirásek mit der Veröffentlichung seines monumentalen historischen Romans ›Temno‹. Jirásek, ein echter Realist und ein gewissenhafter Chronist der nationalen Vergangenheit, zeichnet hier im Rahmen einer tragischen, durch Liebesunglück und religiöse Unduldsamkeit bestimmten Geschichte das Böhmen des beginnenden 18. Jahrhunderts mit dem Mittelpunkt im barocken Prag. Es ist interessant zu beobachten, wie Jirásek, obwohl er den Konfessionalismus, vor allem den fanatischen und erbarmungslosen Proselytismus der Jesuiten aufs schärfste geißelt und ihnen den stillen Opfermut der hussitisch-protestantischen Bekenner und Märtyrer entgegenstellt, doch auch für den Glanz und die Schönheit der barocken Kultur ein offenes Auge hat. Die „Dunkelheit", das ist die Unduldsamkeit der Gegenreformation. Daneben aber steht die Zauberwelt des Prager Barocks, die selbst die Hauptheldin des Romans, die ursprünglich als Hussitin erzogene Försterstochter Helenka, in ihren Bann zieht, so daß sie erst nach dem Zusammenbruch ihrer geheimen Liebe mit dem Bürgersohn Jiří dem Vater in die sächsische Emigration folgt.

Tschechische Barockkunst und Barockmusik, adelige Kultur des 17. und 18. Jahrhunderts, barocke geistliche Dichtung mit ihrer Darstellung der „vier letzten Dinge", galante Liebeslyrik — all diese Themen erklingen wahrheitsgetreu und doch stimmungsvoll im großen Roman Jiráseks. Man wollte ›Temno‹ als „antibarocke Tendenzschrift" ansehen, man wollte mit seinem Titel die ganze tschechische Barock-Epoche bezeichnen, aber beides höchst zu Unrecht. Der Verfasser dieses Vortrags muß gestehen, daß er Jiráseks Roman schon zweimal — einmal im tschechischen Original und dann in ungarischer Übersetzung — gelesen hat, und zwar stets mit der größten Begeisterung. Er ist der Meinung, daß die tschechischen Barockforscher — angeregt allerdings von der noch immer lebendigen Schönheit der Barockstadt Prag — in der Zeit zwischen den Weltkriegen eigentlich nichts anderes zu tun brauchten, als die von Jirásek gestalteten Motive weiterzuführen und wissenschaftlich zu unterbauen.

Die Tschechoslowakei galt ja lange Zeit als das „klassische Land" der slawistischen Barockforschung. Schon der namhafte Wiener Kunsthistoriker Max Dvořák, dem wir viele beachtliche Aufsätze über die europäische Barockkunst verdanken, war ein Tscheche. In Prag wirkte auch der große südslawische Slawist Matija Murko, der mit seiner 1928 gedruckten Schrift ›Die Bedeutung der Reformation und Gegenreformation für das geistige Leben der Südslawen‹ den Barockbegriff auf eine breitere slawistische Grundlage stellte. Um die Wertung des tschechischen Literaturbarocks bemühten sich Arne Novák, F. X. Šalda und Václav Černý. Die drei katholischen Forscher Josef Vašica, Vilém Bitnar und Zdeněk Kalista gaben zwischen 1930 und 1945 eine Reihe von Aufsätzen und Monographien, Untersuchungen und Textveröffentlichungen zum tschechischen Barock heraus. Besonders verdienstvoll ist die 1941 gedruckte Sammlung von Kalista: ›České baroko‹. Das inhaltsreiche Buch ist eine gediegene Anthologie der tschechischen Barockliteratur, sowohl ihrer geistlichen, als auch ihrer weltlichen, sowohl ihrer katholischen, als auch ihrer protestantischen Schöpfungen, versehen mit einer guten Einleitung, die zugleich die erste wissenschaftliche Gesamtdarstellung des tschechischen Barocks ist.

Es soll gesagt werden, daß Vašica und Bitnar nicht nur auf die religiöse, sondern auch auf die ästhetisch-wortkünstlerische Seite, Kalista auch auf die gesellschaftlichen Probleme des tschechischen Barocks aufmerksam wurden. Deutsche Gelehrte, so Eduard Winter, dann Oskar Schürer und schließlich der in Deutschland lebende Ukrainer Dmytro Čyževśkyj, waren bestrebt, diese Ergebnisse auch der internationalen Gelehrtenwelt zu vermitteln.

Auch die Slowaken wollten nicht nachstehen: bei ihnen erschienen wertvolle Publikationen zum Barockproblem. Wir nennen in erster Linie Rudo Brtáň, der uns mit seinem ›Barokový slavizmus‹ (1939)

wichtige Aspekte der gesamtslawischen Barockkultur erschloß. Andrej Mráz schrieb über den slowakischen Spätbarockdichter Gavlovič. Weiterhin erschien aus der Feder verschiedener Autoren eine Reihe von Aufsätzen zu slowakischen Barockproblemen. Eine eifrige Tätigkeit entfaltete auch die polnische Forschung, vor allem der Literaturhistoriker Julian Krzyżanowski, der seinen ersten Barockaufsatz (über den Jesuitendichter Sarbiewski) bereits 1915 schrieb, dann im Sammelband ›Od średniowiecza do baroku‹ (1938) einen interessanten, an vielen der polnischen sowie der Weltliteratur entnommenen Beispielen reichen Beitrag über die im Mittelalter, im Barock und in der Romantik des 19. Jahrhunderts auftauchenden „romantischen" Strömungen veröffentlichte, und der sich schließlich 1953 in der ›Historia literatury polskiej‹ eingehend mit den literarischen Schöpfungen des polnischen Barocks befaßte.

Von den südslawischen Barockforschern in der Zeit zwischen den Weltkriegen verdienen vor allem der serbische Literaturhistoriker Petar Kolendić und der kroatische Kulturhistoriker Josip Horvat unsere Beachtung. Kolendić hatte selbst in Makedonien an der Universität Skopje Gelegenheit, sich dem Studium der serbokroatischen Barockdichtung Dalmatiens zu widmen und über dieses Thema wertvolle Aufsätze in verschiedenen Zeitschriften, so im ›Glasnik Skopskog Naučnog Društva‹, zu veröffentlichen. Josip Horvat schrieb 1939 eine zwar etwas „belletristisch" anmutende, doch sehr interessante ›Kultura Hrvata kroz hiljadu godina‹, in welcher die kroatische und dalmatinische Barockwelt, ihre gesellschaftliche, geistig-kulturelle sowie literarische Atmosphäre sehr gut beleuchtet werden.

Wie stand es nun um die Barockforschung in der Sowjetunion? Auf kunstgeschichtlicher Ebene wurde — dank den Bestrebungen Alpatovs — auch hier Großes geleistet. Vor dem Begriff des literarischen Barocks hatten und haben aber die meisten sowjetischen Gelehrten leider einen Horror. 1939 erschien z. B. in Moskau die Monographie von G. A. Gukovskij: ›Russkaja literatura XVIII veka‹. Čyževśkyj rezensierte das Buch in der ›Zeitschrift für slavische Philologie‹ (Bd. 17, S. 469—474) und mußte mit Bedauern feststellen, daß „das Wort und der Begriff Barockdichtung an dem Bewußtsein der russischen Literarhistoriker wirkungslos vorbeigegangen ist". Es muß gesagt werden, daß dies nicht nur für die sowjetische Russistik gilt. Auch die Emigrantin Julia Sazonova z. B., deren russische Literaturgeschichte jüngst gleichfalls mit Recht von Čyževśkij getadelt wurde, kennt den Begriff der russischen Barockliteratur nicht. Demgegenüber verwies Čyževśkyj — u. E. der größte slawische Barockforscher der Gegenwart — auf folgende unbestreitbare Tatsache: „Die Dichtung Tredjakovskijs und Lomonosovs ist vorwiegend in der Barocktradition verankert (vgl. nur die dichterischen Autoritäten, auf die sich die beiden selbst berufen!). Wenn Sumarokov gegen Lomonosov und Tredjakovskij auftritt, so ist seine Kritik eine typische Kritik des Barockstils, wie sie vom angehenden Klassizismus ausgeübt worden ist." (Ztschr. f. slav. Phil., Bd. 17, S. 472—473.)

Nach 1945 wurde die Erforschung des Barocks in der Sowjetunion auf kunsthistorischem Gebiet eifrig fortgesetzt. Wir nennen u. a. das gehaltvolle Büchlein des Architekten Rzjanin: ›Russkaja architektura‹ (Moskau, 1947), das z. B. einen glänzenden Abschnitt über die Baukunst des Moskauer Barocks enthält und die architektonischen Barockleistungen Kiews wie Petersburgs einfühlend analysiert. Auch der nunmehr ins Deutsche übersetzte Barockaufsatz der ›Großen Sowjetenzyklopädie‹ bringt viele gute Ideen zum europäischen wie russischen Barock, wenn auch hier manches noch einer klärenden Diskussion bedarf. Um so verwunderlicher jedoch erscheint die Tatsache, daß sich sowohl die russische, als auch die ukrainische Literaturgeschichtsschreibung in der Sowjetunion noch immer nicht an den Barockbegriff heranwagt. Eine rühmliche Ausnahme bildet I. P. Jerjomin mit seinen Forschungen über Simeon Polockij. (Trudy Otdela drevne-russkoj literatury, Bd. 6, S. 125 bis 153.)

Zwei Beispiele seien hier genannt, die um so krasser sind, als es sich im Grunde um verdienstvolle, reichhaltige und philologisch gründliche Werke handelt. Das erste Werk ist die ›Istorija russkoj literatury XVIII. veka‹ von D. D. Blagoj (3. Auflage, Moskau, 1955). Blagoj arbeitet mit den stilgeschichtlichen Begriffen Klassizismus — Sentimentalismus — Realismus. Diese drei aufeinanderfolgenden Perioden bestimmen für ihn die Entwicklung der russischen Literatur im 18. Jahrhundert. Eine „russische Barockdichtung" kennt er nicht. Wohl arbeitet er auf S. 82 seines Buches, im Unterabschnitt ›Razvitije iskusstva‹, mit der Methode der „wechselseitigen Erhellung der Künste", indem er die feierlichen, pathetischen und malerischen Schöpfungen der russischen Kunst des 18. Jahrhunderts mit der Odendichtung eines Lomonosov oder Deržavin vergleicht, doch meidet er das „Tabu-Wort" Barock konsequent.

Dieselbe Haltung nehmen auch die Autoren der ›Istorija ukrajińskoj literatury‹ (Bd. I, Kiew, 1955) ein. Der ukrainische Literaturhistoriker Byleckyj macht zwar auf Züge der Prosa des 17. Jahrhunderts aufmerksam, die unzweifelhaft barock sind, und zieht Vergleiche zwischen Literatur und Kunst, doch wird das Wort „barock" auch hier sorgfältig vermieden. Es wäre zu wünschen, daß die ukrainische und russische Literaturforschung der Sowjetunion sich endlich mit dem europäischen Barockbegriff auseinandersetzt.

Ein gewisser Rückgang in der Barockforschung war nach 1945 auch in anderen slawischen Ländern zu beobachten, am stärksten in der Tschechoslowakei. Hier nahm die „Barockfeindschaft" groteske Formen an, was um so tragischer ist, als die tschechische Barockforschung vor dem Zweiten Weltkrieg eine führende Rolle innehatte. Um 1950 aber wurde das Barock als „reaktionäre Pseudotradition" deklariert, und selbst der tüchtige Prager Kunsthistoriker Jaromír Neumann mußte in der Einleitung seines ansonsten gehaltvollen Buches ›Malířství XVII. století v Čechách‹ (Prag 1951, S. 17) die phantastische These aufstellen: der tschechische Barock-Kult um 1930 und vor allem die große Prager Barock-Ausstellung von 1938 wären nichts anderes gewesen, als ein von der tschechischen Aristokratie und Bourgeoisie veranstaltetes Vorspiel zur Kapitulation vor dem Faschismus . . . Heute würde wohl Neumann diese absurden Sätze nicht mehr niederschreiben.

Eine Ausnahme bildet Jugoslawien, das sich von den Übertreibungen der „Barockfeindschaft" freihalten konnte. Bei den Serben, Kroaten und Slowenen bewahrte man auch für „antiklassische" und „unrealistische" Strömungen in Kunst und Literatur Verständnis. Kein geringerer als der größte kroatische Schriftsteller unserer Zeit, der auch als Kulturhistoriker bedeutende Miroslav Krleža, schrieb die Einleitung zum schönen Barock-Aufsatz im I. Band der ›Enciklopedija Jugoslavije‹ (Zagreb, 1955). Mit sicherem Auge weist Krleža auf die *ästhetischen Qualitäten* der barocken Kunst hin, auf ihre beschwingten, oft ganz „ballettartigen" Züge, die wie ein Protest gegen das sich allmählich versteinernde „Schöpferprotokoll" der Renaissance anmuten. Eine schöne und verständnisvolle Würdigung des Barocks als künstlerisches, kulturelles und geistiges Phänomen finden wir auch beim slowenischen Literarhistoriker Mirko Rupel, der im I. Band des neuen Sammelwerkes ›Zgodovina slovenskega slovstva‹ (Ljubljana, 1956) das Phänomen *Protireformacija in barok* auf mehr als sechzig Seiten (S. 263—325) beschreibt. Mirko Rupel, der schon in der Zeit zwischen den Weltkriegen als bedeutender Kenner der slowenischen Literaturgeschichte des 16. und 17. Jahrhunderts auftrat, bringt hier eine Gesamtübersicht des Barocks auf allen künstlerischen, geistigen und literarischen Gebieten von einer gesamteuropäischen Warte aus. Das europäische wie das slawische Barock schwingen überall mit. In diesen Rahmen werden nun die wort- und bildkünstlerischen Schöpfungen des slowenischen Barocks hineingestellt. — Im Interesse des wissenschaftlichen Fortschrittes ist es zu wünschen, daß die weitere Erforschung der slawischen Barockwelt auf den Spuren Krležas und Rupels fortschreite.

Es ist sehr erfreulich, daß auch in Deutschland neue, hoffnungsvolle Ansätze zur slawistischen Barockforschung vorhanden sind. Wir denken dabei an die hochinteressante Arbeit des Weimarer Kunsthistorikers Hermann Weidhaas: ›West-östliche Beziehungen in der Baugeschichte des 17. und 18. Jahrhunderts‹ (Wiss. Ztschr. der Hochschule für Architektur u. Bauwesen, Weimar, Jg. 3, S. 75 bis 148). Weidhaas untersucht das Spezialproblem des „Ovalraums mit Doppelturmfassade" vor allem in den altösterreichischen, böhmisch-mährischen und polnisch-litauisch-ukrainischen Gebieten auf breitester architektur- und sozialgeschichtlicher Basis und kommt dabei zu Folgerungen, die auch für den Slawisten von großer Bedeutung sind. Mit Recht behauptet Weidhaas: „Böhmen, Mähren, die Slowakei, Schlesien und Polen nehmen an den Bewegungen des europäischen Barocks einen generellen Anteil" (S. 120). Neben aller Betonung der deutsch-italienischen Querverbindungen leugnet Weidhaas das schöpferische Mitwirken slawisch-osteuropäischer Kräfte nicht und gebraucht bei der sozialgeschichtlichen Analyse dieser Kunst den sehr glücklichen Begriff des „Magnatenkatholizismus". Es werden hiermit Wege betreten, die für die gesamte Slawistik von Wichtigkeit sind.

Werfen wir noch einen Blick auf Ungarn, das zwar kein slawisches Land ist, aber durch tausend Fäden eng mit der slawischen Welt verbunden ist. Auch hier wurde in den Jahren 1948 bis 1953 die Barockforschung vernachlässigt. Inzwischen jedoch ist ein Wandel eingetreten. In Sárospatak, in der Stadt, wo seinerzeit Comenius, einer der größten slawischen Barockschriftsteller, wirkte, wurde am 25. Mai 1956 eine große Barock-Diskussion in Anwesenheit ungarischer Historiker und Literaturhistoriker abgehalten, die im wesentlichen mit einer positiven Würdigung des Barocks abschloß. Gerade die betont marxistisch eingestellten Teilnehmer der Diskussion konnten auf viele positive Züge des barocken Schrifttums, der barocken Kultur, ja sogar der Gegenreformation hinweisen! Unser Ziel soll nun sein, dieser neuen Auffassung auch in der slawistischen Barockforschung Geltung zu verschaffen. Wir hoffen, auf diese Weise die Verbindung mit der internationalen Barockforschung vertiefen zu können, die heutzutage immer neue Bereicherungen erfährt. In den ›Forschungen und Fortschritten‹ (Dezemberheft 1954) versuchten wir einige Hinweise zu geben, die Entwicklung ist jedoch seitdem weitergegangen. Nachdem etwa 1940 bis 1950 Amerika die Führung auf diesem Gebiete innehatte, scheint die Initiative neuestens auf die romanischen Länder Europas, vor allem auf Italien und Frankreich überzugehen. Ein höchst interessantes Phänomen: lange sträubten sich gerade diese beiden Länder, das Barock zu verstehen. Frankreich betete seinen angeblichen „Klassizismus" an, die Italiener wetterten, mit Benedetto Croce an der Spitze, gegen den « cattivo gusto » Marinos und seiner Nachfolger. Heute aber hat das Barock gerade unter italienischen und französischen Gelehrten seine verständnisvollsten Interpreten gefunden. Wir erwähnen nur kurz die im Juni 1954 in Venedig abgehaltene Konferenz über das Thema ›Retorica e Barocco‹. Italiener und Franzosen traten vor allem hervor, daneben einige Spanier und Deutsche. Im Mittelpunkt der Diskussion stand freilich das Barock in den romanischen Ländern, aber auch die slawisch-osteuropäische Barockwelt wurde gestreift, vor allem in

den Referaten des Göttinger Gelehrten Hans Tintelnot, des Bolo-
gneser Philosophen Lorenzo Giusso und des Pariser Professors
Victor Lucien Tapié. Wir werden Gelegenheit haben, die Ergebnisse dieser Konferenz in der DLZ zu besprechen, darum wollen
wir nun kurz jene Hauptthesen schildern, die dem Kongreßmaterial
zu entnehmen sind:

1. Die barocke Kunst und die barocke Literatur bedeuten keinen
   Gegensatz zur humanistischen und Renaissance-Tradition, vielmehr ihre legale Fortsetzung.
2. Der Sinn für künstlerische Freiheit, für Formenreichtum und
   Phantasie, ein gewisser „romantischer" Charakter ist für die
   barocken Schöpfungen äußerst charakteristisch.
3. Es existieren starke Verbindungen zwischen Barock und Katholizismus, doch ist das Barock keine bloße „Jesuitenkunst", keine
   „Kunst der Gegenreformation".
4. Auch der sog. „französische Klassizismus" gehört zum Barock.
5. Monarchie und Adel bilden die gesellschaftliche Basis des Barocks. Daneben gibt es auch starke volkstümliche, ja bürgerliche
   Züge in vielen Barockschöpfungen.

Einen großen Fortschritt für die internationale Barockforschung
bedeutet das 1952 englisch und 1954 deutsch erschienene Buch des
Deutsch-Amerikaners Carl J. Friedrich: ›The Age of the Baroque‹.
(Wir benutzten in Ungarn die englisch-amerikanische Ausgabe.)
Das Buch ist auch für die Slawistik sehr wichtig, da Friedrich viel
slawisches Material aus der allgemeinen und Geistesgeschichte des
17. Jahrhunderts heranzieht und bemüht ist, solche Phänomene wie
Comenius oder die polnische Monarchie der Barockzeit in die europäische Entwicklung einzuordnen. Sowohl die „gegenreformatorische" als auch die „absolutistische" Interpretation des Barocks findet
Friedrich einseitig und betont demgegenüber die schillernde Vielfalt
der Barockphänomene. Barock ist für ihn "a highly polarized style",
dessen Vertreter vom Drang beseelt sind, "to accomplish the im-
possible in *all* directions". Er lehnt die „faustische" Theorie Oswald Spenglers ab, fügt aber hinzu: "one can today safely consider
baroque to have been one of the four or five most universally
significant forms of expression of occidental culture". Von allen
historischen Stilen Europas entspräche das Barock am besten der

slawischen Wesensart: darum sei seine große Blüte bei Tschechen, Polen und Russen zu finden.

Damit kommen wir zu einem interessanten Problem: können wir von spezifisch *slawischen* Wesenszügen in der barocken Kunst und Literatur Osteuropas sprechen? Gibt es ein „slawisches Barock" oder nur ein „Barock bei den Slawen"? Ein Problem, das mit größter Vorsicht behandelt werden muß, wenn wir nicht auf „rassenkundliche" oder „geopolitische" Irrwege geraten wollen. Indessen sind vielen Betrachtern, von Cornelius Gurlitt bis zu der modernsten Forschung, gewisse spezifische Eigentümlichkeiten der osteuropäischen Barocksphäre aufgefallen. Gurlitt glaubte zwar irrtümlicherweise, die barocke Architektur Böhmens und Polens sei eine rein deutsche Angelegenheit, doch über die Prager Sankt-Nikolaus-Kirche K. I. Dientzenhofers mußte er die folgende Feststellung machen: „Der Eindruck ist trotz des Reichtums der Gliederung ein überaus schwerer, derber, dabei phantastischer." (Geschichte des Barockstiles und des Rococo in Deutschland, S. 271.) „Schwer, derb, phantastisch" — das sind Adjektive, die seither in der Forschung immer wieder auftauchen, wenn das „östliche Barock" charakterisiert werden soll, so etwa beim Dresdner Kulturhistoriker Heinrich Schaller oder dem Wiener Kunstforscher Karl M. Swoboda. Und noch in jüngster Gegenwart konstatierte Heinrich Gerhard Franz in seinen ›Beiträgen zur Baukunst des 17. und 18. Jahrhunderts in Böhmen‹: „In Prag besteht eine Neigung zu schwer-dumpf-massigen Formen. In diesem Sinne sind in Böhmen in allen Epochen die Zeitstile umgebildet worden ... Die Wiener Fassaden sind linearer und leichter gegliedert, die Prager schwerer und voller." (Zeitschrift für Ostforschung, Jg. 1954, S. 49—50.)

Gut läßt sich damit das vereinigen, was Čyževśkyj schon vor einem Vierteljahrhundert über den Emotionalismus, Individualismus und Lyrismus, über die Empfindlichkeit, Ruhelosigkeit und Bewegtheit des ukrainischen Volkscharakters schrieb. Dabei stellte er fest, daß diese Charaktereigenschaften eine besonders starke Ausprägung eben in der ukrainischen Barockkultur erhalten haben. (Slavische Rundschau, Bd. 3, S. 241—243.) Nun, dieses Schwere, Massige und Volle einerseits, das Emotionale, Individualistische und Lyrische andererseits scheint gerade das typisch Slawische im gesamten slawischen Barock zu sein. Freilich soll immer wieder betont werden, daß dies eine Forschungshypothese sein soll, kein dogmatisches Urteil.

Allem Anschein nach können diese Gedankengänge auch auf die Literatur angewandt werden. Der Vergleich Wien—Prag würde auf literarhistorischer Ebene etwa die Gegenüberstellung zweier barocker Neulateiner bedeuten: des Österreichers Nikolaus Avancini und des Tschechen Karel Kolčava. Beide sind Jesuiten, beide dichten lateinische Schuldramen, beide sind tüchtige Vertreter eines wirklich barocken Stilideals. Doch wie „klassizistisch" mutet selbst die berühmte „florentis styli mascula vivacitas" des Österreichers Avancini neben dem zum Äußersten gesteigerten Überschwang Kolčavas an! Selbst ein guter Lateiner kann die oft mehrere hundert Druckseiten umfassenden Dramen des Tschechen heute nur mit Wörterbüchern lesen, so sehr wimmeln da die seltensten, „bombastischen" Ausdrücke.

In ähnlichem Sinne könnte man etwa auch die italienische Epik des Früh- und Hochbarocks von Torquato Tasso bis Girolamo Graziani mit der südslawischen Barockepik von Ivan Gundulić bis Petar Kanavelović vergleichen. Auch da würde man den Unterschied schon daran sofort merken, daß die südslawischen Dichter irgendwie naturhafter und mehr mit der eigenen volkstümlichen Tradition verbunden sind. Bereits Vsevolod Setschkareff hat in seiner Monographie über den poetischen Stil Gundulićs (Bonn, 1952) diese Gedanken angedeutet.

Freilich wird man Unterschiede im südslawischen, westslawischen und ostslawischen Barock finden und Ragusa, Prag, Warschau, Kiew und Moskau auf künstlerischer und literarischer Ebene nicht immer gleichsetzen können. Indessen sind wir doch der Meinung, daß mit gewisser Vorsicht nicht nur über ein „Barock bei den Slawen", sondern auch über ein „slawisches Barock" gesprochen werden darf.

Kehren wir aber nochmals zu den für uns äußerst wichtigen Ausführungen Friedrichs zurück. Der gemeinsame Nenner der scheinbar so widerspruchsvollen Barockschöpfungen ist für ihn "a cult of power". (S. 43—45.) Die echtesten Symbole und die wesensgemäßesten Schöpfungen des Barocks sind laut Friedrich die Stadt mit ihrer architektonischen Durchkomponiertheit, das Schloß als Synthese von Kunst und Natur und endlich die Oper als „Gesamtkunstwerk". Besonders charakteristisch für die innere Haltung des Barockmenschen ist die Oper: " . . . these new operas may be considered the crowning fulfillment of that life of baroque man, at once stately and playful, enchanted by illusion and yet full of life, reaching out for the infinite in an ecstatic sense of man's power and at the same time full of a sense of cosmic unity and of the passing of time, of the death that seals all life's ambitions and glories." (S. 86.)

Wir könnten hier gleich auf die slawische Barockwelt umschalten und solche Beispiele nennen, wie die Erbauung der Großstadt Petersburg, das spätbarocke Zarenschloß in Carskoje Selo, die böhmischen, polnischen, kroatischen Adelsschlösser, die Übernahme und Umgestaltung der barocken Oper durch die serbokroatischen Dichter Dalmatiens, die Opernaufführungen des polnischen Hofes im 17., des russischen im 18. Jahrhundert, den ganzen adeligen Lebensstil solcher Hauptrepräsentanten, wie des polnischen Fürsten Stanislaus Heraklius Lubomirski oder des kroatischen Grafen Franz Christoph Frankopan. Auch die „kosmische Dichtung" des Tschechen Bridel und des Polen Sarbiewski, die polnischen und tschechischen Barockgedichte über die „vier letzten Dinge", die visionären Deckenfresken des Kroaten Ivan Ranger und des Slowenen Franz Ilovšek. Auch der „Pansoph" Comenius, der „barocke Slawist" Križanić, die von bester Charakterisierungskunst erfüllten Porträts des tschechischen Malers Karel Škréta, die als Maler ebenfalls bahnbrechenden serbischen Künstler des 18. Jahrhunderts Žefarović und Kračun, die großen Reformatoren der russischen Sprache und Literatur Tredjakovskij und Lomonosov gehören hierher. Eine an Farben, Werten und Begabungen überreiche Welt, die man aus ästhetischen oder anderen Gründen abzutun oder zu verleugnen nicht das Recht hat. Ja, es gibt leider noch so etwas wie eine ästhetische „Barockfeindschaft" oder besser gesagt „Barockmüdigkeit". Wir denken dabei an das berühmte Buch des kürzlich verstorbenen Bonner Romanisten Ernst Robert Curtius: ›Europäische Literatur und lateinisches Mittelalter‹ (Bern, 1948). Schon die Art und Weise, wie Curtius die slawischen, ja vielfach auch die germanischen Schöpfungen aus seiner „lateinischen Weltliteratur" ausscheidet, ist zu bedauern. Noch bedauerlicher ist aber jene überhebliche Geste, mit der er die Methode einer „wechselseitigen Erhellung der Künste" ablehnt und die ganze Barockliteratur auf einen angeblichen antikischen „Manierismus" zurückführen will. Zweifelsohne gibt es Verbindungen zwischen Antike, Manierismus und Barock. Indessen ist der sogenannte „Manierismus" des ausgehenden 16. Jahrhunderts nur eine Vorstufe des Barocks. Seit Wölfflin ist uns bekannt — was neuerdings Franz Altheim wieder betont hat —, daß auch die Spätantike eine „barocke" Stilphase hat. Die Beispiele, die Curtius für seinen antiken „Manierismus" bringt, stammen fast alle aus dieser spätantiken Periode. Der Erforscher des europäischen Barocks darf sich also von der blendenden Überredungskunst eines Curtius nicht irreleiten lassen!

An einer Gesamtdarstellung der slawischen Barockwelt, ihrer literarischen und künstlerischen Leistungen arbeitet jetzt der Verfasser dieses Referates. Er hofft, seine Arbeit in einigen Monaten vorlegen zu dürfen. Indessen gibt es schon jetzt eine gute, allerdings bloß einige Seiten umfassende Schilderung der slawischen Barockliteratur. In seinem 1952 in Boston erschienenen Buch ›Outline of Comparative Slavic Literatures‹ (S. 56—69) widmet Čyževśkyj der slawischen Barockliteratur einen ganzen Abschnitt. (Vgl. neuestens auch seinen Forschungsbericht in der Zeitschrift Die Welt der Slaven, Jg. 1, S. 293—307 und 431—445.)

Auch er verwirft die „gegenreformatorische" These, betont daneben die Synthese mittelalterlicher und Renaissance-Elemente, das Bewegte, Dynamische, oft Widerspruchsvolle und Paradoxe, den Drang zur All-Umfassung, aber auch zum Naturalismus und zum Volkstümlichen. Als gesellschaftlicher Hintergrund des slawischen Barocks gelten für Čyževśkyj in erster Linie die Adelshöfe, doch betont er auch die Rolle der Schulen und gewisser kirchlicher Organisationen. Als Bindeglied zwischen germanisch-romanischer und slawischer Barockwelt gelten ihm Kroatien, Böhmen und Polen: von hier aus strahlt die Barockkultur in die übrigen slawischen Länder und Gebiete. Kurze, aber gute Charakteristiken der einzelnen slawischen Literaturen in der Barockzeit begegnen uns bei Čyževśkyj ebenfalls. Es wäre zu hoffen, daß seine langversprochene

Literaturgeschichte des slawischen Barocks bald erscheint. Der Verfasser dieses Vortrages würde ihm mit Freude die Palme der Priorität überlassen.

Bei einem noch so kurzgefaßten Überblick über die slawische Barockwelt dürfen wir solche Probleme nicht außer acht lassen wie das Verhältnis des Barocks zu Reformation und Gegenreformation, zu Mittelalter, Renaissance, Aufklärung und Romantik sowie auf gesellschaftlicher Ebene zu Adel, Bürgertum und Volk.

›Barock als Kunst der Gegenreformation‹ — seit dem bekannten Buch Werner Weisbachs wurde dieses Schlagwort von vielen Forschern aufgegriffen und verteidigt. Nun, wir machten schon darauf aufmerksam, daß die modernste Forschung gewisse Bedenken gegen diese These hat. Es ist zwar richtig, daß das Barock gerade in den katholischen Ländern glänzende Schöpfungen der Literatur und der Kunst hervorgebracht hat. Auch im slawischen Barock gibt es Schöpfungen von stark katholischem Charakter: in der religiösen Dichtung ›Suze sina razmetnoga‹ des Südslawen Gundulić, in der kroatischen, slowenischen, tschechischen Barockpredigt, in der Dichtung des slowakischen Franziskaners Gavlovič, im ganzen polnischen religiösen Leben des 17. Jahrhunderts mit seinen Kirchenfesten und Wallfahrten, in den Marien- und Jesus-Gedichten Sarbiewskis u. s. f. Es darf jedoch nicht übersehen werden, daß es unter den führenden Geistern des slawischen Barocks auch Protestanten und Orthodoxe gibt: den Bischof der Böhmischen Brüder Comenius, die russischen Dichter, die russischen und serbischen bildenden Künstler des Spätbarocks. Auch jener „pantheistisch-kosmische" Zug des europäischen Barocks, im Westen vertreten durch Denker und Künstler wie Giordano Bruno, Jakob Böhme, Rubens, Tintoretto, fehlt im slawischen Barock nicht. Selbst Jesuitendichter wie Bridel und Sarbiewski lassen wiederholt — trotz aller christlichen Religiosität — Töne einer „immanenten" und „kosmischen" Unendlichkeitsmystik erklingen, und dasselbe gilt für die Deckenfresken des böhmischen, slowenischen, kroatischen Barocks.

Ohne Zweifel lebt auch das Mittelalter fort. Man könnte sozusagen von einer slawischen Barock-Gotik sprechen. Wir selbst gebrauchten diesen Terminus in verschiedenen Arbeiten, hierin dem tschechischen Forscher Vilém Bitnar folgend. Später mußten wir erkennen, daß der Begriff — wenigstens auf kunstgeschichtlichem Gebiet — schon dem bahnbrechenden Dresdner Barockforscher des 19. Jahrhunderts Cornelius Gurlitt geläufig war. In seiner ›Geschichte des Barockstiles und des Rococo in Deutschland‹ (S. 206) begegnet uns der Satz: „Außer in England, außer in den starr konservativen Kollegien von Oxford ist meines Wissens nirgends in der Welt um 1700 in bewußter Absichtlichkeit gothisch gebaut worden, außer in Böhmen." Anschließend beschreibt Gurlitt einige Schöpfungen dieser „barocken Gotik" in Böhmen, vor allem die wirklich hochinteressante, um 1726 vollendete Klosterkirche Kladrau mit „der mächtigen Kuppel über der Vierung, die von Fialen und Strebebogen begleitet, über der zierlichen Laterne in einer mächtigen Krone endet, und bei völliger Willkür der Detailformen; bei manchem geradezu komischen Mißverständnisse des geistigen Inhalts der gothischen Glieder doch eine höchst würdige Wirkung erzielt." (S. 207.)

Handelt es sich aber bei Kladrau wirklich um ein „Mißverständnis des geistigen Inhalts der gotischen Glieder"? Im Lichte modernster Forschung sehen wir die Entwicklung etwas anders. In seinem bemerkenswerten Buche über ›Die Entstehung der Kathedrale‹ (Zürich, 1950) hat der Münchner Kunsthistoriker Hans Sedlmayr die gotische Kathedrale wiederholt als ein „Gesamtkunstwerk" apostrophiert und auf die literarischen und musikalischen Bezüge dieser Kunst hingewiesen, aber auch auf ihre oft bis ins 18. Jahrhundert reichenden Ausstrahlungen. Die Verwandtschaft mit dem Barock wird daraus klar. Versailles wird z. B. von ihm als Parallele herangezogen. Und wenn wir das Ganze gesellschaftsgeschichtlich beurteilen wollen, so müssen wir auf die Tatsache aufmerksam machen, daß sowohl Gotik als auch Barock Stile der feudalen Periode sind. Es ist sicher kein Zufall, daß der südslawische Patrizier Petar Kanavelović von der Insel Korčula zu Beginn des 18. Jahrhunderts ein Epos ›Sveti Ivan biskup trogirski i kralj Koloman‹ schreibt, worin Ereignisse aus der ungarischen und kroatischen Geschichte des 12. Jahrhunderts in barocker Form, aber mit vielen Motiven mittelalterlich-gotischer Ritterromantik behandelt werden. Das barock-gotische Epos des Kroaten Kanavelović erweist sich demnach als eine vollkommene literarische Parallele zu den gleichzeitigen barock-gotischen Bauten Böhmens. Man ist also durchaus berechtigt, von einer Verwandtschaft gotischer und barocker Schöpfungen auch auf dem Gebiete der slawischen Literatur- und Kunstgeschichte zu sprechen.

In der Prosaliteratur vertreten viele süd- und westslawische Prediger diese barockisierte Gotik oder dieses gotisierende Barock: der unter dem Namen Joannes a Sancta Cruce (Janez Svetokriški) berühmt gewordene Tobija Lionelli, in dessen Predigten Rupel die Spitzenleistung des slowenischen Literaturbarocks sieht, ferner sein kroatischer Zeitgenosse Stephanus Zagrabiensis, der ebenfalls in den Zeitläuften um 1700 wirkende sprachgewaltige Tscheche Bohumír Hynek Bilovský, sowie manch zeitgenössischer ukrainischer und großrussischer Prediger dieser Periode: der auch als Dichter bedeutende Simeon Polockij und der von der Ostkirche als heiliger Demetrius von Rostov verehrte Erzbischof Dmytro Tuptalo.

Das slawische religiöse Leben der Barockzeit hat viele Zusammenhänge mit dem Mittelalter: Wallfahrten, geistliche Feste, Kirchenlieder und Legendensammlungen. Wenn man z. B. west- oder südslawische Mirakelbücher in die Hand nimmt, so das Büchlein ›Kinč osebujni slavnoga orsaga Horvackoga‹ des Kaplans Petar Berke über die kroatische Wallfahrtstätte Marija-Bistrica, fühlt man sich ganz in einer mittelalterlichen Atmosphäre. Sowohl die orthodoxen ›Paterika‹, als auch die vielfach die gleichen Heiligen feiernden katholischen ›Vitae Sanctorum‹ vermitteln der ganzen slawischen Barockwelt ein weitgehend ähnliches, mittelalterliches Geistesgut. Und um nochmals zur Kunstgeschichte zurückzukehren: *wie verständnisvoll, ja liebevoll* komponiert das Prager Barock in der Sankt-Heinrichs-Kirche der Jindřišská ulice oder in der Tein-Kirche die barocken Altäre, Chorstühle, Kanzeln in den gotischen Kirchenraum hinein! Wäre das möglich gewesen, wenn man nicht selbst einen gewissen Zusammenhang empfunden hätte?

Neben der Barock-Gotik lebt aber auch die Reformation, ja sogar der Hussitismus fort! Eine paradox anmutende, doch höchst interessante Tatsache, die noch weiterer Forschungen bedarf. Jedenfalls ist es sehr reizvoll, diese eigenartige „Transformation" zu betrachten. Daß z. B. Comenius, dieser eifrige Protestant, zugleich auch mit seiner ganzen „pansophischen" Ideologie, mit seinem „Labyrinth der Welt", ja sogar mit seinem Sprachstil ein echt barocker Schriftsteller war, das ist heute Gemeingut der Slawistik. Gegen diese Tatsache kämpfen zu wollen, wäre verlorene Mühe. Sehr reizvoll ist es aber auch zu sehen, wie die hussitische Tradition im Raume der heutigen Slowakei eine „Barockisierung" erlebt. Sozialgeschichtlich gesehen hängt das mit dem Umstand zusammen, daß die ungarisch-slowakischen, meist zweisprachigen Adeligen Oberungarns einerseits überzeugte Protestanten im Geiste der hussitisch-evangelischen Tradition waren, andererseits aber auch viel Sinn für die höfisch-humanistische Barockkultur hatten. Die Slawistik hat sich z. B. bisher kaum mit Johann Rimay beschäftigt, mit dem Dichter und Edelmann von Dolná Stregova, der als humanistisch gebildeter Sohn eines ungarischen Vaters und einer slowakischen Mutter das Ungarische, das Slowakische und das Lateinische in gleicher Weise beherrschte. Als Protestant stand er mitten in der hussitischen Überlieferung, schrieb tschechische Briefe, übersetzte hussitisch-protestantische Kirchenlieder, daneben war er aber als ungarischer Dichter der erste bedeutende und dazu noch sehr typische Vertreter der ungarischen Barocklyrik. Ein „protestantisches Barock" vertritt bei den Westslawen auch der polnische arianische Adelige Zbigniew Morsztyn, dieser oft wirklich tiefsinnige philosophische Dichter.

Das Problem *Renaissance und Barock* ist in der slawischen Welt nicht besonders schwierig. Gerade im slawischen Geistesleben des 16. und 17. Jahrhunderts zeigt es sich, daß das Barock nicht so sehr ein Gegensatz, als vielmehr die *Fortsetzung der Renaissance* ist. Die Dichtung eines Gundulić z. B. wächst organisch aus der dalmatinischen Renaissance-Welt heraus, repräsentiert aber doch schon das südslawische Barock in hoher Vollendung. In der bildenden Kunst ist eine ähnliche Entwicklung zu beobachten. Der Südslawe Vlaho Držić im 16. und der Tscheche Karel Škréta im 17. Jahrhundert sind Fortsetzer der Renaissance-Tradition, obwohl, oder besser gesagt, eben weil sie typische Barockmaler sind. Man kann mit Fug von einem „slawischen Barock-Humanismus" sprechen und ihm auch solche katholische Ordensgeistliche zuordnen wie den polnischen Lyriker Sarbiewski oder den tschechischen Historiker-Patrioten Balbín. Jener eigenartige „Übergangsstil" zwischen Hoch-

renaissance und Frühbarock, den man neuestens als „Manierismus"
bezeichnet, und über den man noch streitet, ob er einen selbständigen Stil oder nur einen Übergang bedeutet, fehlt bei den Slawen
ebenfalls, nicht. Gewisse west- und südslawische Dichter des aus-
klingenden 16. Jahrhunderts könnte man ohne weiteres als Vertreter des „literarischen Manierismus" bezeichnen, etwa den Südslawen Dinko Ranjina oder den Polen Mikolaj Sęp-Szarzyński.
„Manieristisch" mutet auch jene eigentümliche „tschechische Spätrenaissance" an, die wir am Prager Hofe Rudolfs II. finden.

Komplizierter ist nun die Frage: *Barock und Aufklärung* im
slawischen Raum. Chronologisch gesehen laufen beide eine Zeitlang
nebeneinander, indessen sind wir der Meinung, daß es sich hier
nicht um Begriffe von der gleichen Größenordnung handelt. „Barock" ist letzten Endes ein *stilgeschichtlicher*, „Aufklärung" ein
geistesgeschichtlicher Begriff. Man kann also im ausgehenden 17.
und im beginnenden 18. Jahrhundert ruhig von einer Koexistenz
der beiden Richtungen sprechen, die bis zur Symbiose oder sogar
zur Synthese führt.

Descartes wird z. B. allgemein als der Vater der europäischen
Aufklärung bezeichnet. Indessen bewies jüngst gerade der fortschrittlich gesinnte italienische Ästhetiker Guido Morpurgo Taglia-
bue, daß Descartes unzweideutig zum Barock gehört (vgl. *Retorica
e Barocco*, S. 179—180, Unterabschnitt: „Il cartesianismo barocco"). Aufklärung also, aber in barocken Formen! Das könnte
auch von Leibniz gesagt werden. Ähnliches konstatierte der geistreiche Wiener Schriftsteller Egon Friedell über die ganze erste
Hälfte des 18. Jahrhunderts: „In Friedrich dem Großen erscheinen
Barock und Aufklärung seltsam gemischt, und diese Signatur trägt
das ganze Zeitalter: es ist dies eben jener Seelenzustand, den man
als Rokoko bezeichnet." (Kulturgeschichte der Neuzeit, 1929, Bd.
II, S. 205.) Es gibt zwar gerade bei den Deutschen und bei den
Slawen — wir denken hier an die Spätbarockkunst der Alpen-
länder von Bayern bis Slowenien — ein „Rokoko", das von der
Aufklärung kaum oder gar nicht berührt wurde, doch liegt viel
Wahres in den Hinweisen Friedells. Wir wollen hier noch ein typi-
sches Beispiel aus dem deutsch-slawisch-ungarischen Grenzgebiet des
Donauraumes, aus Ödenburg, bringen. 1782 malte der Ödenburger

Künstler Stefan Dorfmeister ein heute leider nur in einer Ölskizze erhalten gebliebenes Fresko für den Festsaal des Rathauses. Das Fresko verherrlicht Johann Schillsohn, den Beauftragten Josephs II., der auf Befehl seines Kaisers in die Stadt kam, um Frieden zwischen dem Magistrat und den Bürgern zu stiften. Ein Abgesandter des aufgeklärten Kaisers, ein Repräsentant der Aufklärung wird also verherrlicht. Doch diese Verherrlichung geschieht ganz mit den malerischen Mitteln einer spätbarocken Apotheose. Schillsohn erscheint in „heroischer", antikisierend-ritterlicher Tracht, umgeben von irdischen und himmlischen allegorischen Figuren, dargestellt mit reichster barocker Gestik. Barock also und Aufklärung in *einem* Kunstwerk vereinigt, und zwar an einem Ort, der — vor den Pforten Wiens — gewiß nicht zu den rückständigsten gehörte!

Man darf die Aufklärung auch nicht nur von der Seite des Bürgertums betrachten. Sehr richtig betonte in seinem Buch über ›Das Zeitalter Goethes‹ (Bern, 1949) Wolfram von den Steinen „das enge Zusammengehen der Aufklärung mit der aristokratisch-rokokösen Gesellschaft". (S. 56.) Bei ihm finden wir aber auch den Hinweis, daß die „klassizistische" Neuentdeckung und Neubewertung der Antike sich eigentlich erst um 1750 auszuwirken beginnt, vor allem mit den Ausgrabungen in Pompeji und mit der Tätigkeit Winckelmanns. Aber mit 1750 beginnt — besonders in Osteuropa — auch der eigentliche große Siegeszug der Aufklärung. Man kann also den Klassizismus als eigentlichen Stil der Aufklärung bezeichnen, freilich mit der Erweiterung, daß die Aufklärung auch in barocken Formen erscheinen konnte und daß sie in der Kunst und Kultur des Rokoko schon einen höchst wichtigen Bestandteil bildet. Anderseits muß betont werden, daß in Osteuropa der Klassizismus gerade von den Vertretern der religiösen Weltanschauung gern aufgenommen wurde und daß z. B. in Polen, Ungarn oder Rußland eine Reihe monumentaler Kirchen — sowohl katholischer als auch orthodoxer — im ausgehenden 18. und im beginnenden 19. Jahrhundert in klassizistischem Stil erbaut wurden.

Es ist daher für einen Osteuropa-Forscher nicht leicht, ja manchmal sogar unmöglich, Barock und Aufklärung voneinander zu scheiden. Gerade in der von Wolfram von den Steinen apostrophierten „aristokratisch-rokokösen Gesellschaft" sind die Grenzen

sehr flüssig. Man denke an die polnische Adels- und Hofwelt in der
Epoche des Königs Stanislaus August oder an das „galante Rußland" des 18. Jahrhunderts, wo die Kaiserin Jelisaveta Petrovna
glänzende Hoffeste und Opernaufführungen veranstalten und barocke Prachtbauten errichten läßt, zugleich mit Voltaire korrespon-
diert, aber gleichzeitig keinen Gottesdienst versäumt . . . Schon im
slawischen 17. Jahrhundert gibt es Persönlichkeiten solcher Art: den
kroatischen Grafen Frankopan, den Verfasser äußerst libertinisti-
scher Liebeslieder und antiklerikaler Satiren, aber auch fromm-
demütiger Gedichte oder den gleichfalls sehr libertinistischen polnischen Adelsdichter Andrzej Morsztyn, der — wie A. St. Mágr
gezeigt hat (Slavia, Bd. 20, S. 468) — die barocken Formen dazu
verwendet, um seine Skepsis und seine antiklerikale Kritik zu verbergen. Auch im „polnischen Salomo", dem Fürsten Stanislaus Heraklius Lubomirski begegnen sich adelige Barockkultur und beginnende Aufklärung.

Noch interessanter wird das Problem im Falle Lomonosovs. Mit
Recht sieht man in ihm einen Geisteshelden der russischen Aufklärung, doch auch Čyževśkyj und Trautmann hatten recht, wenn
sie ihn als Barockdichter kennzeichneten. Nicht nur seine prunkvollen und pathetischen Oden sind barock: auch in seiner Prosa
finden wir reichlich barocke Züge. Man nehme nur seine ›Drevnjaja
Rossijskaja istorija‹ (im VI. Band der Moskau-Leningrader Akademieausgabe von 1952), lese die rollenden barocken Perioden des
Vorwortes wie auch die übrigen Kapitel, wo ganz im Geiste des
barocken "cult of power" davon gesprochen wird, daß sich Rußland « na vysočajčij stepen' veličšestva, moguščestva i slavy »
erhoben habe (S. 169), und wo die Begriffe « drevnost', slava, mo-
guščestvo, veličestvo » sozusagen als „Lieblingsausdrücke" für
Rußland und für das Slawentum verwendet werden. Mit dem
„barocken Slawismus" verbinden Lomonosov seine romantisch-
phantastischen Theorien vom slawischen Charakter der alten
Paphlagonier, Meder, Veneter, ja sogar der Amazonen! Barock ist
auch seine Vorliebe für die Rhetorik. Das Problem *Retorica e barocco* könnte auch in Hinblick auf diesen eminent rhetorischen
Schriftsteller aufgerollt werden! Sozusagen alles, was von den barocken Theoretikern der Rhetorik in den romanischen Ländern ent-

wickelt wurde, taucht bei Lomonosov in seinen zwei Schriften zur Rhetorik auf (Akademieausgabe, Bd. VII). Die erste, kleinere Schrift trägt den bezeichnenden Titel ›Kratkoje rukovodstvo k ritorike na pol'zu ljubitelej sladkorečija‹. „Die Liebhaber der süßen Rede" — welch ein echt barocker Begriff!

Nun noch einige Bemerkungen über das Problem slawisches Barock und slawische Romantik. Wie sehr Querverbindungen, Übergänge und Transformationen die slawisch-osteuropäische Geistesgeschichte des 18. Jahrhunderts durchziehen, davon sollen zwei Hinweise eine Ahnung vermitteln. Es handelt sich um zwei slawische Kirchenfürsten, um zwei Vertreter des von Eduard Winter wiederholt gewürdigten „Reformkatholizismus". Der eine, der polnische Bischof Paweł Woronicz, ist an der Wende des 18. und 19. Jahrhunderts in manchen seiner Dichtungen noch ein spätbarocker Poet, wächst aber dann in die Frühromantik hinein und hat am Lebensabend noch mit den „Slawophilen" der Romantik Berührung. Der zweite ist der Kroate Maximilian Vrhovac, unter Joseph II. Rektor des Generalseminars von Pest, dann — ebenfalls vom Kaiser ernannt — Bischof von Agram. Um 1795 hat er Verbindungen mit der antihabsburgischen, revolutionären Martinovics-Bewegung, behält jedoch — da er nicht überführt werden kann — sein Amt. Um 1820 tritt er als Anführer der kroatischen nationalen Wiedergeburt auf! Aufgeklärter Reformkatholizismus, revolutionärer Jakobinismus und nationale Romantik als Etappen einer kirchenfürstlichen Laufbahn! Dies ein Beweis dafür, wie fließend die Grenzen und wie leicht die Übergänge sind.

Man kann vom Barock als von einer „romantischen" Strömung sprechen. Dies tat schon vor einigen Jahrzehnten der Altmeister der heutigen polnischen Literaturwissenschaft Julian Krzyżanowski mit seinem Aufsatz ›Barok na tle prądów romantycznych‹. Wenn auch manche seiner Behauptungen — so z. B. die über den angeblichen „Satanismus" des Barocks und der Romantik — übertrieben sind, so erkennt er doch viele gemeinsame Züge der beiden Stile: die Vorliebe für die Mystik und die Folklore, daneben einen gewissen „makabren" Zug. Auch seine Hinweise auf den Zusammenhang des großen Mickiewicz mit der barocken Literaturtradition sind wertvoll.

Diese Einsichten können mit ähnlichen aus der tschechischen, slowakischen, ja sogar russischen Literatur ergänzt werden. Man denke bloß an die große, auch von tschechischen Forschern zugegebene Rolle, die die Barocklyrik in der Ausbildung der Dichtersprache des größten tschechischen Romantikers Karel Hynek Mácha spielte! Unleugbar ist auch, daß in den „slowakischen Volksliedern" der Kollárschen ›Národnie spievanky‹ viel barockes Gut vorhanden ist, vor allem in den „Liedern der Edelleute und Städter". Wer die europäische, besonders südosteuropäische Lyrik der Barockzeit kennt, wird auf Schritt und Tritt barocke Elemente in dieser „Volksliedersammlung" finden. Und für Puškin bedeutet die Barocktradition das Schaffen des von ihm als Meister verehrten Deržavin, desjenigen Dichters, der mit dem einen Fuß noch im russischen Spätbarock, mit dem andern schon in der Frühromantik stand und der gleichzeitig starke Anregungen von der Aufklärung empfing.

Ein sehr interessantes und wichtiges Problem ist die soziale Einordnung des slawischen Barocks. Sowohl sowjetische als auch westeuropäische Forscher betrachten das Barock in erster Linie als eine Kunst des Adels und der Höfe. Das entspricht auch der slawisch-osteuropäischen Entwicklung. Wir können dabei an die polnische, böhmische, kroatische Adelskultur der Barockzeit denken, an Herrscher wie Johann Sobieski oder Peter den Großen, an Schriftsteller wie die schon genannten süd- und westslawischen Hochadeligen Frankopan, Lubomirski, Andrzej und Zbigniew Morsztyn, aber auch an bildende Künstler wie den russischen Fürsten Dmitrij Vasiljevič Uchtomskij, den großen Architekten des Moskauer Spätbarocks. Trotzdem müssen wir den geistvollen Satz des bekannten Dresdner Barockforschers Heinrich Schaller zitieren: „Bei aller Übermacht des Hofes und der Hierarchie und des Feudalismus aber darf man den bürgerlichen, ländlichen und volkstümlichen Barock nicht übersehen, der uns zum Teil viel mehr zu sagen hat als die internationale höfische Kultur mit ihrem Manierismus und ihrer hintergründigen Politesse, ihren Hofdichtern, Hofschreibern, Hofkünstlern, Hofnarren und Hofschranzen." (Die Welt des Barock, 2.—3. Auflage, S. 13.) Kürzlich wies auch der italienische Kunsthistoriker Giulio Carlo Argan auf gewisse Querverbindungen zwischen dem europäischen Barock und dem in den großen Monarchien erstarkenden Bürgertum hin. (Im Sammelband ›Retorica e Barocco‹, S. 13.) Es ist unrichtig, vom „antibürgerlichen" Charakter des Barocks oder vom „antibarocken" Wesen des Bürgertums zu sprechen. Gerade das slawische 17. und 18. Jahrhundert liefert eine Reihe von Gegenbeispielen. Bürger — wenn auch Patrizier — sind die großen serbokroatischen Barockdichter Dalmatiens, von Ivan Gundulić und Junije Palmotić bis Petar Kanavelović. Bürger sind die großen slawischen Barockmaler: der Kroate Bernardo Bobić, der Tscheche Karel Škréta, der Slowene Franz Ilovšek. Škréta besitzt zwar einen Adelsbrief, doch seine ganze Lebensführung ist im wesentlichen bürgerlich.

Wir müssen auch über jenen von der Slawistik noch nicht genügend erforschten Späthumanismus im böhmisch-slowakisch-westungarischen Raum um 1620 sprechen, der mit seinen literarischen Schöpfungen in Vers und Prosa bereits zur europäischen Barockwelt gehört. Slawen, Deutsche und Ungarn nehmen an dieser Bewegung teil. Es sind dies fast lauter Bürgerliche oder unter bürgerlichen Verhältnissen lebende Kleinadelige. Oft haben sie auch persönliche Verbindungen miteinander, wie etwa der Preßburger Bürgermeister Andreas Segner, dessen Stammbuch — mit Eintragungen deutscher, slawischer, ungarischer Humanisten — jüngst von Othmar Feyl in Jena gefunden wurde (vgl. Wiss. Zeitschrift der Friedrich-Schiller-Universität, gesellschafts- und sprachwiss. Reihe, Jg. 4, H. 5/6, S. 404—408). Der Deutschungar Christoph Lackner in Ödenburg, der Slowake Ján Filický und der Schlesier Joannes Bocatius in Oberungarn, die Slowaken Jessenius (Ján Jesenský) und Nudozerinus (Nudožerský) an der Universität Prag: sie alle sind Vertreter dieses protestantisch-späthumanistisch-bürgerlichen Frühbarocks. Ihre Ableger hat diese Richtung noch am siebenbürgischen Fürstenhof Gabriel Bethlens, aber auch der große Comenius ist ein Zögling und ein Fortsetzer dieser Strömung. Es ist zwar unhistorisch, Vermutungen aufzustellen, aber wir glauben doch behaupten zu können, daß das Barock in Böhmen auch im Falle einer habsburgischen Niederlage auf dem Weißen Berge triumphiert hätte. Es hätte sich eben dieses protestantisch-humanistisch-bürgerliche Barock zur Vollblüte entfaltet. Ein tschechisches Barock wäre somit auch ohne die „katholische Generalaktion" entstanden, freilich in diesem Fall weniger durch spanische, italienische und österreichische, als vielmehr durch französische, niederländische und norddeutsche Vorbilder bestimmt.

Aber auch der spanisch, italienisch und österreichisch beeinflußte, in konfessioneller Hinsicht katholisch gefärbte Zweig des böhmischen Barocks drang mit der Zeit tief in das Volk. Tschechische Forscher — so etwa Arne Novák — betonten wiederholt das zähe Fortleben barocker Elemente in der tschechischen Volksdichtung und Volkskunst. Noch wer die volkstümlichen Grafiken des großen Künstlers Mikuláš Aleš durchblättert, findet immer wieder barocke Motive und Elemente. Dabei lebte Aleš an der Schwelle des 19. und 20. Jahrhunderts, war ein Freund Jiráseks und ein Verkünder der hussitischen Tradition! Aber das Barock gehörte eben schon zum Geistesgut des tschechischen Volkes. Äußerst charakteristisch ist auch die von Eduard Winter erwähnte Tatsache, daß sich nach dem Toleranzpatent Josephs II. in ganz Böhmen bloß fünfundvierzigtausend Protestanten meldeten, kaum zwei Prozent der Gesamtbevölkerung. (Die tschechische und slowakische Emigration in Deutschland, 1955, S. 177.) Das ist vielleicht der schlagendste Beweis für den Sieg des katholischen Barocks.

Volkstümlich wurde das Barock aber auch bei den Serben und Kroaten. Die serbisch-orthodoxe Kirche, tief verankert in ihrer byzantinischen Tradition, nahm die barocken Formen erst mit einem gewissen Widerwillen an. Doch schon seit dem ausgehenden 17. Jahrhundert baute man in den serbisch besiedelten Städten und Dörfern Mittel- und Südungarns orthodoxe Kirchen und Klöster im Barockstil, unter ihnen jenes Kloster Grabovac im Komitate Tolna, wo der von Eduard Winter gerühmte ukrainische Konvertit Simeon Todorśkyj längere Zeit weilte. Begabte Künstler — vor allem die Maler Žefarović und Kračun — führten das Barock auch hier zu vollem Sieg. Immer mehr nahm dieses serbische Barock bürgerliche und volkstümliche Züge an, mit seinen letzten Ausläufern bis 1850 reichend! In ähnlicher Weise gingen barocke Kunst und barocke Dichtung in die kroatische Folklore ein.

Im südslawischen Gebiet vollzog sich auch jene hochinteressante und gleichfalls noch ziemlich unerforschte Synthese des europäischen

Barocks mit den volkstümlichen Kräften der *humanitas heroica*. Wenn wir diesen Begriff der *humanitas heroica* gebrauchen, denken wir an die tiefschürfenden Forschungen des großen deutschen Slawisten Gerhard Gesemann in seinem schönen Buch ›Heroische Lebensform‹ (Berlin, 1943). Gesemann analysierte zwar in erster Linie den „montenegrinischen Menschen" sowie die dichterisch nicht so wertvolle „Kurzerzählung" und weniger die Heldendichtung, doch haben seine Feststellungen für den ganzen südslawischen Raum viel Sinn. Besonders wenn man das 17. und 18. Jahrhundert betrachtet, wo die Welt der *humanitas heroica* fast den ganzen slawischen Balkan erfaßt hatte.

Es ist ungemein reizvoll zu beobachten, wie diese heldische, kämpferische, scheinbar primitive, aber doch mit hohem Ethos erfüllte Welt sich mit verschiedenen Anregungen des Barocks vereinigte. Wir können dies schon im großen Barockepos ›Osman‹ des Ragusaner Dichters Gundulić zu Beginn des 17. Jahrhunderts beobachten, einige Jahrzehnte später im ungarischen Barockepos ›Szigeti veszedelem‹ des kroatischen Banus Grafen Nikolaus Zrínyi und dann in der volkstümlichen Epik der Serben, Kroaten, Bulgaren und Rumänen. Die großen serbokroatischen epischen Zyklen über die Schlacht von Kosovo, über den Königssohn Marko, über die tapferen Hajduken- und Uskoken-Kämpfer haben in ihrem Pathos, in ihrer oft naturalistisch-kämpferischen Bewegtheit, in ihrer Vorliebe für den Prunk, aber auch für eine märtyrergleiche Haltung (vgl. den serbischen Zaren Lazar in den Kosovo-Liedern!) echt barocke Züge. Nicht umsonst haben um 1900 Matija Murko und neuestens der serbische Literarhistoriker Nikola Banašević auf den Zusammenhang dieser volkstümlichen serbokroatischen Heldenepik mit der Welt des adriatisch-dalmatinischen Raumes und somit mit der romanischen, italienisch-französischen Kultur hingewiesen. Auf diesem Wege drangen Formen und Auffassungsweise des Barocks in die serbische und kroatische Volksdichtung.

Abschließend stellen wir die Frage, worin die Kulturwerte der slawischen Barockwelt bestehen. Lassen wir zu diesem Zwecke die wichtigsten Barockschöpfungen der einzelnen slawischen Völker nochmals an unserem Auge vorbeiziehen.

Bei den Tschechen könnten zuerst die herrlichen Kunstdenkmäler des böhmischen Barocks erwähnt werden. Wenn auch viele Deutsche und Italiener an ihnen mitarbeiteten, so ist die Verbindung mit dem Tschechentum doch nicht zu leugnen. Sehr richtig weist Hermann Weidhaas in seinem oben erwähnten Aufsatz darauf hin, daß es im slawischen 17. und 18. Jahrhundert manchen italienischen Künstler gibt, der „dem nationalen Formverständnis seiner Heimat längst entfremdet und in die ästhetische Welt des slawischen Ostens eingebürgert ist". Und der tschechische Historiker Kamil Krofta vertrat schon vor mehr als zwanzig Jahren die u. E. richtige Meinung: „Diese barocke Kultur konnte freilich in einem Land von so reicher politischer und kultureller Vergangenheit nicht dauernd ihren internationalen oder eher übernationalen Charakter beibehalten. Wie die früheren großen Kulturwellen, die sich seit dem frühen Christentum bis zum Humanismus über Böhmen ergossen hatten, so mußte sich auch diese barocke Welle dem einheimischen kulturellen Milieu anpassen, sich nationalisieren." (Slavische Rundschau, Bd. 6, S. 383—384.)

Das tschechische Literaturbarock hat unzweifelhaft seine ästhetischen und sprachlichen Werte. In den letzten acht bis zehn Jahren war es üblich, die tschechischen Barockforscher für ihre „Rehabilitierung des 17. Jahrhunderts" zu tadeln. Heute dürfen wir sagen, daß dieser Tadel *höchst ungerecht* war. Dichter wie Bedřich Bridel oder Adam Michna von Otradovice, aus dem reichen Quell der Volkssprache schöpfende Prediger wie Ondřej František de Waldt oder Bohumír Hynek Bilovský taten — jenseits des bloß Konfessionellen — ungemein viel für die Hebung der Kultur des tschechischen Wortes, für die Vertiefung des ästhetischen Sinnes. Auch darf nicht vergessen werden, daß weltliterarische Größen vom Range eines Comenius und Balbín gleichfalls nicht aus dem tschechischen Barock fortzudenken sind! Auf Balbín und seine Gesinnungsgenossen Pešina, Beckovský, Středovský, auf ihr nationales und slawisches Bewußtsein, ja sogar auf die vaterländische Bedeutung des Kultes der nationalen Heiligen im tschechischen Barock wies Krofta hin. (Slav. Rundschau, Bd. 6, S. 385—386.) Man muß also bei der Behandlung dieses Problemkomplexes mit höchster Behutsamkeit vorgehen und sich vor raschen Verallgemeinerungen hüten.

Polens Barockwelt bedeutet ebenfalls einen nicht unrühmlichen Abschnitt in der slawischen Kulturgeschichte. Auch hier hat die Barockzeit auf architektonischem und wortkünstlerischem Gebiete Großes geleistet. Schwungvoll beschreibt z. B. Weidhaas die von der polnischen Magnatenfamilie Pac geförderte Kamaldulenserkirche von Pažajslis, „die grandioseste Kultstätte" im heutigen Litauen, mit der „großen Perspektive, auf die das Gebäude von allen Seiten berechnet ist". (Wiss. Zschr. der Hochschule von Weimar, S. 104.) Dabei ist dieser Bau im ehemalig polnisch-litauischen Gebiet keine Ausnahme.

Was nun die polnische Literatur jener Zeit betrifft, war der barocke Neulateiner Sarbiewski schon zu Lebzeiten eine europäische Berühmtheit. Auch die dichtenden Aristokraten Morsztyn und Lubomirski, dazu die ganze Reihe der Versepiker und Memoirenschreiber, an ihrer Spitze der lebendige und geistvolle Kleinadelige Jan Pasek, gehören zu den bedeutenden Erscheinungen der älteren polnischen Literatur. In der Gestalt des Grafen August Moszyński — mütterlicherseits übrigens ein Enkel Augusts des Starken! — hat das polnische Spätbarock einen Architekten von wahrhaft europäischem Rang.

In der benachbarten Slowakei sind jene schriftstellerisch tätigen Kleinadeligen wichtig, die sowohl zum slowakischen, als auch zum ungarischen Barock ihr Scherflein beitrugen, und deren Werk bisher weder von der Slawistik, noch von der Ungarnkunde gebührend erforscht wurde: Johann Rimay, Peter Benický (Beniczky), Ján Filický (Filiczky). Überhaupt ist die eigenartige tschechisch-slowakisch-deutsch-ungarische adelige und bürgerliche Kultur der slowakischen Barock- und Aufklärungszeit noch ein Gebiet mit vielen „weißen Flecken". Hier wäre eine von chauvinistischen Vorurteilen freie Zusammenarbeit der slawischen, deutschen und ungarischen Forschung dringend notwendig.

Besonders reich an kulturellen und menschlichen Werten ist die südslawische Barockwelt. Ist ja doch der größte serbokroatische Dichter, Ivan Gundulić, ein echter Barock-Poet! Man darf neben ihm aber den Lyriker Frankopan, den Dramatiker Palmotić, den Epiker Kanavelović nicht vergessen, wie auch die tragisch-heroische Figur des Priesters Jurij Križanić, der sein Lebenswerk der Idee des Slawentums opferte, jahrelang in der sibirischen Verbannung lebte und dann als Feldgeistlicher im siegreichen Heere Sobieskis vor den Toren Wiens starb.

Letzten Endes sind auch die unsterblichen Schöpfungen der serbokroatischen volkstümlichen Epik durch viele Fäden — vor allem durch die Vermittlung Dalmatiens — mit der europäischen Spätrenaissance- und Barockdichtung verbunden. In den kroatischen und slowenischen Predigten der Zeit um 1700 hat die Volkssprache eine hohe Ausbildung erfahren, in den reichen Schöpfungen der kroatischen, slowenischen, dalmatinischen und serbischen Barockkunst von Ragusa bis Laibach, von Warasdin bis Szentendre bewundern wir den ästhetischen Reichtum.

Nicht zu vergessen sind endlich jene Schöpfungen, die auf ukrainischem und großrussischem Boden den Ruhm und die Genialität der Barockkünstler verkünden. Mit Recht heißt es bei Eduard Winter über das „kosakische Barock": „Noch einmal schien die glanzvolle Zeit der alten Rus aufzusteigen. Das goldene Kiew erneuerte sich und stieg wie ein Phönix aus der Asche. Die Herrlichkeiten der alten Rus, wie die Sofienkathedrale und das Höhlenkloster, wurden dem Geschmack des 17. Jahrhunderts entsprechend so schön neugefaßt, daß sie als Werk der Zeit erscheinen. Aber auch neue Werke entstanden." (Byzanz und Rom im Kampf um die Ukraine, Leipzig, 1942, S. 72.) „Die Synthese von Byzanz und Rom" ist nach Winter für dieses „Kosakenbarock" sehr bezeichnend. Auch die sowjetische Forschung — vor allem der Kunst- und Kulturhistoriker Voronin — versäumt es nicht, den künstlerischen Wert des ukrainischen Barocks hervorzuheben.

Neben dem ukrainischen „Kosakenbarock" ist das sogenannte „Moskauer Barock" der Jahre vor und um 1700 ein sehr beachtenswertes Phänomen. Slawisches und Westeuropäisches, byzantinische Tradition und russische Volkskunst, romanisch-südliche und asiatisch-östliche Formen vereinigen sich hier in höchst reizvollen Schöpfungen. Große Künstler treten auf, so der aus der Ukraine stammende Architekt und Bildhauer Ivan Petrovič Zarudnyj. Seine Ikonostase der Petersburger Peter-Pauls-Kathedrale gehört zu den genialsten Werken des europäischen Barocks. Aber auch Savva Ivanovič Čevakinskij in Petersburg und der schon genannte Fürst

Uchtomskij in Moskau haben den Ruhm der russischen Barock-künstler vermehrt. Mit einigen interessanten Schöpfungen der Architektur — aber auch mit barocken Schuldramen aus dem beginnenden 18. Jahrhundert! — reicht das Weltreich barocker Kultur bis nach Sibirien, bis nach Tobolsk und Irkutsk. Sibirien, Brasilien und die Philippinen sind die drei Randpunkte des internationalen Barocks.

Ziemlich bekannt — vor allem aus Čyževśkyjs Forschungen — ist die große Rolle, die das Barock für den Aufschwung der ukrainischen Poesie und Prosa des 17. und 18. Jahrhunderts gespielt hat. Viele Anklänge an das slawische und europäische Barock hat Skovoroda, dieser „Magus des Ostens" aufzuweisen, bei dem Barockes und Aufgeklärtes eine eigenartige Symbiose eingehen. Das ist auch die literarhistorische Lage, in der sich die große russische Dichtergeneration der nachpetrinischen Zeit befindet, vor allem Tredjakovskij und Lomonosov, zum Teil noch Deržavin. Tredjakovskijs poetische Anschauungen, sein pathetischer, oft dunkler Stil: all das ist typisch barock.

Man müßte endlich eine russische Literaturgeschichte des 18. Jahrhunderts *aus dem Blickpunkt der internationalen Barockforschung* schreiben! Ansätze dazu sind da. Der romanistisch und weltliterarisch gründlich geschulte sowjetische Philologe Ilja Nikolajevič Goleniščev-Kutuzov hat z. B. in seinem Debrecener Universitätsvortrag im Mai 1955 auf die barocken Züge der russischen Prosa des 18. Jahrhunderts, vor allem Prokopovičs, hingewiesen.

Beachtenswert ist auch folgendes Problem: gibt es eine bulgarische Barockkultur? In voll entwickeltem Sinne keineswegs, weil ja das Land unter Türkenherrschaft stand. Ganz abgeschlossen vom europäischen Barock war allerdings Bulgarien doch nicht. Wir denken an solche Erscheinungen, wie an den von Murko gewürdigten katholischen „Bischof von Großbulgarien" Filip Stanislavov (vgl. Slavia, Bd. 4, S. 718) oder an die spätbarocken Motive der makedonisch-bulgarischen Holzschnitzerei um 1800 (vgl. C. H. Wendt: Rumänische Ikonenmalerei, Eisenach, 1953, S. 36).

Wir sehen, wie reich die Problematik ist, die mit dem Fragenkomplex des slawischen Barocks zusammenhängt. In einem kurzen Vortrag ist es freilich nicht möglich, auf alles eine befriedigende

Antwort zu geben. Vielleicht gelang es uns aber doch, einiges zu skizzieren, und vielleicht konnten wir zeigen, daß es lohnt, sich mit dem slawischen Barock zu befassen. Möge diese reiche und schöne Epoche in Zukunft wirklich mit jenem Verständnis erforscht werden, das sie verdient!

Nachtrag 1970

Als wir vor vierzehn Jahren unseren hier neu abgedruckten Greifswalder Vortrag hielten, arbeiteten wir eben am Manuskript unseres Buches ›Die slawische Barockwelt‹ (erschienen Leipzig, 1961). Wir wußten aber sogleich, daß dieses Werk keinen Abschluß bedeuten wird. Deshalb waren wir bemüht, unsere Forschungen fortzusetzen und zu vertiefen. Studienaufenthalte in der Tschechoslowakei, in Polen und Jugoslawien waren zu diesem Zweck sehr nützlich und wir hatten auch Gelegenheit, verschiedene weitere Barock-Aufsätze in deutscher, polnischer, serbokroatischer und slowakischer Sprache zu veröffentlichen. Zusammenfassend sprachen wir dann 1967 am V. Kongreß der Internationalen Gesellschaft für vergleichende Literaturgeschichte (AILC) in Belgrad über das Thema ›Barock als internationales Literaturphänomen‹ (Actes du Ve Congrès de l'Association Internationale de Littérature Comparée, Belgrad-Amsterdam, 1969, S. 89—99).

Erfreulich war in diesen vierzehn Jahren die Entwicklung der gesamten slawistischen Barockforschung, verbunden mit dem Abflauen oder gar Verschwinden „antibarocker" Ressentiments. Ältere verdienstvolle Vertreter der slawistischen Barockforschung (z. B. der Prager Professor Zdeněk Kalista) konnten wiederum Barock-Publikationen veröffentlichen, und eine junge Generation folgte freudig ihren Spuren.

Es wäre schon aus Raummangel unmöglich, eine vollständige Aufzählung zu versuchen. Nennen wir wenigstens den eifrigen Leningrader Forscher A. A. Morozov, der eine sehr gründliche Studie über die russische Barockliteratur des 17. und 18. Jh.s schrieb (in: Russkaja literatura, Jg. 1962, N° 3), oder den tschechischen Historiker Josef Polišenský mit seiner gediegenen Arbeit ›Gesellschaft und Kultur des barocken Böhmens‹ (Österreichische Osthefte,

Jg. 9, 1967, S. 112—129). Der Altmeister polnischer Barockforschung, Roman Pollak, veröffentlichte jüngst eine Sammlung seiner Studien über Renaissance- und Barockdichtung (Od renesansu do baroku, Warschau, 1969).

Die Purkyně-Universität zu Brünn veranstaltete eine große Konferenz über Kunst und Kultur, Dichtung und Musik des böhmischen Barocks. Die Vorträge erschienen im Sammelband ›O barokní kultuře‹ (1968) und bewiesen es, daß auch solche von uns kritisierten Verfechter der „Barockfeindschaft" wie Jaromír Neumann ihre Meinung nunmehr in sehr positiver Weise änderten. Der VI. Internationale Slawistenkongreß in Prag widmete dann am 12. August 1968 eine halbtägige, sehr anregende Sitzung dem slawischen Barock, wobei von den tschechischen Teilnehmern Josef Hrabák über das tschechische, Světla Mauthauserová über das russische Literaturbarock sprach, und Věnceslava Bechyňová sogar das Problem der bulgarischen Barockliteratur exponierte. Auch der namhafte belgische Barockforscher Claude Backvis ergriff das Wort, sowie andere Fachleute aus West und Ost.

Die Barock-Epoche hat nunmehr auch in den verschiedenen slawischen Literaturgeschichten und Anthologien ihren gesicherten Platz erhalten. In Polen erschien z. B. 1965 eine ausgezeichnete, zweibändige Barock-Anthologie, redigiert von den Forscherinnen Jadwiga Sokołowska und Kazimiera Żukowska (Poeci polskiego baroku). Die slawistische Barockforschung befindet sich also heute in einem viel günstigeren Zustand, als vor vierzehn Jahren. Kein ernster Forscher zweifelt heute wohl mehr daran, daß die Barock-Epoche zu den bedeutendsten Perioden der slawischen Kunst-, Kultur- und Literaturgeschichte gehört. Es ist zu hoffen, daß bald auch die Zeit einer neuen, synthetischen Darstellung kommt.

Archiv für Kulturgeschichte. 40, 1958, S. 122—137.

„BAROCK" ALS EPOCHENBEZEICHNUNG?

Zu neuerem geschichtswissenschaftlichem Schrifttum über das
17. und 18. Jahrhundert

Von WALTHER HUBATSCH

Als Willi Flemming seine eindrucksvolle Gesamtdarstellung der
deutschen Kultur im Zeitalter des Barock als Frucht einer vieljähri-
gen Arbeit noch vor dem Kriege veröffentlichte, da schien es bewiesen zu sein, daß nicht allein eine Kunstrichtung, sondern mehr
noch die vielfältigen Ausdrucksformen des Zeitalters der Gegenreformation und sogar noch des Absolutismus in allen ihren
Lebenserscheinungen unter dieser vereinheitlichenden Formel zusammengefaßt werden könnten. Barock sollte nach Flemming die
„Einheitlichkeit als Epoche kennzeichnen, nicht jedoch einen von
anders woher bezogenen Stilbegriff mit genauen Merkmalen der Zeit
aufprägen".[1] In dieser Bestimmung seines Barockbegriffs liegt Ziel
und Dilemma zugleich. In ähnlicher Weise, wie „Renaissance" seit
Jacob Bruckhardt neben der künstlerischen zugleich auch die politische Erscheinung — der Staat als Kunstwerk — bedeutet, ist der
ebenfalls seit Burckhardt allgemein eingeführte Stilbegriff des Barock auf dem Wege, eine Epochenbezeichnung zu werden. Die bisher gebräuchlichen, scharf geprägten Begriffe „Gegenreformation"
und „Absolutismus" kommen allerdings dem ästhetischen Bedürfnis, die Vielfalt einer Epoche zu umschreiben, um so weniger
entgegen, als sie eindeutige Positionen angeben und die koordinieren-
den Elemente ebenso wie die Gegenströmungen der Zeit nicht sichtbar werden lassen. Die Bezeichnung „Barock" würde in der Tat
eine Klammer um zwei Zeitalter legen können; es bleibt nur frag-

---

[1] Deutsche Kultur im Zeitalter des Barock, in: Handbuch der Kulturgeschichte, hrsg. v. H. Kindermann, Potsdam 1937, 329 S. — Hier: S. 1.

lich, ob dadurch nicht der Charakter dieser Epoche zu ungenau, fließend und weitläufig angegeben ist. Wird vom Stilbegriff her die Gesamtheit der Zeit zu bestimmen gesucht, so ist nur ein anderes Leitmotiv an die Stelle des bisherigen getreten, ein künstlerisches an die Stelle des religionsgeschichtlichen oder politischen. Dennoch ist es unverkennbar, daß dem von Flemming eingeschlagenen Wege neue Werke — nicht allein auf dem umgrenzteren Felde der Kulturgeschichte — gefolgt sind. Es wird festzustellen sein, was dabei von Flemmings Anregung, was von seiner Warnung beobachtet wurde und inwieweit der fragwürdige Begriff des „Barockmenschen" in der quellenkritisch arbeitenden allgemeinen Geschichtswissenschaft Bestand haben kann.

Während noch Richard Benz in seinem Werk ›Deutscher Barock. Kultur des 18. Jahrhunderts‹ (1949) eine nach Inhalt und zeitlicher Erstreckung eingeschränkte Darstellung gab, überschrieb 1950 Johannes Bühler den 4. Band seiner ›Deutschen Geschichte‹, der von 1555—1740 reicht, bereits mit dem Sammeltitel ›Das Barockzeitalter‹. Das ist mehr Programm als Ergebnis dieses Buches, das bei aller sonstigen Leistung nicht den Eindruck von einer einheitlichen Epoche zu vermitteln vermag.[2] Knapper hat Carl J. Friedrich den zu behandelnden Zeitraum gewählt; die 50 Jahre von 1610 bis 1660 sind für ihn ›Das Zeitalter des Barock‹.[3] Diese erstaunliche Verengung erklärt sich leicht aus der Aufteilung des ursprünglichen Stoffes auf drei Mitarbeiter innerhalb einer Serie von Monogra-

[2] Diese Literaturübersicht knüpft an meine Sammelbesprechung in dieser Zeitschrift Bd. XXXV, 1953, S. 342—371 an: Das Zeitalter des Absolutismus in heutiger Sicht (1945—1953). Ein Forschungsbericht. — Seitdem ist die grundlegende Berichterstattung von Gerhard Ritter erschienen, auf die ich hier ausdrücklich verweise: Leistungen, Probleme und Aufgaben der internationalen Geschichtsschreibung zur neueren Geschichte (16. bis 18. Jahrhundert) in den Relazioni del X Congresso Internazionale di Scienze Storiche, Roma 4—11 settembre 1955, Vol. VI, S. 169—330, Florenz 1955. — Die Arbeiten von Benz und Bühler erwähnte ich in dem obengenannten Bericht S. 349 f.

[3] The Age of the Baroque 1610—1660 (The Rise of modern Europe Vol. V., ed. William L. Langer), New York 1952, 367 S., 49 Abb. auf Tafeln. Deutsche Ausgabe Stuttgart 1954, 380 S., 29 Abb. auf Tafeln.

phien. Friedrich hat es verstanden, innerhalb dieses Rahmens ein anschauliches Bild von der europäischen Wirklichkeit im 17. Jahrhundert zu entwerfen und kommt darin der bisher noch nicht wieder erreichten Gesamtdarstellung Flemmings am nächsten. Ebenso wie dieser und Bühler nimmt Friedrich das Emporkommen des modernen Staates in seine Schilderung mit hinein und rechtfertigt die Verbindung der politischen Geschichte mit dem kunstgeschichtlichen Begriff so: „weil nach meiner festen Überzeugung die Menschen in den Schöpfungen ihrer bildenden Kunst das zum Ausdruck bringen, was sie erlebt und als wahr empfunden haben" (S. 8). In ganz ähnlicher Weise wird der Titel für das von Rudolf Stamm herausgegebene Sammelwerk ›Die Kunstformen des Barockzeitalters‹ begründet; der Begriff Barock sei „landläufig (!) geworden, seitdem er aus dem Wortschatz der einzelnen Kunst- und Literaturwissenschaften in die allgemeine historische Terminologie übergegangen ist, ein Übergang, der nichts anderes bedeutet als die Anerkennung der Vorherrschaft der Kunstgeschichte (!) über die anderen Zweige der Geschichtswissenschaft, aus denen frühere Periodisierungsversuche ihre Bezeichnungen schöpften" (Stamm S. 6).[4] Auch diese Begründung wird man nicht als durchweg stichhaltig ansehen können. Zwar hat Hans Tintelnot für dasselbe Werk einen lehrreichen Beitrag ›Zur Gewinnung unserer Barockbegriffe‹ beigesteuert, der aber streng innerhalb der kunstgeschichtlichen Kategorien bleibt. Die Übertragung des Barockbegriffes von der bildenden Kunst auf die Dichtung erörtert Fritz Strich in dem gleichen Band, ohne die Verbindung zur allgemeinen Geschichte zu ziehen. So bleibt die Erörterung des Barockthemas in dieser inhaltreichen Sammlung, die aus einer Vortragsreihe in St. Gallen hervorgegangen ist, ohne Bezug auf die politische Geschichte. In der „Gesamtheit barocken Wesens", das in dieser ausgezeichneten und mit Abbildungen gut versehenen Sammlung von hervorragenden Fachkennern auf den

---

[4] Die Kunstformen des Barockzeitalters. Vierzehn Vorträge von Hans Barth, Pierre Beausire, Paul-Henry Boerlin, Johann Doerig, Wilibald Gurlitt, Paul Hofer, Hanspeter Landolt, Reto Roedel, Edmund Stadler, Rudolf Stamm, Fritz Strich, Georg Thürer, Hans Tintelnot und Richard Zürcher, hrsg. von Rudolf Stamm, 1956, 447 S., 52 Abb. im Text u. auf 24 Tafeln. Sammlung Dalp Bd. 82.

Gebieten der Architektur, der Malerei, des Theaters, der Musik, der Philosophie und der italienischen, spanischen, französischen und deutschen Dichtung dargestellt wird, fehlt der Staat als barocke Kunstform mit seinen Allianzen, dem Kriegswesen, den Wirtschaftsmethoden und seiner in den Fürsten personifizierten Selbstdarstellung. So scheint nicht allein in der Komposition, sondern überhaupt in den 14 gediegenen Beiträgen dieses Bandes eine größere Vorsicht gegenüber einer vorbehaltlosen Übernahme von Barock als Epochenbezeichnung außerhalb der ästhetischen Ausdrucksformen zu walten. Der Versuch der Abgrenzung der auseinanderfließenden Vielfalt war bei Friedrich zeitlich erfolgt, in dem Stammschen Sammelband thematisch, ohne daß doch — als Postulat — der Begriff des Barockzeitalters in dem ganzen und umfassenden Sinn, wie ihn Stamm verstehen möchte, aufgegeben worden wäre. Ein weiterer soeben erst erschienener Sammelband mit dem Titel ›Aus der Welt des Barock‹ bemüht sich, „den gesamten Lebensbereich einer glanzvollen Epoche" zu umschließen.[5] Hier ist gegenüber dem noch halb widerwilligen Eingeständnis Burckhardts, Barock als einen eigenen Kunststil anzuerkennen, das andere Extrem nach sieben Jahrzehnten erreicht: die enthusiastische Verherrlichung. Die Epochenbezeichnungen sind differenzierter geworden, verfeinerter und spezialisierter zugleich, so weit, daß selbst für den engeren Bereich eine „große Zusammenschau", die dieser Sammelband bieten möchte, nötig zu sein scheint. Dabei hat die Kulturgeschichte fast selbstverständlich einen Vorrang. „Bis hinüber nach Warschau und Stockholm und Petersburg verwandeln sich alle Höfe in die Trabanten eines Sonnensystems, das nicht um die staatliche Macht, das um den festlichen Glanz von Versailles kreist" heißt es in dem Beitrag ›Feste des Barock‹ von Richard Alewyn. Solche aus einseitigem kulturgeschichtlichem Aspekt hervorgerufene Fehldeutungen stehen in unmittelbarer Nachbarschaft des so sachlich-kühlen wie kenntnisreichen Artikels von Peter Rassow über

[5] Aus der Welt des Barock. Weltbild, Dichtung, Geschichte, Feste, Bildende Kunst, Kirchliche Kunst, Musik, Kultur des Alltags. Von Richard Alewyn, Wilhelm Boeck, Hans Heinrich Eggebrecht, Wolfgang von Löhneysen, Waltraud Loos, Peter Rassow, Isabella Rüttenauer, Ingrid Schürk, Wilhelm Treue, Erich Trunz, Stuttgart 1957, VIII, 211 S., 8 Abb.

den weltgeschichtlichen Horizont 1680—1715. Hier wird zugleich
sichtbar gemacht, für welche Zeitspanne der Barockbegriff als
Epochenbezeichnung gelten soll. Enger als bei Bühler, aber genau an
Friedrich anschließend, ist hier noch eine dritte Epochenabgrenzung
zur Diskussion gestellt.

Es ist nun zu prüfen, in welchem Maße die Monographien und
Biographien, die in den letzten Jahren über den Zeitraum von
1610 bis 1789 veröffentlicht worden sind, diesen in den zusammenfassenden Epochendarstellungen sichtbaren Zug zur Vereinheitlichung der bisherigen zeiteinteilenden Oberbegriffe übernehmen und
die umstrittenen Begriffe des „Barockmenschen", des „barocken
Verhaltens", „Barock-Typus" und dergleichen auch in der Einzel-
analyse anwenden können. Friedrich Hermann Schubert hat in
einer umfassend angelegten, mühevoll durchgeführten Untersuchung
aus den Akten das Lebensbild des in pfälzischen und schwedischen
Diensten tätigen Politikers Ludwig Camerarius (1573—1651) gezeichnet, der zeitweise auf die Ereignisse des Dreißigjährigen Krieges einen nicht unmaßgeblichen Einfluß gehabt hat.[6] Man kann aus
der unsteten Wanderschaft dieses Kanzlisten und Gesandten ebenso
ein „barockes" Lebensgefühl ableiten wie aus seinem ständigen
Schwanken zwischen hoffnungsfreudiger Erwartung auf Erfüllung
seiner geschraubten Allianzpläne und Untergangsstimmung mit
Depressionen und schlimmsten Befürchtungen. Die Verehrung des
Schwedenkönigs Gustav Adolf drückt Camerarius im Stil des barocken Heroenkultes aus, wenn er ihn Gideon oder Scipio Africanus
nennt. So lassen sich mancherlei „barocke" Kategorien in dieser
Biographie aufweisen, wenn es der Verfasser auch vermeidet, solche
Begriffe einzuführen. Aber auch in einer gesonderten Studie desselben Verfassers über die Zusammensetzung der pfälzischen Exil-
regierung während des Dreißigjährigen Krieges und ihre politischen
Pläne ist, wenn man will, mancherlei an Ideen und Charakteren

---

[6] Ludwig Camerarius 1573—1651. Eine Biographie (Münchener Historische Studien, hrsg. v. F. Schnabel, Bd. I), Kallmünz/Opf., 1955, 436 S. —
Ders.: Die pfälzische Exilregierung im Dreißigjährigen Krieg. Ein Beitrag
zur Geschichte des politischen Protestantismus (Ztschr. f. d. Gesch. d.
Oberrheins Bd. 102, 1954, S. 575—680).

sichtbar, die heutzutage unbedenklich als barock bezeichnet und verstanden werden könnten.

Fraglich bleibt allerdings, ob das, was für Mitteleuropa Geltung hat und von der Literatur- und Kunstgeschichte her auch für die romanischen Völker bezeugt wird, ohne weiteres für den gesamten abendländischen Bereich gelten kann. Kein Zweifel besteht darüber, daß in den Dichtungen Molières eine ganze Skala „barocker Typen" enthalten ist, die bis heute zum Abbild ihrer Zeit geworden sind. In einer knappen und eigenwilligen Studie hat Werner Krauss Molière und das Problem des Verstehens in der Welt des 17. Jahrhunderts behandelt, ohne darin — mit Recht — über die besondere Situation und das zeitgebundene Anliegen Molières hinaus nach einem allgemein verbindlichen Lebensgefühl des Barock zu suchen.[7] Vielmehr wird nicht ohne Resignation das Unverbindliche an Molières „Sendung" herausgestellt: „In der Farce triumphierte der schon längst totgesprochene Geist des französischen Volkes, und in einem ungeheuren Gelächter versanken die Bildungswerte einer Gesellschaft, die sich der Vorbildwürde im Ausmaß der Menschheit erfreute" (S. 27). Wenn dies schon für Frankreich gelten soll: wie kann das „Barockzeitalter" sich dann in England zeigen? Hier liegt eindeutig die Grenze der vereinheitlichenden Begriffsbestimmung. Zuzugeben ist, daß die Cromwellsche Revolution weder mit Gegenreformation noch mit Absolutismus zu bezeichnen ist, aber ebenso versagt die Zuweisung zum Barock. Das wird auf jeder Seite der neuesten, gestrafften, aus Vorlesungen hervorgegangenen Darstellungen der Geschichte der englischen Revolution von Rudolf Stadelmann deutlich.[8] Es wäre vieles zu sagen über die klugen Bemerkungen der Einleitung, über die mit Recht vorgenommene Einschränkung des Revolutionsbegriffs gegenüber Rosenstock, über die von dem Vorlesungscharakter her bestimmte Stoffsammlung und deren geschickte Durchdringung, über manche treffende und manche gewagte Formulierung. Hier kommt es auf etwas anderes an. Vielleicht kann man in den holländisch-englischen Seekriegen und überhaupt in dem Pendeln zwischen insularer und kontinentaler Politik

---

[7] Düsseldorf 1953, 30 S.
[8] Wiesbaden 1954, 242 S.

Englands eine maritime Form der barocken Strategie und Allianz-
politik sehen, aber diese Betrachtungsweise liegt Stadelmann fern.
Die von ihm geschilderten Hauptgestalten — Strafford, Karl I.,
Cromwell — haben nichts Vergleichbares mit dem, was man auf
dem Festland oder auch in Skandinavien als barock bezeichnen
könnte. Am wenigsten Cromwell, obwohl sein Glaubensfanatismus
an gegenreformatorische Ausbrüche erinnert. Aber Barock — auch
als Kunstform — ist in England immer fremd geblieben bis auf den
heutigen Tag. Die englischen Revolutionen von 1649 und 1688
stehen zeitlich gesehen in der Hochblüte des Barockzeitalters, aber
sie haben keine Verbindung mit ihm; die Resonanz des Stuart-
mordes (unter anderem in Gryphius' schon acht Jahre nach diesem
Ereignis verfaßtem Trauerspiel ›Carolus Stuardus‹) in den „barock"
empfindenden Kreisen zeigt deutlich genug den Abstand an. Stadelmann hat es daher vermieden, die Cromwellzeit mit der allgemeinen Geschichte des 17. Jahrhunderts näher als eben nötig in
Zusammenhang zu bringen. Es gibt innerhalb der Epochen Zeit-
abschnitte, die nicht für alle Länder gleichgesetzt werden können;
dieser nicht wenig wirksame Regionalismus verleiht dem Zeitalter
erst Unterschiede und Farbigkeit. Bei der Abfassung von Überblick-
darstellungen müßte er wohl stärker, als bisher geschehen, in Rechnung gestellt werden. Bemerkenswert ist, daß es auch Friedrich
nicht gelungen ist, Cromwell und seine Zeit organisch seiner Gesamtdarstellung einzugliedern; als Schlußkapitel unter der wenig
besagenden Überschrift „der moderne Staat und seine Schranken"
ist die Entwicklung in England seinem Buche zusammenhanglos
angefügt worden. Von solchen historiographischen Beobachtungen
her erscheint der Geltungsbereich des neuen Ober-Themas doch sehr
eingeschränkt.

Während sich in der Literaturgeschichte der Begriff der Barock-
dichtung allgemein durchgesetzt hat, gilt dies für Philosophie und
Wissenschaft kaum. Weder für Gottfried Wilhelm Leibniz noch für
Christian Thomasius hat sich bisher die Bezeichnung eines barocken
Denkers durchgesetzt, obwohl beide noch dem Höhepunkt der
Barockzeit zuzurechnen sind. Beiden eignet die Vielseitigkeit, Be-
weglichkeit, ein gewisses pathetisches Gebaren, kühne geistige Kon-
struktionen bis zur Projektemacherei. Das barocke Lebensgefühl

eines Gelehrten kann nachempfunden werden, seitdem der politische und historische Briefwechsel von Leibniz für einige Jahre seiner wesentlichen Schaffensperiode vorliegt. Unter der emsigen und umsichtigen Leitung und Bearbeitung von Kurt Müller ist soeben der 6. Band der I. Reihe, die in der Gesamtausgabe den Briefwechsel erfassen soll, erschienen.[9] Während in der Zeit zwischen den Weltkriegen neben je einem Band der Reihen II, IV, VI nur drei Bände (1927, 1936, 1938) der I. Reihe veröffentlicht werden konnten, erschienen die Bände 4 (1950), 5 (1954) und 6 (1957) in dichter Folge. Das ist eine um so höher zu bewertende Editionsleistung, als der Apparat für die Gesamtausgabe nach den schweren Kriegszerstörungen völlig neu aufzubauen war und von Band 5 ab eine Umstellung auf modernere Bearbeitungsprinzipien erforderlich wurde. Band 4 bringt gegenüber den bisher bekannten 39 Stücken für den behandelten Zeitraum von 1684 bis 1687 nicht weniger als 569 neue Stücke dazu, eingeteilt in die Korrespondenz mit dem Herzog Ernst August von Braunschweig-Lüneburg, dem Landgrafen Ernst von Hessen-Rheinfels, mit gelehrten und politisch tätigen Personen und mit Verwandten. Nach technischen Versuchen in Clausthal sind es die Vorarbeiten zur braunschweigischen Geschichte, die Leibniz in dieser Zeit in Anspruch nehmen, zunehmend auch kirchenpolitische Fragen der Reunionsbestrebungen. Demgegenüber tritt der Briefwechsel mit gelehrten Persönlichkeiten in den Jahren vor Leibniz' großer Italienreise zurück. Über diese für Leibniz' weitere Entwicklung entscheidende Reise gibt der 5. Band erschöpfend Auskunft. Dort sind neben 122 bisher bekannten Stücken 295 neue abgedruckt, darunter als besonders glücklicher Fund die Briefe aus dem Paullini-Nachlaß in Jena, aus denen der

---

[9] Gottfried Wilhelm Leibniz. Sämtliche Schriften und Briefe. Hrsg. v. der Deutschen Akademie der Wissenschaften zu Berlin. Erste Reihe: Allgemeiner Politischer und Historischer Briefwechsel. 4. Bd. 1684—1687. Leiter der Ausgabe: Paul Ritter. Bearbeiter von Bd. 4: Paul Ritter, Paul Schrecker, Kurt Müller. Berlin, Leipzig 1950, 752 S. — 5. Bd. 1687 bis 1690. Leiter der Ausgabe: Kurt Müller. Bearbeiter von Bd. 5: Kurt Müller und Erik Amburger. Berlin 1954, 794 S. — 6. Bd. 1690—1691. Leiter der Ausgabe: Kurt Müller. Bearbeiter von Bd. 6: Kurt Müller und Günter Scheel. Berlin 1957, 706 S.

Plan zur Begründung eines Collegium Imperiale Historicum hervorgeht, der Leibniz begeisterte, dem jedoch der Krieg von 1688 ein jähes Ende setzte. Die Korrespondenz von der Italienreise ist lückenhaft, in ihren überlieferten Beständen aber überaus wichtig; das Italien-Erlebnis hat recht eigentlich in Leibniz „das Gefühl seines wissenschaftlichen Ranges" (S. XLI) geweckt. Das ist freilich erst ganz aus dem folgenden Band der Briefe zu erschließen. Wenn für den 6. Band der sehr knappe Zeitraum von zwei Jahren mehr als 360 heute noch erhaltene Briefe von und an Leibniz erbrachte, so wirken sich die auf der Reise nach Süddeutschland und Italien angeknüpften Verbindungen aus. Eine vermehrte Korrespondenz wurde auch wegen der Weiterführung der Welfengeschichte und der Übernahme der Leitung der Wolfenbüttler Bibliothek geführt. Religiöse und kirchenpolitische Fragen beschäftigten damals Leibniz, der um die Annäherung der Konfessionen im Sinne der „Zeitkrankheit der Toleranz" bemüht war. Trotz des verheerenden pfälzischen Krieges und seiner ungünstigen moralischen Rückwirkungen auf Frankreich wurde über den Hugenotten Pellison der Versuch gemacht, kirchenpolitisch an Frankreich anzuknüpfen. Eine geplante Frankreichreise mußte jedoch unterbleiben. Durch zahlreiche gut unterrichtete Korrespondenten hat Leibniz wichtige Aufschlüsse über die Zeitereignisse erhalten können, aber ebenso galt sein Interesse der Erschließung der Vergangenheit. Leibniz als Historiker ist uns vor wenigen Jahren durch die Studie von Werner Conze nahegebracht worden; der vorliegende Briefband gibt weitere Aufschlüsse über Leibniz' Methodik und Urkundenkritik. Recht eindrücklich wird die Fülle der Anregungen deutlich, die von ihm auf diesem Gebiet ausgegangen sind. Die von Leibniz veranlaßten Forschungsreisen durch Archive und Klöster erweisen ihn als eine Art Organisator eines wissenschaftlichen Großbetriebes. Er hatte das Glück, Mittel und Mitarbeiter zu finden, die mit Eifer und Fleiß seinen Anordnungen nachgegangen sind. — Editionstechnisch stellt dieser 6. Band eine letztmögliche Vervollkommnung dar, wenn man von dem Prinzip der Vollständigkeit ausgeht, wie es hier geschehen ist. Buchstabengetreu, mit allen Curialien, werden die 369 Briefe, von denen bisher nur 88 bekannt waren, abgedruckt; allerdings sind auch Reiseabrechnungen und Wechselsachen mit gleicher Sorgfalt wie der Briefwechsel mit dem Hause Braunschweig-Lüneburg, mit Landgraf Ernst oder Paul Pellison-Fontanier behandelt. Von Regesten ist nur sehr sparsam bei einigen Korrespondenten Gebrauch gemacht. Sorgfältige Sacherläuterungen sind überall gegeben, jedoch keine Kopfregesten. Die Briefe sind numeriert und nach Sachgruppen gegliedert, Briefverzeichnis, Korrespondentenliste, Personen-, Schriften- und Sachverzeichnis sind beigegeben, eine große Mühe, für die jeder Benutzer dankbar sein wird. Das Ganze stellt eine editorische Leistung von Rang dar, der der Historiker gern einen guten Fortgang wünscht, zumal die Ausgabe eine vorbildliche ost- und westdeutsche Gemeinschaftsarbeit bezüglich der Quellenerschließung darstellt. — Die politische Tätigkeit von Leibniz in bezug auf die Thronfolge des Hauses Hannover in England untersucht Waltraut Fricke, deren gediegene Arbeit von Georg Schnath angeregt, betreut und mit einem reichen Quellenmaterial aus Hannover und London versehen wurde.[10] Gegenüber einer verbreiteten Meinung kann die Verfasserin nachweisen, daß die jahrzehntelangen Bemühungen von Leibniz in der Sukzessionsfrage nicht entscheidend für deren Erfolg waren. Gleichwohl läßt sich das historisch-politische Weltbild dieses Gelehrten sehr gut in seinen Denkschriften und Briefen zur englischen Frage, zum Projekt eines englisch-holländischen Garantievertrages und in seiner Stellung im Kreis der hannoverschen Diplomaten erkennen. Die fleißige und quellengesättigte Arbeit vermittelt davon erstmalig im Zusammenhang ein anschauliches Bild. Obwohl es die Verfasserin vermeidet, den Ausdruck „barock" zu gebrauchen, so könnte er nach heute üblich werdender Terminologie unschwer auf die politische Verhaltensweise von Leibniz übertragen werden, die Fricke so schildert: „Seine rastlose Tätigkeit auf allen Gebieten führte dazu, daß er jeden Gedanken mit großer Intensität aufnahm und verarbeitete, ihn aber ebenso sprunghaft wieder fallenlassen und sich anderen Interessen zuwenden konnte" (S. 118). Das kann in gewissen Grenzen auch für Christian Thomasius gelten, der heute gern der Bahn-

---

[10] Leibniz und die englische Sukzession des Hauses Hannover (Quellen u. Darstellungen zur Geschichte Niedersachsens Bd. 56), Hildesheim 1957, 141 S.

brecher der Aufklärung genannt und damit von der Barockzeit im engeren Sinne getrennt wird. Aber „unsere Unsicherheit jenem Zeitalter gegenüber" und „die oft erwähnte Vielstrebigkeit und Vielseitigkeit" bei Thomasius empfindet Irmgard Wedemeyer als Hauptschwierigkeit für seine geistesgeschichtliche Einordnung.[11] Einem teilweise so scharf (unter anderem von Wolf, Windelband, Welzel) kritisierten Denker gegenüber versagt der Zuordnungsbegriff des „Barocken" vollständig. Vorbedingung für eine immer noch ausstehende wissenschaftliche Biographie ist die systematische Ordnung seiner Schriften. Dies hat mit großer Hingabe und in mustergültiger Weise Rolf Lieberwirth mit seiner Thomasius-Bibliographie geleistet.[12] 305 sichere, weitere 11 zweifelhafte Schriften des Thomasius und 150 Dissertationen sind systematisch zusammengetragen, geordnet und mit ausführlichen Kommentaren versehen. Damit ist Beckers Bibliographie in vieler Hinsicht ergänzt und berichtigt. Anläßlich des 300. Geburtstages des Thomasius erschien als erstes Heft einer neuen Schriftenreihe, die der Erschließung seines wissenschaftlichen Lebenswerkes dienen soll, eine Interpretation seiner ›Observationes‹, die sich auf Schule, Kirchengeschichte, Natur- und Völkerrecht, Sittenlehre und Literaturbesprechungen erstreckten. Die Verfasserin, Gertrud Schubart-Fikentscher, kann in diesem Zusammenhang mit Recht von dem unbekannten Thomasius sprechen.[13] Aber nicht im Besonderen, nicht in der Vereinzelung liegt dessen Bedeutung. Sein wissenschaftliches Werk wird nur in enger Zusammenschau mit der Geistesgeschichte seiner Zeit recht gewürdigt werden können: „Denn kein Werk von ihm ist in sich geschlossen ... immer und überall kehren verwandte Gedanken wieder, ergänzend, abwandelnd, berichtigend" (S. 59). Doch auch hier scheut sich die Verfasserin, diesen monumentalen Torso als barock zu bezeichnen. — Man möchte meinen, daß dies schon eher bei einem weniger abstrakten Gelehrten wie Ludwig Anton Muratori der Fall sein

---

[11] Wissenschaftliche Zeitschrift der Martin-Luther-Universität Halle-Wittenberg. Jahrg. IV 1954/55, H. 4, S. 493—571.

[12] Christian Thomasius. Sein wissenschaftliches Lebenswerk. Eine Bibliographie, Weimar 1955 (Thomasiana H. 2), 213 S.

[13] Unbekannter Thomasius, Weimar 1954 (Thomasiana H. 1), 78 S.

könnte, dessen strengeres Formgefühl ihn das erste gewaltige Geschichtswerk des italienischen Mittelalters vollenden ließ. Eine sehr kenntnisreiche neue Untersuchung von Alberto Vecchi hat zudem eine Seite an Muratoris Persönlichkeit und Schaffen hervortreten lassen, die bisher zu Unrecht aus seinem Gesamtwerk herausgelöst und in den Hintergrund gedrängt worden war: seine religiösen Schriften.[14] Muratoris Geistigkeit, seine Verbindung mit den bedeutenden Theologen seiner Zeit wird in diesem Zusammenhang ebenso wichtig wie sein Briefwechsel mit den führenden Philosophen, etwa Leibniz. Wenn es aber innerhalb des italienischen Barock letztlich die religiöse Komponente gewesen ist, die ihm in der katholischen Welt seine Bedeutung verschafft hat, so ist von hier aus Muratoris Geschichtswerk so zeittypisch wie möglich. Die gründliche Arbeit von Vecchi stellt deshalb eine sehr notwendige Ergänzung zum Persönlichkeits- und Zeitbild dieses bedeutenden Historikers dar — der Gebrauch des Ausdrucks „barock" ist freilich auch hier streng vermieden.

Einen überwältigenden Eindruck von der Vielfalt des Barockzeitalters in Schrift und Bild, Kunst- und Gebrauchsgegenständen, Waffen und Reitzeug, Genealogien und Medaillen empfing der Besucher der im Sommer 1955 zum Andenken an den „Türkenlouis" in der Orangerie des Karlsruher Schlosses veranstalteten Ausstellung. Der reich illustrierte Katalog, von Ernst Petrasch und Eva Zimmermann bearbeitet, ist zugleich Festschrift zum 300. Geburtstage des Markgrafen Ludwig Wilhelm von Baden.[15] Zahlreiche Mitarbeiter schrieben darin Abhandlungen über die Jugend des Markgrafen, über seine Feldherrn- und Reichsfürstenschaft, seine Residenzen, Musik- und Kunstsammlungen, Münzen und Medaillen und vor allem über die jetzt noch vorhandenen Bestände aus der einstmals unermeßlichen Kriegsbeute der Türkenfeldzüge. Aber auch an die Tätigkeit des Feldherrn am Oberrhein in der Zeit vor und während des Spanischen Erbfolgekrieges wird erinnert.

[14] L'opera religiosa del Muratori (Academia di scienze lettere e arti di Modena) 1955, 160 S.

[15] Der Türkenlouis. Badisches Landesmuseum Karlsruhe. Ausstellung zum 300. Geburtstag des Markgrafen Ludwig Wilhelm von Baden, 25. Juni bis 28. Aug. 1955, 258 S., 69 Tafeln.

Badens Stellung im Zusammenhang mit der großen Politik jener Zeit der Jahrhundertwende und die Versuche zur Bildung regionaler Verteidigungsbündnisse behandelt die in der Schule von Leo Just entstandene Dissertation von Gustav Adolf Süß.[16] Mit Recht wird geltend gemacht, daß ohne eine gründliche Aufarbeitung der süddeutschen Kreisgeschichten eine Gesamtdarstellung der Reichsreformbewegungen noch nicht möglich ist. Inzwischen ist deren Erforschung durch eine Reihe von (bisher ungedruckten) Dissertationen in Gang gekommen. Es wäre wichtig, sie mit der gediegenen Arbeit von Süß abzustimmen. Der Verfasser untersucht zuerst die Kreisverfassung um 1700 und geht dann auf die Außenpolitik des Oberrheinischen Kreises ein, die vornehmlich nach den Berichten der Kreisgesandten bis zum Utrechter Frieden verfolgt wird. Die bereits früher von der Forschung behandelten Probleme der Reichsbarrière wie der Reichsinstitutionen werden auch hier zur Sprache gebracht. Unbefriedigend bleibt — auch bei so vorzüglichen Arbeiten wie der vorliegenden —, daß solche Einzeluntersuchungen immer wieder die gleichen Probleme aus ihren jeweiligen Archivbeständen zu behandeln genötigt sind. Eine zusammenfassende Darstellung der Geschichte der Reichseinrichtungen am Anfang des 18. Jahrhunderts ist deshalb erforderlich und nach den vorhandenen Vorarbeiten wohl auch möglich; wegen des Quellenmaterials dürfte sie nur in Wien durchführbar sein.

Zur Geschichte des Oberrheins liegt jetzt eine Monographie über den französischen Gouverneur im Elsaß, Charles-Armand de La Porte, Herzog von Mazarin, vor, bearbeitet und mit einem ausführlichen Quellenanhang versehen von Georges Livet.[17] Neben einem längeren Gutachten über das Elsaß für Ludwig XIV. sind die Berichte der Erkundungsreisen des Gouverneurs aus den Jahren 1661—64, 1667 und 1671—72 abgedruckt. Die eigentümliche Rechtsstellung dieses Beauftragten der französischen Krone gegen-

---

[16] Geschichte des oberrheinischen Kreises und der Kreisassoziationen in der Zeit des spanischen Erbfolgekrieges (1697—1714), Diss. phil. Mainz 1952 (Ztschr. f. d. Gesch. d. Oberrheins Bd. 103 u. 104, 1955 u. 1956).

[17] Le Duc Mazarin, Gouverneur d'Alsace (1661—1713). Lettres et documents inédits, Straßburg 1954, 205 S.

über den Reichsstädten im Elsaß wird aus dem reichen, neu erschlossenen archivalischen Material ebenso deutlich wie die noch fließenden Übergänge von Günstlingswesen, fürstlicher Vertrauensperson, Ämterkauf zum modernen Staatsbeamtentum. Eine Generation später war dieses, charakteristischer noch als in Frankreich, in Preußen durchgebildet. Das « Retablissement », der Wiederaufbau des nördlichen Ostpreußen unter Friedrich Wilhelm I., stellte nicht nur an die Provinz, sondern an den Gesamtstaat und seinen Verwaltungsapparat die höchsten Anforderungen. Fritz Terveen hat aus dieser Zusammenschau neue Ergebnisse gewinnen können, die durch die Einbeziehung des Kirchen- und Schulwesens noch wesentlich ergänzt und bereichert wurden.[18] Erwies sich das Beamtentum schon als aufgeklärt, so zeigten weniger die Staatsauffassungen als das persönliche Gebaren des Königs, sein herrisches Auftreten, verbunden mit Depressionen, seine Tätigkeitslust und seine angsterfüllte Unruhe fast noch barocke Züge; vielleicht kann eine solche Formel dazu beitragen, diese widerspruchsvolle Persönlichkeit besser zu verstehen. Man hat bisweilen Friedrich Wilhelm I. mit seinem Zeitgenossen Peter I. von Rußland verglichen, ohne den tiefen Unterschied in der religiösen Bindung zu sehen. Das ist von der neueren Forschung richtiggestellt worden. Aber ein engeres Verhältnis Preußens zu Rußland bestand schon seit langem und reicht bis in die Deutschordenszeit zurück, wie Kurt Forstreuter aus genauer Kenntnis der archivalischen Quellen nachgewiesen hat.[19] Nehmen wir die eingangs gestellte Frage wieder auf, dann zeigt sich hier allerdings das gleiche wie gegenüber England: der Barock hat Osteuropa nicht mehr erfaßt. Das wird aus der trefflichen Biographie Peters d. Gr. sichtbar, die Reinhard Wittram schrieb.[20] Das Stadtbild von St. Petersburg — einer Stadt, die zu dem Ostseebereich stärkere

---

[18] Gesamtstaat und Retablissement. Der Wiederaufbau des nördlichen Ostpreußen unter Friedrich Wilhelm I. 1714—1740 (Göttinger Bausteine zur Geschichtswissenschaft Band 16), Göttingen 1954, 234 S.

[19] Preußen und Rußland von den Anfängen des Deutschen Ordens bis zu Peter dem Großen (Göttinger Bausteine zur Geschichtswissenschaft Band 23), Göttingen 1955, 257 S.

[20] Peter der Große. Der Eintritt Rußlands in die Neuzeit, Berlin 1954, 151 S. [Jetzt: Ders., Peter I., Czar u. Kaiser, 2 Bde., Göttingen 1964.]

Beziehungen als zu dem eigentlichen Rußland hatte — war von außen her angenommen: „Ein nüchterner, bürgerlicher Frühbarock holländischen Musters auf der Grundlage des Backsteins" (S. 105). Aber das bleibt Fassade. Anderseits wird man schwerlich Rußlands Aufkommen innerhalb des europäischen Staatensystems im 18. Jahrhundert als ›Moskaus Weg nach Europa‹ bezeichnen können, wie es Walter Mediger in seinem durch Umfang und Vielfalt der Fragestellung sonst so beachtenswerten Buch tut.[21] An dem europäischen, letztlich hellenogenen russischen Staatswesen war wohl nicht zu zweifeln; daß es andere, eben osteuropäische Formen entwickelte, machte ebenso seine Besonderheit aus, wie die insulare oder maritime Form Englands eine europäische Sonderart darstellt. Der Inhalt von Medigers Werk sagt genauer, was gemeint ist: die Einbeziehung Rußlands in die im Frieden von Utrecht ausbalancierte europäische Staatenwelt. Die Politik Bestushews steht im Mittelpunkt der gutgeschriebenen und lesbaren Darstellung, die trotz der Bewältigung eines reichen Archivmaterials leider auf Einzelnachweise verzichtet hat. Obwohl die Themenstellung nicht der Aktualität entbehrt, hat der Verfasser doch die sich aufdrängenden Analogien glücklich vermieden; er kann vielmehr dem unbefangenen Leser an diesem Beispiel treffend den Unterschied zwischen Gegenwart und Geschichte deutlich machen.

Der nun folgenden Periode möchte man, dem allgemeinen Sprachgebrauch folgend, schon die Kennzeichnung der Aufklärung zulegen, doch hat Rudolf Grieser seiner Edition der Memoiren des holsteinischen Gesandten und hannöverschen Kammerherrn Friedrich Ernst von Fabrice (1683—1750) den Untertitel ›Ein Leben in Selbstzeugnissen aus dem Zeitalter des Barock‹ gegeben.[22] Dafür waren gewichtige Gründe maßgebend. Schon die Schilderung der Reisen in Italien, der Tätigkeit als Gesandter bei Karl XI. in der

[21] Moskaus Weg nach Europa. Der Aufstieg Rußlands zum europäischen Machtstaat im Zeitalter Friedrichs des Großen, Braunschweig 1952, 744 S., 12 Abb. auf Tafeln.

[22] Die Memoiren des Kammerherrn Friedrich Ernst von Fabrice (1683 bis 1750). Ein Lebensbild in Selbstzeugnissen aus dem Zeitalter des Barock (Quellen und Darstellungen zur Geschichte Niedersachsens Band 54), Hildesheim 1956, 176 S., 11 Abb. auf Tafeln.

Türkei, danach in London geben ein Zeitbild von Anschaulichkeit und Dichte. Die unüberhörbaren Akzente der Selbstbiographie weisen diese in der Tat dem Barockzeitalter zu: „wir erkennen, was dieser Gesellschaft wesentlich war, was ihre Anteilnahme erregte, wie sie sich unterhielt und ihr tägliches Leben gestaltete... Ein Grundsatz des Barock, wie er sich in Literatur und bildender Kunst beurkundet, ist das Sinnliche" (S. 2 u. 4). Die sehr sorgfältige Ausgabe (in deutscher Übersetzung) enthält ausgesuchte Abbildungen.

— Von gänzlich anderer, geradezu entgegengesetzter Art ist ein Zeitgenosse des Fabrice, der katholische Pfarrer Johann Christoph Beer (1690—1760), dem Karl Böck kürzlich eine eingehende, aus den Quellen aufgebaute, ansprechende Lebensbeschreibung widmete.[23] Vergleicht man diese beiden Lebensgeschichten, so wird die Spannweite der Auffassungen, aber auch der Herkunft und sozialen Stellung deutlich. Beer lebte und wirkte nicht in der großen galanten Welt, sondern in bäuerlichen Bereichen. „Wenn die Kultur des Barock auch wie kaum eine andere Kulturperiode im Herzen des Volkes verwandte Saiten angeschlagen hat und Eingang fand in die Bauernstuben und Dorfkirchen, so war der Inhalt des barocken Kulturbegriffs doch bestimmt von der Welt des Hofes" (S. 1). Die Schriften und Predigten dieses Landpfarrers sprechen davon aber meist nur in Warnungen; weit mehr von den sittlichen Zuständen, dem Alltag der bäuerlichen Wirtschaft und des Volkslebens, für die das Dorf Gottmannshofen bei Augsburg und seine bayrische Barockkirche hier beispielhaft stehen. Schon ist aber die Wirtschaft jener Zeit nicht mehr allein auf den dörflichen Ertrag angewiesen. Das merkantile Unternehmertum hat den Frühkapitalismus verstärkt, das Geldgeschäft bestimmt die Staatsangelegenheiten. Der infolge des gesteigerten Lebensbedürfnisses erhöhte Finanzaufwand der Höfe war nur durch ein vielseitig organisiertes Geldgebersystem zu decken. „Die Hoffinanziers haben Fürsten und Aristokraten jenen Lebensstil ermöglicht, der seinen Ausdruck in der bauenden Welt des deutschen Barock gefunden hat" (Bd. II, S. 266): diese Bezug-

---

[23] Johann Christoph Beer (1690—1760), ein Seelsorger des gemeinen Volkes (Münchener historische Studien, Abt. Bayerische Geschichte, hrsg. v. M. Spindler, Bd. II), Kallmünz/Opf. 1955, 126 S.

nahme auf das Barockzeitalter findet sich in dem umfangreichen Werk von Heinrich Schnee über die Hoffinanz und den modernen Staat.[24] Dem ersten, im Jahre 1953 erschienenen Band hat der Verfasser einen zweiten und dritten Band sehr bald nachfolgen lassen können und damit eine in Thema, Anlage und Durchführung beachtenswerte Leistung vollbracht. Die Vorzüge des ersten Bandes (vgl. Bd. XXXV dieser Zeitschrift, 1953, S. 366) sind auch bei den weiteren Bänden spürbar: strenge Sachlichkeit, Beherrschung eines überaus verstreuten und umfangreichen Quellenstoffs, gründliche Vertrautheit mit personalgeschichtlichen, finanztechnischen und allgemeinen historischen Problemen des Zeitalters des Absolutismus. Besonders verdienstvoll ist der 7. Teil (Bd. III), der eine eingehende Analyse der Institution des jüdischen Hoffaktorentums im System des absoluten Fürstenstaates gibt. Während der erste Band die Hoffaktoren in Brandenburg-Preußen geschildert hatte, sind im zweiten Band die welfischen, wettinischen, mecklenburgischen und hessischen Territorien behandelt, der dritte Band bringt das Hoffaktorentum an den kleinen norddeutschen Fürstenhöfen sowie den erwähnten Gesamtüberblick und ein ausführliches Schriftenverzeichnis nebst Register für alle drei Bände. Auffallend ist, daß auch in den geistlichen Kurfürstentümern das Hofjudentum ein breites Wirkungsfeld finden konnte. Dafür ist das Erzbistum Köln beispielhaft. Die Ereignisse und Gestalten am Kurhof im 17. und 18. Jahrhundert hat Max Braubach anschaulich dargestellt. Schon vier Jahre nach Erscheinen seines Buches wurde mit einer Neuauflage zugleich eine Neubearbeitung durchgeführt, die unter dem Titel ›Kurkölnische Miniaturen‹ Kabinettstücke der Erzählkunst des Verfassers darbieten und seine gründliche Vertrautheit mit den Quellen zur kurkölnischen Geschichte bezeugen.[25] Der rheinische Kurstaat „zwischen Barock und Revolution" (S. VI) wird geschildert, wobei der Barockzeit der Hauptanteil zukommt, zumal Kurköln auch im 18. Jahrhundert seine barocken Züge niemals verleugnete.

[24] Die Hoffinanz und der moderne Staat. Geschichte und System der Hoffaktoren an deutschen Fürstenhöfen im Zeitalter des Absolutismus. 2. Bd., Berlin 1954, 368 S. — 3. Bd., Berlin 1955, 359 S. [4—6: 1963—67.]
[25] Kurkölnische Miniaturen, Münster 1954, 324 S.

Während sich auf dem Kontinent der gleiche Lebensstil festsetzte, kündigte sich in dem barockfernen England schon etwas Neues an. Die betrachtenden und empfindsamen Gedichte des Thomas Gray (1716—1771) zeigen ein neues Form- und Stilgefühl; seine historisierende Hinwendung zur frühen keltischen Dichtung erweist ihn als einen Geistesverwandten Herders. Es ist zu begrüßen, daß nach den Studien von Martin und Reed nunmehr eine gründlich gearbeitete Biographie von R. B. Ketton-Cremer vorgelegt werden konnte, die erste moderne wissenschaftliche Lebensbeschreibung, die nicht allein das literaturgeschichtliche Phänomen der Elegie bei Gray untersucht, sondern ihn in die allgemeine Geschichte seiner Zeit stellt und aus ihr den Charakter von Grays Dichtungen zu erklären sucht.[26] Einige Jahrzehnte später, und etwas von Grays Dichtungsart zeigt sich in Frankreich. Die vier Gartengesänge von Jacques Delille, die Victor Klemperer interpretiert, zeigen das Ende des Barock auch von der Kulturgeschichte her an: die Elemente des Landbaus, die Feldfrüchte, Pflanzen und Bäume in ihren natürlichen Wachstumsformen sind Gegenstände der poetischen Beschreibung und elegischen Betrachtung.[27] Damit wird der Trennungsstrich zum barocken Schloßgarten gezogen. Nur ein wehmütiger Ausblick auf Versailles, auf Corneille und Turenne zeigt noch an, wie stark diese Epoche in die nächste hinüberwirkt. Der Barock ist durchaus noch der Stil der Gesellschaft, in der der junge Mirabeau aufwächst. Die klassisch gewordene, vor sechs Jahrzehnten entstandene Mirabeau-Biographie von Bernhard Erdmannsdörffer hat jetzt ihre vierte Auflage erfahren.[28] Mit Recht darf diese, in der Sache nach wie vor gültig, in der Form nicht wieder erreicht, als ein Meisterwerk deutscher Geschichtsschreibung gelten. Das wird weniger von dem Versuch gesagt werden können, den Heinrich Reintjes unternahm, um Leben und Bedeutung von Johann Georg Forster zu würdigen.[29] Anstelle eines farbigen Zeitgemäldes ziehen sich grob-

[26] Thomas Gray. A Biography, Cambridge 1955, 310 S.

[27] Delilles ›Gärtner‹: ein Mosaikbild des 18. Jahrhunderts (Sitz. Ber. Ak. Wiss. Berlin Phil.-hist. Kl. 1953, Nr. 2, 65 S.)

[28] Mirabeau, 4. Aufl., Stuttgart 1953, 242 S.

[29] Weltreise nach Deutschland. Johann Georg Forsters Leben und Bedeutung, Düsseldorf 1953, 207 S.

schlächtige Urteile und unzulässige Verallgemeinerungen (Forster
wäre „vielfach geflissentlich totgeschwiegen": schon angesichts der
Verbreitung von Ina Seidels Roman ›Das Labyrinth‹ eine seltsame
Behauptung!) durch das in Sturm-und-Drang-Manier verfaßte
Buch, das mit einem enthusiastischen Nachwort von „G. S." schließt.
Von dem Barockzeitalter, dem Georg Forster gewiß nicht mehr
zugehörte, ist keine Rede mehr. Diese Epoche scheint endgültig
versunken. Dennoch hat sie, wie alles Bedeutende, ihre Fortwir-
kungen gehabt. Nicht erst durch den Umweg gelehrter Anknüpfung, sondern durch unbefangenes Weitergeben des in ihr noch
wirksam gespürten Lebensstils. Nicht Forster, der schon durch seine
landschaftliche Herkunft und seine Reiseziele allzu wenig Beziehungen zum Barock haben konnte, sondern ein kleiner mittel-
deutscher Dynastensproß nahm barocke Züge noch in die neue
Epoche hinein, die er selbst heraufzuführen bemüht war: Carl
August von Weimar. Stärker als Goethe verkörpert er in den gemeinsamen vor-idealistischen Jahren ein gewisses barockes Element,
das als Gegenpol ebenso zu den längst auf ihn wirkenden Aufklä-
rungs-Tendenzen wie als hemmendes Moment eines sich weiter
auslebenden Sturm-und-Drang-Gefühls erkennbar ist und manches
an Carl Augusts Eigenart und Eigensinn erklären läßt. Willy Andreas hat das Persönlichkeitsbild von Goethes fürstlichem Freund in
einfühlsamer Weise gezeichnet und das Ergebnis langjähriger Forschungen in dem starken ersten Band der nunmehr gültigen Carl-
August-Biographie niedergelegt.[30] Sie bietet trotz der inzwischen
schon veröffentlichten Vorarbeiten eine fesselnde Veranschaulichung
der Lebenselemente aus Goethes früher Weimarer Zeit. Für unsere
besondere Fragestellung wird aus ihr dieses erkennbar, daß eine
Zeit mit ihren geistigen Werten nicht dadurch zu Ende geführt
wird, daß man sie abbrechen läßt, indem man sich von ihr entschlossen abwendet, sondern daß man sie innerlich überwindet, indem man ein neues Gültiges an ihre Stelle setzt.

Die Betrachtung einiger neuerer Arbeiten zur Geschichte des 17.

---

[30] Carl August von Weimar. Ein Leben mit Goethe 1757—1783,
Stuttgart 1953, 612 S. Vgl. auch Bd. XXXIV (1952) dieser Zeitschrift,
S. 180 ff.

und 18. Jahrhunderts zeigt, daß die zusammenfassenden Darstellungen zunehmend dazu neigen, in ihren Titel oder Untertitel die Bezeichnung Barockzeitalter aufzunehmen. Dagegen sind die Monographien und Biographien darin weit zurückhaltender. Zwar mag auch aus ihnen manches herausgelesen werden, was als Ausdruck barocken Lebensstils gelten kann; je quellennäher und differenzierter die Untersuchungen werden, um so sparsamer verwenden sie jedoch den Sammelbegriff des „Barock" außerhalb des ästhetischen Bereichs. Über die zeitliche Erstreckung gehen die Ansichten noch recht weit auseinander. So löblich die Bestrebungen sind, die starre und schematische Abgrenzung nach Jahrhunderten aufzulockern, so wenig befriedigend ist die Bezeichnung geschichtlicher Zeitalter nach Kunst-Stilen. Ein schwerwiegendes Bedenken liegt auch in der nicht gleichzeitigen und regional nur begrenzten Erstreckung der barocken Stilrichtung. Die unklare, fließende und nur von der Ästhetik her bestimmte Epochenbezeichnung stellt gegenüber der bisherigen Einteilung keine Verbesserung dar. Das Hauptmerkmal einer Zeit zu kennzeichnen ist die Aufgabe der historischen Klassifikation. „Gegenreformation" und „Absolutismus" sind eingeführte und klare Begriffe, die das Wesentliche aussagen, selbst wenn sie nicht die ganze Fülle dieser Epochen umschreiben können. Man sollte nicht aus einer augenblicklichen Zeitlage heraus Neuerungen um jeden Preis einführen, sondern es bei diesen Bezeichnungen belassen, mögen sie heute auch bisweilen Anstoß erregen oder gar peinlich wirken. Es wäre aber ein Mißverständnis der Beschäftigung mit der Geschichte, alle Ereignisse und Ergebnisse früherer Jahrhunderte nur in bezug auf die Gegenwart gelten lassen zu wollen.

Weimarer Beiträge. Zeitschrift für Deutsche Literaturgeschichte. 7, 1961, S. 46—60.

BAROCK ODER MANIERISMUS?

Eignen sich kunsthistorische Termini für die Kennzeichnung
der deutschen Literatur des 17. Jahrhunderts?

Von Horst Hartmann

Zum jetzigen Zeitpunkt noch eine Auseinandersetzung über die
Berechtigung des „Barock"-Begriffs in der Literaturgeschichtsschreibung zu führen, mag für manchen heißen, „Eulen nach Athen zu
tragen"; denn in den letzten zehn Jahren sind — wenn auch nicht
allzu häufig — von den verschiedensten Positionen aus Bedenken
gegen diesen Terminus vorgebracht worden. Wenn eine solche Kritik, wie zum Beispiel bei Heinz Otto Burger, sich allerdings mit der
Feststellung begnügt: „... nicht alle Literatur der Zeit (des
17. Jahrhunderts, H. H.) gehört zum Barock",[1] und den „Barock"-
Terminus nur als Kennzeichnung für eine Weltanschauung verwirft, ihn aber als Stilbegriff erhalten möchte, dann verschließt sie
sich selbst die Möglichkeit, für den Bereich der Literatur Klarheit
in diesen Fragenkomplex zu bringen. In ähnlicher Weise bleibt es
für die grundsätzliche Klärung unbefriedigend, wenn Hans Pyritz
den „Barock"-Begriff schon 1932 zwar fast vollständig vermeidet
und als Begründung angibt, daß „die Wirrnis der Aspekte und
Definitionen bis zu einem Punkt gediehen ist, wo mit dem ‚Barock'-
Begriff schlechterdings sich keine klare und saubere Vorstellung
seines Inhalts und Geltungsbereiches mehr verbinden läßt",[2] zur
gleichen Zeit aber den Vorschlag unterbreitet, den Terminus nicht
aus der Literaturgeschichte auszuschließen, sondern ihn lediglich bis

---

[1] Heinz Otto Burger, Die Geschichte der unvergnügten Seele. In: Dt.
Vjs., Heft 1/1960, S. 3.

[2] Hans Pyritz, Paul Flemings deutsche Liebeslyrik. Leipzig 1932,
S. 209.

zur genaueren Fixierung zurückzustellen. Auch Richard Newald, der beim „Barock"-Begriff die historische Substanz und vor allem die notwendige Klarheit der Definition vermißt, läßt es mit seiner vorsichtigen Formulierung: „Wir legen uns deshalb bei der Anwendung des Wortes (Barock, H. H.) die größte Zurückhaltung auf"[3] schließlich doch an der wünschenswerten Konsequenz mangeln, wenn auch er es nicht wagt, mit der jahrzehntelangen Tradition der Verwendung des Terminus „Barock" endgültig zu brechen. Wir finden also eine deutliche Absage an diese Bezeichnung für die deutsche Literatur des 17. Jahrhunderts fast nur bei Joachim G. Boeckh. Sein eindeutiges Urteil: „Die Bezeichnung der Literatur des 17. Jahrhunderts als einer Literatur des ‚Barock', womit sich gerne die Vorstellung von formaler Übersteigerung, höfischer Ideologie u. ä. verband, erwies sich als durchaus unbrauchbar"[4] muß um so wertvoller erscheinen, als sich Boeckh nicht nur mit dieser Negation zufriedengibt, sondern an anderer Stelle[5] — wenigstens in den Grundzügen — darstellt, daß die deutsche Literatur des 17. Jahrhunderts theoretisch und praktisch die Grundlage für die deutsche Nationalliteratur geschaffen hat. Nur bei Ernst Robert Curtius und seinen Anhängern hat es den Anschein, als wenn der „Barock"-Begriff noch radikaler verworfen wird als bei Boeckh. Hier erfolgt die Auseinandersetzung mit der traditionellen Terminologie jedoch von einer Warte aus, die die Verwirrung bei der Wertung der Literatur des 17. Jahrhunderts noch vergrößern hilft, so daß wir uns veranlaßt sehen, die Auffassungen von Curtius an anderer Stelle in diesem Aufsatz noch genauer zu untersuchen.[6]

Wenn auch die genannten Literaturwissenschaftler gegen den „Barock"-Begriff von den verschiedensten Positionen aus und mit unterschiedlicher Schärfe polemisieren, so ist doch all ihren Unter-

[3] Richard Newald, Die deutsche Literatur vom Späthumanismus zur Empfindsamkeit, 1570—1750. München 1951, S. 12.

[4] Joachim G. Boeckh, Geschichte der deutschen Literatur im 16. und 17. Jahrhundert. Potsdam 1955, S. 91.

[5] Vgl. dazu Joachim G. Boeckh, Die nationale Bedeutung der deutschen Literatur des 17. Jahrhunderts, in: Deutschunterricht, Heft 8/1952, S. 403 ff.

[6] Vgl. dazu S. 58 ff.

suchungen gemein, daß die Auseinandersetzung mit diesem Terminus nicht ihr zentrales Anliegen ist, sondern nur unter anderem —
zum Teil sogar recht beiläufig — erfolgt.[7] Das hat zumindest mit
dazu beigetragen, daß allen bisherigen Polemiken gegen die Verwendung kunsthistorischer Termini für die Kennzeichnung der
deutschen Literatur des 17. Jahrhunderts kein nachhaltiger Erfolg
beschieden gewesen ist. Jedenfalls müssen wir die Tatsache ver-
zeichnen, daß bis in die Gegenwart hinein der „Barock"-Begriff
weiterhin in der Literaturgeschichtsschreibung verwendet wird. Wir
finden ihn sowohl in literarhistorischen Werken, wie zum Beispiel
bei Paul Böckmann [8] und Henrik Becker,[9] als auch in germanistischen Nachschlagewerken neuesten Datums [10] noch immer zur Periodisierung der Literatur des 17. Jahrhunderts angewendet. Auch
die außerdeutsche Germanistik, man nehme etwa die Literaturgeschichte von van Stockum/van Dam,[11] und sogar eine um marxistische Interpretation bemühte ungarische Architekturgeschichte,[12]
die aber auch einen kurzen Überblick über die Entwicklung der
anderen Gattungen der Kunst und über die Literatur gibt,
gebraucht weiterhin den Terminus „Barock". Wir glauben uns deshalb berechtigt, diese Untersuchung über die Eignung kunsthistorischer Termini — besonders des „Barock"-Begriffs — für die Kennzeichnung der deutschen Literatur des 17. Jahrhunderts auch zum
jetzigen Zeitpunkt noch vorzulegen.

---

[7] Vgl. z. B. auch Wolfgang Hecht, der in einer Rezension über Aufsätze
›Aus der Welt des Barock‹, Stuttgart 1957, empfiehlt, den „Barock"-
Begriff außerhalb der Kunstgeschichte nicht länger zu verwenden, „da die
Bezeichnung ‚barock' weder über den Gehalt noch über die künstlerischen
Besonderheiten der deutschen Literatur des 17. Jahrhunderts Wesentliches
aussagt". (Wirkendes Wort, Heft 5, Düsseldorf 1957, S. 312—313.)

[8] Formgeschichte der deutschen Dichtung, Bd. I, Hamburg 1949.

[9] Bausteine zur deutschen Literaturgeschichte. Ältere deutsche Dichtung.
Halle 1957.

[10] Johannes Hansel, Bücherkunde für Germanisten. Berlin und Biele-
feld 1959; Germanistik. Internationales Referatenorgan mit bibliographischen Hinweisen. Tübingen, seit 1960.

[11] Geschichte der deutschen Literatur. 1. Bd., Groningen/Djakarta 1952.

[12] M. Major, Geschichte der Architektur. Bd. II, Berlin 1958.

Rekapitulieren wir am Beginn unserer Auseinandersetzung mit dem „Barock"-Begriff, wie es zur Verwendung dieses Terminus in der literarhistorischen Forschung gekommen ist. Die Beschäftigung mit dem Barock als Stilbegriff begann mit Jacob Burckhardt in der Mitte des 19. Jahrhunderts.[13] Die Vertreter der „formalen Kunstgeschichte" in Deutschland, speziell Heinrich Wölfflin,[14] Wilhelm Pinder [15] und A. E. Brinckmann,[16] vertraten, unterstützt von dem Lebensphilosophen Oswald Spengler,[17] die Auffassung, daß der Barock der Stil einer europäischen Kunstepoche sei, die sich in allen Bereichen der Kunst von der zweiten Hälfte des 16. bis zur ersten Hälfte des 18. Jahrhunderts ausdrücke. Besonders solche Thesen wie die Wölfflins, daß es sich beim Barock „um eine allgemeine Formwandlung handelt, die alle Künste (auch die Musik) gleichmäßig umfaßt und die auf einen gemeinsamen, tiefern Grund hindeutet",[18] haben nun die literarhistorische Forschung seit dem Ausgang des 19. Jahrhunderts dazu veranlaßt, den Barock auch für die Literatur dieser Epoche nachzuweisen. So hat sich der „Barock"-Begriff seit den Arbeiten Fritz Strichs,[19] Oskar Walzels [20] und anderer als Bezeichnung für die deutsche Literatur vom Ausgang des 16. bis zum Beginn des 18. Jahrhunderts eingebürgert, und eine ganze Flut literarhistorischer Arbeiten, von denen wir hier nur auf die von Herbert Cysarz,[21] Ferdinand Josef Schneider,[22] Emil Erma-

[13] Vgl.: Der Cicerone. Eine Anleitung zum Genuß der Kunstwerke Italiens. Leipzig 1855.

[14] Vgl.: Renaissance und Barock. Eine Untersuchung über Wesen und Entstehung des Barockstils in Italien. München 1888.

[15] Vgl.: Deutscher Barock. Leipzig 1924.

[16] Vgl.: Handbuch der Kunstwissenschaft, besonders „Die Baukunst des 17. und 18. Jahrhunderts", Potsdam 1931 und „Barockskulptur", Potsdam 1931.

[17] Vgl.: Untergang des Abendlandes. München 1920.

[18] Heinrich Wölfflin, a. a. O., München 1907, S. 22.

[19] Lyrischer Stil des 17. Jahrhunderts. In: Abhandlungen zur deutschen Literaturgeschichte. Berlin 1916.

[20] Wechselseitige Erhellung der Künste. Berlin 1917.

[21] Deutsche Barockdichtung. Leipzig 1924.

[22] Die deutsche Dichtung vom Ausgang des Barocks bis zum Beginn des Klassizismus. Stuttgart 1924.

tinger,[23] Karl Viëtor[24] und Arthur Eloesser[25] verweisen wollen, haben besonders in den zwanziger Jahren unseres Jahrhunderts den Versuch unternommen, die Merkmale des Barock für die Literatur herauszuarbeiten.

Untersuchen wir, zu welchen Ergebnissen man dabei gekommen ist. Für Herbert Cysarz ist der Barock eine seelenlose, formbetonende Pseudorenaissance, zu der alles das gehört, „was sich als Einkörperung des erwachten Formbedürfnisses unter antikem und romanischem Vormund entfaltet".[26] Speziell auf die Literatur bezogen, ist für ihn der Barock „nichts anderes als ein systematisches Nachahmen antiker Wortkunst", das „gelehrten Rezepten und handwerklichen Praktiken sich anvertraut".[27] Konkreter formuliert, bedeutet das nach Viëtor, daß die für die deutsche Barockliteratur symptomatischen Stilmerkmale die pathetischen Gefühlsentladungen und die kalte Rhetorik sind, die dann in „spätbarocker" Zeit zum Schwulst entarten. Pliester hat sich sogar in einer speziellen Arbeit darum bemüht, die Worthäufung als typisches Kennzeichen barocker Literatur nachzuweisen[28]. Diese Literarhistoriker tun damit nichts anderes, als schon Max Semrau versucht hat, als er Shakespeare wegen seiner Sprache der Leidenschaft neben Rubens und Rembrandt als gewaltigsten Vertreter der Barockkunst bezeichnet hat[29]: sie machen ihnen als bemerkenswert

[23] Barock und Rokoko in der deutschen Dichtung. Leipzig und Berlin 1926.

[24] Probleme der deutschen Barockliteratur. Leipzig 1928.

[25] Die deutsche Literatur vom Barock bis zur Gegenwart. Bd. I, Berlin 1930.

[26] Herbert Cysarz, a. a. O., S. 20 f.

[27] A. a. O., S. 40.

[28] Vgl. H. Pliester, Die Worthäufung im Barock. Bonn 1930.

[29] Vgl. Max Semrau, Die Kunst der Barockzeit und des Rokoko. Esslingen 1913, S. 42.

Diese Einschätzung hat schon Arnold Hauser abgelehnt: „Wenn man Leidenschaft, Pathos, Ungestüm, Übertreibung als besondere Charakterzüge des Barocks betrachtet, ist es selbstverständlich leicht, aus Shakespeare einen Barockdichter zu machen. Eine Parallele zwischen der Kompositionsweise der großen Barockkünstler Bernini, Rubens und Rembrandt und der Shakespeares läßt sich jedoch in konkreter Form nicht durchführen. Die

erscheinende sprachliche Besonderheiten ohne Rücksicht auf die Aussage der literarischen Werke zum entscheidenden Kriterium für die Periodisierung. Die Unzulänglichkeit dieses Verfahrens und die Unmöglichkeit, die bedeutenden Vertreter der deutschen Literatur des 17. Jahrhunderts auf diese Weise wirklich zu erfassen, konnte natürlich selbst den Vertretern dieser formalen Literaturwissenschaft nicht verborgen bleiben. Das führte jedoch bei ihnen nicht dazu, ihr System zu überprüfen, sondern eher waren sie bereit, den Hauptvertretern der deutschen Literatur dieses Jahrhunderts eine Art Ausnahmecharakter zu bescheinigen, wie zum Beispiel Cysarz von Gryphius und Grimmelshausen erklärt, daß sie „dem barocken Niveau nur locker verbunden" seien, daß sie sich „über die Schranken der Zeit-Signatur"[30] erheben.

Andere Literarhistoriker versuchen, der einseitigen Begriffsbestimmung durch Formmerkmale dadurch zu entgehen, daß sie der „Barockliteratur" auch einen spezifischen Gehalt zuschreiben. So hält Paul Böckmann in seinem oben schon genannten Werk zwar auch am „rhetorischen Pathos" fest, will aber außerdem in der Literatur des 17. Jahrhunderts als typisches Kennzeichen die Darstellung des Ideals der „elegantia" entdecken. Willi Flemming entwirft sogar eine ganze Skala von Charaktereigenschaften, die in der Dichtung dieses Jahrhunderts für den „Barockmenschen" angegeben werden: er soll ein Herrenmensch mit betontem Geltungsbedürfnis sein, der leidenschaftlich und hemmungslos ist und mehr dem Gefühl als dem Verstande folgt, wodurch er dann hin- und hergerissen wird zwischen seiner menschlichen Unzulänglichkeit und dem zum Ideal erhobenen christlichen Stoizismus.[31] Von Flemmings Bild des „Barockmenschen" ist es nicht mehr weit bis zu den Bemühungen jener Literarhistoriker, die im 17. Jahrhundert sogar eine

Übertragung etwa der Wölfflinschen Kategorien des Barocks — des Malerischen, Tiefenräumlichen, Unklaren, Uneinheitlichen und Unabgeschlossenen — auf Shakespeare bleibt entweder bei nichtssagenden Allgemeinheiten stehen oder gründet sich auf bloße Äquivokationen." (Sozialgeschichte der Kunst und Literatur. München 1953, Bd. I, S. 453 f.)

[30] Herbert Cysarz, a. a. O., S. 21.

[31] Vgl. Willi Flemming: Deutsche Kultur im Zeitalter des Barock. Potsdam 1937.

einheitliche Weltanschauung des Barock entdecken wollen. Ermatinger sieht sie im „Sich-Emporringen der Weltlust und Diesseitstüchtigkeit gegen den schweren Druck des Weltleidens und der Jenseitsbereitschaft, und umgekehrt" in der gewaltsamen „Hemmung
der Weltbejahung durch die Diesseitsverneinung in einer letzten
höchsten Steigerung".[32] Auch die niederländischen Germanisten van
Stockum und van Dam sprechen von einer barocken Spannung
„zwischen extremer Diesseitslust und extremer Weltentsagung".[33]
Von dieser Weltanschauungsbestimmung her wird sowohl bei Ermatinger als auch bei van Stockum/van Dam eine bedenkliche Wertung der Literatur des 17. Jahrhunderts abgeleitet. Ermatinger
behauptet: „Daraus ergibt sich, daß nur da von eigentlicher, im Zeiterleben wurzelnder Barockdichtung gesprochen werden kann, wo
sich jener Gegensatz innerlich in der Idee und der Form des dichterischen Werkes ausprägt",[34] während für ihn alle jene Gestalten der Dichtungen, in denen sich die Tragik des Gegensatzes zwischen Weltbegierde und Jenseitshoffnung nicht spiegelt, zur sozial
minderwertigen, gedankenlosen Masse gehören, ja die Natürlichkeit
eines Werkes geradezu den Beweis für seine gesellschaftliche und
seelische Wertlosigkeit darstellt. Auch für van Stockum/van Dam
ist auf Grund der von ihnen für das 17. Jahrhundert als gültig festgelegten Ideologie die Literatur dieser Epoche „nahezu ausschließlich Sache der Gesellschaft, d. h. der vornehmen Hofgesellschaft des
beginnenden Zeitalters des landesfürstlichen Absolutismus".[35]

Ganz abgesehen davon, daß Joachim G. Boeckh mit Recht in den
literarhistorischen Arbeiten dieser Forscher eine Untersuchung der
Ursachen für die „barocke" Haltung der Menschen des 17. Jahrhunderts vermißt, sind wir überhaupt nicht bereit, den Konflikt
zwischen „extremer Diesseitslust und extremer Weltentsagung" als
typisch „barocke" Ideologie für das 17. Jahrhundert anzuerkennen.
Wenn wir nämlich die Architektur als die Gattung der Kunst anerkennen müssen, in der sich die barocken Stilmerkmale der bilden-

---

[32] Emil Ermatinger, a. a. O., Berlin und Leipzig 1928, S. 28.
[33] Th. C. van Stockum und J. van Dam, a. a. O., S. 280.
[34] Emil Ermatinger, a. a. O., S. 37.
[35] Th. C. van Stockum und J. van Dam, a. a. O., S. 280.

den Kunst am deutlichsten ausgeprägt haben, so müßten wir auch in ihr, speziell natürlich beim Kirchenbau, in erster Linie das Beweismaterial für die „extreme Weltentsagung" finden. Wie steht es aber damit? Von der Peterskirche in Rom bis zur Wallfahrtskirche Vierzehnheiligen in Franken, von der kleinen Klosterkirche Banz bei Bamberg bis zum großartigen Bau der Johann-Nepomuk-Kirche in München: ein Prachtbau folgt dem anderen als Ausdruck reinster Sinnenfreude und alles andere als „extreme Weltentsagung". Heinz Otto Burger hat also völlig recht, wenn er in seinem Aufsatz über ›Die Geschichte der unvergnügten Seele‹ [36] feststellt, daß man den Barock nur mit Mühe zum „Weltanschauungsbegriff" erklären kann. Die mangelnde Beweiskraft des von den Anhängern der „Barock"-Theorie sowohl für die Ideologie und den Gehalt als auch für die Form der Dichtungen vorgetragenen Materials hat zweifellos Richard Newald zu dem Urteil: „Hinter solchen und ähnlichen Bezeichnungen stecken selten klare Begriffe" [37] und dem oben schon zitierten Rat veranlaßt, sich dieses Terminus nur mit großer Vorsicht zu bedienen. Selbst Wilhelm Pinder, der einer der Vertreter der Auffassung vom europäischen Stil des Barock in allen Kunstgattungen ist, muß im Zusammenhang mit der Untersuchung des Begriffs „Mittelalter" einräumen, daß dieser wie auch der „Barock"-Terminus „Verabredungsworte" sind, die man nur gebrauchen kann, wenn man sich bewußt ist, daß diesen Begriffen der charakteristische Inhalt fortgenommen ist.[38]

Wir sehen also, daß es sehr viel Unsicherheit um den Begriff „Barock" gibt und daß selbst von einigen Vertretern der bürgerlichen Literaturwissenschaft erhebliche Bedenken gegen ihn vorgebracht werden. Wie ist es nun zu erklären, daß dieser zumindest für die Literaturgeschichtsschreibung so problematische Terminus dennoch von der Kunstwissenschaft auf die Literaturwissenschaft übertragen wurde, und vor allem: wie konnte es geschehen, daß er dort trotz aller Bedenken bis in die Gegenwart hinein verwendet

[36] Vgl. Fußnote 1 dieses Aufsatzes.
[37] Richard Newald, a. a. O., S. 156.
[38] Vgl. Wilhelm Pinder, Die Kunst der deutschen Kaiserzeit. Frankfurt 1952, S. 139 f.

wird? Ein Rückblick auf die Definitionsversuche der Literarhistoriker, die sich der „Barock"-Theorie verschrieben haben, gibt uns einen Fingerzeig zur Beantwortung dieser Frage. Die große Mehrzahl dieser Literaturwissenschaftler zählt Formmerkmale auf, die ein „barockes" Kunstwerk auszeichnen sollen; andere führen die Charaktereigenschaften an, die eine „Barockgestalt" kennzeichnen müssen, und schließlich wird sogar der Versuch gemacht, eine Ideologie des „Barockzeitalters" zu entwickeln. Nirgends aber hört man in diesen Definitionen etwas vom konkreten historischen Bezug der Dichtungen, von der objektiven gesellschaftlichen Wirklichkeit, die sie widerspiegeln, kaum etwas von der Parteilichkeit des Autors für die eine oder andere soziale Klasse im 17. Jahrhundert.

Es ist kein Zufall, daß die Übernahme des „Barock"-Begriffs durch die Literaturgeschichtsschreibung am Ende des 19. Jahrhunderts erfolgt [39] und daß in den sich anschließenden Jahrzehnten die Bemühungen um die Festigung dieses Terminus in der literarhistorischen Forschung Hand in Hand gehen mit der Einführung weiterer kunsthistorischer Stilbegriffe, wie Rokoko, Expressionismus und bei Lukács auch „Neue Sachlichkeit",[40] zur Periodisierung der deutschen Literatur; denn es handelt sich hier — ob beim einzelnen Forscher bewußt oder unbewußt, ist dabei nur von sekundärem Interesse — um eine Parallelerscheinung zur Zerstörung des Geschichtsbewußtseins durch Geschichtsschreibung und Philosophie im imperialistischen und später faschistischen Deutschland. In dem gleichen Maße, in dem die deutsche Bourgeoisie im Interesse einer Verbreitung der Überzeugung, daß ihre Herrschaft „ewig und endgültig" sei, das Wissen um einen historischen Fortschritt dadurch zu zerstören versucht, daß sie eine Weltgeschichte und vor allem die Erkennbarkeit ihrer objektiven Gesetze leugnet, bemühen sich die Vertreter der bürgerlichen formalen Kunstgeschichte und ihre An-

[39] Vgl. auch die Betonung formgeschichtlicher Aspekte für die Betrachtung anderer Literaturperioden schon bei Max Freiherr von Waldberg, Die galante Lyrik. Beiträge zu ihrer Geschichte und Charakteristik. Straßburg und London 1885, und Die Deutsche Renaissance-Lyrik. Berlin 1888.

[40] Vgl. dazu Georg Lukács, Deutsche Literatur im Zeitalter des Imperialismus. Berlin 1950, S. 64.

hänger im Bereich der literarhistorischen Forschung darum, den Zusammenhang zwischen gesellschaftlicher Wirklichkeit und Kunst und vor allem die aktive Rolle der Kunst bei der Bewußtseinsbildung der Menschen dadurch zu vertuschen, daß sie formal-ästhetische Gesichtspunkte und die Merkmale einer imaginären „barokken Weltanschauung" in den Vordergrund der Betrachtung rücken. Es wird also im Grunde das gleiche Ziel verfolgt, wenn einerseits in der Geschichtsphilosophie Friedrich Nietzsche die „Theorie der ewigen Wiederkunft" für seine größte Entdeckung hält, wenn Alfred Rosenberg behauptet, daß es überhaupt keine Weltgeschichte gebe, sondern daß das Dasein der Menschen mythisch und geschichtslos sei, oder wenn Martin Heidegger den Irrtum für den „Wesensraum der Geschichte" hält, und wenn andererseits auf dem Gebiet der Kunst- und Literaturgeschichtsschreibung Georg Dehio das 17. Jahrhundert als das „Barockzeitalter" bezeichnet und den Barock, jedes geschichtlichen Bezuges entkleidet, für „die deutsche Ur- und Grundstimmung" erklärt,[41] oder wenn Emil Ermatinger die Widerspiegelung der Klassenkämpfe des 17. Jahrhunderts in der Literatur durch den Konflikt zwischen „Diesseitstüchtigkeit" und „Jenseitsbereitschaft" im Individuum wegzuinterpretieren versucht. Wir sehen also, daß die Verwendung des „Barock"-Begriffs und anderer kunsthistorischer Stilbegriffe zur Periodisierung der deutschen Literatur eine eminent politische Angelegenheit ist; das erklärt auch, daß sich diese Termini bis in die gegenwärtige bürgerliche Literaturgeschichtsschreibung hinein fortschleppen.

Eine kritische Auseinandersetzung mit dem „Barock"-Begriff muß von der historischen Fundierung ausgehen und zunächst einmal die bildende Kunst, aus der dieser Terminus stammt, berücksichtigen. Dabei erweist es sich, daß die Kunst des Barock aus-

[41] Georg Dehio, Geschichte der deutschen Kunst. Bd. III, Berlin und Leipzig 1926, S. 286.
Es muß wenigstens am Rande vermerkt werden, daß sowohl in der zitierten Formulierung als auch in der Weiterführung dieses Gedankens die Bindungen Dehios an die faschistische Rassentheorie deutlich werden, so vor allem dort, wo er — ebenfalls auf S. 286 — Rubens als Hauptvertreter der Barockmalerei bezeichnet und ihn als Verkörperung des Germanentums deklariert.

gesprochen feudalistisch und katholisch-klerikal ist, daß sie also im Dienst der Fürsten und der Gegenreformation gestanden hat. Diese Feststellung, die wir auch schon in der bürgerlichen Kunstgeschichtsschreibung finden, bringt jedoch bereits die These Wölfflins und seiner Anhänger, daß der Barock der Stil einer europäischen Kunstepoche sei, ins Wanken, denn mit Recht weisen sowohl bürgerliche Kunsthistoriker, wie zum Beispiel Max Semrau und Richard Hamann, als auch selbstverständlich die marxistische Kunstgeschichtsschreibung [42] darauf hin, daß bürgerliche Länder, wie Holland und England, vom Barock nicht beeinflußt worden sind. Hamann stellt sogar nachdrücklich den Zusammenhang von politischer Geschichte und bildender Kunst fest, wenn er sagt, daß in dem gleichen Maße, in dem sich die politische Revolution Hollands gegen die Fürsten und die katholische Kirche richtet, die holländische Kunst dieser Zeit eine „Kunst des Gegenbarock" [43] ist. Damit wird deutlich, daß es falsch ist, den Barock als eine *europäische* Stilepoche zu bezeichnen.[44] In der neuesten marxistischen Kunstwissenschaft wird darüber hinaus die Richtigkeit der Behauptung angezweifelt, daß der Barock überhaupt eine Stil*epoche* ist. Unter Hinweis auf den Klassencharakter dieser Kunstrichtung sagt zum Beispiel Wolfgang Hütt: „Jener Stil, mit dem man bisher fälschlicherweise die gesamte Kunst dieses Zeitalters bezeichnete, der Barockstil, ist in Wahrheit nur der vorherrschenden Adelskunst zu eigen gewesen." [45] Wir sehen also, daß auch im Bereich der Kunstgeschichte als gesicherte Forschungsergebnisse im Zusammenhang mit der Barockproblematik nur die Merkmale des Barock*stils* gelten können. Dieser ist durch die Zusammenfassung aller Gattungen der Kunst unter der Führung der Architektur zu gewaltigen baukünstlerischen Ensemb-

---

[42] Vgl. z. B.: W. N. Lasarew, M. A. Iljin, Der Barock. Aus: Große Sowjet-Enzyklopädie, Berlin 1954.

[43] Richard Hamann, Geschichte der Kunst. Bd. II, Berlin 1955, S. 582.

[44] Auch Hauser lehnt den „Barock"-Begriff in dieser umfaßenden Bedeutung ab: „Der Barock umfaßt ... so verzweigte, in den einzelnen Ländern und Kultursphären unter so verschiedenen Formen auftretende künstlerische Bestrebungen, daß die Möglichkeit, diese auf einen gemeinsamen Nenner zu bringen, als zweifelhaft erscheint." (A. a. O., S. 455.)

[45] Wir und die Kunst. Berlin 1959, S. 388.

les, durch die Verwendung einer zentralisierenden Raumdisposition und auf äußere Wirkungen eingestellter Schmuckdetails, kurz, durch eine reiche Prachtentfaltung im Dienste der Repräsentation der Fürsten und der gegenreformatorischen Kirche gekennzeichnet.

Nachdem wir festgestellt haben, daß schon im Bereich der bildenden Kunst die „Barock"-Theorie der formalen Kunstgeschichte zumindest als Epochenbezeichnung stark erschüttert worden ist, wollen wir nun überprüfen, wie es mit der Berechtigung des „Barock"-Begriffs in der Literaturwissenschaft steht. Zunächst muß einmal gesagt werden, daß der Barockstil der bildenden Kunst, von dem wir hier nur einige grundlegende Merkmale angeben konnten — Einzelheiten sind ohne Schwierigkeiten den einschlägigen Werken der Kunstgeschichte zu entnehmen —, nicht nur funktions-, sondern auch materialgebunden ist. Es gibt also selbstverständlich im 17. Jahrhundert einen breiten Strom profeudaler Literatur in Deutschland, aber in diesen Werken Merkmale des „Barockstils" nachzuweisen dürfte schon bei einem Blick auf die wenigen von uns angegebenen Grundtendenzen dieses Stils der bildenden Kunst nicht möglich sein.

Ganz abgesehen aber davon, geht es ja vor allem um die Tatsache, daß die Vertreter der „Barock"-Theorie in der Literaturwissenschaft die Werke einer ganzen Epoche der deutschen Literatur als „Barockdichtung" bezeichnen wollen. Hier muß nun dieser Terminus vollends versagen, weil er die Vielfalt der literarischen Strömungen des 17. Jahrhunderts nicht erfaßt. Beginnen wir mit der volkstümlichen Literatur. Daß der bedeutendste deutsche Schriftsteller dieses Jahrhunderts, Grimmelshausen, mit seinem teils bäuerlichen, teils bürgerlichen Klassenstandpunkt sich nicht in das „Barock"-Schema pressen läßt, ist natürlich auch den Vertretern der „Barock"-Theorie in der Literaturwissenschaft nicht entgangen; aber das hat sie nicht aus der Fassung gebracht. Cysarz ist zum Beispiel, wie wir schon dargestellt haben, schnell bereit, diesem Schriftsteller zuzugestehen, daß er sich „über die Schranken des Zeit-Signatur" erhebt, und ganz allgemein hat mit ihm die Praxis eingesetzt, Grimmelshausen als „Naturtalent", als Außenseiter der Literatur des 17. Jahrhunderts zu behandeln. Aber er steht nicht allein. Vielmehr ist er nur der Hauptrepräsentant der volkstümlichen Richtung in der Literatur dieses Jahrhunderts, die neben ihm nicht nur die große Zahl seiner Nachahmer, sondern auch durchaus selbständige Autoren umfaßt, von denen wir hier nur den fast vergessenen Johann Beer mit seinem recht umfangreichen Romanwerk nennen wollen.

Auch die zeitkritisch-satirische Literatur, auf deren Hauptvertreter Lauremberg, Moscherosch und Logau hier nur verwiesen werden soll, muß als antifeudale Literaturrichtung bezeichnet werden. Wenn auch der Standpunkt, von dem aus die Auseinandersetzung vor allem mit den Erscheinungen der Adelskultur des 17. Jahrhunderts geführt wird, im allgemeinen der eines Bürgers aus dem 15. und 16. Jahrhundert, also ein konservativer ist, verbietet doch die Zielrichtung der Kritik in den Werken dieser Autoren ihre Zuordnung zur höfischen, also zur sogenannten „Barockliteratur". Auch hier weiß sich die „Barock"-Forschung freilich zu helfen. Ein besonders aufschlußreiches Beispiel dafür ist Erika Vogts Arbeit über ›Die gegenhöfische Strömung in der deutschen Barockliteratur‹.[46] Nachdem sie zunächst doziert: „Alle Lebensäußerungen der Zeit, soweit sie nur irgend Rang und Geltung beanspruchen, stehen im Lichtkreis der höfischen Idee",[47] und damit das „Barockideal" zum Wertmaßstab auch der Literatur dieses Jahrhunderts macht, behandelt sie als sogenannte „gegenhöfische" Literatur unter anderem auch die konservativ-zeitkritische Dichtung. So sehr sie auch im einzelnen auf die in diesen Werken vertretenen Ideale eingeht, so sehr ist sie doch auch bemüht, durch ihre Untersuchung die These von dem 17. Jahrhundert als der Epoche der deutschen „Barockliteratur" zu stützen, indem sie erstens behauptet, daß auch diese satirische Dichtung „Hofliteratur" sei, wenn auch „norddeutsch-protestantische", und indem sie zweitens angibt, daß diese literarische Richtung schon deshalb nicht so ins Gewicht falle, weil sie bereits um 1650 versiegt. Die Tatsachen widersprechen jedoch beiden Behauptungen. Weder ist die Tendenz dieser Dichtungen, wie schon erwähnt, profeudal, noch sind die Autoren etwa durch-

---

[46] Erika Vogt, Die gegenhöfische Strömung in der deutschen Barockliteratur. Phil. Diss. Gießen 1931.
[47] A. a. O., S. 2.

gehend Hofangehörige. Lauremberg ist zum Beispiel Mathematiker und Universitätsprofessor, Christoph Schorer Arzt in einer kleinen Stadt gewesen, und diese Liste ließe sich fortsetzen. Auch läßt sich die zeitkritisch-satirische Strömung in der deutschen Literatur durchaus über die Mitte dieses Jahrhunderts hinaus verfolgen, wie allein die Beispiele Joachim Rachels, der bis 1669 gelebt und veröffentlicht hat, und Johannes Grobs, dessen Werke nur in der zweiten Hälfte des 17. Jahrhunderts erschienen sind, beweisen. Man muß also auch diese Strömung der Literatur als bedeutsam für das ganze 17. Jahrhundert anerkennen und zugeben, daß sie ebenfalls durch den Terminus „Barock" nicht erfaßt wird.

Auch ein ganzes literarisches Genre muß noch angeführt werden, aus dem fast alle Werke geeignet sind, den „Barock"-Begriff ad absurdum zu führen: das Lustspiel. Wenn Willi Flemming zum Beispiel glaubt, auch die Dichtungen dieses Genres für die „Barock"-Theorie in Anspruch nehmen zu können,[48] dann müssen wir feststellen, daß der Terminus hier schon von der Funktion her versagt, denn das Lustspiel steht im allgemeinen weder im Dienste der Fürsten noch der Kirche und ist also weder feudal noch klerikal.[49] Vielmehr sind es gerade die Angehörigen des Adels und der Geistlichkeit, bisweilen sogar die Fürsten selbst, die in den Lustspielen des 17. Jahrhunderts einer Kritik unterzogen werden. Dabei werden diesen negativen Figuren in den fünfziger und sechziger Jahren des Jahrhunderts Angehörige des Bauernstandes und — in der Folgezeit — des Bürgertums als positive Gestalten gegenübergestellt. Etwa Schochs ›Comoedia vom Studenten-Leben‹ (1657) mit der Forderung des Dichters „ . . . und müssen der armen Kinder die Welt regiren"[50] als Zeugnis für den „barocken" Charakter der Literatur des 17. Jahrhunderts zu bemühen, ist schon fast grotesk zu nennen. Daß es auch hier wieder Literarhistoriker gegeben hat, die den antifeudalen Charakter des Lustspiels zwar erkannt, aber

---

[48] Vgl. dazu Willi Flemming, Die deutsche Barockkomödie. Leipzig 1931.

[49] Eine Ausnahme stellen allenfalls die Lustspiele Stielers dar, in denen den kritisierten Vertretern des Adels positive Gestalten aus der eigenen Klasse entgegengestellt werden.

[50] Johann Georg Schoch, Comoedia vom Studenten-Leben; V, 2.

dennoch ihre „Barock"-These zu stützen versucht haben, braucht nach den Erfahrungen mit den anderen antifeudalen Literaturrichtungen des Jahrhunderts kaum noch erwähnt zu werden. Jedenfalls ist zum Beispiel Ermatingers oben schon zitierte Auffassung,[51] daß die Natürlichkeit der Lustspiele Beweis für ihre gesellschaftliche und seelische Minderwertigkeit sei, keinesfalls überzeugend, denn die Natürlichkeit vieler Lustspiele dieser Zeit erwächst vielmehr aus dem Bemühen der Dichter um eine realistische Gestaltung der Charaktere und um ein möglichst wirklichkeitsgetreues Erfassen der Welt. So ist also gerade auch das Lustspiel des 17. Jahrhunderts geeignet,[52] nachzuweisen, daß es falsch ist, von diesem Jahrhundert als der „Barockperiode" der deutschen Literatur zu sprechen. Ja gerade die Tatsache, daß sich im Lustspiel der zweiten Hälfte des 17. Jahrhunderts die Wandlung vom bäuerlichen zum bürgerlichen Helden vollzieht und daß auch im formal-ästhetischen Bereich wichtige Voraussetzungen für das deutsche Lustspiel des 18. Jahrhunderts geschaffen werden, bestätigt die Richtigkeit der These Joachim G. Boeckhs, daß das 17. Jahrhundert die „Epoche der ideologischen Vorbereitung des deutschen Bürgertums"[53] ist.

Schließlich soll wenigstens noch kurz daran erinnert werden, daß Hans Pyritz in seiner Arbeit über ›Paul Flemings deutsche Liebeslyrik‹ sehr überzeugend nachgewiesen hat, daß sich diese Lyrik ebenfalls nicht in die „Barock"-Auffassung eingliedern läßt, sondern eine Entwicklung zeigt, die „gegen die maßgebende Jahrhundert-Orientierung"[54] verläuft und in Aussage und künstlerischer Form schon Christian Günthers Lyrik vorwegnimmt.

Wenn wir am Beginn dieses Abschnitts unserer Untersuchung davon gesprochen haben, daß der „Barock"-Begriff auch deshalb vor allem als Epochenbezeichnung ungeeignet ist, weil er nicht der Vielfalt der literarischen Strömungen im 17. Jahrhundert gerecht wird, so können wir diese Feststellung jetzt konkretisieren. Lenin

---

[51] Vgl. S. 50.

[52] Zu weiteren Einzelheiten über das Lustspiel des 17. Jahrhunderts vgl. Horst Hartmann: Die Entwicklung des deutschen Lustspiels von Gryphius bis Weise. Phil. Diss. Potsdam 1960.

[53] Joachim G. Boeckh, a. a. O., S. 409.

[54] Hans Pyritz, a. a. O., S. 211.

hat 1913 in seinen ›Kritischen Bemerkungen zur nationalen Frage‹ darauf hingewiesen, daß es in jeder nationalen Kultur neben der herrschenden auch Elemente einer demokratischen Kultur gibt.[55] Im 17. Jahrhundert aber sind die „Elemente" dieser demokratischen Kultur eben unter anderem die antifeudalen Strömungen in der Literatur, und die Tatsache, daß diese „Elemente" in jener Zeit schon so stark vertreten gewesen sind, ist nur Beweis dafür, daß sich der Klassenkampf in der feudalabsolutistischen Gesellschaft zuzuspitzen begann. So wird also der „Barock"-Begriff gerade der Literatur der beherrschten Klassen im 17. Jahrhundert, also der progressiven Literatur, nicht gerecht und muß schon aus diesem Grunde als unbrauchbar verworfen werden.

Betrachten wir die „Barock"-Problematik jedoch noch unter einem anderen Aspekt, unter dem der Periodisierung. Herbert Cysarz' Meinung, daß die „Barockliteratur" von Opitz bis Günther reiche, Heinz Otto Burgers Ansicht, daß der Abschluß der deutschen „Barockliteratur" beim Tod von Quirinus Kuhlmann und Philipp von Zesen (1689) und bei der postumen Veröffentlichung des ›Arminius‹-Romans von Lohenstein (1689/1690) liege, oder Willi Flemmings Auffassung, daß die „Barockkomödie" vom ›Vincentius Ladislaus‹ des Herzogs Heinrich Julius von Braunschweig, 1594, bis zum ›Graf Ehrenfried‹ von Christian Reuter, 1700, anzusetzen sei, sind schon deshalb gänzlich abwegig, weil sie jegliche Entwicklung der deutschen Literatur im 17. Jahrhundert ignorieren.[56] Aber auch diejenigen, die wie van Stockum und van Dam die Periode des Barock noch in einen Frühbarock (1600—1640) und in einen anschließenden Hochbarock gliedern oder wie Ermatinger mit Weise die Periode des Rokoko in der Literatur beginnen lassen wollen, übersehen eine wesentliche Tatsache. Sie widersprechen nämlich der von der formalen Kunstgeschichte und den ihr folgenden Literarhistorikern vertretenen Auffassung, daß der Barock durch das Zu-

---

[55] Vgl. dazu W. I. Lenin, Kritische Bemerkungen zur nationalen Frage. Berlin 1949, S. 9 f.

[56] Tatsächlich leugnet z. B. Flemming einen Unterschied zwischen den Lustspielen von Gryphius und Weise und erkennt nur den ›Verfolgten Lateiner‹, 1696, als höhere Stufe des Lustspiels an, bezeichnet dieses Werk aber als einen Zufallstreffer Weises.

sammenwirken aller Künste charakterisiert wird, wobei der Architektur die Führung zukommt. Wenn Newald sagt: „Ursprung und Nährboden des Barock sind die Sammlung der geistigen und künstlerischen Kräfte der romanischen Länder im Zeichen der Gegenreformation und des Absolutismus. Danach richten sich die Äußerungen der sämtlichen Künste aus. Ihr Ziel ist das Gesamtkunstwerk, die Vereinigung sämtlicher Künste, der darstellenden wie der redenden",[57] dann spricht er damit aus, was seit Wölfflin im wesentlichen die Ansicht der Vertreter der „Barock"-Theorie ist. Noch in der neuesten kunstwissenschaftlichen Literatur wird auch die führende Rolle der Architektur in dieser Zeit betont.[58] Damit gerät aber die ganze „Barock"-Periodisierung ins Wanken, denn die bedeutenden Werke der deutschen Barockarchitektur sind gar nicht im 17., sondern erst in der ersten Hälfte des 18. Jahrhunderts entstanden. Andreas Schlüter erbaut zum Beispiel das Berliner Schloß, ein Frühwerk des deutschen Barock, 1698 bis 1707. Der Zwinger in Dresden wird von Mathias Daniel Pöppelmann und Balthasar Permoser (Plastiken) 1709 bis 1732 errichtet, und die Werke Johann Balthasar Neumanns entstehen sogar noch später: die bischöfliche Residenz in Würzburg 1720 bis 1744 und die Wallfahrtskirche Vierzehnheiligen in Staffelstein/Franken sogar erst 1743 bis 1772.[59] Es heißt deshalb bei Richard Hamann völlig richtig: „Am Ausgange des 17. Jahrhunderts erhielt Deutschland seinen Barock." [60]

Somit müßte also, wenn man den Anhängern der „Barock"-Periodisierung folgen wollte, in Deutschland diese Epoche in der ersten Hälfte des 18. Jahrhunderts liegen. Die Musik scheint dieser Periodisierung auch zu entsprechen. So sagt Eloesser, wenn er von der Baukunst des Barock spricht: „ . . . wir empfinden die Zeitgenossenschaft mit einer Oper von Händel und auch noch mit dem Brandenburgischen Konzert, das der Meister der Thomaskirche, im schwarzen Amtskleid, unter der Allongeperücke, dem Hofe dar-

[57] Richard Newald, a. a. O., S. 24.

[58] Vgl. Georg Piltz, Deutsche Baukunst. Berlin 1959.

[59] Daß bei diesen Bauwerken die Merkmale des Barock und Rokoko zum Teil ineinander übergehen, kann nur am Rande vermerkt werden.

[60] Richard Hamann, a. a. O., S. 685.

bringt . . .",[61] und auch in einer neueren Darstellung der Musikgeschichte bezeichnet Walter Serauky, der Auffassung Paul
Beckers[62] folgend, Händel als den „Typus des heroischen Barock-
Menschen"[63]. Oper und Oratorium werden von Serauky als
bevorzugte Genres der Barockmusik bezeichnet, wobei er allerdings
bei der Begründung zu Formulierungen greift, die uns eine ver-
dächtige Ähnlichkeit mit dem Vokabular der Anhänger der „Barock"-Theorie im Bereich der Literatur zu haben scheinen. Ohne
hier weiter auf Fragen der Musikgeschichte eingehen zu können,
glauben wir jedoch, daß auch in ihrem Bereich die Verwendung des
„Barock"-Begriffs zur Periodisierung zumindest problematisch ist.

Wollte man die Überlegungen, die wir für die bildende Kunst
angestellt und in der Musik bestätigt gefunden haben, konsequent
auch auf die Literatur anwenden, dann käme man zu einem Ergebnis, wie wir es im oben schon genannten Werk Majors[64] finden,
wobei es den Anschein hat, als ob dieser unseren jetzigen Gedankengang selbst schon verfolgt hat. Im Zusammenhang mit der deutschen Barockarchitektur spricht er auch von der „Barockdichtung"
und nennt als Hauptvertreter: Klopstock! Über ihn sagt er: „Friedrich Gottlieb Klopstock (1724—1803), obwohl sein Wirken schon
in die deutsche Klassik hineinragt, schuf in seinem gewaltigen, in
Hexametern geschriebenen Epos ‚Der Messias‘ (erster Teil 1749)
das größte und zugleich das letzte Werk der deutschen religiösen
Barockdichtung. Klopstock war in der Tat eine Übergangserschei-
nung, die Leere des gezierten Barockstils erfüllte er besonders in
seinen Oden mit den frischen Themen einer neuen Gedanken- und
Gefühlswelt."[65]

Gerade die Tatsache, daß diese Aussage über Klopstock oder
einen anderen Dichter der ersten Hälfte des 18. Jahrhunderts kein
Anhänger der „Barock"-Theorie in der Literaturwissenschaft ge-

[61] Arthur Eloesser, a. a. O., S. 9.

[62] Paul Bekker, Musikgeschichte als Geschichte der musikalischen Form-
wandlungen. Stuttgart 1926.

[63] Walter Serauky, Georg Friedrich Händel, in: Konzertbuch, hrsg. von
Karl Schönewolf, Berlin 1958, S. 85.

[64] Vgl. Fußnote 10 dieses Aufsatzes.

[65] M. Major, a. a. O., S. 506.

macht hat, weil sie trotz der scheinbar bestechenden Folgerichtigkeit
eben ein deutlicher Mißgriff ist, der nur bei einem Nicht-Fachmann,
der beiläufig auch etwas über die deutsche Literatur sagt, verständlich ist, läßt schlagartig den Widerspruch in der eigenen Theorie der
„Barock"-Anhänger sichtbar werden. Auch vom Standpunkt der
Periodisierung aus dürfte deshalb der „Barock"-Terminus nicht
haltbar sein. Wir können also wohl unsere Untersuchung über die
Eignung des „Barock"-Begriffs für die Anwendung in der Literatur
hier vorläufig mit dem Urteil abschließen, daß dieser Terminus sowohl als Stilbegriff als auch vor allem zur Periodisierung der deutschen Literatur des 17. Jahrhunderts gänzlich ungeeignet ist.

An dieser Stelle ist es nun notwendig, sich mit einer besonderen
Gruppe von Kritikern des „Barock"-Begriffs auseinanderzusetzen:
mit Ernst Robert Curtius und seinen Anhängern. Wenn Conrady
in bezug auf den „Barock"-Terminus sagt: „Am vernünftigsten
scheint, den Begriff ganz zu vermeiden",[66] wenn er als Begründung
für diese Ansicht angibt, daß die im allgemeinen als „barock" bezeichneten formalen Eigentümlichkeiten keine Spezifika des
17. Jahrhunderts sind, und wenn er bei seiner Beweisführung den
Satz von Curtius zitiert: „Mit diesem Wort (Barock, H. H.) ist aber
so viel Verwirrung angerichtet worden, daß man es besser ausschaltet",[67] so ist dem allen vollkommen zuzustimmen. Aber welchen Weg gehen nun Curtius und seine Anhänger?

Der Ausgangspunkt ihrer Überlegungen ist zweifellos in solchen
Auffassungen der Kunstgeschichte zu sehen, wie Dehio sie vertrat,
wenn er sagt: „Barock in der engeren Bedeutung ist eine historisch
abgegrenzte Erscheinung, ist die Kunst zwischen dem Ausgang der
Renaissance und dem Anfang des Klassizismus; Barock in der weiteren Bedeutung ist ein allgemeines Prinzip, das sich am kürzesten
als Gegenpol zum Klassischen definieren läßt, ein Prinzip, das in
jedem Stil auftreten kann, so zwar, daß es die vorgefundenen Formen beibehält, aber ihnen einen neuen, andern Gefühlswert gibt."[68]

[66] Karl Otto Conrady, Die Erforschung der neulateinischen Literatur,
in: Euphorion, Heidelberg 1955, S. 425.
[67] Ernst Robert Curtius, Europäische Literatur und lateinisches Mittelalter. Bern 1953, S. 277.
[68] Georg Dehio, a. a. O., S. 285.

Das heißt also, daß der „Barock in der weiteren Bedeutung" eine immanente Variationsmöglichkeit jedes Stils in der bildenden Kunst darstellt.[69] Vertritt man diese Auffassung Dehios mit allen Konsequenzen, dann kommt man möglicherweise zu einem Ergebnis, wie es d'Ors 1943 vorgelegt hat: er unterscheidet im Ablauf der Kunstgeschichte — und hier ist die Literatur mit einbezogen — 22 Arten des Barock.[70]

Diese Auffassung vertritt im Grunde auch Curtius, wenn es bei ihm heißt: „Den Manierismus des 17. Jhdts. von seiner zweitausendjährigen Vorgeschichte abzutrennen und entgegen allen historischen Zeugnissen als spontanes Produkt des (spanischen oder deutschen) Barock auszugeben, ist nur möglich durch Unwissenheit und pseudokunstgeschichtlichen Systemzwang."[71] Dadurch verwirft Curtius zwar den „Barock"-Begriff mit starken Worten, aber nur um ihn durch den Terminus „Manierismus" zu ersetzen, unter dem er eine „Konstante der europäischen Literatur" versteht, die alle nichtklassische Literatur erfassen soll. Curtius' Schüler Hocke erklärt sogar noch deutlicher, daß die Geschichte der Kunst und Literatur als „Dialektik Klassik — Manierismus"[72] aufzufassen sei.[73]

Wir haben es hier also mit einer radikalen Kritik des Terminus „Barock" zu tun; aber was gewinnen wir, wenn wir an seine Stelle den Begriff „Manierismus" setzen? Hockes Definition des „Manie-

---

[69] Wölfflin vertritt im Grunde ähnliche Auffassungen, wenn er eine „Logik der Kunstgeschichte" darin zu entdecken meint, daß der Wechsel zwischen klassischem und barockem Stil eine allgemeingültige Erscheinung ist, die in der Kunst der römischen Kaiserzeit, in der Spätgotik, im 17. Jahrhundert und im Impressionismus zu beobachten ist. Hausers vernichtendes Urteil über diese Theorie gilt nicht nur für Wölfflin, sondern in gleicher Weise auch für Dehio: „Die unsoziologische Methode Wölfflins führt ... zu einer unhistorischen Dogmatik und einer ganz willkürlichen Geschichtskonstruktion." (A. a. O., S. 462.)

[70] Vgl. Eugenio d'Ors, Lo Barroco. Madrid 1943.

[71] Ernst Robert Curtius, a. a. O., S. 295.

[72] Gustav René Hocke, Die Welt als Labyrinth. Hamburg 1957, S. 10.

[73] Hauser faßt dagegen den Manierismus als eine Epoche der europäischen Kunst zwischen Renaissance und Barock auf. (Vgl. a. a. O., S. 377 ff.)

rismus" — „Manierismus ist also — im allgemeinsten triebpsychologischen Sinne — spezifische Gebärde eines bestimmten Ausdruckszwanges" [74] — sagt noch weniger aus als die oben zitierten
„Barock"-Definitionen, und wenn er behauptet, daß Shakespeare
mitten im europäischen Manierismus, Rembrandt aber an seinem
Ende stehe, dann erscheinen uns diese Zuordnungen als zumindest
so fragwürdig wie Semraus oben angegebene Behauptung, daß
Shakespeare neben Rubens und Rembrandt ein Hauptvertreter des
europäischen „Barock" sei. Der von Curtius, Conrady und Hocke
im Zusammenhang mit ihrer „Barock"-Kritik vorgeschlagene Terminus „Manierismus" weist also in gleichem Maße all die Mängel
auf, die uns veranlaßt haben, den „Barock"-Begriff zu verwerfen.
Vor allem fehlen ihm ebenfalls die historische Konkretheit und die
Möglichkeit, die Entwicklungstendenzen in der Literatur des
17. Jahrhunderts auszudrücken. Wenn Hocke jedoch von seinem
Lehrer Curtius die Ansicht übernimmt: „Das Wort Manierismus
verdient auch deshalb den Vorzug, weil es, verglichen mit ‚Barock',
nur ein Minimum von geschichtlichen Assoziationen enthält",[75]
dann läßt er damit deutlich werden, daß man mit dem „Manierismus"-Begriff genau wie mit dem „Barock"-Terminus das Ziel verfolgt, die Beziehungen zwischen Kunst und Literatur und der
objektiven gesellschaftlichen Wirklichkeit zu verschleiern. Wir müssen deshalb den Terminus „Manierismus" ebenfalls als unbrauchbar
zur Kennzeichnung der deutschen Literatur des 17. Jahrhunderts
ablehnen.

Wir kommen damit zum Schluß. Wir hatten uns die Aufgabe
gestellt, die Eignung kunsthistorischer Termini für die Kennzeichnung der deutschen Literatur des 17. Jahrhunderts zu überprüfen.
Wir sind im Laufe unserer Untersuchung zu dem Urteil gelangt,
daß der Terminus „Barock" der Literatur dieses Jahrhunderts nicht
gerecht wird, weil er weder die mannigfaltigen literarischen Strömungen dieser Zeit erfaßt, noch etwa als Stilbegriff die künstlerischen Besonderheiten der literarischen Werke zutreffend kennzeichnet. Aus dem gleichen Grunde mußten wir den aus einer besonderen

---

[74] Gustav René Hocke, a. a. O., S. 19.
[75] A. a. O., S. 9.

Art der „Barock"-Kritik erwachsenen Terminus „Manierismus"
verwerfen, wobei hier noch einmal nachdrücklich darauf hingewiesen werden muß, daß die Verwendung jedes kunsthistorischen Terminus zur Periodisierung der deutschen Literatur eine Ordnung der
Dichtung nach den Merkmalen eines *Stil*begriffs der bildenden
Kunst bedeutet und deshalb abzulehnen ist. Wir sind sicher, daß
ähnliche Untersuchungen über die bisweilen in der Literaturgeschichtsschreibung noch verwendeten Begriffe „Rokoko" und
„Neue Sachlichkeit" und vor allem über den noch häufig strapa-
zierten Terminus „Expressionismus" ebenfalls die Unhaltbarkeit
dieser Begriffe ergeben würden. Was aber das 17. Jahrhundert anbetrifft, so sollte man mit Rücksicht auf das Nebeneinander von
feudaler und bäuerlich-volkstümlicher Literatur und unter besonderer Beachtung des Werdens einer bürgerlichen Literatur in der
zweiten Hälfte des Jahrhunderts den Übergangscharakter dieser
Epoche anerkennen und darauf verzichten, irgendeinen Sammelbegriff für diese Literaturperiode zu finden.

Manierismo, Barocco, Rococò: Concetti e Termini. Convegno Internazionale Roma 21—24 Aprile 1960. Relazioni e Discussioni. Academia Nazionale dei Lincei 359, 1962, 52, S. 39—49. Aus dem Italienischen übersetzt von Lili Sertorius.

ETYMOLOGIE UND GESCHICHTE DES TERMINUS „BAROCK"

Von Bruno Migliorini

Das ursprüngliche Stammwort und die neuere Geschichte eines Kulturbegriffs wie desjenigen, der unserer Untersuchung zugrunde liegt, können nicht voneinander getrennt werden: es genügt nicht, daß das eine Stammwort intuitiv überzeugender „erscheint" als das andere, man muß vielmehr, ehe man sich entscheidet, die Überlieferung und die Verkettung der Beispiele durch die Zeiten, die Orte und die verschiedenen Milieus, in denen der Terminus seine Anwendung gefunden hat, aufmerksam verfolgen.[1]

Übergehen wir einige Erklärungsversuche, die wir ohne weiteres als unwahrscheinlich ausschließen können, weil sie sich auf die bloße Ähnlichkeit des Klangs stützen und jeder historisch nachweis-

---

[1] Ich zitiere aus der umfangreichen Bibliographie nur diejenigen Werke, die ich mit dem größten Nutzen konsultiert habe: B. Croce, Storia dell'età barocca in Italia. Bari 1929; C. Calcaterra, Il problema del barocco, in: Problemi e orientamenti critici di letteratura italiana, III, Milano 1949, S. 405—501; E. d'Ors, Del barocco. Ital. Übersetzung L. Anceschi, Milano 1945; R. Wellek, The concept of Baroque in Literary Scholarship, in: Journal of Aesthetics and Art Criticism, V, 1946, S. 77—109; G. Weise, Considerazioni di storia dell'arte intorno al barocco, in: Riv. lett. moderne, III, 1952, S. 5—14; G. Getto, La polemica sul barocco, in: Letteratura e critica nel tempo, Milano 1954, S. 131—218; H. Tintelnot, Zur Gewinnung unserer Barockbegriffe, im Sammelband Die Kunstformen des Barockzeitalters, Bern 1956, S. 13—91; G. Briganti, in: Enciclopedia universale dell'arte, II, Venezia-Roma 1958, col. 346—359. [Dazu kommt neuerdings der wichtige, reich dokumentierte Aufsatz von O. Kurz, Barocco: storia di una parola, in: Letteratura italiana, XII, 1960, S. 441 bis 444, der unabhängig zu Schlußfolgerungen gelangt ist, die den meinen sehr ähnlich sind.]

baren Verbindung entbehren.[2] Und verweilen wir lieber ein wenig bei jenen drei Stammworten, die kompetentere Verteidiger gefunden haben.

Eines davon ist der Terminus « baroco », den die Scholastiker des 13. Jahrhunderts für ihre mnemotechnische Klassifizierung der Figuren und Modi des Syllogismus künstlich gebildet haben. Er tritt in den Formeln auf, die Petrus Hispanus (geboren in Lissabon zwischen 1210 und 1220, bestieg unter dem Namen Johannes XXI. den päpstlichen Stuhl und starb 1277) angibt: in seinen Summulae logicales (4, 17 Bocheński) lesen wir:

> Barbara, celarent, darii, ferion baralipton
> . . .
> Cesare, camestres, festino, *baroco,* darapti
> . . .

[2] Man hat an Giacomo Barozzi (il Vignola) gedacht, andere an Federico Barozzi oder Barocci von Urbino, einen barocken Maler: schon von Zahn wies 1873 diese Erklärung zurück, die dagegen leider bei Kluge-Götze als zulässig verzeichnet ist. Etym. Wörterbuch der deutschen Sprache, bis zur 11. Aufl. Berlin 1934 (vgl. Vidossi in: Arch. glott. it., XXVIII, 1936, S. 66 und Tintelnot in dem zit. Bd., S. 16).

Das ital. Wort « parrucca » (Perücke) ist als mögliches Stammwort in der 2. Aufl. (1885) des Konversationslexikons von Meyer (alternativ zu dem portugiesischen « barroco ») angeführt.

Nichts kann mit unserem Terminus das französische « baroché » zu tun haben, das in der ›Encyclopédie‹ von Diderot und D'Alembert folgendermaßen definiert wird: „Terminus in der Malerei, dessen man sich bedient, um auszudrücken, daß der Pinsel die Kontur nicht rein gezeichnet und daß er die Farbe auf die Grundierung gespritzt hat; man sagt: Sie barochieren immer Ihre Konturen!" (II, S. 73, in der Neuauflage von Livorno 1771). Um dieses Wort zu erklären, vgl. « baroche » und « baroché » bei Godefroy (und Wartburg, Frz. etym. Wörterbuch, s. birotium).

Tommaseo fügt der Erklärung „von der alten scholastischen Form her" drei weitere an, eine unwahrscheinlicher als die andere: das gr. βάρος, ein spätlat. barridus, das gr. παρακόπτω.

Wir fügen noch einige andere ähnliche Stämme an (ähnlich durch bloßen Zufall, wie zu vermuten ist): „Barrocus", bei Odo von Meung (11. Jh.) als Name einer Pflanze in ›De viribus herbarum‹ zitiert, v. 1642

In dem gleichen kleinen Traktat zeigt der Verfasser mittels der
Buchstaben, die die Formel « baroco » zusammensetzen, welchem
Typ die folgendermaßen bezeichneten Syllogismen angehören: der
erste Vokal (A) bedeutet, daß der erste Terminus des Syllogismus
ein allgemeiner Behauptungssatz ist, während der zweite und dritte
Vokal (O) anzeigen, daß es sich um besondere Behauptungssätze
handelt; das B am Anfang zeigt, daß es sich um einen Syllogismus
handelt, der auf den ersten Modus der ersten Figur reduziert
werden kann; das C zeigt die Art und Weise an, wie die Reduktion
zustande kommen kann. Ein Syllogismus in der Form « baroco »
wäre zum Beispiel folgender: Die wahren Freunde sagen ihren
Freunden die Wahrheit. X und Y sagen sich nicht die Wahrheit.
Also sind X und Y keine wahren Freunde.

Eine Reaktion gegen das Denken in Syllogismen, das allzu-
häufig leer und wirklichkeitsfern war, beginnt gegen Ende des
14. Jahrhunderts: die Verteidigung der moralischen Wissenschaften
gegen die Ansprüche der formalen Logik bildet, so kann man wohl
sagen, von Petrarca an einen Gemeinplatz der Humanisten. Die
syllogistischen Formeln werden als Symbole der unnützen Betrieb-
samkeit der Dialektik betrachtet: Erasmus sagt in seiner ›Ratio seu
compendium verae theologiae‹ (1519), ein Syllogismus „in *celarent*
aut *baroco*" über ein Krokodil sei unnütz, wenn man nicht einmal
weiß, ob das Krokodil ein Baum oder ein Tier ist; Luis Vives er-

(Manitius, Gesch. lat. Lit. Mittel., II, S. 545); « barrocchio » in Pistoia, im
Sinne von « crocchia » (Haarknoten) (Fanfani, Voc. uso tosc. s. crocchia);
« barrocchio » oder « birrocchio » am Monte Amiata gebraucht, bedeutet
« frantoio », Ölpresse (mit dem entsprechenden Verb « barrocchià », die
Oliven und Weintrester zerstoßen); « barroche » in den Abruzzen
bedeutet „Nüsse oder Haselnüsse, mit denen beim Spielen geschossen
wird" (tosc. «bòcco »).

Der katalanische Ortsname La Barroca erscheint als „super rocha" in
einem Dokument von 985 (Alcover).

Das « barocho », das als „monnaie de compte in Sizilien gebraucht
wurde und 4,2 centimes wert war", das im ›Grand Dictionnaire universel‹
von Larousse begegnet, ist, glaube ich, eine Verwechslung mit « baiocco »
(das Wort fehlt im allgemeinen Repertoire Martinoris, La Moneta, Roma
1915).

eifert sich in seiner Schrift ›In pseudodialecticos‹ (aus dem gleichen Jahr 1519) über die Pariser Professoren, die ihre Sophistik „in *baroco* et in *baralipton*" betreiben, usw. Diese Polemik (die nur in der Wahl der Termini wechselt) begegnet vom 16. bis zum 18. Jahrhundert in Italien, Frankreich und anderswo sehr häufig.

In Italien finden wir Beispiele bei Caro (›Apologia‹, 1555; publiziert 1558), bei Gianfrancesco Ferrari, der irrtümlich — ich weiß nicht, ob absichtlich oder unabsichtlich — von einem „Argument in *baricoco*" spricht (›Rime burlesche‹, 1570), bei Padre Antonio Abbondanti (›Viaggio in Colonia‹, 1627), bei Giovanni Azzolini (Satire auf die ›Lussuria‹), bei Fulvio Testi (in einem Brief von 1641) und bei Magalotti; häufig kommt das Wort im ›Cane di Diogene‹ (1698) von Francesco Fulvio Frugoni vor; und noch am Ende des 18. Jahrhunderts finden wir es z. B. bei Clasio. Doch muß man beachten, daß das Wort in Italien lange Zeit nur in zwei Wendungen gebraucht wird: sehr viel häufiger in der Redewendung « in baroco » (« argomento in baroco, sillogismo in baroco »), einige seltene Male substantivisch (oder fast substantivisch), um die Form des Syllogismus selbst anzuzeigen (« barocco e barbara e tutti gli altri pari sono zughi »: Caro); in den einfallsreichen Phantastereien Frugonis finden wir eine Art personifizierender Substantivierung (« rimase convinto in baralipton, per riscontrar certi bari, che'l ferono parer un barocco », ›Cane di Diogene‹, IV, S. 324; « Argomenta in barbara, ma è un barocco », IV, S. 504; « Egli era bensí un baroco che rispondea in brocardo ». VII, S. 407)[3].

Um schließlich das Wort auch als Adjektiv verwendet zu finden, muß man bis zu den letzten Jahrzehnten des 18. Jahrhunderts vordringen: « discorsi barocchi » bei D. Caracciolo (1763), « giudizio barocco » bei Pietro Verri (1767)[4]; und um eine Anwendung

[3] Der größte Teil der Stellen des 16. und 17. Jahrhunderts ist angeführt bei Croce in seiner Storia dell'età barocca, S. 20—23; die Stelle von Panigarola findet sich in den Autori del ben parlare, Venezia 1643, IV, S. 590; die von Testi im Manuale von D'Ancona e Bacci, III, S. 455; die von Frugoni sind mir durch die Freundlichkeit Ezio Raimondis übermittelt oder präzisiert worden.

[4] Die Stelle von Caracciolo ist bei Croce erwähnt, die von Verri

auf die Kunst zu finden, muß man sogar bis zu Milizia gehen, auf den wir noch zurückkommen werden.

In Frankreich zeigt sich die antischolastische Auflehnung in den bekannten Stellen bei Montaigne (« C'est *Barroco* et *Baralipton,* qui rendent leurs supposts [de la sagesse] ainsi crotez et enfunez »)[5] und bei Henri Estienne (« Telles façons de parler ... ne passent pas l'université de Paris: non plus que *Faire un argument en barocho.* »)[6] Pascal spricht mit der üblichen Verachtung von « barbara » und « baralipton »; die ›Logique‹ von Port-Royal dagegen verteidigt den Gebrauch der künstlichen Termini gegenüber denen, die sie verspotten (« l'on a jugé qu'il y avoit plus de bassesse dans ces railleries que dans ces mots »)[7]. Und noch im 18. Jahrhundert schreibt Mme Roland (Brief vom 6. April 1788): „Ich weiß nicht mehr, ob Sie Argumente *en baroco ou en friscous* vorziehen."[8]

Man beachte, daß im Französischen ein klarer Unterschied zwischen diesem scholastisch-mnemotechnischen « baroco » und dem Adjektiv « baroque » besteht: immerhin glaubt schon J. J. Rousseau, daß eine Beziehung zwischen den beiden Worten existiert: nachdem er „barocke Musik" definiert hat, fügt er hinzu: „Es hat sehr wohl den Anschein, daß dieser Ausdruck vom *Baroco* der Logiker kommt."[9]

Und diese Rückbeziehung geriet auch nicht in Vergessenheit: wir finden sie in einem « Mémoire touchant l'influence de la scolastique sur la langue française » von Rémusat wieder, das er 1854 an der Académie des sciences morales et politiques[10] vorgetragen hat und

findet sich im Carteggio di Pietro e Alessandro Verri, hrsg. Greppi-Giulini, Milano 1923, I, 1, S. 223.

[5] Essais, Buch I, Kap. 26 (Ausg. von Bordeaux I, 1906, S. 209).

[6] Dialogues du nouveau language franç. italian., II, S. 307.

[7] S. die Anm. von Brunschvicg in seiner großen Ausgabe der Werke Pascals IX, S. 289.

[8] C. A. Dauban, Etude sur Madame Roland, Paris 1864, S. LXXVII.

[9] Dictionnaire de musique, Paris 1768, S. 40 (Genève 1781, S. 56).

[10] Institut Impérial de France, Mém. de. l'Ac. des Sciences mor. et pol., X, S. 235—276.

in dem er die Meinung vertritt, « baroco » sei die „wahrscheinliche Etymologie" von «baroque».[11]

Die Ableitung des italienischen Adjektivs « barocco » von der syllogistischen Formel wird, wie wir schon angedeutet haben, von Tommaseo für möglich gehalten; und sie erscheint implizit in der Klassifizierung der Bedeutungen wieder, die das ›Vocabolario‹ der Crusca 1866 gibt. In unserem Jahrhundert ist sie von Kleinpaul (1914), Borinski (1914), Benedetto Croce, der sie seit 1925 wiederholt vertritt, Ludwig Pfandl, Américo Castro und mit besonderem Nachdruck von dem verstorbenen Carlo Calcaterra wiederaufgenommen worden.

Wir kommen zum zweiten Stammwort: dem portugiesischen. Wir stellen fest, daß das portugiesische Wort « barroco » (oder weiblich « barroca ») schon von alters her (wie sein spanisches Analogon « barrueco, berrueco ») einen „steilen Fels" und eine „Perle von unregelmäßiger Form" bezeichnet (die auf italienisch « perla scaramazza » heißt[12].

Seit 1531, das heißt seit dem in Frankreich abgefaßten Inventar Karls V.[13], der von « 97 gros ajorffes dictz barroques enfilez en 7 filletz » spricht, und seit einem Inventar der Waren, die François I[ier] für Bargeld eingekauft hatte, das für 1533 « perles barocques » registriert[14], finden wir das Wort in Frankreich häufig,

---

[11] S. S. 247—251.

[12] Was die ursprüngliche Wurzel dieses « barroco, barrueco » ist, darüber hat man lange diskutiert, ohne zu endgültigen Schlüssen zu gelangen. Schon Covarrubias schlug das Stammwort « verruca » vor, was deshalb verlockend ist, weil Plinius in seiner Nat. hist. XXXVII, 195 von „maculae et verrucae der Edelsteine" spricht; das bietet andererseits unüberwindliche phonetische Schwierigkeiten, nicht sosehr wegen des Anlauts, durch den man an eine arabische Vermittlung denken könnte, als wegen der Diphthongierung des o. Das arabische *burqa,* „steiniges Gelände" bietet nicht nur dieselben phonetischen Schwierigkeiten, sondern scheint auch, wie mir mein Freund Giorgio Levi Della Vida mitteilt, auf der Iberischen Halbinsel nicht benutzt worden zu sein. Vgl. dazu die Überlegungen Brüchs, „Wörter und Sachen", VII, 1921, S. 161, und Corominas, Diccionario crítico etimol.

[13] Zit. bei Gay, Glossaire archéologique.

[14] Zit. bei Havard, Dictionnaire de l'ameublement.

meist als Adjektiv, um unregelmäßige Perlen zu bezeichnen.[15] Und das ist die einzige Bedeutung, die das Wort bis zum Ende des 17. Jahrhunderts hat und die die Akademie in der ersten Ausgabe ihres Vocabolanó (1694) kodifiziert.

Mit Beginn des 18. Jahrhunderts mehren sich die Belegstellen für das Adjektiv in der Bedeutung von „extravagant, bizarr". Der erste bisher zitierte Passus findet sich in den ›Mémoires‹ des Herzogs von Saint-Simon aus dem Jahr 1701: „es war recht barock[16], den Abbé Bignon als Nachfolger von M. de Tonnerre als Bischof von Noyon einzusetzen."[17]

Die Vokabel kommt während des gesamten 18. Jahrhunderts in der Umgangssprache häufig im Sinne von extravagant, bizarr vor: siehe die Beispiele bei Autreau, Mme de Genlis, J. J. Rousseau, die Barbier und Brunot[18] anführen; auch unser Goldoni benutzt sie in seinen ›Mémoires‹.[19]

Die neue Bedeutung war 1740 schon so selbstverständlich geworden, daß das ›Dictionnaire de l'Académie‹, das in seinen ersten Auflagen nur registriert hatte:

Baroque. adj. Terme qui n'a d'usage qu'en parlant. Des perles qui sont d'une rondeur fort imparfaite. *Un collier de perles baroques*

von der 3. Auflage (1740) an einen zweiten Absatz hinzufügt:

Baroque se dit aussi au figuré, pour Irrégulier, Bizzarre, Inégal. *Un esprit baroque. Une expression baroque. Une figure baroque.*

---

[15] Andere Beispiele sind zu finden bei P. Barbier, Miscellanea etymologica I, in: Proceedings of the Leeds Philosophical Society, Literary and Historical Section, 1925, S. 19.

[16] Dies die ursprüngliche Schreibweise, die der Apparat der Ausg. Boilisle angibt.

[17] Bd. II, S. 160 der Ausg. Chéruel 1856; II, S. 438 der Ausg. Chéruel 1873; VIII, S. 73 der Ausg. Boilisle.

[18] Im zit. Art. § 5, S. 19, und in der Histoire de la langue française, VI, II, S. 1397.

[19] « J'avois satisfait le goût baroque de mes compatriotes, dont je recevois les compliments en riant, et je mourois d'envie de hâter la réforme jusqu'au bout » (I. partie, c. 42: I, S. 318 der Originalausgabe

Zu diesem Zeitpunkt (das heißt Ende 1739 oder Anfang 1740) verwandte der Präsident de Brosses das Wort als Terminus der Kunst in seinem XLI. Brief anläßlich der neuen Einbauten im Palazzo Pamphili: „Die Italiener werfen uns vor, daß wir in Frankreich in Sachen der Mode in den gotischen Geschmack zurückfallen . . ., daß unsere Ornamente letztes Barock sind . . . Ich habe nicht vor, dieses lächerliche Barock zu verteidigen . . ."[20] Das ist das erste bis heute nachweisbare Beispiel, in dem das Adjektiv oder das substantivierte Adjektiv in einem Urteil über Kunst verwendet wird.

Aber rasch mehren sich die Beispiele, und sie bedeuten nicht mehr ein generell negatives Urteil, sondern eine stilistische Charakterisierung, die manchmal auch positiv ist. Man vergleiche die Stellen, die in der ›Histoire de l'ameublement‹ von Havard unter dem Stichwort « baroque » angeführt sind: „ein barocker Unterbau aus mit Muschelgold vergoldeter Bronze, mit Zweigen und Blumen aus Vincennes geschmückt" (1749), „auf angenehm barocke Art gewunden" (1751), „zwei Doppelbetten . . . mit barocken Bändern und Schnitzwerk geschmückt" (1766). Noch ein charakteristisches Beispiel[21]: der Maler Jean Pillement (1728—1808) malte außer « fleurs idéales » und « fleurs naturelles » auch « fleurs baroques ». Im ›Dictionnaire de Trévoux ‹ von 1771 erscheint neben den beiden Bedeutungen, die die Akademie bereits kodifiziert hatte, eine dritte, in der die Ablehnung des Stils immerhin den Charakter einer Definition annimmt: „In der Malerei ein Bild, eine Figur barocken Geschmacks, wo die Regeln der Proportionen nicht eingehalten sind, wo alles nach der Laune des Künstlers dargestellt wird."

Was die Musik betrifft, so versuchte sie J. J. Rousseau, der schon in seiner ›Lettre sur la musique française‹ (1753) geschrieben hatte: „Die Italiener behaupten, daß unsere Melodie flach ist . . .

von 1787; XXXVI, S. 211 der Ausg. des Comune di Venezia; I, S. 192 der Ausg. Mondadori).

[20] II, S. 106—107 der Ausg. Y. Bézard, Paris 1931. [Aber die Briefe sind 1755 in Rom geschrieben: Kurz, zit. Art. S. 421.]

[21] Die ich, mit einigen anderen Informationen, der Freundlichkeit des Kollegen U. Middeldorf verdanke.

dafür werfen wir der ihren vor, sie sei bizarr und barock", an der bereits zitierten Stelle des ›Dictionnaire de musique‹ so zu definieren: „Barock ist diejenige Musik, deren Harmonie verworren, mit Modulationen und Dissonanzen überladen, deren Melodie hart und unnatürlich und deren Tempi gezwungen sind."

Gleich werden wir die Summe ziehen können, aber bereits aus dieser Dokumentation wird deutlich, daß in Frankreich eine fortschreitende organische Entwicklung des Terminus stattfindet und daß er im 18. Jahrhundert nicht nur in der Bedeutung von „bizarr" geläufig ist, sondern die Tendenz hat, mit einem abwertenden Nebensinn die Feststellung objektiver Merkmale zu verbinden.

Wir müssen zuvor aber noch ein drittes Stammwort betrachten, das als Erklärung vorgeschlagen worden ist. Seit dem 14. Jahrhundert bezeichnete der Terminus « barocco » (oder « baroccolo » oder « barocchio ») in der Toscana eine Art Wuchervertrag, der darin bestand, daß eine Ware zu hohem Preis auf Kredit an jemanden verkauft wurde, der kein Geld besaß, um die Ware dann in bar zu niedrigem Preis zurückzukaufen. Für diesen Terminus besitzen wir eine ziemlich umfangreiche Reihe literarischer, theologischer und juristischer Belege auf Italienisch und Lateinisch. Die erste bisher ermittelte Stelle findet sich bei Sacchetti (Novelle XXXII): „Und sie haben den Wucher auf verschiedene Namen getauft, als *dono di tempo, merito, interesso, cambio, civanza, baroccolo, ritrangola* und viele andere Namen." Der hl. Bernardino von Siena verwendet in seinen ›Prediche volgari‹ mehrmals das Wort: sei es in dem berühmtesten (und am besten bezeugten) Predigtzyklus, dem von 1427: „Wie wollen heute morgen von eurem Handel und euren *barochi* und *bistratti*, wie ihr sie nennt, reden" (Predigt XXXVIII, S. 861, Ausg. Bargellini), sei es in anderen Predigten[22]; weitere Beispiele finden wir in den ›Canti carnascialeschi‹, bei Cecchi und immer weiter bis ins 18. Jahrhundert![23]

[22] « Dice Iscoto di chi fa gli stocchi e barocchi e gli altri cattivi contratti fuora de'sopradetti tre modi, che quegli così fatti sono degni d'esser cacciati fuori della città » (Prediche volgari, Pistoia 1934, I, S. 104).

[23] S. die Zitate des ›Vocabolario‹ der Crusca. 5. Aufl.

Schon die Stelle bei Sacchetti und mehr noch die beim hl. Bernardino zeigen, daß das Wort den Theologen bekannt war, die über die Erlaubtheit des Wuchers diskutierten: der hl. Antonin diskutiert darüber in dem Teil seiner ›Summa‹, der den Titel ›De usuris‹ trägt: „Quaeritur de barocholis ..." (Kap. 3, § 5), Padre Bareleta spricht darüber in einer Predigt (zitiert bei Ducange) usw.

Nicht selten berufen sich die Theologen auch auf die Verfasser juristischer Traktate: gerade der hl. Antonin gibt Stellen aus dem Traktat ›De usuris‹ von Lorenzo Ridolfi (Laurentius de Rodulfis) wieder. Die Stelle über die « barochi » in diesem Traktat beginnt so: „Nunc secundo ad *barochola* seu retrangulas transeamus, fiunt enim sic, vendit lanifex decem pannos retrangulatori ..."[24] Und ebenso finden wir Notizen über die verschiedenen Arten von wucherischen Kontrakten im Traktat Pietro Cavallos (Petrus Caballus) ›Resolutionum criminalium centuriae duo‹, Florenz 1606, im Traktat G. B. Lupos ›De usuris et commerciis illicitis‹, Neudruck Venedig 1611, in der Pratica universale von M. A. Savelli, Neudruck Venedig 1697, im ›Dottor Volgare‹ von De Luca, stets in Beziehung auf die florentinische Gesetzgebung.

Das florentinische Gesetz vom 14. April 1545, das mehrmals von « Scrocchi, Barocoli e Ritrangoli » spricht, bezieht sich ausdrücklich auf andere Gesetze von 1429, 1438 und 1473.[25]

Heute ist das Wort, soviel ich weiß, in der Toscana verschwunden; aber die Wörterbücher der Emilia und Romagna registrieren noch die verkürzten Formen « stòc » und « baròc », die sich dank des Reims erhalten haben, und in Bologna ist der Ausdruck « fèr di stócc e barlócc » im Sinne von „Schwindeleien, Betrügereien begehen" immer noch lebendig.

Was den ursprünglichen etymologischen Stamm dieses « barocco » oder « baroccolo » oder « barocchio » anbetrifft, so gehört er viel-

---

[24] Tractatus universi iuris, VII, Venezia 1584, f. 38 r. Diese und viele der anderen hier folgenden Angaben verdanke ich meinem Freund Prof. Piero Fiorelli.

[25] Cantini, Legislazione toscana, I, Firenze 1800, S. 252—254. Cantini fügt auch einen Hinweis auf ein Gesetz von 1345 an; aber Dr. Guido Pampaloni, der die Freundlichkeit gehabt hat, den offiziellen Text dieser

leicht zur Familie von « baro » (Betrüger, Mogler) und « barare » (mogeln).[26]

Ist es möglich, daß dieses Wort den Ursprung jenes « barocco » bildet, das wir erklären möchten? Alois Riegl, der bekannte Historiker der österreichischen Kunst (gest. 1905), hat daran (in einer posthum veröffentlichten Fußnote zu seiner ›Entstehung der Barockkunst‹ 1908) gedacht;[27] der verdiente Georg Weise hat (zit. Art. S. 7) den Passus beim hl. Bernardino erwähnt, der auf die « stocchi e barocchi » anspielt; und neuerdings hat unser verehrter Kollege Lionello Venturi diesen Zusammenhang betont: „Bis zum Ende des 16. Jahrhunderts gab es eine populäre Verwendung des Wortes barock, die damit illegale Gewinne (Crusca), das Werk des « baro » (Tommaseo), das heißt eine Art Betrug bezeichnete. Nun braucht hier nicht betont zu werden, daß die Perspektive in der barocken Kunst den Charakter einer Täuschung angenommen hat. Ein typisches Beispiel bildet die Architektur des Palazzo Spada. Pietro Accoltis Buch von der Perspektive, das 1625 erschien, trägt den Titel ›Lo inganno degli occhi‹."[28]

Diese Ableitung hat durch Franco Venturi eine Unterstützung erhalten, indem er zeigte,[29] daß Magliabechi, um Mabillons Neugier zu stillen, die beim Durchblättern eines Manuskriptes der hl. Annunziata erwacht war, diesem 1687 als kurz bevorstehend und dann 1688 dem P. Germain gegenüber als eben erschienen eine

Gesetze der republikanischen Epoche für mich herauszusuchen, hat es nicht finden können, ja auf Grund einiger Gesetze aus dieser Zeit schließt er aus, daß die Angabe Cantinis exakt sein könnte.

[26] In der Tat sind die große Mehrzahl dieser Substantive auf -occo Personennamen mit pejorativem Nebensinn; allerdings gibt es auch einige Sachbezeichnungen ungewisser Herkunft (« balocco », « merdocco »): die Verwendung des Suffix könnte auf die semantische Nähe zu « scrocco » zurückzuführen sein.

[27] Zit. nach Tintelnot im zit. Bd. S. 17.

[28] Einführung zum Katalog Il Seicento europeo. Realismo, classico, barocco. Roma 1956, II, S. 16—18. Der Autor wiederholt die gleiche Hypothese in ›Espresso‹, 13. Sept. 1959 („L'avventura del barocco").

[29] „Riv. stor. ital.", LXXI, 1959, S. 128—130.

theologische Schrift angab, nämlich C. Mazzis ›Laberinto delle
coscienze‹, Florenz 1688, aus der die beiden Patres lernen könnten,
„was Scrocchio, Barocchio, Ritrangolo sei".

Es ist nun an der Zeit, die Fäden zusammenzuziehen. Da es sich,
wie gesagt, nicht darum handelt zu beurteilen, ob unser Begriff
„barock" besser mit dem eines seltenen Syllogismus oder dem
einer unregelmäßigen Perle oder dem einer besonderen Art wucherischen Kaufvertrags in Zusammenhang gebracht werden kann,
sondern darum, *die Fäden einer organischen Entwicklung wiederzufinden,* scheint es uns, daß nur die zweite Ableitung diesen Anforderungen entspricht. Wir sehen an einer ununterbrochenen Kette
von Beispielen, wie die Vokabel gegen 1530 als Name für unregelmäßige Perlen von Portugal nach Frankreich überwechselt, in einer
Zeit, in der so viele neue und seltsame Dinge aus Ost- und West-
indien kamen; [30] wir sehen sie zu Beginn des 18. Jahrhunderts die
Bedeutung von „bizarr" annehmen und sich in der zweiten Hälfte
des Jahrhunderts als Vokabel festsetzen, die auf die Architektur, die
Malerei und die Musik angewandt wird. Das alles in Frankreich:
zweifellos hat sich das Wort von Frankreich aus in Deutschland
und Italien ausgebreitet.

In Deutschland kann man die Akklimatisierung des Wortes gut
beobachten, indem man feststellt, daß es zuerst in französischer
Schreibart angewandt wird: « en gout Baroque » (Nicolai, 1759),
„nach einem baroquen Geschmack" (Herder, 1766) usw. [31] Während
wir in Italien vom 16. Jahrhundert an zahlreiche Beispiele der
adverbialen, von der Scholastik übernommenen Redewendung « in
baroco » oder « in barocco » auch innerhalb der Umgangssprache
finden und Beispielen des Substantivs « barocco » als „einer Art
von Wucher" in der theologischen und juristischen Fachsprache
begegnen, treffen wir auf « barocco » als Adjektiv erst im späten
18. Jahrhundert, das heißt zu einer Zeit, als der französische Ein-

---

[30] Man beachte im ersten Beispiel (1531) die Gleichsetzung mit dem
Terminus « ajorffe », der dem portugiesischen (aus dem Arabischen stam-
menden) Wort « aljofar » entspricht.

[31] Vgl. Schulz, Deutsches Fremdwörterbuch, und Tintelnot, zit. Art.
passim.

fluß überhand nimmt, und bei Schriftstellern wie Pietro Verri, dessen Frankophilie bekannt ist.

Ganz spät erst — viel später als in Frankreich — erscheint die Anwendung auf die Künste.[32] Weniger als man geglaubt hat, ergibt sich aus der sehr bekannten Stelle bei Milizia, auf die so häufig als erstes Beispiel des Gebrauchs von barocco als Kunstbegriff in Italien hingewiesen worden ist. Milizia sagt im ›Dizionario delle belle arti del disegno‹:

BAROCCO ist der Superlativ von bizarr, der Exzeß des Lächerlichen. « Borromini diede in delirj, ma Guarini, Pozzi, Marchioní nella Sagrestia di S. Petro ec. in barocco. »

Durch ein sonderbares Versehen haben einige unserer besten Kritiker den richtigen Zusammenhang mit der analogen Stelle, nicht in der ›Encyclopédie‹ Diderots und D'Alemberts, sondern in der ›Encyclopédie méthodique‹ von Pancoucke, genauer gesagt im ersten der der Architektur gewidmeten Bände, der 1788 von Quatremère de Quincy publiziert wurde, nicht erkannt:

BAROQUE, adj. Das Barock ist in der Architektur eine Nuance des Bizarren, ist, wenn man so will, dessen Verfeinerung oder, wenn man sich so ausdrücken könnte, dessen Mißbrauch.
Was die Strenge in bezug auf den verständigen Geschmack ist, das ist das Barock in bezug auf das Bizarre, es ist sozusagen dessen Superlativ. Die Idee des Barocken zieht die Idee des bis zum äußersten getriebenen Lächerlichen nach sich.
Borromini hat die größten Beispiele für Bizarrerie geliefert, Guarini kann als Muster für das Barocke gelten. Die Kapelle des Heiligen Schweißtuchs in Turin, die dieser Architekt gebaut hat, ist das frappanteste Beispiel, das man für diesen Geschmack zitieren kann.

Nun sagt aber der Titel des ›Dizionario delle belle arti del disegno‹ selber ausdrücklich « estratto in gran parte dalla Enci-

[32] Eben darum — es sei denn, man könnte für Italien die Existenz einer Reihe von Beispielen dokumentarisch belegen, die bisher fehlen — scheint es mir nicht möglich, die Hypothese von F. Simone zu übernehmen, der Brief des Präsidenten de Brosses könne „nützlich sein, um die italienische und künstlerische Herkunft des Terminus zu beweisen" (Riv. di letter. moderne, V, 1954, S. 185).

clopedia metodica»: also hat Milizia ohne Zweifel Quatremère exzerpiert (und nicht umgekehrt Quatremère Milizia erweitert).[33]

Schon ein Blick auf die vielen pejorativen Ausdrücke, die Milizia in seinem ›Dizionario‹ und in anderen Werken benutzt, um die barocken Werke zu kennzeichnen,[34] und demgegenüber jenes einzige Beispiel zu dem Stichwort, das er der ›Encyclopédie méthodique‹ entnommen hat, ermutigt uns nicht besonders anzunehmen, daß „der Don Quijote des idealen Schönen" ihm große Bedeutung zumaß.

Ein anderes Beispiel desselben Milizia, das einige Jahre früher zu datieren ist, habe ich in seinem ›Dell'arte di vedere nelle belle arti del disegno secondo i principj di Sulzer e di Mengs‹, Venedig 1781, gefunden, aber allein schon die Tatsache, daß der Typograph das Wort beim Drucken entstellt hat: « Il legislatore ... non permetterà che le belle arti vadano alle stravaganza, al buffonesco, al balocco » [« balocco » = Spielzeug. Anm. d. Übers.] (S. 69), beweist, wenn es noch nötig wäre, wie selten dieses Wort zu dieser Zeit in Italien gebraucht wurde.

Vielmehr ist es nützlich, daran zu erinnern, daß in dem so oft zitierten Satz des ›Dizionario delle belle arti‹ das Stichwort, das aus französischer Quelle stammt, ursprünglich als Adjektiv figuriert; aber bei den Ausführungen zu dem Stichwort greift Milizia auf die

---

[33] Der Irrtum kann auf der Tatsache beruhen, daß das so nützliche und so bekannte Werk von J. v. Schlosser, Die Kunstliteratur, sowohl in der Originalausgabe (Wien 1924) wie in der 1. und 2. Aufl. der italienischen Übersetzung als Datum von Milizias Dizionario 1787 angibt und daß dieser Irrtum von anderen Werken, wie der ›Enciclopedia Italiana‹ und dem ›Dizionario degli Autori‹ von Bompiani übernommen worden ist. Aber die bibliographischen Werke geben einstimmig 1797 als das richtige Datum an.

[34] „Borromini trieb die Bizarrerie bis zum höchsten Grad des Deliriums", „Es ist keine Architektur, es ist die Zuckerbäckerei eines phantastischen Künstlers", s. v. Borromini; „eine der verrücktesten Borrominereien", „alles Werke der Laune", s. v. Guarini; viele andere Ausdrücke dieses Typs zählt Calcaterra in dem erwähnten Artikel auf (S. 422—423).

in Italien traditionelle adverbiale Konstruktion « diede in barocco »
zurück.[35]

Wir müssen also — wie Giovanni Getto (in dem zit. Art. S. 148)
sagt — „letzten Endes zugeben, daß bei unserem italienischen Wort
eine Kreuzung vorliegt, die aus dem Kontakt des französischen
Adjektivs « baroque » (spanisch-portugiesischer Herkunft) mit dem
italienischen Substantiv « barocco » (scholastischer Herkunft) hervorgegangen ist. Schließlich wurde in den alten Schlauch, die sub-
stantivische Form des italienischen Wortes, der neue Wein eingefüllt,
der einen Stil bezeichnende Sinn des französischen Adjektivs". Und
dieser Folgerung schließe ich mich voll und ganz an.[36]

Eine Verbindung mit dem anderen Terminus, der „eine Art von
Wucher" bedeutet und ausschließlich florentinisch ist und der nur
gewaltsam zu der allgemeineren Bedeutung von „Betrug" erweitert
werden könnte, ist meiner Meinung nach ausgeschlossen, um so
mehr, als wir für seinen metaphorischen Gebrauch keinerlei Beleg
finden.[37]

[35] Es mag interessant sein, an die Konstruktion zu erinnern, die Milizia
selber an anderer Stelle anwendet: « Son taluni che veggon tutto in
Etrusco ... Altri non veggono che in Greco ... » (Roma delle belle Arti
del disegno, Bassano 1787, I, S. 109).

[36] Mit zwei geringen Vorbehalten: ich würde lieber „portugiesisch"
statt „spanisch-portugiesisch" sagen, und ich hätte gewisse Bedenken, bei
der scholastischen Formel baroco von Substantiv zu sprechen (schon
Tommaseo hatte gesagt, „man kann sagen, ohne Geschlecht, da niemals ein
Geschlechtsartikel dabei steht"). [Jetzt auch die Notiz Gettos in Lettere
ital. XII, 1960, S. 101—103.]

[37] Das Herstellen einer Beziehung zwischen « baro » und « barocco »
an einer der oben zit. Stellen bei Frugoni ist eher ein Witz als eine
Etymologie. Ich muß sagen, daß mir auch der harmonisierende Vorschlag
von Weise (Riv. di lett. mod. III, 1952, S. 8) unwahrscheinlich vorkommt,
daß man nämlich „alle drei Quellen der Ableitung in Betracht ziehen
müsse". Man gestatte mir, einen Augenblick auf die Episode Mabillon-
Magliabechi zurückzukommen, nachdem die Kollegen Franco Venturi und
Delio Cantimori sie mit folgender Argumentation aufgewertet haben:
„Bedeutet es denn gar nichts, daß Männer von hoher Gelehrsamkeit,
Gelehrte, die auf jedes Detail achten, wie Mabillon und Magliabechi, den
Terminus antischolastischer Herkunft ebensowenig kannten wie jene

Während sich dann in Italien im 19. Jahrhundert der Gebrauch des Adjektivs ausbreitete, war man sich bewußt, daß es sich um eine Verbreitung neueren Datums handelte, die von Frankreich

Stelle über die bizarre ovale Perle, daß einer von ihnen die Frage der Bedeutung des Wortes aufwarf und der andere antwortete, ohne Erasmus oder die Syllogismen, sondern statt dessen das Handbuch Mazzeis zu zitieren? Und doch ist das eine Tatsache, die man nicht übersehen darf" (Cantimori, in: Riv. stor. ital., LXXII, 1960, S. 492).

Nehmen wir einen Augenblick nochmals den Text der Briefe Magliabechis zur Hand, um eine irrige Meinung, die hier entstehen könnte, zu zerstören: daß nämlich Mabillon und Magliabechi irgendwie ganz allgemein die Etymologie des Wortes barocco diskutiert hätten. Wir wissen nur, daß Mabillon „in jenem Manuskript der hl. Nunziata ... die Wörter *barocco* und Ähnliche gefunden hatte" (Brief 1687); daß er, nachdem er in der Bibliothek der hl. Nunziata in einem Manuskript das Wort *barocco* gefunden hatte, „danach suchte, was es sei" (Brief 1688) (Venturi, Riv. stor. ital. LXXI, S. 129). Mir scheint, daß nichts dagegen spricht, dies folgendermaßen zu verstehen: P. Mabillon, der, gelehrt wie er war, sicher sowohl das französische Adjektiv « baroque » wie die syllogistische Formel « baroco » kannte, nun überrascht war, es in einem Manuskript der hl. Annunziata in einer dritten Bedeutung zu finden, die ihm unbekannt war, nämlich der toscanischen von „vorgetäuschtem Tauschhandel". Einige Zeit später legt ihm Magliabechi einen bibliographischen Beleg vor, aus dem Mabillon eine vollständige Erklärung ableiten könnte.

Kurz, wenn Mabillon oder Magliabechi oder ein anderer Gelehrter dieses Formats gesagt hätte, daß Barock in der Kunst eine Art Betrug im Stile des fiktiven Tauschhandels jenes Typs sei, so würde uns diese Episode ein wichtiges Zeugnis für das sprachliche Gefühl jener Zeit liefern: aber wer die beiden Briefe Magliabechis so auffassen wollte, würde ihren Sinn doch sehr gewaltsam interpretieren.

Unter den Manuskripten der hl. Annunziata, die in die Nationalbibliothek von Florenz aufgenommen worden sind, hat P. Eugenio Casalini (der die Freundlichkeit hatte, für mich danach zu suchen) unter der Signatur Conv. A. 9 eine Kopie des Traktats ›De usuris‹ von Lorenzo Rodolfi (Laurentius de Rodulfis) gefunden, in dem das Wort « baroccola » sehr häufig vorkommt (als neutr. plur.): es handelt sich um jenes Werk des Theologen des 14. Jahrhunderts, das dem hl. Antonin und den späteren Traktatisten bekannt war (vgl. oben, Anm. 24).

ausgegangen war: man braucht nur die Klagen Tommaseos[38] und
Fanfani-Arlias[39] zu lesen.

Doch inzwischen bahnte sich das Wort in Europa nach und nach
seinen Weg. Und dieses Mal war der Antrieb in erster Linie den
deutschen Kunsthistorikern zu verdanken.[40]

Kurz nach der Mitte des Jahrhunderts wird das Wort als Epochenbezeichnung im ›Cicerone‹ von Burckhardt (1855) und in den
zahllosen Werken, die unter seinem Einfluß stehen, gebraucht. Nicht
geringere Bedeutung hatte Wölfflins Werk ›Renaissance und Barock‹
(1888), in dem sich schon andeutet, daß das Wort und der Begriff
auch in der Literatur und in der Musik angewandt werden können;
und es besteht bereits die Tendenz, es nicht mehr nur als historische
Qualifikation, sondern als geistesgeschichtliche Kategorie zu verwenden.

Auch in Italien ist der Gebrauch des Terminus für die Literatur
am Ende des 19. Jahrhunderts geläufig geworden: man denke an
den bereits zitierten Passus bei Fanfani-Arlia und an die Essais von
Nencioni, Foffano usw.

Der Terminus gewinnt zusehends an Boden, auch durch die Aufwertung jener weniger positiven Momente, die man neben den
negativen Aspekten in der barocken Kunst erkannte. Ein Impuls
zu seiner typologischen Verwendung ging von einem anderen Werk
Wölfflins aus, das noch größerere Resonanz fand, den ›Kunstgeschichtlichen Begriffen‹ (1915).

---

[38] „Aber wenngleich die Franzosen den Stil, die Ideen, die Personen
barock nennen, so kommt es doch nicht vor, daß die Italiener das nach-
machen: denn an derartigen pejorativen Ausdrücken haben wir bereits
mehr als genug“: ›Dizionario‹.

[39] Man hat es auch auf den Stil der Schriftsteller übertragen, das mag
angehen! Aber es auf die Ideen, die Gedanken auszudehnen, das ist doch
etwas, das recht falsch und verdorben klingt ...“ ›Lessico dell'infima e
corrotta italianità‹, 2. Aufl. Milano 1881.

[40] Ich beschränke mich auf einen ganz kurzen Hinweis, sei es, weil
bereits viel gesagt worden ist (zumal in den zitierten Artikeln von Wellek
und von Tintelnot), sei es, um nicht auf das Gebiet anderer Referenten
überzugreifen. [Inzwischen versäume man nicht, den zit. Artikel von Kurz
zu lesen, S. 428—433.]

Ein anderes wichtiges Datum für die Verbreitung der Vokabel waren die Gespräche von Pontigny im Jahre 1931, mit denen die Anwendung des Begriffs „Barock" auch auf die französische Literatur beginnt.[41] Und gerade durch diese Zusammenkunft bot sich Eugenio d'Ors Gelegenheit, seine so ausgesprochen typologischen Vorstellungen vom Barock zu konkretisieren.

Der gegenwärtige Kongreß setzt sich ein geschichtlich-wissenschaftliches, kein normatives Ziel. Dennoch wäre es wünschenswert, daß eine gewisse Übereinstimmung im Gebrauch dieses Terminus, der mit einer verwirrenden Fülle von Bedeutungen angewandt worden ist, von ihm ausginge. Sonst müßte man zwischen dem historischen und dem typologischen Sinn des Terminus wählen: und mir scheint es nicht zweifelhaft, daß der erstere gerechtfertigter wäre.

Wie dem auch sei, die Frage, die wir untersucht haben, scheint uns auch von Interesse, um dem Nichtspezialisten die Methodologie der etymologischen Forschung zu zeigen, bei der die Intuition zwar den ersten Anstoß geben kann, ja geben muß, um den Übergang von einem Begriff in den anderen zu verstehen, wobei uns nur eine umfassende und strenge Prüfung der wohldokumentierten Belege ausreichende Gewißheit geben kann.

[41] Siehe den ausführlichen Artikel von F. Simone, Per la definizione di un barocco francese, in: Riv. letter. moderne, 1954, S. 165—192.

Manierismo, Barocco, Rococò: Concetti e Termini. Convegno Internazionale Roma 21—24 Aprile 1960. Relazioni e Discussioni. Academia Nazionale dei Lincei 359 (1962), 52, S. 129—146. Aus dem Italienischen übersetzt von Lili Sertorius.

BAROCK IN ENGLAND

Von Mario Praz

Man hat häufig darüber diskutiert, welchen Sinn und welchen Umfang man dem Terminus „barock" zubilligen soll, und der Schluß, den man aus der Entwicklung dieses Wortes ziehen kann, ist nach Ansicht Giuliano Brigantis in der neuesten ›Enciclopedia dell'arte‹ der, daß es sich hiermit wie mit der Regel des hl. Franziskus verhält, von der Dante sagt: „der eine flieht sie, und der andre beschränkt sie". Der eine, wie z. B. der katalanische Kritiker Eugenio d'Ors, der für kurze Zeit in großem Ansehen stand, macht Barock zu einer Universalkategorie und unterscheidet darin schier unendliche Varianten und Schattierungen. Ein anderer wiederum, wie eben Giuliano Briganti, möchte es auf eine Generation und eine begrenzte Gruppe von Neuerern beschränken. Aber wenn es in vielen Ländern schließlich nicht unmöglich ist, zu einem einigermaßen begründeten Resultat zu gelangen und durchaus einleuchtende Parallelen zwischen dem Geschmack in der Literatur und dem in der Kunst für die Periode, auf die der Terminus „barock" angewandt wird, zu finden, so begegnet uns in England der fast paradoxe Fall einer Literatur, auf die die Definition „barock" vom ersten Augenblick an, als Shakespeare international berühmt zu werden begann, wie angegossen paßte (die Kennzeichnung als wild wuchernde Energie ohne Geschmack, die Voltaire in Shakespeares Werk sah, war die gleiche, die die ersten Wiederentdecker des Barock diesem ganz allgemein zuerkannten), und daneben einer Kunst, in der die Kennzeichen des Barocken nur während einer kurzen und späten Zeit erscheinen und fast als persönlicher Fall zweier oder dreier Architekten inmitten einer Tradition auftreten, die genau entgegengesetzte Merkmale aufweist, so beständige Merkmale, daß sie die Gestalt einer nationalen Idiosynkrasie annehmen. Ist das nur ein scheinbares Paradox, das auf der ungerechtfertigten

Verallgemeinerung eines Terminus („Barock") beruht? Denn wenn
Kunst und Literatur mit verschiedenen Ausdrucksmitteln den Geschmack eines Volkes selber widerspiegeln (wie man leicht im Hinblick auf Länder wie z. B. Italien oder Frankreich argumentieren
könnte), soll man dann wirklich glauben, daß es ein Volk gibt —
das englische —, das in der Kunst die eine Sprache spricht und in
der Literatur eine völlig andere? Dessen künstlerische Vision einen
bestimmten Stil und dessen literarische Vision einen « toto coelo »
anderen Stil besitzt? Sollte England mit einem Chippendalestuhl
zu vergleichen sein, mit geraden, streng funktionalen Beinen und
einer kapriziösen Rückenlehne mit einer großen Vielfalt von Ornamenten im Rokokostil oder im orientalisierenden oder im gotischen
Stil? Es ist tatsächlich nicht auszuschließen, daß in einem solchen
Zusammen-Existieren von nicht-zusammenpassenden Elementen,
einem solchen Oxymoron, gerade die Eigentümlichkeit jenes Volkes
besteht, bei dem der Humor entstanden ist.

Betrachten wir zunächst die Kunst. Was hat England zur abendländischen Kunst beigetragen?, fragt Nikolaus Pevsner am Ende
seines Buches ›The Englishness of English Art‹ (London, The Architectural Press, 1956). England bildete zur Zeit von Beda Vene-
rabilis durch seine Miniaturmalerei und durch die Skulptur der
Monumentalkreuze die Avantgarde des übrigen Europa. Von
England wurde die karolingische Kultur inspiriert. Die norman-
nisch-englische Architektur blieb, wenn sie nicht fortgeschrittener
war als die wichtigsten französischen Schulen, doch weder in ästhetischer noch in struktureller Hinsicht hinter jenen zurück. Frankreich wurde, wenn auch indirekt, von der Gotik von Durham angeregt. Der englische Stil des 13. Jahrhunderts, wie man ihm in
Lincoln begegnet, übertraf die erste Phase der französischen Gotik.
Der decorated style der englischen Architektur um 1300 war wesentlich geistvoller als die Architektur irgendeiner anderen Gegend
Europas, und die englische Miniaturmalerei der gleichen Periode
konnte es mit jeder anderen Miniaturmalerei aufnehmen. Der perpendicular und der elisabethanische Stil der englischen Architektur waren ebenso original und charakteristisch wie diejenigen
Frankreichs, der Niederlande und Deutschlands. Pevsner wendet
sich dann der Betrachtung der englischen Porträtistenschule des

18. Jahrhunderts zu, die nirgendwo ihresgleichen findet, dem ungeheuren Einfluß der englischen Palladio-Architektur, dem malerischen Garten, dem Neoklassizismus von Robert Adam in der Architektur und von Wedgwood in der Keramik, dem weitreichenden Einfluß der englischen Eisenkonstruktionen, der großen Kunst der englischen Landschaftsmalerei am Beginn des 19. Jahrhunderts und ihrem Einfluß auf Frankreich, William Morris und dem sogenannten « Domestic Revival » in den letzten Jahrzehnten der viktorianischen Zeit, und schließlich der Idee der Gartenstadt. Es ist ein umfassender Beitrag, sagt Pevsner, und auch vom kosmopolitischen Standpunkt aus nicht unbedeutend.

Und doch — stellt dieser Kritiker fest — fehlt etwas in der englischen Kunst, jene Kraft, jene Kühnheit, auch jene Maßlosigkeit, die Michelangelo, Grünewald, Rembrandt und El Greco heißen. Die Engländer — sagt Berenson[1] — haben eine Tendenz zum „Lieblichen" gehabt. Nehmt, so bemerkt er, bestimmte gotische Skulpturen, Miniaturen und Malereien, deren Herkunft zwischen Frankreich und England strittig ist. Innerhalb eines bestimmten Musters, das beiden Ufern des Kanals gemeinsam ist, wird das anmutigere Beispiel zweifellos das englische sein. Ist die Rasse die Ursache? Das Klima? Die Rassenhypothese steht auf sehr schwachen Füßen. Doch was das Klima anbetrifft, so meint Pevsner, befinden wir uns auf festerem Grund. Ist das gemäßigte, neblige englische Klima nicht eben das Klima, in dem mit großer Wahrscheinlichkeit eine Kunst entstehen muß, deren Charakteristika Mäßigung, Zurückscheuen vor Extremen, Dämpfung, Sanftheit, Rationalismus, gesunder Menschenverstand, Beobachtung aus der Nähe wie bei einem Kurzsichtigen und Konservativismus sind, und zugleich andere Züge, die auf den ersten Blick zu einigen von jenen in Widerspruch stehen, wie z. B. Unkörperlichkeit und Mangel an Plastizität, wodurch, ob man nun die mittelalterlichen Miniaturen oder die Gestalten von Blake nimmt, die Körper knochenlos er

---

[1] Aesthetics and History in the Visual Arts, New York, Pantheon Books 1948, S. 196—197: "The English have had a tendency to ooze prettiness". Ins Ital. übers. von M. Praz, Estetica, etica e storia nelle arti della rappresentazione visiva, Florenz, Electa 1948, S. 321.

scheinen? In der Kunst vergleiche man Hogarth und Turner, und in der Literatur — bis zu diesem Punkt kann man eine Parallele finden — Jane Austen und Shelley: es sind die beiden entgegengesetzten Pole dieser englischen Welt. Sie ist nicht die Heimat von Fanatikern, sondern von Dilettanten, von Aquarellisten, Miniaturisten, Liebhabern der Transparenz und der zarten Nuancen. Wie es dem Klima an Exzessen fehlt, so fehlt es der englischen Kunst an Exzessen, nicht weniger als der Politik, denen beiden Rhetorik fernliegt und die zum Kompromiß, zum Eklektizismus neigen. Ist nicht selbst bei jenem einsamen Genius, der jede Kategorie geschichtlicher Perioden und nationaler Stile sprengt, bei Shakespeare, die Quintessenz ein universales Verstehen, ein sublimer Eklektizismus, der die Gegensätze versöhnt? Und ist es nicht typisch englisch, daß den Zeitgenossen vor allem der Shakespeare der Komödien gefiel, daß sie ihn gentle nannten und von den „Flügen des süßen Schwans von Avon" (Ben Jonson) sprachen? Und was die Antirhetorik und die Liebe zur natürlichen Einfachheit betrifft, so schrieb Pope, das Evangelium von den Lilien auf dem Felde nachahmend, die in ihrem Gewand Salomo und alle seine Herrlichkeit übertreffen: „Ein Baum ist ein edlerer Gegenstand als ein Fürst in seinem Krönungsmantel."

Wie die Landschaft von der Atmosphäre in Schattierungen aufgelöst wird, so fehlt es dem Engländer an Dreidimensionalität. Typische Produkte der englischen Kunst sind die kupfernen Grabplatten mit dem Bild des Verstorbenen im Flachrelief, und die linearen Zeichnungen von Flaxman; nicht weniger typisch die antiformalistischen, malerischen Gärten „im englischen Stil". Man denke nur an die Definition der englischen Landschaft von William Morris[2]: „Nicht viel Raum, um sich großartig aufzublähen; ... keinerlei Weite der Einöde mit ihrer überwältigenden Trostlosigkeit, keine Waldeinsamkeit, keine unzugängliche, erschreckende Felswand; alles ist gemäßigt, gemischt, abwechslungsreich, mit leichten Übergängen: kleine Flüsse, kleine Ebenen, kleine Hügel, kleine Gebirge ... kein Gefängnis, kein Palazzo, sondern eine behagliche menschliche Behausung (a decent home)."

[2] The lesser Arts. Collected Works, Bd. XXII, S. 17.

Auch die Architektur, die Kunst, in der die Engländer sich am
meisten ausgezeichnet haben, weil sie einen rationalen, utilitaristi-
schen Aspekt hat, ist in England zweidimensional. Man wird dabei
an die scharfsinnige Bemerkung Emilio Cecchis [3] über King's College in Cambridge erinnert: „Unsere Säulen und unsere Bögen tragen in der trockenen und präzisen Klarheit unseres Klimas die Gewichte der Gebäude mit logischer Sparsamkeit in den Hilfsmitteln,
mit dem aufrichtigen Ausdruck der menschlichen Mühe und Wider-
standskraft. In jener dichteren Atmosphäre werden die Dinge leichter, die Mühe, sie zu stützen, ist geringer, und die Freiheit, sie zu
ordnen und zu verteilen, ist gewachsen. Die Säule, die bei uns ein
Element der Kraft und der Notwendigkeit ist, wird dort zu einem
Element der Eleganz und der Phantasterei ... Aber diese phan-
tasiereiche Unbestimmtheit, dieses romantische Träumen in Stein
haben ihren Ort nur in einer weniger lebendigen Wirklichkeit, wo
einige Dinge an Gewicht verloren haben, nur weil andere Dinge,
die das Verhältnis ihres Gewichts bestimmen, massiver und schwerer
sind. Es besteht mehr Freiheit, in einem beschränkten Spiel der
einzelnen Elemente. Unsere Architektur ist das Verhältnis zwischen
dem Stein und der Luft. In der Kapelle von King's College neige
ich mehr dazu, an die kürzere, weniger dynamische Beziehung
zwischen der Pflanze und dem Wasser zu denken." Rund zwanzig
Jahre nach Cecchi nahm Dagobert Frey Pevsners These über die
Zweidimensionalität der englischen Architektur vorweg, und zwar

---

[3] Cambridge, in: Pesci rossi, 1920. Der Passus bei Cecchi eignet sich
dazu, den Unterschied zwischen Ariost und seinem Nachahmer Spencer
zu beleuchten, wie ich in dem Artikel L'Ariosto e l'Inghilterra, in: Il
Veltro I, 3—4, Juni/Juli 1957 ausgeführt habe: „Die gleichen oder ähnliche Abenteuer spielen sich ab, die gleichen oder fast die gleichen Schlach-
ten werden geschlagen; aber die Ariosts auf der Erde, die Spencers im
Himmel zwischen irisierenden Wolken, man könnte sagen, halb in der
Luft; oder es spiegelt sich auf der Fläche eines trüben, opalisierenden
Wassers, eines nordischen Teichs inmitten von Wäldern mit unbestimmten,
magischen Umrissen das, was unter der südlichen Sonne Ariosts lebendiger
menschlicher Streit war." Mein Artikel ist in englischer Übersetzung in
dem Band The flaming Heart, New York, Doubleday 1958 erschienen;
2. Aufl. The Norton Library, W. W. Norton Co. New York 1973.

in einem Buch, das während des Krieges veröffentlicht worden war und darum nicht den Widerhall gefunden hatte, den es verdient („Englisches Wesen im Spiegel seiner Kunst", Stuttgart und Berlin, W. Kohlhammer Verlag 1942). Die Engländer haben ein lineares, flaches Raumgefühl: typisches Beispiel die Fassade der Kathedrale von Lincoln, eine Fläche, die mit einem unendlichen Gewebe kleiner Bögen dekoriert ist. Kann man sich etwas Flacheres, Lineareres vorstellen als die Architektur, die Englands originalste Schöpfung ist: der perpendicular style? Der andere bedeutende Baustil, der in England blühte, derjenige Palladios, offenbart, wenn man ihn neben den „senkrechten" stellt, seine Familienähnlichkeit mit diesem: die zarte, durch Gitterwerk aufgeteilte Oberfläche.

"Smoothness", "softness", "delicacy": das ist die beherrschende Note der englischen Kunst: man findet sie bei den verschiedensten Künstlern wieder, bei Gainsborough wie bei Burne-Jones. Auch die englische Sprache mit ihrer Flexion und Syntax, die auf ein Minimum reduziert sind, könnte man eine Sprache ohne Knochengerüst nennen. Aber bleiben wir im Gebiet der Kunst. Mag auch Pevsner am Schluß seines Buches sagen, daß man über den Charakter eines Volkes nichts Definitives behaupten kann, daß der Nationalcharakter kein Prokrustesbett ist, daß es bei den nationalen Eigenschaften nichts Stagnierendes gibt, daß sie in ständigem Flusse sind, so daß jederzeit neue Möglichkeiten auftauchen und uns verpflichten können, unsere Kategorien zu revidieren, und man in der Tat im Laufe der Geschichte des englischen Volkes bedeutende Wandlungen feststellen kann: seine Zusammenstellung, die gewisse Charakterzüge der englischen Kunst fixiert, bleibt doch nicht weniger eindrucksvoll, und da ihr Autor unabhängig von den Beobachtungen Cecchis und Freys, mit welch letzterem er übereinstimmt, zu ihnen gelangt ist, müssen wir doch wohl zugeben, daß in alledem eine fundamentale Wahrheit liegt — mögen die Philosophen einwenden, was sie wollen.

Nach allem, was ich gesagt habe, wird man vermutlich einsehen, daß in England keine günstigen Vorbedingungen für das Entstehen einer barocken Kunst existierten. Trotzdem entstand sie, und die Tatsache ihres späten Erscheinens und ihrer Beschränkung auf zwei oder drei Architekten hat alle Merkmale der „Ausnahme, die die

Regel bestätigt". Die englische Barockschule florierte eine Generation lang und war die Schöpfung zweier genialer Künstler, Nicholas Hawksmore (1661—1736) und John Vanbrugh (1664—1726), deren individueller Beitrag schwer festzulegen ist, da sie aufs engste zusammenarbeiteten und die gleichen Anregungen erhielten von Bernini und den Ruinen von Baalbek, wie sie in der ›Architecture française‹ von Jean Marot abgebildet sind, und an Jean Perraults illustriertem und mit Anmerkungen versehenem Vitruv in der zweiten erweiterten Auflage von 1684. John Summerson stellt in ›Architecture in Britain 1530—1830‹ (Pelican History of Art 1953) [4] die Hypothese auf, „daß wir Vanbrugh insbesondere die kühnen Neuerungen der Komposition der betreffenden Gebäude verdanken, daß jedoch Hawksmore die für diese Neuerungen angemessene Ausdrucksform fand. Hawksmore mit seiner profunden Kenntnis der gedruckten Quellen und jeder Art englischer Architektur, seiner langen Erfahrung als Baumeister und vor allem seiner Wiederentdeckung bestimmter Werte, die im Wesen der Architektur liegen, machte die Manier Vanbrughs erst möglich".

Vanbrugh, Sohn eines flämischen Verbannten aus Gent, war zuerst Soldat, dann Komödienschreiber und begann plötzlich 1699 "without thought or lecture", wie Swift bemerkt, als Architekt zu wirken und entwarf Castle Howard für den Earl of Carlisle. Gewiß hat Vanbrugh ein lebendiges Gefühl für Massen und Dreidimensionalität, und man könnte argumentieren, daß diese der englischen Kunst fremden Charakteristika von seiner flämischen Abkunft herrührten.[5] Doch die gleichen Qualitäten erscheinen zum erstenmal in England bei einem Bau, dessen Entwurf Sir Christopher Wren anvertraut, tatsächlich aber von Hawksmore ausgeführt worden war: der „Schreibschule" von Sir John Moore in Christ's Hospital, London (abgerissen 1902): die Entstehungszeit ist 1692 bis 93.

Es handelt sich um einen radikalen Wandel, der von dem wegführt, was englische Tradition gewesen war, seit Inigo Jones die klassische Ordnung eingeführt hatte, die er wie ein Spiel auf der

---

[4] S. 175.
[5] Frey, Englisches Wesen, op. cit., S. 224.

Oberfläche behandelte. Auch Christopher Wren hatte sie so empfunden: als einen feierlichen Vorhang, um die reine Struktur eines
Baus damit zusammenzuhalten oder gar zu verbergen. Wren, bemerkt Summerson, hatte nur wenig Gefühl für die reine Beziehung
der Baumassen, für den Rhythmus der Öffnungen in einer nackten
Mauer oder für das Abheben einer Oberfläche gegen eine andere.
Für ihn war Architektur das „Latein" der Kunst des Bauens, eine
Sprache, deren Grammatik man sorgsam respektieren mußte, indem
man sich ihren Geist vor Augen hielt, wenn es sich darum handelte,
diese Sprache den Anforderungen der modernen Welt anzupassen.
Die Massen als solche brachten ihn in Verlegenheit; selbst seine
einfachsten Fassaden vermitteln nicht den Eindruck von Stabilität,
sondern scheinen nervös eine Stütze in dem kolonnengeschmückten
Zentralteil, in der Gliederung der Ecken, der Gesimse, der Fenster-
einfassungen zu suchen. Wrens Interesse richtete sich auf die Motive, die die Flächen und Baumassen bekleiden sollten, nicht aber
auf diese selber. Doch der Entwurf zur „Schreibschule" offenbart
ganz eindeutig eine andere Empfindungsweise: das Gebäude drückt,
wenn es auch einfach ist, eine massive Stabilität aus, die durch ge-
schicktes Gleichgewicht zwischen Festem und Leerem zustande
kommt, mit der Fortsetzung der Gesimse der Pavillons auf der
Fassade des Hauptbaukörpers und mit breiten Lisenen an den
Ecken dieses Körpers. Wenn man auch den französischen Einfluß
auf Hawksmore zugibt (Perrault), muß man ihm doch ein genuines
Gefühl für die angewandte neue Sprache zuerkennen. Bei dem Projekt des neuen Whitehall-Palastes (gegen 1699, nicht ausgeführt),
wo der Einfluß des Entwurfs Berninis für den Louvre, vor allem in
der gigantischen korinthischen Säulenordnung, offensichtlich ist,
mußte Hawksmore allerdings mit Wren zusammenarbeiten: hier
tritt die Einheit des Ganzen, die durch den dramatischen Kontrast
der Massen hervorgerufen wird, an die Stelle des Wrenschen Em-
pirismus, der die Masseneffekte durch erfindungsreiches Entfalten
klassischer Elemente zu erreichen suchte. Wenn der Entwurf für
Whitehall die englische Barockschule eröffnet, so stellen die Bauten
Vanbrughs, Howard Castle und vor allem Blenheim, deren
Höhepunkt dar. Obgleich sowohl das eine wie das andere auf
Wrens Entwurf für das Hospital von Greenwich zurückgeht, hat

doch der Einfluß des Grundrisses der französischen Schlösser (wie
Coulommiers und das Luxembourg) diesem Entwurf mehr Kraft
gegeben und ihn in ein Spiel rechtwinkliger Massen mit Pavillons
an den Ecken verwandelt: der Hauptbaukörper mit seinem korinthischen Porticus stellt eine für sich bestehende Einheit dar, obwohl
er eine subsidiäre dorische Säulenordnung verbirgt, die in den Kolonnaden hervortritt, die sich den Pavillons entlang entfalten. Diese
sind ihrerseits Einheiten, in die die Kolonnaden eintauchen, um im
rechten Winkel wieder aufzutauchen und auf die Fassaden der
Bedienstetenhöfe (Küche und Ställe) zu stoßen, in denen das Thema
von neuem abgewandelt wird. Verbunden durch die Fortsetzung
der dorischen Ordnung, ist das Drama bewundernswert geschlossen;
es erhebt sich bis zum Porticus, der zwar seiner Schwere durch die
Gegenwart von zwei massiveren Pavillons beraubt wird, dafür
aber einen Ausgleich durch größere Höhe findet, denn oberhalb des
Giebels erhebt sich ein durch Zurücksetzung dramatisch unter-
brochener zweiter Giebel. Der Palast hebt sich vom Himmel mit
Attiken und Bögen ab, deren Idee auf eines der Tafelbilder Perraults (eine römische Ruine in Bordeaux) zurückgeht, und mit Zinnen in Form von Kugeln, die die Ecken der Pavillons oben schmük-
ken und mit starren Federbüschen versehen sind. Sie trugen so zu
dem massigen kriegerischen Eindruck des Gebäudes bei, dem nur,
um den vollen Effekt in Natur zu erreichen, die warme Farbe des
römischen Travertin fehlt: statt dessen nimmt ein Äußeres von
gelblichem, schmutzigem, schäbigem Aussehen dem Ganzen viel von
seiner Majestät.[6]
Vanbrugh stand auch unter dem Einfluß der italienischen Büh-
nenkünstler, und nach ihrem Beispiel führte er bizarre mittelalterliche Elemente ein (er baute in Greenwich 1717 auch eine kleine
Bastille als seine persönliche Behausung, mit Türmchen und Zinnen,
und begann so mit jenem Eklektizismus, der dann am Ende des

[6] Emil Kaufmann, in: Architecture in the Age of Reason, Harvard
University Press 1955, S. 5, beurteilt Blenheim so: „Vom barocken Standpunkt zeigt der Plan von Blenheim mit dem zentralen Kern, der vom
großen Atrium und vom Salon gebildet wird, eine Kraft der Zusammenfassung, die in nichts den kühnsten Leistungen des kontinentalen Barock
nachsteht."

Jahrhunderts die Norm werden sollte), und bei den letzten Häusern, die er baute, suchte er immer mehr Masseneffekte, indem er klassische Elemente an Punkten einführte, an denen sie auf bizarre Weise auffallen mußten; so nahm er in Grimsthorpe, in Seaton Delaval fast schon gewisse volumetrische Effekte revolutionärer neuklassizistischer Architekten der zweiten Hälfte des 18. Jahrhunderts wie Ledoux und Boullée[7] vorweg. Von dieser kleinen Gruppe barocker englischer Architekten kannte nur ein einziger, der in Chatsworth arbeitete, Thomas Archer, die großen Architekten des römischen Barock aus erster Hand; er holte sich Anregun-

---

[7] Kaufmann sieht im sogenannten Goose-pie House (1699) von Vanbrugh die „Vorhut der fortschreitenden Eroberungen des 18. Jahrhunderts" (S. 16) und stellt fest, daß er in King's Weston vom Prinzip der barocken Komposition, die alles zu umfassen strebt, zum Prinzip der Isolierung übergegangen sei, die typisch für Ledoux, Boullée, kurz, für die „revolutionären" Neoklassizisten sei. Sowohl diese Tendenz (Übergang vom Sich-Ergießen zur Zurückhaltung) wie die gotisierende Tendenz, die einen verfehlten Anfang der Wiedergeburt der Gotik anzuzeigen scheint ("The gothic revival"), deutet Kaufmann als Anzeichen des Überdrusses am Barock. Vor allem ist in Seaton Delaval an die Stelle des barocken Prinzips der Harmonie und Verschmelzung der Teile eine Art Zwietracht zwischen den Elementen der Komposition getreten, deren jedes sich auf Kosten der anderen zu behaupten versucht; auch die Bearbeitung der Mauern wechselt: mit dem Haupteingang in Rustika kontrastieren die glatten seitlichen Wände und das ebenfalls glatte Attikageschoß. Eine andere Interpretation der Unruhe Vanbrughs, bemerkt Kaufmann, könnte im Sinne eines Versuchs der Rückkehr zum englischen Baubegriff vor Inigo Jones, eines Protests der einheimischen Sprache gegen den Formalismus italienischer Herkunft, liegen. Man kann nicht mit Sicherheit sagen, ob Vanbrugh darauf abzielte, einen älteren Stil zu erneuern oder eine neue Ordnung zu schaffen. Auch bei Hawksmore (S. 19—30) sieht Kaufmann den barocken Einigungsbegriff einem Aggregat von unzusammenhängenden Motiven weichen, genau wie bei den französischen „revolutionären" Architekten; „auf keinen Fall darf man ihn als typischen Repräsentanten des Barock betrachten". Kaufmann schließt mit der Feststellung, daß es Vanbrugh und Hawksmore jedenfalls nicht gelang, eine Schule zu gründen, weil sie für ihre Zeit zu kühn waren. Der Kühnheit Vanbrughs spendete John Soane am Anfang des 19. Jahrhunderts warmes Lob (Lectures on Architecture, hrsg. v. A. T. Bolton, London 1929, Lect. V,

gen für Heythrop an Berninis Projekt für den Louvre und am Palazzo Odescalchi, und in seinen letzten Werken war er, wie Summerson sagt, voll von „Erinnerungen an den unheilvoll zügellosen Stil Francesco Borrominis — des « enfant terrible» der italienischen Architektur, desjenigen, den die englischen Architekten wenige Jahre später ähnlich einschätzen sollten wie ein braver Schüler eine Dirne. Die Zeit des englischen Barock erstreckte sich von 1692 bis ungefähr 1725 und hinterließ nicht nur die Monumente, von denen wir hier gesprochen haben, sondern auch eine ganze Anzahl von Kirchen im London der Königin Anna und Georgs I. Aber es blieb eine Episode, eine kurze und gewissermaßen glänzende Verirrung in der Geschichte der englischen Kunst.

Wenn sich das englische Barock, soweit es die Architektur betrifft, in einem kurzen, wenn auch intensiven Kapitel erschöpft, so genügt für die Malerei ein kleiner Absatz aus dem Buch von E. K. Waterhouse ›Painting in Britain 1530—1790‹ (Pelican History of Art, 1953, S. 87), den wir hier folgen lassen:

„Keine der großen Strömungen der europäischen Malerei des 17. Jahrhunderts berührte England. Die Verbreitung des barocken Stils betraf vor allem die katholischen Länder, doch Rubens hatte ein edles Beispiel dieses Stils an der Decke der Banqueting Hall in Whitehall hinterlassen. Die beginnende puritanische Herrschaft verhinderte, daß ein solches Beispiel Schule machte. Die realistische Schule, die mit dem Namen Caravaggio verbunden ist, hatte einen ihrer besten Maler, Orazio Gentileschi, an den Hof Karls I. geschickt, doch umsonst. Die klassische Kunst Poussins war in England unbekannt, und die großen Kontroversen zwischen den Nachfolgern Poussins und denen von Rubens, die am Ende des Jahrhunderts Paris belebten, fanden in London keinen Widerhall. Aber der Hof und der Adel, deren Geschmack sich nach dem französischen bildete, merkten, daß es Mode geworden war, die Treppenhäuser und die Decken in den Häusern mit mächtigen mythologi-

S. 90): „In den kühnen Flügen seiner ungeregelten Phantasie erhebt sich sein mächtiger Geist über die gewöhnlichen Begriffe und bringt ihm die hohe Auszeichnung ein, der Shakespeare der Architekten genannt zu werden."

schen und allegorischen Gemälden zu bedecken, und in einer Zeit, in
der die barocke Malerei ihren anfänglichen Schwung verloren hatte
und zu dekorativen Banalitäten griff, wurde sie in dieser verwässer-
ten Form auf den Britischen Inseln eingeführt. Den Anfang machte
ein Maler von lokaler Bedeutung, Robert Streeter, mit der Dekoration der Decke des Sheldon-Theaters in Oxford. Die bekanntesten
ausländischen Malermeister, die an solchen Dekorationen arbeiteten, besaßen als Künstler kein größeres Format als Streeter. Zwei
Namen unter so vielen sind durch Pope unsterblich gemacht worden, als er sich über die Wände und Decken mokierte, ‚wo die Heiligen von Verrio und Laguerre sich mit gespreizten Beinen räkeln
(sprawl)'."

Wenn wir uns daran erinnern, was oben über das lineare, flache
Raumgefühl gesagt wurde, das anscheinend für die Engländer
charakteristisch ist, wird man verstehen, warum in England keine
Renaissance- oder Barockmalerei blühen konnte und warum die
englischen Ideale mit denen des Manierismus (man denke an den
Erfolg Holbeins in England und an die „Schönheitslinie" von Hogarth, die eine Schlangenlinie ist) und des Rokoko zusammenfielen,
es ist die Phase einer Auflösung der Substantialität der Form in
Ornament und Farbe (die Technik Hogarths ist eine auf eine di-
daktische, rationale Tendenz applizierte Rokokotechnik, eine Tendenz, die das Gegenteil von Rokoko ist). Nun wird man auch verstehen, warum das Kapitel über die barocke Skulptur für England
eine weiße Seite bleiben muß.

Die Übertragung kunsthistorischer Kategorien auf die Literatur
ist nicht frei von Willkür, wie alle diejenigen wissen, die in einer
Zeit der Begeisterung für Wölfflin in dessen Spuren traten.[8] Un-

---

[8] Vgl. René Wellek, The Concept of Baroque in Literary Scholarship,
in: The Journal of Aesthetics and Art Criticism. Bd. V, Nr. 2, Dez. 1946.
Nach aufmerksamer Prüfung der vielfachen Anwendungen des Begriffs
„barock" in den verschiedenen Literaturen schließt Wellek im Ton eines
gemäßigten Pessimismus': „Ich hoffe, daß ‚barock' nicht eben das gleiche
Schicksal erfährt wie ‚romantisch' und daß man nicht zu dem Schluß
kommen muß, es bedeute schließlich so vielerlei, daß es an sich überhaupt
nichts bedeutet. Trotz der vielen Unklarheiten und Ungewißheiten über
seinen Umfang, seine Bewertung und seinen präzisen Inhalt hat der

zweifelhaft besteht jedoch eine Geschmacksentsprechung zwischen dem schöpferischen Konzeptismus (jenem nämlich, der aus einer witzigen Verknüpfung von Termini ein tertium quid schafft, das Poesie ist) [9] und gewissen Erfindungen und Überraschungen barocker Architekten und Maler; zwischen dem lebendigen sinnlichen Erfassen der Natur, wie man es bei vielen Dichtern des 17. Jahrhunderts findet und das bis zu dem virtuosen Versuch rückt, in Tönen die Wirklichkeit der beobachteten Dinge wiederzugeben, und bis zu der täuschenden Wiedergabe der verschiedenartigen Oberflächenstruktur, wie man sie bei manchen barocken Bildhauern findet (man denke an Berninis ›Apollo und Daphne‹); zwischen dem Gefühl für die Einheit in der Verschiedenheit, das von den größten Architekten des Barock in dramatischer Weise erreicht wurde, und der Struktur eines Dramas von Shakespeare, das in seiner scheinbaren Freiheit den Eindruck erweckt, eine solche Fülle von Aspekten zu umschließen, daß man sie fast unendlich nennen könnte.

Terminus ,barock‘ eine wichtige Funktion ausgeübt und übt sie immer noch aus. Er hat nachdrücklich das Problem der Unterscheidung in Perioden und das der Vorherrschaft eines Stils aufgeworfen; er hat die Analogien zwischen den Literaturen verschiedener Länder und zwischen den verschiedenen Künsten aufgewiesen ... Für die Geschichte der englischen Literatur erscheint der Begriff besonders wichtig, weil dort selbst die Existenz dieses Stils durch die Weite, die man dem Terminus ,elisabethanisch‘ gegeben hat, und durch die engen Grenzen des einzigen traditionellen Terminus, der mit ,barock‘ konkurrieren kann, der Terminus ,metaphysisch‘, verdunkelt worden ist ... Das Barock hat einen ästhetischen Terminus geliefert, der uns geholfen hat, die Literatur der Zeit zu verstehen, und uns weiter helfen wird, aus der Literaturgeschichte Periodisierungen auszumerzen, die aus der sozialen und politischen Geschichte stammen. Was auch die Mängel des Terminus ,barock‘ sein mögen — und ich habe gewiß nicht versucht, sie zu verkleinern — es ist ein Terminus, der die Synthese vorbereitet, unseren Verstand von der bloßen Anhäufung von Beobachtungen und Fakten befreit und den Weg zu einer künftigen Geschichte der Literatur als schöner Kunst öffnet." Auf den Aufsatz von Wellek folgt eine umfangreiche Bibliographie bis zum Jahre 1946.

[9] Vgl. M. Praz, John Donne, Editrice S. A. I. E., 1958, S. 19—20.

Daß sich der literarische Geschmack in England im Sinne des 17. Jahrhunderts orientieren mußte, war durch die Tatsache seiner Herkunft aus der großen elisabethanischen Literatur unvermeidlich. Von der italienischen Renaissance nahmen die Engländer nur die Schlußphase auf, als schon der Stern Marinos am Horizont aufgetaucht war. Das späte Datum der sogenannten englischen Renaissance erklärt, wie ich anderswo schrieb,[10] die konzeptistische Ader, die sie von Anfang an charakterisiert (Euphuismus Lylys, concetti bei Sidney). Aber an diesem Punkt muß man eine Unterscheidung machen, die die ersten Kritiker, die jene englische metaphysische Dichtung untersuchten (so genannt nach einer späteren berühmten Definition Drydens), ich selber mit eingeschlossen, nicht gemacht haben und die in gewisser Weise jenen Phänomenen entspricht, die anderswo Namen wie Manierismus, Gongorismus, Secentismus, Konzeptismus annahmen. Tatsächlich verfügte die Kunstgeschichte, als im zweiten Jahrzehnt dieses Jahrhunderts das Interesse für die Dichtung Donnes wiedererwachte, von der ich jetzt reden will, nur über die Kategorien Renaissance und Barock, über die Wölfflin ein berühmtes Buch (1. Auflage 1888, 2. Auflage 1906) geschrieben hatte. Obschon der Manierismus auch damals bekannt war, war er doch noch nicht zur Würde eines Grundbegriffs aufgestiegen, wie es später durch die Studien von Hermann Voss, Walter Friedländer und vielen anderen geschah. Viele Merkmale der englischen Literatur am Ende des 16. und am Beginn des 17. Jahrhunderts, die früher als barock interpretiert wurden, haben sich bei aufmerksamerer und genauer Betrachtung als manieristisch erwiesen. Oder besser: während man früher nur diejenigen Merkmale dieser Literatur sah, die mit dem Barock übereinzustimmen schienen, sah man nun auch die noch hervorstechenderen, die dem Manierismus angehören. Und wirklich hat man den Beweis dafür eben in der Tatsache des Interesses für Donne in der Epoche seiner Wiederentdeckung: er sprach die Modernen eben durch jene manieristischen Merkmale an, die er mit ihnen gemeinsam hatte.[11]

[10] Ebd. S. 29.

[11] Vgl. Arnold Hauser, The Social History of Art, New York, Knopf 1951, II, S. 358: „Ohne das Erlebnis dieser jüngsten Tendenzen hätte der Manierismus schwerlich die Bedeutung gewonnen, die er heute für uns

Die Wiederentdeckung Donnes und der metaphysischen Schule, die nach den Kritiken Drydens und Johnsons vom englischen Dichterhimmel verschwunden waren (vergeblich würde man z. B. in der weitestverbreiteten Anthologie des 19. Jahrhunderts, ›The Golden Treasure‹ von Palgrave, ein solches Meisterwerk wie Marvells ›To his Coy Mistress‹ suchen), war einer glücklichen Verbindung zufällig zusammentreffender Umstände zu verdanken. John Clifford Grierson, der bedeutende Professor für englische Literatur, der im Februar 1960 gestorben ist, stellte fest, als er 1894 zum Professor für Englisch an die Universität Aberdeen berufen wurde, daß sein Vorgänger eine Vorlesung über John Donne in seinem Lehrprogramm gehabt hatte. Da er sich daraufhin dem Studium des 17. Jahrhunderts zuwandte, schrieb er einen Band über ›The First Half of the Seventeenth Century‹ (1906) und bereitete eine kritische Ausgabe der ›Poems of John Donne‹ mit einem umfangreichen Kommentar vor, die 1912 in zwei Bänden erschien. Es ist schwer zu sagen, was von Donne im Gedächtnis des Dichters T. S. Eliot aus einer Vorlesung von Prof. Briggs über Donne, die er 1906—07 in Harvard hörte, haftengeblieben ist: sicher ist jedoch, daß die Ausgabe von Grierson auf ihn mit der ganzen Intensität eines *"shock of recognition"* [12] gewirkt hat. Getroffen durch eine

hat." Gewisse Verwandtschaften zwischen der Epoche Donnes und der unseren wurden seinerzeit von T. S. Eliot festgestellt, und unter den neuesten Kritikern von Marchette Chute, Two Gentle Men, The Lives of George Herbert and Robert Herrick, London, Secker and Warburg 1960, 274: „Unter mehreren Gesichtspunkten ist die erste Hälfte des 20. Jahrhunderts, wie die erste Hälfte des 17., eine gewalttätige, leidenschaftliche Epoche gewesen, aus der neue Formen entsprangen, die niemand recht verstand, und die in eine Richtung deuteten, deren Verlauf niemand kannte." Über den Manierismus in der modernen englischen Literatur siehe Giorgio Melchiori, The Tightrope Walkers, Studies of Mannerism in Modern English Literature, London, Routledge & Kegan Paul 1956.

[12] Der Satz stammt von Melville ("For genius, all over the world, stands hand in hand, and one shock of recognition runs the whole circle round") und ist von Edmund Wilson als Titel einer sehr geglückten Anthologie benutzt worden, die die Entwicklung der amerikanischen Literatur veranschaulicht: ›The Shock of Recognition‹ New York, Farrar, Straus and Cudahy 1955 (1. Aufl. 1943).

gewisse Verwandtschaft zwischen dem englischen Dichter des 17. Jahrhunderts und Laforgue, unter dessen Einfluß Eliot zu dichten begonnen hatte, und anderseits auch mit der Dichtung Dantes und seines Kreises vertraut, die ihm durch ›The Spirit of Romance‹ von Ezra Pound (1910) zugänglich gemacht worden war, entwickelte Eliot seine Theorie von den drei „metaphysischen" Momenten der abendländischen Poesie und seine Poetik der "unitary sensibility" oder Vereinigung von Gedanke und Sinnlichkeit ("sensuous apprehension of thought"), die er als Grundlage der Dichtung Donnes wie der Dichtung Dantes, derjenigen Laforgues und seiner eigenen ansah. Als Frank Kermode daher vor einigen Jahren [13] zum Einfluß Donnes auf die Heutigen schrieb, daß „Donne auf erstaunliche Weise in einen französischen Dichter, ähnlich Laforgue, verwandelt wurde", war er nicht weit von der Wahrheit entfernt.

Wieweit diese Theorie von der "unified sensibility", des einheitlichen Gefühls, die mindestens bis zu dem Zeitpunkt bestanden haben soll, als Francis Bacons Lehre, die die Spaltung zwischen dichterischer Einbildungskraft und positivem Denken hervorrief, ihre literarische Wirkung erkennen ließ, die zum Ausschluß gewisser Elemente (des Prosaischen — des nicht Raffinierten, des Dunkeln) aus der Dichtung führte, wieweit diese Theorie tatsächlich dem Stand der Dinge entspricht (und wir werden gleich sehen, daß das später bestritten worden ist), hat nur relative Bedeutung. Geschichtliche Genauigkeit ist eine Forderung, die man nicht mehr zu unterstreichen braucht, aber anderseits hängt die Lebendigkeit einer Dichtung in hohem Maße davon ab, was die folgenden Generationen in ihr sehen. Auch wenn Eliots Interpretation der "unified sensibility" ein Mythos sein sollte, bietet diese Interpretation doch eine positive Grundlage, um die Wirkung der Wiederentdeckung der metaphysischen Dichter auf die moderne Dichtung und Kritik zu würdigen. "Unified sensibility", Dichtung der Einschließung der gesamten Wirklichkeit sind Formeln, die offenbar auch auf die ganze Barockkunst zutreffen (sie gelten z. B. auch für eine Dichtung wie Dantes ›Göttliche Komödie‹ und bringen so Croces Versuch zu

[13] A Myth of Catastrophe, in: The Listener, 15. Nov. 1956.

Fall, Poesie von Nicht-Poesie, den theologischen Rahmen von der
eigentlichen echten Dichtung zu trennen): im Lichte jener Theorie
sind die concetti, die Anwendung diskursiven Denkens auf poetische
Themen, die Bilder aus den unterschiedlichsten Gebieten des Wiß-
baren gerechtfertigt; so wurde denn John Donne als einer der her-
vorragendsten Repräsentanten des barocken Geschmacks anerkannt.
Übrigens erinnert die Tatsache, daß in einem Gedicht von Donne
die Einheit nie im einzelnen Vers, sondern immer in der Strophe
liegt und daß die Wirkung von einer Gesamtheit dialektisch er-
dachter Elemente abhängt, unmittelbar an das Prinzip, das auch
die barocke Baukunst beherrscht.

In einem bestimmten Augenblick (in der Note on the Verse of
John Milton, 1936)[14] stellte Eliot sogar der Dichtung Donnes diejenige Miltons gegenüber, in der die ursprüngliche Sinnenhaftigkeit
durch die angelesene Bildung bald verdorrt sei und die in einer
künstlichen, konventionellen Sprache ende, da Milton Englisch wie
eine tote Sprache geschrieben und alles dem musikalischen Effekt
geopfert habe, womit er die Dichtung zu einem feierlichen Spiel
(solemn game) degradiert habe. Und doch repräsentiert Milton,
wie wir sehen werden, eine Phase des Barock. Gehört also das
Barock Donnes einem anderen Typus an, oder handelt es sich in
seinem Fall um etwas anderes? Und stellt Donne überhaupt jene
vollkommene Verschmelzung der Fähigkeiten, jene Einheit von
Denken und Sinnenhaftigkeit dar, die Eliot in ihm sah?

Auf die bedingungslose Begeisterung der Wiederentdecker Donnes folgte ein abgewogeneres Urteil. Rosemond Tuve[15] warnt vor
der Gefahr, einen Dichter der Vergangenheit im Lichte einer modernen Theorie zu interpretieren (tatsächlich ist die Theorie von der
Ablösung der Empfindung, die infolge des verhängnisvollen Einflusses von Bacon und Hobbes eingetreten sein soll, die Rück-
projizierung einer Theorie über das Bild in der Kunst, die Coleridge
viel verdankt); auch Clay Hunt[16] hat große Vorbehalte gegen-

---

[14] In dem Band Essays and Studies by Members of the English Association, Bd. XXI, Oxford, At the Clarendon Press 1936.

[15] Elizabethan and Metaphysical Imagery, The University of Chicago
Press 1947.

[16] Donne's Poetry, Yale University Press 1954.

über der "unified sensibility", die Donne nach Eliots Meinung besessen haben soll. Donne leidet nach Clay Hunt im Gegenteil an
lähmender Begrenztheit. Bei ihm ist nichts von der üppigen Sinnlichkeit Spensers und der Elisabethaner zu finden, die sich in der
Vorliebe für Prunk, festlichen Aufzügen und mythologischen Anspielungen und in der Beschreibung weiblicher Schönheit mit entsprechender Sinnlichkeit der Sprache ausdrückt. Man findet viel
mehr Geistigkeit des Sinnlichen bei Milton, wie Hunt bemerkt.
Und was die Vereinheitlichung der Empfindung betrifft, so liefert
Miltons Dichtung ›At a Solemn Music‹ eine überzeugendere Illustration dazu als jedes Gedicht von Donne, weil dort die beobachteten Dinge mit den Konstruktionen der Einbildungskraft verschmelzen und der Gedanke sich stufenweise vom sinnlichen Eindruck
und von der physischen Emotion aus erhebt, um mit ihnen in
einem bewußten, vollkommen organischen und einheitlichen Schema
zusammenzuwirken. Was aber die Nuancierung der Empfindung
angeht, so würde man bei Donne vergeblich suchen, was Marvell
in so reichen Beispielen vorführt. Donne ist zerebral, egozentrisch,
ohne soziales Gefühl; gerade sein analytischer, wissenschaftlicher
Geist hindert ihn daran, sich den Geheimnissen der Religion in
anderer Weise zu nähern, als es bei intellektuellen Rätseln geschieht. Selbst seine Besessenheit vom Tode dient nur dazu, seinen
verzweifelten Egozentrismus zu steigern; sie ist nicht mit einem
Sympathiegefühl für das allgemeine Schicksal der Menschen und
Dinge verbunden. Unfähig, alle Arten der Erfahrung zu assimi-
lieren, wie es bei den größten Genies geschieht, war die Empfindung Donnes vielmehr beschränkt denkbar. Und eben weil seine
Grenzen in weitem Maße mit denen der modernen intellektuellen
Welt zusammenfallen, hat er in unserem Jahrhundert soviel Erfolg
gehabt.

Was die Modernen zu Donne hingezogen hat, ist nicht sosehr
der barocke Aspekt, der vor allem in den Predigten und in den
religiösen Dichtungen mit ihren immer wiederkehrenden Argumenten Tod und Sünde hervortritt, die zumal in den ersteren mit einem
makabren Realismus behandelt werden und deren matter Schimmer
uns einen ähnlichen Eindruck macht wie die zwei berühmten Bilder
von Valdés Leal im Hostal de la Caridad in Sevilla; nicht sosehr

dieser Aspekt hat die Modernen angezogen als vielmehr der ver-
schlungene Rhythmus, das, was man die „Scharfsinnigkeiten" und
«concetti» (die „linea serpentinata" der Manieristen) seiner Lyrik
nennen könnte. In Wahrheit sind nicht die Haarspaltereien, die
Witze die Hauptsache bei Donne, obgleich er darin so Ungewöhn-
liches vorbringen konnte, daß sie unsere ganze Aufmerksamkeit
fesseln. Die Hauptsache ist bei ihm die nervöse Dialektik seines
leidenschaftlichen Geistes, eine Dialektik, zu der es, wie Odette de
Mourgues [17] bemerkt hat, Analoges in den Gedichten Maurice
Scèves in Frankreich gibt und die letzten Endes bis auf Petrarca
zurückgeht, in dessen Sonett „Quando giunge per gli occhi al cor
profondo" z. B. die Ekstase der Liebenden ganz ähnlich wie in
Donnes ›Extasie‹ beschrieben ist. Und wenn ›Délie‹ von Scève, geschrieben 1544, als die Malerei der Schule von Fontainebleau blüht,
eine manieristische Dichtung ist, dann ist nicht einzusehen, warum
diese Bezeichnung statt der Einstufung als „barocke" Poesie nicht
auch auf die Liebeslyrik Donnes passen soll. Auch andere Verwandtschaften mit den Methoden der Manieristen fehlen bei Donne
nicht. Eine der häufigsten besteht darin, eine nebensächliche Einzelheit ganz besonders hervorzuheben, ein Vorgehen, das insbesondere
Brueghel liebte und das Donne z. B. in ›Loves Deitie‹ mit seinem
Anfang: "I long to talke with some old lovers ghoste", verwandte,
wo die normale Reihenfolge verkehrt wird. Der Dichter wollte in
jenem Gedicht sein Staunen darüber ausdrücken, daß man lieben
könne, ohne wiedergeliebt zu werden. Aus diesem Staunen geht
ganz natürlich die Frage hervor: „Kann es denn immer so gewesen
sein?" Eine Frage, die die ebenso natürliche Antwort erhält: "I
cannot thinke that hee, who then lov'd most, Sunke so low, as to
love one which did scorne." Das wäre die normale Entfaltung des
ganzen Gedankens gewesen. Aber Donne hat den Vorgang umgekehrt, hat einer relativ nebensächlichen Idee die größte Intensität verliehen: „Es wäre interessant, dazu einen Liebhaber aus der
Vergangenheit zu hören"; dieser Idee hat er die Form eines unmittelbaren heftigen Verlangens gegeben: "I long to talke . . .", hat sie

---

[17] Metaphysical, Baroque and Précieux Poetry, Oxford, At the
Clarendon Press 1953, S. 10.

derart in den Vordergrund gerückt, daß wir für einen Augenblick den Eindruck haben, er habe falsch begonnen.

Die Wiederentdeckung Donnes führte, wenn auch unter dem falschen oder zumindest einseitigen Eindruck, er sei ein „barocker" Dichter, zu Untersuchungen (Elizabeth Holmes, Aspects of Elizabethan Imagery, Blackwell, Oxford 1929), die die Ursprünge der metaphysischen Strömung in England zu klären suchten und übrigens auch das Interesse für Shakespeare in eine andere Richtung lenkten. Die Kritiker des 19. Jahrhunderts konzentrierten sich vom philosophisch-psychologischen Gesichtspunkt aus mit Vorliebe auf die Charaktere der Personen; was die Bilder betrifft, so begnügten sie sich mit einer vagen, allgemeinen Anerkennung: wie der Hintergrund mit dem Thema übereinstimme u. dgl. Nachdem das Barock in unserem Jahrhundert wieder zu Ehren gekommen war, richtete sich die Aufmerksamkeit der Kritiker auf das, was die Literatur des 17. Jahrhunderts an Besonderem besaß, auf die Bildlichkeit. Ein Shakespeare-Drama wurde nicht als Situation oder Philosophem untersucht, sondern als Motiv, das der Dichter mit seiner Phantasie aufnimmt und das seine Empfindung in eine bestimmte Strömung von Bildern lenkt. So entstanden die Studien von Caroline Spurgeon,[18] Wolfgang Clemen,[19] Edward A. Armstrong.[20] Clemen unterscheidet verschiedene Stufen in der Verwendung von Vergleichen bei Shakespeare. Während in den ersten Dramen die Bilder gewöhnlich bloße Arabesken sind und ihre Verwendung sich nicht sehr von dem Gebrauch unterscheidet, den ein Lyly oder Sidney davon gemacht hatten, werden sie in den reiferen Dramen echte, eigentliche Symbole und weisen auf die Einstellung des Dichters zu seinem Thema hin: nicht mehr dekorativ, sondern organisch, sind sie, wie Clemen sagt, eine *stimmungsmäßige Untermalung des Geschehens*. Das Drama empfängt von ihnen seine charakteristische

[18] Shakespeare's Imagery and what it tells us, Cambridge University Press 1935.

[19] Shakespeares Bilder. Ihre Entwicklung und ihre Funktion im dramatischen Werk, in: Bonner Studien zur englischen Philologie XXVII, 1936.

[20] Shakespeare's Imagination. A Study of the Psychology of Association and Inspiration. London, Lindsay Drummond 1946.

Farbe und jene tiefe Einheit und Organizität, die die größten Werke der barocken Kunst auszeichnen.

Ich sagte schon, daß das Interesse für die metaphysische Dichtung dazu führte, daß man nach deren Vorläufern suchte. Unter diesen hat vor allem George Chapman die Aufmerksamkeit auf sich gelenkt. Seine Dichtung — bemerkte einer der ersten modernen Kritiker, die sich eingehend mit ihm beschäftigt haben, F. L. Schoell — „senkt ebenso tiefe Wurzeln in die mittelalterliche Metaphysik wie diejenige Donnes",[21] sein Typ von "sensuous thought" ist dem Donnes verwandt; den Schauer, den andere Dichter durch die unmittelbare Erfahrung erleben, empfängt er häufig, wie Donne, durch theologische und ethische Tüfteleien, durch pedantische Kommentare und durch Wörterbücher. Bei Chapman folgen die Bilder häufig dichtgedrängt und labyrinthisch aufeinander, seine Gedichte und seine Tragödien erteilen moralische Lektionen, aber sie belehren durch die Figuren; kurz, er hatte die Mentalität eines Emblematikers, viele Bilder in seinen Dramen sind regelrechte Sinnbilder, auch wenn die sinnbildliche Absicht nicht direkt ausgesprochen wird wie in ›Ovid's Banquet of Sense‹. Bei Chapman werden das Bild und seine ethische Anwendung wie bei den Emblematisten nebeneinandergestellt; selten entspringt letztere spontan, selten klingt sie schon in ersterem mit, wie bei den echten poetischen Symbolen; häufig stimmen beide nicht zusammen und erzeugen dadurch Unvollkommenheit und Disproportion, die Elizabeth Holmes „eine Schönheit anderer Art" nennt; wenn man so will, ausgesprochen manieristischer Art. Es ist die etwas preziöse Anmut einer « applique »; es handelt sich nie um jene organischen Bilder, die wir etwa bei Shakespeare finden und die spontan von der Wärme der Inspiration selber getragen werden. Vom Manieristen hat Chapman auch die Tendenz zum Abstrakten; anders als bei Shakespeare, wo das Bild schon an sich mit symbolischer Bedeutung beladen ist, scheint der Geist Chapmans von der konkreten dramatischen Situation zu einer abstrakten Idee fortzuschreiten und von dort zum Konkreten zurückzukehren in einer Gruppe von Bildern,

[21] Etudes sur l'humanisme continental en Angleterre à la fin du Moyenâge, Paris, Champion 1926.

die bestenfalls gleichsam von der persönlichen Wärme des Dichters
übergossen, gewöhnlich jedoch da und dort aus den Quellen zu-
sammengelesen und auf einen einzigen Haufen zusammengeworfen
sind. Man stößt bei ihm auf eine Loslösung vom präzisen Aspekt
der Dinge, eine Deformation und zugleich eine Fusion von Sinn-
lichem und Übersinnlichem, wie man sie oft auch bei den manieristischen Malern findet. In seinen besten Momenten kann man ihn
einen weniger biegsamen, weniger leidenschaftlichen Donne nennen.

Es ist unvermeidlich, daß auf die große Begeisterung für die
„metaphysische" Dichtung, die zwischen den Kriegen herrschte, wie
gesagt, eine wenn auch gemäßigte Reaktion folgte. Wir haben gesehen, wie man nach Vorläufern dieser Dichtung gesucht hat;
neuerdings hat man, auf Grund eines entgegengesetzten Impulses,
die Bedeutung und Tragweite jenes Terminus „metaphysisch" ab-
zuschwächen gesucht. Louis L. Martz hat in ›The Poetry of Medi-
tation, A Study of English Religious Literature of the Seventeenth
Century‹ [22] aufgezeigt, wie sich auch im protestantischen England
die Erbauungsliteratur der Gegenreform ausbreitete, die so stark
von den Jesuiten beeinflußt war; wie Donne von ihr für seine
eigenen Kompositionen Anregungen erhielt und wie man lieber als
von einer Tradition Donnes von einer Tradition Robert Southwells
(1561—1595) reden sollte, dem Jesuiten und Märtyrerpriester, dem
Nachahmer von Tansillos ›Lacrime di san Pietro‹, Autor frommer
Meditationen nach kontinentalem Vorbild und zum mindesten einer
höchst originellen Dichtung, ›The Burning Babe‹, in der sich der
Alexandrinismus der Embleme der heiligen Liebe in eine mystische
Entzückung auflöst und die Flammen und Tränen der konzeptisti-
schen Tradition Petrarkesker Herkunft in der Wärme einer barokken Phantasie wieder lebendig werden. Martz schlägt sogar vor,
den Terminus „metaphysisch" durch „meditativ" zu ersetzen, mit
besonderem Bezug auf Werke, deren Methoden vielen englischen
religiösen Dichtungen des 17. Jahrhunderts zugrunde gelegen zu
haben scheinen, Werke wie die ›Meditationen‹ des Jesuiten Luis de
la Puente (erschien in englischer Übersetzung 1619 in St. Omer)
und die ›Scala Meditationis‹ von Joannes Mauburnus.

[22] New Haven, Yale University Press 1954.

Der Einfluß solcher Werke und der ›Marie Magdalens Funeral Teares‹ von Southwell, eines Werkes, das auf eine ganze Tradition kontinentaler Konzeptisten zurückgeht,[23] ist evident im Falle des unverkennbar barocksten aller englischen Dichter, Richard Crashaw (1612—1649), über den der Verfasser dieses Berichtes als erster eine ausführliche Würdigung in einem 1925 erschienenen Band, ›Secentismo e marinismo in Inghilterra‹[24] geschrieben hat. Crashaw ist auf Grund seiner literarischen Bildung, die er bei den lateinisch schreibenden Jesuitendichtern (Remond, Cabilliau, Malapert) und bei G. B. Marino erworben hatte, dessen ›Sospetto di Erode‹ (aus ›Strage degli Innocenti‹) er 1637 ins Englische übersetzte, und wegen seiner Sympathie für den Katholizismus, die bis zur Konversion führte, vor allem als Folge der Lektüre der ›Vida‹ der hl. Teresa von Avila, eher dem kontinentalen Konzeptismus nahe als der englischen „metaphysischen" Tradition. Jenen durchdringt er mit einem Hauch von kühner, wenn auch regelloser Phantasie, indem er in seinen reifsten religiösen Gedichten (zumal denjenigen, die in dem posthumen Band ›Carmen Deo nostro‹, Paris 1652, enthalten sind) den höchsten Ausdruck jener Spiritualisierung der Sinne gibt, nach der die beste Barockkunst strebt. Mit ihrer erstaunlichen, schwindelerregenden Steigerung mitreißender und glühender Bilder (zumal in der Dichtung ›The Flaming Heart‹, die von der Lektüre der ›Vida‹ der hl. Teresa inspiriert ist) bedeutet die Lyrik Crashaws (wie ich schon 1925 bemerkte) innerhalb der Literatur in verkleinertem Maßstab das, was die Apotheosen eines Rubens, das Schmachten eines Murillo, die Ekstasen eines Greco in der Malerei bedeuten.

Etwas von Crashaw übernahm auch Milton (sicher empfing er für seinen Luzifer auch von der Übersetzung des ›Sospetto di Erode‹ Anregungen); er stellt typische Aspekte des Barock in verschiedenen Phasen dar. Die Genies sind nicht klassifizierbar; je nach dem Gesichtspunkt, unter dem man sie betrachtet, können sie,

[23] Vgl. Perry J. Powers, Lope de Vega and Las Lagrimas de la Madalena, in: Comparative Literature VIII, 4 (Herbst 1956).

[24] Florenz, La Voce, 1925. Der Essai über Crashaw ist in der Druckerei der Morcelliana in Brescia 1946 neu erschienen; in englischer Übersetzung in dem Band The flaming Heart, New York, Doubleday 1958.

wie die sogenannten ›Perspective Pictures‹, jene Gemälde mit ge-
wellter Oberfläche, die, von verschiedenen Seiten gesehen, verschiedene Bilder ergeben, Elemente für die eine oder auch die andere
Interpretation liefern. Für Clay Hunt stellen, wie schon gesagt,
gewisse Dichtungen von Milton erhabene Beispiele jener „Spiritualisierung der Sinne" dar, die als eine der höchsten Leistungen
des Barock gilt. Anderseits ist er vielleicht das größte Beispiel jener
späteren Phase des Humanismus, die der neoklassizistischen Manier
vorausgeht, und seine Entwicklung von der komplexen Sinnlichkeit
seiner Jugendgedichte bis zum auditiven Exklusivismus seiner
reifen Inspiration hat ihre Parallele in der stufenweisen Zunahme
der Dominanz des Linearen vor der Farbe in der französischen
Malerei der Zeit, vor allem bei Nicolas Poussin. Die Mängel, die
T. S. Eliot bei Milton fand, daß nämlich „seine Impressionen nicht
das Gefühl des Besonderen vermitteln" wie die Shakespeares und
daß die Kompliziertheit seiner Syntax „von dem Anspruch auf
verbale Musik" diktiert sei, kann man zurückverfolgen bis zu Tassos Vorschriften für das Heldengedicht. Auf bestimmte Beobachtungen des Verfassers [25] über die neoklassizistischen Aspekte bei
Milton antwortete 1950 [26] Margaret Bottrall:

„Meiner Meinung nach ist Milton der einzige bedeutendere Dichter,
dessen Werk die ganze Großartigkeit des barocken Stils exemplifiziert.
Sein Stil ist ebenso prächtig und der englischen Tradition fremd wie
Blenheim oder Castle Howard. E. I. Watkin bemerkt,[27] nachdem er Donne
und Herbert unter die Barockdichter versetzt hat, Milton sei ‚zu klassisch
und zu biblisch‘ gewesen, ‚um barock genannt zu werden‘. Das scheint mir
ein unüberlegtes Urteil, das die Gefahren eines unpräzisen Gebrauchs
präziser Termini beweist ... Watkin wendet den Terminus ‚barock‘ an,
um den Geist zu bezeichnen, der auf die Gegenreformation folgte. Er
unterscheidet bei Milton eine angeborene Neigung eher zum Judaismus
als zum Katholizismus, und zugleich eine gewisse Härte und Kälte (und
darin soll seine ‚klassische‘ Note bestehen), und folglich bestreitet er

[25] Milton and Poussin, in: Seventeenth Century Studies presented to
Sir Herbert Grierson, Oxford, At the Clarendon Press 1938, wiederab-
gedruckt in: On Neoclassicism, London Thames and Hudson 1969.

[26] The Baroque Element in Milton, in: English Miscellany, I, 1950.

[27] Catholic Art and Culture, Hollis and Carter, 1947.

Milton das Recht, als barock zu gelten. Aber wenn wir an die stilistischen
Qualitäten des Barock denken, hat Milton zweifellos Züge genug, die
ihn als großartigen Barockdichter ausweisen. Crashaw stellt die sanfteren,
phantastischeren, weiblicheren Züge des Barock dar. Seine Dichtung zeigt
die gleiche übertriebene Empfindung und die gleiche emotionale Extra-
vaganz, die wir so häufig in der Gräberskulptur und kirchlichen Innen-
dekoration des Barock finden ... Aber man darf nicht glauben, das
Barock sei nur ein stark verweichlichter Stil. Nichts Süßliches zeigt sich
in der Fassade des Montecitorio. Die Architekten des Barock entwarfen
mit Großzügigkeit und Adel und vollzogen die Umgestaltung des klassischen Materials mit derselben Energie, die Milton in die Umgestaltung des
biblischen Materials legte, als er seine epische Dichtung konzipierte.
Milton ist in der Kühnheit seines Unternehmens typisch barock. Wenn
Schönheit das Ideal der Renaissance war, so war das des Barock Erhabenheit ... Wenn wir auch zugeben müssen, daß Milton gegen Ende seines
Lebens seinem Ehrgeiz nachgab, neoklassizistisch zu schreiben, so hat doch
der größte und beste Teil seiner Dichtung zweifellos viel Verwandtes mit
dem Barock ... Milton hat mit den barocken Architekten und Bildhauern
die Art gemeinsam, wie er das Material behandelt. Seine Behandlung der
englischen Sprache entspricht der des Marmors bei Bernini. Wie Bernini
ordnet Milton das Material rigoros seiner Verfügung, seinen präzisen
Vorstellungen unter ... Entschlossen, ein englisches Heldengedicht zu
schreiben, manipuliert er die Sprache seinen Zwecken entsprechend ...
›Paradise lost‹ ist ein Meisterwerk des Virtuosentums, nicht weniger als die
Kapelle der hl. Teresa; und die Engländer haben die Neigung, Virtuosentum zu verdächtigen. Die Engländer betrachten das Barock nicht mit
Wohlwollen, sie empfinden es als einen ausländischen Stil, einen Ein-
dringling. Dieses Vorurteil gegenüber einem im höchsten Maße künstlichen
Stil, der sich in England nie akklimatisiert hatte, wirft, wie ich glaube,
ein Licht auf die Stellung Miltons in unserer Hierarchie der Dichter. Alle
stimmen darin überein, daß er ein sehr großer Dichter, ein großartiger
Handwerker ist, aber er wird eher bewundert als geliebt; sein Einfluß ist
oft für gefährlich, wenn nicht gar für verderblich gehalten worden. Kurz,
da er ein barocker Künstler ist, empfindet man ihn als der vorherrschenden
englischen Tradition fremd.“

Auch Wylie Sypher schreibt in ›Four Stages of Renaissance
Style‹ [28]:

[28] New York, Doubleday 1955, S. 222.

„Wenn barock, was gewiß zutrifft, soviel bedeutet wie Befreiung und expressive Energie, wenn es auch erhabenes Gleichgewicht, stabilisierte Massen, idealisierte Formen und grandios vereinfachte Pläne (eine akademische Koordination auf höchster Ebene) bedeutet, so kann sich die barocke Energie und Expressivität Miltons letzten Endes mit seinem Dekor und der gelehrten Struktur seines großen epischen Gedichts und seines Dramas aussöhnen. Miltons Adam ist der Typ der klassisch-barocken Figur, die Agucchi und der Diktator der akademischen Kritiker jener Zeit, Giovanni Pietro Bellori, aufs höchste bewunderten."

In den Fällen von Crashaw und Milton kann man mit viel mehr Grund von einem englischen literarischen Barock reden als bei Shakespeare,[29] und sicher besitzen das Theater von Beaumont und Fletcher und mehr noch das von Dryden charakteristische Züge, die mit denen der Barockkunst grundsätzlich übereinstimmen. Für Beaumont und Fletcher liegen Untersuchungen in diesem Sinne von Marc Mincoff [30] und von Giuliano Pellegrini [31] vor, zum großen Teil auf der Linie von Wölfflins Kriterien. Präziser ist dabei der

[29] O. Walzel, in: Shakespeares dramatische Baukunst (Shakespeare-Jahrbuch LII, 1916, abgedruckt in Das Wortkunstwerk, Leipzig 1926); M. Wolff, Shakespeare als Künstler des Barocks, in: Internationale Monatsschrift, XI, 1917, haben versucht, die Wölfflinschen Kategorien auf Shakespeare anzuwenden, oft, wie Mincoff bemerkt (s. op. cit. in der folgenden Anmerkung), indem beim Gebrauch der Termini Zweideutigkeiten entstanden. Bis zu welchen willkürlichen Feststellungen man in dieser Richtung gehen kann, hat M. Deutschbein in ›Shakespeares Macbeth als Drama des Barock‹, Leipzig, Quelle und Meyer, 1936, gezeigt, worin der Autor behauptet, die Struktur des ›Macbeth‹ sei elliptisch, und die Ellipse sei eine bevorzugte Form des Barock (die Ellipse entstehe durch die Tatsache, daß das Drama den Schnittpunkt zweier entgegengesetzter Kräfte darstelle, der Mächte des Lichts oder der Vernunft und der Mächte der Finsternis und des Chaos; wie Mincoff S. 13 feststellt, hätten ein Quadrat oder ein Kreuz da besser gedient als eine Ellipse). Vgl. auch L. Schücking, The Baroque Character of the Elizabethan Tragic Hero, London 1938 (British Academy Shakespeare Lecture).

[30] Baroque Literature in England, in: Annuaire de l'Université de Sofia, 1947.

[31] Barocco inglese, Messina-Florenz, D'Anna 1953.

bulgarische Kritiker, wenn auch in einem Bereich — nämlich der
Anwendung kunsthistorischer Kategorien auf die Literatur —, wo
Willkür und « à-peu-près » unvermeidlich sind. Während seiner
Ansicht nach die Gestalten Shakespeares wie übrigens auch die der
anderen Dramatiker (Webster und Middleton) als selbständige, in-
tegrale Wesenheiten konzipiert wurden, sind diejenigen von Fletcher Wortträger von ständig wechselnden Stimmungen: an die
Stelle der objektiven Wiedergabe der Wirklichkeit, die für die Renaissance typisch ist, sei die Abstraktion der Ideen und Leidenschaften getreten, die zu den charakteristischen Merkmalen des
Barock gehöre; die Vorliebe für die Tragikomödie, deren Schluß
sich ideell in die Zukunft projiziert, soll der „offenen Form" der
Wölfflinschen Kategorien entsprechen; barock sei Fletcher auch durch
den Sinn für Einheit, den er dadurch beweist, daß er Abschweifun-
gen bei der Handlung vermeidet, die doppelten Verwicklungen in
den Komödien durch sanfte Übergänge von der einen zur andern
fest verbindet und alles einem zentralen Gedanken oder Thema
unterordnet. Er schließt:

„Alles in allem bleibt in Fletchers Werk nur noch wenig von der
Renaissance übrig. Vielleicht ist er kein so vollkommenes Beispiel für das
barocke Theater wie Dryden, Corneille oder Suckling, aber er gehört
ohne Zweifel der barocken Bewegung an." Auch Pellegrini erscheinen
„der Gegensatz zwischen Sensualismus und Spiritualismus im Werk
Beaumonts und Fletchers, der feierliche, erhabene Stil ihres Theaters, die
Heldenpose ihrer Gestalten, der Kampf zwischen Tugend und Leidenschaft, dargestellt von Personen, die einen entsprechenden, den dargestellten sinnlichen Motiven angepaßten Charakter haben, die Vorliebe für
Kontraste, für Wechsel und Gegensatz der Erregungen und Leidenschaften
als die offenkundigsten barocken Merkmale dieses eindrucksvollen Kom-
plexes von Werken".

Was Dryden angeht, der am Ende des 17. Jahrhunderts auf seinem Höhepunkt stand, so mußte schon allein die Tatsache des französischen Einflusses, besonders Corneilles [32], auf den Typ von
„Heldentragödien", die er schuf, diesen Tragödien einen barocken

---

[32] Vgl. Jean Rousset, La littérature de l'âge baroque en France, Paris,
Corti 1953.

Charakter bereits verleihen. Schon 1933 [33] habe ich das festgestellt, und als Beispiel habe ich die Beschreibung der Cleopatra auf dem Paradeschiff in ›All for Love‹ (III. Akt: "She lay, and leant her cheek upon her hand ...") zitiert, die im Vergleich zu derjenigen Shakespeares, deren Umarbeitung sie ist (Antony and Cleopatra, II, 2: "On each side her ..."), zeigt, wie Dryden (im Unterschied zu Shakespeare, der nach Renaissance-Art ausführlich bei den Einzelheiten der Szene verweilt und das Bild nicht in einer einzigen Ansicht konzentriert) Cleopatras Lächeln vom Mittelpunkt aus ringsum erstrahlen läßt, während die applaudierenden Massen geballt am Rande stehen, so wie Tiepolo die Massen der Zuschauer im Schatten am Rande der Decken disponiert, deren Mitte das Paradies oder etwas noch Höheres ist: "Heaven or somewhat more", um Drydens eigenen hyperbolischen Ausdruck zu benutzen. Im Mittelpunkt von Drydens Fresken steht die Apotheose der romantischen Liebe: um von der Liebe besiegt zu werden, ruft Dryden alle die berühmten allegorischen Gestalten der französischen Bühne herbei, die Tugend, die Ehre, den Ruhm und ebenso viele Symbole der ›Iconologia‹ Ripas, und disponiert sie in verschiedenen Haltungen des Entsetzens, der Furcht, der Verlassenheit zu Füßen des siegreichen Herrschers über die Seele. Auch die englischen Kritiker, die gewöhnlich den Kategorien und der Typologie mißtrauen, erkennen der „Heldentragödie" einen „barocken" Charakter zu.[34]

Am Schluß dieses kurzen Überblicks kann man zusammenfassen, daß England noch mehr als Frankreich dem Eindringen der barocken Formen starken Widerstand entgegensetzte, weil sie dem Geist seiner Tradition fremd waren; wo sie sich durchsetzen konn-

---

[33] Restoration Drama, in: English Studies XV, 1 (Febr. 1933), übersetzt als Il dramma inglese della Restaurazione e i suoi aspetti preromantici, in: La Cultura, XII, 1 (Jan.—März 1933), wieder abgedruckt in Studi e svaghi inglesi, Florenz, Sansoni 1937.

[34] Vgl. Bonamy Dobrée, English Literature in the Early Eighteenth Century, Oxford, At the Clarendon Press 1959, S. 240: "The attempt to present the romantic emotions in an classical framework had produced a form not unapty named baroque."

ten, war es im Werk von Künstlern, die kontinentale Einflüsse aufnahmen wie Vanbrugh (dessen flämische Herkunft nicht vergessen werden darf), Hawksmore und Archer in der Architektur, Crashaw, Milton und Dryden in der Literatur.

Manierismo, Barocco, Rococò: Concetti e Termini. Convegno Internazionale Roma
21—24 Aprile 1960. Relazioni e Discussioni. Academia Nazionale dei Lincei 359, 1962,
52, S. 377—384.

BEGRIFF UND GRENZEN DES BAROCK
IN DER MUSIK

Von FRIEDRICH BLUME

In den Jahren 1887 und 1888 ist mit Cornelius Gurlitts Geschichte des Barockstils in Italien und mit Heinrich Wölfflins ›Renaissance und Barock‹ das Wort „Barock" zum anerkannten Terminus in der Geschichte der Architektur und der bildenden Künste geworden. Abgestreift war die Auffassung vom Barock als Spätstadium der Renaissance, abgestreift der Beigeschmack von Entartung oder Verirrung, von Schwulst oder Perversion. „Barock" bezeichnet seitdem eine Epoche eigenen Charakters und eigenen Ranges, gleichwertig der Renaissance oder dem Klassizismus. Durchschlagend war die Erkenntnis, daß mit dem letzten Drittel des 16. Jh.s ein neues Fühlen und Wollen, ein neues Verhältnis des Menschen zur Außenwelt und zu sich selbst, ein neues Lebensgefühl zu neuen Ausdrucksformen drängte und sich seinen eigenen Stil schuf. Die Einheit des Barockbildes, das die kunstgeschichtliche Literatur seitdem gezeichnet hat, ist imponierend, läßt jedoch erkennen, daß auch in den bildenden Künsten dem Barockzeitalter gewisse widerstreitende Tendenzen mit auf den Weg gegeben waren und daß nationale Unterschiede sich tief eingeprägt haben. Auch in der kunstgeschichtlichen Literatur ist immer wieder deutlich geworden, daß Italien, und Rom im besonderen, der Heimatboden der neuen Kräfte gewesen ist, daß hier die einigende Mitte liegt, so verschieden sich die Richtungen auch später ausgebildet haben mögen.

Ein Menschenalter später, 1918—19, ist der Begriff des Barock in der Geschichte der Musik durch Curt Sachs legitimiert worden (›Kunstgeschichtliche Wege zur Musikwissenschaft‹, ›Barockmusik‹). Der Anstoß war von Wölfflin gekommen, von seinem alten Buch ›Renaissance und Barock‹, und von seinem neuen, ›Kunstgeschicht-

liche Grundbegriffe‹ (1915), das eine Zeitlang fast das Evangelium
der Musikhistoriker wurde. Ermöglicht wurde die Übernahme
durch die von Sachs überzeugend vertretene Auffassung von der
Einheit und der Gleichzeitigkeit aller Künste, eine These, die er in
seinem Alterswerk ›The Commonwealth of Art‹ (1946) noch einmal mit Leidenschaft verfochten hat: "*All arts unite in one consist-
ent evolution to mirror man's diversity in space and time and the
fate of his soul.*" Kunsthistoriker und Musikhistoriker in einer
Person, vermochte Sachs aus eigener umfassender Kenntnis und
tiefer Einsicht heraus die Argumentationen für eine parazyklische
Entwicklung der Künste, wie sie etwa von W. Pinder und
Th. Kroyer ausgegangen waren, als Mißverständnisse zu erweisen
und den vollkommenen Gleichklang des Barock wie anderer Epochen in der Musik, den bildenden Künsten und der Dichtung herzustellen.

„Barock" ist seitdem in der Musikgeschichte ein feststehender
Begriff geworden und bezeichnet, ohne jeden pejorativen Beigeschmack, eine Epoche, die durch einen einheitlichen Stilwillen (mit
allen seinen Widersprüchen und Veränderungen, wie gleich zu zeigen sein wird) gekennzeichnet ist. Die deutsche Literatur hat das
Schlagwort fast durch Popularisierung eingeebnet; man muß schon
darauf achten, daß es nicht sinnentleert wird. Die amerikanische
hat sich seit Bukofzers Studie über die musikalische Barock-Allego-
rie (1939) und sein Buch ›Music in the Baroque Era‹ (1947) an-
geschlossen. Wie fest geprägt dort der Begriff ist, läßt sich leicht an
Beispielen zeigen: 1956 konnte Ferand in seiner Abhandlung über
›Improvised Vocal Counterpoint‹ Spätrenaissance und Frühbarock
als anerkannte Stilgebilde nebeneinanderstellen, und 1959 konnte
William S. Newman den Barockbegriff als feststehenden Rahmen
für die Geschichte einer Gattung innerhalb der Epoche fassen (›The
Sonata in the Baroque Era‹). Die englische Musikgeschichtsschreibung hat grundsätzliche Entscheidungen vermieden, sich aber in
ihrer pragmatischen Art des Begriffs ohne weitere Diskussion bedient und bezeichnet heute alles, was etwa zwischen Younges ›Musica transalpina‹ (1588) und dem Ende Purcells liegt, mindestens in
der adjektivischen Form, als „barock". Nur in der französischen
und italienischen Forschung scheinen sich noch gelegentliche Beden-

ken gegen die Anwendung des Begriffs als selbständige Stil- und Epochenbezeichnung zu erhalten; es scheint nicht unmöglich, daß hierbei eine zu enge Vorstellung vom Wesen des Barock mitspricht.

Nachdem einmal der Begriff für einen Stil und eine Epoche konstituiert worden war, mußte sich notwendig die Frage erheben, ob das Schaffen dieses Zeitalters als *Einheit* zu erkennen ist, getragen von allgemeingültigen Stiltendenzen und erfaßbar unter gewissen Kennzeichen, und danach dann die weitere Frage, wo die *Grenzen* dieser Einheit liegen. Es handelt sich dabei weniger um die historische Begrenzung durch Jahreszahlen (die ohnehin in den verschiedenen Ländern stark differieren) als um die Erkenntnis, daß das Barockzeitalter, in großen Zügen gesehen, zwar in sich eine stilgeschichtliche *Einheit* bildet, daß diese Einheit sich aber aus einer Menge von *Gegensätzen* und *Widersprüchen* zusammensetzt. Nicht alles, was in diesem Zeitalter geschaffen worden ist, ist „barock" im engeren Sinne, und nicht alles am einzelnen barocken Kunstwerke ist in diesem Sinne „Barock". Das, was wir die Stilepoche des Barock nennen, ist aus einer großen Menge von Widersprüchen zusammengesetzt, und die Gesamtheit dieser Widersprüche bildet die Einheit, die wir „Barock" nennen.

Die ältere Musikgeschichtsschreibung hat sich mit der Abgrenzung der barocken Epoche viel zu sehr auf Gattungen, ihr Entstehen und Vergehen, festgelegt. Musikalische Gattungen sind langlebig; ihre Namen überdauern die Zeiten. Die mehrstimmige Messe existiert seit dem 14. Jh. und lebt heute noch. Ein kunstmäßiges Madrigal gab es schon einmal im 14. Jh., dann unter veränderten Gestalten wieder im 16. und 17., und in weiteren Wandlungen ist es in die Sologesangsmusik des 18. Jh.s, ja, in die protestantische Kirchenkantate gedrungen. Man hat das Entstehen der Oper und des Sologesangs als charakteristisch für den Barock angesehen, obwohl es Sologesang gegeben hat, solange es Musik gibt. Nur *eine* spezifische Art des Sologesangs hat der Barock kultiviert. Die Oper hat in den Intermedien des 16. Jh.s und den Mysterienspielen des Mittelalters ihre Vorgänger gehabt: mit Szenerie, mit Chören, mit Sologesängen, mit Instrumenten, mit Prunk und Pracht, und nur *eine* besondere Art des Musiktheaters zeichnet sich als spezifisch barock ab. Die Oper hat weitergelebt bis in unsere Tage, und sogar die spezifische Barockoper hat ein Nachleben bis ins Ende des 18. Jh. hinein geführt. Gattungen können keine Merkmale für die Begrenzung des Barock bilden; sie verwirren das Bild. Man muß eher nach *allgemeinen Grundzügen* des Stils Ausschau halten, wenn man zum Wesen des Zeitalters vordringen will.

Jeder, der Barockmusik kennt, wird zugeben, daß zu ihren auffälligsten Merkmalen die *Neigung zu den Extremen* gehört. Gewaltige Klangmassen werden aufgeboten. Aufführungen, an denen 60, 80, 100 Musiker beteiligt sind, bilden keine Ausnahme. Daneben steht das Lautensolo, steht die einstimmige Gambensonate oder das Lied mit Generalbaßbegleitung. Opern von Cesti oder Pallavicini, von Lully oder noch von Fux beschäftigen ganze Heere von Sängern, Tänzern, Choristen, Instrumentisten, Statisten; Monteverdis Orfeo wie 120 Jahre später Bononcinis und Händels Seria-Opern beschränken sich auf kleinste Besetzungen. Festopern dauern mit ihren Tanzeinlagen bis zu 6 Stunden und mehr, eine Aria Caccinis oder ein Air de cour Boessets, ein Lied Dedekinds, ein lute-song Dowlands ist ein paar Takte lang. Das Äußerste an Raffinement und Rationalisierung, das der Kontrapunkt jemals erreicht hat, hat er im Barock bei Vitali, Theile und Bach erreicht; daneben steht die Rustikastruktur in Akkordquadern bei Benevoli, aber auch die Kultur der einstimmigen Melodie mit ein paar stützenden Baßtönen bei Robert Jones oder Adam Krieger. Das tempo rubato und die freie Rhythmik des italienischen Rezitativs finden ihren strikten Gegensatz im französischen récit, in der abgezirkelten Takt- und Periodenfolge des Lullyschen Bühnentanzes. Zwischen dem Deklamationston des secco und der schwelgerischen Süße des bel canto klafft ein Abgrund. Die Extreme sind nicht nur möglich, sie sind allgegenwärtig und werden als solche genossen; es wirkt fast wie ein etwas schulmeisterlicher Versuch zur Systematisierung, wenn Michael Praetorius uns versichert, daß man eine sechschörige Komposition zu 20 Stimmen ebensogut auch einchörig zu 4 Stimmen ausführen könne. Das ist alles ganz anders als in der Renaissance. Von Ockeghem bis zu Morales und Janequin herrscht die Einheit des Stils, herrscht der 4—5stimmige Normalsatz, herrscht die Einheit der Besetzungen (die zwischen weltlicher und geistlicher Musik kaum differieren), die Einheit der polyphonen

Satzbehandlung, die Einheit der Dimensionen. Ein Laudensatz von Tromboncino, eine Motette von Josquin, ein frühes Madrigal von Verdelot oder Arcadelt, eine Attaignant-Chanson unterscheiden sich nur individuell, nicht grundsätzlich. Extreme gibt es nirgendwo. Das ist eben jener Einheitsstil, auf den dann in der Hochblüte des Barock (1689) Angelo Berardi mit leiser Verachtung zurückgeblickt hat: „zwischen einer Motette und einem Madrigal sei damals kein Unterschied gewesen". Die Schriftsteller des 17. Jh.s, von Caccini und Doni über Kircher bis zu Bernhard und Herbst, lieben es, die Unterschiede und Extreme zu betonen. Bezeichnend ist, daß Praetorius es nötig findet, einen Katalog der musikalischen Gattungen aufzustellen. Gerade aber in der Neigung zu den Extremen, in der Ausschöpfung der äußersten Grenzen des Möglichen, liegt etwas für den Barock äußerst Charakteristisches; es verschwindet mit der edlen Einfalt und dem stillen Maß des Klassizismus.

Ähnlich bezeichnend ist die *Neigung zu strukturellen Kontrasten.* Schon G. Gabrieli, M. Praetorius und H. Schütz setzen massive Ripienoritornelle als Rahmen an den Anfang und das Ende der Komposition; dazwischen etwa Teilritornelle als gliedernde Pfeiler: zwischen ihnen schlingen sich dünn besetzte, koloraturenreiche Sologesänge mit Bc. oder ein paar obligaten Instrumenten wie die Fruchtgirlanden zwischen den Risaliten einer Fassade. Diese Rahmen- und Ritornellformen halten sich durch den ganzen Barock; noch Bachs Brandenburgische Konzerte ruhen auf diesem Prinzip. In einer kurzen Motette oder einem Madrigal wechseln die Rhythmen und Taktarten in kurzen Abständen; die Bewegungskontraste entsprechen nicht nur den wechselnden Inhalten, sondern sind zugleich Bauformen. Für die instrumentale Kanzone und später die aus ihr entstehende Sonate bilden die Kontraste der Tempi und Bewegungsformen Strukturelemente. Ebenso charakteristisch aber ist, daß diese Kontraste sich auf dem Hintergrund der gleichbleibenden Tonart abspielen. Der Kontrast zwischen der großen Menge der Rezitative und den von Zeit zu Zeit dazwischen aufblühenden Arien bildet die Strukturgrundlage der Oper. Das Concerto grosso und solo des Spätbarock leben von den Gegensätzen zwischen den Klangkörpern, die sich oft auch mit thematischen Gegensätzen verbinden. Die Freude am strukturellen Kontrast steht in vollem

Gegensatz zum Bauprinzip der „ars perfecta" der Renaissance. Dort läuft die Komposition nach der anfänglich begonnenen Technik ab und bildet eine Reihenform; selbst wenn sie mehrteilig ist (wie z. B. die Messe), vermeidet sie geradezu jeden strukturellen Kontrast zwischen den Sätzen, und erst mit Lasso und Marenzio, also schon im Beginn des Barock, kommt es zu strukturellen Kontrasten zwischen den Satzgliedern.

Diese Neigung zum Gegensatz spiegelt sich auch in der *Stilspaltung,* die das ganze Zeitalter durchzieht und die, seit Monteverdis berühmter Definition als « prima » und « seconda pratica », noch bei Fux, Caldara u. a. anzutreffen ist. Der « stile antico », « stylus gravis » wird niemals ernstlich in Frage gestellt. Berardi erkennt (1693) das Nebeneinander der Stile ausdrücklich an, wenn er die « seconda pratica » bestätigt, *« senza distruggere la prima ».* Christoph Bernhard beschreibt den alten Stil ausdrücklich im Gegensatz zum « stylus luxurians »; Bontempi und Fux haben den « stylus gravis » kodifiziert. Noch Mozart bemüht sich, bei Padre Martini den « stile osservato » zu erlernen. Die Stilspaltung ist bis ins 19. Jh. hinein, ja bis in unsere Tage am Leben geblieben. Was hieran für den Barock charakteristisch ist, das ist das *Nebeneinander* der Stile und das volle Bewußtsein, mit dem die Musiker dieses Nebeneinander ausnutzen. Dieselben Meister, die vielchörige Messen, kleine geistliche Konzerte oder Solomadrigale komponieren, schreiben im strengen Stil wie Viadana, Monteverdi, Schütz, Al. Scarlatti, Durante, Lotti, Marcello, Fux usw. Die Musikgeschichtsschreibung hat bis in die jüngste Zeit hinein das Gewicht viel zu einseitig auf die « seconda pratica » gelegt. Der „Kampf gegen den Kontrapunkt", den eine kleine Zahl von Florentiner Literaten und Musikern agitatorisch zum Schlagwort gemacht hatte, ist viel zu sehr verallgemeinert worden, und darüber wurde vergessen, daß Theoretiker wie Artusi keineswegs veraltete und obsolete Meinungen vortrugen, sondern einfach die « prima pratica » in ihrem vollen Recht lehrten und verteidigten. Erst das Nebeneinander (von dem sich seit Kircher auch noch der « stylus theatralicus » abspaltete) bringt das wahre Gesicht des Barock zum Vorschein.

Hierin dürfte vielleicht auch ein wesentlicher Unterschied zwischen der Musik und den bildenden Künsten des Barockzeitalters liegen. Kaum ein Architekt oder Bildhauer in irgendeinem Lande hätte es wohl im 17. Jh. wagen dürfen, einen Palazzo im unveränderten Stil Palladios, ein Grabmal im Stil Donatellos zu entwerfen. Die Musiker aber pflegen bewußt einen als „alt" empfundenen und auch so benannten Stil als zweite Ebene ihrer Gestaltungen. Geschieht dies auch in den ersten hundert Jahren des Barockzeitalters vornehmlich für die Kirche, so darf doch nicht übersehen werden, daß der «stile antico» auf dem Wege über die Instrumentalmusik sich breiten Raum auch im weltlichen Bereich gewonnen hat. Die spätbarocke Fuge beruht darauf wie alle ihr verwandten Gattungen, und ohne eine solche zweite Traditionsebene wären Bachs Musikalisches Opfer und Kunst der Fuge niemals komponiert worden. Es sollte auch nicht übersehen werden, daß die Stilspaltung sich z. B. in England auch auf anderen Bahnen vollzogen hat: während längst die englischen Monodisten von Dowland, Rosseter, Campion und Danyel an bis zu Lanier und die Virginalisten wie Bull, Farnaby und Philips den Barockstil aufgegriffen hatten, hielt die Consort Music noch bis in Purcells Anfänge hinein am alten polyphonen Stil fest. Daß alle solche Stilspaltungen in völligem Gegensatz zu dem Einheitsstil der Renaissance stehen, bedarf keiner Erwähnung.

Einer ähnlichen Vereinseitigung muß für das Problem des *Ausdrucks* entgegengetreten werden. Seit es eine Musikgeschichtsschreibung über das 17. Jh. gibt, also seit Leichtentritt, Riemann, Schmitz, Kretzschmar usw., ist der Akzent viel zu einseitig auf die Affektenkunst gelegt worden. Der Barock wurde schlechthin zum Zeitalter des Pathos, der Rhetorik, der großen Geste und der glühenden Dramatik. Das ist aber ganz verfehlt. Daß es für Werke der «prima pratica» nicht zutrifft, versteht sich von selbst, aber auch bei Kompositionen der «seconda» wechselt die Behandlung des Ausdrucks von Werk zu Werk. Cavalieris ›Rappresentazione di anima e di corpo‹ und Carissimis Oratorien, beide gewiß dem Stilbereich der «seconda pratica» angehörend, sind wenig affektbetont, verglichen etwa mit Monteverdis Concerti und ihrem Selbstgenuß des Pathos. In der Spätzeit tragen die Kantaten Bachs meist einen hochaffektiven Charakter, während z. B. Buxtehudes ›Jüngstes Gericht‹ viel mehr Gewicht auf die abgerundete Schönheit des einzelnen

Gesangsstücks oder auf die Kunst der Ostinato-Variation legt. Auch auf diesem Gebiet ist es verfehlt, das Bild uniformieren zu wollen. Buntheit und Widersprüchlichkeit charakterisieren den Barock. Alle Möglichkeiten bleiben offen: der Komponist kann das *einzelne* Wort, das *einzelne* Satzglied wie eine rhetorische Figur behandeln und auf diese Weise die Worte gleichsam einzeln in Musik übersetzen (wie es schon in der Schule G. Gabrielis und noch bei Bach der Fall ist); er kann sich ebensogut darauf beschränken, dem Text einen *allgemeinen* Affektgehalt zu entnehmen (wie es in der Oper des Spätbarock die Regel ist), danach sein Thema wählen und daraus die rein musikalische Form seiner Arie konstruieren. Er kann ebensogut im « stile antico » schreiben und dabei den Text ganz hinter die Musik zurücktreten lassen. Es ist gefährlich, das Bild des Barock zu vereinseitigen: man verwickelt sich leicht in Widersprüche und schiebt dem Komponisten Absichten unter, die gar nicht vorhanden waren.

Aus den anerkannten Stilgrundzügen des Barock sei noch auf einen aufmerksam gemacht, der ebenfalls keine Vereinseitigung verträgt, die sog. *Idiomatik,* d. h. die spezifische Schreibweise für die einzelnen Klangwerkzeuge und Klanggruppierungen. In der Renaissance gibt es keinen grundsätzlichen Unterschied, ob der Komponist für Singstimmen oder Instrumente schreibt, ob für Streich- oder Blasinstrumente, ob für solistische oder chorische Besetzung. Selbst die akkordfähigen Instrumente wie die Orgel, die Klavierinstrumente, die Laute haben noch keinen eigenen Stil entwickelt. Die Besetzung eines mehrstimmigen Ensembles bleibt noch immer dem Ausführenden anheimgestellt. Mit dem Barock fällt, überraschend schnell, diese Einheit in eine Menge unterschiedlicher Idiome auseinander. Die solistische Gesangsstimme kann rezitativisch, sie kann im bel canto behandelt werden, sie kann überdies in einfacher Form oder überladen mit einer Fülle von Ornamenten vorgetragen werden, und eine beliebige Zahl nationaler Färbungen kann sich dabei auswirken. Der Stil wird zum spezifischen Idiom für Sologesang. Die chorische Vokalkomposition vereinfacht sich demgegenüber oft zum ganz schlichten homophonen Satz mit einfachsten Ansprüchen an die Singstimme, kann aber genausogut im Spätbarock die Form verzwicktester Chorfugen annehmen und an den Sänger höchste Ansprüche stellen (etwa Bachs ›H-Moll-Messe‹ oder ›Magnificat‹). Daß sich überhaupt der Stil von solistischem und chorischem Gesang trennen, ist schon bemerkenswert. Ähnlich schaffen sich die Violeninstrumente, etwas später die Violine ihre eigene Sprache und ihren eigenen Klangeffekt. Orgel, Klavier und Laute nehmen um 1600 ihre idiomatischen Klangformen an. Das alles ist bekannt und gewiß charakteristisch für das Gesamtbild des Barock. Es sollte aber nicht übersehen werden, daß mit der Ausbildung so vieler verschiedener Idiome auch wiederum deren Aufhebung und gegenseitige Überlagerung eingesetzt hat. Das ist es gerade, was das Verständnis des Barock als Einheit so erschwert: daß er eine *Einheit* ist, die aus lauter *Widersprüchen* besteht. Am Ende des Barock sind längst die idiomatischen Sprachformen der Violine auf die anderen Instrumente übergegangen; die Violine selbst hat längst den bel canto und die Ornamentik des Sologesangs übernommen. Die Trompete konzertiert bei Bach mit der Oboe und der Violine auf der Ebene einheitlicher Thematik, Singstimmen konzertieren mit Instrumenten in derselben Sprache, und sogar der Unterschied zwischen Solo- und Chorgesangsidiom hebt sich in Bachs Chorsätzen auf. Ist es nicht bezeichnend, daß Bach selbst ursprünglich vokale Choraltrios aus seinen Kirchenkantaten in seinen sog. „Schübler-Chorälen“ ohne eingreifende Veränderungen als Orgelwerke herausgeben konnte? Für das Spätstadium des Barock ist die Einschmelzung aller Formen, Praktiken und Idiome in einen Einheitsstil charakteristisch. Man könnte wohl sagen, daß im Spätbarock die Fülle der Gegensätze und Widersprüche sich in einer einheitlichen Dokumentation des barocken Stilwillens aufhebt, bevor die klassizistischen Stilnormen alles hinwegschwemmen, was für den Barock bezeichnend war.

Ich habe versucht zu zeigen, daß einige grundlegende Stilmerkmale (sie ließen sich natürlich leicht vermehren) den Barock durchaus von der Renaissance unterscheiden, daß man diese Merkmale aber nicht als starr und unabänderlich auffassen darf, der Barock sich vielmehr durch eine widersprüchliche Buntheit wechselnder Erscheinungsformen auszeichnet. Die vielen sonstigen Stildifferenzen, die es innerhalb des Barock gibt, z. B. die verschiedenen *nationalen* und *konfessionellen Entwicklungen,* habe ich dabei nicht berührt. So verschieden in ihrem Nationalcharakter die Bauten Francesco Borrominis in Rom, Jules Hardouin-Mansards und Louis Leveaus in Versailles, Christopher Wrens in London, Fischer von Erlachs in Wien, so verschieden sind die nationalen Stilausprägungen in der Musik. Eine Oper Cavallis für Venedig, eine Oper Lullys für Paris, eine Oper Cestis für Wien und eine Oper Steffanis für Düsseldorf sind, obwohl alle vier Komponisten Italiener waren, so weit voneinander unterschieden wie ein Ritornellied Adam Kriegers von einer Solokantate Carissimis oder einer Solomotette Lalandes. Italienischer, französischer, englischer und deutscher Barock sind abweichende Wege gegangen; die gemeinsame italienische Herkunft, die sie alle nicht verleugnen können, hat sich mit Zügen der nationalen Überlieferungen durchsetzt. Aber auch hier wieder: im Spätbarock vereinigen die Nationalstile sich wieder zu der übergreifenden Einheit eines europäischen Gesamtstils. Nochmals ein Widerspruch, wenn man so will.

Daß alles dies, mit all seinen Gegensätzen und Widersprüchen, letzten Endes doch eine große *Einheit* ausmacht, das wird noch einmal überzeugend deutlich, als um 1730—40 die neue Stiltendenz durchdringt, die wir die frühklassische nennen und die nun mit einem Schlage *alles,* was den Barock ausgezeichnet hatte, in Frage stellt. Keine Neigung zu den Extremen mehr, sondern Beschränkung auf Schlichtheit und Knappheit, keine strukturellen Kontraste, sondern eine neue Kunst der Übergänge, keine Antinomie mehr zwischen Form und Wortausdruck, weil der Ausdruck selbst sich die Form schafft. Längst ist die barocke Idiomatik einem neuen Klangideal gewichen, das Singstimmen und Instrumente zu einem subtilen und sinnlichen Gesamtklang verschmilzt. Im Zugwind einer jungen Epoche hören wir das dürre Geraschel der verdorrten Stoppeln vom vorigen Jahr. Barocke Stilüberhänge leben fort wie die Stilspaltung in die « prima » und « seconda pratica », die opera seria erlebt in allmählich klassizistisch werdenden Einzelformen ein Spätstadium über die Bononcini, Conti, Hasse bis zu Haydn und zum jungen Mozart. Abgestorben ist plötzlich das ganze reiche Instrumentarium des Barock, abgestorben sind die Spitzfindigkeiten des Kontrapunkts, die verwickelten Formen des Barock, vergessen seine Symbolik und Allegorik, versunken die rhetorische Figurenlehre, und alles wird ersetzt durch die Sprache des fühlenden Herzens und durch das romantisierende Naturerlebnis. Erst wenn man von C. Ph. E. Bach, Gluck und vom frühen Haydn aus *zurück* auf den Barock blickt, erst dann enthüllt sich eindrucksvoll die massive und großartige Einheit dieser Epoche, Einheit *trotz* aller Widersprüche. Es ist, als wenn man einen Gebirgsstock durchwandert: man sieht Zacken, Abgründe, Gipfel, Schluchten, Wasserstürze und Almböden, und dies alles scheint ein Chaos. Erst wenn man sich entfernt hat und blickt von einem neuen Berggipfel zurück, erst dann erscheint das durchwanderte Gebiet als „Massiv", als Einheit, in sich geschlossen und abgegrenzt gegen andere Massive. In diesem Sinne bildet der Barock eine grandiose Einheit in der Geschichte der Musik. Wir haben keine Ursache, seine innere Widersprüchlichkeit zu vernebeln.

Karl Otto Conrady, Lateinische Dichtungstradition und deutsche Lyrik des 17. Jahrhunderts. (= Bonner Arbeiten zur deutschen Literatur, 4.) Bonn: H. Bouvier u. Co.
Verlag 1962, S. 243—263.

VOM „BAROCK" IN DER DEUTSCHEN LYRIK
DES 17. JAHRHUNDERTS

Von KARL OTTO CONRADY

1. Grundkennzeichen und Beispiele

Aus den Kapiteln [hier nicht abgedruckt] über Opitz und Gryphius zeichnet sich bereits ab, welche Bestimmungen für „Barockes"
in deutscher Lyrik des 17. Jahrhunderts sich aus einer literaturgeschichtlichen Betrachtung ergeben, der die vorangehende Gebil-
detendichtung in lateinischer Sprache als organisch zugehöriger Teil
der Dichtungsgeschichte in Deutschland gilt, mehr noch: als eine
wesentliche Basis, auf der die deutschsprachige Lyrik des sog. Barockjahrhunderts ruht; wenigstens solche, die wir als Kunstlyrik
dieses Saeculums zu begreifen pflegen, Dichtung also, die sich stets
auch dem Anspruch ausgesetzt weiß, das durch die lateinische
Dichtung und die andern bereits ausgebildeten europäischen Kunst-
sprachen gesetzte Niveau zu erreichen.

Eine Tendenz scheint im 17. (wie im 16.) Jahrhundert kraftvoll
wirksam zu sein und so etwas wie ein Grundgesetz der sprachlichen
Gestaltung zu bilden: das Bestreben, ein Thema nicht in knapper
Dynamik (etwa nach der Art des Horaz) zu behandeln, sondern
ihm ausgreifend möglichst viel abzugewinnen. ‚Aufweitung' bestimmt das Bild. Wenn Opitz, unverkennbar auf Verse des Horaz
blickend, das friedlich-genügsame Ruhen des Bauern in amoener
Landschaft beschreibt, so werden aus den 6 Versen des Horaz 16
weitgespannte Alexandriner.[1] Und noch ein bezeichnendes Beispiel
sei gegeben:

---

[1] Hor., ep. II 23—28:
    libet iacere modo sub antiqua ilice,
      modo in tenaci gramine:

Johannes Rist
Auff die nunmehr angekommene kalte Winterszeit[2]
>   Der Winter hat sich angefangen /
>   Der Schnee bedeckt das gantze Landt /
>   Der Sommer ist hinweg gegangen /
>   Der Waldt hat sich in Reiff verwandt.

>   Die Wiesen sind von Frost versehret /
>   Die Felder gläntzen wie Metall /

>   labuntur altis interim ripis aquae,
>   queruntur in silvis aves
>   fontesque lymphis obstrepunt manantibus,
>   somnos quod invitet levis.

Opitz, Die Lust deß Feldbawes, V. 61—76 (Teutsche Poemata, Neudrucke, S. 28):

>   Ist er von gehen lass, mag er sich niderstrecken
>   Bald an ein schatticht Orth, da jhn die Bäume decken,
>   Bald in das grüne Graß, an dem fürüber fleust
>   Das Wasser und durch hin mit stillem rauschen scheust.
>   Bey dessen grünem Randt die Feldhewschrecken springen,
>   Vnd mit dem langen Lied jhr Winterleyd versingen,
>   Der Vögel leichtes Volck mit lieblichem Gesang
>   Schreyt vberlaut, vnd wünscht den Sommer noch so lang,
>   Die schöne Nachtigall last sonderlich sich hören,
>   Schwingt jhre Stimme hoch, dem Meyersmann zu ehren,
>   Die Frösche machen auch sich lustig an dem Bach,
>   Vnd jhr Coax Coax gibt keinem Vogel nach.
>   Nicht weit von dannen kompt auß einem külen Brunnen
>   Ein Bächlein durch das Graß, gleich dem Christall, gerunnen,
>   Drauß schöpfft er mit der Hand, eh er sich schlaffen legt,
>   Vom Murmelnden gereusch deß Wassers angeregt.

Bei Fischart (V. 175 ff.) sind aus den 6 Horazversen 12 geworden. („Fürtrefflich Artliches Lob deß Landlustes . . .", V. 175—186, ›XV Bücher vom Feldbaw‹; J. Fischarts sämtl. Dichtungen, hrsg. v. H. Kurz, Dt. Bibl., Bd. 10, Leipz. 1867, S. 312 f.).

[2] Das Gedicht steht bei Cysarz I 246. Für die folgenden Beispiele deutscher Lyrik des 17. Jahrhunderts beschränke ich mich absichtlich auf die Sammlung von H. Cysarz, damit leicht verglichen werden kann (Barocklyrik, 3 Bde., Dt. Lit. i. Entw., Leipz. 1937).

Die Blumen sind in Eis verkehret /
Die Flüsse stehn wie harter Stahl.

Wolan wir wollen von vns jagen
Durchs Fewr das kalte Winterleid /
Kompt / Last vns Holtz zum Herde tragen
Vnd Kohlen dran / jetzt ist es zeit.

Last vns den Fürnewein hergeben
Dort vnten auß dem grossen Faß /
Das ist das rechte Winterleben:
Ein heisse Stub' vnd kühles Glaß.

Wolan wir wollen musiciren
Bey warmer Lufft vnd kühlen Wein /
Ein ander mag sein klagen führen /
Den Mammon nie lest frölich seyn.

Wir wollen spielen / schertzen / essen /
So lang vns noch kein Gelt gebricht /
Doch auch der schönsten nicht vergessen /
Denn wer nicht liebt / der lebet nicht.

Wir haben dennoch gnug zu sorgen
Wann nun das Alter kompt heran /
Es weiß doch keiner was jhm morgen
Noch vor ein Glück begegnen kan.

Drumb wil ich ohne Sorge leben /
Mit meinen Brüdren frölich seyn /
Nach Ehr' vnd Tugendt thu ich streben /
Den rest befehl ich Gott allein.

Horaz, carm. I 9:

> Vides ut alta stet nive candidum
> Soracte nec iam sustineant onus
>   silvae laborantes geluque
>   flumina constiterint acuto.
>
> dissolve frigus ligna super foco
> large reponens atque benignius
>   deprome quadrimum Sabina,
>   o Thaliarche, merum diota.

permitte divis cetera, qui simul
stravere ventos aequore fervido
deproeliantis, nec cupressi
    nec veteres agitantur orni.

quid sit futurum cras, fuge quaerere, et
quem Fors dierum cumque dabit, lucro
adpone, nec dulcis amores
    sperne puer neque tu choreas,

donec virenti canities abest
morosa. nunc et campus et areae
lenesque sub noctem susurri
    conposita repetantur hora,

nunc et latentis proditor intumo
gratus puellae risus ab angulo
pignusque dereptum lacertis
    aut digito male pertinaci.

Der Unterschied (art- und rangmäßig) zwischen den beiden Gedichten ist offenkundig. Die Horazode lebt aus einem Gedanken-
lauf, der von Strophe zu Strophe energisch weiterschreitet und sich
spannt vom hingetuschten Bild des beschneiten Berges bis zum spielerisch gesetzten Motiv des Liebesgekichers. Nach der Landschafts-
skizze der ersten Strophen folgt die Aufforderung an den Diener,
für Feuer und Wein zu sorgen, und schon zieht die Bewegung des
Gedichts weiter: Laß die Sorgen ums übrige, auch um die Zukunft;
nutze die Zeit aus! Vergeßt, ihr jungen Leute, auch die Liebe nicht,
und an diese Mahnung schließen sich, in ihrer Knappheit nicht ganz
leicht zu verstehen, wie getupft kleine Motive an, vorüber huscht
das Schäkern des Mädchens und das Spiel mit dem Liebespfand.
Hell und heiter klingt das Gedicht aus; vom Schluß her fällt —
fast scheint es: abgeklärte — Heiterkeit auf die Schatten der dritten
und vierten Strophe, wo das Nichtdurchschaubare des menschlichen
Schicksals berührt wurde. — Jedem Punkt der Ode genügt eine
scharf umzirkelte Aussage. Das genau gewogene Wort, kunstvoll
gesetzt, zwingt den Leser zum meditierenden Nachgehen der Be-
wegungslinie des Gedichts.

Bei Rist ist alles breit ausgewalzt. Mit einer geradezu naiven

Behaglichkeit schildert er und breitet die altbekannten Gedanken aus, ohne die Feinheiten der horazischen Art auch nur zu berühren. Keine Verteilung von Schatten und heiterem Licht wird versucht; in gleichem Ton klingen alle Strophen, und zu guter Letzt wird eine brave Wendung von Ehr und Tugend angehängt. Die acht parallelen Sätze des Beginns sind bezeichnend für die ‚Aufweitung' des Ganzen, die keiner erläuternden Worte bedarf.

Natürlich gibt es im 17. Jahrhundert auch weniger weitende Gestaltungen: Epigramm und Spruch sind stark verbreitet. Aber einmal wird man nicht gerade an ihnen die „barocke" Erscheinungsweise der Lyrik ablesen können (und dürfen), und zum andern ist das geistige und formale Spiel der Pointen und Antithesen, das gern in ihnen entfacht wird, ohnehin die genaue Fortsetzung einer sprachlichen Kunst, die der Lateindichtung der vorangehenden Jahrhunderte wohlvertraut war.

Diese und die zuvor bezeichnete Lyrikart verwirklichen in deutscher Sprache nichts anderes als vordem die neulateinische Poesie, mit den selbstverständlich unterscheidenden Eigenschaften, die das andere sprachliche Medium und die Bemühungen um den Ausdruck in dieser anderen Sprache notwendigerweise mit sich bringen. In der Analyse der Opitz-Gedichte ist es beschrieben worden, und an die dort gegebene Zusammenfassung ist noch einmal zu erinnern.

Erst gehäufter Einsatz (äußerer) rhetorisierender Mittel und innere Verkünstelung der Ausdrucksweise selbst in einem — freilich nicht rechnerisch abzumessenden — Ausmaß, daß es stilbestimmend ist, sich nicht nur um Stilzüge handelt, sondern um durchgängig herrschende Eigenschaften, lassen eine Art von Lyrik entstehen, die sich von der neulateinischen Dichtung abhebt. Zwar wird ihr dort, wie unschwer zu erkennen war, in einzelnen Formungen vernehmlich präludiert, zwar formen sich in der fortsetzenden deutschen ‚Opitz-Weise' (vgl. ›Lust deß Feldbawes‹, ›Trostgedichte‹) auf „Barockes" vorweisende Gebilde aus, aber es kommt nur hin und wieder zu jenem stilbestimmenden Ausmaß. Die gemäßigtere Tonart der ‚Opitz-Weise', die bruchlos das (neu)lateinische Erbe fortführt, bleibt für viele Autoren des Jahrhunderts die verbindliche Grundlage der Sprache im Gedicht.

Das andere also, was allein man rechtens mit der Bezeichnung „barock" belegen darf, wenn man nicht — was keinen Sinn haben kann — den Geltungsbereich dieses Begriffs über die neulateinische Lyrik zurück ausdehnen will, entsteht erst durch den stilbestimmenden gehäuften Einsatz der Kunstmittel des ornatus facilis und ornatus difficilis.[2a] Unter den Neulateinern pflegen einzig Schede Melissus, Taubmann, Caspar Barth mehr als nur beiläufig solche Gestaltungsart. (Auch Erscheinungen der früheren Latinitas zeigten Verwandtes und gestatteten Einblicke in die Bauweise; in unserer augenblicklichen Erörterung von Phänomenen und literaturgeschichtlichen Zusammenhängen der Lyrik des 16. und 17. Jahrhunderts in Deutschland bleiben sie natürlich unberücksichtigt.)

Das Bild der hier als „barock" bezeichneten Gedichte wird bestimmt durch die außerordentliche, oft auch maßlose Inanspruchnahme jener Formungen, die einzeln in den Kapiteln dieser Arbeit besprochen worden sind. Extensität und Intensität können sich dabei zusammenfinden, brauchen es aber nicht. Stets wird eindrucksvoll deutlich, wie sehr diese Dichtung auf das ,Deiktische' gerichtet ist und wie die beanspruchten Mittel darin ihren Sinn haben. Intensivierung lädt den Bereich der Bildlichkeit mit innerer Spannungskraft auf: Eigentliche Ausdrücke und Benennungen werden in ein künstlich hochgetriebenes uneigentliches Sprechen umgesetzt, das über das übliche Maß eines poetischen ornatus weit hinausstrebt; die einzelne Metapher wird gesteigert, wobei mit intellektueller Kraft die oftmals sehr weit auseinanderliegenden Vergleichselemente zusammengezwungen werden; dazu Häufung von übertragenen Ausdrücken.

Catharina von Greiffenberg
Auf die Fruchtbringende Herbst=Zeit
Freud'=Erfüller / Früchte=bringer / vielbeglückter Jahres=Koch /
Grünung=Blüh und Zeitung=Ziel / Werkbeseeltes Lustverlangen!

[2a] *Nachtrag 1974:* Da die Begriffe „ornatus facilis" und „ornatus difficilis" der mittelalterlichen Rhetorik entstammen, nicht aber der klassischen römischen Rhetorik, auf der die Humanisten fußen, sollten die beiden Begriffe hier vermieden werden. An die rhetorischen Kunstmittel der Figuren und Tropen ist gedacht.

Lange Hoffnung / ist in dir in die That = Erweisung gangen.
Ohne dich / wird nur beschauet / aber nichts genossen noch.
Du Vollkommenheit der Zeiten! mache bald vollkommen doch /
was von Blüh' und Wachstums = Krafft halbes Leben schon empfangen.
Deine Würkung kan allein mit der Werk = Vollziehung prangen.
Wehrter Zeiten = Schatz! ach bringe jenes blühen auch so hoch /
schütt' aus deinem reichen Horn hochverhoffte Freuden Früchte.
Lieblich süsser Mund = Ergetzer! lab' auch unsern Geist zugleich:
so erhebt mit jenen er deiner Früchte Ruhm = Gerüchte.
Zeitig die verlangten Zeiten / in dem Oberherrschungs = Reich.
Laß die Anlas = Kerne schwarz / Schickungs = Aepffel safftig werden:
daß man Gottes Gnaden = Frücht froh geniest und isst auf Erden.

(Cysarz II 197)

In Gryphius' Lyrik steht die extensive wie intensive Ausnutzung, von Grenzfällen abgesehen, im Dienst der „Sache", der res, die er wort- und bildmächtig mit dem Wort erfassen will. Die Frage der Sachgebundenheit wird jedoch in Einzelfällen schwierig zu entscheiden sein. Schon das Sonett der Greiffenberg ist unter diesem Gesichtspunkt kaum einhellig zu beurteilen; nicht anders steht es bei Quirinus Kuhlmann. Gewiß aber ist, daß an nicht wenig Stellen der „barocken" Dichtung eine Verselbständigung der sprachlichen Mittel geschieht, die ein selbstzufriedenes artistisches Spiel mit den deiktischen Möglichkeiten treiben. (Wollte man systematisieren — womit dem einzelnen ja nie voll gerecht zu werden ist —, so könnte man von einer gebundenen und freien Artistik des Deiktischen sprechen.)

Im freien artistischen Spiel kann sich Formulierung an Formulierung fügen und das Vorzuführende wie mit Spruchbändern behängen. Hofmannswaldau feiert in einer ›Lob-rede an das liebwertheste Frauenzimmer‹ die weibliche Brust, indem er verstiegene Metaphern schier endlos aneinanderreiht. So verstiegen sind die Vergleiche, daß eine verständige Beziehung zwischen den verglichenen Dingen kaum mehr besteht. Nur die zu Anfang gegebene Erläuterung „Die brüste sind mein zweck" erleichtert dem Leser das Verstehen. (Daß gerade bei Hofmannswaldau nicht geringer italienischer Einfluß besteht und zu höchster Künstlichkeit stachelt, ist bekannt.)

...

Der sinnen schiff soll mich in solche länder führen,
    Wo auf der see voll milch nur liebes=winde wehn.
Die brüste sind mein zweck, die schönen marmol=ballen,
    Auf welchen Amor ihm ein lust=schloß hat gebaut;
Die durch des athem=spiel sich heben und auch fallen,
    Auf die der sonne gold wohlriechend ambra thaut.
Sie sind ein paradieß, in welchem äpffel reiffen,
    Nach derer süssen kost iedweder Adam lechst,
Zwey felsen, um die stets des Zephirs winde pfeiffen,
    Ein garten schöner tracht, wo die vergnügung wächst.
Ein überirrdisch bild, dem alle opffern müssen.
    Ein ausgeputzt altar, für dem die welt sich beugt.
Ein crystallinen quell, aus welchem ströme fliessen,
    Davon die süßigkeit den nectar übersteigt.
Sie sind zwey schwestern, die in einem bette schlaffen,
    Davon die eine doch die andre keinmal drückt.
Zwey kammern welche voll von blancken liebes=waffen,
    Aus denen Cypripor die göldnen pfeile schickt.
Sie sind ein zeher leim, woran die sinnen kleben;
    Ein feuer, welches macht die kältsten hertzen warm;
Ein bezoar, der auch entseelten giebt das leben;
    Ein solcher schatz, für dem das reichthum selbst ist arm.
Ein kräfftig himmel=brod, das die verliebten schmecken;
    Ein alabaster=hauß, so mit rubinen prahlt;
Ein süsser honigseim, den matte seelen lecken;
    Ein himmel, wo das heer der liebes=sterne strahlt.
Ein scharff geschliffen schwerdt, das tieffe wunden hauet,
    Ein rosen=strauch, der auch im winter rosen bringt.
Ein meer, worauf man der Syrenen kräffte schauet,
    Von denen das gesäng bis in die seele dringt.
Sie sind ein schnee=gebürg, in welchem funcken glimmen,
    Davon der härtste stahl wie weiches wachs zerfleust.
Ein wasser=reicher teich, darinnen fische schwimmen,
    Davon sich sattsam ein verliebter magen speist. ...

usw. usw. (Cysarz II 207)

Bei solcher gehäuften Nennung werden oft auch die klanglichen
Möglichkeiten der Sprache ausgeschöpft, bis zu skurrilen Gebilden
hin. Die Nürnberger sind Meister auf diesem Gebiet; die adnominatio kann hier Triumphe feiern. In diesen Kunststücken wird

deutlich, wie zweierlei am Werk ist: einmal das Bemühen um die größtmögliche Biegsamkeit und Kunstfertigkeit der deutschen Sprache als einer vollwertigen Dichtungssprache, zum andern die Freude, den Gegenstand, das Thema mit artistischer Zeigekunst zu umwerben.

Sigmund von Birken:

> . . .
>
> Ertränket versenket die Fehden in Wein /
> lasst alles vergeben / vergessen heut seyn.
> Die Stücke / die vormals in Schlachten geschlachtet /
> in Treffen getroffen / nach Rache getrachtet /
> die Buckel zerkugelt / die Hauffen zerhaucht /
> die Pferde beerdet / die Reuter zerschmaucht /
> den Donner gehönet / Mordfeuer gespeyet /
> Thier / Türmer und Menschen zu Boden gemeyet /
> die Gräben begraben / die Gräber gefüllt /
> die Mauren entmauret / mit Spielen zerspillt;
> die lasset itzt hallen beknallen das Trinken /
> wann Gläser einander Gesundheit zuwinken.
>
> . . .
>
> Ihr heischeren Pauken / paukt wacker mit ein /
> pumpummet / bebrummet / besummet den Wein. . . .
>
> (Cysarz II 159) [3]

Eine Reihe von Beispielen mit knappen Hinweisen soll im folgenden vorüberziehen. Es sei nachdrücklich betont, daß es bei allen Bemerkungen zur Lyrik des 17. Jahrhunderts, die in diesen Abschnitten gegeben wurden und werden, nur darum gehen kann, grundsätzliche Gesichtspunkte zu umreißen, die sich aus der hier unternommenen literaturgeschichtlichen Phänomenologie ergeben.

Instruktiv äußert sich „barocke" Gestaltung in einem umfangreichen Gedicht Georg Heinrich Webers ›Hyphantes ermuntert seine Rubelle zur Frülings-Liebe‹ (Cysarz II 65 ff.). Der ‚Inhalt' ist leicht zusammenzufassen: Überall in der Natur wird es Frühling, alles empfindet erwachende Liebe. So auch der Mensch. Bei Göttern

---

[3] Über Klangmalerei unterrichtet eingehend W. Kayser, Die Klangmalerei bei Harsdörffer, Leipzig 1932.

und Menschen der Vorzeit war es nicht anders, und wie jene ist auch der Sprecher des Gedichts in Liebe entbrannt.

Neun Strophen lang beschreibt der Autor unermüdlich das frühlingshafte Geschehen in der Natur und in der Tierwelt. Wir erinnern uns an die Satzfolge des Horazischen „Solvitur acris hiems . . ." Aber hier! Was dort an Möglichkeiten vielleicht angelegt ist: die Reihung gleichwertiger, auf einen thematischen Punkt bezogener Sätze, das ist nun auf einen Höhepunkt künstlichen Sprechens getrieben, und zwar in doppelter Hinsicht: Eine fast endlose asyndetische Kette gleichwertiger, parallel gebauter Sätze zieht vorbei, nur ab und zu ein Enjambement oder doppelte Satzaussage bei *einem* Subjekt. Hinzu kommt aber die Umsetzung der Vorgänge in eine so überzüchtete Bildersprache, daß wir uns heute eines Lächelns nicht erwehren können.

> Der volle Himmel lacht mit seinen fruchtbarn Wolcken /
> Will von der trocknen Lufft und Erde seyn gemolcken /
>   Der sanffte Westwind buhlt und bringt ein neues Jahr /
>   Der Lentz begrünt der Bäum' und Wälder kahles Haar.

> Die schwanger Erde zeigt die auffgeschwollne Brüste /
> Der Mahler aller Welt / die Sonn / bringt tausend Lüste
>   Und neues Leben mit; Es wird bey dieser Zeit
>   Welt / Himmel und der Mensch und alles Vieh erfreut.

> Der länggebeinte Storch flickt aus sein altes Neste
> Und ruffet seine Frau zum neuen Hochzeit=feste
>   Der Frosch singt sein Coax mit vollgefülltem Leib /
>   Der geile Sperling girrt und hüpfet auff das Weib. . .

> Strophe 6:
> Pomona gibet Safft und Krafft den dürren Bäumen /
> Die Flora streuet aus in allen Garten=räumen
>   Die Blumen mancher Art / der warme Wasserfluß
>   Bekommet von dem Schlund der Erden manchen Kuß.

Strophe 7 und 8 geraten in reine Aufzählung, so groß ist das Bestreben des Poeten, dem Leser nur ja recht viel aus dem Frühlingsreich zu zeigen.

> Die Sterne / Sonn und Mond / und was am Himmel schwebet /
> Die Würmer / Schlangen / Fisch und was im tieffen lebet /

> Die Fliegen / Käfer und der Bienen kluges Heer
> Empfinden durch die Lieb ietz Kurtzweil und Begehr.

> Die Ochsen / Pferde / Schwein / die Kühe / Kälber / Rinder
> Der frommen Lämmer Schaar / die weisse Wollen=Kinder
> Gehn auff der fetten Weid und suchen ihre Lust /
> Die ihnen durch die Lieb und die Natur bewust. . . .

Die zehnte Strophe endlich bezieht den Menschen ein: „Auch Gottes Ebenbild / der Mensch / sucht seines gleichen . . .“ Aber die in dieser Strophe getroffene Feststellung, daß auch der Mensch „fühlt Feuer / brunst und flamm bey dieser Vorjahrs Zeit“, reicht noch nicht aus. Gelehrte Dichtung hält einen reichen Vorrat an mythologischen Beispielfiguren bereit, die an passend scheinenden Stellen zum Einsatz kommen. Sie werden zitiert, um ein Ereignis poetisch zu verdeutlichen und zu schmücken.

> Und so hat Nasons Geist geliebet die Corinnen /
> So hielte Maro sich verpflicht den Partheninnen /
> So brande Damon auch durch seiner Nisa Gunst
> Und trug umbhero der Leander seine Brunst. . . .

Die das Exemplarische herausstreichenden „so“ am Anfang der Alexandriner kehren noch etliche Male wieder, bis endlich in der 15. Strophe das Ziel auftaucht: „Und mit so süsser Brunst lieb ich auch die Rubellen . . .“ Die Schlußverse ergehen sich in einer einzigen preisenden Anrede, wie sie uns aus früheren Zitaten ähnlich vertraut ist:

> Rubelle schönstes Kind / du meiner Augen Sonne /
> Du meines Lentzes Zier und meines Früling Wonne /
> Du meiner Liebe lieb und meiner Treue Treu
> Mach heut mir deine Gunst und ferner stündlich neu.

Die Anrede ließ sich früher bereits als beliebter Platz für gehäufte Nennungen erkennen. Einen Exzeß in dieser Art bietet ein Sonett von Johann Georg Schoch:

> Er scheuet sich / Katheris Liebe / der Sylvien zu offenbahren.

> See / Himmel / Lufft und Wind / ihr Hügel und ihr Klüffte /
> Ihr Hölen voller Moos / ihr Wälder / ihr Fontein /

Ihr Brüche / Busch und Thal / du steigrer Felsen=Stein /
Beödte Wüsteney / ihr frischen Schäffer=Triffte /

Ihr Wiesen / und du Berg / ihr Schatten / und ihr Lüffte /
Ihr Felder / düstrer Forst / ihr Klippen / edler Rein /
Gefilde / Lachen / Bach und du beschatter Häyn /
Ihr Auen / Anger / Saat / Gebürge / Berg-Gestüffte /

Ihr Hufen / Klee und Thau / ihr Furchen / Qvell und Weyher /
Ihr Sträucher / öder Ort / ihr wüsten Ungeheuer /
Ihr Gründe / Sümpff / und Täuch / du Platz / und du Revier /

Vmb die die Sylvia ist täglich zu befinden /
Mein sagts ihr doch für mir; Ich mag michs nicht verwinden:
Ich liebte Katharis / Mein sagts ihr doch für mir.   (Cysarz II 60)

Zunächst ist man noch geneigt, die Wortreihen als legitime Aufzählung zu nehmen: „See/Himmel/Lufft und Wind", aber bald
merkt man, daß sich das Vermögen der Sprache von aller
sinnvollen Beziehung auf einen Zweck (nämlich die Erregung
des Liebenden auszudrücken) gelöst hat und ein Spiel um
seiner selbst willen veranstaltet. Virtuose Sprachkunst läßt sich
aus.

Nicht jede ausgeweitete Anrede ist nun ein solches Spielen im
Extrem. Zweierlei Aufgaben scheint sie zu erfüllen. Sie dient erstens dem Lob und Ruhm dessen, der (das) angeredet wird; zweitens (oft mit dem Preis des Angesprochenen verbunden) wird dadurch die Anrede nachdrücklicher, dringender, mahnender, sie dient
dem movere. Zwei Beispiele dafür:

1. Wenzel Scherffer von Scherffenstein lobt die Musik, indem er
sogleich mit der Anrede ihre Wirkungen in einer Fülle von Metaphern sichtbar zu machen sucht:

Der Music Lob

Du Zeitvertreiberin / Freund aller Gasterey /
Du Bannerin und Zwang der tollen raserey /
Du Kummerwenderin / Du Kind der Pierinnen /
Du Dämpferin des Zorns / Du Labsal unser Sinnen /
Du Freudenmehrerin / der Ohren liebste Kost /
Du Göttliches Geschenk / des Hertzens wehrte Lust /
Du süsse Musica / der Engel ewigs üben /

>   Du Gottes dienerin / wer wollte dich nicht lieben /
>   Du liebens=würdigste? ...   (Cysarz I 177)

2. Johannes Rist,

>   An die Christliche
>   Fürsten vnnd Herren
>   in Teutschland.
>   Ermahnunge zu wiederbringun-
>   ge des Edlen Friedens / vnnd wieder-
>   auffrichtunge rechtschaffener be-
>   stendiger Liebe vnd Ei-
>   nigkeit.

> Ihr Helden / die jhr all' auß hohem Stamm entsprossen
>   Durch Kunst vnd Tapfferkeit so hoch seyd auffgebracht /
> Ihr / die jhr Tag vnd Nacht der Arbeit ohnverdrossen
>   Habt ewren grossen Ruhm viel grösser noch gemacht /
> Ihr / die jhr manches Jahr in Waffen euch geübet /
>   Vnd durch die Mannligkeit so hoch geklummen seyd /
> Ihr / die jhr Gottesfurcht vnd waren Glauben liebet
>   Vnd trachtet nur nach Ehr' vnd Teutscher Redligkeit
> Ach höret meine bitt' / ach lasset euch erweichen:
>   (Ist schon mein wünschen schlecht / das Hertz' ist dennoch gut)
> Wann wird der lange Krieg sein letztes Ziel erreichen
>   Wann dünget man das Feld nicht mehr mit Menschenblut?
> Wann wird der grawsam' Haß / das Land vnd Leut verheeren
>   Das brennen ohne noht / das metzlen hören auff?
> Wie lange wil man noch Marck Fleisch vnd Bein verzehren
>   Wann bringet man den Mars auß Teutschland auff den lauff?
>   (Cysarz I 233)

...

Daß das prosaische Gerüst „Ihr hochberühmten Helden, wann beendet ihr den Krieg?" in poetischer Gestaltung ausgeschmückt wird,
überrascht nicht. Aber die Art, wie es hier geschieht, überschreitet
die Grenzen einer auf der ‚mittleren Ebene' sich haltenden Sprechweise. Man kann, wie auch die späteren Bemerkungen noch erweisen
werden, nicht behaupten, die Not des Großen Krieges habe diese
Formen erzeugt und zu spezifischen dichterischen Aussageformen
des von tiefem Leid durchfurchten 17. Jahrhunderts gemacht. Das
ist alles auch mit darin; aber daß der Mensch des spannungsgelade-

nen, von Grauen und Furcht erschütterten 17. Jahrhunderts in dieser Weise formuliert und komponiert, das verdankt er der Annahme und Übernahme traditionaler sprachkünstlerischer Elemente, die er freilich auch zu mehren und zu intensivieren weiß.

Nach der ausgedehnten Anrede folgt in unserm Beispiel eine Reihe von Fragesätzen, die alle nichts anderes aussagen als: „Wann wird der Krieg aufhören?" Die dritte Frage wird noch aufgeladen mit einem vierfachen Subjektglied, Schlag auf Schlag asyndetisch vorbeiziehend. Gereihte Fragesätze kommen auch in der lateinischen und neulateinischen Poesie genug vor. Aber es geschah dort kaum, daß ein ganzes umfangreiches Poem ein Stilmittel der ‚insistierenden Nennung' nach dem andern anwendet und sich mit einer (im wörtlichen Sinne) ein-fachen Aussage an keiner Stelle zufriedengibt. So ist es jedoch in diesem Gedicht Rists. Sogleich nach den drängenden Fragen folgt ein Satz, in dem der Beginn „Ich sehe" eine stattliche Anzahl von Objekten überschaut, die je einen Alexandriner füllen und eine Steigerung darstellen:

> Ich sehe ja die Lufft mit dickem Rauch erfüllet /
> Das grüne Mehr mit Blut gefärbet überall /
> Der güldne Sonnenglantz mit Dunckelheit verhüllet. . . .

Satz- und Satzgliedreihungen asyndetischer Form werden sehr strapaziert; anaphorische Reihen erscheinen an vielen Stellen, z. B.:

> Hinweg du grosser Grimm / hinweg du tolles toben /
> Hinweg du leichter Krieg / hinweg Schwerdt / Helm vnd Schild
> Hinweg jhr stoltzen Ross' / ich wil Irenen loben
> Sie ist voll Freundligkeit / Mars aber frech vnd wild.
> O Edler Friede komm'. . . .

Dieser Satz bedeutet einen Sinneinschnitt im Gedicht. Bis hierher hat der Dichter, nach Anrede und Fragepartie, vom Wüten des Kriegs gesprochen. Nun zeichnen seine Worte das Glück des Friedens nach, Bild um Bild, oftmals Verse hindurch in parallelem Satzbau. Siebenmal beginnt jeder fünfte Alexandriner „Wo Fried' ist / da . . .", und das „da" — vermöchte das Deiktische dieser Partien besser gekennzeichnet zu werden? — kann sich anaphorisch wiederholen, oder die Bildhäufung wird so organisiert:

> Wo Fried' ist / da geschichts / daß Schaff' vnd Lämmer springen /
>   Daß Rosse / Küh' vnd Stier' in voller Weide gehn /
> Daß Hirten vnd zugleich die Schäfferinnen singen
>   Daß grosse Klippen offt voll weisser Ziegen stehn. . . .

Hinweisendes „da" — „dort" verwendet z. B. auch Andreas Scul-
tetus, als er die Untaten des Krieges (und nicht das Glück des Friedens, wie eben Rist) zeigen will:

> . . . Da liegt ein Ströhern Dach.
> Da einer Kammer rest; dort sinckt ein Zimmer nieder:
> Da steht noch eine Wand / dort wancken Fenster = Lieder:
> Da fault ein halber Sparn / dort Riegel / Thor vnd Pfost:
> Da stinckt ein Pferd = geschierr / dort frist den Pflug der Rost.
> Da ist ein Vorhoff noch / dort eine Stube blieben /
> Die von der Vnthat zeigt / die Mars / dein Volck / getrieben. . . .
>   (Cysarz III 126)

Hier folge gleich noch ein Beispiel für anaphorische Häufungen,
womit die Reihe der zahlreichen lateinischen „hic"-Verbindungen
fortgesetzt wird.
August Adolf von Haugwitz,

> *An seine Bücher.*
> Diß ist der traute Sitz den ich mir auserwehlt /
> Was acht ich Sorgen = Last / was acht ich Unglücks = Wetter /
> Hier diese stumme Zunfft ist meiner Seelen Retter /
> Hier such und find ich das / was andern Leuten fehlt /
> Hier stirbt und schwindet das / was meinen Geist sonst qvält /
> Hier hab ich trotz der Welt und ihrer blinden Spötter
> Nechst Gott dem grösten / selbst der Sinnen wahre Götter
> Den'n sich mein Hertz und Geist auff ewig anvermählt.
> Hier hab ich meinen Sitz / hier hab ich meine Reise /
> Hier hab ich meinen Tranck / hier hab ich meine Speise /
> Hier hab ich meinen Schatz und theuren Edelstein /
> Hier hab ich meinen Ruhm / mein Reichthum und mein Prangen
> Hier hab ich / was ich wil / und was ich kan verlangen /
> Ach! daß doch nicht auch hier mein letztes Grab soll seyn.
>   (Cysarz II 229 f.)

Die beiden zitierten Gedichte von Rist lassen erkennen, daß das
„Barocke", von dem hier gesprochen wird, und ein gemäßigteres

Sprechen, das wie eine Fortführung neulateinischer Art im deutschen Idiom erscheint, von *einem* Dichter gehandhabt werden können, wie ebenso beide Gestaltungsweisen (zwischen denen die Übergänge natürlich fließend sind) gleichzeitig im 17. Jahrhundert verwirklicht werden, mit deutlich wahrnehmbarer Kernzone des „Barocken" im opus des Gryphius und um die Mitte des Jahrhunderts und danach. Von „barocker" Stilebene zu sprechen ist dadurch gerechtfertigt, daß sich nicht nur beiläufig, sondern in einer Breite und Nachhaltigkeit die eigentümlichen Erscheinungen versammeln, daß eine ganze Stilebene ausgebildet ist und ein beträchtlicher Teil der Lyrik sie besiedelt. Einzelne Gedichte der Neulateiner sind Vorverwirklichungen, nicht anders einige Gedichte aus dem Werk des Martin Opitz.

Selbstverständlich machen sich bei der Ausformung der barocken Sprachebene die Eindrücke anderer Literaturen lebhaft geltend. In Gedichten des Johannes Plavius z. B. kommen italienisch-spanische Einflüsse zur Wirkung und fördern eine graziös tändelnde Art.[4] Das Gedicht ›Daß der mensch nicht diese welt oder auch sein eigen fleisch / sondern vielmehr Gott lieben solle‹ ist auf ein ernstes, seit dem Mittelalter vertrautes und alles andere als spielerisches Thema geschrieben. Der größte Teil der Verse ergeht sich in sprachgewandter Aufzählung dessen, was unter dem Anspruch der Ewigkeit nichtig ist:

> Diese welt mit jhrer lust
> Ist nur lauter koth vnd wust
> Gegen das was ewig ist:
> Ihre lust ist falsche list /
> Ihre list ist seelen last /
> Ihre lust ist fleisches = mast.
> Diese welt mit jhren lüsten
> Wird vergehen / liebe Christen.
> Ihre nur geschminckte pracht /
> Ihre nur entlehnte macht /
> Ihre falsch vermeinte gunst /
> Ihre weißheit / jhre kunst

[4] Vgl. Manheimer, S. 129 ff. Plavius gibt vor Werder (1631) und Gryphius (1637) ein ganzes Buch Sonette heraus.

Ist vergebens vnd vmbsonst.
Denn sie muß mit jhren lüsten
Doch vergehen / liebe Christen.
Ihre schönheit / vnd jhr gut /
Ihre lieb' / jhr frecher muht /
Ihre leibsergötzlichkeit /
Ihrer seelen süssigkeit /
Ihre frewd' vnd sinnlichkeit /
Wäret eine kleine zeit.
Denn sie sol mit jhren lüsten
Bald vergehen / liebe Christen.
Ihre zierd' / jhr stoltzer leib /
Ihr geschwätz' / jhr zeit=vertreib /
Ihre lieder / jhr gesang /
Ihre speisen / jhr getranck /
Ihr spatzieren / jhre mueß' /
Ist ein weg zu schwerer buß' ...

(Cysarz II 80 f.)

Nicht anders ist der Stil aber auch in einem leichten, schwerelosen
Stück ›Der blinde Cupido‹. Darin gibt es eine Partie, wo die Eigenschaften des Ideal-Liebhabers in einem endlosen Zug benannt werden:

...
Nicht zu groß / vnd nicht zu kleine /
Nicht zu still' / auch nicht gemeine /
Nicht zu kurtz / auch nicht zu lang /
Nicht zu dick / vnd nicht zu schlang /
Nicht zu leibig / nicht zu mager /
Nicht zu fett / vnd nicht zu hager /
Nicht zu jung / vnd nicht zu alt /
Nicht zu plump vnd vngestalt /
Nicht ein buhler / nicht ein läuffer /
Nicht ein spieler / nicht ein säuffer /
Nicht ein zärtling / nicht ein schwein /
Nicht zu grob vnd nicht zu fein
Nicht zu fromm / auch nicht zu sturrisch /
Nicht zu schmeichlich / nicht zu murrisch /
Nicht ein schwätzer / auch nicht stumm /
Nicht zu listig / auch nicht tumm /

Nicht Calvinisch / nicht Catholisch
Nicht zu wild / nicht melancholisch /
   Nicht zu herrisch / nicht ein bawr
   Nicht zu alber / nicht ein laur.
Nicht zu eifrig / nicht zu linde /
Nicht zu langsam / nicht zu schwinde /
   Nicht zu milde / nicht zu karg /
   Nicht zu gut / auch nicht zu arg /
Nicht zu lässig / nicht zu beissig /
Nicht zu faul / auch nicht zu fleissig /
   Nicht ein jeck' / auch nicht ein holtz /
   Nicht zu schlecht / auch nicht zu stoltz ...

                           (Cysarz II 84 f.)

Anapher und Klangmalerei werden von Plavius stark beansprucht. Manheimer meint, daß er gerade damit auf Gryphius gewirkt habe.

Die anaphorische Häufung von Relativsätzen hatte schon im Gryphius-Kapitel erwähnt werden können; im Neulatein gab es Ähnliches, doch nicht in dieser übersteigerten Weise, zu der die Knappheit und daher schnelle Folge der Glieder erheblich beiträgt. Ein Trauergedicht des Plavius bringt folgende Passage:

Den Gott allhie bedacht / auch eh' er war geboren /
Den Genius geziert / den Arete geehrt /
Den Gottes geist ernewt / der Gottes wort gelehrt /
Dem / der mit freundlichkeit eim jeden kam zuvoren.
den Helicon beliebt / den Pallas hatt' erkohren /
Den Agerona küßt / den Tryphe nie verkeert /
Den Hebe selber krönt / den Venus nie bethört /
Den rafft nu Clotho weg / den klagen wir verlohren.
Verlohren? nicht also.[5]

---

[5] Bei Manheimer, S. 133. Ganz ähnlich ist Gryphius' Sonett Nr. 17 aus dem Lissaer Sonettbuch:

     In Reverendi Clariss. Doctissimiq; Domini
        M. PAULI GRYPHII. ...
DEr Eyvers voll von Gott stets Tag vnd Nacht gelehret;
Dehn Christus selbst erleucht; den Gottes Geist regirt /
Der CHRisti Schäfflin hat auff grüne Weid geführt /
Dem man das Hertz mit Angst / das Gutt mit Fewr versehret /
Dē keiner Feinde glimpff noch schnauber je verkehret /

Philipp Zesen komponiert eine Paraphrase des Bibeltextes Pred.
Sal. 3 und nutzt die Möglichkeiten der Häufung, bis herab zur asyn-
detischen Wortfolge, weidlich aus:

> WAs unsres Rund / die große Welt / ümgreiffet /
> was durch das Licht der rohten Sonnen reiffet /
>   was geht und steht / was lebet / schleicht und kreucht /
>   hat seine zeit / so weit der Himmel reicht.
> An dieses Licht der welt gebohren werden /
> und wiederüm genommen von der Erden
>   hat seine Zeit; Zunehmen und vergehn /
>   verwelken auch / und voll im blühen stehn /
> hat seine zeit; Das rotten / pflantzen / hauen
> das würgen auch / das heilen / brechen / bauen /
>   hat seine zeit; in klag' und lachen sein /
>   der tantz / das leid / das wohlergehn / die pein /
> hat seine zeit; stein = suchen / steine streuen /
> das hertzen auch / mit schertzen sich erfreuen /
>   von küssen weit und schertzen ferne sein /

> Den wahre Tugend hat mit Trost im Creutz gerührt /
> Der einig nur gelehrt — als seiner Lehr gebührt /
> Den Weißheit Ihr erkiest / den Svada hoch verehret /
> Den hat der Feinde Grim ins Elend hin verjagt!
> Ins Elend? Ey nicht so! . . .

Vgl. auch Hofmannswaldau, in der ›Lobrede an das liebwertheste Frauenzimmer‹:
  . . .

> Wol dem nun, der wie er kan so vergnüget leben!
>   Den so ein weisser schild für wehmuths-wunden schützt!
> Der seinem munde kan dergleichen zucker geben,
>   Der so vergnügt, wie er, im liljen-garten sitzt!
> Der so die blumen mag auf weissen wiesen brechen;
>   Der aus der brüste schacht rubin und demant gräbt.
> Der rosen sammlen kan ohn eintzig dornen stechen;
>   Der von der speiß und krafft der süssen äpffel lebt.
> Dem so das glücke blüht, den er so bruder nennet,
>   Dem eine runde brust kan pfühl und polster seyn.
> Der in der liebsten schooß mit vollem zügel rennet,
>   Der seiner Venus so flößt liebes-balsam ein.

(Cysarz II 209)

hat seine zeit; verliehren / samlen ein /
zureissen auch / zunehen / werffen / halten /
hat seine zeit; verjungen und veralten /
    das lieben auch und hassen; fried und streit /
    ja alles hat bestimmte stund und zeit.

(Cysarz II 92 f.)

Justus Georg Schottels ›Donnerlied‹ sucht die Macht des Gewitters mit knappen, unverbunden sich treibenden Sätzen und Satzteilen (Strophe 4), mit Häufungen und Lautnachahmungen zu gestalten:

Donnerlied

Schwefel/Wasser/Feur und Dampf
Wollen halten einen Kampf;
Dikker Nebel dringt gedikkt /
Licht und Luft ist fast erstikkt.

Drauf die starken Winde bald
Sausen/brausen/mit Gewalt/
Reißen/werfen/Wirbelduft/
Mengen Wasser/Erde/Luft.

Plötzlich blikt der Blitz herein /
Macht das finstre feurig seyn /
Schwefelklumpen / Strahlenlicht /
Rauch und Dampf herein mit bricht.

Drauf der Donner brummt und kracht /
Rasselt / rollet hin mit Macht /
Prallet / knallet grausamlich /
Puffet / sumsend endigt sich.

Bald das Blitzen wieder kommt /
Und der Donner rollend brummt:
Bald hereilt ein Windesbraus /
Und dem Wetter macht garaus.

(Cysarz II 99 f.)

Hier kommt das Verb in ungleich stärkerer Weise ins Spiel als bei Martin Opitz. Ausgekostet werden seine Möglichkeiten bei den

Nürnbergern, die mit den Mitteln klangmalender adnominatio starke, oft skurrile Wirkungen erreichen. Johann Klaj, aus der ›Höllen= und Himmelfahrt Jesu Christi, Auffahrt Jesu Christi‹:

> Es drummeln die küpfernen Drummel und summen /
> Es paukken die heiseren Paukken und brummen /
> Es lüdeln und düdeln die schlirffenden Pfeifen /
> Schalmeien die Reihen und Spiele verschweifen /
> Trommeten / Clareten Taratantara singen /
> Es drönet und thönet der Waffen Erklingen /
> Es siegen und flügen die silbernen Fahnen /
> Die Truppen die klopfen / zur Freude aufmahnen ...
>
> (Cysarz II 130)

Aßmann von Abschatz scheut sich nicht — den Namentaumel des Celtis (im Buch Seite 124 ff.) gleichsam ins sich selbst aufhebende Extrem treibend —, 44 Verse mit nichts als Namen zu füllen, folgender Art:

> Axleben/Busewey/Cölln/Eicke/Doberschiz/
> Faust/Gründberg/Horniz/Hund/Keul/Lucke/Motschelniz ...
>
> (Cysarz II 238)

Daß das eine Ausnahmeerscheinung ist und mit sprachlicher Kunst kaum etwas zu tun hat, ist offenkundig. (Es handelt sich ja auch nur um ein Namensarchiv, das in ein anderes Gedicht eingefügt ist.) Aber das Extrem ist doch symptomatisch. —

Wie sehr Lyrik hier als eine Kunst gehäuften erlesenen Benennens und Dekorierens verstanden werden kann, zeigt auf weite Strecken die Lyrik Hofmannswaldaus. Das Gedicht ›Auf den mund‹ bleibt von der ersten bis zur letzten Zeile in der Anredesituation:

> Mund! der die seelen kan durch lust zusammen hetzen,
> Mund! der viel süsser ist als starcker himmels=wein,
> Mund! der du alikant des lebens schenckest ein,
> Mund! den ich vorziehn muß der Juden reichen schätzen,
> Mund! dessen balsam uns kan stärcken und verletzen,
> Mund! der vergnügter blüht, als aller rosen schein,
> Mund! welchem kein rubin kan gleich und ähnlich seyn,
> Mund! den die Gratien mit ihren qvellen netzen;

Mund! Ach corallen=mund, mein eintziges ergetzen!
Mund! laß mich einen kuß auf deinen purpur setzen.

(Cysarz II 200)

Der weibliche Mund wird mit preisenden Benennungen überhäuft,
bis in der letzten Zeile die maßlos gefeierte Pracht endlich den nicht
minder gezierten Wunsch auslöst. Ein ständiges Kreisen um das eine
Ding, den unablässig genannten Mund, vollführt das Gedicht. Me-
taphorische Aussagen und Vergleiche heben ihn aus allem Gewöhnlichen weit heraus und zeigen ihn als etwas Einmaliges, als ein
Liebes-Dekorationsstück. Hyperbolisches Sprechen gehört zu aller
rühmenden Poesie, hier wird es noch intensiviert durch die Künstlichkeit der Aussagen.

Die ›Beschreibung vollkommener schönheit‹ (Cysarz II 200) ist in
der Struktur dem vorigen Gedicht gleich; nur werden die einzelnen
Verse statt mit dem wiederkehrenden Wort „Mund" mit dem Namen des Gegenstandes eingeleitet, der in der Verszeile beschrieben
= gepriesen werden soll: ein Haar, ein Mund, ein Zünglein, zwo
Brüste usw. Ein Relativsatz schließt sich jeweils an, ausgesuchten
Inhalts und gezierter Bilder:

Ein haar, so kühnlich trotz der Berenice spricht,
Ein mund, der rosen führt und perlen in sich heget . . . [6]

All das Bewunderte hat den Autor um seinen Witz und seine Freiheit gebracht, wie es der Schlußvers verkündet; nach der unpersönlichen Beschreibung eine ebenso unpersönliche Aussage, die mit
selbsterfahrener Liebe nichts zu tun hat. Und man weiß nicht recht:
Sind die gereihten lobenden Benennungen gemacht, um der Schluß-
zeile „Hat mich um meinen witz und meine freyheit bracht" die
erforderliche Begründung vorwegzuschicken, oder ist das Schluß-

---

[6] Harsdörffers ›Das Leben deß Menschen‹ ist gleich gebaut (Cysarz II
138):

Das Leben ist
Ein Laub / das grunt und falbt geschwind.
Ein Staub / den leicht vertreibt der Wind.
Ein Schnee / der in dem Nu vergehet . . . usw.

aperçu gesetzt, damit die Partie des schmückenden Benennens einen passenden Abschluß erhält?[7]

2. Zur Frage der Einheit von „Gehalt und Gestalt"

Die zitierten Textbeispiele sind mit Absicht recht ungeordnet mitgeteilt worden. Es taucht die Frage auf, ob bestimmte Stilerscheinungen nicht auch bestimmten Themen oder bestimmten Höhenlagen des Sprechens zuzuweisen sind und von dorther ihre Legitimation erhalten. Die Frage verlockt zu einem Ja. Denn die von der modernen Literaturwissenschaft weithin als selbstverständlich vorausgesetzte Einheit von Gehalt und Gestalt läßt solche Antwort erwarten. Trotzdem kommen wir in unserm Fall damit nicht recht weiter. Zwischen Gehalt und Gestalt klafft zu oft eine Lücke. Nun kann man allerdings die Diskussion darüber mit der Bemerkung abbrechen, daß jegliches Kunstwerk erst im Miteinander von Innen und Außen wirklich werde und erst in eben dieser — wie immer gearteten — Einheit die künstlerische Aussage sich formuliere; der Betrachter müsse diese Einheit nur richtig erkennen und verstehen. Eine Scheidung in Gehalt und Gestalt, Inhalt und Form sei immer sekundär und kaltes Analysieren des Untersuchenden und verfehle notwendig den Sinn der Gesamtaussage. Allein mir scheint, wir dürften angesichts der hier erörterten Dichtung dennoch etwas weiterfragen. Wohl decken sich bei einem großen Poeten, etwa bei Andreas Gryphius, Inhalt und Form zu einer künstlerischen Einheit; aber sogar da bleiben Fragen und auch Unstimmigkeiten, ganz zu schweigen von der Masse der gedichtfabri-

---

[7] Im Sonett ›Er ist gehorsam‹ (Cysarz II 201) häuft Hofmannswaldau zehn rhetorische Fragesätze aufeinander und läßt sie alle stereotyp beginnen: „Soll ich . . ." Alles will er ja tun, was die Geliebte verlangt, nur eins nicht, und das gibt den Gedankenblitz für den Schluß her: „Nur muthe mir nicht zu, daß ich dich hassen soll."

> Soll ich in Lybien die löwen-läger stören?
> Soll ich in Aetnae schlund entzünden meine hand?
> Soll ich dir nackt und bloß ins neuen Zembels strand?
> Soll ich der schwartzen see verdorrte leichen mehren? . . .

zierenden Literaten des 17. (und auch des neulateinischen 16.) Jahrhunderts. Die Stilmittel, die angewendet werden, um das Grauen des Krieges, die Not der Zeit, die Schrecken des Todes zu benennen, tauchen ebenso auf in Gedichten, die viel leichterer Thematik sind. Gehalt und Gestalt führen zu oft ein gesondertes Dasein, als daß heutige Betrachtung eine Einheit aus beiden voraussetzen dürfte. Von Fall zu Fall ist zu entscheiden, ob eine — uns glücklich erscheinende — Einheit verwirklicht ist. Als Gradmesser für das Gelingen des Gedichts kann sie nicht genommen werden.

Es gibt in der Literatur Phasen und Bezirke, in denen die künstlerische Setzung des Wortes als solche, die Handhabung rhetorischer Kunstmittel, die Artistik der Sprache einen Eigenwert darstellen. Der facultas dicendi solche künstlich-künstlerischen Verwirklichungen abzulocken und abzuzwingen ist hohes Ziel. Keine Frage, hier haben wir es (streckenweise) mit der Verselbständigung der verba gegenüber den res zu tun. Aber sie vollzieht sich auf der Grundlage des Wissens von der Bedeutung sprachkünstlerischen Vermögens, wie es den Humanisten eigen war und sich im ‚rhetorischen Verhältnis zum Wort' bekundete. Die barocken Erscheinungen in der deutschen Lyrik sind, wo sie sich aus der Bindung an eine Sache lösen und zu freiem artistisch-deiktischen Spiel werden, Zeugnisse der fortwirkenden Geltung der oben erörterten rhetorischen Sprachauffassung und der in ihr beschlossenen Konsequenzen.

Vor einer irrigen Meinung ist allerdings zu warnen: daß nun der auf dem Boden rhetorischer Sprachauffassung erwachsenden Lyrik (gleichgültig ob sie in ihrer Gestaltung sachgebunden bleibt oder sich die Sprache und ihre Formungen zu freier Artistik verselbständigen) der Inhalt der Dichtung völlig gleichgültig sei, wofür als Beweis gelten könne, daß gleiche Themen und Motive immer wieder behandelt werden.[8] Die Sache liegt anders. Nicht jegliches Thema wird dichterisch behandelt und nicht beliebige Motive werden gewählt, aber jedes gewählte Thema und Motiv können Anlaß zu

[8] Vgl. die in den Kapiteln über die römische Lyrik mehrfach gemachten Bemerkungen zu dem Buch von Ernst Howald, Das Wesen der lateinischen Dichtung, Zürich 1948.

artistischer Gestaltung sein und eine manieristische Rhetorisierung auslösen. Das widerspricht strikt einer lyrischen Ausdrucks- und Erlebniskunst, wo erst durch das unauflösliche Ineinander von Außen und Innen das sprachliche Kunstwerk sich voll verwirklicht. Phasen und Bezirke einer Dichtkunst, in denen sprachlich-formale Elemente um ihrer selbst willen spielen können, weil sie einen künstlerischen Eigenwert darstellen, sind nur möglich in einer Lyrik, die nicht „Erlebnisdichtung" sein will (wenn man den unglücklichen Begriff als Verständnishilfe einmal hinnimmt) und wo die Einheit von Gehalt und Gestalt nicht vorausgesetzt und verbindlich ist. Selbstverständlich gelingt auch nicht-lyrischer Lyrik diese Einheit: Klassische Dichtung lebt auch hier aus der Kongruenz von Innen und Außen. Die römische Poesie darf als Beispiel gelten. Aber Stilelemente meditierend-deiktischer Lyrik können sich aus einer Bindung an die Sache befreien und sich in selbstgefällige Eskapaden stürzen. Subjektive Ausdruckslyrik würde sich damit selbst aufheben.

Beschäftigung mit solcher Dichtung läßt erkennen, daß die Vorstellung der Gehalt-Gestalt-Einheit in entscheidendem Maße einem Dichtungsverständnis entspringt, das sich am organischen Kunstwerk subjektiver Ausdrucks- und Erlebniskunst orientiert. Es ist zu befürchten, daß von solchem Standpunkt aus Werke mit der Tendenz zu artistischer Rhetorisierung abgewertet und nicht in ihrer Besonderheit begriffen werden. Bezeichnender- und verständlicherweise sind aus dem 17. Jahrhundert auch nur jene Gedichte einigermaßen lebendig geblieben, in denen Inhalt und Form sich zu decken scheinen, etwa solche Gryphius-Gedichte, die die Erschütterung durch Krieg und Elend scheinbar unmittelbar ins dichterische Wort aufnehmen, Verse Simon Dachs („Der Mensch hat nichts so eigen ..."), Strophen Paul Gerhardts, von eigenem Erlebnis berührte Gedichte Paul Flemings.[9]

---

[9] Auch Ellinger hat in seine Anthologie neulateinischer Gedichte (Lat. Litdenk. 7) nur jene Stücke aufgenommen, die von rhetorisierender Artistik frei sind. Dagegen sind in dem unten angeschlossenen Textanhang auch solche Gedichte abgedruckt.

3. Literaturgeschichtlicher Aspekt

Man pflegt gern auf die kritische Abwendung hinzuweisen, die das beginnende 18. Jahrhundert vom sog. Barockjahrhundert vollziehe. Es muß aber nachdrücklich darauf aufmerksam gemacht werden, daß die Kritik keinesfalls auf das gesamte Jahrhundert zielt. Sie richtet sich vielmehr allein gegen eine Dichtung des Jahrhunderts, die voller formaler und inhaltlicher (besonders metaphorischer) Künstlichkeiten steckt, oft dunkel ist, „ja", wie Gottsched in der ›Critischen Dichtkunst‹ sagt, „mit lauter ästhetischen Rätseln sinnträchtiger und gedankenschwangerer Machtwörter und Wortriesen aufgezogen" daherkommt. Protest erhoben wird gegen sie im Namen des „guten Geschmacks", der in Übereinstimmung mit einem Kunstverstand urteilt, der auf vernünftig-verständige Weise das Geschmacksurteil jederzeit rechtfertigen kann; guter Geschmack ist „vernünftiger Geschmack". So findet sich in Joh. Ulrich Königs ›Untersuchung von dem guten Geschmack in der Dicht- und Rede-Kunst‹, die er der von ihm besorgten Ausgabe der Gedichte des Canitz anfügt, eine bezeichnende Stelle, in der er auch die Fehler der nun verpönten Dichtungsart Revue passieren läßt:

„In der Helffte des funffzehnten Jahrhunderts gelung es erst den Wissenschafften, sich aus dieser Finsterniß [des üblen Geschmacks des Mittelalters] wieder zu befreyen, da in Italien viele grosse Männer zugleich aufstunden, durch welche, wie vorher schon einiger massen durch den Petrarcha, so wohl die Sprachen als die Künste von der Barbarey entlediget, und der gute Geschmack wieder hergestellet ward.

Von dar theilte er sich ... auch in andere Länder aus, und fand in Teutschland, was die Dicht- und Rede-Kunst betrifft, sonderlich in Schlesien, einen glücklichen Beförderer an unserm grossen Opitz.

Wie aber im Gegentheil gantz Welschland aufs neue zu derselben Zeit von dem üblen Geschmack aus der Schule des Marino als mit einer Pest angesteckt, und der Italienische Parnaß, mit schwülstigen Metaphoren, falschen Gedanken, gezwungenen Künsteleyen, lächerlichen Spitzfindigkeiten, läppischen Wort- und Buchstaben-Spielen, seltsamen Mischmasch, aufgeblasenen Vorstellungen, Hyperbolischen Ausdrücken, zweydeutigen Gegensätzen, schülerhafften Beschreibungen, weithergesuchten Allegorien, schulfüchsischen Erfindungen, uneigentlichen Redens-Arten, übelangebrachter Belesenheit, Mythologischen Grillen, und hundert anderen kindischen und geschminckten Auszierungen, als mit so viel allgemeinen Land-Plagen, heimgesucht ward, dessen die Gelehrtesten und Klügsten dieses Landes sich ietzo schämen, und darüber in ihren öffentlichen Büchern selbst häuffige Klagen führen; so zog sich dieses Gifft, mit den Marinischen Schrifften, auch nach Teutschland. Man ward, wie dort der männlichen Schreibart des Petrarcha, so bey uns des edlen Geschmacks unsers Opitz müde, man suchte sich einen neuen Weg auf den Parnaß zu bahnen, kurtz: Die Lohensteinische Schule bekam auch bey uns die Oberhand über den guten Geschmack, und verleitete fast gantz Teutschland so wohl, als die meisten seiner Lands-Leute." [10]

Unter dem verachteten „Schwulst" und „Bombast" hinweg, welche Ausdrücke Gottsched verwendet, hält sich eine Ebene des Sprechens und Gestaltens durch, die über allen Besonderheiten im einzelnen die deutschsprachige Dichtung von Opitz bis ins mittlere 18. Jahrhundert zu etwas Zusammengehörigem verbindet, und man urteilt gewiß nicht falsch, wenn man z. B. die anakreontischen Gedichte des 18. Jahrhunderts als eine geschmeidigte und gestutzte opitzianische Lyrik bezeichnet.

Gottsched versteht sich selbst als Fortsetzer Opitzscher Bemühungen. Am Beginn des Neuen stehen erst die Namen Klopstock und Goethe.

So werden wir auch durch die Kenntnis der Anschauung bedeutender Theoretiker des frühen 18. Jahrhunderts bestärkt, die Eingrenzung der „barocken" Lyrik in dem oben entwickelten Sinne vorzunehmen.

Die zugehörigen sprachlichen Erscheinungen sind nach der Vorstellung von E. R. Curtius Manierismen. Ihm ist bekanntlich Barock eine der mehrfach erscheinenden manieristischen Phasen in der europäischen Literatur. Er verwirft den Begriff „Barock" überhaupt als unbrauchbar und möchte statt dessen den von historischen und andern Assoziationen freien Stilbegriff „Manierismus" verwendet sehen. Indes scheint man das kaum akzeptieren zu wollen. [11]

[10] Des Freyherrn von Caniz Gedichte ..., Nebst dessen Leben, und Einer Untersuchung Von dem guten Geschmack in der Dicht- und Rede-Kunst, ausgefertigt von Johann Ulrich König, Leipzig und Berlin 1727, S. 234 ff.

[11] Vgl. oben S. 9 ff.

Vielmehr stellt sich die Aufgabe, „Barock" des 17. Jahrhunderts vom „Manierismus" (als einer allgemeinen Erscheinung) abzugrenzen. G. R. Hocke macht, in teilweise freilich änigmatischen Wendungen, im zweiten Band seiner Manierismus-Untersuchungen einige Bemerkungen zu dieser Frage, nachdem er früher den Begriff „Barock" wie Curtius ganz hat verbannen wollen.[12] Es liegt auf der Hand, daß im Rahmen unserer Arbeit und von ihren Voraussetzungen aus diese Frage nicht angegangen werden kann und soll. Ihr ist es um einige Klärung im Felde der Lyrik zu tun, und der *Epochen*begriff „Barock" wird von mehr Elementen konstituiert, als daß sie diese Betrachtungen und die Lyrik des 17. Jahrhunderts überhaupt sichtbar machen könnten.

Nachbemerkung 1974

Das Buch, aus dem hier einige Seiten abgedruckt sind, ist in seiner letzten Fassung vor bald anderthalb Jahrzehnten geschrieben worden. Die dort geübte ‚literaturgeschichtliche Phänomenologie' erfaßt nur *formale* Elemente und etwas von deren Tradition. Allein innerhalb dieser (sehr engen) Grenzen kommt sie vielleicht zu einigen Ergebnissen. Umfassendes historisches Begreifen der Phänomene ist auf diese Weise nicht zu erreichen.

[12] Manierismus in der Literatur (rowohlts dt. enzyklop., Bd. 82/83), Hamburg 1959, S. 144 ff.

Trois Conférences sur le Baroque Français. (= Studi francesi, Suppl. 21.) 7, 1963, S. 49—60. Aus dem Französischen übersetzt von Ursula Magen.

DAS PROBLEM DES LITERARISCHEN BAROCK IN FRANKREICH

Gegenwärtiger Stand der Forschung und Ausblick in die Zukunft

Von Jean Rousset

I

Wie stellt sich das Problem zum gegenwärtigen Zeitpunkt? Welche Wirkung hatte die Einführung des Begriffs „Barock" in die Literaturgeschichte? Hat sich der Begriff als brauchbar erwiesen, kann er es heute noch sein und unter welchen Bedingungen?

Valéry war der Ansicht, daß es unmöglich sei, im Ernst daran zu denken, daß Begriffe wie „klassisch" oder „romantisch" hilfreich seien; man müsse schon allen Sinn für geistige Zucht verloren haben, um diese Begriffe definieren zu wollen. Er hatte recht. Warum also sollte man nun noch neue Begriffe einführen? Warum sollte man mit dem Begriff des „Barock" jenen schon vorhandenen nebelhaften Begriffen noch einen weiteren hinzufügen, der ebenfalls weit davon entfernt ist, den kritischen Geist zu befriedigen und einer einfachen, unumstrittenen Definition zu entsprechen?

In der Literatur ist es schon immer so gewesen, daß die Werke und die schöpferischen Einzelnen die einzigen Fakten sind, die wirklich zählen; aber wenn das so ist, laufen die Kategorien dann nicht Gefahr, stets nutzlos, wenn nicht gar schädlich zu sein? In einer bestimmten Phase der Reflexion und des Forschens kann es trotz alledem nötig sein, daß man, um wirklich an die Werke selbst heranzukommen, Kategorien braucht, theoretische Kriterien. Diese Kriterien sind selbstverständlich heuristisch, die Kategorien empirisch; es sind Näherungswerte, deren Funktion nur eine vorläufige sein kann; sie bilden den Rahmen, der das Sichtbarwerden bestimmter kritischer Probleme begünstigt; sie bedeuten nicht das Ende, sondern den Anfang der Untersuchung. Wir sind nun einmal so beschaffen, daß wir historischer Schemata bedürfen, um die Wirklichkeit ordnen zu können; diese Schemata sind jedoch nicht die Realität selbst, sie sind nicht die Werke selbst, sondern nur optische Gläser, Instrumente für die Forschung. So betrachtet sind die Beziehungen, die zwischen dem Instrument und dem Objekt der Untersuchung bestehen, zwar zufällig, aber nichtsdestoweniger entscheidend.

Seit ungefähr einem Vierteljahrhundert hat der Begriff des „Barock" diese nützliche Rolle gespielt, nicht sosehr in Frankreich selbst als vielmehr im Ausland. Dieser Begriff hat die Entdeckung und Aufwertung eines ganzen Zweiges der Literatur des 17. Jahrhunderts veranlaßt oder zumindest begünstigt. Er hat Tote auferstehen lassen und Idole von ihren Sockeln gestoßen. Eine versunkene Welt, in der die Menschen des 20. Jahrhunderts zu Recht oder zu Unrecht alle möglichen Ähnlichkeiten mit ihrer Zeit entdecken, ist wieder emporgestiegen.

Im allgemeinen ist es so, daß eine neue Kategorie in dem Maße, in dem sie auch einer neuen Sehweise entspricht, uns eine neue Sicht auf die Dinge öffnet; eine neue Kategorie modifiziert oder berichtigt unseren Geschmack; sie versetzt uns in die Lage, das klar zu erkennen, was wir vorher nicht einmal vage wahrgenommen haben; sie läßt uns positiv empfinden, was uns früher abstieß oder gar nicht berührte.

Der Begriff des „Barock" hat in dieser seiner Funktion als Experiment, in seiner Eigenschaft als kritisches Instrument der Forschung, seine Fruchtbarkeit für die europäische und die französische Literaturgeschichte bewiesen; trotz gewisser Verwirrungen und einiger Rückschläge scheint das Endergebnis positiv zu sein; nun ist es das Wichtigste, dem Begriff seinen Charakter als Arbeitshypothese zu bewahren und nicht dogmatisch das Werkzeug für die Interpretation mit den zu interpretierenden Werken zu verwechseln. Die eigentliche Aufgabe besteht nicht darin, einem Autor oder einer Epoche ein neues Etikett zu geben, sie besteht nicht so sehr darin, zu entscheiden, ob dieses oder jenes Werk zum Barock zu zählen sei oder nicht, sondern darin, zu erkennen, wie das Werk auf seine Art und Weise auf die neudefinierten Kriterien antwortet und ob es uns in diesem Lichte als ein neues und lebendiges Ganzes erscheint.

Ich glaube, daß wir gerade jetzt an dem Punkt angelangt sind, an dem sich das entscheiden wird. Der Begriff „Barock" hat es uns ermöglicht, einen neuen Planeten zu erobern; nun ist die Zeit gekommen, zu handeln, das eroberte Land zu säubern und in Besitz zu nehmen. Das heißt mit anderen Worten, wir müssen uns jetzt wieder den Texten und den Werken zuwenden, den unmittelbaren Kontakt mit ihnen suchen und zu einer intensiven Lektüre zurückfinden, indem wir die neuentdeckten Tatsachen einzeln in diesem neuen Licht untersuchen; es ist jetzt unsere Aufgabe, Monographien zu schreiben und ins Detail gehende Einzeluntersuchungen, Analysen von Motiven und Strukturen vorzunehmen usw. Dieses Bedürfnis scheinen zur Zeit sowohl die Literarhistoriker wie auch die Kunsthistoriker sehr zu empfinden: „Der Begriff ‚Barock' ist nicht ein Äon, eine Hypostase, ein transzendentes X. Er hatte seinen Ausgangspunkt in der Realität und muß nun auch in dieser Realität selbst seine Berechtigung erweisen." (Marcel Raymond) [1]

Der Begriff „Barock" ist kein „Äon", und die Vorstellung des Eugenio d'Ors von einem alle Zeiten durchziehenden Barock findet immer weniger Zustimmung.[2] Es überwiegt die Tendenz, den Barock zunehmend genauer ins 17. Jahrhundert, zwischen Manierismus und Rokoko, zu lokalisieren. Dagegen macht sich besonders bei den deutschen, den amerikanischen, zum Teil auch bei den italienischen Historikern, seit langem die Tendenz bemerkbar, den Begriff innerhalb der Epochengrenzen auf den Gesamtkulturbereich auszudehnen, der so als einheitliches, von einem dominierenden Prinzip beherrschtes Ganzes angesehen wird. Das Wort „Barock" wird so zu einer chronologischen Bezeichnung. Wenngleich diese gesamtheitliche Konzeption auf Grund ihres analogischen Wertes vorübergehend fruchtbar sein kann, so stößt sie doch in dem Augenblick auf ernsthaften Widerstand, in dem sie mit der Realität, die

[1] Le Baroque littéraire français, état de la question, in: Studi Francesi, 13, 1961. S. 23—39.

[2] Sie lebt noch weiter bei Curtius und seinen Schülern unter dem Namen „Manierismus"; dazu G. R. Hocke, Manierismus in der Literatur, Hamburg 1959.

sie ja gerade erhellen sollte, zusammentrifft. Es sind dann im Gegenteil gerade die Vielfalt und die Unterschiede zwischen den Strömungen, den lokalen Gruppierungen und den Künstlern, die die Aufmerksamkeit auf sich ziehen. Eine heterogene Epoche zeichnet sich ab, und man verliert das Ganze aus dem Auge.

In dem Schwanken zwischen einer zentralisierenden Zusammenschau, die der Vielfältigkeit des Wirklichen eine einzige Bedeutung aufzwingen will, und der Tendenz zur monographischen Aufsplitterung, die sich wenig darum kümmert, notwendige und erhellende Beziehungen herauszustellen, liegt eine weitere Schwierigkeit begründet.

Die einzige Möglichkeit, die Vorteile der beiden Positionen zu verbinden, besteht darin, den Begriff Barock als ein stilistisches Kriterium innerhalb der Grenzen einer gegebenen Epoche zu gebrauchen. In dieser Funktion eines stilistischen Instruments, das auf die Besonderheit der Einbildungskraft wie auf die Formelemente eines Stils zielt, könnte er ein wirksames Mittel der Forschung und der Erkenntnis sein, das es gestattet, an die Werke mit genau formulierten Fragen heranzutreten und das Gleichartige von dem Vielfältigen zu sondern.

Man darf das Frankreich des 17. Jahrhunderts nicht getrennt von Kunst und Kultur des übrigen Europa sehen, wo der italienische Einfluß vorherrschte. Es ist einer der großen Vorteile des neuen Begriffs, daß er uns dazu zwingt, uns eine genauere Vorstellung von dieser europäischen Situation zu machen und auf komparatistische Methoden zurückzugreifen. In Frankreich jedoch sind im 17. Jahrhundert im Einflußbereich des sehr aktiven Barockelements alle Arten von Varianten und die unterschiedlichsten Ansätze zu finden.

Welches sind nun in großen Zügen die bis jetzt erreichten Ergebnisse? Das 17. Jahrhundert Frankreichs wird zur Zeit von Grund auf neu geordnet. Abgesehen von dem schon erwähnten Ausgrabungen und den Neuinterpretationen, abgesehen auch von den zur Zeit laufenden Untersuchungen über diese „neuen" Dichter, gibt man im allgemeinen sogar in gewissen Nachschlagewerken die Existenz einer barocken Periode, auf die eine klassische folgte, zu. Das setzt nun allerdings die Annahme einer Wende oder eines totalen

Umsturzes um die Mitte des Jahrhunderts voraus und eine strikte Gegensätzlichkeit zwischen „klassisch" und „barock". Die Wende ist notwendigerweise an diese antithetische Auffassung der beiden Begriffe geknüpft. Wer die Antithese verneint oder abschwächt, mildert das schroffe Gegeneinander der beiden Begriffe. Am besten würde man diese sich automatisch einstellende Gegensätzlichkeit selbst in Frage stellen. Die Frage ist so umstritten, daß hier Stoff für zahlreiche Diskussionen und Untersuchungen liegt.

Man spricht heute von „barock", wo man früher „vorklassisch" sagte. Die neue Einteilung, so umstritten sie auch sein mag, bedeutet jedoch mehr als eine einfache Änderung der Terminologie; sie entspricht einer wirklichen Veränderung und ist das Zeichen für einen gewissen Fortschritt. Das hat mehrere Gründe. Der Hauptgrund liegt darin, daß man die erste Hälfte des Jahrhunderts nicht mehr nur in bezug auf die zweite und nach deren Normen beurteilt. Was man auch von dem Begriff „barock" halten mag, zumindest ist es jetzt möglich, die als „barock" gekennzeichneten Dichter um ihrer selbst willen zu lesen; sie werden in dem ihnen eigenen Stil und in ihrer besonderen geistigen Einstellung anerkannt; sie sind autonom geworden.

Nach alledem kann man nicht umhin, sich die folgende Frage zu stellen: ist das neue Schema wirklich neu? Ist dieser doch schon allzuoft als unregelmäßig, maßlos übertrieben, emphatisch, überladen, als ohne Ordnung gekennzeichnete Barock, auf den man immer eine Wende, den Umschwung zum Klassischen, folgen ließ, wirklich neu? Für viele ist dieser Umschwung immer noch gleichbedeutend mit Reinigung, Reue, Bekehrung zum Besseren, mit dem Sieg der Ordnung über das Chaos! Dabei ist dieses Schema der Aufeinanderfolge nur sehr bedingt fortschrittlich und unterscheidet sich nur äußerlich von seinem Vorgänger. Nicht nur deshalb aber erscheint es mir in höchstem Maße angreifbar, sondern weil es auf Grund einer ungenügenden Definition des Barock, der hier als eine Form des Chaos angesehen wird, in der Vorstellung des zeitlichen Nacheinanders befangen bleibt. Es gibt sehr wohl eine barocke Ordnung, und es gibt eine barocke Geisteshaltung. Solange man das nicht zugibt, hat sich nichts geändert, und die Einführung des neuen Begriffs in die Literaturgeschichte wird nur eine scheinbare sein und unwirksam bleiben. Wenn man dagegen bereit ist, im Barock eine Ordnung und einen Stilwillen anzuerkennen, eine Ergänzung der klassischen Ordnung und des klassischen Stils, dann wird es möglich, die geschichtliche Realität als eine umfassende sichtbar zu machen, in der Vieles und Unterschiedliches zu gleicher Zeit wirksam ist. Das ganze Jahrhundert wird dann als eine Mischung parallellaufender und verschlungener Tendenzen bewußt, die einander entgegengesetzt sind oder miteinander verschmelzen.

Aus diesem Grund sollte es jetzt die Aufgabe des Historikers, der zugleich auch Kritiker ist, sein, neben der Analyse der Werke eine genauere Bestimmung der Eigenart und der Funktion des neuen Forschungsinstruments zu geben. Es sollte jetzt seine Aufgabe sein, diesen Stil für die Literaturgeschichte besser zu definieren, ohne die außerordentlich schwierige Frage der Analogie der literarischen Formen zu denen der bildenden Kunst aus dem Auge zu verlieren. Wie groß auch immer die Gefahren sein mögen, denen sich der Literarhistoriker aussetzt, wenn er die Arbeiten der Maler und Architekten [3] für seine eigenen Zwecke benutzen will, ich werde das Risiko eingehen, denn ich bin überzeugt, daß es einer der Wege ist, die zu einer Erforschung der Strukturen der menschlichen Vorstellungskraft führen können.

II

Der zweite Teil des Überblicks wird die allgemeinen Gedankengänge verlassen und den Versuch wagen, die Theorie an den Gegebenheiten zu erproben; er wird einem der möglichen Wege der barocken Vorstellungskraft folgen, so wie sie sich in einem konkreten Werk ausgeprägt hat. Ich werde als Ausgangspunkt ein exemplarisches Werk des Baumeisters Borromini nehmen, S. Ivo della Sapienza in Rom, einen Zentralbau mit Kuppel. Dabei muß zuerst einmal der überlieferten Symbolik der Sakralarchitektur Rechnung getragen werden. Über einer niederen, irdischen Zone erhebt sich oberhalb des Kranzgesimses eine höhere Zone, die die

---

[3] Vgl. P. Charpentrat, Les Français devant le baroque: de la légende à l'histoire, in: Critique. Dezember 1961.

himmlische Welt symbolisiert und in der die überirdischen Figuren dargestellt sind. Diese Symbolik ist von um so größerer Überzeugungskraft, wenn wie in diesem Bauwerk dem Allerheiligsten Kreis und Kugel als konstituierende Formelemente zugrunde liegen.[4]

Gewiß ist ein solches Werk in erster Linie das Meisterwerk eines Baumeisters, dem ein strenges Erfassen von Gesetzmäßigkeiten wichtig ist und der die in den Formen liegenden Möglichkeiten erforscht. Aber dieses Forschen ist zugleich ein Träumen, das durch die Kraft der Formen hindurch auf einen empfänglichen Betrachter Wirkung ausübt. Ich gestatte mir im folgenden, ausschließlich diese Wirkung auf die Empfindung herauszustellen.

Demjenigen, der S. Ivo betritt, erscheint die untere Zone außerordentlich bewegt, ja zersplittert und in viele Einzelheiten zerteilt durch das Gegeneinander von Geraden und Kurven, durch das Abwechseln von Dreiecken und Halbkreisen, durch die Asymmetrie der Ansichten, die sich in den drei Schnittpunkten gegenüberstehen. Der Plan eines Sechsecks ist mit einer solchen leidenschaftlichen Kraft durchgestaltet, daß das Ganze sich in viele Einzelteile aufzulösen scheint und den Eindruck der Zersplitterung, der Auffächerung einfacher Formen, den Eindruck einer Verunsicherung des Gleichgewichts und eines sich auflösenden geometrischen Systems hervorruft. Es wird uns klar, daß wir uns in einer Welt des Unbeständigen, des Auseinanderstrebenden, in einer Welt des Konflikts befinden.

Folgt der Blick dann aber den großen vertikalen Linien, die in einer von dem Kranzgesims kaum unterbrochenen einheitlichen Bewegung zur Höhe der Kuppel emporschwingen, so wird er nicht nur aus der Dämmerung zum Licht geführt, sondern auch von der Vielfalt zum Einfachen und von der Bewegung zum Ruhenden, von der Vielfalt zu dem Einen, dem vollkommenen Kreis der Laterne. Er sieht den zerrissenen, sich in Teile auflösenden Kreis der unteren Zone sich umformen und langsam immer mehr in dem reinen, in sich ruhenden Kreis aufgehen, der, umgeben von Sternen

---

[4] Vgl. R. Wittkower, Architectural Principles in the Age of Humanisme, Alec Tiranti. London 1952.

und Engelsköpfen, die göttliche Ewigkeit symbolisiert. Der Beschauer ist eingeladen, auf diesem durch die einzelnen Formelemente des Werkes unübertrefflich vorgezeichneten Weg die Umwandlung des Unbeständigen in ruhiges Beharren mitzuerleben, und, da er sich in einem Heiligtum befindet, soll es dem Beschauer ermöglicht werden, dieses Aufgehen des vielfältig Sichverwirrenden in einer Einheit, dieses Hinüberreichen des sinnlich Wahrnehmbaren in heilige Bezirke, diese Rückverwandlung des offenen und unterbrochenen Kreises in einen vollständigen Kreis in sich selbst nachzuvollziehen.

In dem nach Geist und Anlage sehr unterschiedlichen, unruhigeren und mehr aufs Dekorative hin konzipierten Gebäude, in S. Andrea al Quirinale in Rom, hat Bernini eine ähnliche Stufenfolge entworfen. Er vereinigt in sich die Fähigkeiten eines Architekten mit denen des Dekorateurs und des Regisseurs und stellt so das Schicksal des heiligen Schutzpatrons mit Hilfe der architektonischen Gestaltungsmöglichkeiten höchst dramatisch dar. Die Darstellung beginnt mit dem Martyrium des Heiligen hier auf Erden (Bild des Hauptaltars); sie wird fortgesetzt im Aufstieg zum Himmel, den der Künstler wie in einer Momentaufnahme im Schweben der Statue über dem Kranzgesims festhält, der Blick des Heiligen ist auf das Licht, das die Kuppel krönt, gerichtet, dorthin, wo sich die Bahn vollendet, die dazu bestimmt war, die Erde mit dem Himmel zu vereinen, den Altar mit der Laterne der Kuppel zu verbinden. Die Gesamtkonstruktion des Bauwerks und die Dekoration sind dazu bestimmt, gemeinsam zur Darstellung des Heilsgeschehens beizutragen, wobei eine einzige einigende Bewegung alle Teile zusammenfaßt.

Der Historiker, der die Geschichte der menschlichen Einbildungskraft schreiben will, kann es nunmehr wagen, aus diesen exemplarischen Werken und aus einigen anderen [5] die folgende Formel abzulesen und sie als eine mögliche Definition vorzuschlagen: das

---

[5] Zum Beispiel die Cornaro-Kapelle, das Grab Alexanders VII., die Decke im Palazzo Barberini von Pietro da Cortona in Rom ... dazu: R. Wittkower, Art and Architecture in Italy, 1600—1750, London 1958; und R. Pane, Bernini architetto, Venedig 1953.

barocke Werk führt den Beschauer auf einer vorgezeichneten Bahn, die ihn dynamisch von der Vielfalt zur Einheit, aus der Unsicherheit zum Festgefügten (das Gegenteil ist in einigen profanen Werken der Fall), zu einer durch die Strukturen der Komposition selbst realisierten Metamorphose finden läßt. Aus diesem Grunde umfaßt das Werk gleichzeitig beide Möglichkeiten, sowohl die Zersplitterung als die Sammlung, die Bewegung und die Starre, und es schafft Raum für eine von einem Pol zum anderen verlaufende Kreisbewegung. Ein ganz anderes Beispiel für den gleichen Sachverhalt ist der Brunnen der vier Flüsse,[6] der den Obelisken, das Symbol der Ewigkeit, dem natürlich gewachsenen Felsen überordnet, die Vertikale dem Schrägen entgegensetzt, das Volle dem Hohlen, den unbeweglichen Stein dem Wasser und so das Dauerhafte dem Vergänglichen entgegensetzt und sie zu einem nach allen Seiten hin offenen Netz gegenseitigen Austauschs verschmilzt.

Nach der vorgeschlagenen Formel könnte man auch in Abwandlung sagen: das Eine wird im Vielen begriffen, oder die Vielfalt wird im Überfluß des sinnlich Erfahrbaren genossen, ist aber immer von einer Bewegung erfüllt, die darüber hinaus auf Zusammenfassung in der Einheit zielt.[7]

Sollte etwa ein Kunsthistoriker diese Spekulationen lesen, so sehe ich voraus, daß dieser als strenger Techniker schon lange die Stirne gerunzelt hat. Habe ich denn das Recht, die barocke Kunst auf gewisse Wirkungen zu beschränken, die sie auf eine Empfindung ausübt? Es geht mir vor allem darum, das Urteil einer Empfindung zu hören, deren Erfahrungsbereich so umfassend wie möglich ist, dabei schlage ich hier wie schon gesagt nur eine mögliche Definition vor. Es geht darum, daß ich ein Forschungsinstrument brauche, um literarische Werke zu untersuchen, wie z. B. den ›Polyeucte‹ von Corneille, in dem es um die Überordnung des transzendenten Gottes über den Gott des sinnlich Erfahrbaren (die Frau) geht, um das

[6] (Anmerk. d. Übers.) Fontana dei Fiumi, Rom. Werk Berninis und ägyptischer Obelisk aus der Zeit Domitians, beides auf der Piazza Navona.

[7] Dazu Bonnefoy, La respiration de Dieu saisie dans le sensible, dans la diversité de la nature (Der Atem Gottes faßbar im sinnlich Erfahrbaren, in der Vielfalt der Natur).

ununterbrochene Aufsteigen vom einen zum anderen wie in einer
Spirale, bis zum Schluß die beiden getrennten Möglichkeiten un-
vermittelt wieder vereint werden. Ein anderes Beispiel ist die ›Illusion Comique‹ von Corneille, die den Übergang von der Verstellung zur Wahrheit auf dem Umweg über die Illusion darstellt;
es ist ein Spiel der Äußerlichkeiten, die, eine aus der anderen her-
vorgehend, zum Schluß in einem Theatercoup hinweggefegt werden; das eigentliche Subjekt des Stückes ist das Theater selbst, ist
die theatralische Schöpfung. Corneille vereint hier die drei Bestandteile aller dramatischen Aktion zum gemeinsamen Spiel, den
dramaturgischen Zauberkünstler, den Vater als Idealbild des Zu-
schauers und das Schauspiel und seine Personen. Das Ganze wird
von Spielern im Spiel auf eine höhere dramatische Ebene gehoben.
Im ›Saint-Genest‹ von Rotrou, dem Stück von der Bekehrung des
Menschen durch seine Rolle, wird das Theater, mit den Mitteln des
Theaters, durch das Hinübergleiten des Sichtbaren in die göttliche
Sphäre, durch die Metamorphose der handelnden Person auf die
Höhe des Altars gehoben. In gleicher Weise wird eine Generation
später — unter anderen Umständen — die Leichenrede für Hen-
riette von England aufgebaut sein, mit ihren beiden symmetrischen
Teilen, die den Bogen von der „Dekoration" zum „Altar", vom
Tod als Betrüger zum christlichen Sterben spannen. So wurde ein
großes Schauspiel in Szene gesetzt, um die Zuschauer von der Nichtigkeit dieses Schauspiels zu überzeugen.

Und wie steht es mit den lyrischen Dichtern? Ich habe vor zwei
Jahren eine ›Anthologie der französischen Barockdichtung‹[8] zusammengestellt, nach einigen Themen und Bildmotiven geordnet:
Unbeständigkeit — Seifenblasen, Vögel, Wolken, Regenbogen —
schillernde Wasser, Metamorphose und Illusion, Schauspiel des Todes, Nebel und Licht der Beständigkeit. Das ist selbstverständlich
eine „Montage". Ich möchte in keiner Weise behaupten, daß darin
die gesamte Dichtung der Epoche wiedergegeben ist, es ist nur eine
der möglichen Gruppierungen. Aber es war eine reiche Ernte, und
sie hatte Platz für viele vergessene oder verkannte Texte. Am wichtigsten war mir bei dieser Anthologie die Zuordnung der einzelnen

[8] In der Bibliothèque de Cluny, Paris 1961.

Themen. Ich habe sie zu einer Reihenfolge geordnet, die ohne Unterbrechung vom einen zum anderen führt und die als solche in sich bedeutsam ist. Sie scheint mir außerdem im Idealfall ein mögliches Ordnungsschema der barocken Vorstellungskraft zu sein. Hier darf nicht versäumt werden, darauf hinzuweisen, daß diese Ordnungsvorstellung auf direktem Weg zu einer Nachahmung der Architektur der Kirche S. Ivo oder des Grabes Alexanders VII. führt, daß sie von der Zersplitterung der Einheit, von der Bewegung zur Ruhe, von der Unbeständigkeit zum Beharren hinführt. Die erste und die letzte Etappe dieses Wegs können nicht isoliert betrachtet werden, sie existieren nur im gegenseitigen Bezug, in einer gemeinsamen Bewegung, die sie zusammenfaßt und ihnen ihre eigenständige Bedeutung verleiht; sie sind die beiden sich ergänzenden Pole einer barocken Dialektik, die alles zuerst in Teile zerlegt, um es dann wieder zur Einheit zusammenfassen zu können.[9]

Ist diese Reihenfolge in ihrem Zusammenhang und ihrer Einheitlichkeit nur eine Konstruktion meiner Willkür? Ja und nein. Ja, weil sie wie jede Anthologie aus einem Mosaik von Teilen und Fragmenten der verschiedensten Herkunft zusammengesetzt ist. Ich glaube aber nicht, daß die Reihenfolge, die Richtung des Weges zufällig ist. Sie ist objektiv vorgegeben durch bestimmte Gedichte, in denen man einen ähnlichen Bewegungsablauf feststellen kann. Als Beweis kann ein Sonett von Favre (1602) dienen, von dem hier der erste Vers angeführt sei:

> Le temps n'est qu'un instant lequel toujours se change . . .
> Die Zeit ist nur ein Augenblick, der stets sich ändert . . .

---

[9] Die Kunst und der Mensch des 20. Jahrhunderts kennen diese Zersplitterung, die Vielfältigkeit und die fehlende Kontinuität (in der Malerei, im Roman) aus eigener Erfahrung, was zum Teil auch die Anziehungskraft, die der Barock auf uns heute ausübt, erklärt, dagegen fehlt unserer Kunst meist das Gefühl für die Einheit, für das Bezogensein auf ein Zentrum; das trennt uns von der Barockkunst und unterwirft unsere Vorliebe für sie häufig Mißverständnissen. Die Flüchtigkeit und die Zersplitterung der Erscheinungen werden im 17. Jahrhundert immer vor dem Hintergrund eines Gefühls von Dauer und Einheit, das Sinn und Wert des Phänomens grundlegend verändert, erfahren.

Der letzte Vers lautet:

> ... Dieu seul pour vous sauver d'un seul instant vous prie.
> ... Gott, um Euch zu retten, erbittet nur einen Augenblick von Euch.

Von der Zeit führt der Weg zu dem, was die Zeit transzendiert, vom ständigen Wechsel führt er zur Befreiung der Seele, die fähig ist, sich dem Augenblick zu entziehen.

Ein anderes Beispiel soll das lange Gedicht von Brébeuf sein: ›Über die menschliche Unbeständigkeit‹ (1660). Es beginnt damit, daß es den Menschen in einen ständigen Wechsel gestellt sieht:

> A de vagues desseins l'Homme est toujours en proie,
> Son instabilité ne meurt qu'avecque lui ...
> Stets vagen Plänen ist der Mensch nur untertan,
> Die Unbeständigkeit stirbt erst mit seinem Tod ...

Aber in den letzten Strophen hat sich der Mensch von seiner anfänglichen Unbeständigkeit abgewandt und einen Zustand vollkommener Beständigkeit erreicht:

> ... Heureux donc mille fois celui que votre grâce
> Arrache pour jamais à tant de changements ...
> ... Ja, glücklich tausendfach, den Eure Gnade
> für ewig wollt' von Änderung befrei'n ...
>
> Il éprouve déjà cette paix bien-heureuse
> Qui doit après la mort couronner nos souhaits,
> Et consumé pour vous d'une ardeur généreuse,
> Commence à vous aimer pour ne finir jamais.
> Er fühlt im voraus den glücksel'gen Frieden,
> Der nach dem Tode unser Streben krönen soll,
> Und ganz von edler Leidenschaft getrieben,
> Beginnt er Euch zu lieben ohne End'.

Jean de Labadie, der mystische Dichter, zeigt Gott zuerst hinter Wolken und Nebel verborgen, um am Schluß die Schleier zu zerreißen und ihn „von Angesicht zu Angesicht" sehen zu lassen.[10]

Ich möchte meine Untersuchung schließen mit größeren Auszügen

[10] Anthologie. I, S. 39, 49 und 181—182.

aus einem Gedicht von Jean de Bussières ›Der Regenbogen‹ (1649). Dieses Gedicht ist im höchsten Maße bedeutend wegen seines Stils, wegen des darin erkennbar werdenden Bewegungsablaufs und wegen seiner Thematik. Es zeigt, wie der Dichter allmählich und mit viel Prunk ein phantastisches metaphorisches Gebäude errichtet, „Bogen aus Blumen" oder Palast aus Edelsteinen, neues Paradies und verzauberte Welt, und wie er dann plötzlich, in einigen schnellen Takten, alles auflöst. Der Leser erlebt in diesem Augenblick einen sorgfältig vorbereiteten Schock; es wird ihm bewußt, daß man ihm aufs sorgfältigste Illusionen vorgegaukelt hat, um ihn desto besser den Täuschungen entreißen zu können. Die Herrlichkeit, die man vor seinen Augen ausbreitete, verbarg eine Falle, der Palast war nur ein Wolkengebilde, der „Schatten eines Traums". Der Verherrlichung einer optischen Täuschung, die als Realität ausgegeben wurde, folgt augenblicklich ihr Zunichtewerden. Äußerlichkeiten wurden verherrlicht, nur um sie dann zu entlarven. Aber diese Falle birgt ihrerseits eine Wahrheit, die Aufhebung der Täuschung öffnet die Augen für die einzig wahre Wirklichkeit. Bussières hat das leuchtende Luftgebilde nur zerstört, um desto besser auf das Licht hinweisen zu können, das nicht vergeht.

Den Grundrhythmus, der dem Werden und Vergehen einer Seifenblase ebenso zugrunde liegt wie einem Satzgefüge Bossuets oder einem barocken Fest, könnte man sich anschaulich machen als einen lang andauernden Vorgang der Ausdehnung, der plötzlich abbricht und sich in sein Gegenteil verkehrt, als das Entstehen einer herrlichen Luftspiegelung, die sich mit einem lauten Knall in Nichts auflöst.

Forschungen und Fortschritte. Nachrichtenblatt der deutschen Wissenschaft und Technik.
39, 1965, S. 246—249.

BAROCK UND MANIERISMUS:
DIE ANTI-RENAISSANCE

Von August Buck

Seitdem man sich in den zwanziger Jahren unter dem Einfluß des Expressionismus für den Barock ernstlich zu interessieren begonnen hat — und zwar zuerst in Deutschland, wo die expressionistische Kunst größere Bedeutung gewann als anderswo —, ist dieses Interesse ständig gewachsen und hat in den letzten beiden Jahrzehnten auch Länder erfaßt, die wie Italien und besonders Frankreich dem Barock lange mißtrauisch, wenn nicht gar ablehnend gegenübergestanden hatten. Zusammen mit dem Barock ,entdeckte' man um die gleiche Zeit ein ihm verwandtes Phänomen, den Manierismus, der allerdings zunächst auf kunstgeschichtliche Betrachtungen beschränkt blieb und in bezug auf das allgemeine Interesse nicht mit dem Barock konkurrieren konnte. In jüngster Zeit freilich hat die Diskussion über den Manierismus eine solche Breite erreicht, daß demgegenüber die Beschäftigung mit dem Barock ein wenig zurückgetreten zu sein scheint. Da es sich jedoch — wie schon gesagt — um verwandte Phänomene handelt, dürfen wir die gleiche geistige Disposition voraussetzen, aus der das Interesse für den Barock wie für den Manierismus entsprungen ist.

Für die zwanziger Jahre haben wir diese Disposition bereits durch den Begriff des „Expressionismus" gekennzeichnet. Auf Grund einer Art Wahlverwandtschaft fühlte sich der Expressionismus zu Barock und Manierismus hingezogen. Er fand dort gewisse Elemente wieder, die für ihn selbst konstitutiv gewesen waren: das Erlebnis einer Krise, einer Zerstörung überlieferter Ordnungen und die aus diesem Erlebnis erwachsende Abwendung von der Wirklichkeitsnachbildung und das Bemühen um den Ausdruck einer innerlich geschauten Welt, die gegenüber der sichtbaren Wirklichkeit als deren Steigerung begriffen wird; ferner die Sprengung der herkömmlichen ästhetischen Formen, die aufgelöst oder bewußt verzerrt werden.

Die in der großen Kulturkrise unseres Jahrhunderts wurzelnde Ähnlichkeit mit den psychologischen Strukturen des Barockzeitalters mußte mit der Verschärfung der Krise nach dem Ausklingen des Expressionismus noch deutlicher ins Bewußtsein des modernen Europäers treten, und dementsprechend darf man in der Sympathie für Barock und Manierismus geradezu ein Charakteristikum für die geistige Situation unserer Zeit erblicken. So schreibt Carlo Calcaterra, einer der italienischen Literarhistoriker, die als erste in Italien dem Barock eine positive Bedeutung zuerkannten, in einem kritischen Überblick über das Problem des Barock: „Man kann nicht leugnen, daß das 20. Jahrhundert, obwohl es sich vom Jahrhundert des Barock verschieden fühlt, jenes Zeitalter als Ganzes mit Sympathie betrachtet hat und weiterhin betrachtet; eine Sympathie, die durch das Bewußtsein verstärkt wird, daß auch wir Menschen voller Qual sind und auch wir nicht wissen, wo wir mit der Reform der Welt beginnen sollen." [1]

Die Sympathie mit dem Barockzeitalter hat in den letzten Jahrzehnten eine intensive wissenschaftliche Erforschung von Barock und Manierismus in ihren verschiedenen Erscheinungsformen gezeitigt, die in einer kaum noch überschaubaren Fülle von Publikationen ihren Niederschlag gefunden hat.[2] Unter diesen Veröffentlichungen nehmen die Kongreßberichte einen hervorragenden Platz ein; denn Barock und Manierismus haben in jüngster Vergangenheit erstaunlich oft den Gegenstand von Kongressen und Vortragsreihen gebildet. Mir sind in den Jahren von 1950 bis 1963 sieben derartige Veranstaltungen bekannt, von denen ich nur die letzten drei anführe: der von der ›Accademia dei Lincei‹ 1960 in Rom veranstaltete internationale Kongreß über Manierismus, Barock und Rokoko, die auf der Generalversammlung der Görres-Gesellschaft

[1] C. Calcaterra, Il problema del barocco, in: Questioni e correnti di storia letteraria, Milano 1949, S. 480.

[2] Vgl. den umfassenden Forschungsbericht von R. Wellek, The Concept of Baroque in Literary Scholarship, nebst Postscript 1962, in: R. Wellek, Concepts of Criticism, New Haven and London 1963, S. 69—127.

in Essen gleichfalls 1960 gehaltenen Vorträge ›Zum Problem des Manierismus‹ und die ›Trois conférences sur le baroque français‹ anläßlich der Turiner Barockausstellung von 1963.[3]

Wenn demnach ein auffallendes Bedürfnis besteht, die Problematik von Barock und Manierismus im gegenseitigen Gespräch zwischen Vertretern der verschiedenen an der einschlägigen Forschung beteiligten Disziplinen, der politischen Geschichte, der Geschichte der bildenden Künste, der Literatur und der Musik, zu klären, so dürfte dieser Wunsch nach Aussprache darauf zurückzuführen sein, daß zwar niemand ernstlich das Vorhandensein gewisser durch die Begriffe „Barock" und „Manierismus" bezeichneter Phänomene bestreitet, die präzise Anwendung dieser Begriffe jedoch auf Schwierigkeiten stößt.

Der Vorschlag, diese Schwierigkeiten dadurch zu umgehen, daß man auf die Verwendung beider Begriffe (Cantimori)[4] oder eines Begriffs (Curtius)[5] verzichtet, erweist sich nicht nur als praktisch undurchführbar, sondern widerspricht auch dem legitimen Bedürfnis der Wissenschaft nach bestimmten Ordnungsbegriffen, ohne die ein Erkennen geistiger Zusammenhänge und eine gegenseitige Verständigung über solche Erkenntnisse nicht möglich ist. Daher muß man versuchen, einen möglichst weitgehenden ›consensus omnium‹ darüber herbeizuführen, welchen Inhalt man diesen Begriffen gibt. Die Lösung dieser Aufgabe wird dadurch erschwert, daß offenbar in der Forschung die Neigung besteht, durch Einführung weiterer, spezialisierender Termini wie „Frühbarock", „Hochbarock" und „Spätbarock" den Barockbegriff zu zersplittern und so die Situation noch mehr zu verwirren. Die Notwendigkeit einer Verständigung über den Gebrauch der Begriffe zwingt dazu, dieselben nicht

[3] Die übrigen vier Kongresse fanden in Paris (1950) und in Venedig (1954, 1956, 1959) statt. Bei der Veranstaltung von 1959 handelt es sich um den von der Fondazione Giorgio Cini organisierten ›Primo Corso Internazionale d'Alta Cultura‹.

[4] D. Cantimori, L'Età barocca, in: Manierismo, Barocco, Rococò: Concetti e termini, Roma 1962, S. 395—417.

[5] „Mit diesem Wort [Barock] ist aber so viel Verwirrung angerichtet worden, daß man es besser ausschaltet" (E. R. Curtius, Europäische Literatur und lateinisches Mittelalter, 2. Aufl. Bern 1954, S. 277).

mit einer zu großen Zahl von Bedeutungselementen zu belasten, sondern ihren Inhalt auf einige klar erkennbare Erscheinungen zu beschränken.

Was die bisherige Verwendung der beiden Begriffe betrifft, so kann man zunächst feststellen, daß „Barock" und „Manierismus" einerseits als typologische Bezeichnungen, andererseits als Epochenbezeichnungen gebraucht worden sind. Das bekannteste Beispiel für die typologische Verwendung von Barock stellt das Barock-Buch von Eugenio d'Ors dar,[6] der den Barock als eine zu allen Zeiten vorhandene Erscheinung begreift und innerhalb dieses überzeitlichen Barock zweiundzwanzig verschiedene Spielarten unterscheidet.

Während Barock als typologische Kategorie heute relativ selten gebraucht wird, begegnet der Manierismus in dieser Verwendung häufiger, seitdem E. R. Curtius vorgeschlagen hat, Manierismus als „Generalnenner für alle literarischen Tendenzen..., die der Klassik entgegengesetzt sind",[7] in die literaturwissenschaftliche Terminologie einzuführen, und sein Schüler G. R. Hocke dann den Manierismus als antiklassische Konstante des Irregulären in der europäischen bildenden Kunst und Literatur darzustellen versucht hat.[8]

Gegen eine solche typologische Verwendung der Begriffe „Barock" und „Manierismus" lassen sich gewichtige Einwände erheben; denn die Loslösung eines Stilistikums — als solches erscheinen Barock und Manierismus in typologischer Verwendung — von seinen psychologischen und historischen Voraussetzungen kann zu Fehlinterpretationen führen. „Das manieristische Zeitalter... wird schließlich zu einem historischen Symbol unter dem Zeichen einer

---

[6] E. d'Ors, Du Baroque, Paris 1935.

[7] Curtius a. a. O., S. 277.

[8] G. R. Hocke, Die Welt als Labyrinth: Manier und Manie in der europäischen Kunst, Hamburg 1957; Manierismus in der Literatur, ebd. 1959. Schon vor Curtius hatte, von der Kunstgeschichte ausgehend, Max Dvořák (Kunstgeschichte als Geistesgeschichte, München 1924; Geschichte der italienischen Kunst im Zeitalter der Renaissance II, München 1929) den Begriff des Manierismus auf die europäische Literatur übertragen und behauptet, daß die Kunst eines Rabelais, T. Tasso, Cervantes und Shakespeare im Geist des Manierismus verankert gewesen wäre.

Ästhetik des Tiefen, ähnlich dem barocken Dämon, wie ihn Eugenio d'Ors mit sophistischer Eleganz beschworen hat", schreibt
E. Raimondi in einem kritischen Referat über den literarischen Manierismus in bezug auf Hockes Untersuchungen.[9] Diesen berechtig-
ten Bedenken steht die Tatsache gegenüber, daß barocke bzw.
manieristische Ausdrucksformen auch außerhalb der Zeiträume anzutreffen sind, in denen die beiden Begriffe den Führungsstil der
Epoche repräsentieren, nämlich der Barock im 17. Jh. und der Manierismus in den Jahrzehnten zwischen 1520 und 1600.

Einen Ausweg aus diesem Dilemma eröffnet Hugo Friedrich: Er
schlägt vor, die Bezeichnung „barock" epochenbezogen für das
17. Jh. zu gebrauchen und Manierismus als überzeitliches Stilistikum, definiert als „Übermaß an Kunst", das sich jeweils dann einstellt, „wenn die Abweichung vom Üblichen excessiv wird".[10]
Unter dieser Perspektive gesehen ist dann „barockes Dichten ein
Sonderfall des überzeitlichen manieristischen".[11] Auf diese Weise
wird sowohl das Gemeinsame von Barock und Manierismus herausgestellt als auch die Eigenart des Barock gewahrt. Sinngemäß darf
man dann in den manieristischen Erscheinungen des 16. Jh. die
ersten Ansätze zum Barock suchen. Damit befindet man sich auch in
Einklang mit der von namhaften Forschern [12] akzeptierten Definition des Manierismus des 16. Jh. als einer Epoche des Übergangs
zwischen Renaissance und Barock.

Nach der Klärung der Terminologie kann nunmehr nach den
Wesenszügen des Barock als Sonderfall des Manierismus gefragt
werden. Jacob Burckhardt, der sich als erster um eine objektive

[9] E. Raimondi, Per la nozione del manierismo letterario (Il problema
del manierismo nelle letterature europee), in: Manierismo, Barocco,
Rococò (s. Anm. 4), S. 62.
[10] H. Friedrich, Über die Silvae des Statius (insbesondere V, 4, Somnus)
und die Frage des literarischen Manierismus, in: Wort und Text, Festschrift f. F. Schalk, Frankfurt a. M. 1963, S. 38.
[11] Ebd., S. 36.
[12] G. Weise, Storia del termine « Manierismo », in: Manierismo,
Barocco, Rococò, S. 27—38; Raimondi a. a. O. (s. Anm. 9), S. 57—79;
R. Scrivano, La discussione sul Manierismo. La Rassegna 67, 1963,
S. 200—231. In allen drei Aufsätzen weitere Literaturangaben.

Beurteilung des Barockstils bemüht hat, charakterisiert den Barock,
indem er ihn mit der Renaissance vergleicht: „Die Barockbaukunst
spricht dieselbe Sprache wie die Renaissance, aber einen verwilderten Dialekt davon." [13] Der Vergleich, der hier allerdings ein negatives Werturteil zeitigt und damit die Einsicht in die Bedeutung des
Barock verstellt, hat seitdem noch oft als Ausgangspunkt für eine
Wesensbestimmung des Barock gedient. Wie man die Renaissance
mit dem Mittelalter zu konfrontieren pflegt, so den Barock mit der
Renaissance, um jeweils durch die Gegenüberstellung mit der vorangegangenen Epoche den Blick für das Neue der folgenden zu
schärfen.

Von der Gegenüberstellung mit der Renaissance gehen auch die
beiden Werke aus, in denen der Barockbegriff zum erstenmal aus
der Kunstgeschichte in die Literaturgeschichte — und zwar die italienische — übertragen wird, also die systematische Erforschung des
literarischen Barock beginnt: Der Verfasser dieser beiden Werke,
›Renaissance und Barock‹ [14] und ›Kunstgeschichtliche Grundbegriffe‹, [15] ist Heinrich Wölfflin, Jacob Burckhardts Nachfolger in
Basel. Wenn Wölfflin den Barock als jenen Stil definiert, „in dem
die Renaissance sich auflöst . . . in dem die Renaissance entartet", [16]
so hat hier „entarten" nicht mehr nur eine negative Bedeutung.
Wölfflin erkennt, daß die barocke Kunst von dem Willen beseelt ist,
etwas Neues zu schaffen, und sich daher bewußt von der Renaissance abkehrt. In diesem Bewußtsein sprechen die Barock-Künstler
von ihrem Stil als «stile moderno»; eine Haltung, der — wie die
Forschung nach Wölfflin festgestellt hat — eine allgemeine Tendenz zum Modernismus im Geistesleben des Barock entspricht;
«nuovo» und «moderno» sind auch in den zeitgenössischen Poetiken häufig gebrauchte Wörter. [17]

---

[13] J. Burckhardt, Der Cicerone, Stuttgart 1939, S. 348; zu Burckhardts Einstellung zum Barock vgl. H. Lützeler, Der Wandel der Barockauffassung. Dt. Vjschr. f. Lit.-Wiss. u. Geistesgesch. 11, 1933, S. 619 f.
[14] 1. Aufl. 1888; 4. Aufl. München 1926.
[15] 1. Aufl. 1915; 2. Aufl. München 1917.
[16] Renaissance u. Barock, 4. Aufl., S. 1.
[17] H. Friedrich, Epochen der italienischen Lyrik, Frankfurt a. M. 1964,
S. 620.

Nach Wölfflins Interpretation besteht nun das Neue der Barockkunst darin, daß sie nicht mehr wie die Renaissance „das schöne
ruhige Sein" sucht, sondern die Bewegung, das Werden darstellen
will; der Eindruck, den sie im Betrachter zu erwecken strebt, ist
„nicht gleichmäßige Belebung, sondern Aufregung, Ekstase, Berauschung".[18] Als Begründung für diesen Stilwandel von Renaissance
zu Barock genügt es nach Wölfflins Meinung nicht, eine Abstumpfung des Formgefühls anzunehmen, das nach neuen Reizen, nach
einer Verstärkung des Ausdrucks verlangt hätte; vielmehr fordert
Wölfflin eine psychologische Interpretation, die den Stil als Ausdruck des Zeitgeistes, als Epochenstil also, auffaßt. Eine Bestätigung für die Existenz eines solchen Epochenstils findet er in der
Literatur, wo er anhand eines Vergleichs von Ariost und Tasso den
Gegensatz zwischen Renaissance und Barock darlegt; ein Vergleich,
den später der Romanist Theophil Spoerri im einzelnen noch weiter ausgeführt hat.[19]

Indem sich allmählich der Begriff des „literarischen Barock" trotz
starker Widerstände — am stärksten waren sie in Frankreich [20] —

---

[18] Wöfflin, Renaissance u. Barock, S. 29.

[19] Th. Spoerri, Renaissance und Barock bei Ariost und Tasso, Bern
1922.

[20] Die Bezeichnung « baroque » wurde in Frankreich zum erstenmal
auf die Literatur angewendet während eines 1931 in Pontigny veranstalteten Colloquiums (B. Migliorini, Etimologia del termine « Barocco », in:
Manierismo, Barocco, Rococò, S. 49). Aber noch in einem Bericht über den
›Deuxième congrès des études françaises‹ von 1950 nannte R. Lebègue den
literarischen Barock ein brennendes Problem, das „fast alle unsere französischen Literaturgeschichten mit Schweigen übergehen", « ce baroque
littéraire que presque toutes nos histoires de la littérature passent sous
silence » (Revue d'histoire littéraire de la France 50, 1950, S. 474—477).
Daß der Widerstand gegen die Einführung des Barockbegriffs in der älteren Generation der französischen Literarhistoriker fortdauert, beweist
eine Äußerung von H. Peyre aus dem Jahre 1962, der von sich bekennt,
"(that his) resistance to some of the strange interpretations of French
classicism [eben die Interpretation vom literarischen Barock her] ...
remains invincible" (Common-Sense Remarks on the French Baroque, in:
Studies in Seventeenth-Century French Literature presented to M. Bishop,
edited by J.-J. Demorest, Ithaca 1962, S. 2).

in der Forschung durchzusetzen vermag, wird die Kenntnis der der barocken Literatur zugrunde liegenden geistig-seelischen Haltung laufend erweitert und vertieft. In diesem Erkenntnisprozeß wird die Renaissance immer wieder als Vergleichsmaßstab herangezogen. An die Stelle der harmonischen Ausgewogenheit und gemessenen Heiterkeit des in sich ruhenden Menschen der Hochrenaissance tritt der von quälender Unruhe und jäh wechselnden Stimmungen beherrschte Mensch des Barock-Zeitalters. In seinem von Spannungen erfüllten Dasein steigert sich die Einsicht in die „instabilitas" der irdischen Ordnungen zur kosmischen Unsicherheit. Wie er in seiner Existenz die Grenzen überschreitet, die sich der Mensch der Hochrenaissance in weiser Selbstbeschränkung gesteckt hatte, so überdehnt und übersteigert er in der Kunst die klassischen Formen.

Die Gegensätze, die im Lebens- und Kunststil zwischen Renaissance und Barock bestehen, sind in jüngster Vergangenheit so stark in den Vordergrund gerückt worden, daß der Barock (und mit ihm der Manierismus) in erster Linie unter der Perspektive einer Anti-Renaissance gedeutet werden konnten. Im Jahre 1950 erschien unter dem Titel ›The Counter-Renaissance‹ das Buch des Amerikaners Hiram Haydn, und 1962 veröffentlichte der Italiener Eugenio Battisti ›L'Antirinascimento‹.[21]

Die Strömung, die Haydn "Counter-Renaissance" genannt hat,[22] beginnt noch innerhalb der Renaissance und reicht bis in die ersten Jahrzehnte des 17. Jh., erstreckt sich also im wesentlichen auf die Zeit des Übergangs zwischen Renaissance und Barock. Ihr Protest gegen die Renaissance richtet sich gegen deren Rationalismus, gegen den Vernunftstolz der Humanisten. Dieser Protest wird getragen durch einen radikalen Skeptizismus, der grundsätzlich an der menschlichen Erkenntnisfähigkeit zweifelt, ferner durch die religiösen Reformer, welche die Vernunft dem Glauben unterordnen, und schließlich durch die empirische Naturwissenschaft, die sich statt

[21] Battisti gibt im Vorwort seiner Untersuchung an, daß er deren Titel Haydn verdankt (E. Battisti, L'Antirinascimento, Milano 1962, S. 9).

[22] "The term 'Counter-Renaissance' apparently was first used by Prof. Theodore Spencer, in an article entitled 'Hamlet and the Nature of Reality' in 1938" (B. W. Whitlock, The Counter-Renaissance. Humanisme et Renaissance 20, 1958, S. 437).

auf Hypothesen und logische Deduktionen auf Erfahrung und Experiment stützt.

In innerem Zusammenhang mit der Auflehnung gegen den Rationalismus steht der andere konstitutive Wesenszug der Gegenrenaissance, den Haydn als "denial of limit", Verneinung der Grenze, definiert. Obgleich die Renaissance ihrerseits das mittelalterliche Ordnungsgefüge gelockert und die Emanzipation des Individuums eingeleitet hatte, war sie doch bestrebt gewesen, ihre Einsichten und Erkenntnisse in der Einheit eines neuen Weltbildes zu verbinden, in welchem dem Individuum ein fester Platz angewiesen wurde. Die Gegenrenaissance jedoch, die sich mit dem Begriff der Unendlichkeit konfrontiert sah, vermag an einem einheitlichen Weltbild nicht mehr festzuhalten und macht damit die Bahn frei für einen schrankenlosen Subjektivismus, der durch die Autorität von Staat und Kirche nur äußerlich gebändigt wird, unter der Oberfläche aber die überkommenen Lebensformen zersetzt.

Während Haydn die in der Gegenrenaissance wurzelnde Barockgesinnung in Religion, Philosophie, Wissenschaft und Literatur aufzuspüren sucht, liegt der Schwerpunkt von Battistis ›Antirinascimento‹ in der Betrachtung der Ausdrucksformen des Phantastischen und Irregulären in den bildenden Künsten, dem Märchen, der Astrologie und der Magie. Dabei berührt sich Battisti in vielen Punkten mit den oben erwähnten Studien Hockes, da für Battisti sich Antirinascimento weitgehend mit Manierismus (als Epochenbegriff) deckt. Die Begriffe, mit denen Battisti den Zeitgeist charakterisiert, gelten auch für das 17. Jh., das im allgemeinen außerhalb von Battistis Darstellung bleibt: « incertezza », « mancanza di ottimismo », « scivolare della letteratura e dell'arte verso il cupo, il tragico, il tenebroso »;[23] Begriffe, die übrigens der Barockforschung seit Jahrzehnten geläufig sind.

In der Interpretation des Barock bzw. des Manierismus als Gegenrenaissance — wobei Renaissance mit Klassik identifiziert wird — werden, wie das auch schon früher geschehen ist, sowohl die Themen wie die Ausdrucksformen des literarischen Barock auf die

[23] Battisti, L'Antirinascimento, S. 43.

psychische Struktur des modernen Menschen zurückgeführt, dessen Problematik die Kunst widerspiegelt. Ohne die Legitimität einer solchen Betrachtungsweise bestreiten zu wollen — ich halte sie nicht nur für gerechtfertigt, sondern für notwendig —, muß man sich doch stets bei der Interpretation barocker Dichtungen vor Augen halten, daß stilistische Phänomene nicht immer auf einem ideellen Substrat zu beruhen brauchen, vielmehr auch aus der artistischen Lust am Spiel mit den Ausdrucksformen entspringen können, eine Neigung, die — und insofern gehört auch sie zu den Wesensmerkmalen des Barock — in dieser Epoche der europäischen Literaturgeschichte besonders stark ausgeprägt war.

Kwartalnik Neofilologiczny. Komitet Neofilologiczny, Polskiej Akademii Nauk. 13, 1966, Heft 2, S. 133—149.

ZUR DIFFERENZIERUNG DES BAROCKBEGRIFFS

Von MARIAN SZYROCKI

Die Diskussion über die deutsche Dichtung des 17. Jahrhunderts dauert an. Die Schwierigkeiten beginnen mit Periodisierungsfragen und dem Epochen- und Stilbegriff. Im 19. Jahrhundert sprach man in diesem Zusammenhang von Renaissancedichtung. Diese Bezeichnung galt zumindest für die deutsche Literatur bis zur galanten Poesie der sogenannten „Zweiten Schlesischen Schule".[1]

In seinem bekannten Aufsatz ›Der lyrische Stil des 17. Jahrhunderts‹ (1916) wendet sich Fritz Strich gegen diesen Begriff, „denn von dem klassischen Geist der Renaissance hat dieses Jahrhundert nichts gehabt. Der Stil seiner Dichtung ist vielmehr barock, auch wenn man nicht nur an Schwulst und Überladung denkt, sondern auf die tieferen Prinzipien der Gestaltung zurückgeht".[2] Die deutsche Barockpoesie ist nach Strich nicht eine Fortsetzung der deutschen Renaissance-Lyrik, sondern eine „Wiedergeburt des deutschen Geistes", ein Neubeginn, der sich auch in der zähen Arbeit an der deutschen Sprache, in der Suche nach immer neuen Wendungen und sprachlichen Überraschungen äußert. „Kein Bild ist zu hoch und kein Wort zu stark, um dem Ausdruck Wucht und Nachdruck zu geben. ... Es wird nun alles über sich selbst hinaus gesteigert."[3] Antithetik, Intensivierung und Häufung, das Drängen des Gedichts gegen das Ende, die Pointierung, kettenartige Aufzählungen, Gleichnisse und Wortspiele und das Suchen der Dissonanzen und Widersprüche charakterisieren den Sprachstil der Epoche.

[1] Max v. Waldberg, Die deutsche Renaissance-Lyrik, Berlin 1888.

[2] Fritz Strich, Der lyrische Stil des 17. Jahrhunderts, in: Abhandlungen zur deutschen Literaturgeschichte. Franz Muncker zum 60. Geburtstage. München 1916, S. 21.

[3] Ibidem, S. 29.

Den Barockbegriff suchte man später zu differenzieren. Jan Hendrik Scholte rät „ihn möglichst einzuengen, um bei geringerer Ausdehnung stärkere Prägnanz zu gewinnen".[4] Die Barockliteratur beginnt nicht mit Höck, Weckherlin und Opitz, sondern erst mit Gryphius. Nach Scholte ist der Barockstil auf fremde Einflüsse zurückzuführen. „Die deutsche Art widersetzt sich ihm", nur gelegentlich kommt es, wie Scholte am Beispiel Grimmelshausens zu zeigen bestrebt ist, „aus opportunistischen Gründen" zu einer partiellen Anpassung. Die deutsche Volksdichtung des 17. Jahrhunderts ist „ihrer Art nach durchaus barockfrei". Scholte teilt die Dichter in „im engeren Sinne" barocke und in nichtbarocke ein. So gehören Fleming, Zesen, Hofmannswaldau, Lohenstein, Czepko, Scheffler, Kuhlmann der Barockliteratur an, dagegen ist „das protestantische Kirchenlied des Barockzeitalters seinem Gefühlsinhalt und sprachlichen Ausdruck nach intim-persönlich und im strengeren Sinn nicht barock" (Gerhardt, Rinckhart, Heermann, Schirmer, Neumarkt). Auch die Satiriker Logau, Laurenberg, Moscherosch und Balthasar Schupp sind „vom Barock als Stilphänomen zu trennen". Günther Müller unterscheidet eine „echt barocke Literatur" von mystischer und pietistischer Dichtung, die die Stilmerkmale nicht aufweisen.

Vor Jahren hat Richard Alewyn an Hand der Analyse der ›Antigone‹-Übersetzung des Martin Opitz den Begriff „Vorbarokker Klassizismus" geprägt. Er umfaßt nach Alewyn „überhaupt jene Gruppe von Dichtern (die sogenannte Erste Schlesische Schule) . . ., die sich vor den Eingang des Barockjahrhunderts lagert, als dessen untrennbare historische Voraussetzung, aber stilistisch von ihm ebenso ausdrücklich geschieden".[5]

Karl Otto Conrady, der die lateinische Dichtungstradition und ihre Auswirkung auf die deutsche Lyrik des 17. Jahrhunderts untersuchte, unterscheidet in dieser Zeit zwei Stilebenen: Renaissance und Barock.

[4] Reallexikon der deutschen Literaturgeschichte, Bd. 1, Berlin 1958, S. 135.
[5] Richard Alewyn, Vorbarocker Klassizismus und griechische Tragödie. Analyse der ›Antigone‹-Übersetzung des Martin Opitz. Heidelberg 1926, S. 53.

Für die Gesamteinschätzung der das ganze 17. Jahrhundert durchziehenden Lyrik, die die gekennzeichnete Opitz-Ebene einhält, hat aber
zu gelten: Sie bewegt sich in den auch der neulateinischen Lyrik vertrauten
Bahnen, d. h. sie pflegt jene 'mittlere Ebene' des Sprechens, wie sie aus den
Gedichten der Lotichius und Bebel beschrieben und in Opitzens Properz-
übertragung und Elegia gleichermaßen beobachtet werden konnte, und
sie setzt zum Zweck der künstlerischen Ausgestaltung des Themas Formen
ein ..., die zwar besondere, in die Augen fallende Beanspruchungen
rhetorischer Mittel darstellen, aber doch nicht die Übermacht über die im
'Normalen' verharrende Sprechweise erringen. Diese Lyrik ... trägt die
Zeichen des Aufschwellens, nicht anders, als es der unmittelbar vorangehenden Lyrik in lateinischer Sprache eigen ist.

Überdies ist zu beachten, daß die inhaltliche Füllung der Sätze überhaupt und der hervorgehobenen einzelnen Formungen im besonderen in
sachlicher Kühle und Rationalität gehalten wird. ...

Wer Lyrik dieser Art 'barock' nennt, muß für die Lyrik den Begriff
auch auf das 16. Jahrhundert ausdehnen, und das wird niemand wollen.
Es scheint viel sinnvoller zu sein, sowohl die vorangehende (neu)lateinische
als auch die anschließende deutsche Lyrik, soweit sie der Opitzart verhaftet
bleibt, als Renaissance-Lyrik zu bezeichnen.[6]

Wenn man Conradys Begriffsvorschlag billigt, dann muß man
folgerichtig die zeitlichen Grenzen der Renaissance-Lyrik bis ins
18. Jahrhundert verlegen. Denn unter „dem verachteten ‚Schwulst'
und ‚Bombast' ... hält sich eine Ebene des Sprechens und Gestaltens durch, die über allen Besonderheiten im einzelnen die deutschsprachige Dichtung von Opitz bis ins mittlere 18. Jahrhundert zu
etwas Zusammengehörigem verbindet"[7]. In diesem Zusammenhang
scheint die Frage berechtigt, ob man nicht den Begriff „Renaissance" durch „Klassizismus" ersetzen sollte. Conrady, der von der
Strukturanalyse des einzelnen Gedichtes ausgeht, schließt nicht aus,
daß im Werk eines Dichters verschiedene Stile vertreten sind. So
versucht er am Beispiel von zwei Rist-Gedichten zu zeigen,

daß das ‚Barocke' und ein gemäßigteres Sprechen, das wie eine Fortführung neulateinischer Art im deutschen Idiom erscheint, von einem

[6] Karl Otto Conrady, Lateinische Dichtungstradition und deutsche
Lyrik des 17. Jahrhunderts, Bonn 1962, S. 220 f.

[7] Ibidem, S. 262.

Dichter gehandhabt werden können, wie ebenso beide Gestaltungsweisen
(zwischen denen die Übergänge natürlich fließend sind) gleichzeitig im
17. Jahrhundert verwirklicht werden, mit deutlich wahrnehmbarer Kernzone des ‚Barocken' im opus des Gryphius und um die Mitte des Jahrhunderts und danach. . . . Von ‚barocker' Stilebene zu sprechen ist dadurch
gerechtfertigt, daß sich nicht nur beiläufig, sondern in einer Breite und
Nachhaltigkeit die eigentümlichen Erscheinungen versammeln, daß
eine ganze Stilebene ausgebildet ist und ein beträchtlicher Teil der Lyrik
sie besiedelt. Einzelne Gedichte der Neulateiner sind Vorverwirklichungen,
nicht anders einige Gedichte aus dem Werk des Martin Opitz.[8]

Der Barockbegriff wird seit Jahrzehnten immer wieder einer
scharfen Kritik unterzogen [9] und es fehlt nicht an Proben, überhaupt auf ihn zu verzichten oder ihn mit einem anderen Begriff zu
ersetzen. Ernst Robert Curtius schlägt vor, dafür den Begriff Manierismus zu verwenden, und zwar „für alle literarischen Tendenzen . . ., die der Klassik entgegengesetzt sind, mögen sie vorklassisch oder nachklassisch oder mit irgendeiner Klassik gleichzeitig
sein". Nach Curtius ist der Manierismus „die Komplementär-Er-
scheinung zur Klassik aller Epochen".[10]

Der Manierist will die Dinge nicht normal, sondern anormal sagen. Er
bevorzugt das Künstliche und Verkünstelte vor dem Natürlichen. Er will
überraschen, in Erstaunen setzen, blenden. Während es nur eine Weise

---

[8] Ibidem, S. 254.

[9] Horst Hartmann kommt in dem Aufsatz ›Barock oder Manierismus?‹
zu dem Schluß: „. . . daß der Terminus ‚Barock' der Literatur dieses Jahr-
hunderts nicht gerecht wird, weil er weder die mannigfaltigen literarischen
Strömungen dieser Zeit erfaßt, noch etwa als Stilbegriff die künstlerischen
Besonderheiten der literarischen Werke zutreffend kennzeichnet". Hart-
mann ist der Ansicht: „. . . daß die Verwendung jedes kunsthistorischen
Terminus zur Periodisierung der deutschen Literatur eine Ordnung der
Dichtung nach den Merkmalen eines Stilbegriffs der bildenden Kunst
bedeutet und deshalb abzulehnen ist". Hartmann glaubt, daß auch die
Begriffe „Rokoko", „Expressionismus", „Neue Sachlichkeit" sich in der
Literaturgeschichtsschreibung als unhaltbar erweisen werden (Weimarer
Beiträge, Bd. VII, 1961, S. 60).

[10] Ernst Robert Curtius, Europäische Literatur und lateinisches Mittelalter, Bern 1954, S. 277 ff.

gibt, die Dinge natürlich zu sagen, gibt es tausend Weisen der Unnatur. Darum ist es aussichtslos und nutzlos, den Manierismus in ein System zu bringen, wie man es immer wieder getan hat.[11]

Anders sieht den Manierismus Arnold Hauser. Er versucht die Stilwandlungen in ihrer Beziehung zu den gesellschaftlichen Verhältnissen zu erfassen.

Der Manierismus ist [folgert Hauser] der künstlerische Stil einer geistesaristokratischen, wesentlich internationalen Bildungsschicht, der Frühbarock der Ausdruck einer volkstümlicheren, affektbetonteren, national abgestufteren geistigen Richtung. Der reife Barock siegt über den feineren und exklusiveren Manierismus, indem die kirchliche Propaganda der Gegenreformation an Breite gewinnt und der Katholizismus wieder zu einer Volksreligion wird.[12]

Hauser weist darauf hin, daß im 17. Jahrhundert das Emotionale zu einer „großartigen Theatralik" führte und der latente Klassizismus sich zum Ausdruck eines strengen und nüchternen Autoritätsprinzips entwickelte.

Für René Hocke, der in zwei Bänden dem Manierismus in europäischer Kunst und Literatur nachspürt, ist der Manierismus eine „antiklassische und antinaturalistische Konstante", ein Stil, „der das Irreguläre dem Harmonischen vorzieht". Hocke spricht von einer manieristischen Stilepoche, die etwa den Zeitraum von 1520 bis 1620 umfaßt. Er unterscheidet zwischen Manierismus und Barock.

,Barocke' Kunst, Literatur und Musik benutzen zwar formale Manierismen und auch manieristische Ausdruckszwänge, doch steht das Gesamtphänomen ,Barock' schon in einem neuen geistigen und politischen ,Ordnungs'-Streben, bedingt durch die Folgen der Gegenreformation und durch die Konventionen der sich neu festigenden absolutistischen Hofkultur und ständischen Gesellschaft.[13]

[11] Ibidem.
[12] Arnold Hauser, Sozialgeschichte der Kunst und Literatur, Bd. 1, München 1953, S. 385.
[13] Gustav René Hocke, Manierismus in der Literatur, Hamburg 1959, S. 145.

So treffen im Barock Manierismus und Klassizismus zusammen, denn barocke „Kunst, Literatur und Musik haben noch manieristische Elemente, ja, noch starke subjektive Ausdruckswerte, aber sie werden durch neue klassizistische Vorstellungen wieder gebändigt".

Die Uneinheitlichkeit, Gegensätzlichkeit der deutschen Dichtung des 17. Jahrhunderts läßt Albrecht Schöne die Frage stellen,

ob nicht eben in dieser Uneinheitlichkeit, diesem spannungsreichen Miteinander des Gegensätzlichen in der Literatur des Barock eine innere Einheit beschlossen liege, die der Epochenbegriff sehr wohl definiert. Denn den großen, stilbestimmenden Gegensätzen der nord- und süddeutschen Landschaft, der katholischen und protestantischen Konfession, der höfisch-absolutistischen und der gegenhöfisch-bürgerlichen Kultur oder der am Ausland orientierten und der deutschtümelnden Tendenzen entsprechen die vielfältigen Antithesen, die auch das Werk des einzelnen Autoren bestimmen, und noch die einzelne Dichtung selbst, noch den einzelnen Vers [14]: ... Das Wort „barock" als Geschmacksbezeichnung gebraucht schon Winckelmann. Seine Bedeutung führt er nach dem französischen ›Ménage Dictionnaire‹ auf das portugiesische « barocco » — schiefe, unregelmäßige Perle — zurück.

Wenn wirklich, folgert Schöne, „das fremdartig-kostbare, in vielfarbenem Schmelz schimmernde, ungleichmäßige und uneinheitliche Gebilde dieser Perle dem Barockzeitalter seinen Namen lieh, dann scheint die vielfarbig schimmernde, die uneinheitlichste, ja gegensätzlichste und spannungsreichste Epoche unserer Dichtungsgeschichte glücklich benannt".[15]

Der Barockdichter ist verpflichtet, „immer etwas Neues hervorzubringen". Es handelt sich aber nicht so sehr um die Erfindung neuer Themen und Motive, sondern um die Kunst der einfallsreichen Variation. Die Rede soll auf „mancherley Weise abwechseln", so daß, obgleich von einer Sache gesprochen wird, die Rede „doch immer eine neue Gestalt gewinne".[16] Diese Feststellung weist auf eine der Hauptaufgaben des Barockdichters hin.

---

[14] Das Zeitalter des Barock. Texte und Zeugnisse. Hrsg. von A. Schöne, München 1963, S. IX.

[15] Ibidem, S. X.

[16] August Buchner, Anleitung Zur Deutschen Poeterey, Wittenberg 1665, S. 49.

Ein Beispiel dieser poetischen Schreibweise gibt Opitz in dem Epigramm:

An die Sternen / daß sie Jhm den Weg zeigen wollen
Jhr Fackeln dieser Welt / jhr ewig brennend Fewer /
Jhr Liechter in der Lufft / jhr Himmels äugelein /
Führt mich zu meinem Lieb: Kompt ihr mir nicht zu stewer /
So wird mein brennendt Hertz an statt der Sternen sein.

Der Titel bezeichnet die „poetische Aufgabe", die der Dichter in den darauffolgenden vier Versen kunstvoll zu lösen bestrebt ist. Die Sterne werden viermal umschrieben und dann in der letzten Zeile in die gesuchte Verbindung mit dem Herzen des Dichters, also seinem Gefühlszustand, gebracht. Opitz redet die Sterne in poetischen Formulierungen an. Das Gegenüber von Mensch und All überbrückt er und bringt beide in gegenseitige Beziehung durch die Schlußpointe.

Einen Einblick in die Arbeitsweise des Dichters dieser Epoche gibt auch Buchner in seiner Poetik, indem er demonstriert, wie der Satz: „Ich will, Herr, euer Lob von der Erde bis zu den Himmel erheben" in die Sprache der Poesie durch Umschreibung, Aufschwellung und Häufung umgesetzt werden kann. Das Ergebnis dieser Arbeitsweise sind sechs lange Verse. Ein zweites Beispiel gilt der Beschreibung und gleichnishaften Deutung des Himmels:

Wir sehen über uns hoch in die Luft erhoben /
Der Götter schönes Haus / das weder list noch toben
Des blinden Glückes rührt / da Eitelkeit verjagt
Und was uns schaden kañ / da keine Sorg uns nagt /
Und Herz und Muth verzehrt. Die schönen Feuer stehen /
Und leuchten durch die Luft / die blauen Wolcken gehen /
Umbhüllen gleich die Welt / der klaren Sonnen Liecht
Streut Feuer-stralen aus / davon die Nacht zerbricht /
Und als zu scheitern geht / es wird wie neu gebohren
Feld / See / und auch die Luft / etc.

Buchner kommentiert diese Arbeitsweise wie folgt:

Hie wird nicht allein der Himmel in seinen ümbständigen und zufälligen Sachen / sondern die Umstände werden durch Gleichnisse und anderweite Ausführung auch mehr erkläret. Wann wir nun solcher ausführlich und weitläuftiger Beschreibung / erheischender Gelegenheit nach / (denn dieses nicht überall stat hat) uns brauchen wollen / so müssen wir die Sache uns gleich als für Augen stellen / alles / worauf sie bestehet / und was dabey vorfället und hergehet / mit fleiß und genau wahrnehmen / hernach auslesen / was uns zufoderst dienlich / und das Werk ansehnlich machen mag. Denn etwas geringes und schlechtes anführen / wäre der Poesie verkleinerlich / das vornehmste aber übergehen / wäre ein Unverstand oder Nachlässigkeit des Poeten.[17]

Opitz, der sein dichterisches Programm, das ›Buch von der deutschen Poeterey‹, auf die klassizistisch-romanischen Kunstregeln stützte, schuf damit die Voraussetzung für den Anschluß der deutschen Dichtung an die europäische Kunstpoesie, beschränkte aber weitgehend die autonome Formentwicklung. Die Hauptmöglichkeit für die Weiterentwicklung bestand in der Verschiebung der Schwerpunkte, in der Häufung, Dehnung und Intensivierung, so daß die klassizistischen Kunstregeln nicht angefochten, aber doch mit einem neuen Inhalt gefüllt wurden. Opitz berief sich auf Autoritäten und wurde dadurch selbst zur Autorität; das ist ein nicht unwesentlicher Grund für seinen Erfolg.

Eine Hauptaufgabe der Barockdichter, die eine deutsche Kunstdichtung anstrebten, war die Schaffung einer sich von der Umgangssprache durch ihr Niveau stark unterscheidenden gehobenen Literatursprache. Denn zwischen der „Poetischen und gemeinen Red-Art" besteht nach Harsdörffer eine Todfeindschaft.

Böckmann legt in seiner ›Formgeschichte der deutschen Dichtung‹ einen besonderen Nachdruck auf das Elegantiaideal und das rhetorische Pathos des Barock. „Das vielschichtige literarische Schaffen des 17. Jahrhunderts besitzt im Zusammenhang der literarischen Formgeschichte seine besondere Bedeutung dadurch, daß es die rhetorische Sprachpflege zur vollen Entfaltung bringt und dadurch in alle Dichtung ein gesteigertes Kunstbewußtsein hineinträgt."[18] Die Bezeichnung „rhetorische Sprachpflege" scheint der Sprache der Barockdichtung nicht voll gerecht zu werden. So unterscheidet

---

[17] Ibidem. S. 66.
[18] Paul Böckmann, Formgeschichte der deutschen Dichtung, Bd. 1, Hamburg 1949, S. 381.

Buchner deutlich die Rede des Orators, die er in die Nähe der Umgangssprache stellt, und die Sprache des Dichters, der „die gemeine Art zu reden unter sich trit / und alles höher / kühner / verblümter und fröhlicher setzt / daß was er vorbringt / neu / ungewohnt / mit einer sonderbaren Majestät vermischt / . . .". Die Rede des Dichters gleicht eher „einem göttlichen Ausspruch oder Orakel als einer Menschenstimme".[19] Die Umgangssprache wird also durch den Dichter in ein künstlerisch hochgezüchtetes uneigentliches Sprechen umgewandelt, wodurch der Dichter seine künstlerische Erfindungskraft unter Beweis stellt.

Mit Recht weist Fricke darauf hin, daß dem Wort, dem Epitheton, der Metapher in der Dichtung des 17. Jahrhunderts große Wichtigkeit beigemessen wird, gleichzeitig aber unterschätzt er das Inhaltliche, die Idee des Gedichts. Das barocke Gedicht ist immer einer Gesamtkonzeption untergeordnet und führt sie in allen Schichten konsequent durch. Schöne hat in seiner Arbeit über Barockemblematik den Beweis erbracht, daß die Struktur des Barockdramas, angefangen von einzelnen Wortwendungen bis zur Gesamtidee, eine gut durchdachte emblematische Struktur aufweist.[20] Deshalb darf die Aufmerksamkeit des Barockforschers nicht nur „dem sprachlichen Einzelding, dem Wort, der Figur, dem Bild" gelten.[21]

Die Poeten des Barock suchen immer neue Benennungen für den Gedanken, der zum Thema des Gedichtes gewählt wurde. Sie bemühen sich, das besungene Ding in der Vielfalt der kosmischen Beziehungen zu demonstrieren und es so auf dem Wege der poetischen Umschreibung zu „definieren". Dieses Prinzip finden wir sowohl in den graziösen Gedichten von Hofmannswaldau als auch in den tiefernsten Versen von Andreas Gryphius. Die lyrischen „umschreibenden Definitionen" muten den heutigen Leser, dem die Gestaltungsabsichten der Barockdichter fremd sind, oft als eine „entartete Spielerei" an.

[19] Buchner, op. cit., S. 16.
[20] Albrecht Schöne, Emblematik und Drama im Zeitalter des Barocks, München 1964.
[21] Gerhard Fricke, Die Bildlichkeit in der Dichtung des Andreas Gryphius, Berlin 1933, S. 13.

Schon seit Jahrhunderten stellten sich die Gelehrten die Frage nach der Ursprache. Viele vertraten die These, daß die lingua adamica das Hebräische sei. Seltener waren die Stimmen, die eine verlorene Ursprache vermuteten. In diesem Zusammenhang versuchte man, den Platz des Deutschen zu bestimmen. Der Niederländer Scrieckius war der Ansicht, daß das Deutsche die zweitälteste Sprache sei und sich durch „die genaue Entsprechung zwischen Klang und Bedeutung" auszeichne. Seine Ideen fanden Widerhall bei den Sprachtheoretikern und Dichtern der Epoche. Sie beeinflußten auch das Werk Schottels.

Der Glaube an die Entsprechung von „Klang und Wort" führte zu zahlreichen, oft dilettantischen etymologischen Spekulationen, die einem kabbalistisch-alchimistischen Ordodenken entsprossen und zu der Enträtselung der Sprache führen sollten. So schreibt zum Beispiel Jakob Böhme über das Wort „Mercurius":

Das Wort Mer ist erstlich die strenge Herbigkeit; denn im Wort auf der Zunge verstehest du es / daß es aus der Herbigkeit knarret und verstehest auch / wie der bittere Stachel darinnen sei. Denn das Wort Mer ist herb und zitternd, und formet sich ein jedes Wort von seiner Kraft, was die Kraft tut oder leidet.[22]

Viel Aufmerksamkeit schenkten die Barockdichter dem Übersetzen fremder Literaturwerke und Gedichte, wodurch der Beweis der dichterischen Qualität des Deutschen erbracht schien. Schon früh erkannten sie, daß die Struktur des Deutschen sich von den Strukturen der anderen Sprachen mehr oder weniger unterscheidet und dadurch eine wort- und versgetreue Übersetzung nicht zum Ziele führt. So ist zum Beispiel „die lateinische Fähigkeit, in wenigen Worten viel zu sagen, nicht oder doch nur schwer übertragbar". Einfacher ist die Übersetzung aus verwandten Sprachen. Opitz machte gern davon Gebrauch, indem er holländische Verse ins Deutsche übertrug.

Im ›Buch von der Deutschen Poeterey‹ räumt Opitz dem Übersetzen im Schaffen eines Dichters einen wichtigen Platz ein.

---

[22] Jakob Böhme, Werke, hrsg. von W. Schiebler, 1831 ff., Bd. 3, S. 12.

Eine guete art der vbung, [schreibt er], aber ist / das wir uns zuweilen auß den Griechischen vnd Lateinischen Poeten etwas zue vbersetzen vornemen: dadurch denn die eigenschafft vnd glantz der wörter / die menge der figuren / vnd das vermögen auch dergleichen zue erfinden zue wege gebracht wird. Auff diese weise sind die Römer mit den Griechen / vnd die newen scribenten mit den alten verfahren: so das sich Virgilius selber nicht geschämet / gantze plätze auß andern zue entlehnen . . .[23]

Den Gedanken entwickelt Titz in seiner Verskunst weiter. Auch er sieht in der Nachahmung der antiken Dichtung ein wichtiges Mittel der Übung in der Poesie. Gleichzeitig macht er auf die Unterschiede der deutschen Sprache aufmerksam, die sich „in einem und dem andern" gänzlich absondert und „in andere schrancken" einschließt. „Denn wie man in unterschiedlichen Sprachen in der freyen Rede sich nicht allezeit nach einerley Regeln richten kan: also können auch in der gebundenen Rede der Poeten nicht überall einerley Gesetz und Abmessungen in acht genommen werden".[24] Titz fordert, daß der Gehalt der Vorlage mit größter Pietät wiedergegeben wird, ohne daß der deutschen Sprache Gewalt geschehe. Die getreue Übersetzung ist nicht mit einer wörtlichen Übersetzung identisch. „Alles aber / . . . von wort zu wort genaw zu geben / ist so wol unnöthig / als unmöglich".[25] Auch Harsdörffer lehnt die wörtliche Übersetzung ab: „Massen viel verantwortlicher ist/ man gehe zu weit von der Grundsprache / und gebe sich zu verstehen / als man verbleibe so nahe darbey / daß es der Leser nicht fassen und begreiffen möge".[26]

Heute herrscht die Überzeugung, daß den Barockdichtern der Begriff des Plagiats fremd war und daß man ihn erst im 18. Jahrhundert schuf.[27] Diese These widerlegen die weiteren Ausführungen

[23] Martin Opitz, Buch von der Deutschen Poeterey (1624), hrsg. von R. Alewyn, Tübingen 1963, s. 54.

[24] Johann Peter Titz, Zwey Bücher Von der Kunst Hochdeutsche Verse vnd Lieder zu machen, Dantzig 1642, Bl. T5a.

[25] Ibidem, Bl. T5b.

[26] Philipp Harsdörffer, Poetischer Trichter, T. 3, Nürnberg 1653, S. 38.

[27] Erich Trunz, Weltbild und Dichtung im deutschen Barock, in: Aus der Welt des Barocks, Stuttgart 1957, S. 29.

Harsdörffers, der sehr eingehend die Frage des geistigen Eigentums
erörtert.

> Wann ich aber eines andern Meinung gantz behalte und nur mit andern
> Worten ausrede / ist solches gleich dem Gemähl / welches mit andern
> Farben dem ersten von guter Hand gemahlten Stücke nachgemahlet wird.
> Dieses ist so zulässig / als bey den Lacedämoniern das listige Stehlen /
> welches / wann es nicht erfahren worden / unbestrafft geblieben. ... Wer
> nun redlich handeln / und fremdes Gut nicht für sein eignes ausgeben
> will / der setzet darzu wie Herr Opitz: fast aus dem Niederländischen /
> nach Ronsard ...[28]

Wie zahlreiche Beispiele beweisen, haben die Zeitgenossen Harsdörffers nicht immer diesen Ratschlag befolgt. Doch es scheint, daß
man im Laufe des 17. Jahrhunderts strenger mit den Quellen-
angaben verfuhr. Bei Andreas Gryphius zum Beispiel führen seine
drei schon 1637 veröffentlichten Gedichtübertragungen aus Sarbiewski, Bauhusius und Bidermann erst seit der dritten Auflage
(1650) einen Hinweis auf die benutzte Vorlage. Harsdörffer unterscheidet deutlich das Plagiat von der Übernahme einzelner Rede-
wendungen, Gedanken und Ideen, die zugelassen ist, wenn sie den
künstlerischen Absichten des Dichters untergeordnet wird. Der
Nürnberger illustriert diesen Gedanken, der ihm sehr wichtig war,
durch ein Gleichnis: „Der jüngern grosse Kertze ist von der ältern
kleinen Lampen angezündet worden / und leuchtet viel heller als
jene".[29] Das neue Werk kann das alte, durch das es angeregt wurde,
an künstlerischer Qualität sogar übertreffen. Harsdörffer wird nicht
müde, diese Erwägungen zu erklären und mit Beispielen zu belegen.
Es soll mit Nachdruck darauf hingewiesen werden, daß seine Ansichten über das geistige Eigentum von den heutigen nicht wesentlich abweichen.

Die Diskussion über den Epochen- und Stilbegriff ist wegen der
Mannigfaltigkeit der literarischen Erscheinungen im 17. Jahrhundert besonders schwierig. Diese Vielfalt ist im nicht geringen Maß

---

[28] Harsdörffer, op. cit., T. 3, S. 41.
[29] Ibidem, S. 42.

in den wechselvollen Erfahrungen der einzelnen Dichtergeneratio-
nen, im ständischen Denken der Epoche und in der Gattungsgebun-
denheit begründet.

Die Generation der Voropitzianer wuchs während der religiösen
Auseinandersetzungen auf, ihr Schaffen fällt noch zum größten Teil
in die Zeit vor dem Ausbruch des Dreißigjährigen Krieges. Demgegenüber wirkte die Generation von Opitz, deren Jugend noch in
die Friedenszeit fiel, während der beiden ersten Jahrzehnte des
Dreißigjährigen Krieges. Ende der dreißiger Jahre kommt eine
dritte Generation zu Wort. Diese kann sich an die Zeiten des Friedens nicht mehr erinnern, sie wurde am schwersten geprüft, erlebte
das dreißigjährige Völkermorden bis zur Neige und das erste Jahrzehnt der Nachkriegsmisere. Der bedeutendste Vertreter dieser Generation ist Andreas Gryphius. Anfang der sechziger Jahre des
Jahrhunderts erscheinen die ersten Werke von Lohenstein. Als der
Krieg zu Ende ging, zählte er erst dreizehn Jahre. Der Schwerpunkt seines Schaffens fällt etwa auf die sechziger und siebziger
Jahre des 17. Jahrhunderts, also auf eine Zeit des jähen wirtschaft-
lichen Aufstrebens. Das Kriegserlebnis wird durch die Dichter dieser
Generation bereits — dank der zeitlichen Entfernung — aus einer
gewissen Perspektive gesehen. In den letzten beiden Jahrzehnten
des Jahrhunderts kommen Schriftsteller zu Wort, die entweder zu
den Epigonen zählen oder schon Vorboten der Frühaufklärung
sind.

Die obigen Zeitangaben bedeuten natürlich keine scharfen Zä-
suren. Sie bestimmen vielmehr annähernd die Hauptwirkungs-
perioden der Generationen.

So wie in der Architektur die Weiterentwicklung zum Hoch-
barock „sich eigentlich nur in einer folgerichtigen Steigerung aller
Bestrebungen des Frühbarocks" äußert, findet auch innerhalb der
Barockperiode eine ähnliche Entwicklung statt. Schon in der gegen
Ende des 17. Jahrhunderts geschriebenen Vorrede zu ›Herrn von
Hoffmannswaldau und anderer Deutschen auserlesener Gedichte‹
(1695) wird der Leser auf Unterschiede innerhalb der deutschen
Barockdichtung aufmerksam gemacht. So ist der Stil von Opitz
(1597—1639) und Fleming (1609—1640) heroisch, von Gryphius
(1616—1664) beweglich und durchdringend, von Hofmannswaldau

(1617—1679) lieblich, galant, verliebt und von Lohenstein (1635 bis 1683) scharfsinnig, spruchreich und gelehrt.[30]

Aber auch die spätfeudale ständische Denkweise hat wichtige Konsequenzen für die Dichtung, die der Forderung nach einem standesgemäßen Stil entsprechen muß. Somit unterscheidet man einen hohen Stil, der der Repräsentation des Hofes gemäß ist, einen niederen Stil, in dem oft Komödien, in denen Bauern, lustige Personen und Bedienstete auftreten, verfaßt werden, und einen mittleren Stil, den besonders die Gelegenheitsdichtung des bürgerlichen Standes pflegt.

Denn wie ein anderer habit einem könige / ein anderer einer priuat-person gebühret / vnd ein Kriegesman so / ein Bawer anders / ein Kauff-mann wieder anders hergehen soll: so muß man auch nicht von allen dingen auff einerley weise reden; sondern zue niedrigen sachen schlechte / zue hohen ansehliche, zue mittelmässigen auch mässige vnd weder zue grosse noch zue gemeine worte brauchen.[31]

Den Gedanken haben schon die Poetiken des 16. Jahrhunderts behandelt. Wir finden ihn bei Ronsard und recht ausführlich bei Scaliger. Auf Scaliger beruft sich auch ausdrücklich Titz in seiner Verskunst (1642), doch mit der Einschränkung, daß „eines iedwe-dern eigenes Judicium oder urtheil des Verstandes der beste Lehr-meister ist. Welches zwar von der Kunst aufgemuntert vnd geleitet werden kan / von Gott vnd Natur aber eingepflanzet sein muß." Titz schreibt: „Aus den Figuris und Numeris (durch welche beide / wie gemeldet / die Poetische Rede gezieret vnd ausgeschmücket wird) entspringet der Character oder die Redensart / welche in die Hohe / Niedrige oder Schlechte / vnd in die Mittele / abgetheilet wird".[32] Damit verbindet sich der Gedanke von der „Nachahmung der Na-tur". Der Poet, der ein „Nachfolger der Natur" ist, soll „einer jeglichen Person / die er anführet / ihre gebührende Art zu reden zueignen".[33]

[30] Benjamin Neukirchs Anthologie, T. 1, hrsg. A. G. de Capua u. E. A. Philippson, Tübingen 1961, S. XXVIII.

[31] Opitz, op. cit., S. 30.

[32] Titz, op. cit., Bl. Qiv[b].

[33] Buchner, op. cit., S. 17 f.

Die Idee der drei Stilhöhen, die die Barockpoetiken immer wieder neu formulieren, darf bei den Stiluntersuchungen nicht außer acht gelassen werden. Die bisherigen Definitionen des barocken Stils beziehen sich vornehmlich auf Dichtungen, die dem hohen Stil entsprechen.

Das Stilkriterium spielt auch bei der Gattungswahl eine wichtige Rolle. Nach Opitz ist die Tragödie „an der maiestet dem Heroischen getichte gemeße" und die Komödie, die „in schlechten wesen vnnd personen" bestehet, darf keine Kaiser und Potentaten einführen, „weil solches den regeln der Comedien schnurstracks zuewieder laufft".[34]

Harsdörffer macht die Standesgradation zum Einteilungsprinzip seiner Bühnenstücke:

Wie nun dreyerley Haubtstände / also sind auch dreyerley Arten der Gedichte / welche auf den Schauplatz gesehen und gehöret werden. I. Die Trauerspiele / welche der Könige / Fürsten und grosser Herren Geschichte behandeln. II. Die Freudenspiele / so des gemeinen Bürgermañs Leben ausbilden. II. Die Hirten oder Feldspiele / die das Bauerleben vorstellig machē / und Satyrisch genennet werden. Diese Nachahmung der dreyen Stände haben etliche Stücke / in gemein und zugleich; etliche aber absonderlich / wie nachgehendes soll erwähnet werden.[35]

Albrecht Christian Rotth verbindet in seiner Einleitung zu den ›Poetischen Gedichten‹ (1688) die dort behandelten Gattungen mit entsprechenden Stilhöhen. So gehören zu der Satire „nidrige und nur gemeine Redens-Arthen . . .".[36] In einem Feldgedichte werden „geringe Personen auffgeführet . . ./ die nach ihrer Art etwas beschreiben / loben / schelten / rathen oder wiederrathen müssen . . ." „Denn Hirten und andere geringe Leut können zwar . . . auch von höchsten Sachen . . . reden / jedoch nach ihrer Art." Die Tragödie und das Heldengedicht nimmt den hohen Stil in Anspruch, die Reden der Romane, die auch von „mittelmässigen" Personen handeln können, „bedürffen eben nicht solcher Hoheit / wie die Helden-Gedichte / . . . Das beste ist die Mittelstrasse".

[34] Opitz, op. cit., S. 20.
[35] Harsdörffer, op. cit., T. 2, Nürnberg 1648, S. 71.
[36] Albrecht Christian Rotth, Vollständige Deutsche Poesie, T. 3, Leipzig 1688, S. 73, 47, 48, 350.

Kaspar Stieler spricht in seinem Briefsteller ›Der allzeit fertige Secretarius oder Anweisung auf was maasse ein jeder Halbgelehrter bei / Fürsten / Herren / Gemeinden . . . einen guten . . . Brief . . . verfassen könne‹ (1680) von der Notwendigkeit der Anpassung der Stilhöhe an den Stand auch in der Prosa:

Sie müssen aber in ihre Zähne gestehen / daß wichtige Geschäfte anders und mit mehrer Vorsorge als Lumpenhändel und gemeine Fratzen in acht zu nehmen und daß mit einem Fürsten reden wie ein Bauer mit dem andern die rechte / echte und Erzbaurenflegeley sey.

Die Standesunterschiede der Personen sind „auch in der Rede zu halten" [37].

Nicht alle Gattungen sind mit einer bestimmten Stilhöhe (wie zum Beispiel die Tragödie) verbunden. So kann oft innerhalb einer Gattung (zum Beispiel des Liedes) entsprechend der „Materie" des Gedichtes eine der drei Stilhöhen gewählt werden. Conrady glaubt in seinem bedeutenden Buch über die deutsche Dichtung des 17. Jahrhunderts an zwei Gedichten von Rist zwei verschiedene Stile — Renaissance und Barock — zu demonstrieren.[38] Wir dagegen würden die von Conrady festgestellten Stilunterschiede als Unterschiede der Stilhöhe innerhalb des Frühbarocks bezeichnen.

Rist trifft im ersten Gedicht einen schlichteren Ton:

> *Auff die nunmehr angekommene kalte Winterszeit*
> Der Winter hat sich angefangen /
> Der Schnee bedeckt das gantze Landt /
> Der Sommer ist hinweg gegangen /
> Der Waldt hat sich in Reiff verwandt.
>
> Die Wiesen sind von Frost versehret /
> Die Felder gläntzen wie Metall /
> Die Blumen sind in Eis verkehret /
> Die Flüsse stehn wie harter Stahl.
>
> Wolan wir wollen von vns jagen
> Durchs Fewr das kalte Winterleid /

[37] Nürnberg 1680, S. 31 f.
[38] Conrady, op. cit., S. 244 ff., 251 ff.

Kompt / Last vns Holtz zum Herde tragen
Vnd Kohlen dran / jetzt ist es zeit.

Last vns den Fürnewein hergeben
Dort vnten auß dem grossen Faß /
Das ist das rechte Winterleben:
Ein heisse Stub' vnd kühles Glaß.

Wolan wir wollen musiciren
Bey warmer Lufft vnd kühlen Wein /
Ein ander mag sein klagen führen /
Den Mammon nie lest fröhlich seyn.

Wir wollen spielen / schertzen / essen /
So lang vns noch kein Gelt gebricht /
Doch auch der schönsten nicht vergessen /
Denn wer nicht liebt / der lebet nicht.

Wir haben dennoch gnug zu sorgen
Wann nun das Alter kompt heran /
Es weiß doch keiner was jhm morgen
Noch vor ein Glück begegnen kan.

Drumb wil ich ohne Sorge leben /
Mit meinen Brüdren frölich seyn /
Nach Ehr' vnd Tugendt thu ich streben /
Den rest befehl ich Gott allein.

In acht einführenden Parallelsätzen läßt der Dichter ein etwas naives, aber stimmungsvolles Bild des Winters vor uns entstehen. Nicht
ein dynamischer Gedankenablauf, sondern eine behagliche Aufweitung der Gedanken ist für das Gedicht charakteristisch. Das
Lied, aus der Perspektive eines in bescheidenen Verhältnissen lebenden jungen Menschen geschrieben, besingt die „tugendsamen
Lebensfreuden". Da die Verse an die Tradition des Gesellschafts-
und Studentenliedes anknüpfen, wäre der hohe Stil hier fehl am
Platz.

Notwendig wird er aber in dem zweiten Gedicht:

An die Christliche
Fürsten vnnd Herren
in Teutschland.
Ermahnung zu wiederbringun-

*ge des Edlen Friedens / vnnd wieder-
auffrichtunge rechtschaffener be-
stendiger Liebe vnd Ei-
nigkeit.*

Jhr Helden / die jhr all' auß hohem Stamm entsprossen
   Durch Kunst vnd Tapfferkeit so hoch seyd auffgebracht /
Jhr / die jhr Tag vnd Nacht der Arbeit ohnverdrossen
   Habt ewren grossen Ruhm viel grösser noch gemacht /
Jhr / die jhr manches Jahr in Waffen euch geübet /
   Vnd durch die Mannligkeit so hoch geklummen seyd /
Jhr / die jhr Gottesfurcht vnd waren Glauben liebet
   Vnd trachtet nur nach Ehr' vnd Teutscher Redligkeit
Ach höret meine bitt' / ach lasset euch erweichen:
   (Jst schon mein wünschen schlecht / das Hertz' ist dennoch gut)
Wann wird der lange Krieg sein letztes Ziel erreichen
   Wann dünget man das Feld nicht mehr mit Menschenblut?
Wann wird der grawsam' Haß / das Land vnd Leut verheeren
   Das brennen ohne noht / das metzlen hören auff?
Wie lange wil man noch Marck Fleisch vnd Bein verzehren
   Wann bringet man den Mars auß Teutschland auff den lauff? ...

Rist wählte das „heroische Versmaß", den Alexandriner, und bemühte sich, dem Thema durch Häufung und Intensivierung der
poetischen Ausdrucksformen gerecht zu werden. Sein Wintergedicht
dagegen verlangt nach einer anderen Stilhöhe, der Rist voll gerecht
wurde.

Ein anderes Beispiel für das Auftreten verschiedener Stilhöhen
bieten uns die Epigramme von Friedrich von Logau. Wegen der
zeitkritischen Haltung will Jan Hendrik Scholte das Werk Logaus
„vom Barock als Stilphänomen trennen".[39] Sein Urteil bedarf einer
Revision. Ist doch die Fülle von Einfällen und Wortspielen, die
Mannigfaltigkeit der Formen, die Leichtigkeit der dichterischen Gestaltung erstaunlich und oft mustergültig für den Barockstil im
engeren Sinn des Wortes. Im folgenden Gedicht, dessen Struktur
uns bei Logau mehrmals begegnet, verbindet der Dichter die Anti-
thesen- und Parallelenhäufung mit einer Kette von Anaphern, die

[39] Reallexikon ..., S. 135.

die ganze erste Vershälfte einnehmen. Gleichzeitig spielt er mit den klangähnlichen Worten „Frucht-bringende" und „Frucht-tilgende".

Von der Frucht-bringenden und Frucht-tilgenden Gesellschaft
Frucht-tilgende Gesellschafft hat viel bißher vernichtet;
Frucht-bringende Gesellschafft hat viel bißher verrichtet;
Frucht-tilgende Gesellschafft nam Deutschland manche Zier;
Frucht-bringende Gesellschafft gab derer viel herfür;
Frucht-tilgende Gesellschafft hat ihren Stoltz geleget;
Frucht-bringende Gesellschafft hat fernen Preis erreget;
Frucht-tilgende Gesellschafft wird kürtzlich mehr nicht seyn;
Frucht-bringende Gesellschafft vermehret stets den Schein;
Frucht-tilgende Gesellschafft war wenig deutsch gesinnet;
Frucht-bringende Gesellschafft hat reiche Frucht gegünnet.
Ich mache mir Gedanken, daß Deutschland immerdar,
Es tobe, wer da wolle, wird bleiben, was es war,
Im Fall mit fremden Schanden die deutschen Redligkeiten,
Vielmehr mit deutschem Hertzen, wir bessern, nicht bestreiten.

Auch die antithetische Gegenüberstellung von Halbversen wird von Logau gern verwendet:

Der deutsche Friede
Was kostet unser Fried? O, wie viel Zeit und Jahre!
Was kostet unser Fried? O, wie viel graue Haare!
Was kostet unser Fried? O, wie viel Ströme Blut!
Was kostet unser Fried? O, wie viel Tonnen Gut!
Ergetzt er auch dafür und lohnt so viel veröden?
Ja; wem? Frag Echo drumm; wem meint sie wohl? [Echo] den Schweden.

Vier Fragen stehen hier jeweils vier Antworten gegenüber, wobei die ersten neun Silben eines jeden Verses anaphorisch wiederholt werden. Als Schlußpointe wird das durch die Barockpoetiken viel gepriesene Echo verwendet.

Eine Häufung von parallel gebauten Sätzen bringt Logau in dem Gedicht

Hofe-Werckzeug
Mäntel zum bedecken,
Larven zum verstecken,
Röcke zum verkleiden,
Scheren zum beschneiden,

> Zangen zum verzwicken,
> Pressen, auß zu drücken,
> Pensel zum vergolden,
> Blasen zum besolden,
> Pulster, ein zu wiegen,
> Brillen zu vergnügen,
> Fechel, Wind zu machen:
> Mehr noch solche Sachen
> Sind bey Hof im Hauffen;
> Niemand darff sie kauffen.

Ein extremer Fall der Anaphernhäufung ist das 36 Verse zählende Gedicht für Anna Sophia Fürstin zu Brieg, im Namen ihres
Gemahls geschrieben. Vierzehnmal beginnt der Vers mit der Anrede „Anna Sophia", jeder vierte Vers lautet „Drauf küsse / drauf
küsse / drauf küß ich dich". Es folgt der Schluß des Gedichtes:

> ... Anna Sophia / du liebest ja mich?
> Drauf küsse / drauf küsse / drauf küß ich dich.
> Anna Sophia / wir wollen uns herzen;
> Redliche mögen sich drüber ergetzen.
> Anna Sophia / du liebest ja mich?
> Drauf küsse / drauf küsse / drauf küß ich dich.
> Anna Sophia / so mischen wir küssen;
> Daß es nie keiner zu zählen soll wissen.
> Drauf küsse / drauf küsse / drauf küß ich dich;
> Drauf küsse / drauf küsse / drauf küsse mich!

Das Gedicht spielt mit den Worthäufungen, da es für eine unverbindliche gesellschaftliche Unterhaltung des Hofes bestimmt war.

Logau schreibt aber auch zahlreiche Sinngedichte, die die Sprachausschmückung des „hohen Stils" vermissen lassen. „Der Innhalt
dieser Getichte" erklärt der Dichter im Vorwort zu seinem großen
Werk, „handelt meistens von Sachen / die im gemeinen Leben fürkommen / daß dannenher offtmals mit dem gemeinen Wahn und
niedriger Art geredet wird."[40] Der Dichter bedient sich also bewußt verschiedener Stilhöhen. Wir glauben dabei nicht von barok-

---

[40] Friedrichs von Logau Sämmtliche Sinngedichte, hrsg. von G. Eitner,
Stuttgart 1872, S. 2.

kem und nichtbarockem Stil sprechen zu dürfen, sondern von verschiedenem Niveau desselben Stils. Die drei Stilhöhen müssen auch in einer Definition des barocken Stils entsprechend den zeitgenössischen Poetiken Berücksichtigung finden, denn nur ein differenzierter Stilbegriff wird der deutschen Literatur des 17. Jahrhunderts gerecht.

Die gattungsgebundene Haltung des Barockdichters äußert sich in der Beachtung der durch die literarische Tradition herausgebildeten Gesetze und Normen der Gattung. Das unterscheidet sein Schaffen von Erlebnisdichtung und expressiver Poesie. Zwischen der sogenannten Erlebnisdichtung, zwischen der subjektiven und der objektiven dichterischen Aussage gibt es eine Vielzahl von Zwischenstufen. Mitbestimmend ist die Weltanschauung des Dichters, sein Weltempfinden. In einer Epoche des philosophischen Individualismus wird der Dichter versuchen, auch wenn das Gedicht das Produkt einer kühlen Überlegung ist, ihm den Stempel der Erlebnisdichtung aufzudrücken. Umgekehrt ist zum Beispiel Gryphius bemüht, seinen tiefsten Erschütterungen, die seinem Schaffen zugrunde liegen und von der Not seines Ich sprechen, Allgemeingültigkeit zu verleihen. „Es bleibt für uns das Befremdliche und Überraschende an dieser Dichtungsepoche", bemerkt Böckmann, „daß sie zwar ständig auf ein persönlich inneres Leben hinzielt, aber niemals einfach von sich aus spricht, sondern ständig in direkter Anlehnung oder freier Abwandlung sich an eine schon geprägte Ausdrucksweise anlehnt und deshalb eigentümlich kunstbewußt mit Worten und Bildern verfährt." [41]

Die Gattung und ihre Normen zogen nach sich, daß auch Menschen, die sich nur ganz nebensächlich mit Dichtung beschäftigten, gute Gedichte schreiben konnten, in denen sie sich ganz auf die Überlieferung, auf den herkömmlichen Schatz von Epitheta, Figuren und Tropen stützten. Die Barockdichtung hat vor allem exemplarischen Wert. Sie führt auf das Typische und Ständische abgestimmte Verhaltensweisen vor und will zu der Wahrheit der kosmischen Ordnung vordringen, sie erkennen und dem Leser vermitteln.

[41] Böckmann, op. cit., S. 340.

Die deutsche Barockdichtung ist nicht ein antithetischer Neu-
ansatz im Vergleich zu der Dichtung des 16. Jahrhunderts, sondern
bedeutet die kontinuierliche Weiterentwicklung der neulateinischen,
in ihrer Spätphase schon oft barocke Stilzüge aufweisenden Gebil-
detendichtung. Die einzelnen Motive und Formen werden aus der
Dichtung des 16. Jahrhunderts übernommen, gehäuft und künstlerischer gestaltet.

Die für die Barockdichtung charakteristische Tendenz zum Über-
schreiten der „mittleren Stilebene" des Sprechens ist nicht extrem zu
verstehen. Sie wird durch die Formbesessenheit des Barockdichters,
die auch in der Vorliebe für formstrenge Versarten und Gedicht-
typen (Alexandriner, Sonett . . .) zum Ausdruck kommt, gezügelt
und hängt ebenfalls von der Gattung und der ständisch bestimmten Stilhöhe ab.

Der Formwille der Barockdichtung ist in der christlichen Ord-
nungslehre, und „zu der Ordnung der Welt gehörte die Ordnung
der Worte", begründet. Er wird sowohl durch das poetische Schaffen selbst als auch durch das große Interesse des Barock für die
Poetik bezeugt und durch das noch immer gültige Vorbild der antiken Literatur genährt. Man kann kaum von einer „Polarität von
Formungswillen und Formsprengung" sprechen, denn es handelt
sich auch in den extremen Fällen nicht um eine Sprengung der Form,
sondern um ihre maximale Belastung, um die Erprobung aller ihrer
Möglichkeiten, um die Prüfung ihrer künstlerischen Tragfähigkeit.

Zu den Mißverständnissen gehört der Versuch, in der Literatur
des Barock die irrational-chaotischen Bestrebungen sehen zu wollen. Will man doch in dieser Epoche sogar das Irrationale mit
rationalen mathematischen Methoden erkunden. So existierte keine
Gegensätzlichkeit zwischen Mystik und Rationalismus in unserem
Sinne. Der Mystiker war nämlich gleichzeitig Pansoph, er versuchte die Gesetzlichkeit von Gott, Kosmos und Mensch zu erkennen und in Zahlen, Linien und Buchstaben sie möglichst präzis zu
bestimmen. Exakte wissenschaftliche Beobachtung ging Hand in
Hand mit dem Interesse für Magie und Kabbala. Wir setzen den
Begriff Barock nicht gleich mit „Schwulst". Die Dichtung, der man
diese Bezeichnung verleiht, ist nur eine Grenzerscheinung, eine
extreme Möglichkeit des Barock. Den Gegenpol innerhalb der deut-

schen Barockpoesie bildet die Dichtung von Opitz, die zeitweise die „mittlere Ebene" des Sprechens überschreitet, aber durch die gedankliche Kühle und Strenge des zielbewußten Reformators gekennzeichnet wird. So gibt es zwischen Opitz und Lohenstein Unterschiede, aber es sind Unterschiede in der Intensität, der Formbelastung, der Steigerung, des Dekorativen innerhalb des Spielraums des Barock.

Colloquia Germanica. Internationale Zeitschrift für germanische Sprach- und Literaturwissenschaft. 1, 1967, S. 78—100. Aus dem Englischen übersetzt von Regina Krawschak.

BAROCK UND MANIERISMUS:
EPOCHE UND STIL [1]

Von BLAKE LEE SPAHR

Im Jahre 1948 machte sich Ernst Robert Curtius einen Standpunkt der Kunsthistoriker [2] zu eigen und definierte den Manierismus in der Literatur als: „... den Generalnenner für alle literarischen Tendenzen ..., die der Klassik entgegengesetzt sind, ... In diesem Sinne verstanden", so fährt Curtius fort, „ist der Manierismus eine Konstante der europäischen Literatur." [3] Er gibt jedoch zu: „Vieles von dem, was wir als Manierismus bezeichnen werden, wird heute als 'Barock' gebucht." Diese unerhebliche Schwierigkeit

---

[1] Die Auffassungen, die in diesem Aufsatz entwickelt werden, beziehen sich im besonderen, obwohl sie zum Teil von der Kunstgeschichte abgeleitet werden, auf die deutsche Literatur im 17. Jahrhundert. Bestimmte eigentümlich historische Phänomene, wie z. B. der späte Reflex des Renaissancegeistes im 17. Jahrhundert oder die Entwicklung eines neuen literarischen Stils (zufällig vielleicht) zur gleichen Zeit und andere individuelle Effekte, die in anderen Ländern nicht wirksam werden, bedingen die beschriebenen Charakteristika. Andererseits könnte vieles von dem, was hier erörtert wird, auch auf andere Kunstformen und auf die Entwicklung von Barock und Manierismus in anderen Ländern angewendet werden. Zeit- und Raumbeschränkungen haben jedoch jeglichen Versuch zunichte gemacht, die allgemeinen Aussagen, die hier gebracht werden, weiterzuentwickeln und auszuführen. Doch ist zu hoffen, daß die grundlegende Begriffsbildung eine neue Perspektive in die Erörterung dieser Auffassung in bildender Kunst, Musik und Literatur in europäischem Rahmen bringen könnte.

[2] Siehe Walter Friedländer, Die Entstehung des antiklassischen Stils in der italienischen Malerei um 1520, in: Repertorium für Kunstwissenschaft XLVI (1925), S. 49—86.

[3] Ernst Robert Curtius, Europäische Literatur und lateinisches Mittelalter, Bern 1948, Kap. 15, ›Manierismus‹ S. 277—305.

kann leicht umgangen werden, wenn man das Wort „Barock" einfach „ausschaltet". Mit diesen wenigen Sätzen öffnet Curtius nicht nur das Tor zu einer neuen Synthese von Kunst und Literatur unter dem Signum „Manierismus" — statt „Barock" —, sondern er gibt der Diskussion auch eine diachronische Basis. So ergibt sich eine zweite Synthese, die nicht aus Parallelen zwischen der bildenden Kunst einerseits und der Literatur andererseits besteht, sondern vielmehr aus Parallelen zwischen sogenannten Konstanten, die Jahrhunderte hindurch, sowohl innerhalb der Kunst als auch innerhalb der Literatur, einzeln oder in Beziehung mit anderen auftreten.

Die Frage: „suprahistorisch oder historisch" scheint in der Forschung besonders bei den Kritikern überstrapaziert worden zu sein, die barocke Züge (neuerdings auch manieristische Züge) überall in anderen historischen Epochen finden. Sie scheinen von der Annahme auszugehen, daß ein Merkmal der Kunst oder der Literatur ausschließlich auf eine Epoche beschränkt sein muß, um für diese Epoche charakteristisch zu sein. Sie ignorieren so die Tatsache, daß eine Konzentration von Merkmalen, kollektiv betrachtet, sich dazu eignet, eine bestimmte literarische Epoche zu charakterisieren, selbst wenn diese Merkmale, individuell gesehen, auch in weit voneinander entfernten historischen Zeiträumen festgestellt werden können. René Wellek stellt, nachdem er von stilisierenden Merkmalen gesprochen hat, die jetzt erwiesenermaßen als typisch für das Barock angesehen werden, wie z. B. Oxymoron, Paradoxon, Hyperbel, Asyndeton etc. die dogmatisch klingende Frage: "But are they peculiar to the Baroque?"[4] Die Frage ist gegenstandslos, da die Stilmittel selbst klassische oder mittelalterliche Namen haben und so natürlich nicht nur für das 17. Jahrhundert charakteristisch sein können. Und doch behauptet Wellek weiterhin, daß das Vorhandensein dieser Stilmittel: ". . . through the Middle Ages to Quintilian, Cicero and even Horace . . ." — er bezieht sich dabei auf das barocke Asyndeton — "is fatal to the paper of Wilhelm Michels who claims Shakespeare and Calderon as baroque on the basis of a

---

[4] René Wellek, The Concept of Baroque in Literary Scholarship, in: Journal of Aesthetics & Art Criticism, V, 2 (Dez. 1946), S. 90.

stylistic analysis." [5] Niemand ist überrascht, *romantische* Züge in der zeitgenössischen oder gar in der klassischen Literatur zu finden. Doch das Vorhandensein sogenannter „barocker" Merkmale in anderen Epochen, sogar in solchen, die dem 17. Jahrhundert unmittelbar vorausgingen oder nachfolgten, verleitet manche Historiker zu dem voreiligen Schluß, daß es überhaupt kein Barockzeitalter gibt. Wenn in einem bestimmten Zeitabschnitt viele Stilmerkmale, von denen einige sogar durch eine innere Einheit miteinander verbunden sind (wie nämlich Antithese, Oxymoron und Paradoxon), in den Werken vieler Schriftsteller vorwiegen, von denen einige geographisch und geistig weit voneinander entfernt sind, dann können wir mit Recht von einer Literatur- oder Kunstepoche sprechen, die durch die Gesamtheit der dort vorherrschenden Stilmerkmale gekennzeichnet ist. Wenn darüber hinaus stilistische Merkmale die Tendenzen einer bestimmten Zeit spiegeln, d. h. wenn der *Zeitgeist* sich in verschiedenen Medien mit hinreichender Wesensgleichheit manifestiert, so daß man seine charakteristischen Merkmale in den einzelnen Medien erkennen kann, dann können wir mit vollem Recht von einer Epoche sprechen und sollten nicht mit dem stärker einschränkenden Begriff „Stil" arbeiten.

Alle Stilmerkmale sind, isoliert betrachtet, supra-historisch. Nur die Konzentration eines bestimmten Kerns von wesensverwandten Merkmalen in einer abgegrenzten Zeitspanne [6] charakterisiert eine Kunstepoche.

Um nun zu Curtius zurückzukommen: wir können feststellen, daß er von dem Postulat ausgeht, rhetorische Kunstgriffe seien Werkzeuge des *Ornatus,* und daran anschließend zeigt er eine Serie von manieristischen *Konstanten* oder *Topoi* auf, um den von ihm

---

[5] Ebenda. In diesem Zusammenhang ist es interessant festzustellen, daß Wellek nicht über einen irreführenden Syllogismus erhaben ist, wenn er schreibt: "If an ornate mannered prose is baroque, then many Church Fathers were baroque." Mit anderen Worten, wenn die Qualität einer Perle in ihrer Rundung liegt, dann ist ein Apfel eine Perle. Das jedoch ist kein barocker Syllogismus.

[6] Zur geographischen Orientierung sollte man statt „Zeit" „Raum" lesen.

populär gemachten Ausdruck zu gebrauchen. Curtius ist folglich in erster Linie für das Fortdauern des gleichen Streits, allerdings unter neuer Überschrift, verantwortlich, der schon seit Jahren ausgetragen wird, ob nämlich die charakteristischen Merkmale der Literatur des 17. Jahrhunderts homogen und typisch für dieses Jahrhundert sind oder ob sie supra-historische Konstanten sind, die in der fraglichen Zeit nur in etwas größerer Häufung auftauchen.

Die Überlegungen von Curtius wurden schnell aufgegriffen; denn der Begriff Manierismus, der in der Kunstgeschichte [7] ziemlich neu war, bietet einen gänzlich neuen Zugang zur Literatur des 17. Jahrhunderts, und er rückt die beträchtliche und ehrwürdige Masse der Sekundärliteratur, die sich mit dem 17. Jahrhundert als Epoche des Barock auseinandersetzt, in eine etwas fragwürdige Perspektive.[8] In seinen Veröffentlichungen der Jahre 1957 und 1959 verbindet Gustav René Hocke, ein Schüler von Curtius, die gleiche Technik von Analyse und Synthese innerhalb des Bezugssystems des Manie-

[7] Aber siehe hierzu die Dissertation von Kurt Heinrich Busse, Manierismus und Barockstil: Ein Entwicklungsproblem der florentinischen Seicentomalerei, dargestellt an dem Werk des Lodovico Cardi da Cigoli (Leipzig, 1911 [!]).

[8] Obgleich der Terminus „Manierismus" in den zwanziger Jahren unseres Jahrhunderts in den Vordergrund rückte, scheint *keiner* der deutschen Literaturkritiker ihn in Verbindung mit der Literatur gesehen zu haben. Die Sammlung ›Die Kunstformen des Barockzeitalters‹ (Bern, 1956) gewährt dem Manierismusbegriff überhaupt keinen Raum; und sogar Jean Rousset charakterisiert noch 1962, nach drei italienischen Kongressen (siehe hierzu Welleks Concepts of Criticism [Yale University Press, New Haven, 1963], S. 119, Fußnote 13; deutsche Ausgabe: Grundbegriffe der Literaturkritik, [Stuttgart: Kohlhammer, 1965]) das Barock als: « un style issu de la Renaissance, directement, ou selon les vues récentes, par l'étape intermédiaire du ‹ maniérisme › » (Jean Rousset, La définition du terme « baroque », in: Proceedings of the IIIrd Congress of the International Comparative Literature Association (The Hague, 1962), S. 170. Wylie Sypher, wie doktrinär er sonst auch sein mag, war der erste, der eine zusammenhängende historische Behandlung der Literatur vom Standpunkt des Manierismus aus in seinem Buch ›Four Stages of Renaissance Style‹ (New York, 1955) vorschlug.

rismus, die schon Wölfflin und Strich in den Jahren 1915 und 1916 auf den Bereich des Barock angewendet hatten.[9]

Wenn wir uns einen Zugang zu dem neuen Problem der Anwendung der Begriffe Barock und Manierismus für die Literatur verschaffen wollen, sehen wir uns der doppelten Frage gegenübergestellt, die nun für zwei verschiedene Bezugssysteme aufgeworfen werden muß: ist das 17. Jahrhundert barock oder manieristisch, oder ist der Begriff barock bzw. manieristisch historisch oder suprahistorisch? Auch wenn wir nur den Begriff Barock benutzen, sind Versuche, die zweite Frage zu beantworten und sogar Versuche, einen gemeinsamen Nenner für das Barocke zu finden, außerordentlich wenig erfolgreich gewesen.[10] Wird sich damit nicht die Schwierigkeit unserer Frage verdoppeln, zumal die Kunsthistoriker auch mit gewissen Schwierigkeiten bei ihrem Versuch kämpfen, den Begriff Manierismus für eine bestimmte Epoche der bildenden Künste zu rechtfertigen und Barock und Manierismus voneinander zu unterscheiden?

Ganz im Gegenteil, ich gedenke hier in meiner Abhandlung zu zeigen, daß der Begriff Manierismus das Problem, das uns in den letzten fünfzig Jahren so sehr beunruhigt hat, gewiß vereinfacht und vielleicht sogar löst; denn statt die Verwirrung noch zu vermehren, wird uns der Begriff des Manierismus zumindest für den literarischen Bereich einen gemeinsamen Nenner für barocke Literatur bieten.

---

[9] Gustav René Hocke, Die Welt als Labyrinth: Manier und Manie in der europäischen Kunst (Hamburg, 1957); und Manierismus in der Literatur: Sprach-Alchimie und esoterische Kombinationskunst (Hamburg, 1959). Wölfflins ›Kunstgeschichtliche Grundbegriffe‹ sind ebenso wie Fritz Strichs ›Der lyrische Stil des 17. Jahrhunderts‹, in: Abhandlungen zur deutschen Literaturgeschichte, Festschrift für Franz Muncker (München, 1916), S. 21—53, klassische Werke geworden. Strich hat seine Thesen noch einmal dargelegt in: Die Kunstformen des Barockzeitalters (Bern, 1956) ›Die Übertragung des Barockbegriffs von der bildenden Kunst auf die Dichtung‹, S. 243—265.

[10] Wellek hat dies in seinem Aufsatz sehr klar dargelegt. Siehe hierzu Fußnote 2, oben.

Ich möchte zunächst einmal einige grundlegende Postulate vorschlagen, die ich anschließend im einzelnen erörtern werde.

1. Manierismus (in Kunst oder Literatur) kann man folgendermaßen umschreiben: als „absichtliche Entstellung bzw. formale Manipulation zur Erhöhung der Wirkung". Diese Definition orientiert sich an der Auffassung von Curtius, wonach Klassizismus als „die zur Idealität erhobene Natur" begriffen wird. Und ich bin mir natürlich sehr wohl der Warnung bewußt, daß „jeder Versuch, das Wesen großer Kunst begrifflich zu umschreiben", ein Notbehelf ist.[11]

2. Manierismus ist ein Stil, Barock eine Epoche.

3. Manierismus ist die *maniera* des Barock.

4. Manierismus ist *ratio*, Barock *emotio*; beide stehen sich als statisch und dynamisch, als potentielle und kinetische Kraft gegenüber.

5. Der gemeinsame Nenner der Epoche des Barock ist der manieristische Stil.

1. Manierismus ist eine absichtliche Entstellung bzw. formale Manipulation zur Erhöhung der Wirkung

Seltsamerweise zeigt die Geschichte des Begriffs „Manierismus" eine fast genaue Entsprechung zur Geschichte des Begriffs Barock; bei beiden war der Begriff zunächst ein ästhetisches Schimpfwort. In Adeline's Art Dictionary[12] aus dem Jahre 1908 heißt es einfach: "Mannerism may be defined as manner in a bad sense. Qualities of treatment which when moderately displayed mark individuality of style, when carried to excess and too often repeated degenerate into mannerism." Sogar noch im Jahre 1951 definiert Martin L. Wolf den Terminus Manierismus als: " ... the term applied by some critics to any distinctive or peculiar method or technique that has been carried to excess."[13] Als historischer Begriff

---

[11] Wellek, S. 273.

[12] Adeline's Art Dictionary (New York, 1908), S. 249.

[13] Martin L. Wolf, Dictionary of the Arts (New York, 1951), S. 417.

wird der Manierismus ziemlich gründlich in ›The Encyclopedia of
the Arts‹ (1946) definiert, aber in überhistorischem Kontext gesehen, gilt er immer noch als: " . . . the universal phenomenon
[which] occurs whenever in any art the exhibition of formal
dexterity is dominant at the expense of the rendition of expressive
or representative content." [14]

In Übereinstimmung mit der Definition, die ich im vorangegangenen Abschnitt vorschlug, kann man sagen, daß jede Kunst
in einem weiteren Sinn manieristisch ist. Das wertende Wort Entstellung erlaubt jedoch keine Überhöhung sui generis (d. h. eine
Erhebung zur Idealität), sondern es schließt vielmehr ein Abweichen
vom Wesen des dargestellten Objekts ein. Der Künstler löst das
Objekt bewußt aus dem Rahmen seiner Ordnung, Art oder Gattung heraus und verweist es in eine neue Kategorie. Das heißt, er
rückt es von einer Norm ab (was ein Werturteil ist). Diese Entstellung kann auf hunderterlei Weise erreicht werden: in der Kunst,
um nur einige Beispiele zu nennen, durch Dehnung der Linie, durch
das Spiel mit der Perspektive, durch Farbe sowie Licht- und Schat-
tenwirkungen, bei der Auswahl und Anordnung des Gegenstandes,
durch die Komposition oder auch durch die Haltung des Künstlers
dem Kunstwerk gegenüber. In der Literatur wird dieses erreicht
durch Entstellung oder Dehnung des normalen Satzbaus, der
„poetischen Linie"; d. h. durch Worthäufung, Wortwiederholung,
durch lautmalerische Effekte (die auf Kosten der Wortbedeutung
gehen), durch die Wechselwirkung von Illusion und Realität, Rolle
oder Maske und Identität; durch formale Erwägungen, die auf
Kosten des Inhalts gehen (wie z. B. Metrum, Laut, Rhythmus),
durch einen künstlichen Rahmen (wie z. B. in der Pastoraldichtung)
oder auch wieder durch die Haltung des Dichters seinem Kunstwerk gegenüber.

All diese hier genannten Techniken haben eines gemeinsam: sie
reproduzieren nie das gleiche Objekt, das sie in der Natur vor-
gefunden haben, sondern sie verändern es durch absichtliche Verzerrung zu einem neuen Objekt, das zwar in Beziehung zum Aus-

---

[14] Dagobert D. Runes and Harry G. Schrickel, The Encyclopedia of the
Arts (New York, 1946), S. 581.

gangsgegenstand steht, aber nicht mit diesem identisch ist. Die idealistische Überhöhung oder Intensivierung eines Gegenstandes macht diesen nur zum Prototyp seiner selbst. Eine idealistische Ausweitung eines jeden Wesensmerkmals zum Urbild dieses Wesenszuges hin ergibt als Resultat ein vollkommenes Ganzes, das zur Höhe des Ideals erhoben ist. In einem gewissen Sinne ist dies zweifellos Klassizismus. Im Gegensatz hierzu sagt René Huyghe: "The Mannerists were more interested in the invention of refined and original effects than in the expression of any factual or ideal truth ... It would seem that the intellect had become so blasé about natural subjects that it tried to create synthetic sensations of its own." [15] Wenn wir dies im Auge behalten, dann können wir erkennen, daß die Auffassung von Ernst Robert Curtius hinsichtlich eines supra-historischen Manierismus zweifellos richtig ist, sie zeigt jedoch die gleichen Schwächen, auf die René Wellek im Zusammenhang mit Wölfflins Kategorien verwies, weil sie nämlich zu folgendem Resultat führt: " ... to the giving up of a clear periodconcept and sliding back into a typology, which can achieve only a most superficial and rough classification of all literature into two main types." [16]

G. R. Hocke differenziert andererseits wie folgt: „‚Klassik' heißt Mißtrauen gegenüber Gefühl und Intellekt, in der Hoffnung, beide verbinden zu können. Manierismus heißt Verliebtheit in den ‚ingeniösen' Intellekt und oft *lasterhafte* Nachgiebigkeit gegenüber dem Gefühl." [17] (Ich würde den etwas barocken Begriff „lasterhafte Nachgiebigkeit" als einen barocken Wesenszug zurückweisen, doch davon später.)

Manierismus ist jedoch nicht einfach eine *zufällige* Verzerrung, die von einem künstlerischen „Eklektizismus" herrührt, sondern er zeigt vielmehr eine deutliche Intention, ja mehr noch, eine Intention in eine ganz bestimmte Richtung, eine Zielsetzung. Dieses Ziel

[15] Larousse Encyclopedia of Renaissance and Baroque Art, Hauptherausgeber René Huyghe. ›The Later Renaissance: Art Forms and Society‹, von René Hughe, S. 182.

[16] Wellek, S. 89.

[17] Hocke, Bd. I, S. 121.

ist höchstmögliche Wirkung. Absicht aber schließt Denkvermögen, Willen, Überlegung und Planung ein, bewußtes Abwägen von Möglichkeiten und die Mühen der Auswahl. Es handelt sich hierbei deshalb auch nicht um einen spontanen Ausbruch, auch nicht um einen Gefühlsausdruck, sondern um eine bewußte Abwendung, um eine bestimmte Wirkung zu erzielen. Wenn uns auch die auf einem Werturteil beruhende klassische Norm (von der sich der Künstler abwendet) stört, wir müssen sie dennoch insoweit akzeptieren, als wir die Konstanten des Manierismus als eine *Reaktion* betrachten. Die Anwendung „formaler Manipulation" schließt, auch wenn sie den bewußten Aspekt unserer Definition unberührt läßt, nur die Variation ein, nicht aber die Veränderung des Wesens.

Ein anderer deutlicher Unterschied zwischen dem Manieristen und dem Nicht-Manieristen liegt in der jeweiligen Rechtfertigung seiner Kunst. Der Manierist arbeitet um des Effektes willen, den er erzielen will. Das heißt, die „Intention" ist wohlberechnet, teleologisch gerichtet, und zwar auf ein künstliches Ziel. Hocke schreibt dazu: „‚Stupore' ist das ästhetische Ziel der manieristischen Dichtung." [18] Und unter « stupore » versteht er „Schock", was etwas vorsichtiger ausgedrückt einen übertriebenen „Effekt" bedeutet. Der manieristische Künstler (oder Dichter) denkt zuerst an die Wirkung, die er erzielen will, und dann benutzt er die Realität (Natur) so, daß er diesen Effekt auch erreicht. Die Wirkung steht an erster Stelle. Die Mittel (Technik) sind sekundär, und an letzter Stelle steht das reale Objekt, das als Modellierton dient.

Die Wirkung aber, die bei den übertriebensten Beispielen des Manierismus oft heftig genug ist, um den Terminus „Schock" zu rechtfertigen, wird nicht durch einen spontanen Ausbruch, eine gefühlsmäßig orientierte Ausdrucksweise des Künstlers erreicht, sie ist vielmehr vorgesehen und geplant. Sie ist eine Reaktion des *Beschauers* und nicht Ausdruck des *Künstlers* (und hier wird die grundlegende Schwäche der These von Hocke sichtbar, daß nämlich auch moderne Formen abstrakter, expressionistischer Kunst manieristisch sind. Diese moderne Kunstgestaltung mag zwar viele Techniken des Manierismus verwenden; weil diese Techniken aber aus

---

[18] Ebenda, S. 87.

Gründen, die ich noch darlegen werde, expressionistische Gemein-
plätze geworden sind, sind sie zwar vielleicht maniert, keineswegs aber manieristisch.) Dieses Schlußfolgern, das Planen der Wirkung ist grundlegend für den Manierismus, und aus diesem Grunde
wurde er lange Zeit als artifiziell gebrandmarkt. „Man merkt die
Absicht . . ." Sogar bei der Betrachtung der vollkommenen Kunst-
beherrschung eines El Greco hat die Kunsthistoriker die Frage nach
den Ursachen und Intentionen des Künstlers mehr beschäftigt als
die Untersuchung der tiefergehenden Bedeutung, die durch seine
Technik für das Kunstwerk erreicht wurde. In dem Maße, wie diese
Wesenszüge und wie diese Grundhaltung des Künstlers gegenüber
seinem Gegenstand in zeitlicher Hinsicht universal sind, im gleichen
Maße stellt der Manierismus im Sinne von Curtius eine Konstante
dar. In dem Maße jedoch, in dem die manieristischen Wesenszüge
dominieren, sich miteinander verbinden und die Hauptwerke
(qualitativ und quantitativ gesehen) einer bestimmten Zeitspanne
herausheben, in dem Maße ist der Manierismus ein historischer
Begriff. Curtius hat deshalb sowohl recht als auch unrecht genau in
dem gleichen Sinn nämlich, wie viele Kritiker, die sich mit dem
Begriff Barock herumschlugen, recht und unrecht hatten.

2. Manierismus ist ein Stil, Barock ist eine Epoche

Die für ein Zeitalter nützlichen Bezeichnungen, die Schubfächer,
in denen die Kunst- und Literaturhistoriker ihre Gegenstände
unterbringen können, entspringen allzuoft der Intuition des Historikers, der dann versucht, seinen Begriff der zur Frage stehenden
Epoche aufzuzwingen. Ein noch drastischerer Extremfall ergibt sich,
wenn der intuitive Begriff selbst nicht genau definierbar ist. So
sagt James Mark, indem er sich auf Werner Weisbachs Abhandlung
über das Barock bezieht:

"We ... have the edifying spectacle of a critic deciding that a period is
'baroque' and then settling down to decide what 'baroque' is."[19]

[19] James Mark, The Uses of the Term "Baroque", in: MLR XXXIII
(1938), S. 547—563. Siehe S. 550.

Mark kommt bei dem Versuch, eine gemeinsame Basis für die Charakterisierung von Weisbach[20] (der anderer Meinung als Wölfflin war) und die Entgegnung von Weise[21] zu finden, zu dem Schluß:

"... the most useful referent for the term 'baroque' seems to be the deliberate employment of technique for the achievement of certain effects."[22]

(Es ist bemerkenswert, daß Mark hierbei den Manierismus unter dem Schlagwort „Barock" beschreibt.) Aber Mark fährt fort:

"This technique is not employed *instinctively*, as a means of expression, but for rationally conceived purposes, by a mind which remains detached from the normally allabsorbing activity of aesthetic creation. The work is not the self-sufficient product of an integrated activity: it was not created simply to be as it is, but to produce certain effects through being as it is."

Diese Feststellung wiederum trifft auf den Manierismus besser zu als auf das Barock.

Mark ändert jedoch im Verlauf seines Aufsatzes seine Auffassung, zu der er zunächst auf Grund eines Kompromisses zwischen den Feststellungen von Weisbach und Weise gekommen war, denn er bemerkt folgendes dazu:

"But on the whole they [he is speaking of baroque poets] were not using technique with the dominant aim of making certain effects upon their readers: they were using it simply because for them it was poetry ... The writing of poetry in the furtherance of national culture, not its use for any specific purpose, was what mattered.[23]"

Hierin, so scheint es mir, liegt der grundlegende Unterschied zwischen Manierismus und Barock, und durch diese Unterscheidung

[20] Werner Weisbach, „Barock als Stilphänomen", in: DVjs, 1924, S. 238 ff.

[21] Weise, Das „gotische" oder „barocke" Stilprinzip der deutschen und der nordischen Kunst, in: DVjs, 1932.

[22] Mark, S. 551.

[23] Ebenda, S. 554.

erhalten wir gleichzeitig den lange gesuchten „Generalnenner" für das Barock. Denn der barocke Dichter (das gilt für den bildenden Künstler gleicherweise) gebraucht die künstlerischen Gestaltungsmittel des Manierismus, eigentlich borgt er sich eine Form. Das Barock ist als „eine Suche nach der Form" [24] charakterisiert worden. Und der barocke Dichter findet die Techniken des Manierismus passend und seinen Zielen angemessen. Er übernimmt und bearbeitet. Aber seine „Zielsetzung" ist nicht die geplante und bewußte Wirkung auf den Leser, vielmehr drückt er sich *selbst* aus, seine Rolle, seine Lebensweise, die Elemente seiner barocken Weltanschauung.

Kommen wir nun zu unserer grundlegenden Voraussetzung zurück: Manierismus ist ein Stil, Barock eine Epoche. Wir könnten jetzt, wenn es Zeit und Raum erlaubten, eine eingehende Charakterisierung des Manierismus geben und seine Wesensmerkmale aufzeigen (Verzerrung der Linien, ungewöhnliche Kompositionen, neue Farbskalen, ausgefallene Themen, Spiel mit der Perspektive, Akromegalie, übertriebene Gesten, eine evokative Atmosphäre, das Vorherrschen des Stils vor dem Inhalt, Erotik, Perversionen, Traumwelten usw). Anschließend könnten wir versuchen, sie nacheinander auf die Literatur anzuwenden, um dann außerdem zu zeigen, daß all das, was zunächst als ein selbstbewußtes stilistisches Merkmal erscheint, das um der Wirkung willen angewandt wurde, sich so sehr einwurzelt, daß es dadurch nur noch ein Ausdrucksmittel der frenetischen, antithetischen, spannungsgeladenen Welt des Barock wird. Ein Teil der Erörterung würde dadurch ins Absurde geführt werden, denn es ist ganz offensichtlich lächerlich, jedes Detail einer Kunstform pedantisch auf eine andere Kunstform anzuwenden. Außerdem haben Kritiker wie Hocke schon das Wesentliche dieser Aufgabe für uns geleistet, da wir durch die Analysen der manieristischen Literatur sowohl die charakteristischen Merkmale als auch die analogen Aspekte der bildenden Künste und der Literatur erkennen können. Bedeutend wichtiger für unsere Zielsetzung ist die Erörterung der Frage, ob es gerechtfertigt ist, den Manieris-

---

[24] Diese Formulierung stammt aus einem Seminar von Professor Curt von Faber du Faur von der Yale University.

mus als einen historischen Begriff anzusehen, der eine bestimmte Geisteshaltung der Zeit widerspiegelt, und zwar mit einer ebenso unabhängigen Reihe von Prämissen, wie es beispielsweise für die Renaissance oder das Barock zutrifft.

Offensichtlich stellt sich uns als erstes die Frage nach der Unterscheidung zwischen „Stil" und „Epoche". Wylie Sypher behauptet in seinem neuesten Buch [25]:

"A style is, in one way, only a figment of history that is written about the works of various artists."

Durch diese ziemlich unklar bleibende Feststellung möchte er andeuten, daß während einer bestimmten historischen Periode eine Reihe von Kriterien den Werken der verschiedenen Künstler von außen auferlegt worden sind; so assoziiert er, jedoch ohne kausale Verknüpfung, Geschichte und Stil. Wylie Sypher spricht auch über das Problem der Differenzierung von Stil und Stilisierung, einer wichtigen Unterscheidung, wenn diese Begriffe auf den Manierismus angewendet werden. Denn Stilisierung schließt eine bewußte und überlegte Anwendung eines Stils ein, der schon nachweisbar vorhanden ist, und er schließt auch die absichtliche Entindividualisierung sowie die Objektivierung zu einem Modell ein. Dies kommt der Aussage sehr nahe, daß Stilisierung die Auferlegung einer « maniera » ist, und zwar im Sinne des Hatzfeldschen « estilo amanerado »[26] im Unterschied zum *Manierismus*. Und gerade die

---

[25] ›Rococo to Cubism in Art and Literature‹ (New York, 1960), S. xix. Man beachte, daß ich das Wort „Stil" beinahe im Sinne von Syphers „Stilisierung" gebrauchen werde und „Aera" oder „Epoche" beinahe im Sinne von Syphers „Stil". Eine Technik wird erst dann zum Stil, wenn sie dazu verwendet werden kann, adäquat ein zeitgenössisches Weltbild darzustellen.

[26] Eine Reihe von Hatzfelds Aufsätzen zum Barock sind zu einem Sammelband zusammengestellt worden, die ich der Bequemlichkeit halber für meine Zitate heranziehe. Helmut Hatzfeld, Estudios sobre el Barroco (Madrid, 1964). Siehe S. 53 für seine Erörterung von « amanerado » und « manierismo »: « ... como se da la circunstancia de que los rasgos de mal gusto se producen en todas partes, parece indispensable introducir un término ... que podamos usar en ese sentido; el término ‹amanerado›.

Schwierigkeit, die sich hier bei der Differenzierung zwischen manieriert und Manierismus herausstellt, weist auch auf die begriffliche
Nähe der beiden Ausdrücke hin, denn der Manierismus hat in
seinem innersten Kern ein Element der Künstlichkeit (die „Absichtlichkeit" der vorgeschlagenen Definition), einer Künstlichkeit, die
für sich selbst genommen nicht die Widerspiegelung eines auf besondere Weise integrierten *Zeitgeistes* ist. Vielleicht *ist* der *Wunsch*,
künstlich zu sein, echt, Künstlichkeit an und für sich ist es jedoch
nicht. Meine eigene Idiosynkrasie mag mich veranlassen, mir einen
Bart wachsen zu lassen oder eine Perücke zu tragen — und dieser
Wunsch mag durch mein affektiertes Verlangen, eine bestimmte
Wirkung zu erzielen, hervorgerufen worden sein —, aber das bedeutet keineswegs, daß Bart oder auch Perücke oder irgendeine
andere Manifestierung meiner Affektiertheit *in sich selbst* typisch
für meine Zeit ist. Das Phänomen meiner Inszenierung der Wirkung ist manieristisch, der schlechte Geschmack (d. h. die fehlende
Übereinstimmung mit herkömmlichen Maßstäben) ist ein Beispiel
für den « estilo amanerado ». Wenn andererseits meine manierierte
Künstlichkeit die Perücke als Ausdrucksmittel wählt, weil sie dem
Zweck dient, mein Gesicht einzurahmen, in Übereinstimmung mit
einem inneren Zwang meines Zeitalters, sich in der Form solch
kunstvoll gerahmter Standbilder zu vergegenwärtigen, dann ver-
binde ich in der Tat zwei Tendenzen: nämlich den Kunstgriff der
Absicht mit dem meiner Zeit innewohnenden Geist. (Betrachtet man
dies im Rahmen unserer strittigen historischen Frage, dann ist das
erste Element Manierismus, und das zweite mag Barock sein.)
Unsere modernen Hippies legen ihre manierierte Uniform aus Bart,
Sandalen und Ungebadetsein an als Ausdruck ihrer Philosophie der
Enttäuschung über die Schablonenhaftigkeit des Normalseins. Das

... Luego el término ‹ manierismo ›, a diferencia de la palabra ‹ amanerado ›, que se aplica indistintamente a determinadas obras de cualquier
época que caigan en el mal gusto, se usará para designar un estilo pre-
barroco estrictamente localizado en su cronología, coincidente con una
tardía forma de Renacimiento, no realista, no impresionista, pero de
aspecto ornamental sorprendente." Hauser (siehe Fußnote 27 unten) sagt
andererseits kurz und bündig: „Manierismus ist ein kunstgeschichtlicher
Artbegriff, Manier ein kunstkritischer Qualitätsbegriff." (S. 11.)

Phänomen ihres Tuns ist als solches ein moderner Manierismus. Die künstliche *maniera*, die im Widerspruch zu unserem Kanon des guten Geschmacks steht, erregt Anstoß und wird zum Gespött — wir können sie als «estilo amanerado» charakterisieren — während gleichzeitig viele der Spötter mit der Weltanschauung sympathisieren würden, die das Phänomen selbst und auch der Stil ausdrücken. Solches Denken ist als Ausdruck echt, während die Ausdrucksmittel künstlich sind. Das Denken spiegelt die Epoche wider, die Ausdrucksmittel sind ein Reflex des Stils.

Wenn jedoch die Mittel, die gewählt wurden, um diese bestimmte Wirkung, nämlich «stupore» zu erzielen, der das Wesen des Manierismus ist, entweder auf Grund ihrer Übereinstimmung mit der Konvention der Epoche oder aus irgendeinem anderen Grund keinen Anstoß erregen, sondern Bewunderung hervorrufen, dann kann man sie auch nicht in negativem Sinne als «amanerado» betrachten. Im Gegenteil, sie drücken gewissermaßen, obgleich sie künstlich sind, durch ihre Nähe zur Konvention den Geist des Zeitalters aus. Weder ist jeder Manierismus «amanerado», noch ist jede affektierte Kunst manieristisch.

Wenn der Mensch bemerkt, daß er nicht länger Ausdruck seiner Epoche ist, oder wenn er keine einheitliche Philosophie findet, an die er sich halten kann, dann sucht er auf irgendeine Weise eine Wirkung zu erzielen. Genau wie ein Kind, das, wenn es nicht beachtet wird oder fühlt, daß seine Fertigkeiten keiner Beachtung wert sind, versuchen wird, die Aufmerksamkeit auf sich zu ziehen, indem es schockiert, oder auf künstliche Weise Aufmerksamkeit erregt, so verhält sich auch der Mensch, wenn er keine schöpferisch wesentlichen Ausdrucksmittel mehr hat. Er versucht dann auch durch eine bewußte Verzerrung eine Wirkung, einen Schock, eben „stupore" zu erzielen. Dies ist der Wesenskern des Manierismus. Historisch gesehen ist die Periode, in der manieristische Kunstwerke überhandnehmen, die Spätrenaissance, d. h. der Zeitpunkt, als das ursprüngliche *juvat vivere*, die Lust zu leben und die Überzeugung von der zentralen Stellung des Menschen im Universum zu schwinden begonnen hatten, also die Zeit, als der ursprüngliche Antrieb nachließ, weil er an Intensität verloren und noch kein neues Ziel, an das er sich halten könnte, gefunden hatte. Diese Erfahrung eines

Niedergangs verhält sich proportional zur Intensität seiner An-
triebskraft. Zudem tragen viele Faktoren wie die Reformation im
Norden, die Gegenreformation im Süden, der Konflikt zwischen
den verschiedenen Gesellschaftsschichten, die Auflösung der Feudal-
struktur, von der anfänglich so starke Impulse für die Selbstver-
wirklichung des Individuums ausgegangen waren, zu einer Brems-
wirkung auf die Bewegung der Renaissance bei, und der Mensch
versucht verzweifelt, in den Künsten ein neues Mittel zur Erhal-
tung seiner Dynamik zu finden. Den Durchbruch, durch die Spannungen, die sich daraus ergaben, zeigte später das Barock. In der
Zwischenzeit aber und gewissermaßen als eine Verirrung oder Abwendung vom Ursprünglichen gab es eine ganze Reihe von Kunstwerken, die noch von den Kategorien der Renaissance geprägt
waren, die einzig darauf abzielten, eine bestimmte Wirkung, einen
Schock, hervorzurufen. Und diese Wirkung wird durch die absichtliche Entstellung der Methoden der Renaissance, der Komponenten
des Renaissancestils noch verstärkt.[27]

Zweifellos ist Manierismus ein historischer Begriff, die Frage ist

[27] Zur Entwicklung des Manierismus aus der „Krise der Renaissance"
siehe Arnold Hauser, Der Manierismus: Die Krise der Renaissance und
der Ursprung der modernen Kunst (München, 1964).
Ich erhielt dieses Buch, das die umfassendste und beste Darstellung des
Manierismus in seinem historischen Kontext gibt, leider erst nach Fertigstellung meines Aufsatzes. Dieses Buch liefert eine breite historische
Grundlage (wenn auch etwas verzerrt) für die Stilentwicklung; es behandelt außerdem folgerichtig und mit solider Wissenschaftlichkeit die Frage
nach dem Manierismus in der Literatur, doch seltsamerweise unterläßt
Hauser, obwohl er die italienische, spanische, englische und französische
Literatur betrachtet, jegliche Bezugnahme auf Deutschland, dessen Literatur und Literaturkritik das reichste Material liefern. Hausers Darstellung
wird außerdem einseitig durch sein dogmatisches Insistieren auf dem
grundlegenden Unterschied zwischen „manieristisch" und „manieriert",
während er andererseits zugibt: „... daß der Manierismus immer auch ...
einen manierierten Zug an sich trägt." (S. 38). Der Begriff *manieristisch*
ist für Hauser historisch, während der Begriff *manieriert* über-historisch
ist, als logische Schlußfolgerung daraus ergibt sich, daß das Wesen des
Manierismus nicht in seinen Manierismen liegt; das ist in der Tat Hausers
These.

nur, ob er bloß ein Stil ist, der die Werke, die in einer bestimmten Zeit entstanden, charakterisiert, ohne in dieser Epoche irgendwie philosophisch verwurzelt zu sein, oder ob er ein tiefergehender Begriff ist, der für die Kultur und den Geist einer ganzen Epoche kennzeichnend ist. Mehrere Kritiker sind zu dem Schluß gekommen, daß der Manierismus bloß eine Phase der Spätrenaissance ist und keinerlei Grundlagen für eine bestimmte Epoche liefert. Hatzfeld behauptet:

« ... el Manierismo es como una cerca o espacio intermedio, que puede concebirse como un Renacimiento tardío, y, así, lo que se llama ‹maniere› son rasgos que modifican el Renacimiento puro o clásico y, al mismo tiempo, representan un estilo Barroco naciente.» [28]

Um den Standpunkt des Kulturhistorikers Carl J. Friedrich zu kennzeichnen, fährt Hatzfeld dann weiter fort mit dem Zugeständnis:

« ... que este Manierismo no es un estilo de época plenamente desarrollado como el Renacimiento o el Barroco, sino un estilo de transición entre los dos momentos culminantes de esos dos estilos de época.» [29]

Tatsächlich hat Friedrich gesagt:

"... there are those who would have us recognize a unique style separating renaissance from baroque, the style of mannerism (Manierismus). Whatever the ultimate conclusions on this debatable point, there seems to be no likelihood that mannerism will ever appear as a style of such general significance as romanesque, gothic, renaissance or baroque." [30]

[28] Ebenda, S. 54. „... der Manierismus ist wie ein eingehegter oder ein dazwischenliegender Raum, der sich als verspätete Renaissance begreifen läßt, und so stellen die künstlerischen Einfälle, die man mit « maniere » bezeichnet, eine Modifizierung der reinen klassischen Renaissance dar, und gleichzeitig bilden sie den entstehenden Barockstil."

[29] Ebenda, S. 53—54. „... daß der Manierismus kein Stil einer so vollständig entwickelten Epoche wie Renaissance oder Barock ist, sondern ein Übergangsstil zwischen den beiden Höhepunkten dieser beiden Stilperioden."

[30] Carl J. Friedrich, The Age of the Baroque, 1610—1660 (New York, 1952), S. 25.

Andererseits behauptet Jacques Bosquet:

"Hitherto, Mannerism has always been treated negatively, as an anti-classicism, a reaction to the immediately preceding classicism of the High Renaissance, or as an intermediary period between the High Renaissance and the Baroque. Now, however, it presents itself as an eminently positive phenomenon, indeed as a phenomenon which is far richer, broader and more stable than either the Baroque or the classicism of the High Renaissance and in addition a phenomenon which is far more clearly defined than either of these." [31]

Und dennoch behauptet Bosquet, daß Gryphius und Spee, Shakespeare und Spencer ebenso wie Milton, Rabelais und Ronsard manieristische Dichter sind, und er fügt hinzu:

"In literature as in painting, Mannerism provides the common stylistic denominator of a period which would otherwise defy classification." [32]

Sypher schließt schon in seinem Titel ›Four Stages of Renaissance Style‹ [33] den Manierismus als ein Stadium ein, dann würden aber auch Barock und Spätbarock weitere Stadien sein. Die Larousse Enzyklopädie [34] nimmt in dem Band über Renaissance- und Barockkunst den Manierismus als eine Phase auf, und in der Abhandlung von Rodolfo Palluchini über den Manierismus im 16. Jahrhundert finden wir folgende Feststellung:

"Mannerism used to be thought of as a period of transition between the Renaissance and the Baroque. Nowadays, it is regarded as a movement in its own right, an artistic vision that was well defined in spite of its varying facets."

Im gleichen Band jedoch ist der Teil IV, der vom Hauptherausgeber René Huyghe verfaßt wurde, mit ›Baroque Art‹ überschrieben, und der erste Abschnitt über ›Art Forms and Society‹ setzt sich mit der Übergangszeit von der Renaissance zum Barock

[31] Jacques Bosquet, Mannerism: The Painting and Style of the Late Renaissance (New York, 1964), S. 31.

[32] Ebenda, S. 31.

[33] Wylie Sypher, Four Stages of Renaissance Style (New York, 1955).

[34] Larousse Encyclopedia of Renaissance and Baroque Art, Hauptherausgeber René Huyghe (New York, 1964).

auseinander, und dort wird das Wort Manierismus nicht einmal erwähnt.[35] Wir können die Frage so lange offenlassen, bis die Kunsthistoriker zusammen mit den Kulturhistorikern zu einem Resultat über die Stichhaltigkeit des Begriffs Manierismus zur Kennzeichnung einer historischen Periode, die alle Lebensformen einschließt, gekommen sind. Dies geschieht jedoch mit dem Bemerken, daß, historisch betrachtet, der Manierismus bestenfalls eine Übergangsperiode ist, da sowohl Renaissance als auch Barock zu gut gekennzeichnet und etabliert sind, um sich einem Terminus zu beugen, der weder durch Philosophie noch durch Geschichte noch durch Musik, ja noch nicht einmal unter den bildenden Künsten durch die Architektur untermauert zu sein scheint. Wölfflins Differenzierungen treffen durchaus immer noch zu, auch wenn sie augenscheinlich einer radikalen Neubestimmung bedürfen.

3. Der Manierismus ist die Maniera des Barock

Die Existenz des Manierismus, sowohl im historischen als auch im suprahistorischen Sinne, kann aber nicht geleugnet werden. Während der Spätrenaissance gibt es eine Reihe von Werken in Literatur und Kunst, die auf vielfältigste Weise versuchen, durch Verzerrung oder irgendeine andere Art formaler Manipulation eine Wirkung hervorzurufen. Ihre Mittel und die durch die Vielfalt der Mittel sichtbar werdende Einheit erlauben es uns, diese historische Periode als manieristisch zu kennzeichnen. Andererseits kann praktisch jede dieser angewandten Techniken auch zu einer früheren oder späteren Kunst- oder Literaturperiode nachgewiesen werden. Gerade die Ungenauigkeit der Definition des Manierismus erlaubt die Anwendung dieses Begriffs auf eine lange Zeitspanne und auf eine Vielfalt von kulturhistorischen Tendenzen, sogar innerhalb

---

[35] Freilich hat Huyghe den Manierismus in der Einleitung zum vorausgegangenen Kapitel erörtert, aber er sieht in ihm: „... in fact no more than a development of tendencies inherent in the Renaissance." (S. 184). Darüber hinaus behauptet er: "Despite certain divergencies, Mannerism kept within the mainstream of the Renaissance." (S. 184).

derselben historischen Periode des Manierismus. Welches sind denn
nun aber die Wesenszüge des Manierismus, die wir auch auf die
Literatur anwenden und für sie akzeptieren können? Hockes
Charakterisierung würde, wie Wellek aufgezeigt hat,[36] praktisch
alles einschließen, was geheimnisvoll, abstrus und bizarr ist. Curtius hat jedoch dem Literaturhistoriker den Weg gewiesen, indem er
einige Grundmerkmale formaler Manipulation, rhetorischer Kunstgriffe, die den manierierten Stil von der Antike bis hin zum
17. Jahrhundert und darüber hinaus kennzeichneten, aufzählte.[37]
Es werden folgende künstlerische Mittel genannt: 1. Lipogram-
matische Verse (bei denen ein bestimmter Buchstabe durchweg ausgelassen wird), 2. Pangrammatische Verse (die die umgekehrte
Technik zeigen, indem nämlich ein bestimmter Buchstabe so häufig
wie nur möglich aufgenommen wird), 3. Technopägnien (oder Bild-
gedichte, deren Umrisse einen bestimmten Gegenstand zeigen),
4. Logodädalia (ein von Curtius selbst geprägter Terminus, der
irrigerweise von Ausonius hergeleitet wurde, um eine künstliche
Kombination einsilbiger Wörter zu kennzeichnen), 5. das versefüllende Asyndeton, 6. die *versus rapportati* (oder syntaktische
Korrespondenzen, die unterbrochen werden, um dann getrennt voneinander wieder eingeschlossen zu werden) und 7. das Summationsschema (bei dem die letzte Zeile oder Strophe durch Wiederholung
von Schlüsselworten aus vorangegangenen Zeilen eine Zusammenfassung gibt).

Curtius hat gewiß recht, wenn er behauptet, daß diese formalen
Affektiertheiten zeitlich und örtlich universal sind, andererseits
möchte er aber auch nicht leugnen, daß es eine Blütezeit dieser und
anderer Affektiertheiten in der Literatur des 17. Jahrhunderts gibt.
Die Frage, die weder von Curtius noch von seinem Schüler Hocke
gestellt wird, ist, ob die stilistischen Kunstgriffe als bewußtes Streben nach einer bestimmten Wirkung betrachtet werden können oder
ob sie integrierter Teil des Zeitstils sind, der genauso begründet

---

[36] René Wellek, Concepts of Criticism (New Haven, Yale University
Press, 1963), S. 125.
[37] Die folgende Erörterung nimmt auf Curtius Bezug, op. cit., Kap. 15,
›Manierismus‹.

ist, wie zum Beispiel die formalen Beschränkungen des Sonetts oder die zusammengesetzte Metapher. Curtius zitiert ein Beispiel der Tmesis bei Vergil, dann nennt er implizit einen Versuch, dieses Beispiel zu übertreffen, manieristisch, also muß die Schlußfolgerung ergeben, daß nicht der Kunstgriff selbst, sondern seine Verwendung manieristisch ist. Wenn Curtius das, was er als Normalklassik bezeichnet, beschreibt, gibt er folgendes zu:

„Der Normalklassiker ... wird ... auch nach bewährter rhetorischer Tradition seine Rede ‚schmücken', das heißt mit ornatus ausstatten. Eine Gefahr des Systems liegt darin, daß in manieristischen Epochen der ornatus wahl- und sinnlos gehäuft wird."

Für Curtius besteht der Manierismus in der Literatur folglich ganz einfach im Gebrauch rhetorischer Kunstgriffe, die aus der Antike entlehnt und durch die Renaissance wiederentdeckt oder wiederbelebt werden. Diese rhetorischen Kunstgriffe haben alle eins gemeinsam, sie führen eine Veränderung der poetischen Linie in der einen oder anderen Weise herbei, und dies ist tatsächlich ein grundlegender Wesenszug der Rhetorik. Jede Verwendung einer Redefigur bedeutet ein Beiseiteschieben einer einfachen Aussage zugunsten einer, vom Normalen aus betrachtet, unnatürlichen Aussageweise, und diese hat sich als Ziel gesetzt, eine bestimmte Wirkung zu erreichen — nämlich die Verschönerung, die Emphase, die Überzeugung, die Schmeichelei usw. Folglich kann die Frage nach einem manieristischen Stil nicht einfach davon ausgehen, ob ein bestimmter Dichter die klassischen rhetorischen Kunstmittel verwendet oder nicht — alle Dichter gebrauchen einige von ihnen zu allen Zeiten —, sie muß vielmehr vom übermäßigen Gebrauch ausgehen. Für Curtius ist der Manierismus deshalb eine Frage des Grades und nicht der verwendeten besonderen Kunstmittel. Die Verwendung des Hyperbatons ist bei Cicero natürlich. „Es wird bei Góngora, wie man weiß, zur Manier."

Die Frage nach dem Manierismus in der deutschen Literatur des 17. Jahrhunderts muß folglich neu formuliert werden. Wir sollten nicht fragen, ob die Literatur Beispiele stilistischer Kunstmittel zeigt, die unsere Literarhistoriker als manieristisch definiert haben, sondern vielmehr, ob diese Kunstmittel dem guten Geschmack entsprechend gebraucht oder ob sie „wahl- und sinnlos" verwendet wurden. Des weiteren müssen wir fragen, um wessen guten Geschmack es sich dabei handelt, um unseren oder um den Geschmack der Manieristen, die diesen fragwürdigen Stil anwendeten. Die Formulierung von Curtius „wahl- und sinnlos" beinhaltet auch ein Werturteil. Implizit bedeutet dies natürlich einen übermäßigen Gebrauch der in Frage kommenden Kunstmittel, besonders wenn sie nicht funktional integrierter Bestandteil der Ausdrucksweise des Dichters sind. Aber was uns heute übertrieben erscheint, mag zu einer anderen Zeit ganz gewiß nicht als übertrieben angesehen worden sein. Tatsächlich können wir sicher sein, daß die Leser des 17. Jahrhunderts, wenn ihnen aufgefallen wäre, daß diese besonderen stilistischen Kunstmittel übermäßig verwendet wurden, dagegen Stellung genommen hätten, oder die Dichter hätten, wenn wir ihnen auch nur einen Grad Unterscheidungsvermögen zubilligen wollen, diese Kunstgriffe eben nicht im Übermaß gebraucht. Wenn wir uns für die Methode von Curtius entscheiden, dann müssen wir einen richtigen Ausgangspunkt für unsere Beurteilung wählen — sollen wir z. B. von unseren heutigen ästhetischen Kategorien aus urteilen oder von den Kategorien des 17. Jahrhunderts aus? Oder sollten wir die Normen der Klassik, die definitionsmäßig als Gegensatz des Manierismus zu sehen ist, als Ausgangspunkt wählen? Eines der wenigen Charakteristika, die von den meisten Kritikern als typisch für das Barock angesehen werden, ist die Übertreibung, das Überwältigen durch den wiederholten Gebrauch und durch die Häufung von Details und Wörtern. Doch dies bedeutet von unserem heutigen Standpunkt aus gesehen schon für sich selbst ein Übermaß. Aber ganz bestimmt wurde die Worthäufung, die Gryphius in seinem Sonett ›Die Hölle‹ verwendete, vom Leser des Barockzeitalters als nicht übertrieben angesehen (wenn man ihm überhaupt irgend etwas vorgeworfen haben mag, dann wohl nur den Bruch mit der regelmäßigen Form, nicht jedoch den rhetorischen Kunstgriff, der wiederholt von Dichtern gebraucht wurde, die den guten Geschmack bestimmten). Sogar das von Curtius aus Brockes zitierte Beispiel der *versus rapportati,* die mit dem Kunstmittel der Worthäufung kombiniert wurden, wäre bewundert und nicht als ein Übermaß an schlechtem Geschmack angesehen worden.

Blitz, Donner, Krachen, Prasseln, Knallen,
Erschüttern, stoßweis abwerts fallen,
Gepreßt, betäubt von Schlag zu Strahl,
Kam, ward, war alles auf einmal
Gesehn, gehört, gefühlt, geschehn.

Wir könnten dies sogar heute eher als virtuos denn als anstoß-
erregend betrachten. Sicher jedoch lachten auch Zeitgenossen von
Quirin Kuhlmann über ein Sonett, von dem 12 der 14 Zeilen nach
folgendem Muster gebildet waren:

Auf Nacht / Dunst / Schlacht / Frost / Wind / See / Hitz /
Süd / Ost / West / Nord / Sonn / Feur / und Plagen /
Folgt Tag / Glantz / Blutt / Schnee / Still / Land / Blitz /
Warmd / Hitz / Lust / Kält /Licht / Brand und Noth:

Merkwürdigerweise findet gerade Kuhlmanns marxistischer Bio-
graph Walter Dietze dieses Sonett „... bestimmt lebendig und
originell ..." und er bezeichnet es als „... ein in seiner Art kraft-
volles und künstlerisch ausdrucksstarkes Experiment..."[38] Hier
haben wir ein Beispiel eines charakteristischen Merkmals des Manierismus, das dem ästhetischen Urteil des 17. Jahrhunderts zufolge
exzessiv verwendet wurde und das dennoch zumindest von einem
Kritiker heute als nicht anstößig in diesem Sinne angesehen wird.

Wenn wir vorschlagen, das 17. Jahrhundert im Sinne des Erörterten manieristisch zu nennen, dann nötigen wir ihm nicht nur
ein fragwürdiges Werturteil auf, sondern wir gehen obendrein auf
die Ansicht der Kritiker des 19. Jahrhunderts zurück, die sich wegen
dieser „Exzesse" und des „schlechten Geschmacks" verächtlich über
das 17. Jahrhundert äußerten. Es ist uns gerade jetzt erst geglückt,
durch den *ornatus* auf das, was dahinterliegt, zu blicken, und erst
in den letzten fünfzig Jahren haben wir die wahre Poesie des
Barockzeitalters entdeckt. Sie nun noch einmal als manieristisch (in
herabsetzendem Sinne) zurückzuweisen, bedeutet, daß man unter
einem anderen Schlagwort die ganze kritische Bewertung noch einmal vornehmen muß.

[38] Walter Dietze, Quirinus Kuhlmann: Ketzer und Poet (Berlin, 1963),
S. 89.

Schon zu Anfang des 17. Jahrhunderts, als der Manierismus im Sinne der Definition, die ich zu Anfang dieser Abhandlung gab, in Deutschland als ein Teil des literarischen Renaissancestils einsetzte, wurde die Grundlage für die affektierten stilistischen Kunstmittel in dem Buch geschaffen, dem das Jahrhundert für seinen Stilbegriff so viel verdankte, nämlich in Martin Opitz' ›Buch von der Deutschen Poeterey‹ (1624), das sehr gut als Handbuch für den manieristischen Stil gelten könnte, denn seine allgemeine Ermahnung, den Stil betreffend, lautet ganz einfach:

„... man [muß] ansehnliche volle und hefftige reden vorbringen / vnd ein ding nicht nur bloß nennen / sondern mit prächtigen hohen Worten vmbschreiben." [39]

Und Opitz' eigene poetische Werke zeigen uns die meisten der von Curtius aufgezählten rhetorischen Figuren und sogar viele der Myriaden von Kuriositäten, die Hocke der Aufzählung hinzufügte. Natürlich ist Opitz' Auswahl willkürlich. Bestimmte spezifisch manieristische Kunstmittel wie z. B. Pleonasmus, Anastrophe etc. schließt er aus [40], aber die allgemeine Richtung ist einmal festgelegt, und andere, die ihn in Theorie und Praxis nachahmen, schöpfen aus der gleichen Quelle, und sie produzieren, da ihnen der gute Geschmack des Meisters fehlt, manierierte Kunstgriffe aus klassischen und spätklassischen Werken. Das 17. Jahrhundert fand durch Opitz' Bemerkungen zum Stil seine eigenen Ausdrucksmittel. Es ist merkwürdig, daß die deutsche Renaissance erst in ihrer späten manieristischen Phase eine literarische Aufnahmebereitschaft zeigte. Aber was uns heute als bewußte Verzerrung erscheint, ist für den Stilisten des frühen 17. Jahrhunderts oft ein Streben nach Form. Verzerrung impliziert die Existenz einer Norm, eines Standards, von dem man sich abwendet. Wenn es aber eine solche Richtschnur nicht gibt und man schöpferisch sein will, dann wird das Wort Verzerrung dem Charakter eines solchen Bestrebens nicht

[39] Martin Opitz, Buch von der Deutschen Poeterey (1624), nach der Edition von Wilhelm Braune, neu hg. v. Richard Alewyn (Tübingen, 1963), S. 32.

[40] Ebenda, S. 28.

gerecht. Und wenn ein literarischer Stil sich zum erstenmal in einer
Sprache herausgebildet hat, dann ist es gewiß nicht richtig, von der
„Verzerrung" einer nicht existierenden Norm zu sprechen. Wenn
dieser Stil uns heute auch im Vergleich zu anderen literarischen
Sprachen des 17. Jahrhunderts oder im Vergleich zu klassischen
Normen maniert erscheint, so ist diese Tatsache für den Maßstab des 17. Jahrhunderts in Deutschland dennoch irrelevant. Denn
damals war der Stil ein ausgezeichnetes Ausdrucksmittel für die
Dichter, die sich zum erstenmal in der deutschen Sprache artiku-
lierten und die es den Literaturen gleichtun wollten, die in anderen
Ländern schon eine Blüte erreicht hatten. Folglich wurde derjenige,
der diesen Stil predigte, wie ein neuer Horaz oder Homer verehrt;
diese Übertreibung erscheint uns heute unverständlich. Der manierierte Stil ist ein Wesensbestandteil dieses Jahrhunderts, er gehört
zur natürlichsten Ausdrucksweise des Zeitalters, und wir können
ihn ganz gewiß nicht als eine bewußte Verzerrung ansehen. Um es
noch einmal deutlich zu sagen, der Stil entspricht dem Charakter
des Manierismus, aber er ist auch zugleich echte Ausdrucksweise des
Zeitalters. Wie sollen wir ihn also charakterisieren — vielleicht als
die *Manier* des Zeitalters? Der Manierismus ist die *maniera* des
Barock. Das Zeitalter des Barock ist im Stil manieristisch, aber
dieser manieristische Stil ist die adäquate Ausdrucksweise barocken
Geistes. Diese Stilkonventionen sind keine bewußten Verzerrungen
um des Effektes willen, sie sind vielmehr die natürliche Ausdrucksweise des barocken Menschen in der einzigen ihm bekannten Form.

4. *Manierismus ist ratio, Barock ist emotio*

Es hat durchaus seine Richtigkeit, daß die Sprache des 17. Jahrhunderts von einem Renaissancedichter zu Anfang des Jahrhunderts entwickelt wurde, denn gerade zu dieser Zeit gab es wieder
einen kurzen Ausbruch der deutschen Renaissance, die durch die
Reformation in Deutschland erstickt worden war. Auf Grund dieser
Ablehnung hatte sie sich im 16. Jahrhundert nie wirklich entwickeln
können. So hat Sypher (als einer von vielen) recht, wenn er den
Manierismus als eine Phase der Renaissancekunst charakterisiert,

denn seine Technik wurzelt im wesentlichen in der Renaissance. Der Manierismus beschäftigt sich in erster Linie mit dem Menschen, er ist eine Figurenkunst, die die Bedeutung des Menschen als Mittelpunkt des Universums widerspiegelt; und in diesem Sinne zeugt sie auch wirklich für den Humanismus. Das sorgfältige Planen, die Ordnung im Chaos sind Wesenszüge der Renaissance. Trunz' ganze Auffassung des Barock als *Ordo* [41] ist nichts weiter als eine Ausweitung dieser Wesensmerkmale in das 17. Jahrhundert hinein, von Böhme bis Leibniz. In diesem Zeitalter bilden sie ein stabiles und starres System in dem Meer der Gefühle.

Es ist jedoch seltsam, daß die deutsche Literatur von einem Geist der Renaissance wiederbelebt worden sein soll, der weder das Wesen der klassischen Antike verstand noch die Lebenskraft der italienischen Renaissance zeigte. Martin Opitz ist ganz einfach ein Manierist. Es ist das Grundprinzip im ›Buch von der Deutschen Poeterey‹, in der Manier eines anderen zu schreiben, um eine bestimmte Wirkung zu erzielen: „ . . . zur erweckung der verwunderung in den gemütern." [42] Man muß deshalb die Klassiker nicht etwa studieren, um das Wesen des klassischen Stils zu verstehen und im Deutschen einen erhabenen, doch einheimischen, originalen Stil zu schaffen, sondern vielmehr um die äußerlichen stilistischen Eigenarten einer spezifisch lateinischen Literatur zu kopieren, um viel zu übersetzen, da dies eine Einübung in die Schreibweise der Klassiker ist, und um die formalen Kunstgriffe nachzuahmen und den natürlichen Fluß des eigenen Stils in ein klassisches Bett zu zwängen, damit man den *Effekt* des Klassizismus erzielt.[43] Wir finden bei Opitz und seinen Nachfolgern einen Manierismus, der nicht nur die künstlerischen Mittel der späten Antike borgt, sondern sich auch gegen die *Wirkung* eines Pseudoklassizismus richtet. Darüber hinaus ist der Manierismus nicht intuitiv, sondern ein sorgfältig geplantes Schema, und er zeigt keines der Charakteristika des

[41] Erich Trunz, „Weltbild und Dichtung im Deutschen Barock", in: Aus der Welt des Barock (Stuttgart, 1957), S. 1—35.

[42] Opitz, op. cit., S. 20.

[43] Eine Untersuchung der englischen Poetiken, wie sie z. B. Schwester Miriam Joseph (›Rhetoric in Shakespeare's Time‹, New York, 1947) vorgenommen hat, würde genau die gleichen Tendenzen zeigen.

Barock, die so ausführlich beschrieben worden sind. Es gibt weder die Dynamik des Barock noch die vom Paradox genährte Spannung. Es gibt nur ein statisches, rationales, auf stilistische Wirkung abzielendes Schema, und dieses Schema wurde vom Verstand entwickelt und ist das Ergebnis spitzfindiger Schlußfolgerungen und der willkürlichen Projektion von Formmustern. Der Stil, der durch diese Muster verkörpert wird — die rhetorischen Figuren, die übertriebenen Beschreibungen, die Vielschichtigkeiten des Ausdrucks, all die Wesenszüge des Stils des 17. Jahrhunderts —, das ist der Stil des Manierismus, das grundlegende Charakteristikum des Jahrhunderts. Dieser Stil ist aber dem Geist des Barockzeitalters fremd, das aus dem Menschen Gedanken und Gefühle, die die quälenden Antithesen, die das Spannungsmoment dieser Periode bilden, hervorbrechen ließ. Das Barock ist spontan, der Manierismus ist gewollt. Das Barock ist ungekünstelt naiv, der Manierismus aber ist raffiniert, abgeleitet. Das Barock ist Aktion, der Manierismus ist Reaktion. Hocke drückt genau das Gegenteil dieser Sachlage aus, wenn er in seinem unglaublich widerspruchsvollen Bemühen, zwischen diesen beiden Tendenzen zu unterscheiden, sagt:

„Im Barock wird die manieristische Urgebärde zu einer voluntaristischen Überzeugungsgebärde." [44]

Doch Intention macht gerade das Wesen des Manierismus aus. Hocke gibt jedoch zu:

„ ‚Barocke‘ Kunst, Literatur und Musik benutzen zwar formale Manierismen und auch manieristische Ausdruckszwänge, doch steht das Gesamtphänomen ‚Barock‘ schon in einem neuen geistigen und politischen ‚Ordnungs‘-Streben, bedingt durch die Folgen der Gegenreformation und durch die Konventionen der sich festigenden absolutistischen Hofkultur und ständischen Gesellschaft. Barocke Kunst, Literatur und Musik haben noch manieristische Elemente, ja noch starke subjektive Ausdruckswerte, aber sie werden durch neue klassizistische Vorstellungen wieder gebändigt." [45]

[44] Hocke, II, S. 146.
[45] Ebenda, S. 145.

Und er sagt außerdem:

„Barocker Geist strebt, oft mit manieristischen Ausdrucksmitteln (Jesuiten),
zu objektiven Ordnungen (Kirche, Philosophie, Staat, Gesellschaft), d. h.
zu ihrer Darstellung. Die vielgerühmte ‚Dynamik' des ‚Barock'!" [46]

Tatsächlich ist dies eine richtige Beschreibung der Szene, nur daß
das Pferd dann beim Schwanz aufgezäumt wird. Hocke ist so
fasziniert vom Inhalt dessen, was Wellek "his wonderful ragbag"
nennt, d. h. von allem, was "irregular, abstruse, absurd, fantastic
and weird" [47] ist, so daß es für ihn grundlegend wird, und er merkt
dabei nicht, daß er selbst ein Zeitalter, einen Zeitgeist beschrieben
hat. Er gebraucht solche Worte wie „barocker Geist", „das Gesamtphänomen Barock" vielleicht unabsichtlich, doch scheint er dadurch
den Stil zu leugnen, während er die Epoche bejaht.

5. Der gemeinsame Nenner des Barockzeitalters ist
der manieristische Stil

Wellek zeigt in seinem nun schon klassisch gewordenen Essay
›The Concept of Baroque in Literary Scholarship‹ [48] prägnant die
Bedenken gegen den Gebrauch des Wortes barock als stilistischen
Terminus auf. Er erhebt Bedenken, diesen Begriff zu verwenden,
um auf die augenfälligsten stilistischen Kunstmittel zu verweisen,
wie z. B. die « concetti » (S. 89—90), einen überladenen Prosastil
(S. 89), die Häufigkeit bestimmter rethorischer Figuren (wie Antithese, Asyndeton, Oxymoron etc., S. 90) etc. Wenn man, nach Wellek, versucht, das Barock durch einen dieser Aspekte zu definieren,
dann muß der Versuch fehlschlagen, da sie alle auch zu anderen geschichtlichen Epochen vorhanden sind; zudem würde man dadurch
zugegebenermaßen „typische" Barockautoren ausschließen, weil sie

[46] Ebenda, S. 145—146.
[47] Wellek, Concepts of Criticism, S. 125 [deutsche Übersetzung von
E. und M. Lohner, Grundbegriffe der Literaturkritik (Stuttgart, 1965),
S. 75].
[48] Siehe Anmerkung 2 oben.

keines oder nicht alle der in Frage kommenden Kunstmittel gebrauchen. Oder wenn man andererseits wie Curtius zu zeigen versuchte, daß bestimmte Kunstmittel wie die *schemata verborum* oder die Lautschemata nicht barock sind, weil sie von der mittelalterlichen lateinischen Prosa abgeleitet wurden, dann verböte es sich auch, die Autoren, die diese Schemata häufig verwenden, hinzuzurechnen. Und dazu würden Autoren wie Abraham à Sancta Clara, Hofmannswaldau und die Nürnberger Dichter gehören. Wellek gibt dann zu:

"one must acknowledge that all stylistic devices may occur at almost all times. Their presence is only important if it can be considered as symptomatic of a specific state of mind, if it expresses a 'baroque soul'." [49]

Trotz des leicht ironischen Anflugs fügt Wellek außerdem hinzu:

"Much better chances of success attend the attempts at defining baroque in more general terms of a philosophy or a worldview or even a merely emotional attitude toward the world." (S. 93.)

Die Auffassung des Barocks als Ausdruck der Gegenreformation ebenso wie Hatzfelds Bezeichnung des Barocks als „lo hispanico — das Spanische" werden beide durch die Existenz eines erwiesenermaßen protestantischen Barocks widerlegt. Die wechselseitige Beziehung von stilistischen und weltanschaulichen Kriterien scheint in Künstlichkeit auszuarten, wie Wellek aufzeigt:

"The figures and metaphors, hyperboles and catachreses frequently do not reveal any inner tension or turbulence and may not be the expression of any vital experience (Erlebnis) at all, but may be the decorative overelaborations of a highly conscious, sceptical craftsmanship, the pilings-up of calculated surprises and effects." [50]

Man beachte die Formulierung "calculated surprises and effects". Es handelt sich hierbei wiederum um eine Paraphrase unserer Definition des Manierismus.

[49] Wellek, The Concept of Baroque, S. 92 [deutsche Übersetzung S. 79 u. 81].
[50] Ebenda, S. 96 [deutsche Übersetzung S. 85].

Wenn also das Barock weder vom stilistischen Standpunkt aus definiert werden kann noch vom philosophischen noch vom Standpunkt der wechselseitigen Beziehungen der beiden zueinander, was bietet sich dann als Unterscheidungsmöglichkeit für diese verwirrende Epoche an, die so schwer faßbar zu sein scheint, deren Existenz als eines erkennbaren Wesens jedoch mehr und mehr offensichtlich wird?

Es scheint mir, daß unsere grundlegende Schwierigkeit in der Anwendung eines methodisch irreführenden Versuchs liegt, nämlich nach einem alles aus- und einschließenden universalen Kriterium zu suchen. Das heißt, ein Kriterium, von dem wir sagen könnten, nur solche Kunstwerke, die diese spezifischen Merkmale teilen, sind barock und keine anderen. Die Belegbarkeit dieser Wesensmerkmale zu verschiedenen Zeiten würde diese als Charakteristika für einen speziellen historischen Begriff entwerten, oder ihr Fehlen in spezifischen Kunstwerken der historischen Epoche würde diese Kriterien auch als Bezeichnung der Epoche unbrauchbar machen. Dies zeugt von einer seltsamen Verblendung, denn man geht von der Voraussetzung aus, daß eine formale Allgemeingültigkeit unmöglich ist, während sie gleichzeitig gewissermaßen axiomatisch ist. Alle Kunstmittel lassen sich im Grunde genommen zu allen Zeiten finden. Gleichzeitig unterstellen wir, und dies ist ebensowenig überzeugend, daß bestimmte Wesensmerkmale in *allen* Kunstwerken des Barock vorhanden (oder nicht vorhanden) sein müssen. Tatsächlich ist weder das Barock noch irgendeine andere Epoche derart starr festgelegt. Unerschrockene Individualisten werden in jeder Epoche aus der Mode der Zeit ausbrechen, um etwas, was dem Stil oder der Philosophie der Epoche fremd ist, auszudrücken. Wenn sie oder ihre Werke besonders gelungen sind, dann können sie als isolierte Beispiele überleben. Wenn ihr Werk hervorragend ist, dann kann es andere sogar so weit beeinflussen, daß es selber wiederum ein stichhaltiges Begriffskriterium liefert. Oder ein bestimmtes Phänomen kann dazu führen, daß es sich selbst in vereinzelten Werken und Individuen ausdrückt und dennoch keine noch so geringe Spur davon irgendwo anders zurückläßt.

Es scheint nun so, daß man die beste Möglichkeit für eine hinreichende Definition des Barock, die auf alle Kunstformen aller

Länder zutreffen würde, nur finden kann, wenn man nach einem bescheideneren Ausgangspunkt sucht. Zunächst könnte eine Vorliebe für bestimmte Themen als gegeben vorausgesetzt werden. Alle diese Themen, die wir so einbeziehen würden, können in anderen historischen Epochen ebenso weit verbreitet sein wie im 17. Jahrhundert; unser Kriterium aber für die Einbeziehung oder Nichteinbeziehung bestimmter Themen geht nur insoweit vom Vorherrschen des Themas aus, als es gleichzeitig auch ein Wesensmerkmal des Denkens der Zeit anzeigt. Zweitens müßte eine Erörterung der verschiedenen philosophischen Strömungen der Epoche und ihrer Erscheinungen in verschiedenen Ländern und in verschiedenen Kunstformen folgen. Wichtiger als die Bezeichnungen, ja sogar wichtiger als die Charakteristika dieser Strömungen könnten die spezifischen Wesenszüge sein, die die besondere Ausdrucksweise bestimmen. So findet z. B. Hübschers antithetisches Lebensgefühl ganz gewiß einen gültigen Ausdruck in den Spannungen der Zeit. Wir müssen nur bedenken, daß diese Spannungen in bestimmten Gebieten nicht augenfällig werden, besonders dann nicht, wenn ein anderes philosophisches Symptom stärker ist (vergleiche hierzu die Werke der Jesuiten, in denen das Spannungsmoment weniger auffällt und vielleicht auch aus etwas anderem als einem antithetischen Lebensgefühl resultiert). Und drittens könnten wir doch die stilistischen Kunstmittel oder Wesenszüge, die in diesem Zeitalter vorherrschen, registrieren.

Wenn wir unsere Aufmerksamkeit eine Zeitlang nur auf den Stil konzentrieren, dann können wir eine Beobachtung machen, die für die Analyse des Barocks hilfreich ist. Wir kommen dann nämlich zu dem gleichen Ergebnis, wie ich es als Postulat diesem Teil meiner Analyse vorangestellt habe: Der gemeinsame Nenner der Epoche des Barock ist der manieristische Stil. Zu Beginn des Jahrhunderts machte Opitz eine Form der Spätrenaissance bekannt, und man findet in seinen Werken nicht nur die stilistischen Wesenszüge des Manierismus, sondern auch die entsprechende Sujetwahl und die Grundeinstellung des manieristischen Künstlers seinem Werk gegenüber. Opitz ist kein Barockmensch. Er ist durch und durch objektiv. Der ihm wieder und wieder vorgeworfene Stilfehler ist seine Kälte, sein Mangel an lyrischen Qualitäten. Man hat ständig das Gefühl, daß seine Kunst bis ins Kleinste geplant ist, daß sie dem Kopf und nicht dem Herzen entspringt. Seinen Gedichten fehlt das Wesentliche des barocken Stils, die Spannung. Doch kann man seine spezifischen Stilzüge und die gleiche Sujetwahl in der Blütezeit des Hochbarocks finden. Dort werden sie jedoch völlig anders verwendet. So gebraucht auch Gryphius das versefüllende Asyndeton, die Summationstechnik, die Hyperbel und das Oxymoron, auch er schreibt von Tod und Zeit; aber was bei Opitz geplant ist, ist bei Gryphius ein wilder Ausbruch, eine quälende Klage, spontaner Ausdruck grenzenloser Angst in höchst persönlichen lyrischen Ergüssen. Wenn Gryphius ausruft:

Ach und weh!
　　Mord! zetter! jammer! angst! creutz! marter! würme! plagen!
Pech! folter! hencker! flamm! stanck! geister! kälte! zagen!
　　　　Ach vergeh
　　　　Tieff und höh'![51]

dann ist es ein ungezügelter Ausbruch, beinahe ein Entsetzensschrei, ein Ausdruck allen Schreckens; und die Tatsache, daß dies metrisch, wenn auch nicht rhythmisch in Alexandrinern geschieht, zeigt uns nur, wie tief eingewurzelt diese Ausdrucksform ist (Mord! zéttĕr! jámmĕr! angst! creútz! mártĕr! würmĕ! plagĕn!). Ganz gewiß aber stellt dies keinen geplanten Einsatz eines rhetorischen Mittels dar, um dadurch eine bestimmte Wirkung zu erzielen!

Man vergleiche andererseits hiermit Opitz' Einsatz des gleichen manieristischen Kunstmittels:

Rapuntze / Kresse / Lauch / Kohl/Rüben / Erbsen / Bohnen / Sawrampffer / Peterlin / Salat im frischen Öl.[52]

Man kann sich sehr wohl vorstellen, daß hier das versefüllende Asyndeton bewußt gewählt wurde, um den Eindruck der Fülle von Gemüsearten zu geben.

[51] Andreas Gryphius, Werke in drei Bänden, hg. v. Hermann Palm (Darmstadt, 1961), Bd. III, S. 156.
[52] ›Barocklyrik‹, hg. v. Herbert Cysarz (Hildesheim, 1964), Bd. I, ›Vor- und Frühbarock‹, S. 149.

Dietrich von dem Werders schreckliches Werk ›Krieg und Sieg Christi‹ ist nichts anderes als eine manieristische Paronomasie, die in unglaublicher Weise auf die Spitze getrieben wurde.[53] Auch Weckherlin dagegen gebraucht das sogenannte „Summationsschema" in Verbindung mit der Anapher so, daß sein gutgemeintes Gedicht ›Über den frühen Tod Fräuleins Anna Augusta Marggräfin zu Baden‹[54] dadurch völlig gekünstelt wirkt. Andererseits ist Rists Verwendung des Parallelismus und der Anapher in seinem berühmten Gedicht ›O Ewigkeit, du Donnerwort‹[55] alles andere als eine intendierte Stilverzerrung.

Paul Fleming gebraucht in der ersten Hälfte des Jahrhunderts alle petrarkistischen Kunstmittel, um das Lob seiner Elsabe und Anna zu singen. (Es ist interessant festzustellen, daß sich bei einem Vergleich von Pyritz' Liste petrarkistischer Stilmerkmale mit, sagen wir, Bosquets Beschreibung manieristischer Charakteristika in der bildenden Kunst eine überraschend große Anzahl von Gemeinsamkeiten ergeben.)[56] Gleichzeitig kann man sehen, daß Fleming, ein weitaus größerer Dichter als Opitz, noch ganz der Renaissance verhaftet ist; er ist selbstbewußt, von sich überzeugt und wirbt mit Würde, nicht mit Tränen. Er verwendet jedoch in seinen Gedichten, bewußt und wohlüberlegt, die künstlerischen Mittel des Manierismus. Auch Johann Christian Günther, dieses so problematische Bindeglied zwischen Spätbarock und 18. Jahrhundert, gebraucht die gleichen manieristischen Kunstmittel, um seine Flavien, Leono-

---

[53] ›Krieg vnd Sieg Christi, Gesungen In 100 Sonneten Da in jedem vnd jeglichem Verse die beyden wörter, KRIEG vnd SIEG auffs wenigste einmahl, befindlich seyn. Wittenberg, ... 1631‹.

[54] ›Gedichte von Georg Rodolf Weckherlin‹, hrsg. v. Karl Goedeke (Leipzig, 1873), S. 106.

[55] Cysarz, op. cit., I, S. 252.

[56] Ich denke an solche Merkmale wie die Verehrung des weiblichen Körpers, die mythologischen Themen, die „Pretiosen-Motivik", die Tod-Eros-Beziehung usw. Pyritz' Buch heißt: ›Paul Flemings Liebeslyrik: Zur Geschichte des Petrarkismus‹ (= Palaestra 234, Göttingen, 1963); das Buch von Bosquet heißt: Mannerism: The Painting and Style of the Late Renaissance (New York, 1964); siehe hierzu auch den Abschnitt über den Petrarkismus bei Hauser, S. 299 ff.

ren, Rosetten und Phillisen zu umwerben, aber kann man einen so
gequälten Geist einen Manieristen nennen? Hofmannswaldau und
die anderen Dichter der Neukirch-Sammlung [57] sind ebenso manieriert wie irgendein anderes Beispiel, das wir uns vorstellen können.
Die neueste Veröffentlichung der Werke der ›Pegnitz-Schäfer‹ [58]
könnte als eine Anthologie manieristischer Stilelemente dienen, die
hinter der Maske der Schäfer auf arkadischen Gefilden verborgen
sind. Ja sogar Quirinus Kuhlmann, Catharina Regina von Greiffenberg und Friedrich von Spee haben manieristische Merkmale
gemeinsam. Man kann daran klar erkennen, daß der Manierismus
nicht Ausdruck einer einheitlichen Denkweise ist; er ist vielmehr ein
Stil oder eine Stilisierung, die von den unterschiedlichsten Dichtern
unter den gegensätzlichsten Umständen verwendet wird. Hiermit
überwinden wir die Hindernisse, die der Forderung nach einer
Bezeichnung für das Barock, die sich nur auf ein Land, eine Periode
oder eine Philosophie beschränkt, in den Weg gelegt sind. Das Barock ist weder identisch mit spanischem Einfluß (Hatzfeld) noch mit
Gegenreformation (Müller) noch mit einem ewig wiederkehrenden
Stilphänomen (d'Ors). Das Barock ist eine historische Epoche, die
sich aus einer verspäteten oder zweiten Renaissance des Nordens
entwickelte und die besonders in der Literatur (am augenfälligsten,
wie unsere Untersuchung zeigt, in Deutschland) die stilistischen
Merkmale beibehält, die in der Spätrenaissance entwickelt wurden,
und zwar auf der Basis eines Versuchs, durch die Imitation der klassischen Rhetorik und Poetik eine Wirkung zu erzielen, auch wenn
man dabei die Absicht merken mag.

[57] ›Herrn von Hoffmannswaldau und andrer Deutschen auserlesener
und bißher ungedruckter Gedichte erster theil‹, hrsg. v. Angelo George
de Capua und Ernst Alfred Philippson (Tübingen, 1961).
[58] ›Die Pegnitz Schäfer Georg Philipp Harsdörffer Johann Klaj Sigmund von Birken Gedichte‹, hrsg. v. Gerhard Rühm (Berlin, 1964).

Wilfried Barner, Barockrhetorik. Untersuchungen zu ihren geschichtlichen Grundlagen.
Tübingen: Max Niemeyer Verlag 1970, S. 3—21. (Mit Genehmigung des Max Niemeyer
Verlages Tübingen.)

NIETZSCHES LITERARISCHER BAROCKBEGRIFF

Von WILFRIED BARNER

a) Ein unzeitgemäßer Entwurf

„Wer sich als Denker und Schriftsteller zur Dialektik und Aus-
einanderfaltung der Gedanken nicht geboren oder erzogen weiss,
wird unwillkürlich nach dem Rhetorischen und Dramatischen greifen: denn zuletzt kommt es ihm darauf an, sich verständlich zu
machen und dadurch Gewalt zu gewinnen, gleichgültig ob er das
Gefühl auf ebenem Pfade zu sich leitet oder unversehens überfällt
— als Hirt oder als Räuber." Mit diesem ebenso provozierenden
wie scharfsinnigen Satz beginnt Nietzsche seine Skizze ›Vom Barockstile‹, die 1879 erscheint [1] — nahezu vier Jahrzehnte vor dem
Einsetzen der literarischen Barockforschung.

Nicht nur das ‚Unzeitgemäße‘, in die Zukunft Weisende seiner
Barockvorstellung verdient Beachtung. Heute, nachdem die Literatur über ‚Barock‘ und ‚Barockstil‘ zu einer fast chaotischen Fülle
angewachsen ist,[2] demonstriert Nietzsches Text (der, wie sich zeigen

[1] Nietzsche-Zitate hier und im folgenden nach: Werke, 19 Bde. (u.
Registerbd.), Leipzig 1903—1919 (u. 1926; ›Großoktavausgabe‹); darin
nicht Enthaltenes: nach der Ausgabe von K. Schlechta, 3 Bde., München
²1960. Die Skizze ›Vom Barockstile‹ (Erstdruck 1879 im ersten Band von
›Menschliches, Allzumenschliches‹) ist abgedruckt in Werke 3, S. 76 ff.
(das Zitat: S. 76 f.).

[2] Den besten Überblick gibt R. Wellek, Der Barockbegriff in der
Literaturwissenschaft (1945; mit einem ausführlichen ›Postskriptum‹
1962), in: Grundbegriffe der Literaturkritik (Sprache u. Lit. 24), Stuttgart usw. 1965, S. 57 ff. Zur Ergänzung vgl. den Kongreß-Band Manierismo, barocco, rococò: Concetti e termini. Convegno internazionale —
Roma 21—24 Aprile 1960. Relazioni e discussioni (Accad. Naz. dei
Lincei, Anno, 359 — 1962, Quad. 52. Problemi attuali di scienza e di

wird, kein Produkt eines belanglosen oder zufälligen Geistesblitzes ist) immer noch mit überraschender Aktualität und mit wünschenswerter Schärfe die Grundproblematik aller Barockforschung. Denn die Hindernisse, die ein fehlgeleiteter Literatur- und Dichtungsbegriff dem Verständnis der Barockliteratur in den Weg gestellt hatte, sind bis heute nicht ausgeräumt. Und vor allem: Nietzsche gehört zu den wenigen Repräsentanten der neueren deutschen Geistesgeschichte, die etwas von Rhetorik verstanden.[3] Er wird damit zum Kronzeugen bei der Frage nach Rhetorik in der deutschen Barockepoche.

Vier Grundgedanken bestimmen die Skizze ›Vom Barockstile‹: 1. Barockstil ist allen Künsten gemeinsam. 2. Barockstil ist ein überzeitliches, periodisch wiederkehrendes Phänomen. 3. Barockstil muß in seiner spezifischen Qualität erkannt werden und hat nicht a priori als minderwertig zu gelten. 4. Barockstil ist seinem Wesen nach an ‚das Rhetorische‘ gebunden.

Für die vieldiskutierte ‚Übertragung‘ des Barockbegriffs von den bildenden Künsten auf die Literatur [4] bietet Nietzsche einen der frühesten und bedeutsamsten (aber bisher unbeachteten) [5] Belege. Nachdem es lange Zeit üblich war, diese Übertragung mit Fritz Strichs Lyrik-Aufsatz vom Jahre 1916 [6] beginnen zu lassen, hat sich

cultura), Roma 1962 und das dem Problem ‚Barock‘ und ‚Manierismus‘ gewidmete erste Heft der Colloquia Germanica (1, 1967, S. 2 ff.).

[3] Als „den größten Kenner deutscher Rede" bezeichnet ihn W. Jens, Von deutscher Rede, München 1969, S. 21. Das Thema ›Nietzsche und die Rhetorik‹ wird eine Monographie von J. Goth eingehender behandeln.

[4] Darüber besonders H. Tintelnot, Zur Gewinnung unserer Barockbegriffe, in: Die Kunstformen des Barockzeitalters. Vierzehn Vorträge. Hrsg. v. R. Stamm (Sammlg. Dalp. 82), Bern 1956, S. 13 ff.; vgl. dens., Über den Stand der Forschung zur Kunstgeschichte des Barock. DVjs 40, 1966, S. 116 ff.; ferner J. Hermand, Literaturwissenschaft und Kunstwissenschaft. Methodische Wechselbeziehungen seit 1900 (Sammlg. Metzler. 41), Stuttgart 1965, S. 38 ff.

[5] Kurzer Hinweis (1962) bei Wellek, a. a. O., S. 88 (zur Mißdeutung der Stelle s. u.).

[6] Der lyrische Stil des 17. Jahrhunderts, in: Abhandlungen zur deutschen Literaturgeschichte. Festschr. f. F. Muncker, München 1916, S. 21 ff.;

das Bild der Entwicklung in den letzten Jahren erheblich differenziert. Nicht nur daß den Beiträgen Valdemar Vedels [7] und Karl Borinskis [8] (beide 1914) der ihnen gebührende Platz zugewiesen wurde; in einzelnen Fällen konnte man Spuren sogar bis in die 90er und 80er Jahre des vorigen Jahrhunderts zurückverfolgen, und insbesondere hob man hervor, daß der große Initiator kunstgeschichtlicher wie literarischer Barockforschung, Heinrich Wölfflin, den Barockbegriff bereits selbst auf poetische Texte angewendet hat (1888).[9]

jetzt auch in: Deutsche Barockforschung. Dokumentation einer Epoche. Hrsg. v. R. Alewyn (Neue Wissenschaftl. Bibl. 7), Köln u. Berlin 1965, S. 229 ff. (Zitate im folgenden nach diesem Abdruck); Retraktation und (modifizierende) Verteidigung der Thesen in dem Vortrag: Die Übertragung des Barockbegriffs von der bildenden Kunst auf die Dichtung, in: Die Kunstformen des Barockzeitalters, S. 243 ff. Zu Strichs Aufsatz vgl. auch F. Beißner, Deutsche Barocklyrik, in: Formkräfte der deutschen Dichtung vom Barock bis zur Gegenwart (Kl. Vandenhoeck-R., Sonderbd. 1), Göttingen 1963, S. 35 ff.

[7] Den digteriske Barokstil omkring aar 1600, Edda 2, 1914, S. 17 ff.

[8] Die Antike in Poetik und Kunsttheorie vom Ausgang des klassischen Altertums bis auf Goethe und Wilhelm von Humboldt, Bd. 1 (Untertitel: Mittelalter, Renaissance und Barock), Leipzig 1914; vgl. Wellek, a. a. O., S. 59. In der Literatur zur Geschichte der Barockforschung scheint man übersehen zu haben, daß Borinski bereits 1886 vom ›poetischen Barock‹ spricht: Die Poetik der Renaissance und die Anfänge der litterarischen Kritik in Deutschland, Berlin 1886, S. VII: „Erste Zeichen des poetischen Barock" (vgl. S. 306 u. 320).

[9] Renaissance und Barock, München 1888, S. 83 ff.: Vergleich von Ariosts ›Orlando furioso‹ und Tassos ›Gerusalemme liberata‹ unter dem Gesichtspunkt der beiden Epochen; dann im einzelnen ausgeführt von T. Spoerri, Renaissance und Barock bei Ariost und Tasso. Versuch einer Anwendung Wölfflin'scher Kunstbetrachtung, Bern 1922; dazu besonders Strich, Die Übertragung des Barockbegriffs ..., S. 244 ff. (»Ich ließ mich jedoch in keinem Augenblick einschüchtern und fand Trost und Stärkung bei meinem Lehrer, Heinrich Wölfflin, der mein Tun bedingungslos billigte«, S. 246; in seinem Aufsatz von 1916 hatte er Wölfflin allerdings nicht erwähnt). Vgl. im übrigen W. Rehm, Heinrich Wölfflin als Literarhistoriker (SB München, Phil.-hist. Kl. 1960/9), München 1960.

Aber auch dies liegt später als Nietzsches Skizze ›Vom Barockstile‹. Ihr bleibt der Rang eines unzeitgemäßen, hellsichtigen Entwurfs. Nun soll es hier keineswegs darum gehen, Nietzsche als
primus inventor in einem vordergründigen Sinne zu etablieren.
Auch Nietzsches Originalität ist nicht absolut. Je genauer man die
Geschichte der Barockforschung verfolgt, desto klarer zeigt sich,
daß sowohl die Hinwendung der Kunstwissenschaft zum Barock als
auch die Übertragung des Barockbegriffs auf die Literatur nur im
Zusammenhang eines umfassenden Geschmacks- und Methoden-
wandels verstanden werden kann. Als gegen Ende der 80er Jahre
des vorigen Jahrhunderts die ersten bahnbrechenden Arbeiten vor
allem von Gurlitt und Wölfflin erscheinen,[10] hat sich die Barockkunst in weiten Kreisen des kunstliebenden (und kaufenden) Publikums längst einen festen Platz erobert; die Anfänge reichen bis in
die 60er Jahre zurück. Die Kunstwissenschaft folgt also nur einer
bereits weitverbreiteten Geschmackstendenz [11], durchaus im Gegensatz zur späteren literarischen Barockforschung [12]. In beiden Wissenschaften aber vollzieht sich die Entdeckung des Barock im Zeichen einer neuen, gegen Historismus und Positivismus gerichteten [13]
typologischen, morphologischen bzw. formalästhetischen Betrachtungsweise.[14]

Daß Nietzsche zu den Wegbereitern dieser geisteswissenschaftlichen Umwälzungen gehört, ist bekannt. Seine Hinweise auf
‚Barockstil‘ und ‚Rhetorik‘ freilich blieben ungehört, und bis der
literarische Barockbegriff sich im Schlepptau der Kunstgeschichte

[10] Näheres bei Tintelnot, Zur Gewinnung unserer Barockbegriffe,
S. 42 ff.

[11] Tintelnot, a. a. O., S. 37.

[12] Die oft betonte Affinität der frühen Barockforschung zum Expressionismus liegt auf einer anderen Ebene; denn verglichen mit dem Gebiet
der bildenden Kunst kann von einem wesentlichen Interesse des damaligen
Publikums am Gegenstand der Forschung selbst, der Literatur des
17. Jahrhunderts, keine Rede sein.

[13] Hierzu vor allem R. Wellek, Die Auflehnung gegen den Positivismus in der neueren europäischen Literaturwissenschaft, in: Grundbegriffe
der Literaturkritik, S. 183 ff.

[14] Einzelheiten bei Hermand, a. a. O., S. 4 ff. (mit weiterer Literatur).

durchzusetzen begann, vergingen Jahrzehnte.[15] Um so überraschender ist die Selbstverständlichkeit, mit der Nietzsche von Barockstil in der Literatur spricht: der „Schriftsteller" hat, wie der zitierte Einleitungssatz zeigt, geradezu den Vorrang. Der zweite Satz erweitert dann kurz die Perspektive: „Diess gilt auch (!) in den bildenden wie musischen Künsten."[16] Doch erst gegen den Schluß hin wird der Aspekt der bildenden Künste noch einmal explizit aufgenommen: „Barockstil" gebe es „in der Poesie, Beredsamkeit, im Prosastile, in der Sculptur ebensowohl als bekanntermaassen in der Architektur."[17] Nietzsche ist sich sehr wohl bewußt — der Zusatz „bekanntermaassen" bestätigt es —, daß der Begriff ‚Barockstil' ursprünglich in der bildenden Kunst beheimatet ist[18] und daß seine eigene Verwendung des Terminus eine noch ungewohnte Übertragung darstellt.

Seine Konzeption reicht aber noch weiter. „Gerade jetzt, wo die Musik in diese letzte Epoche übergeht, kann man das Phänomen des Barockstils in einer besonderen Pracht kennen lernen."[19] Es ist kaum gewagt, in Richard Wagner den eigentlichen Bezugspunkt dieses Satzes zu vermuten.[20] Wagnersches Musiktheater als barockes

[15] „Erst in den Jahren 1921 und 1922 fand ‚Barock' als literarischer Terminus in Deutschland allgemein großen Anklang" (Wellek, a. a. O., S. 60).

[16] Werke 3, S. 77.

[17] A. a. O., S. 78.

[18] Während Ursprung und Etymologie des Wortes ›barock‹ seit Borinski und Croce auf die verschiedenartigsten Weisen erklärt wurden (syllogistische Schlußfigur, schiefrunde Perle etc.; über die neueren, vor allem von romanischer Seite vorgelegten Versuche berichtet H. Hatzfeld, Der gegenwärtige Stand der romanistischen Barockforschung [SB München, Phil.-hist. Kl. 1961/4], München 1961, S. 3 f.), ist es nie zweifelhaft gewesen, daß seit dem 18. Jahrhundert die Beziehung auf Werke der bildenden Kunst den Wortgebrauch bestimmte.

[19] Werke 3, S. 78.

[20] Im Jahre 1878, als der erste Teil von ›Menschliches, Allzumenschliches‹ (mit der Skizze ›Vom Barockstile‹) abgeschlossen wird, ist der Bruch mit Wagner noch nicht vollzogen; Nietzsche übersendet ihm sogar noch ein Exemplar der Schrift.

Gesamtkunstwerk, als Wiedergeburt der Barockoper[21] — das schien einleuchtend, ja zwingend; aus dem Durchleben der ‚Krankheit' Wagner kommt einer der entscheidenden Impulse zu Nietzsches Barock-Konzeption. Noch Jahre später notiert er: „der deutsche Barockstil in Kirche und Palast gehört als Nächstverwandter zu unsrer Musik, — er bildet im Reiche der Augen dieselbe Gattung von Zaubern und Verführungen, welche unsre Musik für einen anderen Sinn ist".[22]

Wechselseitige Erhellung der Künste: lange vor Oskar Walzel[23] übt diese Idee auf Nietzsche eine eigentümliche Faszination aus. Sie treibt ihn so weit, daß er sogar „eine Art Barocco im Reiche der Philosophie" zu beschreiben versucht,[24] ein weiteres Projekt späterer Jahrzehnte, das Nietzsche antizipiert hat.[25] Ob Philosophie,

[21] Wölfflin wies später darauf hin, „daß die Kunstweise Richard Wagners sich vollständig mit der Formgebung des Barocks decke, und es sei kein Zufall, daß Wagner gerade auf Palästrina zurückgreife" (Strich, Die Übertragung des Barockbegriffs . . ., S. 248).

[22] Werke 14, S. 140 (aus: ›Unveröffentliches aus der Umwerthungszeit 1882/3—1888‹). Zur prinzipiellen Bedeutung Wagners für Nietzsche vgl. K. Hildebrandt, Wagner und Nietzsche. Ihr Kampf gegen das XIX. Jahrhundert, Breslau 1924; E. Gürster, Nietzsche und die Musik, München 1929.

[23] Seine Schrift: Wechselseitige Erhellung der Künste. Ein Beitrag zur Würdigung kunstgeschichtlicher Begriffe, erschien Berlin 1917. Zur weiteren Entwicklung dieser Forschungsrichtung vgl. Hermand, a. a. O., S. 16 ff.; außerdem P. Salm, Oskar Walzel and the notion of reciprocal illumination in the arts, GR 36, 1961, S. 110 ff.

[24] Werke 14, S. 140: „auch diese Philosophie, mit ihrem Zopf und Begriffs-Spinngewebe, ihrer Geschmeidigkeit, ihrer Schwermuth, ihrer heimlichen Unendlichkeit und Mystik gehört zu unsrer Musik und ist eine Art Barocco im Reiche der Philosophie". Der Zusammenhang des Textes läßt vermuten, daß Nietzsche hier insbesondere an Leibniz und Spinoza denkt.

[25] Vor allem an Leibniz, Descartes und Pascal hat man ‚barocke' Züge aufzuzeigen versucht: H. Cysarz, Barocke Philosophie? Ein Weg zu Descartes, in: Welträtsel im Wort, Wien 1948, S. 92 ff.; J. Maggioni, The ›Pensées‹ of Pascal. A study in baroque style, Washington 1950 (vgl. T. Spoerri, Die Überwindung des Barock bei Pascal, Trivium 9, 1951, S. 16 ff.).

Musik oder bildende Kunst, für Nietzsche haben sie letztlich nur
erläuternde, spiegelnde Funktion. Sein Interesse gilt, wenigstens in
dieser Skizze, der Literatur.

b) Typologische und epochale Aspekte

Wechselseitige Erhellung der Zeitalter ist die andere Konsequenz,
die sich aus Nietzsches synoptischem Barockbegriff ergibt. Barockstil ist überzeitlich, er wiederholt sich in der Geschichte.[26] Auch
unter diesem Gesichtspunkt erscheint es Nietzsche reizvoll und
nützlich, sich näher mit der zeitgenössischen Musik zu befassen.
Man kann „Vieles durch Vergleichung daraus für frühere Zeiten
lernen: denn es hat von den griechischen Zeiten ab schon oftmals
einen Barockstil gegeben".[27] Nicht erst in der Neuzeit, sondern
zwischen Griechentum und Gegenwart vollzieht sich die Geschichte
des Barockstils. Daß den klassischen Philologen Nietzsche vor allem
die Frage nach Barockstil in der Antike reizt, verwundert kaum.
In einer anderen Notiz aus ›Menschliches, Allzumenschliches‹ entdeckt er den „Barockstil des Asianismus",[28] und ein Aphorismus
aus der gleichen Zeit konstatiert: „Griechischer Dithyrambus ist
Barockstil der Dichtkunst." [29] Kombinationen solcher Art liegen in
der Luft: 1881 spricht Nietzsches großer Gegner und Verächter
Wilamowitz von „der barockzeit der hellenistischen cultur".[30]

---

[26] Diese Frage läßt sich angemessen natürlich nur im Zusammenhang
von Nietzsches Geschichtsphilosophie verstehen; grundlegend zum Problem
der Periodizität K. Löwith, Nietzsches Philosophie der ewigen Wiederkunft des Gleichen, Stuttgart 1956.

[27] Werke 3, S. 78.

[28] A. a. O., S. 72.

[29] Werke 11, S. 105 (›Aphorismen‹; aus der Zeit von ›Menschliches,
Allzumenschliches‹, 1875/76—1879).

[30] U. von Wilamowitz-Moellendorff, Antigonos von Karystos (Philol.
Unters. 4), Berlin 1881, S. 82 (vgl. noch A. Lesky, Geschichte der griechischen Literatur, Bern u. München ²1963, S. 749: hellenistische Sprach-
form mit „Tendenz zum ... Barocken"; es folgt eine Hegesias-Darstel-
lung). Später gebraucht man das ‚Barock‘-Etikett mit Vorliebe für die

Nach welchem Gesetz aber treten die Barockstile in der Geschichte auf? Das Modell, an dem sich Nietzsche bei der Beantwortung dieser Frage unausgesprochen, aber deutlich erkennbar
orientiert, ist die Abfolge von ‚Renaissance' und ‚Barock',[31] jenes
Epochenpaar also, das vor allem durch Jacob Burckhardt, Nietzsches Basler Kollegen, ins Bewußtsein der Zeit erhoben worden
war.[32] Doch nicht um die Einmaligkeit, Unwiederbringlichkeit der
von Burckhardt gefeierten Kultur geht es Nietzsche, sondern gerade um ein periodisches Phänomen: „Der Barockstil entsteht jedesmal beim Abblühen jeder grossen Kunst, wenn die Anforderungen
in der Kunst des classischen Ausdrucks allzugross geworden sind."[33]
Antithese zu ‚Barock' ist also nicht ‚Renaissance', sondern ‚Klassik', und damit rückt der Barockstil in den Zusammenhang der
großen, vor allem von Goethe, Schiller und den Brüdern Schlegel
formulierten typologischen Dualismen, die Nietzsche, an Schelling
anknüpfend, bereits 1871 unter das Begriffspaar des Apollinischen
und des Dionysischen zu fassen versucht hatte, Barockstil ist diony-
sischer Stil, evident beim griechischen Dithyrambus[34], evident auch
bei Richard Wagner. Barockstil zeigt sich in der Geschichte immer

römische Literatur der Kaiserzeit, und auch dies ist schon angedeutet
bei Wilamowitz: „aus der römischen barockzeit (welche sich, der beschränkten bedeutung der römischen kunst entsprechend nur in der
eloquentia äußern kann) steht uns ein ganz verwandtes beispiel in dem
vater Seneca vor augen" (ebda.).

[31] Der einzige Name, den Nietzsche in der Skizze ›Vom Barockstile‹
nennt, ist bezeichnenderweise Michelangelo, der „Vater oder Grossvater
der italiänischen Barockkünstler" (Werke 3, S. 77).

[32] Über die Beziehungen zwischen den beiden vgl. C. Andler, Nietzsche
und Jacob Burckhardt, Basel 1926; A. von Martin, Nietzsche und Burckhardt. Zwei geistige Welten im Dialog, München u. Basel [4]1947; E. Salin,
Jakob Burckhardt und Nietzsche, Heidelberg [2]1948; E. Heller, Burckhardt
und Nietzsche, in: Enterbter Geist (edition suhrkamp. 67), Frankfurt a. M.
1964, S. 7 ff.

[33] Werke 3, S. 77.

[34] Die Ausdehnung des dionysischen Prinzips auf das Ganze der
attischen Tragödie hat bekanntlich die leidenschaftliche Kritik von Wilamowitz herausgefordert.

wieder aufgrund eines gleichsam biologisch-evolutionären Geschehens, das sich als „eine Nothwendigkeit",[35] „als ein Natur-Ereig-
niss"[36] vollzieht.

Hier wird zugleich ein erster Ansatz zur ästhetischen Wertung
des Phänomens erkennbar. Einerseits bleibt Barockstil an das „Abblühen" von ‚Klassik' gebunden, wie ein defizienter Modus, dem es
„am höchsten Adel, an dem einer unschuldigen, unbewußten, sieg-
haften Vollkommenheit gebricht".[37] Andererseits aber wird es gerade durch die Gesetzmäßigkeit der Wiederkehr erschwert, Barockstil als einmalige Verirrung des künstlerischen Geschmacks abzutun.
Wiederum ist sich Nietzsche deutlich bewußt, daß seine Auffassung
gegen die communis opinio vieler Zeitgenossen steht, daß er mit
eingefahrenen Vorurteilen zu rechnen hat,[38] und so schlägt er
geradezu apologetische Töne an: „Nur die Schlechtunterrichteten
und Anmaassenden werden übrigens bei diesem Wort [sc. ‚Barockstil'] sogleich eine abschätzige Empfindung haben."[39] Und am
Schluß der Skizze nimmt er dies noch einmal mit Nachdruck auf:
„wesshalb es, wie gesagt, anmaassend ist, ohne Weiteres ihn ab-
schätzig zu beurtheilen".[40]

Der Autor, der — gewissermaßen e contrario — das Barockbild
auch der 70er Jahre immer noch weitgehend prägte, war Jacob
Burckhardt.[41] Wer sich den neobarocken Tendenzen des Publikums-
geschmacks wie der künstlerischen Produktion verschloß, konnte

[35] Werke 3, S. 72.

[36] A. a. O., S. 77.

[37] A. a. O., S. 78. Die Nähe zu Schillers Konzeption des Naiven und
des Sentimentalischen ist unverkennbar. Zu Hegels Verwendung des
Wortes ‚unschuldig' s. unten.

[38] Zunehmende Empfänglichkeit des Publikums für barocke Stilformen
bedeutete ja noch keineswegs, daß sofort auch der Begriff des ‚Barocken'
rehabilitiert war.

[39] Werke 3, S. 77.

[40] A. a. O., S. 78.

[41] Über die Grundlagen, auf denen Burckhardt selbst aufbaute:
H.-G. Brietzke, Zur Geschichte der Barockwertung von Winckelmann bis
Burckhardt (1755—1855), Diss. Berlin (FU) 1954; E. Paul, Die Be-
urteilung des Barock von Winckelmann bis Burckhardt, Diss. Leipzig 1956.

sich mit gutem Recht auf die Autorität des großen Historikers der Renaissance berufen.[42] Während jedoch in der ›Cultur der Renaissance‹ (1860) die Barockepoche ganz am Rande gelassen werden konnte,[43] war dies im ›Cicerone‹ (1855) schon der Intention des Buchs wegen um einiges schwieriger gewesen. Selbst wenn man nur den „Genuss" der Kunstwerke Italiens suchte, ließen sich die auf Schritt und Tritt begegnenden Zeugnisse der italienischen Barockkunst — schon Goethe erging es so — nicht einfach ignorieren. Auch Burckhardt empfand die Notwendigkeit, sich mit ihnen auseinanderzusetzen, und die Einsichten, die er dabei formulierte,[44] gehören zu den wesentlichen Voraussetzungen von Nietzsches Barockbild.

„Man wird fragen: wie es nur einem Freunde reiner Kunstgestaltung zuzumuthen sei, sich in diese ausgearteten Formen zu versenken, über welche die neuere Welt schon längst den Stab gebrochen?",[45] heißt es am Anfang des Kapitels über ›Barockstyl‹ in Architektur und Dekoration (später folgt noch ein Abschnitt über barocke Skulptur).[46] Doch Burckhardt wendet sogleich ein, von „Verachtung" habe er gerade bei Fachleuten, „bei gebildeten Architekten", nie etwas bemerkt. „Dieselben wissen recht wohl Intention und Ausdruck zu unterscheiden und beneiden die Künstler des Barockstyles von ganzem Herzen, ob der Freiheit, welche sie genossen und in welcher sie bisweilen grossartig sein konnten."[47] Der um Verständnis werbende Ton ist unüberhörbar: „Die Physiogno-

---

[42] Neben Burckhardt waren vor allem die (ein negatives und beiläufiges Barockbild vermittelnden) Handbücher von W. Lübke und J. Springer verbreitet, vgl. Tintelnot, Zur Gewinnung unserer Barockbegriffe, S. 32 ff.

[43] In der Erstausgabe: Die Cultur der Renaissance in Italien. Ein Versuch, Basel 1860, finden sich keinerlei nennenswerte Ausblicke auf die Kunst der nachfolgenden Epoche.

[44] Zugrunde gelegt im folgenden: Der Cicerone. Eine Anleitung zum Genuss der Kunstwerke Italiens, Basel 1855.

[45] A. a. O., S. 366.

[46] A. a. O., S. 690 ff.

[47] A. a. O., S. 367. „Manche Architekten componiren in einem beständigen Fortissimo", fügt er kurz danach hinzu (a. a. O., S. 368).

mie dieses Styles ist gar nicht so interesselos wie man wohl glaubt." [48]
Freilich, die Verteilung der Wertakzente ist ebenfalls eindeutig:
„Die Barockbaukunst spricht dieselbe Sprache, wie die Renaissance,
aber einen verwilderten Dialekt davon." [49]

‚Künstlertum', ‚Freiheit', ‚Grossartigkeit', wesenhafte Verknüpfung von Renaissance und Barock — es bedarf nur einer leichten
Verschiebung der Gewichte, um zu Nietzsches Barockauffassung zu
gelangen. „Dieselbe Summe von Talent und Fleiss, die den Classiker
macht, macht, eine Spanne Zeit zu spät, den Barockkünstler ... Die
Barockkunst trägt die Kunst der Höhe mit sich herum und verbreitet sie. Ein Verdienst!", verkündet Nietzsche. [50] Die Achtung
vor der Klassik als dem „reineren und grösseren Stil" [51] bleibt
gewahrt. Doch das tiefergehende ‚Interesse' (mit Burckhardt zu
reden), ja die „Bewunderung" Nietzsches gehört eingestandenermaßen dem Barockstil. [52] Auch dieser hat „seine Grösse", seine Stil-
qualitäten „sind in den früheren, vorclassischen und classischen
Epochen einer Kunstart nicht möglich, nicht erlaubt: solche Köstlichkeiten hängen lange als verbotene Früchte am Baume" [53].

[48] A. a. O., S. 367.
[49] A. a. O., S. 368.
[50] Werke 11, S. 76 (›Aphorismen‹; aus der Zeit von ›Menschliches, Allzumenschliches‹, 1875/76—1879). Zur Definition von ‚Klassik' vgl. den
vorausgehenden Aphorismus: „Der classische Geschmack: nichts begünstigen, was die Kraft der Zeit nicht zu reinem und mustergültigem Ausdruck zu bringen vermöchte, also ein Gefühl der der Zeit eigenthümlichen
Kraft und Aufgabe" (ebda.).
[51] Werke 3, S. 78.
[52] Durchaus unzutreffend also die Behauptung von H. Cysarz, daß „das
Wort ‚barock' ... vorzüglich bei Nietzsche, die Geltung fast eines Ekel-
namens angenommen hat" (Vom Geist des deutschen Literatur-Barocks,
DVjs 1, 1923, S. 243 ff.; abgedruckt in: Deutsche Barockforschung,
S. 17 ff.; dort S. 17).
[53] Werke 3, S. 78.

c) Die Umwertung des ‚Rhetorischen'

Nietzsche spricht nahezu wie ein moderner Verehrer des Manierismus, und es wäre nicht ohne Reiz, seine Position (vor allem in ihrer überzeitlichen ‚klassisch-barocken' Dialektik) einmal mit den so folgenreichen Theorien eines Ernst Robert Curtius zu vergleichen[54]. Denn um Literatur vor allem geht es in der Skizze ›Vom Barockstile‹, um den Schriftsteller und Sprachkünstler. Und hier liegt das vielleicht revolutionärste Element des ganzen Entwurfs: die Hervorhebung des ‚Rhetorischen'.

Auf Resonanz konnte Nietzsche gerade dabei nicht rechnen. Kaum etwas war so geeignet, das Interesse am literarischen Barockstil von vornherein zu blockieren wie die Vokabel ‚Rhetorik': Inbegriff einer überwundenen wissenschaftlich-pädagogischen Disziplin,[55] einer auf Oberflächlichkeit, Täuschung und Verstellung beruhenden Sprachhaltung der ‚Unnatur'.[56] Dazu noch die Provokation, Rhetorik nicht im Bereich der politischen Rede oder der Predigt zu belassen, sondern sogar auf ‚Kunst' anzuwenden, d. h. auch auf Poesie! Das widersprach allen geläufigen Vorstellungen der Ästhetik, wie sie sich seit der Geniezeit in Deutschland herausgebildet hatten und zumal durch die idealistische Philosophie kodifiziert worden waren: Poesie ist autonom, sie trägt ihren Zweck

---

[54] Curtius wählt ‚Manierismus' bekanntlich als „Generalnenner für alle literarischen Tendenzen ...., die der Klassik entgegengesetzt sind"; seine Konzeption beruht auf der „Polarität von Klassik und Manierismus" (Europäische Literatur und lateinisches Mittelalter, Bern u. München ³1961, S. 277). Auf Nietzsche bezieht sich Curtius in diesem Zusammenhang nicht. H. Friedrich, Epochen der italienischen Lyrik, Frankfurt a. M. 1964, S. 615 zitiert demgegenüber (innerhalb des ›Manierismus‹-Kapitels) aus der Skizze ›Vom Barockstile‹ und nimmt Einfluß von Droysens ›Geschichte des Hellenismus‹ an.

[55] Ihr Absinken im 19. Jahrhundert (unter Verlust der Kontinuität zur antiken rhetorischen Tradition) zeigt M.-L. Linn, Studien zur deutschen Rhetorik und Stilistik im 19. Jahrhundert (Marb. Beitr. z. Germanistik. 4), Marburg 1963.

[56] „Die Rhetorik galt als pomphaft, eitel, trickreich, nichtig, liederlich" (Jens, Von deutscher Rede, S. 29).

wesentlich in sich selbst; Rhetorik ist an äußere, meist niedere Zwecke gebunden,[57] Grenzüberschreitungen sind zutiefst suspekt.

„Das poetische Kunstwerk bezweckt nicht anderes als das Hervorbringen und den Genuß des Schönen; Zweck und Vollbringung liegt hier unmittelbar in dem dadurch selbständig in sich fertigen Werke", konstatierte Hegel.[58] In Einzelfällen kann die dichterische Produktion „so weit gehen, daß ihr dies Machen des Ausdrucks zu einer Hauptsache wird und ihr Augenmerk weniger auf die innerliche Wahrheit als auf die Bildung, die Glätte, Eleganz und den Effekt der sprachlichen Seite gerichtet bleibt. Dies ist dann die Stelle, wo das Rhetorische und Deklamatorische ... sich in einer die innere Lebendigkeit der Poesie zerstörenden Weise ausbildet, indem die gestaltende Besonnenheit sich als Absichtlichkeit kundgibt und eine selbstbewußt geregelte Kunst die wahre Wirkung, die absichtslos und unschuldig sein und scheinen muß, verkümmert."[59] Im gleichen Sinne äußerten sich zahllose andere Theoretiker der Epoche,[60] und selbst für Adam Müller, einen der großen Propheten der Rhetorik in Deutschland, war es selbstverständlich, „daß die Beredsamkeit es allezeit auf einen bestimmten Zweck absieht, während die Poesie überhaupt keinen Zweck, und wenn ja einen, doch gewiß keinen hat, der im Bezirke unserer irdischen Neigungen und Bestrebungen liegt"[61].

Der bei Hegel bereits angedeutete Schritt zur moralischen Ver-

[57] Vgl. Jens, a. a. O., S. 34 ff.

[58] Ästhetik. Mit einer Einführung v. G. Lukács hrsg. v. F. Bassenge, 2 Bde., Frankfurt a. M. o. J. (¹1955); das Zitat: Bd. 2, S. 357.

[59] A. a. O., S. 374. ‚Unschuld' ist die gemeinsame Auszeichnung von ‚Poesie' und ‚Klassik', im Gegensatz zur ‚Rhetorik'.

[60] Vgl. etwa das bei Jens, a. a. O., S. 34 wiedergegebene Zitat aus Eschenburgs ›Entwurf einer Theorie und Literatur der schönen Redekünste‹.

[61] Zwölf Reden über die Beredsamkeit und deren Verfall in Deutschland. Mit einem Essay und einem Nachwort v. W. Jens (sammlg. insel. 28), Frankfurt a. M. 1967, S. 79 (aus der vierten Vorlesung: ›Verhältnis der Beredsamkeit zur Poesie‹). Friedrich Schlegel: „Alle Poesie, die auf einen Effekt ausgeht, ist rhetorisch" (Seine prosaischen Jugendschriften. Hrsg. v. J. Minor, Bd. 2, Wien 1882, S. 246).

ketzerung alles Rhetorischen, vor allem im Zusammenhang der Poesie, war immer rasch getan.[62] „In der Dichtkunst geht alles ehrlich und aufrichtig zu", konstatierte Kants ›Kritik der Urteilskraft‹; „aber Rednerkunst (ars oratoria) ist, als Kunst, sich der Schwächen der Menschen zu seinen Absichten zu bedienen . . ., gar keiner Achtung würdig".[63] Auch das oft behandelte, spezifisch deutsche Problem des „Spricht die Seele, so spricht ach! schon die Seele nicht mehr" spielt dabei häufig eine entscheidende Rolle. „Poesie ist, rein und echt betrachtet, weder Rede noch Kunst", heißt es in den ›Noten und Abhandlungen zum Westöstlichen Divan‹.[64] „Die Redekunst aber . . . ist Verstellung vom Anfang bis zu Ende."[65] Und im zweiten Buch von ›Wilhelm Meisters Wanderjahren‹ notiert Goethe: „Die Redekunst ist angewiesen auf alle Vorteile der Poesie, auf alle ihre Rechte; sie bemächtigt sich derselben und mißbraucht sie, um gewisse äußere, sittliche oder unsittliche, augenblickliche Vorteile im bürgerlichen Leben zu erreichen."[66]

[62] Mit Vorliebe griff man dabei auf das Urteil Platons im ›Gorgias‹ zurück (weniger häufig auf den in dieser Hinsicht modifizierenden ›Phaidros‹; vgl. dazu auch Nietzsche, Werke 18, S. 241).

[63] Werke in sechs Bänden. Hrsg. v. W. Weischedel, Bd. 5, Wiesbaden 1957, S. 431 (§ 53). Kant ist deutlich bemüht, zwei Erscheinungsformen der ‚Beredsamkeit' auseinanderzuhalten. „Die Beredsamkeit, sofern darunter die Kunst zu überreden, d. i. durch den schönen Schein zu hintergehen (als ars oratoria), und nicht bloße Wohlredenheit (Eloquenz und Stil) verstanden wird, ist eine Dialektik . . ." (a. a. O., S. 430); „Beredtheit und Wohlredenheit (zusammen Rhetorik) gehören zur schönen Kunst" (S. 431).

[64] Hamb. Ausg. 2, S. 186. Die vielzitierte Stelle aus dem ›Nacht‹-Gespräch zwischen Faust und Wagner: Hamb. Ausg. 3, S. 25 (im ›Urfaust‹: S. 372). Daß Goethe auch anders gesprochen hat, betonen Curtius, S. 72, und Jens, a. a. O., S. 25.

[65] Hamb. Ausg. 2, S. 186. Von der „rhetorischen Verstellung" spricht Goethe auch a. a. O., S. 159.

[66] Hamb. Ausg. 8, S. 294 (wörtlich aufgenommen in die ›Maximen und Reflexionen‹, Hamb. Ausg. 12, S. 511); wenige Seiten später heißt es: „Ob die Mathematik Pfennige oder Guineen berechne, die Rhetorik Wahres oder Falsches verteidige, ist beiden vollkommen gleich" (Hamb. Ausg. 8,

Mit dem Verständnis der Literatur anderer Epochen und Nationen gab es allerdings bei einer solchen literarischen Konzeption
gewisse Schwierigkeiten. Goethe bekennt schon nach kurzem Aufent-
halt in Italien, als er in Venedig eine Theateraufführung und die
Reaktion des dortigen Publikums erlebt hat: „Jetzt verstehe ich
besser die langen Reden und das viele Hin- und Herdissertieren im
griechischen Trauerspiele. Die Athenienser hörten noch lieber reden
und verstanden sich noch besser darauf als die Italiener." [67] Weniger einsichtig zeigt sich Hegel. „Ganze Nationen haben fast keine
andere als solche rhetorische Werke der Poesie hervorzubringen
verstanden",[68] erklärt er summarisch, und es ist kaum Zufall, daß
er insbesondere der spanischen Literatur, die im 17. Jahrhundert
ihre ‚goldene Epoche' erlebt, das „Prunken mit einer absichtlichen
Kunst der Diktion" vorwirft.[69] Nicht zuletzt aber gilt sein Wider-
wille der römischen Dichtung: „bei Virgil, Horaz z. B. fühlt sich
sogleich die Kunst als etwas nur Gemachtes, absichtlich Gebildetes
heraus; wir erkennen einen prosaischen Inhalt, der bloß mit äußer-
lichem Schmuck angetan ist, und einen Dichter, welcher in seinem
Mangel an ursprünglichem Genius nun in dem Gebiete sprachlicher
Geschicklichkeit und rhetorischer Effekte einen Ersatz für das zu
finden sucht, was ihm an eigentlicher Kraft und Wirkung des Erfin-
dens und Ausarbeitens abgeht".[70]

Es ist genau der Punkt, an dem der klassische Philologe Nietzsche

S. 308 = ›Maximen und Reflexionen‹, Hamb. Ausg. 12, S. 455); Goethe
mag hier auch an den juridischen Ursprung der Diziplin Rhetorik gedacht
haben.

[67] Hamb. Ausg. 11, S. 81 f. (6. Oktober 1786). Zwei Tage zuvor, nachdem er „Öffentliche Redner" gehört hat, formuliert er die Erkenntnis,
daß die Italiener zu einer Nation gehören, „die, stets öffentlich lebend,
immer in leidenschaftlichem Sprechen begriffen ist" (a. a. O., S. 78 f.).

[68] Ästhetik, Bd. 2, S. 374.

[69] A. a. O., S. 375. „Überhaupt haben die südlichen Nationen, die
Spanier und Italiener z. B. ... eine große Breite und Weitschweifigkeit
in Bildern und Vergleichen" (ebda.). Wie Goethe argumentiert Hegel in
Fragen des ‚Rhetorischen' stark mit dem Volkscharakter.

[70] A. a. O., S. 374 f. Gegenbild ist natürlich Homer: bei ihm „geht der
Ausdruck immer glatt und ruhig fort" (a. a. O., S. 375). Auch die Sprache

ansetzt: „Im Allgemeinen erscheint uns, die wir rohe Sprach-
empiriker sind, die ganze antike Litteratur etwas künstlich und
rhetorisch, zumal die römische. Das hat auch darin seinen tieferen
Grund, daß die eigentliche Prosa des Alterthums durchaus Widerhall der lauten Rede ist und an deren Gesetzen sich gebildet hat:
während unsere Prosa immer mehr aus dem Schreiben zu erklären
ist, unsere Stilistik sich als eine durch Lesen zu percipirende giebt.
Der Lesende und der Hörende wollen aber eine ganz andere Dar-
stellungsform, und deshalb klingt uns die antike Litteratur ‚rhetorisch': d. h. sie wendet sich zunächst ans Ohr, um es zu bestechen." [71]

Die Sätze stehen in Nietzsches Basler Vorlesung vom Sommer-
semester 1874 über das System der antiken Rhetorik; im Winter-
semester 1872/73 war ein Kolleg über ›Geschichte der griechischen
Beredsamkeit‹ vorausgegangen.[72] Schon aus dem hier wiedergege-
benen Zitat geht klar genug hervor, daß Rhetorik für Nietzsche
— im Gegensatz zu den meisten seiner Zeitgenossen — keinen
wesenlosen, obsoleten literarischen Apparat bedeutet, sondern ein
ursprüngliches, anthropologisches Phänomen, das in der Antike
unmittelbar aus dem Lebenszusammenhang hervorgegangen ist.
Auch die früh schon einsetzende pädagogisch-institutionelle Ver-
festigung der Rhetorik faßt Nietzsche ins Auge: „Die Bildung des

Ciceros scheint Hegel „noch naiv und unbefangen genug" (a. a. O., S. 374).
Was ihn vor allem stört, sind die rhetorischen Elemente in der Poesie.

[71] Werke 18, S. 248. Zu Nietzsches Bild der Antike vgl. allgemein
E. Howald, Friedrich Nietzsche und die klassische Philologie, Gotha 1920;
K. Schlechta, Der junge Nietzsche und das klassische Altertum, Mainz
1948. Über die Grundlegung seiner Antikenkenntnis in Schulpforta be-
richtet eingehend R. Blunck, Friedrich Nietzsche. Kindheit und Jugend,
München u. Basel 1953, S. 56 ff.; dort S. 93 ff. u. S. 136 ff. auch über seinen
Entschluß zum Philologie-Studium sowie über die Leipziger Zeit. Basel:
J. Stroux, Nietzsches Professur in Basel, Jena 1925 (vgl. auch die in
Anm. 32 genannten Arbeiten über sein Verhältnis zu Burckhardt).

[72] Die beiden Kollegs sind (hrsg. v. O. Crusius) abgedruckt in: Werke
18, S. 199 ff. u. S. 237 ff. Nietzsche stützt sich (besonders in der ›Geschichte der griechischen Beredsamkeit‹) in der Hauptsache auf die Stan-
dardwerke von Blass und Volkmann (vgl. die Anmerkung von Crusius,
S. 331). Die Unmittelbarkeit des Zugriffs wird dadurch nicht verstellt.

antiken Menschen kulminiert gewöhnlich in der Rhetorik: es ist die höchste geistige Bethätigung des gebildeten politischen Menschen — ein für uns sehr befremdlicher Gedanke!"[73]

Doch bei der Feststellung der historischen Differenz[74] bleibt er nicht stehen. Wie im Fall des Barockstils versucht er, durch typologische Analyse die petrifizierten Vorurteile zu entlarven: „‚Rhetorisch' nennen wir einen Autor, ein Buch, einen Stil, wenn ein bewusstes Anwenden von Kunstmitteln der Rede zu merken ist, immer mit einem leisen Tadel. Wir vermeinen, es sei nicht natürlich und mache den Eindruck des Absichtlichen. Nun kommt sehr viel auf den Geschmack des Urtheilenden an und darauf, was ihm gerade ‚natürlich' ist … Es giebt gar keine unrhetorische ‚Natürlichkeit' der Sprache, an die man appelliren könnte: die Sprache selbst ist das Resultat von lauter rhetorischen Künsten."[75]

d) Der Versuch einer Synthese

Spätestens an dieser Stelle wird erkennbar, daß ‚Rhetorik' und ‚Barockstil' dem gängigen Vorurteil gegenüber in der gleichen Front stehen. Denn ‚Unnatur' war ja der Zentralvorwurf, den die Literaturkritik seit der Geniezeit[76] immer wieder der Barockdichtung

---

[73] A. a. O., S. 239. Nietzsche formuliert die gleiche fundamentale Einsicht, die Goethe in Venedig für die attische Tragödie gewonnen hatte: „Das Volk, das sich an solcher Sprache, der sprechbarsten aller, ausbildete, hat unersättlich viel gesprochen und frühzeitig Lust und Unterscheidungsgabe darin gehabt" (a. a. O., S. 202).

[74] „Die ausserordentliche Entwicklung derselben [sc. der Rhetorik] gehört zu den spezifischen Unterschieden der Alten von den Modernen" (a. a. O., S. 239). Die noch immer großen Schwierigkeiten eines angemessenen Verstehens erläutert der einführende Vortrag von P. Wülfing-v. Martitz, Grundlagen und Anfänge der Rhetorik in der Antike, Euphorion 63, 1969, S. 207 ff.

[75] A. a. O., S. 248 f.

[76] In der Kritik der frühen Aufklärung hatte zunächst der Terminus ‚Schwulst' dominiert (der auch weiterhin im Arsenal blieb); einiges dazu bei M. Windfuhr, Die barocke Bildlichkeit und ihre Kritiker. Stilhaltungen

entgegengehalten hatte, ein Leitmotiv auch der Literaturwissenschaft des 19. Jahrhunderts, sofern sie sich aus positivistischem Pflichtbewußtsein überhaupt mit Texten des 17. Jahrhunderts befaßt hatte.[77] Im ‚Natürlichen' schien man den absoluten Wertmaßstab zu besitzen. Er hatte die seit Jahrhunderten gültige rhetorische Kategorie des *decorum* bzw. *aptum* abgelöst. Noch Goethe selbst verwendet den Begriff des ‚Schicklichen' in seinem Aufsatz ›Baukunst‹ von 1795 [78] eben zur Kritik barocker Stilgebung; und kaum ein anderes Zeugnis vermag die spezifische Diskrepanz von Barock und klassizistischer Kunstauffassung [79] so deutlich zu zeigen wie dieser Aufsatz. In den Paralipomena dazu findet sich folgende entscheidende Notiz zur Barockkunst:

> „Verfall.
> Begriff von Eindruck ohne Sinn für Charakter.
> Sinn für Pracht und Größe. Gemeines Erstaunen zu erregen.
> Menge der Säulen.
> Gegenwart aller Manigfaltigkeit.
> Daraus wird Zierrath als Zierrath.

in der deutschen Literatur des 17. und 18. Jahrhunderts (Germanist. Abh. 15), Stuttgart 1966, S. 312 ff. (der Gegenstand bedarf noch einer eigenen Untersuchung).

[77] Vgl. exemplarisch den Überblick über die Wertung Hofmannswaldaus bei E. Rotermund, Christian Hofmann von Hofmannswaldau (Sammlg. Metzler. 29), Stuttgart 1963, S. 71 ff.

[78] Erstdruck Weim. Ausg. 47, S. 67 ff.; Teilabdruck Hamb. Ausg. 12, S. 35 ff. Die kürzlich erschienene Arbeit von A. Horn-Oncken. Über das Schickliche. Studien zur Geschichte der Architekturtheorie. I. (Abh. Göttingen, Phil.-hist. Kl., 3. Folge Nr. 70), Göttingen 1967 zeigt im einzelnen, wie die Kategorie des πρέπον bzw. *decorum* aus der Rhetorik in die Architekturtheorie übernommen, durch Vitruv weitergegeben und schließlich auch von Goethe rezipiert wurde (zu Goethe: S. 9 ff. u. S. 156 ff.; freilich ohne näheres Eingehen auf das ‚Barock'-Problem).

[79] Über Goethes Verhältnis zur Barockkunst ausführlich der Artikel ›Barock/Barocke Kunst‹ von H.-W. von Löhneysen, in: Goethe-Handbuch. Goethe, seine Welt und Zeit in Werk und Wirkung. Hrsg. v. A. Zastrau, Bd. 1, Stuttgart ²1961, Sp. 767 ff. (mit umfangreichem Material auch zu Goethes Zeitgenossen; über ›Baukunst‹: Sp. 778).

Verlust des Gefühls des schicklichen.
Mangel an Ficktion.
Zuflucht zum Gegensatz
zum Sonderbaren
zum Unschicklichen." [80]

Versucht man, durch die Schutzschicht der Diskreditierung hindurch [81] die Einzelheiten der Barock-Beschreibung zu realisieren, so
wird nicht nur die weitgehende Identität von ,rhetorischem' und
,barockem' Kunstwollen (in der Sicht Goethes) erkennbar, sondern
es ergeben sich auch überraschende Parallelen zu Nietzsches Aus-
gangsposition. Vier Punkte vor allem sind hervorzuheben: die
Tendenz zu Quantität und ,Größe' („Menge der Säulen", „Gegenwart aller Manigfaltigkeit", „Pracht", „Größe"), das artifizielle
Element („Zierrath als Zierrath", „Zuflucht . . . zum Sonderbaren"),
das Durchbrechen der klassizistischen Norm („Verfall", „Verlust
des Gefühls des schicklichen"),[82] die Wirkabsicht („Eindruck", „Gemeines Erstaunen zu erregen").

Auf die Umwertung dieser Phänomene kommt alles an. Erst
wenn ihr Eigenrecht, ihre Eigentümlichkeit anerkannt ist, sind sie
wirklich entdeckt. Ansatzpunkt für Nietzsches Beschreibung des
Barockstils ist die „Bewunderung für die ihm eigenthümlichen
Ersatzkünste des Ausdrucks und der Erzählung. Dahin gehört schon
die Wahl von Stoffen und Vorwürfen höchster dramatischer Spannung, bei denen auch ohne Kunst das Herz zittert, weil Himmel
und Hölle der Empfindung allzunah sind: dann die Beredsamkeit
der starken Affecte und Gebärden, des Hässlich-Erhabenen, der
grossen Massen, überhaupt der Quantität an sich . . .: Die Däm-

---

[80] Weim. Ausg. 47, S. 330 (= Weim. Ausg. 34/2, S. 193). Voraus geht
ein entsprechender Passus über Renaissance-Kunst: „Manigfaltigkeit mit
Charackter . . . Erstaunen des gebildeten Geistes. Was jedes Kunstwerk
erregen sollte . . ." (ebda.).

[81] Vgl. von Löhneysen, a. a. O., Sp. 774: „das Unnatürliche, das er zu
überwinden trachtete".

[82] In diesen Zusammenhang gehört auch Goethes eigene, „über die
architektur-theoretische Überlieferung weit hinaus" gehende Lehre von
der ,Ficktion' (H. von Einem, in: Hamb. Ausg. 12, S. 580).

merungs-, Verklärungs- oder Feuerbrunstdichter auf so starkgebildeten Formen." [83]

Quantität vermag „auch ohne Kunst" zu wirken, dessen ist sich Nietzsche völlig bewußt. Der ‚barocke' Schriftsteller aber greift zur Quantität nur, weil er Kunst in der höchsten Potenz will: „fortwährend neue Wagnisse in Mitteln und Absichten, vom Künstler für die Künstler kräftig unterstrichen".[84] Das Problem der Esoterik, das in dieser Konzeption des ‚L'art pour les artistes' beschlossen liegt, wäre nur innerhalb von Nietzsches gesamter ‚Kunst'-Auffassung angemessen zu diskutieren.[85] Aber dies bleibt festzuhalten: das Artifizielle wird im Barockstil nicht gemieden, sondern gerade gesucht, es wird sogar zur Schau gestellt; und Jacob Burckhardt hatte bestätigt, daß die Leute vom Fach noch nach Jahrhunderten das Können der Barockkünstler zu würdigen wissen.

„Das Aufregende in der Geschichte der Kunst. — Verfolgt man die Geschichte einer Kunst, zum Beispiel die der griechischen Beredsamkeit, so geräth man, von Meister zu Meister fortgehend, bei dem Anblick dieser immer gesteigerten Besonnenheit, um den alten und neuhinzugefügten Gesetzen und Selbstbeschränkungen insgesammt zu gehorchen, zuletzt in eine peinliche Spannung: man begreift, dass der Bogen brechen muss und dass die sogenannte unorganische Composition, mit den wundervollsten Mitteln des Ausdrucks überhängt und maskirt — in jenem Falle der Barockstil des Asianismus —, einmal eine Nothwendigkeit und fast eine Wohlthat war." [86] Damit ist die Umwertung vorsichtig, aber definitiv vollzogen. So hätte Goethe niemals über Barockstil reden kön-

[83] Werke 3, S. 77.
[84] Ebda.
[85] Hierzu sei jetzt generell verwiesen auf H. Hultberg, Die Kunstauffassung Nietzsches, Bergen u. Oslo 1964; vgl. auch P. Pütz, Friedrich Nietzsche (Sammlg. Metzler. 62), Stuttgart 1967, S. 22 ff.
[86] Werke 3, S. 72. Die ‚Wohltat', die aus dem Durchbrechen einer nicht mehr tragfähigen klassischen Norm hervorgeht, betont Nietzsche mehrfach (der Barockstil hat „Vielen von den Besten und Ernstesten seiner Zeit wohlgethan", a. a. O., S. 78).

nen [87]. Der Derivat-Charakter des Barock, seine Gebundenheit an das „Abblühen" klassischer Kunst, bleibt erhalten. Aber daß der Barockstil eigenwertige ‚Kunst' bietet, daß er seine „Köstlichkeiten", „seine Grösse" besitzt [88], ist für Nietzsche nicht mehr zu leugnen. Die Geschichte selbst zwingt zu dieser Einsicht. „Wer hat mehr im Reiche der bildenden Kunst ergriffen und entzückt als Bernini, wer mächtiger gewirkt als jener nachdemosthenische Rhetor, welcher den asianischen Stil einführte und durch zwei Jahrhunderte zur Herrschaft brachte?" [89]. Wo Goethe nur die Absicht registrierte, „Gemeines Erstaunen zu erregen", spricht Nietzsche von ‚Ergreifen' und ‚Entzücken'.

Aber charakteristischer noch scheint seine Parallelisierung der bildenden Barockkunst mit der Rhetorik. Hier setzt er gewissermaßen allen Kredit, den er dem Barockstil zu erringen versuchte, aufs Spiel und löst sich gänzlich vom Boden der traditionellen Barockbetrachtung. Keine Disziplin hatte seit jeher das Wirkenwollen so offen und so unmißverständlich als τέλος propagiert wie die Rhetorik [90]. Der zitierte Eingangssatz zur Skizze ›Vom Barockstile‹

[87] Wo er — in seltenen Fällen — barocker Kunst seine Anerkennung nicht versagen kann, bezieht sie sich ausschließlich auf ein einzelnes Werk oder einen bestimmten Künstler (so bei Palladio: wenn er die „Grenzen überschritt, so verzeiht man ihm doch immer, was man an ihm tadelt"; Hamb. Ausg. 12, S. 37).

[88] Werke 3, S. 78. Friedrich, Epochen ..., S. 615 bezieht dies im engeren Bereich auf die Rhetorik: „Es ist denkwürdig, daß Nietzsche, der so eindringlich das Wesen der Rhetorik, nämlich ihr Künstlertum, verstanden hat, auch ihre Möglichkeit, noch im ‚Abblühen' Kunst zu sein, zu erkennen vermochte."

[89] Werke 2, S. 168 (›Menschliches, Allzumenschliches‹, 1. Bd.). Mit dem ‚nachdemosthenischen Rhetor' ist Hegesias gemeint. Zu Berninis Wille, die klassizistische Norm zu durchbrechen, vgl. auch den Brief Nietzsches an Carl Fuchs (Ende Juli 1877): „Mitunter ... fällt mir die Manier Berninis ein, der auch die Säule nicht mehr einfach erträgt, sondern sie von unten bis oben durch Voluten wie er glaubt lebendig macht" (Schlechta 3, S. 1137).

[90] Der auf das πείθειν zielenden Aristotelischen Definition steht Nietzsche allerdings skeptisch gegenüber, vgl. die Bemerkung in der ›Rhetorik‹-Vorlesung vom Sommer 1874 (Werke 18, S. 241).

läßt an schockierender Offenheit nichts zu wünschen übrig: der Barockkünstler bzw. der Rhetor sucht sein Ziel „als Hirt oder als Räuber". Luther, Nietzsches großes Vorbild, hat ähnliches vom Prediger gefordert: „Ein Prediger muß ein Kriegsmann und ein Hirte sein." [91]

Nietzsche zieht auch aus dieser Unbedingtheit des rhetorischen Wollens die klare Konsequenz, daß „die Rhetorik der unmoralischen Kunst entspricht" [92]. Er scheint damit allen Gegnern der Rhetorik und der rhetorischen Kunst auf willkommenste Weise recht zu geben. Aber sogleich relativiert er das Problem: „Ehrliche Kunst und unehrliche Kunst — Hauptunterschied. Die sogenannte objective Kunst ist am häufigsten nur unehrliche Kunst. Die Rhetorik ist deshalb ehrlicher, weil sie das Täuschen als Ziel anerkennt." [93] Keine Kunst ist auf das Täuschen, auf die Illusion so fundamental angewiesen wie das Theater. Eben deshalb hat Nietzsche immer wieder — nicht zuletzt im Blick auf Wagner [94] — das Schauspielerische der Rhetorik, ja die Identität von Rhetor und Schauspieler betont: „Schauspieler und Redner: erster vorausgesetzt." [95] Das ist gemeint, wenn es heißt, der Barockkünstler greife „nach dem Rhetorischen und Dramatischen"; [96] er tut es, um „sich verständlich zu machen", so wie (nach Adam Müllers berühmtem Wort) Schiller, als der „größte Redner der deutschen Nation", „die dichterische Form nur wählte, weil er gehört werden wollte" [97].

---

[91] Tischreden 1 (Weim. Ausg.), S. 305. Über Luthers Brutalität sehr bezeichnend der Brief Nietzsches an Peter Gast vom 5. Oktober 1879 (nach der Lektüre des zweiten Bandes von Janssen, Geschichte des deutschen Volkes; Schlechta 3, S. 1159).

[92] Werke 10, S. 485 (1874; aus: ›Einzelne Gedanken und Entwürfe‹).

[93] A. a. O., S. 486.

[94] Vgl. vor allem ›Richard Wagner in Bayreuth‹.

[95] Werke 10, S. 485.

[96] Auch die „Wahl von Stoffen und Vorwürfen höchster dramatischer Spannung" gehört in diesen Zusammenhang (Werke 3, S. 77). Wellek, a. a. O., S. 88 mißversteht Nietzsches Konzeption im Sinne „des Verfalls großer Kunst in bloße Rhetorik und Theatralik".

[97] Zwölf Reden über die Beredsamkeit und deren Verfall in Deutschland, S. 41.

Unter dem Gesichtspunkt des ,Theatralischen' schließen sich ,Barock' und ,Rhetorik' noch einmal, vielleicht am überzeugendsten, zusammen. Es ist evident, wie unmittelbar Nietzsches typologischer Barockbegriff speziell dem 17. Jahrhundert, seinem theatralischen Lebensgestus, seiner Illusionskunst und seiner Theaterleidenschaft gerecht zu werden vermag.[98] Und wenn Sprachkunst auch ,Zwekken' dienen, wenn Poesie auch nach ,Wirkung' streben darf,[99] sind die elementaren Voraussetzungen zum Verständnis der Barockliteratur und ihres rhetorischen Grundzugs gegeben.

Welcher Umwertung es bedurfte, um diese Voraussetzungen zu schaffen, sollte hier gezeigt werden. Damit ist weder Nietzsches Konzeption des Rhetorischen noch sein Barockbegriff als absolute Instanz eingesetzt. Man könnte z. B. einwenden, Nietzsche sei zu stark in der Tradition des rhetorischen Irrationalismus befangen geblieben,[100] die dem ,rationalistischen' 17. Jahrhundert nicht gerecht werde (wobei zumindest zwischen Produktion und Effekt zu scheiden wäre).[101] Und man könnte behaupten, es sei — bei ,Barock' wie bei ,Rhetorik' — zuviel von Nietzsches eigenem Wesen mit im Spiel. In der Tat, ohne innere Affinität zu beiden Phänomenen wäre eine so unzeitgemäße Umwertung wohl nicht möglich

---

[98] Dazu Verf., Barockrhetorik, Tübingen 1970, S. 86 ff.

[99] Über Nietzsches Unterscheidung einer ,monologischen Kunst' und einer ,Kunst vor Zeugen' (im 5. Buch der ›Fröhlichen Wissenschaft‹) jetzt eingehend A. Langen, Dialogisches Spiel. Formen und Wandlungen des Wechselgesangs in der deutschen Dichtung (1600—1900) (Annal. Univ. Sarav., R.: Philos. Fak. 5), Heidelberg 1966, S. 11 ff.

[100] Grundlegend darüber K. Dockhorn, Die Rhetorik als Quelle des vorromantischen Irrationalismus in der Literatur- und Geistesgeschichte (Nachr. Göttingen, Phil.-hist. Kl., 1949/5), Göttingen 1949; jetzt in seinem Aufsatzband: Macht und Wirkung der Rhetorik. Vier Aufsätze zur Ideengeschichte der Vormoderne (Respublica Literaria. 2), Bad Homburg v. d. H. usw. 1968, S. 46 ff.

[101] Dies auch gegen Dockhorn, der die Bewußtheit des ›Machens‹ so gut wie nicht berücksichtigt. Gerade am Beispiel der Jesuitenrhetorik (die in manchen Zügen an Nietzsche erinnert) läßt sich zeigen, wie ,irrationale' Mittel mit höchster ,Rationalität' eingeübt und eingesetzt werden. Erst die Gesamtheit von *facere* und *efficere* macht die Rhetorik aus.

gewesen.[102] Subjektiv (und deutlich am Bild Frankreichs orientiert) ist auch die im ›Willen zur Macht‹ entworfene Skizze des 17. Jahrhunderts. Aber sie deutet einiges von den Schwierigkeiten an, die einem Verständnis des Barockzeitalters noch auf lange Zeit hinaus im Wege stehen werden: „Das 17. Jahrhundert ist aristokratisch, ordnend, hochmüthig gegen das Animalische, streng gegen das Herz, ‚ungemüthlich‘, sogar ohne Gemüth, ‚undeutsch‘, dem Burlesken und dem Natürlichen abhold, generalisirend und souverän gegen Vergangenheit: denn es glaubt an sich. Viel Raubthier au fond, viel asketische Gewöhnung, um Herr zu bleiben. Das willensstarke Jahrhundert; auch das der starken Leidenschaft." [103]

[102] Nicht von ungefähr vergleicht Azorín in einem Artikel Nietzsche mit Gracián (Una conjetura: Nietzsche, español, ›El Globo‹, Madrid, Mai 1903). A. Rouveyre, Pages caractéristiques de Baltasar Gracián, Paris 1925 versucht Einfluß Graciáns auf Nietzsches epigrammatischen Stil nachzuweisen. Vgl. im übrigen V. Bouillier, Baltasar Gracián et Nietzsche, RLC 6, 1926, S. 381 ff.

[103] Werke 15, S. 209.

BIOGRAPHISCHES
ÜBER DIE VERFASSER DER BEITRÄGE

ANGYAL, Andreas: geb. 1915 in Preßburg (Bratislava); Studium der Ungarischen Philologie, Germanistik, Slawistik und Kunstgeschichte in Budapest, Bonn, München, Florenz, Warschau und Prag; Gymnasiallehrer Pécs-Fünfkirchen, Debrecen 1943—1953; Kossuth-Universität Debrecen 1953—1965; Wiss. Mitarbeiter Transdanubisches Forschungsinstitut, Dunántuli Tudományos Intézet (Dr. phil. habil.).

BARNER, Wilfried: geb. 3. Juni 1937 in Kleve; Professor für Deutsche Philologie; Studium der Germanistik, Gräzistik und Latinistik in Göttingen und Tübingen; Wiss. Assistent Tübingen seit 1964; Dozent 1969; Professor seit 1971.

BLUME, Friedrich: geb. 5. Januar 1893 in Schlüchtern (Hessen); Professor der Musikwissenschaft; Studium der Musikwissenschaft, Kunstgeschichte und Philosophie in München, Leipzig und Berlin; Universität Leipzig 1921—1923; Berlin 1923—1933; Kiel 1933 bis zur Emeritierung 1958.

BORGERHOFF, Elbert Benton Op'Teynde: geb. 17. Juni 1908 in Cleveland, Ohio (USA); Professor; Studium der Romanischen Sprachen und Literaturen Western Reserve University Cleveland, Ohio, und Princeton University at Princeton, New Jersey; Ph. D. Princeton 1934; Dept. of Romance Languages and Literatures, Princeton University 1934—1968; Direktor Christian Gauss Seminars in Criticism 1952—1956; gest. 1968.

BUCK, August: geb. 3. Oktober 1911 in Delitzsch bei Leipzig; Professor für Romanische Philologie; Studium der Romanischen Philologie, Geschichte und Philosophie in Wien, Berlin, Paris,

Leipzig und Perugia; Lektor für Italienisch Kiel 1936—1937; Lektor für Deutsch Neapel und Venedig 1937—1945; Privatdozent und Professor Kiel 1945—1957; Professor Marburg/Lahn seit 1957.

CONRADY, Karl Otto: geb. 21. Februar 1926 in Hamm (Westf.); Professor für Neuere deutsche Literatur; Studium der Germanistik und Latinistik in Münster (Westf.) und Heidelberg; Dozent Münster 1957; Göttingen 1958; Professor Saarbrücken 1961; Professor Kiel 1962; Professor Köln seit 1969.

CROCE, Benedetto: geb. 25. Februar 1866 in Pescasseroli (Prov. L'Aquila); Philosoph, Historiker und Politiker; Unterrichtsminister 1920—1921; Manifest gegen den Faschismus 1925; Leiter der Liberalen Partei als Gegner der Monarchie 1943—1947 (1944 wieder Minister); gest. 20. November 1952 in Neapel.

CURTIUS, Ernst Robert: geb. 14. April 1886 in Thann (Elsaß); Professor für Romanische Philologie; Studium der Vergleichenden Sprachwissenschaft, des Sanskrit, der neueren französischen und englischen Philologie und Philosophie in Straßburg, Berlin und Heidelberg; Privatdozent Bonn 1914—1920; Professor Marburg/Lahn 1920—1924; Heidelberg 1924—1929; Bonn 1929—1956; gest. 19. April 1956 in Rom.

CYSARZ, Herbert: geb. 29. Januar 1896 in Oderberg (Schlesien); Professor für Literaturgeschichte und Philosophie; Studium der Germanistik, Anglistik, Altertumsforschung, Philosophie und Psychologie; Dozent Wien seit 1922; ao. Professor Wien seit 1926; ord. Professor Prag seit 1928; München 1938; emeritiert seit 1951.

HARTMANN, Horst: geb. 1927 in Berlin; Dozent für Literaturgeschichte; Studium der Germanistik und Anglistik in Berlin und Potsdam; PH ›Karl Liebknecht‹ Potsdam seit 1957.

HATZFELD, Helmut: geb. 4. November 1892 in Bad Dürkheim;

Professor für Romanische Philologie; Studium der Romanischen und Englischen Philologie in München, Berlin und Grenoble; Lehrtätigkeit Universität Frankfurt a. M. 1922—1928; Königsberg 1928—1929; Frankfurt a. M. 1930—1932; Heidelberg 1932—1935; Löwen 1939—1940; Catholic University of America Washington 1940—1968; emeritiert; lebt in Washington.

HUBATSCH, Walther: geb. 17. Mai 1915 in Königsberg (Pr.); Professor für mittelalterliche und neuere Geschichte; Studium der Geschichte, Germanistik und Geographie in Königsberg, München, Hamburg und Göttingen; Lehrtätigkeit Göttingen 1945 bis 1956; Bergakademie Clausthal 1953—1956; Bonn seit 1956; Professur Kansas (USA) 1960 und Uppsala (Schweden) 1963.

LÜTZELER, Heinrich: geb. 27. Januar 1902 in Bonn; Professor für Kunstgeschichte; Studium der Kunstgeschichte, Philosophie und Literaturwissenschaft in Bonn; Privatdozent der Philosophie Bonn 1940—1945; Ausschluß aus der Universität und Rede- und Schreibverbot durch die Nationalsozialisten; Professor; Direktor Kunsthistorisches Institut und Forschungsstelle für Orientalische Kunstgeschichte Bonn seit 1946.

MIGLIORINI, Bruno: geb. 19. November 1896 in Rovigo (Italien); Professor; Studium der europäischen Literaturen und der Romanischen Philologie in Venedig, Padua und Rom; Lehrtätigkeit Fribourg (Schweiz) 1933—1938; Florenz 1938—1972.

PRAZ, Mario: geb. 6. September 1896 in Rom; Professor für Englische Literatur; Studium der Englischen Literatur; Dozent für Italienische Literatur Liverpool 1924—1932; Professor für Italienische Studien Manchester 1932—1934; Professor für Englische Sprache und Literatur Rom 1934—1966; emeritiert 1966.

ROUSSET, Jean: geb. 20. Februar 1910 in Genf; Professor für Romanische Philologie; Studium der Rechte und der Französischen Literatur in Genf; Dozent an deutschen Universitäten; zunächst als Assistent, dann als Professor Genf seit 1950.

SCHIRMER, Walter F.: geb. 18. Dezember 1888 in Düsseldorf; Professor für Englische Philologie; Studium der Anglistik, Germanistik und Romanistik in München, Berlin, Bonn, Oxford und Freiburg i. Br.; Tätigkeit im Höheren Schuldienst (Oberlehrer Deutsche Auslandsschule Bukarest); Privatdozent Freiburg i. Br. 1923; Professor Bonn seit 1925; Tübingen 1929; Berlin 1932 und wiederum Bonn 1946.

SPAHR, Blake Lee: geb. 1924 in Carlisle, Pennsylvania/USA; Professor für Germanistik und Vergleichende Literaturwissenschaft; Studium der Germanistik, Vergleichenden Literaturwissenschaft in Yale University New Haven, Connecticut; Lehrtätigkeit Yale University 1951—1955; University of California at Berkeley, California 1955—1972; Professor Université de Genève seit 1963; Northwestern University Evanston, Illinois 1967—1968.

SPITZER, Leo: geb. 7. Februar 1887 in Wien; Professor für Romanische Philologie Marburg/Lahn seit 1925; Köln 1930, Istanbul 1933; Johns Hopkins University Baltimore, Maryland seit 1936; gest. 17. September 1960 in Forte dei Marmi.

STRICH, Fritz: geb. 13. Dezember 1882 in Königsberg; Professor für Neuere deutsche Literatur und Vergleichende Literaturwissenschaft; Studium der Neueren deutschen Literatur, Germanischen Philologie, Philosophie und Kunstgeschichte in München; Dozent München 1910; Professor München seit 1915; emeritiert 1953.

SZYROCKI, Marian: geb. 1928 in Lubliniec (Polen); Professor für Deutsche Literaturgeschichte; Studium der Philosophie, Psychologie, Kunstgeschichte und Germanistik in Wrocław-Breslau; Dr. habil. 1960; Dozent und Professor Universität Warschau seit 1960; Direktor des Germanistischen Instituts.

WALZEL, Oskar: geb. 28. Dezember 1864 in Wien; Professor; Studium der Germanistik in Wien und Berlin; Hofbibliothekar Wien 1892—1897; Privatdozent Wien 1894—1897; Professor

Bern 1897—1907; Professor TH Dresden 1907—1921; Professor Bonn 1921—1933; gest. 29. Dezember 1944 in Bonn.

WÖLFFLIN, Heinrich: geb. 21. Juni 1864 in Winterthur; Professor für Kunstgeschichte in Basel (als Nachfolger J. Burckhardts), in Berlin, München und Zürich; gest. 19. Juli 1945 in Zürich.

Wege der Forschung

Germanistik

A. Dichter.

Der Ackermann aus Böhmen des Johannes von Tepl und seine Zeit.
Nr. 3969 — Georg Büchner. Nr. 2799 — Studien zum west-östlichen
Divan Goethes. Nr. 4983 — Aufsätze zu Goethes Faust. Nr. 3976 —
Gottfried von Straßburg. Nr. 5398 — Gerhart Hauptmann. Nr. 4424
— Heinrich Heine. Nr. 4987 — Heliand. Nr. 5400 — Hugo von
Hofmannsthal. Nr. 4092 — Franz Kafka. Nr. 5401 — Heinrich von
Kleist. Nr. 3989 — Gotthold Ephraim Lessing. Nr. 4427 — Nibe-
lungenlied und Kudrun. Nr. 2808 — Novalis. Nr. 4735 — Jean Paul.
Nr. 5750 — Der Simplicissimusdichter und sein Werk. Nr. 4010 —
Walther von der Vogelweide. Nr. 3503 — Wolfram von Eschenbach.
Nr. 2819

B. Epochen.

Der literarische Barockbegriff. Nr. 5740 — Begriffsbestimmung des
literarischen Biedermeier. Nr. 5394 — Jugendstil. Nr. 3463 — Begriffsbestimmung der Klassik und des Klassischen. Nr. 4425 — Alt-
deutsche und altniederländische Mystik. Nr. 2601 — Begriffsbestimmung des literarischen Realismus. Nr. 4433 — Begriffsbestimmung
der Romantik. Nr. 4002 — Ritterliches Tugendsystem. Nr. 2811

C. Gattungen.

Zur germanisch-deutschen Heldensage. Nr. 796 — Wesen und Formen
des Komischen im Drama. Nr. 4553 — Zur Lyrik-Diskussion.
Nr. 3627 — Vergleichende Märchenforschung. Nr. 4767 — Der
deutsche Meistersang. Nr. 3991 — Der deutsche Minnesang. Nr. 798
— Novelle. Nr. 2810 — Zur Poetik des Romans. Nr. 2179 — Die
Isländersaga. Nr. 4003 — Mittelhochdeutsche Spruchdichtung.
Nr. 4014 — Tragik und Tragödie. Nr. 3626 — Das deutsche Versepos.
Nr. 3485

WISSENSCHAFTLICHE BUCHGESELLSCHAFT
61 DARMSTADT · POSTFACH 1129

IMPULSE
DER FORSCHUNG

WISSENSCHAFTLICHE BUCHGESELLSCHAFT

61 Darmstadt   Postfach 1129